Claire Tougas
7975 Place Spalding
Anjou H1K 3W6
351-9107

SIRE
GABY
DU LAC ROMAN

Illustration de la couverture: Isabelle Langevin
Photo de l'auteur: Les Paparazzi

Les Quinze, éditeur
(Division de Sogides Ltée)
955, rue Amherst, Montréal
H2L 3K4
Tél.: (514) 523-1182

Distributeur exclusif pour le Canada:
Agence de distribution populaire inc.
(Filiale de Sogides Ltée)
955, rue Amherst, Montréal
H2L 3K4
Tél.: (514) 523-1182

FRANCINE OUELLETTE

SIRE GABY DU LAC

ROMAN

Quinze

Données de catalogage avant publication (Canada)

Ouellette, Francine, 1947 –

   Sire Gaby du Lac

   ISBN 2-89026-388-6

   1. Titre.

PS8579.U34S57 1989   C843'.54   C89-096408-4
PS9579.U34S57 1989
PQ3919.2.093S57 1989

Copyright 1989, Les Quinze, éditeur
Dépôt légal, 3e trimestre 1989
Bibliothèque nationale du Québec

ISBN 2-89026-388-6

Je te dédie ce livre, toi,
qui que tu sois, pauvre ou riche,
jeune ou vieux, célèbre ou
obscur,
ministre ou simple citoyen,
toi qui poses un geste
pour protéger notre petite mère
la Terre et léguer aux enfants
de demain le fabuleux héritage
que nous ont transmis nos pères:
celui de cette planète
unique dans cet univers que nous
habitons.

Sire Lancelot du Lac, un des chevaliers de la Table ronde. Élevé par une fée au fond d'un lac, il s'éprit de la reine Guenièvre, femme du roi Artus, et subit par amour pour elle toutes sortes d'épreuves.

Un gros merci à tous ceux et celles qui, de près ou de loin, ont collaboré à ce roman. La gentillesse et la spontanéité avec lesquelles ces personnes ont acquiescé à mes demandes me touchent énormément. Je ne peux passer leur nom sous silence et souhaite seulement n'avoir oublié personne.

Mme Monique Robillard, Direction de l'aménagement des lacs et cours d'eau.

M. Tony Le Sauteur, Direction de l'aménagement des lacs et cours d'eau.

Mme Lucie Mc Neil et FAPEL (Fédération des associations pour la protection de l'environnement des lacs).

M. Jacques Normandeau, toxicologue, département de santé communautaire de Saint-Jérôme.

M. Roger D. Landry, président du journal *La Presse*.

M. Jean-Paul Soulié, correspondant spécial en Éthiopie.

Mme Dominique Demers, journaliste.

M. Jean-Noël Richer et la municipalité de Saint-Aimé du Lac-des-Îles.

M. Hung Duc Phan, ingénieur, ministère de l'Environnement, Service industriel.

M. Elphège Caron, ministère de l'Environnement, Service agricole.

Dr Jean Parizeau, historien en chef, ministère de la Défense nationale.

Dr Viviane Lagueux et Dr Michel Massé, omnipraticiens, Mont-Laurier.

M. Bernard Lajeunesse, Mont-Laurier.

M. André-Yves Filiatrault, Saint-Jovite.

Mme France Thibeault, municipalité de Des Ruisseaux.

Il est à noter que les personnages du roman *Sire Gaby du Lac* sont purement fictifs et que toute ressemblance avec des personnes existantes ou ayant existé n'est que pure coïncidence.

FRANCINE OUELLETTE

Jeudi, 21 juin 1984.

L a secrétaire, sérieuse et froidement polie, les dirige vers le bureau de monsieur Mantha. Quelque peu rigide, elle adopte une attitude de plus en plus respectueuse au fur et à mesure que ses pas la rapprochent du grand patron. Elle baisse le ton, baisse les yeux, baisse la tête. Tantôt comme un phare pour les recevoir à l'entrée du secrétariat, elle n'est plus qu'une chandelle vacillant devant la porte de son supérieur.

— Attendez-moi ici, je vais vous annoncer.

Une main consciencieuse vérifie la toque tissée de mèches grises avant les trois petits coups d'usage. «Entrez!» La voix est autoritaire, préoccupée.

La femme se glisse dans l'entrebâillement, préservant ainsi jusqu'à la dernière minute l'intimité de son patron.

11

Hervé en profite alors pour se tourner vers ses fils, Florient et Jean-Paul qui semblent aussi intimidés et agacés qu'il l'est lui-même.

— Y fait ça en grand, le beau-frère, chuchote Florient sans desserrer les dents.

— Ouais! J'vois pas pourquoi y nous fait venir icitte. Me semble qu'on aurait été mieux en face, rétorque Hervé en ajustant sa bretelle droite.

En face, c'est chez sa fille et bien que sa propre maison puisse être contenue au moins cinq fois dans la résidence d'été de celle-ci, il s'y sentirait plus décontracté pour discuter affaires avec son gendre. Au moins, elle serait là, elle, au lieu de cette secrétaire réfrigérante. Il serait un peu en pays de connaissance tandis qu'ici...

Le vieil homme promène un regard distrait sur les boiseries, les nombreuses plantes vertes et le tapis moelleux où s'enfonçaient tantôt les talons de la secrétaire.

— Vous pouvez entrer.

Enfin, ce privilège leur est accordé. Les voilà tous trois groupés devant la porte close.

Penché sur des papiers, René Mantha indique d'un geste vague deux fauteuils devant son imposant bureau de chêne.

— Assoyez-vous. Assoyez-vous. J'en ai pour une minute.

Hervé reluque tour à tour les deux fauteuils et ses fils. «Suis-je de trop?» interroge son regard. Haussement d'épaules, froncement de sourcils, un rapide aller et retour des yeux entre le crâne chauve de René Mantha et les deux fauteuils suffisent à jeter la confusion chez les trois invités qui demeurent debout, toujours groupés devant la porte. Prêts à partir. À laisser cet endroit désagréable où le silence est tel qu'on entend le bruit de la signature qu'appose l'homme au bas du document.

— Mais assoyez-vous. Ah! Il manque une chaise. Attendez-moi, je vais demander à Denise. Ce ne sera pas long.

Il disparaît d'un pas lourd. Hervé remarque l'empreinte des souliers dans le tapis et pense tout bonnement que son gendre aurait intérêt à maigrir. Être gras comme un voleur à cet âge peut se révéler dangereux. Cette comparaison lui rappelle le but de sa visite et éveille sa méfiance. Il a déjà fait affaires avec le beau-fils et il ne tient pas à se faire rouler une seconde fois.

12

— Assoyez-vous, papa, offre Jean-Paul en le dirigeant vers un fauteuil. J'pense qu'y fait exprès pour nous mettre mal à l'aise. Y nous a bien dit qu'y voulait discuter avec nous trois.

Florient, l'aîné, approuve d'un hochement de tête en se croisant les bras. Hélas, l'air de confiance en soi qu'il se donne ne leurre personne. Même pas lui. Et surtout pas Mantha qui au retour lui accorde une tape amicale sur l'épaule.

— Tiens, mon Florient: fais comme chez toi. Je t'ai trouvé une chaise. Sois bien à l'aise. J'peux vous offrir quelque chose? Scotch? Whisky?

René Mantha pèse sur un bouton avec l'expression d'un magicien prononçant son *abracadabra*. Un pan de la bibliothèque pivote et laisse apparaître un bar miniature sous leur regard médusé.

— Pour vous, monsieur Taillefer?

— Rien, rien pantoute mon gendre.

Il n'a pas l'habitude de consommer des boissons alcoolisées, sauf aux jours de fête. Et puis, ce n'est pas l'endroit, ni le temps pour s'enivrer.

— Toi, Florient?

— Oh! C'que tu… euh… vous voudrez.

— Ici, tu peux me tutoyer: c'est pas comme dans l'usine. Si jamais t'es engagé, j'aimerais pas être tutoyé devant les employés. Ça pourrait laisser croire que j'fais des passe-droits. Mais ici, on est en famille, non?

— Oui, ben sûr.

— En parlant de ça, j'espère que t'as fait application, toi aussi, Jean-Paul.

— Oui.

— Et qu'est-ce que tu prends, toi?

— La même chose que vous autres.

Ses fils le déconcertent. Il ne les reconnaît plus. D'ailleurs, ils ne sont plus eux-mêmes et fondent littéralement devant René Mantha comme deux bonshommes de neige au soleil. Sans doute parce que Mantha vient clairement d'établir la relation probable de patron-employés.

13

— Bon, allons droit au but. Comme vous voyez, j'ai beaucoup d'ouvrage. La réouverture partielle de l'usine exige beaucoup de travail. Comme ça, vous voulez vous acheter une pépine*?

— Oui. On voudrait t'emprunter l'argent.

— Pourquoi vous allez pas à la banque?

— Ben, à cause de la garette**.

— Ah! Oui, oui, j'me rappelle: celle que vous vous êtes fait saisir cet automne.

Hervé s'impatiente. Ce retour au passé ne tend qu'à affaiblir la position de ses fils.

— Oui... c'est ça. On se l'est fait saisir parce qu'on n'avait pas eu de contrat.

Florient vide son verre d'un trait. Décontenancé. Honteux. Mécontent de revenir à cette période de récession. Visiblement, il aimerait ne plus s'en souvenir. Oublier la débusqueuse garée dans la cour et les regrets pathétiques des compagnies forestières cessant leurs activités.

— Y a pas seulement eux autres qui ont perdu d'la machinerie, intervient Hervé. Ça été pareil partout.

— Bien sûr, bien sûr. Y a eu bien des saisies. Mais pourquoi ne vous achetez-vous pas une autre débusqueuse? Les coupes de bois recommencent.

— C'est pas assez sûr. On n'sait jamais quand ça va fermer.

— Et des contrats pour la pépine, vous en avez?

— On va en avoir.

Florient se ressaisit. Mise sur l'avenir avec enthousiasme.

— On va en avoir pas mal. Y a beaucoup de riverains qui vont être obligés de faire faire leur fosse septique.

— Comment ça?

— Ben, à cause qu'y ont eu l'étude des eaux. Déjà là, ça nous fait un bon marché. Pis y a la municipalité aussi qui en a de besoin pour les fossés pis les égouts. Y a personne dans la place qui en a une.

— Ouais, ça me semble assez sûr, en effet. Surtout si y a personne dans la place qui en a une. Ouais, j'pourrais vous prêter ce qu'il faut. Avec des garanties, comme de raison.

---

* Pépine: excavatrice.
* *Garette: débusqueuse.

— Quelles sortes de garanties?

— Votre terre, monsieur Taillefer.

Hervé bondit.

— Minute! On va d'abord mettre la pépine comme garantie. T'auras juste à la reprendre pis à la vendre, si ça marche pas, réplique-t-il.

— C'est pas suffisant. La machine perd de la valeur...

— Pis la terre, c'est trop. De toute façon, j'dois encore pas mal sur le prêt agricole. Non! La pépine pis la terre, c'est trop. Ça n'a même pas de bon sens. Surtout que ma terre est productive: j'en ai de besoin pour vivre.

Il accorde un regard désolé à ses fils. Il veut bien leur venir en aide, mais pas se faire dépouiller de cette façon.

Un silence. Un temps. Tous deux trop longs, trop imposants. Mantha bascule dans son fauteuil, l'air jongleur tandis que Jean-Paul brasse nerveusement les glaçons au fond de son verre.

Hervé sent la sueur glisser le long de ses côtes. Que cette situation est pénible! Il a l'impression de freiner l'ambition de ses garçons en ne leur octroyant pas aveuglément sa confiance. Encore une fois, son regard se pose sur eux avec beaucoup d'affection et de fierté. Mais il a beau se répéter qu'ils sont courageux et travaillants et que contrairement à ses autres fils, ils tentent sans cesse d'améliorer leur sort, il ne peut oublier que la terre familiale constitue l'héritage qu'il laissera à sa femme d'abord, puis à ses neuf enfants en parts égales. Cela le désole. Il aimerait tant pouvoir leur dire: «Allez-y les p'tits gars. Foncez!» mais le risque est trop grand. Surtout pour lui qui n'a plus l'âge de risquer une telle perte.

— La pépine, plus vos terrains au bord du lac, propose alors Mantha.

— Quels terrains?

— Tous.

— Le torrent compris?

— Le torrent surtout. Ça compensera pour la dépréciation de la pépine si j'ai à la revendre.

— T'es dur.

— Les affaires sont les affaires. J'prête pas sans avoir les terrains pis un droit de passage, ça va de soi.

— Ouais. Laisse-moé y jongler un peu. Y a pas juste moé là-dedans. Flore a son mot à dire.

— Les terrains sont à son nom?

— Non, mais… c'est ma femme.

Comme si le fait d'être sa femme pouvait expliquer quelque chose à René Mantha. Hervé se rend à l'évidence de l'inutilité de sa réponse. Cette histoire de cœur qui les unit au torrent ne saurait être comprise de personne dans cette pièce. C'est un secret que ni l'un ni l'autre n'ont encore formulé. Lui, il aime le torrent parce que son amour a germé près du torrent et elle, elle y retourne à chaque été, puiser dans ses souvenirs, sous prétexte de ramasser des framboises. Non, cette histoire de cœur ne tiendrait pas le coup devant les arguments de Mantha et de ses fils et, à la façon que ceux-ci l'observent, il sait bien ce qu'ils attendent de lui.

— C'est pas comme la terre, P'pa. À part vendre les terrains aux touristes, y a pas d'argent à faire là. Surtout que ces terrains-là sont à pic.

— J'sais ben… mais…

Mais que va en faire Mantha? Voilà la question. Quelle transformation, déformation ou destruction entreprendra-t-il? Combien de temps le torrent pourra-t-il rester vivant entre ses mains avides? Ne lui a-t-il pas accordé, lors du mariage d'Irène, une parcelle de son lot à bois en guise de cadeau de noces? Et qu'en est-il advenu? Une usine de panneaux d'aggloméré qui souille tout autour d'elle et tient les villageois à sa merci.

— Les terrains ou rien du tout. C'est ma dernière offre. À prendre ou à laisser. Vous devriez faire confiance à vos fils: ils ont tout pour réussir. Et puis, si vous voulez que moi je risque soixante-quinze mille dollars, vous pouvez bien risquer à votre tour. Surtout avec des terrains qui n'ont pas une si grande valeur que ça.

Il préférerait en parler à Flore avant de prendre une décision. Plus que toute autre, elle a droit au chapitre.

Le téléphone sonne.

— Écoutez, monsieur Taillefer, je suis assez pressé… excusez-moi. Oui… Hello… Yes… Sure… Right now… It's possible…

Pendant que son gendre s'entretient en anglais, Hervé consulte ses fils du regard. Ils ont la même expression que la fois où, adolescents, ils lui avaient demandé l'autorisation d'équiper le tracteur d'une pelle pour gratter les entrées de cour en hiver. Cette initiative les avait bien récompensés. Pourquoi en serait-il autrement aujourd'hui? Pourquoi leur mettrait-il des bâtons dans les roues en s'attardant au seul échec qu'ils ont subi jusqu'à maintenant: la saisie de la débusqueuse? La récession n'a-t-elle pas ployé d'autres hommes aussi entreprenants qu'eux? Pourquoi s'agrippe-t-il au passé au lieu d'avoir foi en l'avenir comme eux? Ils sont tombés, certes, mais pourquoi diable les empêche-t-il de se relever? De retrousser leurs manches et de recommencer, la tête haute? Serait-il devenu un vieux peureux? Lui? Serait-ce son attitude défaitiste qui a inspiré quatre de ses fils à vivre au crochet de la société? Aller de l'avant, oser, risquer, s'aventurer, sont-ils des mots qu'il a bannis de son vocabulaire? Et puis, l'affaire est sûre. Nul autre ne possède d'excavatrice dans la région. L'affaire est bonne: tant de riverains ont des installations septiques à corriger ou à installer. Il ne risque pas de perdre ses terrains et le torrent. Jamais René Mantha ne pourra se les approprier.

Le vieil homme soupire, se détache de ces regards pendus à lui. Cette attente, cet espoir dans les prunelles de ses fils l'influence. Il aimerait que Flore en soit témoin pour obtenir son approbation. Mais elle est ailleurs, dans sa cuisine, et le temps presse.

Clic! René Mantha attend, la main sur le combiné. Faut donner une réponse.

— C'est d'accord. La pépine en première garantie, les terrains ensuite.

— Avec un droit de passage?

— Avec un droit de passage.

— Nous allons faire les papiers. C'est donc bien entendu entre nous: si vous ne réglez pas vos paiements, je saisis la pépine et les terrains.

Énoncé de cette façon, le contrat qu'il s'apprête à signer lui donne le vertige. C'est tellement cru, tellement évident, tellement périlleux. Et puis Flore, dans sa cuisine, qui ne se doute de rien, qui n'entend pas ces mots, qui n'endosse pas l'espoir de ses fils. Flore qui ne subit pas l'impatience du gendre et les regards des enfants pendus à lui. Hervé se sent soudain pris au piège. Coincé entre le gendre et les fils. Il ne peut plus reculer; c'est trop tard. Il ne peut avoir dérangé pour rien cet homme d'affaires, ni ne peut retirer l'espoir qu'il a fait miroiter jusqu'à maintenant à Florient et à Jean-Paul.

Résigné, il accepte.

— C'est ben entendu.

∗ ∗ ∗

Vendredi, 22 juin 1984.

L'eau est bonne. Assez froide pour le rafraîchir et assez chaude pour permettre à son frère de la ville de s'y baigner. Gaby regarde sa poitrine bronzée et couverte de piqûres, ses jambes pleines de gales et ses orteils entre lesquels se concentrent de petits îlots de saleté. Il s'arrête pour attendre Dominique, tout propre, tout pâle, indemne de toutes piqûres, qui revient de la cabine de déshabillage. Que partage-t-il de commun avec lui, outre cette mère indifférente qui s'est déjà plongée dans la lecture d'un magazine après s'être enduite d'huile? Il partage l'eau. Oui. Cette belle eau et le fond de sable qui monte maintenant entre ses orteils en soulevant des nuages sous-marins. Il sourit. Dominique lève les pieds avec dédain comme la chatte lorsqu'elle marche dans la neige. À le voir agir, on dirait qu'il secoue de la saleté. Pourtant, il ne voit que des gouttes brillantes pleuvoir sur la surface calme du lac. «Ouach! C'est plein d'herbages!»

Ce sont les cachettes des grenouilles, pense Gaby, et le supermarché des poissons. Tante Marjolaine est venue en classe leur expliquer tout cela. Oh! Que sa visite fut agréable! Tous les camarades l'écoutaient. Elle racontait si bien. Si joliment. D'une manière qui lui faisait aimer davantage ce lac. Qui lui faisait voir autrement ce qui n'était auparavant qu'une grande piscine entourée d'arbres. D'une manière qui lui dévoilait tous ces petits mondes, grouillant de vie et passibles de mort, qui habitent, forment et sont finalement le lac. En guise de devoir, Normande, son institutrice, leur avait demandé de dessiner ou de raconter ce qu'ils avaient retenu de l'enseignement. Inapte à parler, il avait concentré ses efforts sur le dessin et avait remporté un prix décerné par l'Association des rive-

18

rains. Cela lui avait valu un beau bec de Normande. Quelle douce chaleur avait alors baigné son âme de bonheur! Elle était si belle, si fine. Comment dire? Et il était si heureux de lui avoir prouvé qu'il était bon en quelque chose. Si heureux de lui montrer qu'il avait très bien compris l'enseignement de tante Marjolaine sur la vie d'un lac. C'était simple dans le fond. Son dessin l'expliquait clairement. C'était comme dans la vie ordinaire mais en plus petit. Tellement petit que souvent invisible à l'œil nu tout comme les microbes qui nous donnent la grippe. Et tous ces petits mondes avaient des tâches bien définies qu'ils exécutaient de leur mieux tels les vidangeurs qui se débarrassaient des déchets et transformaient le reste en nourriture. C'est la vie de tout ce petit monde qu'il avait dessinée, et cela ressemblait à ce qu'il voit présentement: des algues, un fond de vase, des petites bulles et tout plein de poissons qui font leurs provisions pendant qu'à l'ombre les décomposeurs travaillent à nettoyer le lac. Il avait dessiné de longues rangées d'algues comme les rangées du grand magasin Métro.

Gaby imagine l'excitation des enfants-poissons à parcourir les allées, alléchés par ces super-bonnes choses à manger que ses yeux à lui ne voient pas, mais qui sont là. Tout doucement, tout bonnement, il s'avance tandis que Dominique rouspète derrière lui. L'eau touche ses genoux, brûle l'éraflure qu'il s'est faite en dérapant à bicyclette sur l'asphalte de l'entrée.

— T'as pas envie de m'emmener là-dedans?

Bien sûr. C'est là qu'est le supermarché, précisément là où sont concentrées toutes les algues. Et c'est là qu'ils ont la chance d'apercevoir une grenouille étalée sur son nénuphar. Ploc! qu'elle fera en donnant un coup de ses pattes postérieures. D'une seule poussée, elle parcourra une bonne distance et émergera à l'abri d'un jonc, en tendant ses petites mains à quatre doigts.

Il s'amusera à l'attraper, à la poser sur son cœur, à lui flatter le nez, à montrer à Dominique ces drôles de beaux yeux et finalement à lui servir de tremplin pour son plongeon.

Gaby détourne la tête vers Kermit dans le panier de sa bicyclette, qui l'encourage à nager de ses yeux de poupée déjà tout usés.

Pauvre Kermit! Maman l'a considéré d'un si mauvais œil lorsqu'elle a appris qu'il était un cadeau de grand-papa. «Une poupée! À son âge! À un garçon en plus!» «Y aime tellement les garnouilles», plaidait mollement pépère. Quel regard froid elle a destiné à son vert ami! Pourtant, si elle l'avait pris dans ses mains. Seulement pris dans ses mains pour sentir combien son petit corps de chiffon est amusant à tâter. Si elle avait regardé ses yeux comiques et sa langue rouge au fond de sa grande bouche inoffensive. Si elle avait vu comment il peut l'accrocher à sa jambe ou à son cou grâce aux adhérents velcro qu'il a aux poignets. Si seulement elle avait voulu s'intéresser à...

— Ne va pas trop loin, Dominique.

C'est à Dominique qu'elle s'intéresse. C'est vrai qu'il est plus grand que lui et... plus intelligent. Il a douze ans, est premier de sa classe et sait déjà qu'il sera astronaute plus tard. Lui, il n'en a que sept, a doublé sa première année et ne sait pas ce que c'est que ce «plus tard» qui tracasse les grandes personnes. Mise à part la honte légitime des doubleurs, il n'éprouve ni rancœur, ni dépit à passer une autre année avec Normande. Comment dire? Elle est si belle... si gentille... si douce. Elle... elle s'occupe de lui. S'intéresse à lui. Il peut la faire sourire en étant sage, contrairement à maman qui ne sait que froncer les sourcils en sa compagnie comme s'il n'était qu'une source d'ennuis.

Il a soudainement envie d'uriner. Il fige sur place, se retient. Comment se fait-il qu'il ne les ressente pas durant la nuit, ces envies et qu'il s'échappe dans son lit? Il doit se rappeler de cette pression pour qu'elle le tire de ses rêves. Voilà: c'est ça, une envie. Et c'est comme ça qu'on se retient parce qu'il ne faut pas faire pipi dans le supermarché des poissons.

Il se précipite vers la berge en éclaboussant Dominique qui l'arrose aussitôt. Cela ne fait rien; il a réussi et urine avec satisfaction dans les broussailles. Les poissons et les grenouilles n'auront pas de cette saleté dans les yeux et ne seront pas forcés d'en boire. Il faut garder l'eau propre. La terre propre. C'est tante Marjolaine, la sœur de maman, qui l'a dit.

Comme il vient pour retourner à sa baignade, Gaby aperçoit son frère, dirigeant son jet d'urine sur une grenouille. Il lui a brûlé les yeux, il en est certain et cela sentira mauvais dans le beau supermarché. Mauvais comme ses draps qui lèvent le cœur de maman et l'ont fait vomir, ce matin. Les larmes montent aussitôt à ses yeux et il éclate en sanglots.

— Qu'est-ce que t'as? questionne maman en le brassant rudement par le bras.

Les mots bloquent dans sa bouche. Comment lui expliquer? C'est comme si son frère avait uriné sur son beau dessin par méchanceté. Il redouble ses sanglots.

— Tu vas tout d'même pas me dire que tu pleures parce qu'il t'a arrosé. C'est toi qui a commencé.

Mais non! C'est la grenouille. Il lui a brûlé les yeux, c'est certain... et les petits poissons qui s'amusaient à courir les allées du supermarché se sont sauvés et...

Maman plie sa chaise avec colère pendant que Dominique s'essuie les pieds en disant: «Plage, mon œil... c'est plein d'herbages. Ouach!»

Son grand frère le regarde pleurer.

— Tu parles d'un niaiseux! Tu pisses au lit pis tu te retiens pour pas pisser dans le lac.

— Rentre à la ferme, Gaby. J'irai porter tes effets plus tard, ordonne sa mère en contournant sa bicyclette dans le sentier sablonneux suivie de Dominique qui fait pirouetter Kermit d'une taloche sur le nez.

Gaby accourt le ramasser: il n'a rien. Ni fracture, ni coupure. Il l'étreint sur son cœur et continue de pleurer, accroupi entre les châteaux des fourmis.

Il entend claquer les portières de l'automobile puis démarrer le moteur. Voilà: maman et Dominique s'en retournent à leur immense et somptueux chalet. Pourquoi sont-ils fâchés?

Lui, il a tant de peine. Lui, il ne comprend pas que sa mère n'ait pas vu l'agression de son frère contre cet innocent petit monde invisible. Il ne comprend pas que ce frère, qui un jour le regardera de la Lune dans son habit d'astronaute, ait pu commettre un crime si facile et si inutile. Non, il ne comprend pas et se sent attaqué à travers ce qu'il aime. Se sent attaqué sans pouvoir plaider sa cause. Il était pourtant si heureux que sa mère et son frère consentent à venir se baigner à la plage publique plutôt que dans la piscine qui sent le chlore et lui brûle les yeux. Si heureux de leur montrer son royaume. Et voilà que sans raison, Dominique...

21

L'enfant écrase sa poupée contre lui et regarde le lac à travers le voile de ses larmes. Il sait que sans un cri, il y a eu mort en cette eau.

Une vague paresseuse, provoquée par un bateau au loin, roule entre les joncs. Sans une goutte de sang. Pourquoi est-il le seul à voir cette mort, à entendre cette mort? Lui qui ne peut parler. Lui, le doubleur. Lui, l'incontinent. Pourquoi?

S'il n'avait pas remporté le prix de l'Association des riverains, il pourrait croire qu'il n'a pas compris. Mais tante Marjolaine et Normande étaient si fières de lui. Comment se fait-il que sa mère ne sache pas tout cela? Ne parle-t-elle donc jamais à Marjolaine?

Et son frère, si intelligent, sait-il au moins le mal qu'il vient de faire?

L'enfant s'appuie le front sur les genoux et se lamente. Il a l'air d'un fœtus recroquevillé sur sa poupée. Sa plainte inarticulée pourrait être celle de ce lac muet, incapable lui aussi de se défendre. Ces petites choses qui meurent sans un cri et sans une goutte de sang dans l'âme d'un enfant ressemblent à ces petites vies qui disparaissent dans l'eau. Sans un cri, sans une goutte de sang et sans que personne n'y prête attention. Qu'est-ce qu'une larme d'enfant à travers les misères de la terre? Qu'est-ce qu'une vie de plancton à l'échelle humaine? Qu'est la détresse de la grenouille, là-bas, immobilisée sous un nénuphar? Les yeux brûlés, elle ne voit pas venir le brochet vorace qui l'avale d'un trait. Toute vie n'existe qu'aux dépens d'une autre. Cela, Gaby l'a compris puisque les gros poissons mangent les petits et les petits mangent les insectes. Mais ce qu'il ne comprend pas, c'est cette vie sacrifiée inutilement. Cette mort inutile. Facile. Gratuite.

Et il pleure près de son lac. Sans comprendre. Incapable de dire à qui que ce soit ce qui l'affecte tant, voyant dégouliner son beau dessin de l'infiniment petit sous le jet incompréhensible et inacceptable de l'inconscience.

La Buick Century de l'année emprunte le chemin bordé de cèdres taillés. Irène pense à la joie visible de Gaby à la vue de cette entrée asphaltée. Que de fois il l'a montée, descendue, remontée et redescendue sur sa bicyclette BMX avec un enthousiasme sauvage et inaltérable! C'était sa première journée de vacances parmi eux et le soir, il s'était endormi sur le tapis du salon. Ce souvenir fait tomber sa colère, la rend réceptive à cet autre sentiment, informe et pourtant présent qui la déroute. Ce sentiment d'attachement maternel. Elle? Avoir un sentiment d'attachement maternel envers Gaby? C'est ridicule. Elle n'a rien d'une maman exemplaire. Absolument rien. Elle se fait des idées, c'est tout. Cet enfant la choque. Voilà la vérité. Il la choque et l'indispose. Il ne parle jamais. Et pourtant, il n'est ni sourd, ni muet. Seulement silencieux. C'est agaçant à la longue. On ne sait jamais pourquoi il pleure. Et Dieu sait qu'il pleure. Comme tantôt, là, quand son frère l'a arrosé. Et cette autre fois dans la piscine. Comment savoir avec lui?

Elle arrête l'auto devant le garage, appuie sur le bouton de commande qui lentement actionne la double porte.

— C'est papa qui va être content! s'exclame Dominique en apercevant la Cadillac.

Oui, c'est vrai. René sera ravi qu'elle ait retourné Gaby chez sa grand-mère

— Et toi? T'es content?

— Bof! Oui. Y est moche Gaby… Y parle jamais… en plus, y passe son temps à pleurer. Y est bien trop jeune pour moi. J'vais aller le dire à papa.

Dominique sort en vitesse de la voiture, oubliant son linge. Elle coupe le contact, ramasse le T-shirt et la culotte courte. «Bien trop jeune pour moi», pense-t-elle. D'un doigt distrait, elle caresse le velours de la banquette. «Bien trop jeune pour moi… pour moi…» Comme si Gaby avait été un jouet conçu pour son grand frère. Un jouet qui ne donnait pas satisfaction et qu'on retournait sans plus. Elle remarque une tache foncée à l'endroit où s'était assis Dominique. Elle touche: c'est mouillé. Il est monté en voiture avec son maillot trempé. Elle ne s'en est même pas aperçue, elle qui a demandé à Gaby de se rendre à la plage avec sa bicyclette pour ne pas salir les banquettes de velours. A-t-elle été injuste?

Pour se donner raison, elle se remémore les draps qui l'ont fait vomir. Gaby est incontinent, la nuit. Cela pourrait lui arriver

23

le jour... en plein sur les superbes banquettes de sa voiture. Elle ne pourrait supporter de conduire une auto qui empeste l'urine. Elle n'a plus l'habitude du fumier depuis belle lurette.

Irène se regarde dans le rétroviseur, replace une mèche sur son front. Elle aime beaucoup cette coupe de cheveux qui lui donne un air de femme d'affaires. C'est jeune, libéré, moderne. Ça respire la femme d'action, la meneuse de nouvelles entreprises. Oui, vraiment. Cette coupe l'avantage. Dément ses quarante ans. Fait valoir ses longs yeux verts et son nez légèrement retroussé. René prétend que cette teinture lui durcit les traits. Elle ne le croit pas. Ces mèches lui vont à merveille et s'harmonisent bien à sa peau bronzée. Au fond, ce que son mari n'aime pas, c'est qu'elle ne lui laisse pas beaucoup de motifs pour la tromper. Ses maîtresses n'ont que la jeunesse en surcroît.

Elle descend de voiture. Entend claquer ses talons sur le ciment du garage. C'est bête, le ciment; ça donne des varices. Elle en avait de toutes petites qu'elle s'est fait piquer cet hiver. Rien n'y paraît plus. Le médecin a dit que, pour son âge, elle avait de très belles jambes.

Elle entre dans l'immense chalet et trouve son mari, en train de se préparer un bloody mary.

— Comme ça, tu t'es débarrassée de ton «pisse-dans-l'lit».

Ton «pisse-dans-l'lit». Comme s'il n'était pas SON «pisse-dans-l'lit» également. Il a toujours refusé de reconnaître Gaby et préfère sous-entendre qu'il est de Gustave Potvin ou de quelqu'un d'autre. Naturellement, cela l'arrangerait qu'elle ait eu des liaisons adultères. Mais voilà, elle n'en a pas eu et Gaby est bel et bien de lui. Aussi incroyable que cela puisse paraître. Elle compare la frimousse candide de l'enfant au gros visage dur et mécontent de son père. Les grands yeux amoureux du petit à ce regard porcin, décidé à la traquer dans ses moindres paroles, ses moindres gestes.

— Il sera mieux chez maman. Elle a l'habitude avec lui.

— Elle doit comprendre le langage des sourds-muets. Tu aimes toujours ta voiture?

Elle déteste cette façon qu'il a de lui rappeler ce cadeau des Fêtes. «Vois comme tu me dois beaucoup», exprime à tous coups son attitude arrogante. «Après un cadeau comme celui-là, je peux bien me permettre de petits écarts.»

— Oui, je l'aime toujours. Dominique, tu aurais pu t'asseoir sur ta serviette; tu as mouillé le siège.

Dominique, occupé à trouver une émission intéressante à la télé, hausse les épaules avec agacement.

— C'est toujours ben pas d'la pisse!

— Y a raison! s'esclaffe René en refermant la bouteille de vodka. Tu veux que je te serve un verre?

— Non, je vais aller profiter du soleil.

— Y a rien de mieux pour te remettre d'une cuite.

Une cuite? Une évasion serait plus juste. Durant toute la soirée, hier, il n'a cessé de l'acculer au pied du mur avec ses accusations sous-entendues. Elle s'est alors enfuie en se saoulant. Verre après verre. Analysant chacune de ses réponses pour qu'il ne s'en serve pas contre elle.

Elle a horreur de cet homme. Se sent à nouveau traquée.

— D'accord, prépare-moi un verre. Je vais le siroter au soleil.

— Dominique ira te le porter, hein Dominique?

— Ouais.

Elle sort. Clac! Clac! Clac! font encore ses talons sur le trottoir de la piscine. Elle se dépêche avant que le soleil ne baisse à l'horizon. Du moins, c'est la raison qu'invoque sa logique. Mais, en réalité, elle sait qu'elle fuit cet homme avec un frisson dans le dos.

Elle s'allonge sur sa chaise de résine. Tente de ne plus penser. De se métamorphoser en plante, en petit animal doré par le soleil. Mais l'inaction peuple son cerveau d'images. Elle voit continuellement Gaby, pleurant au bord de l'eau ou riant sur sa bicyclette et le visage dur de son père qui le renie.

Il se fait tard. Du moins pour des cultivateurs qui ont à se lever à la barre du jour. Irène espère que ses parents sont déjà couchés: cela lui permettrait d'abandonner les effets de Gaby sur la galerie et de s'en aller sans bruit pour ne pas les réveiller. Ainsi, elle n'aurait pas à justifier le retour prématuré de son fils.

Elle se sent fautive, indigne. Pense à s'arrêter au restaurant du village pour étirer le temps et les forcer ainsi à se coucher, si ce n'est pas déjà fait. Mais elle se doute que Flore, sa mère, l'attendra. Elle sent, ou plutôt sait, qu'elle l'attendra pour avoir des explications. Et, cette attente de la vieille femme, dans la nuit chaude de juin, accapare maintenant toutes ses pensées. Elle l'imagine dans sa berceuse chromée, face au téléviseur. Elle imagine son mouvement, son visage, ses jambes gonflées de varices avec ses bas roulés au-dessus des chevilles. Plus elle l'imagine avec force détails, plus elle se sent fautive et plus elle sait qu'elle doit la rencontrer. C'est fou! Bien qu'elle ne soit plus une enfant, elle se sent exactement comme l'écolière punie dont les parents ont été avertis par la directrice. Et bien qu'elle désire par-dessus tout rebrousser chemin, elle poursuit sa route et passe l'embranchement du village.

De sa fenêtre ouverte, lui parviennent le chant des grenouilles et l'odeur fraîche du lac. Si au moins elle avait trouvé une excuse valable. Aux yeux de sa mère, s'entend. On ne retourne pas un enfant parce qu'il urine au lit ou parce qu'il ne parle jamais. Et dans quel état est-il revenu? Avec des yeux tout rougis et une mine déconfite? Mon Dieu! Elle a dû passer pour une vraie brute. Une mère sans cœur. Elle ralentit. Cela fait quatre ans que Gaby demeure chez ses grands-parents. Quatre ans qu'il ne la voit que l'été et quelques rares fins de semaine. Et voilà qu'après quatre jours passés près d'elle, il se voit retourné comme une marchandise défectueuse… Elle reluque la boîte de linge: il en avait pour un mois.

Ses phares éclairent le panneau de route indiquant la fin du pavage. Elle ralentit encore. Cette route de gravier risque fort d'endommager sa voiture neuve.

Que de souvenirs lui rappelle ce chemin, marché soir et matin pour aller à l'école. Que de souvenirs, éparpillés tout au long des fossés et des détours. Tout au long des barbelés clôturant les terres. Là, les porcs à Falardeau qu'ils bombardaient de cailloux. Et là, le ruisseau de la décharge où ils se promenaient pieds nus. Ici, les grands vents d'hiver où, chacun leur tour, les uns servaient de bouclier aux autres. Puis là, le bœuf de Boisclair, rugissant dans son carcan et les forçant à courir à toutes jambes. Et les marmottes se chauffant au soleil du printemps et les cerises qu'ils mangeaient à la rentrée des classes. Que de souvenirs liés à Florient et à Jean-Paul, ses frères. Ses compagnons de jeu. Comme elle s'est amusée avec eux! Avec eux seulement. Les autres sont vite devenus les petits frères dont elle était responsable. Chacun d'eux représentant un maillon de plus à la chaîne qui l'entravait. Qui faisait d'elle une mère avant son temps et l'écartait des jeux. L'écartait de Florient et de Jean-Paul sans que pourtant ne s'affaiblisse le lien qui les unissait. Un lien solide, réel, nécessaire. Un lien qu'elle souhaite intangible en dépit des arrangements qu'ils ont signés hier, avec son mari.

Mais pourquoi se sont-ils jetés comme ça dans la gueule du loup? Car René est un loup. En affaires, il n'a ni ami, ni parent. Que mijote-t-il pour avoir exigé les terrains en garantie? Elle le connaît assez pour savoir qu'il ne donne rien mais fait toujours des transactions. Même avec elle. Ne lui a-t-il pas offert cette voiture de l'année afin qu'elle ferme les yeux sur ses dérogations? Oh! Non! Il ne donne rien et ce prêt, garanti par les terrains au bord du lac, ne présage rien de bon.

Un carré blanc, dans la nuit, au loin. C'est la fenêtre de cuisine éclairée par le néon. Flore est donc là, assise dans sa berceuse chromée face au téléviseur.

Les phares éclairent la boîte aux lettres puis la bicyclette de Gaby appuyée contre la galerie. En apercevant l'entrée de terre raboteuse, Irène comprend le plaisir qu'avait son enfant à rouler sur la surface plane de l'asphalte. Pourquoi a-t-elle mis fin à cette belle joie que rien ne semblait pouvoir user? Pourquoi?

Elle s'attarde un instant aux déclins d'aluminium qui recouvrent le bardeau de la vieille maison paternelle. Un bardeau gris, couleur de misère. Couleur d'ennui. Couleur de l'enfance qu'elle a fuie. Couleur des longs labours de glaise et de la grange et de l'écurie. Couleur de la boîte aux lettres sans nouvelles excitantes. Couleur des troncs d'arbres ceinturant la maison.

Bien qu'elle ait revêtu cette parure blanche découpée de roux, la vieille maison transparaîtra toujours à ses yeux. Elle est là, derrière. Grise et pauvre. Comme son enfance. Comme les cheveux de sa mère qui attend.

Elle grimpe les trois marches d'escalier dans l'obscurité avec sa boîte de vêtements. Les lumières extérieures sont éteintes pour ne pas attirer les moustiques. Elle n'en a pas besoin. Elle connaît ces trois marches par cœur. Cette galerie par cœur. Cette moustiquaire déformée par cœur.

27

Sa mère lui ouvre la porte. Le ressort grince. Il a toujours grincé. Même l'odeur de la maison est familière. Comme attachée aux murs. Indélébile. Permanente. Une odeur de vache, de lait et de saucisses.

Elle dépose la boîte sur la grande table d'arborite. C'est fou: elle a l'air plus petite que dans l'auto. Et sa faute, moins grave.

D'un pas cahotant et lourd, Flore s'approche. Irène ne peut s'empêcher de regarder ses jambes gonflées de varices.

— Si j'comprends ben, t'en veux plus.

La vieille femme sort les vêtements avec des gestes posés et les range sur la table. Cela signifie qu'elle accepte de reprendre Gaby. Irène se sent soulagée. René ne voulait pas de l'enfant. «Bon débarras» qu'il a dit, après trois bloody mary.

— Il est malheureux avec nous. Tellement gêné.

— Gaby a jamais ben ben parlé, tu l'sais.

— Il pleurait toujours. Ce n'est pas normal. Ici, est-ce qu'il pleure?

— Des fois, ben sûr. Faut essayer d'le comprendre.

Flore pose sur elle son regard noisette. Un regard qui la condamne et lui reproche de ne pas avoir fait d'efforts pour comprendre Gaby. C'est vrai qu'elle n'a pas fait cet effort. Elle ne sait pourquoi les larmes de Gaby l'irritent au lieu que de l'émouvoir.

— Comment... euh... A-t-il bien pris ça?

Irène glisse un regard vers la chambre où dort déjà son père.

— Hervé? Y aime tellement le p'tit... y te comprend pas de pas t'en ennuyer.

Évidemment. Comment pourrait-il comprendre sa situation? Il n'a jamais eu à vivre entre un mari infidèle qui refuse la paternité d'un de ses fils et gâte l'autre à outrance. Cette incompréhension de son père l'affecte. Avant, quand elle était fille, ils se comprenaient si bien tous les deux. S'entendaient si bien avant que René ne vienne les séparer, les isoler, les éloigner. Avant que ses maudites affaires désunissent la famille.

Mal à son aise, Irène pense au récent arrangement que son père a contracté avec son mari. Il est trop tard maintenant pour dire quoi que ce soit. Il a signé.

— Bon, je sais que vous vous levez de bonne heure. Je viendrai le voir. Merci môman.

Elle embrasse la joue fanée de sa mère qui se raidit. C'est sa manière de lui exprimer son désaccord. Avec toutes ses fibres, tout son être, son regard et son silence. Comme Gaby. Sans proférer une seule parole sur laquelle elle pourrait se défendre.

Vitement Irène retourne à sa voiture, fait marche arrière brusquement et accélère. Elle entend les cailloux heurter la peinture de sa voiture et, au lieu de ralentir, elle pèse plus fort sur l'accélérateur. Comme si elle pouvait s'exprimer, elle aussi avec tout son être. Comme si elle pouvait écraser ce sentiment de culpabilité qui grandit en elle et la honte qui la gagne. On dirait qu'elle fuit le lieu de son crime. Dans le rétroviseur, elle observe le carré blanc, dans la nuit, de plus en plus loin. Le carré qui la juge et la poursuit comme l'œil de Dieu qui poursuivait Caïn. Va-t-il s'éteindre à la fin? Non. Jusqu'au tournant, il demeure.

Et elle pèse sur l'accélérateur malgré les cailloux qui volent et attaquent la carosserie de sa voiture neuve.

* * *

Samedi, 23 juin 1984.

Il est ce qu'elle aime le plus au monde. Sa raison de vivre. Sans lui…

Marjolaine n'ose penser à ces deux mots, comme si cela pouvait lui porter malheur. Elle n'envisage pas l'avenir sans cet enfant, le bonheur sans cet enfant.

Pourtant, il fut un temps où l'idée de l'avortement l'avait effleurée. Oh! Pas longtemps, ni même sérieusement mais, une fois suggérée, l'idée avait plané sur ses angoisses.

Se débarrasser de cette cellule fécondée qui allait chambarder son existence et celle de ses parents aurait résolu le problème. Simple comme bonjour. On aspire l'accident de parcours et on poursuit route et études pour devenir quelqu'un. Mais voilà, ce n'était pas simple comme bonjour avec cette petite vie qui lui insufflait un courage nouveau. Un courage de mère prête à lutter contre le monde entier pour défendre le noyau humain qui avait germé en elle.

Aujourd'hui, cet être qu'elle a formé, allaité, lavé, caressé, amusé et consolé est devenu sa raison de vivre. Sa raison de se battre. Sa raison d'œuvrer pour la protection de l'environnement afin de lui léguer une planète potable, respirable, habitable.

Marjolaine observe son fils, devenu l'axe autour duquel sa vie s'est réorientée et son cœur se gonfle de joie et d'amour. Il est si attachant. Si adorable. Surtout lorsqu'il se concentre comme il le fait présentement, cherchant à deviner un prénom commençant par la lettre I.

— J'donne ma langue au chat.

Décidément, il n'excelle pas à ce jeu.

— C'est parce que tu n'y penses pas, Alex. C'est quelqu'un de la famille. I... comme...

Le garçon fronce les sourcils.

— J'sais pas.

— Irène, voyons... Ma tante Irène.

— Ah! Oui, c'est vrai. Écris-en un autre.

— Non. Tu te forces pas assez, j'pense.

— Juste un, le dernier, s'il te plaît, maman.

Alexandre lève sur elle des yeux si suppliants qu'elle succombe aussitôt.

— Bon. Un dernier. Laisse-moi réfléchir un peu.

Pour lui donner une chance, elle inventorie tous les prénoms qui reviennent le plus souvent dans les conversations de son fils et choisit celui de Marc Potvin, cet élève de cinquième année réputé pour sa mauvaise conduite dans la cour d'école.

À l'aide d'un bâton, la jeune femme ajoute une barre verticale à côté de son I majuscule inscrit sur le sable.

— Celui-là, j'suis sûre que tu vas le trouver.

Elle aiguise sa curiosité. Le fait languir avant de compléter cette lettre qui pourrait bien être un H pour Hervé ou un N pour Normande.

La fébrilité gagne tout le corps du garçon, prêt à s'envoler.

— M.

— Mike!

Alexandre décampe, sûr de son coup. Il rit déjà en courant, convaincu qu'elle le poursuit dans l'intention de le capturer avant qu'il n'ait la chance de revenir effacer l'initiale de son pied.

Éberluée, elle demeure figée un instant, car ce nom, il ne l'a jamais prononcé devant elle. Jamais. C'est le nom de son père. Et cela lui est venu si naturellement. Si spontanément.

Elle part à la course pour ne pas le décevoir, mais l'enfant détale dans le sentier contournant l'île. Elle le voit, le perd de vue, l'entend puis l'aperçoit qui gambade avec la légèreté d'un lièvre. Il saute, jubile, rit autant qu'il court talonné de près par son gros chien Max.

Elle joue le jeu honnêtement et le poursuit dans le sentier moelleux et odorant qui longe les grands cèdres recourbés sur l'eau. Mais il a trop d'avance et bientôt, elle l'entend crier sa joie.

— J'ai gagné! C'est à mon tour.

Il trace un G maladroit.

— G comme Gaby?

— Oui.

Elle se sauve vers le lac. Il l'y poursuit, l'y rejoint. Se lance sur elle en l'entraînant dans l'eau.

— J'ai gagné… J'ai gagné!

Il l'étreint, lui fait de belles caresses dans le cou, plonge sous elle. Elle se sent comme une baleine avec son petit et plonge à son tour, ramassant avec lui des coquilles d'huîtres sur le sable doré. C'est à qui en ramassera le plus. L'eau est fraîche et le soleil haut dans le ciel. Tantôt, ils se sécheront sur la couverture étendue au pied du grand pin et mangeront leur sandwich au concombre et radis. Des vagues lentes les poussent vers la grève. Ils se laissent ballotter comme des bouts de bois. Heureux. Nonchalants, rafraîchis. Presque refroidis.

— T'as des beaux cheveux, maman, dit-il en l'observant tordre sa longue chevelure châtaine.

— Merci. Allons manger maintenant.

Il fait bon sur la couverture chauffée par le soleil. Le vent chante une berceuse dans la tête du grand pin, dressé fièrement au nord de l'île comme un gardien séculaire. Le soleil les gagne peu à peu, les dore, les réchauffe. Ils se gavent de l'été, les yeux tournés vers le torrent au fond de la baie. Ce moment ne devrait jamais cesser, pense Marjolaine. Ou plutôt, elle devra toujours s'en rappeler. Le mettre en banque pour le jour où il sera un homme, pour le jour où il quittera l'île et la laissera seule. Alors, elle viendra ici, se rappeler lorsqu'il se baignait avec elle à l'âge de sept ans. Se rappeler qu'il lui cachait déjà des choses telle la présence de son père dans le secret de son cœur. Se rappeler que ces deux mots, «sans lui», lui faisaient déjà appréhender ce demain qui le lui ravira assurément. Lui faisaient déjà redouter cette femme, aujourd'hui petite fille, qui l'éloignera d'elle ainsi que cet avenir qui l'attirera loin de l'île. Loin de leur paradis à peine rattaché à la terre ferme par un petit pont de bois. Il ne pourra pas toujours vivre avec elle. De plus en plus souvent, il empruntera le pont... jusqu'au jour où, de moins en moins souvent, il reviendra par le pont.

Marjolaine pense à tout cela en regardant son enfant. Lui a-t-elle sacrifié trop de choses? Sans doute. Aux yeux de bien des gens. À sa naissance, alors qu'elle avait dix-huit ans, elle a abandonné ses études pour s'en occuper et ne les a plus jamais reprises. Mère célibataire, elle a par le fait même découragé plus d'un prétendant à entreprendre une liaison sérieuse. Mais, elle ne regrette rien aujourd'hui, tout en sachant que demain, la solitude la traquera sur son île.

Alexandre s'étend, pose sa tête mouillée sur ses cuisses chaudes. Elle frissonne.

— Brr! Tu vas geler ta maman.

Il rit. Elle remarque ses dents d'adulte en train de percer ses gencives puis son regard retourne au torrent, là-bas, qui jaillit, étincelle, rutile dans le vert foncé de la forêt. On dirait une cascade de diamants dans un écrin de mousse. Sans ce léger vent, elle l'entendrait bruire d'ici. La nuit, elle l'entend. Qui gronde au printemps, gonflé par la fonte des neiges. Et se lamente en hiver, dans sa prison de glace. Elle l'entend, la nuit. Quand tout dort, sauf lui et elle. En été, il roucoule. Lui raconte des histoires de semence dans son limon. Des histoires de régénérescence dans chacune des vagues neuves qu'il amène au lac. Neuves et claires, les vagues. Avec un toupet de mousse blanche. Oxygénées et propres, les vagues... par milliers, chutant du torrent, déboulant les rochers, tournoyant un instant dans les bassins et plongeant entre les parois rocheuses jusque dans la baie profonde.

Que serait devenu le lac sans cet apport d'eau pure? Sans cette source de vie à sa charge? Il lui suffit de penser au ruisseau de la décharge, gris et vaseux, qui s'écoule paresseusement entre les terres irriguées pour se convaincre du bien-fondé de son action dans l'Association des riverains. S'il fallait que son lac vienne un jour à mourir! S'il fallait que son eau devienne comme celle du lac à la

Tortue que la décharge alimente! Une eau sale et opaque comme de l'eau de vaisselle. S'il fallait que son enfant ne puisse s'y baigner un jour!

Elle préfère ne pas y penser. Il n'y a pas à craindre pour l'instant. Le torrent est là, puissant, vivifiant, énergique. Il bouillonne entre les racines des érables pour ensuite gambader entre les grands pins. Comme son fils, il court, tourne, bifurque, bondit, se tapit puis se dresse, enjoué, jeune, libre et fort. Son eau lui vient d'un lac de tête situé au sommet de la montagne. Un lac qu'heureusement aucun homme n'a pu coloniser parce qu'il est difficile d'accès. Et, tant que le torrent sera là, déversant la vie à gros bouillons dans le lac Huard, elle a moins à craindre des méfaits de l'homme. Moins à craindre de cette fumée noire, accrochée à la cheminée de l'usine de panneaux d'aggloméré, moins à craindre des fosses septiques en mauvais état, moins à craindre des berges ravagées. Moins à craindre... jusqu'au jour où il ne suffira plus. Où, à bout de souffle et d'eau, le torrent se taiera entre ses roches moussues pour mourir tout doucement, sans un bouillon et sans une bulle dans l'eau tiède et visqueuse de la baie.

Elle repousse cette vision apocalyptique qui la hante, quand il lui semble que ce torrent lui tient un autre language. Quand son âme trop sensible vibre à des ondes mystérieuses que seule la nuit engendre. Des ondes de détresse lui parvenant du torrent. Remuant son âme et sa peur. Les fondant en une seule et même chose. L'âme et la peur, la peur et l'âme que ces mots, «sans lui», éveillent en sursaut.

Sans lui, le torrent. Sans lui, son fils. Sans lui. Deux mots qui créent en elle des déserts.

Marjolaine s'arrache à ses pensées. Elle contemple le corps souple et bronzé de son jeune enfant, son regard changeant comme l'eau, ses longs cheveux bouclés et sa jolie bouche un peu moqueuse. Il ressemble à Mike, son père.

— À quoi penses-tu? demande-t-elle en le voyant songeur.

— À rien.

Il a droit à ses secrets. Elle n'insiste pas.

D'ici, on entend clapoter les petites vagues contre la chaloupe et Max à la poursuite d'un écureuil. Sur la plage, les oies dorment, la tête repliée sous l'aile. Marjolaine enregistre tout cela, parce que tout cela, demain, ne sera plus.

Elle a vraiment conscience de son bonheur en cette minute même. Vraiment conscience de vivre.

— Ça serait-y faisable une balançoire? demande finalement Alexandre, les yeux rivés aux branches du pin.

— Oui. Ce serait faisable. Avec ce pin-là?

— Oui. Celui-là. Cette grosse branche-là.

— C'est bien trop haut.

— Je pourrais me balancer et sauter à l'eau... Tu vois comme ça... Je l'ai calculé à l'école.

— Tu sautes les balançoires de l'école?

— Euh... des fois.

— C'est interdit, tu le sais.

— C'est juste pour me pratiquer... Ça serait amusant de se balancer et de plonger à l'eau.

— C'est beaucoup trop haut, Alexandre. Faudrait être acrobate pour grimper là.

— Pépère avec son échelle?

— Pépère a le vertige et moi aussi. Il faudrait de très grandes cordes aussi. Je ne vois pas qui pourrait.

— Mike pourrait me l'installer... il n'a pas le vertige.

— Comment sais-tu cela?

— Je sais.

L'enfant n'en dit pas plus. Quelle place occupe donc son père dans ses pensées? Il semble lui témoigner beaucoup d'admiration comme tous les gamins de cet âge qui ont une prédilection pour ce type d'homme non adapté aux structures sociales.

Avec sa grosse Harley-Davidson, sa veste de cuir noir, ses bottes et son air insolent, Mike incarne l'éternel mauvais garçon, en guerre ouverte contre toute forme d'autorité.

Cette perspective de voir Mike sur l'île n'enchante guère Marjolaine. Il n'a pas d'affaire ici... et pourtant si, il est le père d'Alex.

Il lui semble que ce serait une intrusion. Cela fait deux ans qu'elle s'est retirée ici pour avoir la paix. Pourquoi accepterait-elle qu'il vienne les troubler en installant cette balançoire qui sera désormais liée à son nom tout comme le chien Max qu'il a donné?

Alexandre fuit maintenant le regard de sa mère. Un malaise existe entre eux. Il a gaffé en rêvant à haute voix. Il n'aurait pas

34

dû. Mais elle l'a demandé. C'est à cela qu'il pensait. À cette balançoire, entre ciel et terre, d'où il pourrait sauter à l'eau.

L'enfant se tourne sur le ventre et regarde venir un bateau, au loin. C'est le gros yacht de son oncle René, traînant le cousin Dominique sur ses skis nautiques. Le chanceux! Il aimerait bien en faire, mais maman dit que cela pollue le lac. Pourtant, une balançoire, ça ne pollue pas.

Une main douce peigne ses cheveux.

— Oui, ça serait possible, dit Marjolaine, sachant qu'elle ne pourra le retenir près d'elle quand le temps sera venu et sentant confusément que ce temps commence à venir.

Pour toute réponse l'enfant se blottit dans ses bras. Tout contre elle. Contre sa peau toute douce et chaude, jouissant de l'haleine tiède sur son cou. Comme il l'aime!

Oh! Oui. Il l'aime. Elle ne le saura jamais assez, même s'il lui remplissait des pages et des pages de baisers. Il l'aime. Ces deux mots ne suffisent pas à contenir tout ce qu'il ressent pour elle. Ils sont trop petits, a-t-il dit un jour. Elle avait ri. N'avait pas compris qu'elle était tout son univers. Que c'était tellement grand ce qu'il ressentait qu'il avait l'impression de flotter dedans comme un grain de neige, prêt à fondre dans sa main. Il l'aime assez pour la protéger de Mike qui lui a fait un grand chagrin. Assez pour retenir cette arme contre l'homme et ne pas succomber à son charme. Elle n'a pas à craindre. Il est là, sera là, toujours là, avec elle. Sur leur île.

Alexandre sent soudain sa mère se contracter contre lui. Quelque chose ne va pas. Ne va plus. Elle s'est détachée de lui et n'appartient plus au doux sentiment qui les berçait. Il la regarde. C'est le gros yacht de l'oncle René qui la dérange.

— Mais qu'est-ce qu'il fait là? interroge-t-elle à haute voix.

Contrairement à son itinéraire habituel, l'embarcation se dirige vers le torrent, remorquant toujours le skieur.

Vainement, Alexandre cherche à apercevoir le cousin de son âge et s'indigne à la vue d'un inconnu près de René Mantha.

— Gaby est pas là.

— Non. J'ai oublié de te dire, Alex. Il est de retour à la ferme.

— Ah…

Le garçon serre les poings. Il déteste son oncle René. Pour toutes sortes de bonnes raisons. Il le déteste parce qu'il ne s'occupe jamais de Gaby et parce qu'il pollue le lac avec son usine de panneaux d'aggloméré. Il le déteste surtout parce que sa mère se raidit lorsqu'elle le voit.

Alexandre observe le bateau accoster et Dominique qui rejoint son père à la nage, poussant ses skis devant. Une grosse vague bouscule les oies endormies qui s'éveillent en caquetant, le cou tendu. Qu'il aimerait les voir accueillir l'oncle René, le cousin Dominique et cet étranger à coups de bec dans les mollets!

Il se lève, s'avance jusqu'à l'eau.

— Ils s'en vont sur la terre à pépère, maman.

— Oui, je vois… je vois.

Marjolaine le rejoint. Cette démarche de son beau-frère l'intrigue. Que manigance-t-il? Il semble prendre des relèvements que l'inconnu inscrit dans un carnet. Oui. C'est ça. Il mesure la profondeur des bassins du torrent ainsi que leur largeur. Que se passe-t-il donc?

— Qu'est-ce qu'y font, maman?

— Ils mesurent on dirait.

— Pourquoi?

— J'sais pas.

Cependant, elle sait que René Mantha ne mesure jamais rien pour simple fin d'étude, mais uniquement dans le but de vendre ou d'acheter. Elle s'inquiète maintenant de voir l'inconnu installer un niveau d'arpenteur sur son trépied.

— Est-ce qu'ils ont le droit?

— Pas vraiment. C'est sur la terre à pépère.

— On va aller les envoyer, O.K.?

— Non… Laisse.

— Avec Max et les oies.

— Non. On est mieux de rester ici. Ça changera rien de toute façon.

Alexandre ramasse de pleines mottes de sable et les lance dans leur direction. «Allez-vous en! Allez-vous en!» crie-t-il en faisant pleuvoir les mottes sur l'eau.

Alarmée, Marjolaine écoute l'enfant défendre dérisoirement le territoire de son grand-père. Elle aussi, elle interprète le geste de son beau-frère comme une infiltration sournoise dans le but de s'en accaparer. D'ici, elle perçoit l'arrogance de cet homme qui agit comme si ce torrent lui appartenait. Comme s'il en était le propriétaire et comptait l'exploiter pour son profit.

Elle tremble des mains et son cœur bat fort. Avec une rage qu'elle ne peut clairement identifier. Une rage et une peur sourde comme les sourdes manœuvres du beau-frère. Le simple fait de le voir là, chez son père, prendre des mesures avec un ingénieur — ou un arpenteur, qui sait? — la révolte, et elle se raisonne pour ne pas céder à l'invitation d'Alexandre d'aller avec Max et les oies pour le chasser.

Le torrent est en danger. Elle le sent. Son âme le sent. Ses fibres le sentent.

Les fibres de sa mère aussi sentent ce danger imminent. En dehors de sa logique, en dehors des quarante ans d'entente conjugale, elle ne cesse de reprocher le contrat qu'Hervé a signé avec Mantha. «Tu n'aurais pas dû garantir avec les terrains.» Mais il a signé sans la consulter. Elle n'y peut rien et tente de camoufler cette peur irraisonnée en elle. Cette peur qu'elle lui a peut-être transmise avec les mauvaises nouvelles de ce matin concernant Gaby. Paraît qu'il a passé toute la soirée d'hier à regarder son dessin *la vie d'un lac*. Craint-il, lui aussi, ce danger indéterminé qui plane? Ce mal sournois que l'intelligence ne peut cerner? Cette agression que seules les âmes sensibles flairent?

Comment dire et à qui dire ce qu'elle ressent présentement en voyant cet exploiteur mesurer le torrent? En voyant dans toute son attitude la condamnation de cette source de vie. Comment dire et à qui dire?

À Ti-Ouard-la-pelouse, l'inspecteur municipal? Mais quoi lui dire? Qu'elle a peur. Peur de quoi? Peur pourquoi?

Il est trop tôt pour habiller de mots cette intuition forte qui vibre en elle. Quand viendra le temps, elle parlera.

La mère en elle se sent la force de défendre et de protéger toutes ces vies qui couvent dans l'eau, l'air et le sol.

La mère en elle se sent la force de sauvegarder les richesses de cette planète que ce «monsieur gros dollar» cherche à dilapider pour faire fortune.

* * *

Dimanche, 24 juin 1984.

Grande activité au champ de balle. C'est le tournoi des familles sous un soleil écrasant. Partout des sourires, des enfants avec des cornets de crème glacée et déjà, des cannettes de bière que l'on roule sous les pieds, que l'on écrase d'une main pour démontrer sa force ou que l'on lance tout bonnement dans les broussailles.

Les poubelles sont là, à s'ennuyer, trônant inutilement à travers sacs de croustilles, verres de styromousse, pailles et paquets de cigarettes.

Tout ce beau monde ne voit pas ça. Quoiqu'à leurs pieds, ça leur passe dix pieds par-dessus la tête. Ce qui les intéresse, c'est l'habileté de Mike Falardeau au bâton, l'essoufflement précoce de Ti-Ouard-la-pelouse, la maladresse de Jérôme Dubuc, la férocité d'Andrew Falardeau qui prend tout au sérieux, le bon jeu de Gustave Potvin, les pitreries de son père, Léopold, déjà en état d'ébriété et la ténacité des frères Taillefer, toujours unis comme les deux doigts de la main.

Le haut-parleur ne cesse de déferler des commentaires amusants sur le déroulement de cette partie où tout un chacun encourage les siens parmi les joueurs. Ce qui fait que la municipalité entière participe au jeu et s'amuse royalement malgré la chaleur torride et les mouches noires qui attaquent les lobes d'oreilles.

Mais voilà que cela achève. Que le haut-parleur déclare la famille gagnante; celle des Falardeau, comme d'habitude, et que les cultivateurs partent les premiers se changer pour la traite des vaches. Voilà que des groupes se forment pour commenter la partie et rappeler les bons coups ou les anecdotes.

Les frères Taillefer, toujours unis, même dans l'adversité, tentent d'aborder monsieur le maire qui, cette fois-ci, se dérobe habilement sous le couvert des félicitations qu'il se doit d'adresser à l'un et à l'autre.

«Attention! Attention! crie soudain Jérôme Dubuc dans le haut-parleur, vous êtes tous invités à venir au feu de la Saint-Jean, ce soir, qui aura lieu ici même. Tout le monde est invité. Même les touristes. Il y aura également un super feu d'artifice offert par monsieur René Mantha, propriétaire de l'usine.»

38

Des hourras et des sifflements fusent de partout, couvrant le «bonne main d'applaudissements pour monsieur Mantha». Florient et Jean-Paul Taillefer s'échangent un regard qui en dit long. Un regard, que tous ici savent interpréter: ils n'ont pas été embauchés lors de la réouverture partielle de l'usine. Pas encore du moins. Et s'ils cherchent tant à amorcer la conversation avec le maire fuyant, c'est pour lui offrir leurs services d'excavation. Ça aussi, tout le monde le sait. Monsieur le maire surtout.

De son côté, Ti-Ouard-la-pelouse, après avoir retrouvé le souffle qu'il avait perdu au début de la partie, se rend vite à l'évidence qu'il est talonné de trop près par Marjolaine. Elle veut vraisemblablement lui rappeler les griefs de l'Association au sujet des cheminées sans filtre de l'usine qui crachent des sciures de bois contenant des résines séchées de phénol-formaldéhyde et des émissions de monoxyde de carbone dans l'environnement, qu'elle s'est mise en tête de protéger. Pour s'en débarrasser, il se réfugie à l'ombre de sa femme Berthe, championne-commère dont Marjolaine est justement le plat favori.

C'est efficace mais de mauvaise guerre, il en a parfaitement conscience. Alors, pour démontrer qu'il se préoccupe de questions environnementales, tel que sa fonction d'inspecteur l'exige, il interpelle son fils Patrick et l'encourage fortement à ramasser les déchets.

— C'est pas à moé de ramasser ces cochonneries-là!

La main est tendue. Et pas pour de la monnaie, il va sans dire. Devenu la cible de trop de regards, Ti-Ouard-la-pelouse se voit dans l'obligation d'offrir dix dollars. Ainsi, il n'a l'air ni d'un pingre ni d'un pauvre. Sa femme approuve d'un hochement de tête, réservant ses reproches pour l'alcôve.

Marjolaine rattrape donc ses frères soucieux qui, à défaut d'approcher le maire, tentent de s'intégrer au groupe de Jérôme Dubuc, le directeur de l'usine.

Entouré d'hommes qui s'efforcent de trouver drôles ses farces plates, il les enfile les unes à la suite des autres, provoquant des crampes faciales qui tiennent lieu de sourires. Mais, bientôt alerté par les rires qui s'estompent, il se met soudain à cligner des yeux à une vitesse inouïe, justifiant ainsi son surnom de «flasher*-à-Mantha» et devenant, par ce tic nerveux, le sujet de la risée générale qui s'ensuit.

----

* Flasher: clignotant lumineux.

Réticents à s'abaisser à de telles flatteries, Florient et Jean-Paul décident de s'en retourner bredouilles à la maison.

— C'est encore les Falardeau qui ont gagné, commente Florient.

— Ouais... les Taillefer sont pas populaires, aujourd'hui. Même toé, p'tite sœur.

Jean-Paul lui passe la main sur la tête comme lorsqu'elle était fillette et leur apportait l'eau aux champs.

— Écoute Marjolaine... pour l'histoire des filtres, tu pourrais attendre que Mantha nous engage. On a des gros paiements avec la pépine... et jusqu'à maintenant, elle n'a pas beaucoup travaillé.

— Mais ça pollue terriblement, Jean-Paul.

— On sait... mais... on te demande pas d'abandonner, hein? Juste d'attendre un peu. Penses-y. Pense au père. Y l'a garantie avec les terrains au bord du lac pis le torrent.

— J'vais y penser.

— T'es ben fine.

Il lui pétrit l'épaule avec gratitude. Elle sent la défaite dans ce geste et la gêne de son frère d'avoir à plaider ainsi sa cause. Jean-Paul comme Florient dépendent désormais de René Mantha. Ils ont, comme on dit, le couteau sur la gorge. Pas un mot! Pas un geste! Ou couic, c'est fini! Pas d'ouvrage à l'usine. Des fins de mois qu'on ne boucle plus. Une femme découragée, des enfants révoltés, un père dépouillé. Pas un mot, pas un geste, les Taillefer. Ils ont tous le couteau sur la gorge. Elle aussi. Inévitablement. Pas un mot. Pas un geste, Marjolaine. Toi, la mère prête à défendre tous les petits de la Terre. Pas un mot, pas un geste sur l'usine qui a rouvert ses portes aux chômeurs de la municipalité. Pas un mot, pas un geste sur cette fumée noire qui étouffe et salit. Sur cette plaie infligée à mère Nature. Le couteau est sur la gorge de tes frères. Sur la gorge de ton père et de ta mère. Sur la gorge du torrent qui te parle la nuit.

— Rentres-tu avec nous autres?

— Oui, je vais chercher Alexandre et Gaby. Ils s'amusaient près de la clôture. Ce ne sera pas long. Attendez-nous.

Marjolaine n'a maintenant qu'une envie: retrouver son île et son fils. Un grondement de motocyclette attire son attention. Dans l'attroupement d'enfants entourant Mike, elle aperçoit Alexandre, le regard ébahi, la bouche entrouverte, légèrement en retrait des autres. Il semble contempler son idole de loin. Comme s'il ne voulait pas trop s'en approcher de peur d'être conquis. Elle le rejoint. Mike la regarde et lui cligne un œil.

— Salut beauté.

Cette phrase la blesse. Lui rappelle qu'elle n'a été pour lui qu'une beauté vierge qu'il s'est payée un certain soir de décembre.

Elle pose les mains sur les épaules d'Alexandre qui appuie sa tête contre son ventre pour lui démontrer qu'il ne l'abandonnera jamais. Cet enfant l'aime éperdument, elle le sait. Et cet enfant se sent coupable face à elle d'être attiré par cet homme dont il est issu. Ça aussi, elle le sait. Alexandre a peur d'aimer son père et l'approche avec mille précautions comme un écureuil alléché par une tartine de beurre d'arachide. Il avance, recule, s'arrête, fait mine d'ignorer la tartine tandis que son cœur bat violemment sous sa fourrure.

Mike lui sourit. Elle rougit. Se sent coupable à son tour d'être attirée par ce grand gamin de trente ans qui fait maintenant vrombir sa motocyclette pour épater les enfants. En quoi réside son magnétisme? En son épaisse chevelure bouclée? Ses yeux pers? Son sourire insolent? Son habillement provocant?

Elle ne le sait et s'en veut d'avoir succombé à son charme, ce certain soir de décembre. Elle devrait le haïr. Aimerait le haïr au point de lui griffer le visage comme une chatte en colère. Mais c'est elle-même qu'elle devrait griffer, car c'est à elle qu'elle en veut le plus. À elle qui n'a pas voulu voir et croire qu'il n'était qu'un irresponsable. Un éternel irresponsable. À elle qui s'est laissé embobiner par les mensonges amoureux qu'il défile à toutes les femmes. À elle qui a vraiment cru être spéciale, différente. Oui, elle s'en veut d'être tombée dans les bras de ce séducteur et ne se pardonne pas d'éprouver encore pour lui une certaine attirance. Quoi donc? N'a-t-il pas évoqué la solution de l'avortement avant même de savoir qu'elle était enceinte? De plus, ne lui a-t-il pas expédié une lettre méchante de Schefferville, dans laquelle il lui racontait sa vie de débauche alors qu'elle se débattait avec sa conscience et cette vie microscopique en elle qui revendiquait ses droits? Qu'elle devrait donc le haïr! Aller jusqu'au bout de la rancœur et corroborer les mauvaises langues qui ont qualifié de viol cette liaison d'un soir.

41

Ce faux pas de la sage fille qu'elle était. Cette erreur grotesque commise sous l'effet de la boisson et de la marijuana. Hélas, elle est incapable de cette mesquinerie: elle a bel et bien consenti à ce qu'il prenne la femme endormie dans le corps de la sage fille. Il n'y a pas eu viol, quoi qu'en disent les gens, et c'est bien là ce qui la mortifie.

Afin de masquer le trouble qu'engendrent ces pensées, Marjolaine relève le menton et adopte un ton indifférent.

— As-tu le vertige, Mike?

— Non.

— Pourrais-tu venir installer une balançoire pour Alex?

— N'importe quand, ma belle!

— Viens pendant les foins; tu pourras passer la journée avec lui, si tu veux.

— Ben sûr. J'emporterai ce qu'il faut.

Après une œillade complice destinée à son fils, Mike met sa moto en marche et parade lentement pour le plaisir des jeunes qui le suivent en riant.

Près de sa mère, Alex résiste à la tentation de se mêler aux autres et adopte une attitude méfiante, se gardant bien de montrer sa joie, de peur de la blesser.

— Viens Alex, nous rentrons. Où est Gaby?

— Là. Il ramasse les cochonneries.

Marjolaine observe un instant l'enfant qui, patiemment, travaille à nettoyer le sol. Il lui fait penser au petit prince de Saint-Exupéry avec ses cheveux blonds, son silence et cette douceur en lui, cette pureté. Comment ne pas aimer Gaby? Quelle belle leçon il donne sans proférer une seule parole, avec ses gestes simples d'amour et de respect! Leçon que personne, ici, n'est hélas en mesure d'apprendre. Leçon que son propre père ne comprendra jamais, lui qui tient maintenant le couteau sur la gorge du torrent. Quelle incompatibilité entre Gaby et René Mantha! Ils n'ont rien en commun. Absolument rien. Voilà de quoi confirmer les soupçons de Mantha à l'égard de cette progéniture déroutante.

— Viens Gaby.

L'enfant lui sourit et Marjolaine se console à voir en lui ce petit prince venu d'un astéroïde.

* * *

42

Éthiopie, lundi, 25 juin 1984.

Tesfa (espoir)

Zaouditou va sans se presser. Depuis longtemps, elle n'a plus la force de se presser. Aujourd'hui cependant, elle aimerait marcher plus vite pour être déjà rendue à la maison avec le trésor qu'elle tient contre son cœur. Mais elle va, lentement, faiblement, soulevant des nuages de poussières qui lui collent aux dents et assèchent sa bouche.

Depuis tôt ce matin, elle marche ainsi dans ce désert montagneux, ménageant ses forces, dosant son énergie. De temps à autre, elle s'arrête, ouvre le sac de toile et contemple la farine de teff qu'elle a échangée contre le costume de grand-père, le chamma traditionnel. Ce soir, sa mère pourra cuire des injeras. Il y a si longtemps qu'ils n'ont dégusté ces délicieuses crêpes. Si longtemps. Et grand-père ne se résoud pas à manger les semences. Autant vendre son costume. Il ne dira rien. Elle n'a fait qu'échanger une tradition contre une autre. Car de tout temps, les Éthiopiens ont mangé des injeras.

D'ailleurs, grand-père songeait à cet échange depuis longtemps mais n'en avait pas le courage.

À l'aube, lorsqu'elle a pris le costume, il n'a eu qu'un geste pour cette magnifique pièce de vêtement. Comme une caresse nostalgique sur le front d'un mourant. Il savait qu'elle allait l'échanger, là-bas, à l'Association des paysans qui se trouve à trois heures de marche. Il n'a rien dit. Ne dira rien. Sauf peut-être qu'il y a bien peu de teff en échange.

Il aura raison de dire cela. Il y en a bien peu. Trop peu en fait pour la famille à nourrir. Mais, là-bas, à l'Association, ils lui ont vendu au prix du marché libre parce qu'elle n'avait pas la carte du camarade-citoyen. Cette fameuse carte que grand-père rejette et condamne. Cette fameuse carte qui, selon lui, s'emploie à les anéantir. Qui, selon lui, n'est qu'une perfide manœuvre du gouvernement central pour affaiblir le soutien de la population envers les rebelles tigréens.

Oui, grand-père considère cette carte comme une arme sournoise. Elle, elle ne sait pas. Tantôt, elle désirait ardemment en posséder une pour obtenir plus de teff. Maintenant, elle ne sait pas, elle ne sait plus. Elle pense à son père, qui a rejoint le front populaire de libération tigréenne, et éprouve un vague remords. Cette carte n'est-elle pas dirigée contre lui? Tantôt, n'a-t-elle pas espéré diriger cette arme contre son père pour avoir plus de teff à manger? Elle ne sait plus. Comprend mal cette guerre et le langage de sombres prophéties que lui tient grand-père.

Ethnie tigréenne contre ethnie armharique, gouvernement central, carte de camarade-citoyen, défense de la liberté, que peut-elle y comprendre à dix ans? Tout ce qu'elle comprend à la guerre réside dans son ventre qui crie famine.

Grand-père, lui, est vieux. Malgré sa maigreur, il tient sa tête bien droite. Son regard bien digne. Malgré sa faiblesse, il se drape quotidiennement dans sa toge blanche selon une méthode bien précise. Ancien dabtara*, il puise sa force dans la prière et ne se nourrit d'autre chose que d'injeras.

Sa mère, non. Sa mère, tout comme elle, s'acharne à tirer de ce pays les moindres ressources qui assureront leur survie. Sa mère, tout comme elle, voyage sur des distances de plus en plus longues pour quérir l'eau. Tout comme elle, passe des heures à ramasser du bois et des bouses séchées pour alimenter le feu. De surcroît, elle traîne contre ses flancs rachitiques un nourrisson pendu à ses seins taris et se démène pour nourrir ses deux autres fils. Non, tout comme elle, sa mère n'a pas le loisir de nourrir son âme. C'est là une chose d'homme. Elle a trop à faire pour leur survie.

La fillette observe le paysage désolé, brûlé qui s'offre à sa vue. Quelques arbres séchés, ici et là. Décharnés et blanchis comme des squelettes. Des collines de pierres et de sable piquées de maigres buissons et des champs devenus des déserts. Quelque chose peut-il naître de cette terre morte? Elle observe et observe, espérant que surgisse la silhouette de son père. Que renaissent au moins en elle admiration et respect envers cet homme qui se bat contre elle ne sait quoi et les prive d'elle ne sait quoi au juste. Peut-il se battre contre les vents qui n'apportent plus la pluie depuis trois ans? Peut-il se battre contre le sol qui s'érode? Peut-il se battre contre le désert qui gruge inexorablement son pays? Contre quoi au juste peut-il se battre? Quel est cet ennemi qu'il traque dans les collines? Elle, elle ne voit qu'une ennemie. Elle se nomme sécheresse. C'est elle qui tue la terre. Elle qui vide les mamelles de sa mère. Elle qui brûle dans son ventre vide. Que fait son père ailleurs? Contre qui se bat-il et pour qui? Pour eux? Ce serait plus simple de courber l'échine et d'accepter la carte de camarade-citoyen. Plus simple de se laisser relocaliser au sud, où il pleut. Quel prix leur faudra-t-il payer pour garder la tête haute? Celui de leur vie?

Zaouditou aperçoit sa maison d'argile blanchie à la chaux et le singulier toit de chaume conique qui se découpe sur le ciel intraitable.

Assis devant la porte, grand-père attend les vents de la mousson. Les vents du sud-est et du sud-ouest qui apportent les

---

* Dabtara: chantre laïc.

45

pluies. Cela fait longtemps qu'il les attend. Patiemment et désespérément. Gardant ses semences pour ce jour béni où l'eau les engendrera à nouveau.

Il la regarde. Regarde le sac entre ses doigts décharnés.

— C'est tout ce que j'ai pu avoir.

Il ne dit rien. Hoche la tête. Épie le vent. Puis, cette terre devenue inculte. Les yeux de son grand-père voient les récoltes d'antan. Zaouditou remarque la nostalgie de ce regard. La même que celle du geste sur le beau costume.

— Il faut bien vivre, grand-père.

Il la regarde encore. Ne dit encore rien avec sa bouche mais lui répond de tout son être: «Est-ce bien cela, vivre? Ne pas mourir tout simplement?»

— Peut-être qu'il pleuvra.»

C'est elle, maintenant, qui s'accroche à cet espoir insensé, absurde, grotesque. Espérer la pluie quand les vents n'en parlent plus. Quand on ne peut plus la sentir au fond de l'air. Quand on ne peut plus la dépister dans les sons. Espérer la pluie. Comme grand-père, assis sur le sac de semences pour que les enfants ne les dévorent pas. Espérer la pluie. Espérer.

* * *

Mardi, 26 juin, 1984.

Q uelle merveille que ce véhicule à quatre roues motrices,
pense Martial Bourgeon, l'huissier, en apercevant les de-
meures des frères Taillefer à l'horizon. Il considère d'un air hautain
les maisons identiques de déclins blancs à toit noir se partageant un
grand jardin. L'ensemble est propre mais sans envergure. Ces gars-
là n'ont pas ce qu'il faut pour se lancer en affaires. Ce sont des gens
de terre, sans plus. Avec satisfaction, il se remémore la saisie qu'il
y avait effectuée, l'automne dernier. La pluie avait rendu les chemins si impraticables que seuls un tracteur ou une débusqueuse pré-
tendaient pouvoir se rendre à la propriété des Taillefer et ces
pauvres innocents avaient imaginé gagner du temps en étant ainsi
isolés dans la boue. Ils n'avaient pas compté qu'avec son quatre

roues motrices, aucune route ne lui résistait. Ah! L'expression qu'ils avaient eue quand ils l'ont vu s'engager dans l'entrée de la cour pour venir saisir leur débusqueuse! Tiens, long à n'en plus finir, leur visage! Ça valait la peine d'avoir labouré le chemin rien que pour les voir si démontés. Mais, il n'a pu savourer longtemps sa suprématie, car ils se sont permis d'avoir de la dignité. Et ça, ça le mettait en rogne de voir des tout-nus avoir de la dignité. Ces gars-là n'avaient rien et se permettaient de porter la tête haute. Tant pis pour eux! Il n'avait pas de pitié pour ces impertinents et les dépouillait autant que sa profession le lui permettait. Et tant pis pour eux s'ils viennent à perdre cette excavatrice neuve qui le nargue dans la cour! Il la saisira bien un jour ou l'autre et se paiera une autre fois leur visage démonté et leur fierté inutile.

«Imbéciles!» marmonne-t-il en imaginant cette importante saisie.

Qu'il a bien fait de quitter la ville pour s'installer dans la région! Comme il dit à qui veut l'entendre: «Mes affaires vont bien quand celles des autres vont mal.» Et ici, à voir le train de vie qu'il mène, les affaires des autres vont très mal. L'économie de la région étant basée presque essentiellement sur l'exploitation forestière, la récession de 1983 lui a porté un dur coup. Pas de construction; pas de bois. Pas de bois; pas de travail. Pas de travail; pas de dépenses. Le strict nécessaire: manger et chauffer en hiver. Et puis, c'est bien connu, le manque d'argent entraîne des querelles familiales... qui à leur tour engendrent les divorces et les séparations. Et tout cela amène de l'eau à son moulin. Ah! Oui! Il a bien fait de s'installer dans une région où les affaires des autres vont tellement mal.

Il passe maintenant devant la maison d'Hervé Taillefer et le voit sortant de l'écurie, en compagnie de sa fille qui vit sur l'île au bout de la terre. Du drôle de monde. L'enfant retardé de René Mantha les précède sur sa bicyclette. Bien drôle de monde que ces Taillefer! Il ne les aime pas. Trouve que ce sont de bien petites gens. Bien insignifiants sur tous les plans. Il se demande comment un homme tel que René Mantha a pu épouser l'aînée de cette famille. Elle a beau être jolie, elle devait tout de même sentir la vache comme les autres. Heureusement, Mantha ne fréquente guère sa belle-famille. À juste titre d'ailleurs.

Ah! Ce Mantha! Quel pouvoir il possède! Quelle richesse! Tout lui appartient ici. Ou plutôt tous lui sont redevables d'une manière ou d'une autre. Soit par les emplois qu'il procure, soit par un emprunt d'argent, un crédit, une hypothèque ou un don. Sans son usine de panneaux d'aggloméré, le village serait rayé de la carte depuis belle lurette. D'ailleurs, pendant la récession, lorsqu'il a dû fermer ses portes, c'est la misère qui régnait ici. Les gens ne dépensaient plus. Et, ne dépensant plus, ils n'avaient plus rien, donc plus rien à perdre. Il ne faut pas non plus que les affaires des autres aillent trop mal, car il serait réduit à saisir des biens minables qu'on ne pourrait même pas vendre dans un bazar. En fait, des imbéciles du genre des Taillefer lui sont profitables. Sourit-il? C'est à parier. Son visage ne sait plus faire naître un sourire, ses muscles faciaux s'étant sclérosés dans une éternelle expression d'arrogance et de méchanceté.

Une fumée âcre pénètre son véhicule et le fait tousser. C'est la fumée de l'usine à laquelle il est devenu allergique. Il s'empresse de remonter les glaces. Rien n'y fait: il tousse de plus belle et se voit obligé de s'immobiliser sur l'accotement.

Le rétroviseur lui renvoie l'image d'un homme au bord de l'asphyxie. De l'air! Il veut de l'air, mais à chaque respiration, il ressent des picotements au fond de la gorge qui, immanquablement, redéclenchent sa toux. Une chaleur intolérable lui monte maintenant aux tempes. Il étouffe, suffoque. A l'impression de cuire derrière le pare-brise. Des rigoles de sueur coulent sur son front, ses joues, son cou. Ses yeux pleurent. Il halète, la tête appuyée contre le volant. Saleté de fumée! Saleté d'allergie! Saleté d'hypertension! Saleté de véhicule à quatre roues motrices sans air climatisé! Encore chanceux qu'il n'habite pas à proximité.

L'homme glisse un regard sur la résidence d'été de René Mantha. La vue du lac, miroitant au soleil, du yacht blanc amarré au quai, de la piscine creusée, telle une pierre turquoise enchâssée dans le ciment, des cèdres taillés en cônes bordant l'allée en demi-cercle, de la pelouse impeccable et des arrangements floraux, l'apaise. Le fait rêver à des richesses, à l'air climatisé. Déjà, il respire mieux. Qu'il aimerait, un jour, être aussi riche que René Mantha ou, à défaut, avoir le privilège de saisir tout cela et mettre le cadenas sur la porte de l'usine. Mais, hélas, ce couronnement de carrière est presque irréalisable puisque usine et propriété ne représentent qu'une infime portion de la fortune de René Mantha.

Sa crise passée, Martial Bourgeon se remet en route, décochant un regard coriace à l'usine baignant dans un nuage de poussières de bois, conscient cependant que, grâce à elle, les autres se procureront des biens qu'il aura, un jour, la possibilité de saisir.

* * *

Mercredi, 27 juin 1984.

Ce qu'il peut être impressionné! Fébrile, Jérôme Dubuc tente désespérément de contrôler son tic nerveux. Mais au contraire, sa bonne volonté l'amplifie et, à voir sautiller le paysage dans la grande fenêtre panoramique, il sait qu'il doit avoir l'air d'un clignotant.

Compatissante, madame Mantha lui sert une bière, feignant d'ignorer son trouble. Ce qu'elle est belle, cette femme-là! Elle a tant d'élégance, tant de charme! Il ne peut s'empêcher d'être fier de la petite Irène Taillefer, devenue madame Mantha. Le fait de l'avoir connue fillette, avec ses nattes blondes et ses bas de coton autorise un certain sentiment paternaliste qui parvient à le détendre peu à peu.

— René ne va pas tarder, explique-t-elle, en remuant une coupe de Cinzano.

La bouche grande ouverte, son gendre convoite béatement le gros diamant à l'annulaire de la femme. Quelle piètre allure il a ce Bizou Gagnon! Sa fille aurait pu trouver mieux. Il a envie de lui administrer un coup de coude afin qu'il se ressaisisse.

— On est ben icitte, c'est frais, dit-il avant que le silence ne s'installe entre eux.

— Oui, c'est l'air climatisé. Il doit faire chaud dehors.

— Oh! Oui! Fait chaud, réplique Bizou, heureux de connaître au moins cette réponse. Irène lui sourit, avale tranquillement une gorgée d'alcool. Elle le tient pour un imbécile, ça se voit. Elle n'a hélas pas tout à fait tort. Jérôme Dubuc aussi le tient pour un imbécile et, s'il est ici, c'est pour le bien de sa fille et non pour l'avancement de cette cruche.

Le paysage se remet à sautiller davantage. Ce qu'il doit avoir l'air idiot à clignoter comme ça devant cette femme qu'il a connue enfant, accompagné de ce gendre obtus qui ne sait qu'écarquiller les yeux devant le luxe évident de la résidence. Ce tapis, par exemple, venu de Tunisie, ce chêne doré, ce cabinet de boisson, cet immense foyer, ces tables lustrées, ces tentures tissées à la main… Bien malgré lui, ces richesses l'impressionnent également. Il ne se fait tout simplement pas à l'idée qu'on puisse être si riche. Ni à l'idée qu'il est, lui, le directeur de l'usine et que Mantha le tutoie et lui pose souvent la main sur l'épaule. Comme s'ils étaient égaux ou amis. Quel homme! On a beau dire et le médire, jamais il ne le trahira.

— Excuse-moi, mon vieux, j'étais occupé au téléphone, s'exclame son patron en pénétrant dans la pièce.

Il se lève, offre sa main à celle qui est déjà tendue et présente son gendre. Discrètement, Irène quitte la pièce.

René Mantha se verse à boire avec l'air naturel qu'ont les millionnaires à la télévision. Grand, pesant, les mains larges et les gestes énergiques, il inspire la puissance et la domination. Jérôme Dubuc ne peut que se sentir déguenillé en sa présence et honoré d'être si bien traité par lui.

— Alors? Tu as pensé à ma proposition?

— Oui. Ben sûr, c'est pour ça que j'ai emmené mon gendre.

Un regard rapide de Mantha évalue l'être en question.

Il s'assoit. Les deux autres l'imitent. Il passe sa main sur son crâne dégarni, défait le premier bouton de sa chemise en dénouant légèrement sa cravate.

Fugitive, l'image de la petite Irène tenant la main de son père sur le perron d'église traverse l'esprit de Jérôme. Hervé était tellement fier d'elle. Qu'adviendra-t-il de cette fierté lorsqu'il apprendra les manigances de René Mantha et qu'il verra Bizou Gagnon s'acheter une excavatrice pour couper l'herbe sous le pied de ses fils? Le directeur de l'usine se sent fautif et cligne des yeux, espérant maintenant que son gendre ne fasse plus l'affaire.

— As-tu déjà travaillé là-dessus?

— Oui, m'sieur. Sur les bulldozers aussi. J'ai ma carte. J'ai tout ce qu'il faut. Et pis, j'suis travaillant. Ça, tout le monde le sait.

— Bizou est ben travaillant, monsieur Mantha. Y a pas de doute là-dessus.

51

— Hmm!

C'est le reste qui le fait douter. Travaillant, mais hélas limité. Jérôme Dubuc ne sait plus quoi espérer et hésite entre un avenir potable pour sa fille et son honnêteté. Il se sent fautif d'agir de la sorte tout en se convainquant qu'il agit pour le mieux-être de sa famille.

— Bon! Il fera l'affaire. Tu lui as expliqué mes conditions?

Curieux que Mantha ne s'adresse pas directement à Bizou.

— Oui. Il sait que ce sont de très bonnes conditions.

Il répond pour son gendre, c'est préférable. La parole lui sied mal.

— Tu m'as dit avoir déjà une machine en vue.

— Oui, une reconditionnée... légèrement plus petite, mais plus manœuvrable. Excellente pour les installations septiques.

— Parfait. J'achète. Et pour ce qui est des frères Taillefer, ils pourront rentrer à l'ouvrage, mardi prochain...

— Bien.

— Et tu achèteras la pépine ce même lundi. Comme ils n'auront pas trop d'ouvrage avec leur machinerie, je crois qu'ils seront contents de travailler à l'usine.

— Ben sûr. C'est chic de votre part. Mais...

— Mais quoi?

— Pour les filtres?

— Inquiète-toi pas pour ça... Ce que les gens veulent ici, c'est de l'ouvrage. On n'achète pas du pain avec des filtres. Tracasse-toi pas avec ça Jérôme. Bon, j'ai à faire. Tu n'auras qu'à te présenter au bureau de ma secrétaire; les papiers seront prêts.

— Merci, merci ben.

Le patron les raccompagne à la porte.

Dehors, il fait chaud. La fumée étouffante de l'usine saisit Jérôme Dubuc à la gorge. Machinalement il regarde le lac, immobile sous le soleil torride. Enfant, il s'y baignait. S'amusait des heures de temps avec une chambre à air.

C'était le bon temps. Le temps de l'insouciance et de l'honnêteté. Le temps où il regardait tout le monde en face, sans cligner des yeux. Mais les temps ont changé et lui aussi.

Aujourd'hui, il traîne un gendre empoté dans l'allée ombragée de son patron, en essayant de se faire accroire qu'il a porté un coup bas avec les meilleures intentions du monde.

* * *

52

Jeudi, 28 juin 1984.

Il n'était pas si vieux que ça, il y a quelque temps. Avant que les hommes ne s'installent tout autour de lui. Qu'est-il donc arrivé en si peu de saisons pour qu'il se sente aujourd'hui si las? Si épuisé...

Il a tant changé en si peu de saisons. Avant, en l'absence du vent qui oxygénait l'eau, il dormait paisiblement.

Dans sa couche profonde, les décomposeurs recyclaient les déchets organiques. Inlassablement, ces petites enzymes alimentées d'oxygène dégageaient les sels minéraux des déchets tout en produisant à leur tour de l'oxygène qu'elles distribuaient généreusement. Plantes et poissons s'en alimentaient, le laissant dormir tranquille, d'un souffle lent et profond. Aujourd'hui, en l'absence du vent, il étouffe. Ses décomposeurs ne suffisent plus à la tâche. Trop de déchets s'accumulent en ses couches profondes. Des déchets dont ils ne viennent pas à bout. Des déchets qui les tuent. Il les sent se déposer, ces déchets, au fond de lui. Ça le gène, l'indispose. Ils sont là, nuisibles, toxiques. Implacablement là, au fond de lui à le priver d'oxygène. Impitoyablement là, à décourager les décomposeurs. Là, à s'accumuler, à nuire, à détruire. Il ne peut pas dire qu'ils lui font mal... Il ne souffre pas, il vieillit tout simplement. Prématurément. Avant son temps. Comme si le temps de sa jeunesse était bien, bien loin, derrière. Comme s'il avait l'âge d'une étoile, de la planète ou de cet astre radieux qui injecte la vie par ses rayons énergétiques. Pourtant, avant que les hommes n'arrivent, il bénissait sa lumière féconde qui, combinée à l'action des sels minéraux dissous dans l'eau, accomplissait le miracle de la photosynthèse dans les cellules de ses plantes vertes, libérant alors matières organiques et oxygène. Au gré de l'ensoleillement, ses plantes respiraient tout en produisant des aliments microscopiques. Ses poissons s'en nourrissaient, grossissaient, se reproduisaient. Puis mouraient, calaient où les attendaient les décomposeurs pour les transformer en sels minéraux, nécessaires à l'accomplissement de la photosynthèse.

Oui, avant il vieillissait normalement, en multipliant petit à petit sa flore et sa faune. Il vivait au rythme des cycles biochimiques. Le long de ses berges ombragées, les poissons frayaient et se réfugiaient loin des rayons trop ardents du soleil. Et l'hiver venu, c'était le repos sous la couverture de glace. Seuls persévé-raient les vaillants décomposeurs, à tout nettoyer, digérer, recy-cler, dans l'obscurité et le silence. Mais, cet hiver-ci, ils ont failli à leur tâche... Ils ne sont pas venus à bout de ces déchets inorgani-ques. De ces petites poussières qui tombent du ciel, puis descendent lentement et assurément au plus profond de son être. Oh! Elles n'ont laissé qu'une trace, qu'une pellicule, mais c'est suffisant pour nuire à sa respiration. Et suffisant pour qu'il étouffe, après trois jours sans vent. Trois jours d'ensoleillement que les berges déboi-sées n'atténuent plus. Trois jours de surproduction des plantes vertes pour combler le besoin d'oxygène et conséquemment de sur-prolifération. Comment venir à bout de ce mal? Comment se débar-rasser de cette poussière mortelle? Il n'est pas conçu pour elle. Ni pour cette dose massive d'acides sulfurique et nitrique provoquée par la fonte des glaces et des neiges acides. Ni pour ce déboisement et ces pelouses qui descendent jusqu'à la grève. Il crève de chaleur. Il étouffe. Ses plantes l'étranglent de partout dans la bonne inten-tion de l'oxygéner. Son eau se fait chaude, visqueuse, limoneuse. Il ne respire plus que par la baie où se jette le torrent. La baie que les hommes n'ont pas encore massacrée et où se sont réfugiées quelques touladis. Elles doivent rêver de sauter les rapides, les pauvres, pour rejoindre le lac, tout en haut de la montagne; elles étouffent elles aussi. Leur besoin d'oxygène est si grand, et elles en reçoivent si peu qu'elles vont finir par céder leur place au brochet et à la bar-botte.

Oui, il ne respire plus que par cette baie, ne se rafraîchit plus que par ces rives ombragées. Comme si partout ailleurs, il était condamné à cette mort lente par asphyxie.

Le lac Huard cherche son souffle. Sur la surface immobile de son eau trop chaude, une pellicule de poussière s'accumule progres-sivement. Ce sont de fines particules de sciure de bois contenant des résines séchées de phénol-formaldéhyde. Au bout de quelques heures, elles s'imbiberont d'eau, et descendront lentement vers le royaume des décomposeurs pour leur compliquer la tâche. De pous-sière en poussière, elles défieront les enzymes et épaissiront le dépôt déjà existant. Alors, le lac Huard vieillira plus vite que prévu. Ses enzymes ne sont pas conçues pour recycler les particules de résines séchées de phénol-formaldéhyde, tout comme lui n'est pas conçu pour vivre et vieillir en harmonie près de l'homme. Il étouffe, le lac Huard, sous la couche de poussière malfaisante que laisse pleuvoir sur lui l'usine de l'homme. Il crève de chaleur sous le soleil torride. S'asphyxie par la multiplication des plantes aquatiques qui se défendent à leur façon d'un manque d'oxygène. Combien de temps prendra-t-il à mourir? Combien de temps avant que le dépôt ne monte indubitablement jusqu'à combler la fosse? Vingt ans, cinquante ans? C'est trop vite pour un être qui date de l'ère glaciaire. De sa formation à ce jour il serait venu à bout de tant de saisons, aurait vaincu inondations et sécheresses... pour mourir bêtement en l'espace d'une génération d'hommes. C'est trop bête. Il devrait réagir. Mais comment un être sans défense le peut-il? Sans parole et sans geste. Il n'a pour cri de détresse que la prolifération des plantes aquatiques. Quelqu'un quelque part captera-t-il les ondes qu'il émet avant qu'il ne soit trop tard? Avant que l'enzyme ne soit définitivement vaincue par cette fine poussière inorganique et toxique et que cet être, vivant depuis l'époque glaciaire, ne s'éteigne subitement entre les mains de l'homme?

* * *

Éthiopie, vendredi, 29 juin 1984.

L e goût de l'injera l'empêche de dormir. C'était si bon! Maintenant il n'y en a plus. Mais le goût est encore présent dans son palais. Elle ne se fait pas à l'idée d'en être privée à l'avenir. Il faudra attendre que le goût s'estompe pour moins en souffrir. Et attendre que le souvenir même du goût s'efface, pour ne plus y penser. Jamais plus. À moins qu'une récolte de teff ne sorte miraculeusement du sol. À moins que la pluie ne vienne éclore les semences. Mais la pluie ne viendra pas. Les vents ne parlent plus d'elle. Accroupi devant la maison, grand-père a beau tendre l'oreille et frémir des narines, il sait bien qu'elle n'est pas en chemin pour venir abreuver leur champ. Il le sait si bien qu'il ne répare pas la natte du toit qui bruisse sèchement.

Elle aussi maintenant, elle le sait. La pluie n'est pas en chemin.

Zaouditou se tourne vers le feu et rencontre les yeux de son grand-père. Des yeux brillants, vifs. Il ne dort pas lui non plus.

— Zaouditou, ce pays, c'était l'Éden.

Il a lu cela dans les livres sacrés. C'est un dabtara; un sage. Il sait tant de choses. Cette nuit, il lui confie cet héritage. Pourquoi à elle? Quel lien mystérieux les unit l'un à l'autre? Est-ce l'espoir insensé de la pluie? L'insomnie? Pourquoi ce vieil homme lui lègue-t-il ses connaissances? À elle, Zaouditou, une fille? Qu'est-ce que leurs vies ont en commun? Cette nuit peut-être...

— Il était ici, le paradis. Le premier homme et la première femme y vivaient. Il y avait tout plein d'arbres fruitiers et des fleurs et des céréales. Et des animaux qui obéissaient à l'homme. C'était vert partout.

— Ici?

— Oui...

— Il pleuvait?

— Oui, il pleuvait et les sources jaillissaient partout. L'homme n'avait qu'à cueillir les fruits.

— Qu'est-il arrivé?

— L'homme a désobéi... et il a perdu l'Éden. Oui, il a désobéi.

À quoi? À qui? Grand-père plisse le front. Sait-il de quoi retourne cette désobéissance? On dirait qu'il souffre. Qu'il regrette. Qu'il expie.

— Zaouditou, ce pays n'était pas ainsi, avant ta naissance. Nous venions à bout de nos sécheresses et de nos famines, en ayant soin de faire des provisions. Ce pays produisait beaucoup, quand j'étais un jeune homme. Tant de céréales sortaient de la terre, qu'on en vendait à l'étranger. Avec mon père, j'ai beaucoup voyagé. J'ai vu le grand lac Tana où l'on baptisait. J'ai visité ses monastères sur les îles et rencontré les Waïto qui traquaient les hippopotames. Partout, le teff, l'orge et le seigle mûrissaient. Il y avait aussi des fèves, des lentilles, des haricots, des poireaux, des oignons, de l'ail, des piments. Et puis des bœufs et des moutons dans les pâturages. Et du miel dans les ruches. Avant, ce pays était vert et généreux. Je l'ai vu. Avant ta naissance, le paradis avait encore une signification... Ce pays donnait ses fruits et le vent de la mousson nous apportait régulièrement ses pluies.

Grand-père s'arrête. Tapote sa main de ce geste nostalgique qu'il avait pour le costume traditionnel, comme pour se faire pardonner cette dimension qu'il vient de donner à la perte qu'elle a encourue. La perte de ce pays qui donnait une signification au paradis.

Le vieil homme se tourne sur le dos maintenant, une main derrière la nuque. Il regarde fixement l'ouverture dans le toit de chaume et écoute ce bruissement sec et révélateur.

— Maintenant, les vents nous trompent. Ils ne parlent presque plus de pluie. Déjà, sous le règne de notre négus, ils avaient commencé à nous tromper. Voulaient-ils nous mettre en garde de ne pas renverser le gouvernement? C'est pire maintenant. Les vents sont de plus en plus traîtres, de plus en plus avares. Ils n'ont rien pour nous. Pas une goutte de pluie. Oui, c'est pire depuis que les militaires ont pris le pouvoir en ce pays reconnu de paix et liberté. Depuis qu'il y a la guerre de surcroît à la sécheresse... Depuis que les hommes abandonnent leurs champs, pour aller tirer de la mitraillette. Depuis qu'il y a des cartes qui ne servent qu'à nous anéantir et qui nous traitent comme du bétail, nous les héritiers d'une très ancienne civilisation. Où est la liberté, si on nous force à s'installer au Sud?

— On dit qu'au Sud... il y a de l'eau... de la pluie... que c'est vert partout.

— Peut-être, Zaouditou... mais il n'y a pas la liberté. L'homme ne possède pas son toit, ni sa terre. Il ne peut aller où il veut et quand il veut... Et puis, il y a des mouches qui rendent très malades et un climat auquel nous ne sommes pas habitués. Nous sommes des gens des plateaux. Nous les chrétiens coptes, nous avons hérité des plus belles terres sur les plateaux. Qu'irions-nous faire dans le Sud? Le gouvernement veut nous anéantir, nous éliminer, nous déraciner. Pourquoi nous laisserions-nous faire?

Les paroles de grand-père la pénètrent sans toutefois lui apporter le moindre réconfort. Elle les enregistre parce que le moment est grave, unique. Son grand-père lui parle. Il lui transmet ce que toute sa vie a élaboré, pensé et cru. Pour sa part, elle n'a pas d'objection à émigrer au Sud. À boire dans les sources et à entendre tomber la pluie sur les récoltes. Le langage de grand-père lui paraît abstrait. Complètement détaché de ce vide dans son ventre. De cette soif dans sa bouche. Demain, il s'assoiera devant la porte, sur son sac de semences, au cas où le vent changerait d'idée. Elle, avec l'âne chétif, elle ira quérir l'eau puis marchera longtemps et longtemps en quête d'une bouse séchée ou d'un morceau de bois pour réchauffer les nuits glaciales. Tout ce que grand-père raconte cette nuit ne lui sera d'aucun secours, demain, quand il lui faudra accomplir ses tâches. Quand ses pieds endoloris n'en pourront plus d'errer dans ce désert et qu'une fatigue et une responsabilité immenses tomberont sur ses épaules d'enfant. Mais elle écoute, consciente de la solennité du moment.

— Zaouditou, ce pays était le pays des rois. Le pays de l'or, de l'encens et de la myrrhe… Nous ne sommes pas nés dans le même pays, Zaouditou. Tout a changé à ta naissance. La guerre a fait de ce pays un enfer. Moi, j'ai connu le paradis. Moi, j'ai souvenance de toutes les richesses perdues, toi tu n'as que le souvenir d'une injera. Ton paradis à toi, c'est le goût de l'injera sur ta langue.

Comme il a raison! Comme elle souffre de ce souvenir!

— J'ai perdu beaucoup plus que toi. Tu ne peux pas souffrir de ce que j'ai perdu.

Elle le regarde intensément. Imprime dans sa mémoire la tête noble de ce vieillard qui a perdu le paradis… Comme il doit souffrir de toutes les richesses dont la terre le prive désormais!

Zeferi le petit frère, âgé de quatre ans, gémit faiblement. Il a des crampes. Zaouditou s'accoude et regarde dormir ses frères, nés en enfer, comme elle. Le plus à plaindre c'est le petit Groum, qui n'a que neuf mois. Il est faible et maigre. Et puis, il épuise sa mère à tirer sur ses seins flasques. Tant qu'à Nigusse, il chante continuellement, bien que cela fasse sept ans qu'il vive dans cet enfer.

— Pourquoi Nigusse chante-t-il toujours?

— Nigusse est une bénédiction pour nous. Je lui montre les chants et il les retient. Je l'enverrai au monastère de Gounda-Goundie, étudier la musique. Il sera un très grand chantre. C'est une bénédiction pour nous, Zaouditou. Tu dois prendre soin de lui. Veiller à ce qu'il mange et n'ait pas froid. Je crois que Dieu nous l'a envoyé en signe de pardon pour nos égarements.

Grand-père se tait, s'enferme dans ses prières. Ses lèvres marmonnent des choses incompréhensibles en guèze, cette langue très ancienne réservée à la célébration des offices.

La fillette se recouche, observe encore durant un long moment le visage ridé et crispé de son aïeul, né au paradis. Malgré elle, elle jalouse ce souvenir. Aimerait avoir vu des moissons abondantes et le grand lac Tana. Aimerait avoir connu ce pays vert et fertile. Bien qu'il ait perdu plus qu'elle, il demeure plus riche avec tous ces souvenirs. C'est sûr qu'elle ne peut pas souffrir de ce qu'il a perdu mais elle peut en rêver.

Et elle s'endort finalement sur des rêves verts et humides. Des rêves d'eau et de vie. Des rêves de paradis.

* * *

Samedi, 30 juin 1984.

— C'est pas si terrible! commente madame Latour, présidente de l'Association des riverains, en inspectant le ciel d'un œil critique.

Évidemment. Maintenant qu'un vent du sud pousse la poussière d'usine au-dessus des champs et des forêts, les chalets environnants et le lac n'en sont plus incommodés.

Jean tente un sourire mondain, l'invitant à prendre place dans la balançoiré où, à son tour, sa femme Diane s'efforce d'être polie.

— Vous avez une vue charmante!

Madame Latour regarde la piscine creusée de René Mantha, le voisin.

— Oui, le lac est magnifique d'ici. Surtout quand on regarde les îles, répond Diane en roulant machinalement le coin de sa feuille de pétition.

Jean imprime un mouvement sec à la balançoire, se croise brusquement les bras. Cette situation lui pèse. Il se sent exactement comme lorsqu'il est en présence d'un groupe dissipé et réagit de la même manière, serrant poings et mâchoires. «Calme-toi, calme-toi», se répète-t-il intérieurement. Mais l'attitude de cette femme l'irrite. Son mensonge l'irrite. Son hypocrisie l'irrite.

Qu'il est passé maître dans l'art de se mettre les pieds dans les plats, mais qu'il est passé maître! D'abord, qu'avait-il à acheter ce chalet à proximité de l'usine? Hein?! Il y a d'autres lacs que le lac Huard, mais comme il y venait enfant, dans un chalet que ses parents louaient d'un habitant, il a cru, bien naïvement, qu'il avait des racines dans la région. Bien naïvement, il a pensé qu'ici les montagnes étaient plus belles qu'ailleurs, les gens plus sympathiques. Bref, naïvement, il en a fait sa place de villégiature. Première gaffe! Deuxième gaffe, il s'est laissé élire membre du conseil de l'Association des riverains. Quelle poire! Quel mollasse il est! N'avait-il pas assez de l'enseignement pour lui mettre les nerfs en boule? Va pour sa femme qui s'ennuyait à longueur d'année et profitait de cette occasion pour plaider une cause à laquelle elle croyait. Mais lui, il avait assez de ses propres griefs sans s'embarrasser de ceux de l'Association durant ses vacances. Et troisième et dernière gaffe, cette pétition qu'ils ont fait circuler la fin de semaine de la Saint-Jean, exigeant l'installation de filtres aux cheminées de l'usine. Pétition qui, il le pressent, ne réussira qu'à envenimer ses rapports déjà tendus avec son puissant voisin.

— Vous avez besoin de soleil, Jean. Ce que vous êtes pâle!

Pas surprenant. Il a passé ses premiers jours de vacances à faire signer la pétition, tandis qu'elle, elle est est toute brune et ridée comme un pruneau séché, tellement elle passe de temps sur sa chaise de bronzage.

— Vraiment une belle vue.

Elle regarde le ciel, cette fois-ci ironiquement bleu et clair comme sur une carte postale.

— Le vent vient du sud aujourd'hui, explique-t-il.
— À peine.

64

— C'est suffisant.

— Vous croyez?

— Mais regardez! Regardez la pétition. Nous avons recueilli cent dix-huit noms.

— Tous de nos membres, je présume.

— Évidemment.

Elle examine hâtivement la feuille que Diane lui présente puis pose sur lui ses gros yeux vert lime. Cette couleur artificielle donnée par les lentilles cornéennes teintées enlève toute la gravité que la présidente s'efforce de donner à son regard. Il se rappelle avoir confisqué deux super balles de cette couleur durant ses cours et se mordille les lèvres afin d'enrayer une crise de fou rire.

Voilà qu'il n'ose plus envisager les yeux de super balles de la présidente. Il va s'esclaffer, c'est inévitable. Enlever à son tour tout le sérieux de la pétition et altérer la réputation des professeurs de polyvalente déjà tombés en disgrâce dans l'opinion publique.

Il doit se ressaisir.

Pour ce faire, il n'a qu'à lorgner le terrain de son voisin. La clôture grillagée, l'absence d'arbres et d'arbustes sur toute l'étendue de la pelouse impeccable et la grande entrée asphaltée ceinturant la maison et les dépendances, confirment le peu de respect de René Mantha envers la nature. D'ailleurs que respecte-t-il cet homme qui agit comme si tout lui appartenait. L'eau, l'air, la terre?

— Je constate que personne de la municipalité n'a signé. C'est assez fâcheux.

— Marjolaine a signé.

— Cela va de soi, elle fait partie de notre conseil. Êtes-vous allé voir le maire?

— Oui.

— Et puis?

— Bof! Je crois qu'il a voulu me monter un bateau. Il m'a raconté que les filtres étaient déjà commandés.

— C'est exact!

Madame Latour saute sur l'occasion de se dépêtrer de cette situation pour le moins délicate.

Venant à peine de quitter le bureau de René Mantha où, tout en les condamnant, elle a dévoilé les intentions des Riverains à propos des filtres, elle s'empare des allégations du maire pour consolider son poste de présidente face aux gens de son conseil.

Ainsi, elle ménage la chèvre et le chou, la chèvre étant cette amitié de longue date entre elle et René Mantha. Amitié qui aurait même pu se solder par leur union. Mais à l'époque, René Mantha n'était riche que de son ambition et elle lui avait préféré maître Latour. Par dépit, probablement, René Mantha avait alors épousé leur bonne, Irène Taillefer. Par dépit sûrement.

Une pointe de rage. D'amertume. De doute tant qu'au bon choix, à la vue de toutes les richesses étalées dans la cour voisine. Dire que leur ancienne bonne bénéficie de tout cela, pendant qu'elle s'ingénue à protéger le chou des dents avides de René Mantha. Le chou étant l'Association des riverains qu'elle a elle-même fondée pour sauver sa plage de l'envahissement des plantes aquatiques.

Heureusement que, maître en cet art, le brave maire est venu à sa rescousse sans le savoir.

— Monsieur Mantha vient justement de me confirmer cela. Les filtres sont commandés, affirme-t-elle d'un ton sentencieux en stoppant la balançoire de son pied. Voilà.

— Je crois qu'il vous a dit ça pour gagner du temps…

— Jamais de la vie! René Mantha est un homme honnête. Il a beau être un homme d'affaires, il se sent tout autant concerné que nous par la pollution.

— Vous a-t-il montré une preuve? Un bon de commande? interroge Diane, jusqu'ici silencieuse.

— Je n'ai pas besoin de preuve. Sa parole me suffit.

— Oui… mais hélas, les paroles s'envolent, on ne peut pas certifier cette commande à nos membres avec des paroles…

— Pourquoi pas? Hmm! Pourquoi pas? Nous ne sommes pas au Parlement après tout. Ni à la Cour suprême. Même mon mari trouve que nous prenons tout ça trop au sérieux. Il vous faut toujours des preuves écrites. On peut faire confiance aux gens vous savez.

— Ceux qui sont contre les cheminées sans filtre ont eu l'audace de signer une pétition. Alors si monsieur Mantha est de si bonne foi, qu'il nous signe lui aussi une garantie que les filtres sont commandés.

Diane lève le ton, sans toutefois s'emporter. Elle aurait probablement fait une bonne avocate, si la grossesse de leur premier enfant n'avait mis un terme à ses études, pense son mari. Il aime la voir plaider la cause de l'environnement. Elle y croit tellement. C'est elle qui l'entraîne dans ce combat malgré lui. Malgré sa fatigue et son manque d'énergie. Sans sa foi à elle, il ne ferait que se reposer durant ses vacances. Se bronzer au soleil, apprendre à faire de la planche à voile et écouter le vent dans le feuillage, en oubliant le bruit de cette jeunesse libérée de la polyvalente où il enseigne. Serait-il plus reposé en septembre? Sans doute non. Puisque sa conscience le travaillerait. Puisque ce crime commis envers la nature le persécuterait. Puisqu'il ne pourrait penser à l'avenir de ses enfants sans être rongé de remords. Somme toute, c'est ici qu'il la calme, cette conscience qu'il étouffe dix mois par année.

— J'en parlerai aux membres à la prochaine réunion. Mais il est hors de question que j'aille demander une preuve à monsieur Mantha. C'est un ami de longue date et j'ai confiance en lui. Cette pétition ne fera que jeter l'huile sur le feu. Vous oubliez que les trois quarts de cette municipalité travaillent pour René Mantha et que nous devons être très prudents dans tout ce qui concerne l'usine. Il ne faut pas nous mettre ces gens à dos, je vous le dis. Je les connais plus que vous. Cela fait trente ans que nous possédons un chalet ici, et nous ne les connaissons pas encore. Ils sont imprévisibles. Si l'Association des riverains se les met à dos, elle ne survivra pas longtemps, croyez-moi.

Diane réfléchit. La Présidente a hélas raison en ce qui concerne la réaction des gens de la place puisque tous ont refusé de signer la pétition, même ceux qui souffraient le plus des fumées âcres de l'usine. On lui fermait la porte au nez ou on trouvait un prétexte insignifiant pour ne pas signer. Seule Marjolaine Taillefer avait pris ce risque bien qu'après tout il lui était difficile de faire autrement en tant que membre du conseil de l'Association des riverains. Oh! Oui! Elle ne connaît pas ces gens, et son mari, qui croyait être accepté d'eux parce qu'il avait droit aux propos et confidences du maire, s'aperçoit peu à peu de l'imperméabilité de cette société.

— C'est assez délicat, en effet. Surtout que l'usine vient juste de rouvrir ses portes, approuve Diane.

— Je ne vous le fais pas dire. Après nos élections, nous mettrons le cric Cochon à l'ordre du jour. Ma plage est maintenant pleine d'herbages... Il y a trente ans, on buvait l'eau du lac, vous imaginez? Vous avez vu ce dont elle a l'air aujourd'hui?

— C'est partout pareil. Il y a trente ans, on pouvait boire presque dans tous les lacs.

Diane lui reprend la pétition des mains. Madame Latour sourit, victorieuse.

— Bon! J'ai à faire.

Elle se lève d'un bond, attend un instant, pour voir si on ne va pas la reconduire à sa voiture et lui ouvrir la portière comme à une présidente de compagnie, et, voyant le jeune couple imprimer un léger mouvement à la balançoire, elle emprunte l'allée de gravier en tombant, un pas sur deux, de ses sandales à talons hauts.

— Elle semble sûre d'être réélue.

Diane sourit, en relisant sa pétition.

— Toi, tu as une idée...

— Hmm! Hmm!

Elle jette un regard derrière son épaule, pour s'assurer du départ de madame Latour.

— J'ai parlé aux autres membres du conseil. Elle ne travaille que pour améliorer sa plage. Elle est tellement obsédée par les plantes aquatiques, qu'elle veut faire une demande cette année pour les faucarder...

— C'est mieux que l'année passée quand elle a carrément répandu des herbicides dans le lac...

— Ça prouve jusqu'à quel point elle est dépassée. Les membres sont excédés par son comportement. Elle ne comprend rien à l'écologie et a encore la vieille idée qu'un terrain gazonné est plus propre que celui conçu par la nature. Tu le sais autant que moi, elle et Ti-Ouard-la-pelouse ont les mêmes conceptions.

— C'est quand même elle qui a fondé l'Association.

— Dans le but de faire nettoyer sa plage.

— Exact, alors?

— Alors, nous allons nous élire une nouvelle présidente.

— Toi?

— Non. Mieux que ça. Quelqu'un de la place... Vois-tu qui?

— Marjolaine?

— Oui, Marjolaine. Elle nous ferait une excellente présidente...!

— Oui en effet. Elle est jeune et très motivée. Et de la place comme tu dis. Oui, tu as eu une bonne idée. C'est madame Latour qui va être surprise.

— La pauvre!

Ils éclatent tous deux de rire et poussent, chacun leur tour, sur le plancher de la balançoire.

— On n'a pas fait signer tout ça pour rien, mon vieux! conclut Diane, en donnant une forte poussée qui leur donne l'impression de voler vers ce ciel ironiquement bleu.

* * *

Dimanche, 1er juillet 1984.

Qu'il se sent petit! Non! mais qu'il se sent petit!

Agenouillé devant sa cuvette, Ti-Jean regarde déborder l'eau, les yeux fixés sur cette matière brune qui tournoie lentement. Sa femme éponge avec la vadrouille au fur et à mesure, tandis que les enfants lancent des «ouach, caca» dans la cuisine.

Cela lui donne envie de vendre.

Son impuissance à régler ce problème l'amoindrit à ses yeux. Il se sent tellement incompétent en matière de plomberie, de mécanique et de construction. D'ailleurs, en quoi est-il compétent? Son enseignement laisse à désirer puisqu'il passe la majeure partie de son temps à conserver le peu d'autorité que lui confère sa petite taille. Ses cours de chimie, loin d'être un transfert de connaissances, se résument en un combat inégal entre lui et ses grands élèves, bien plus intéressés à impressionner les filles par leurs muscles et leur stature que par leur connaissance du tableau de Mendeleïev. Non! Il n'est pas bon à grand-chose. Même pas à pratiquer de la planche à voile. Ça s'est vu aujourd'hui. Les enfants et Diane ont ri toute la journée de ses pirouettes et de ses maladresses. Cette histoire de vent, d'équilibre… Non, mais il n'y est pas du tout. Pas du tout.

Qu'il se sent petit! Il lui suffirait de vendre pour avoir la paix. Finis les problèmes d'eau et de pompe. Il s'achèterait une piscine, un barbecue au propane et une table de pique-nique. Ce serait tellement plus simple que d'être confronté à tout bout de champ avec des problèmes hors de sa portée. Il pourrait au moins se reposer, avoir des vacances comme tout le monde. Même en banlieue. Mais qu'il a donc le don de se mettre les pieds dans les plats! Foutu chalet!

Il commence à comprendre pourquoi l'ancien propriétaire tenait tant à vendre. Tout était à refaire ou plutôt à faire. L'installation septique qui se résumait à un baril enfoui dans la terre, l'approvisionnement en eau potable, qu'il devait aller puiser au torrent et finalement l'électricité au complet qui était à refaire. Pas surprenant qu'il l'ait obtenu pour un prix si dérisoire.

L'eau arrête de déborder. Il soupire. Diane finit d'essuyer le plancher et envoie les enfants jouer dehors. Puis, elle s'agenouille à ses côtés et le serre contre elle.

— C'est pas la fin du monde.

— Y a toujours quelque chose qui marche pas. Quand c'est pas la toilette, c'est la pompe. Et quand c'est pas la pompe, c'est la fumée de l'usine. Y a toujours quelque chose qui cloche tout le temps. Maudit paquet de troubles!

— On n'a qu'à faire venir Gustave Potvin.

— Ouais! Rien que ça! En attendant, tu peux me dire où on va satisfaire nos besoins.

— …

— On a enterré la vieille bécosse… j'te ferai remarquer.

— On peut louer un camp de Boisclair.

— Ça vaut la peine d'avoir un chalet dans ces conditions. Et puis… les camps sont tous loués en cette saison.

— C'est vrai. Ben, pour les p'tits besoins, on peut faire ça sur le terrain… et creuser un trou pour le reste… peut-être.

— Ouais… je vais aller voir Gustave… après, je creuserai un trou.

Les grands pins des îles se découpent nettement sur le ciel pourpre et les embarcations projettent leur silhouette sur l'eau noire et rouge. Cette lumière, à l'ouest, l'éblouit, le réchauffe, le console. C'est le fourneau du grand forgeron qui accroche des lueurs au ventre des nuages. Il regarde son feu de bois et souffle sur les tisons. De petites flammes naissent, grandissent, viennent enflammer les guimauves des enfants.

— Ah! Papa! rouspètent-ils, en les secouant pour les éteindre avant de les avaler goulûment.

Ti-Jean tend l'oreille aux vagues sur la grève et à l'engoulevent bois-pourri, là-bas, dans la forêt, qui chante à s'étourdir, accompagné de l'orchestre des batraciens.

Il hume le parfum de l'eau, de l'herbe fraîche et du feu de bois. Qu'il est bien à cette heure du jour! Une paix suave le gagne au fur et à mesure que le soir tombe. Demain, Gustave Potvin viendra vérifier sa plomberie et il a creusé un grand trou derrière la remise en avertissant les enfants de ne pas jouer aux alentours.

Il tâte les ampoules dans la paume de ses mains. Ont-elles été causées par la pelle ou la planche à voile? C'est sans importance: elles sont là et il en est fier. Enfant, il comptait avec la même fierté ses piqûres de moustiques qui faisaient du petit gars de la ville, un p'tit gars de la campagne. Il se salissait les ongles aussi, pour se métamorphoser au plus vite.

Il a toujours aimé cet endroit, ce lac, ces montagnes où erre son insouciante enfance. Ce soir, il a l'impression de la retrouver, de la rejoindre enfin après avoir éprouvé tous les déplaisirs de la vie adulte. Il se sent petit, mais pas dans le sens de l'impuissance. Il se sent petit parce que tout ce qui l'entoure est tellement grand.

Peu à peu, les embarcations regagnent la rive et taisent le bruit de leur moteur hors-bord. Des nuages mauves, éclairés par les tisons du soleil couchant, subsistent à l'horizon.

Ti-Jean attend. Se recueille. Fait de la place dans son âme pour le cri mystérieux du bel oiseau. Son cri, sa plainte ou son hurlement, il ne sait comment le décrire. Mais, il l'attend. L'enfance en lui attend, prête à s'émerveiller, à frissonner, à imaginer. Il a soif de ce cri, de cette plainte ou de ce hurlement qui résume toutes les beautés sauvages de ce monde. Enfin, le majestueux huard se fait entendre. Magnifique et mystérieux, son cri emplit la nuit et l'âme de Ti-Jean assis au bord de l'eau.

✳ ✳ ✳

Lundi, 2 juillet 1984.

Gustave Potvin, prenant appui contre la paroi glaiseuse, tourne la mèche dans le tuyau d'évacuation.

Youri admire le jeu des biceps et les avant-bras bruns et poilus du plombier. Cet homme qui diffère tellement de son père l'impressionne énormément. Il se fait petit, silencieux pour ne pas le déranger dans son ouvrage, confiant qu'il découvrira la source de leurs ennuis.

Qu'il aimerait que son père soit comme cet homme! Ou plutôt qu'il aimerait que son père soit cet homme! L'enfant se sent fautif de penser cela. Très fautif. Son père est si gentil. Si instruit. Il connaît des choses que personne, ici, ne serait en mesure de comprendre. Mais des choses, hélas, complètement inutiles. Il ne sait ni clouer, ni réparer une fuite d'eau, ni entretenir son automobile. Il ne sait même pas encore faire de la planche à voile.

Cette maladresse de son père l'indispose. Il aimerait tant pouvoir être fier de lui. Claironner sur tous les toits qu'il n'y a rien à son épreuve. Mais, hier, le garçon de Gustave Potvin lui a crié que son père n'était qu'une femmelette et il n'a su que répliquer. Ils en sont restés tous deux aux échanges de grimaces et de menaces.

Advenant un corps à corps, Youri doute de ses chances. Il n'a pas l'habitude de la lutte, son père lui interdisant formellement de se battre dans la cour d'école. C'est un non-violent, son père. Il ne cesse de le prêcher après ses journées d'enseignement qui le laissent plus mort que vif.

Mais Gustave Potvin ne semble pas être un non-violent et ses enfants éclosent librement dans sa cour encombrée de vieux moteurs et de constructions de cabanes. Gustave Potvin fume, il boit de la bière et il sacre. En outre, il ne mâche pas ses mots, il a toujours les doigts pleins de cambouis et une combinaison crasseuse. C'est son héros. Il aimerait lui ressembler plus tard. Savoir tout réparer comme lui et faire la mécanique des moteurs diesel.

«Batèche!» s'exclame Gustave, en proie à quelque difficulté. Ce mot ravit l'enfant. Batèche. Ça fait mâle sans être un sacre, tout en lui ressemblant. Il l'adopte illico. À l'avenir, quand il aura des ennuis, il s'exclamera «batèche». Ses parents ne pourront pas le reprendre, car ce n'est pas sacrer. Cette trouvaille le fait rêver et il s'imagine lançant ce mot devant ses camarades de classe. De la bouche d'un fils de professeur cela aura l'effet d'une bombe.

«C'est bloqué», conclut Gustave en retirant sa mèche. Youri admire le flegme de l'homme qui essuie tranquillement l'outil. Lui, il ne peut faire abstraction des matières qu'il a dû traverser pour constater ce blocage. Mais, il surmonte son dégoût et propose son aide.

— Mais non. Laisse mon jeune. J'ai fini. Tu t'appelles comment déjà?

— Youri.

— Ah! Oui.

C'est la troisième fois que l'homme lui demande son nom et la troisième fois qu'il a la même expression d'incompréhension. Il ne se familiarisera vraisemblablement jamais avec ce prénom original tiré du vocabulaire russe.

— T'as beau venir jouer à la maison. J'ai des garçons de ton âge. Michel et Marc. Y ont neuf et onze ans.

— Oui, m'sieur.

— Tu les connais?

— J'les ai vus à la pêche aux grenouilles.

Et comment qu'il les a vus! Cela l'avait insulté de les voir pêcher SES grenouilles, devant SON terrain. Non pas qu'il raffolait des grenouilles, mais il se sentait lésé dans son droit de propriété. «L'eau est à tout le monde» lui avait répliqué Marc en tendant un hameçon habillé d'un morceau d'étoffe rouge dans les nénuphars, juste devant lui. Et hop! une grenouille avait bondi sur l'appât. SA grenouille. D'un coup de bâton de baseball, Marc avait assommé l'animal puis laissé choir dans une chaudière.

— Va-t'en chez vous! J'vais le dire à mon père.

— Ton père, c'est rien qu'une femmelette. Y m'fait pas peur: y est plus p'tit que moé, ha! ha! ha!

Les enfants de Gustave n'avaient sûrement pas raconté cette épisode à leur père puisque celui-ci l'invitait à partager leurs jeux. Et, vu que les autres n'avaient rien dit, il ne dirait rien lui non plus. C'était un compte qu'ils devaient régler entre eux. Quitte à se battre à l'insu de leurs parents.

— Tiens, mon jeune, tu peux amener mon coffre. J'vas aller dire la mauvaise nouvelle à ton père.

Il est lourd, le coffre. Est-ce que les garçons de Gustave le trimbalent sans forcer? Autant se faire des muscles tout de suite.

Youri ne se sent vraiment pas prêt à les affronter. Ils ont plus d'une longueur d'avance sur lui. Le féminisme de sa mère le

73

freine dans ses élans spontanés et son père ne cesse de le limiter en prêchant la non-violence. Lui, il aimerait grandir comme de l'herbe folle dans une cour encombrée de vieux moteurs. Il aimerait aider son père au lieu de faire la vaisselle. Il aimerait être sale, déluré et libre comme les enfants de Gustave. Il aimerait, comme eux, boire de la bière en cachette dans les bouteilles de leur grand-père cocasse. Aimerait avoir des chats, des poules, des lapins. Une petite vie bien à lui. Un commerce de grenouilles et de vers pour gagner des sous et s'acheter ce qu'il veut. Mais son père est professeur et se soucie beaucoup de son éducation. Et sa mère, qui a abandonné ses études de droit à cause de lui, tient à en faire un homme complet. Capable de se débrouiller autant dans les besognes de femme que dans celles des hommes. Et cela lui pèse plus que le gros coffre du plombier qu'il réussit à hisser dans la boîte de la camionnette.

— C'est à peu près icitte que c'est bloqué, explique Gustave à son père, si petit et si visiblement découragé.

— Mais c'est une installation neuve. Qu'est-ce qui l'aurait bloquée?

— J'ai comme mon idée que vos tuyaux sont pas assez creux. C'est le gel qui les a déplacés. Votre terrain est ben glaiseux pis rocheux. C'est pas bon, ça.

— Ah! Non?

— Non. Ça travaille toujours, la glaise. Faudrait creuser à peu près icitte. Vous allez voir votre tuyau. J'suis certain qu'y a une roche qui a monté en dessous, quelque chose comme ça.

— Creuser?

— Faites venir une pépine.

— Bon! Foutu chalet!

— C'est pas drôle les problèmes de puisard... Mais, je peux rien faire avant qu'on creuse.

— Vous avez quelqu'un à me conseiller?

Gustave hésite, se gratte la nuque, enlève sa casquette. Son crâne dégarni surprend Youri. Ainsi donc, les seuls cheveux que possédait cet homme se résumaient en la couronne de mèches noires et bouclées ceinturant ce couvre-chef qu'il n'avait jamais enlevé jusqu'à maintenant! Quelle déception! Mais quelle arme! Demain, il pourra crier: «Ton père a même pas de cheveux... gna... gna... gna.»

— Ben, y a Bizou Gagnon pis les frères Taillefer.

— Lequel est le meilleur?

74

— Y s'valent.

— Le moins cher.?

— Bizou p't'être... faudrait d'mander, répond Gustave sans conviction, persuadé que les minces économies que pourrait réaliser ce professeur n'affecteraient en rien ses revenus élevés. Trop élevés au dire de bien des gens.

D'un pas lent, il rejoint sa camionnette poussiéreuse.

Youri le regarde aller, écoute bringuebaler le coffre dans la boîte et suit le véhicule des yeux jusqu'à ce qu'un bosquet de trembles le soustraie à sa vue. Puis, il descend vers le lac et va s'asseoir au bout du quai.

De là, il voit très bien la maison de Gustave Potvin. Et il contemple ce terrain si différent du leur, cette maison sans apparence, ce garage longé de clapiers, cette vieille chaloupe sur la grève et ces enfants bruyants. Et l'exotisme de ce lieu et de ces gens l'enchante et l'attire indubitablement.

* * *

Mardi, 3 juillet 1984.

C'est bien simple, quand Jérôme Dubuc est dans son dépanneur, c'est comme si Mantha lui-même y était. Ou presque. Ce n'est pas pour rien qu'on l'appelle le Flasher-à-Mantha. Il faut donc user de beaucoup de doigté et savoir exploiter avec finesse l'indice d'alarme que donne le clignotement nerveux de ses yeux. Mais quand, en plus de l'ombre de Mantha, il s'y trouve un riverain, alors là, il doit employer toutes ses ressources pour mener sa petite barque entre ces deux pôles sans chavirer. Et habituellement, il parvient à donner l'impression qu'il favorise l'un et l'autre.

Stimulé par ce double défi de plaire à Ti-Jean et au Flasher-à-Mantha, Yvon Sansouci, le maire, pèse les cinq cents grammes de bœuf haché, demandés par le professeur. Rares sont les fois qu'il peut servir un client converti au nouveau système. Habituellement, on lui demande une demi-livre qu'il calcule en grammes au détriment du client rébarbatif au changement imposé. Mais le professeur, lui, parle couramment le métrique. Il se distingue, le professeur. Paraît qu'il enseigne la chimie. Il doit avoir une certaine intelligence, genre intelligence de premier de classe qui ne sait rien faire de ses dix doigts. Mais cette intelligence ne l'inquiète pas. Celle de Jérôme Dubuc, par contre, est plus à craindre. Sournois, rusé, ambitieux, le directeur de l'usine épie comme un hibou, tandis que le professeur s'énerve telle une petite souris dans les feuilles mortes. En faisant bien du tapage mais peu de dommage. Tout est à craindre de ce hibou silencieux qui, accoudé au comptoir de boucherie, cligne nerveusement des yeux.

— Comme ça, vous avez besoin d'une pépine, s'exclame Yvon Sansouci, le maire-dépanneur en jetant un regard circonspect au Flasher-à-Mantha.

— Mon tuyau est bloqué, paraît.

— Qui vous l'a dit?

— Gustave Potvin.

— Y a pas habitude de se tromper. Le sol est glaiseux par chez vous, rocheux aussi. C'est pas bon pour les tuyaux.

— Exactement ce qu'il m'a dit.

— On connaît tous ça, plus ou moins, vous savez.

Le maire emballe le paquet de viande, essuie ses doigts sur son tablier taché de sang et ajoute:

— Pour toé, mon Jérôme?

— Sers monsieur avant. J'ai tout mon temps.

Bon. Cela veut dire qu'il désire assister à l'entretien. Yvon Sansouci n'y voit pas d'inconvénient tellement il se sent apte à manœuvrer en ces eaux tumultueuses. Il s'attaque immédiatement au vif du sujet.

— Je connais quelqu'un qui a la machine qu'il vous faut.

— Ah! Bon. Qui?

— Bizou Gagnon. Je vais vous écrire son numéro de téléphone pendant que vous finissez votre épicerie.

Jérôme le suit jusqu'à la caisse pour lui chuchoter le numéro de son gendre et lui glisser: «saleté de riverains». Le maire approuve d'un hochement de tête, tout en surveillant le garçon de Jean Latulipe, le nez écrasé sur la vitre du comptoir, vraisemblablement attiré par la marchandise en montre.

— C'est combien, monsieur, le canif noir?

— Sept piastres. Y est à ton goût?

— C'est un batèche de beau canif!

Le passage de Gustave Potvin a laissé ses traces chez le gamin. Traces que son père ne semble cependant pas apprécier puisqu'il a sursauté en entendant l'exclamation de son fils. Le voilà rendu à la caisse.

— Aide-moi, Youri.

Quel nom pour un enfant!

— Comme ça, vous êtes monté pour tout l'été? amorce Yvon Sansouci, en enregistrant les prix sur sa caisse antique qui provoque l'admiration des vacanciers. Que d'offres il a eu à refuser pour cette pièce qui faisait partie de l'équipement de l'ancien magasin général!

— Hé oui. Fallait que ça m'arrive au début de mes vacances cette histoire de puisard.

— Bah! Y a pour une journée de travail. C'est pas si grave.

— Ouais mais c'est une dépense que je n'avais pas prévue.

— Ah?

Même incrédulité que chez Gustave Potvin. Comme s'il était inconcevable qu'un professeur puisse user de prudence dans l'administration de son budget.

— Le numéro de téléphone de Bizou Gagnon est sur le papier, là, devant les gommes.

— Ah! Oui. Merci. Y a pas les frères Taillefer aussi?

— Ils ont repris l'ouvrage à l'usine, intervient Jérôme tout en poursuivant la présumée lecture des gros titres sur la pile de quotidiens.

— Ah! Tu ne m'avais pas dit ça, mon Jérôme?

— Possiblement qu'on va réengager tout le monde bientôt.

— Tant mieux! Les gens ont besoin d'ouvrage.

Un regard qui en dit long au professeur. Mieux vaut pour lui qu'il taise l'histoire de sa pétition devant le directeur de l'usine. Hélas inconscient, le petit homme s'aventure en terrain dangereux.

— Savez-vous où les filtres ont été commandés, monsieur Dubuc?

— Quels filtres?

— Les filtres de l'usine.

— C'est probablement confidentiel… suggère Yvon Sansouci usant de son faux air débonnaire.

— C'est monsieur Mantha qui sait ça. Allez lui d'mander.

— Je pensais... étant donné que vous êtes directeur. Nous avons une pétition de plus de cent quinze noms, vous savez. Les fumées incommodent sérieusement les riverains et polluent le lac... Si ça ne bouge pas, nous allons être forcés de nous adresser au gouvernement.

— Ben, faites-ça. On verra ben.

Froideur, hostilité, silence dans le dépanneur. On n'entend que le travail de la vieille caisse enregistreuse et le glissement des denrées sur le comptoir. Youri se range près de son père, convoitant toujours le canif.

Yvon Sansouci se concentre, tout en ayant l'air de ne pas être incommodé par l'animosité qui pèse sur eux. Il doit trouver la phrase ou la formule qui se conciliera l'estime de ces deux antagonistes. Il doit paraître comme un homme qui se soucie et de l'environnement et des emplois de ses concitoyens. Un homme concerné et par la pétition et par l'engagement de Bizou Gagnon.

— Voyons. Voyons. Pourquoi mêler le gouvernement à nos histoires. Ça ne réglerait vraiment pas votre problème de puisard. Il a d'autres chats à fouetter, le gouvernement. C'est plutôt Bizou Gagnon qui est en mesure de vous aider puisque les Taillefer, les frères de Marjolaine, qui justement fait partie de votre conseil, eh bien! ils travaillent à l'usine de monsieur Mantha. L'important, c'est que vous passiez de bonnes vacances, non?

Et voilà! Il a réussi.

Astucieux, habile, Yvon Sansouci présente sa facture avec un sourire affable pour en faire avaler le prix exorbitant.

Une seule et unique rue relie le village au chemin baptisé Tour du Lac. À l'arrêt, deux possibilités s'offrent à Ti-Jean: à gauche ou à droite. D'une manière ou d'une autre, il aboutira à son chalet, quoique par la droite il y arrivera plus vite.

— Par où, Youri?

— À gauche, papa.

Il le savait. Tout comme lui, Youri préfère se rallonger par le chemin qui traverse les terres et leur offre l'occasion de franchir un ancien pont couvert. C'est un peu comme s'ils voyageaient dans le temps sur ce chemin de gravier où ils se sentent vraiment à la campagne. Très, très loin de la banlieue. Les champs d'avoine encore verte, les champs de foin, les champs de trèfle, les pâturages où broutent les vaches, les bâtiments gris, les boîtes aux lettres, les clôtures de barbelés, tout cela les séduit et les ravit.

Mais aujourd'hui, il a triché, car ce n'est pas tout cela qui l'incite à choisir cette direction. Et s'il a laissé la décision relever de son fils, c'est qu'il sent confusément qu'il s'apprête, encore une fois, à se mettre les pieds dans les plats. Se sentira-t-il plus dégagé parce que c'est Youri qui a choisi d'emprunter la voie qui passe, comme par hasard, devant la maison des frères Taillefer et où, par simple acquit de conscience, il s'arrêtera, histoire de leur offrir au préalable le contrat de creusage?

Il se sentirait vraiment fourbe d'engager d'emblée leur concurrent, Bizou Gagnon, alors que sa propre femme cabale en vue de faire élire leur sœur Marjolaine au poste de présidente de l'Association des riverains. De toute façon, étant donné qu'ils travaillent à l'usine, ils ne pourront être en mesure d'accepter. Il n'y a donc pas lieu de s'inquiéter. Pourtant... il se sent les pieds si près des plats.

Déjà la ferme du père Taillefer. Ancienne, pittoresque, un peu pauvre. Il y a comme des relents de misère dans la cour, les planches de la grange, la boîte aux lettres rouillée. Un petit écriteau annonce de la crème fraîche. Il arrête. C'est si bon de la crème épaisse qu'on doit sortir de la bouteille avec un couteau.

Un enfant blond s'amuse à sauter un talus avec sa bicyclette BMX. C'est le fils retardé de René Mantha: celui qui ne parle pas. Une grosse femme apparaît sur la galerie.

— C'est pour la crème.

— Ah! Oui. Rentrez.

Son geste est invitant. Son bras dodu, rassurant. Elle le précède dans son humble demeure avec le port d'une reine. Voilà son royaume. Une vaste cuisine, une longue table d'arborite, des appareils domestiques bien astiqués, une berceuse chromée avec rembourrage de cuirette face au téléviseur, un escalier en pente raide menant à l'étage, un néon au plafond, un plancher de linoléum ultra-propre et ciré, orné d'une catalogne à l'entrée, une odeur d'étable et des mouches dans la moustiquaire. Voilà où ont grandi Marjolaine et ses frères et même la femme de Mantha. Ils ont dû en passer des hivers difficiles! Madame Taillefer sort une chopine de son réfrigérateur, s'excusant qu'elle soit encore tiède.

— Les vaches donnent trop de lait, de ces temps-ci, explique-t-elle en vérifiant l'élastique qui retient un papier cellophane sur le goulot. Une manière prudente d'avouer qu'ils ont dépassé leur quota de lait.

— Faudrait me ramener ma bouteille, par exemple. Y s'en fait plus de même.

— Certainement.

Il paie, s'empare de la chopine. C'est vrai qu'elle est tiède dans sa main. Elle lui rappelle son enfance quand son père l'envoyait chercher de la crème chez l'habitant pour manger avec les framboises. Il éprouve une sensation de douceur, de bien-être au creux de sa paume et se félicite d'être arrêté.

— Vos fils qui ont une pépine, c'est bien ceux qui habitent les deux maisons blanches en haut de la côte?

— Oui, c'est ça. Leur machine est dans la cour.

— Bon. Ça tombe bien, j'ai des travaux à faire.

— Vous avez juste à arrêter.

Là, il se félicite doublement parce qu'ainsi Marjolaine saura qu'il a d'abord consulté ses frères.

Satisfait, et de son achat et de sa tactique, Ti-Jean reprend la route en expliquant à son fils quel bon dessert ils auront ce soir et s'arrête en haut de la côte, chez les frères Taillefer.

Une femme timide lui répond.

— Florient et Jean-Paul travaillent de quatre à minuit de ces temps-ci.

Ouf! Il veille à ne pas laisser paraître sa satisfaction.

— Mais… Florient pourra être chez vous demain matin à neuf heures, promet-elle, les yeux pétillant d'espoir.

Merde! Il avait oublié la capacité de travail de ces gens-là. Avec brio, il vient de se mettre les pieds dans les plats, dressant assurément contre lui, le maire, le Flasher-à-Mantha, directeur de l'usine et qui d'autre dans leur sillage?

* * *

Mercredi, 4 juillet 1984.

— Comme ça, les frères Taillefer sont en train de creuser.

Neuf heures trente du matin, dans la cuisine du maire Yvon Sansouci, attenante au dépanneur.

Ti-Ouard-la-pelouse avale le café amer que vient de lui servir sa sœur Gilberte. Café resté trop longtemps sur le réchaud. Il hérite toujours de ces fonds de pot quand il est invité à une réunion clandestine chez son beau-frère. Réunion qui lui laisse chaque fois dans l'âme un goût aussi amer que ce café.

Il observe Yvon Sansouci monopolisant le téléphone et redoute cet air triomphant qu'il affiche. Gilberte s'efface sans bruit. Il la regarde aller, grosse, molle et soumise. La vie de sa sœur Gilberte, comme la sienne d'ailleurs, est entièrement dirigée par un membre de la famille Sansouci; les frère et sœur ayant épousé les sœur et frère.

— J'comprends qu'il n'ira pas loin! Tu peux te fier à moé pour ça.

Pour ça, il a raison. Quand Yvon Sansouci décide de persécuter quelqu'un, il n'y va pas avec le dos de la cuillère. Et le plus redoutable, c'est que la personne persécutée ne conçoit jamais les complots qu'il ourdit. Il a l'air si... débonnaire. Un peu niais même. Avec son chapeau de boucher en papier et son tablier taché de ses sempiternelles traces de doigt. C'est à croire qu'il n'en a qu'un. Et puis, il est poli, sociable. Champion à tirer les vers du nez. Il endort son public facilement. Les touristes surtout, qui ne le voient jamais venir avec ses gros sabots, amusés qu'ils sont par les sabots. Il fait tellement autochtone avec sa caisse antique et ses planchers bruyants d'ancien magasin général qu'on lui livre facilement confidences et secrets en échange de quelques bons trucs de pêche.

— Oui, j'ai mon homme ici. Y a pas de problème.

C'est lui, l'homme. Lui qui fait penser au père Ovide dans *Les Belles Histoires des pays d'en haut!* Lui, la pâte molle. Comme sa pâte molle de sœur Gilberte. Il ne vaut guère mieux vis-à-vis sa propre femme, née Berthe Sansouci, la commère du village. Sa volonté fond devant elle. Ou ce qui en reste. Que de gens elle détruit par sa mauvaise langue! Elle ne se rassasie jamais de manger son prochain. Et il faut toujours qu'il lui ramène de la pâture fraîche, sinon elle s'en prend à lui.

Tantôt, lorsqu'elle a su qu'il était mandé d'urgence chez son frère, elle ne tenait plus en place, présageant qu'il était pour lui ramener un plat substantiel. Présentement, elle doit tenter de découvrir qui converse avec le maire en signalant chez les gens soupçonnés pour vérifier si la ligne est engagée. Et il ne serait pas surpris qu'elle ait déjà approché Gilberte pour en savoir plus long. Tout comme lui, Gilberte abdique facilement devant elle et se laisse dépouiller.

— Oh! Non. On se laissera pas faire, mon vieux!

Ti-Ouard hausse les épaules. Comme si le maire avait coutume de se laisser faire! Il n'en donne que l'impression, c'est tout.

L'inspecteur avale sa dernière gorgée en grimaçant. Pourquoi accepte-t-il toujours ce café amer? Ce serait plus simple de dire non merci. Mais sa sœur lui fait pitié, avec son air de chien battu. Alors, il accepte pour lui faire plaisir. Lui aussi, il doit faire pitié à sa sœur. Et si elle le lui offrait également pour lui faire plaisir?

Il tambourine des doigts sur la table de style colonial, identique à la sienne. Des doigts gras et courts. Aux ongles rongés. C'est comme s'il était dans sa propre cuisine, ici. Mêmes meubles, mêmes rideaux, même comptoir, mêmes armoires. L'influence de Berthe triomphe royalement dans la cuisine de Gilberte. Pas surprenant qu'au village, on dise Berthe-Gilberte, comme si elles ne faisaient qu'une, la première ayant avalé l'autre.

— Oh! Non. C'est dans la loi. C'est écrit en toutes lettres. Pas question de laisser passer ça... T'as bien fait d'appeler.

À qui parle-t-il? Le maire évite de prononcer le nom de son interlocuteur pour brouiller les pistes aux curieux à l'affût sur la ligne téléphonique. Il tient l'appareil entre son épaule et son menton tout en feuilletant la brochure des règlements relatifs au zonage, au lotissement et à la construction.

— Ah! Voilà!

Un éclair de malice passe sous ses verres à monture d'écaille. Un sourire méchant relève ses lèvres minces.

Ti-Ouard-la-pelouse détourne le regard. Il supporte mal cette expression haineuse, fugitive chez monsieur le maire, mais hélas permanente chez sa femme. Est-ce parce qu'elle ne peut jamais concrétiser ses mauvais desseins que son visage est resté marqué par sa malveillance?

— Tiens! C'est ici. Écoute ben: aucun propriétaire ne peut entreprendre des travaux d'installation septique ou des modifications sans avoir au préalable déposé entre les mains de l'inspecteur un croquis détaillé de l'installation projetée et obtenir par écrit l'approbation de l'inspecteur.

Ah! C'est à propos de cette loi, datant du premier janvier 1983. Qui donc a dérogé? Il n'y a pas de quoi faire un drame. Ti-Ouard soupire. C'est rien que ça. Sa femme sera déçue de ne pas en avoir plus à se mettre sous la dent. Bof, elle se contentera de cette histoire de dix dollars qu'il a donnés à Patrick pour ramasser les déchets. Le menu ordinaire quoi?

Quant à lui, ce ne sera pas la première fois qu'il avertira un touriste sur les nouvelles lois adoptées. Jusqu'à maintenant, ils se sont montrés très coopératifs et ont facilité son travail d'inspecteur en bâtiments. Cela a été un charme, avec les Riverains, d'entreprendre la modification des installations septiques. Vraiment un charme. Pour une fois qu'il tenait le gros bout et qu'on lui obéissait. Pour une fois qu'on le consultait, lui, Ti-Ouard-la-pelouse. Oh! Il aime bien travailler avec ces gens qui lui accordent importance et autorité. Oh! Oui! Il aime bien les Riverains bien que sa femme les déteste.

— Compte sur moé, vieux.

Clic. Yvon Sansouci étale les feuilles de règlements sous son nez et, de son index, attire son attention sur le dernier paragraphe. Il n'a pas à regarder. Il connaît le texte par cœur. Les lois, règlements et normes sur le bout des doigts. S'il est une chose en laquelle il croit, c'est bien la pollution des eaux par les installations septiques défectueuses et inadéquates. Alors, il a étudié la question en profondeur et, sur ce chapitre, personne ne peut lui en montrer. Surtout pas monsieur le maire, récalcitrant à se recycler dans cette matière.

— Tu iras chez Jean Latulipe… près de Mantha.

— Oui. J'sais où. Le p'tit professeur. Pourquoi?

— Il est en train de faire creuser.

— Et puis?

— Ben, c'est écrit ici. Il ne t'a pas consulté avant, non?

— Non.

— Il doit te déposer un plan. Il l'a fait?

— Non.

— Alors, tu arrêtes les travaux.

— Y est pas le premier à faire ça. Faut pas exagérer. J'vais l'avertir. Il me donnera un plan.

— Non, tu arrêtes les travaux. On verra après.

— Mais d'habitude…

— D'habitude, quand on prétend connaître les lois, on les observe. C'est pas n'importe qui, ça. Y fait partie du conseil des Riverains. Imagine-toé que si lui se permet des illégalités, qu'est-ce que ça va être avec les autres?

— Il l'a oublié, c'est tout. Les autres n'ont pas à savoir. Y a investi beaucoup d'argent, ce gars-là, pour être conforme. Tessier, l'ancien propriétaire, se servait d'un baril troué… pis le surplus, ben, ça coulait direct dans le lac.

Et puis, il l'aime bien ce petit professeur sans prétention qui lui témoigne du respect. Sans lui, sans son encouragement et son acharnement à lui faire comprendre certains textes de lois, il ne serait pas où il en est présentement. Oui, il l'aime bien et comprend qu'il a dû oublier ce détail dans son énervement. Car un rien le distrait, le trouble, surtout lorsque le côté pratique des choses lui échappe. Ti-Ouard se refuse à accomplir cette sale besogne. À entacher sa fonction d'injustice. Il se surprend à tenir ainsi tête à Yvon Sansouci. Peut-être viendra-t-il un jour à bout de sa femme. Oh! Non. Il n'ira pas jouer à l'inspecteur rigide chez cet homme sans défense et sans manigance. Ce n'est pas cela son boulot.

— C'est un smart, ce gars-là. Y s'pense plus fin que tout le monde.

— Ben, c'est sûr qu'y a des drôles d'idées comme transplanter d'la broussaille sur sa grève… mais c'est son affaire après tout.

Ti-Ouard sourit. Ce type est vraiment bizarre de transplanter de la broussaille. C'est si beau une pelouse qui vient tomber dans l'eau. Lui, il en mettrait partout, de la pelouse. Jusque dans le lac, dit-on.

— Pauvre Ti-Ouard! Tu te rends pas compte que ce gars-là rit de toé.

— C'est pas vrai.

— Pas plus tard qu'hier, y est venu parler contre toé au magasin. Tu d'manderas à Jérôme Dubuc si tu me crois pas. Pas plus tard qu'hier.

— Qu'est-ce qu'y disait?

— Que tu devrais donner l'exemple en plantant des broussailles sur le terrain de ton chalet. Y a dit que tu polluais.

Lui! Lui, polluer? Avec son beau gazon qu'il tond régulièrement et vaporise d'herbicide. Paraît que sa pelouse est presque aussi
belle qu'un vert de golf. C'est madame Latour qui l'a dit. Pas
n'importe qui.

— Y a menti. J'pollue pas. C'est lui qui gâche le décor. Surtout à côté de monsieur Mantha.

— Tu d'manderas à Jérôme Dubuc... y a quasiment dit qu'y
nous faudrait un autre inspecteur.

— Ben ça, par exemple, j'le prends pas.

Blessé d'avoir été trahi dans sa confiance et déçu de son jugement faussé, Ti-Ouard bondit. Il va voir, ce petit arrogant de la
ville, qu'il s'y connaît en loi. C'est lui qui a le gros bout. Pas sa
femme, ni le maire mais lui, l'inspecteur en bâtiments, Ti-Ouard-
la-pelouse.

D'un pas rageur, il quitte la cuisine d'Yvon Sansouci pour en
finir au plus vite avec cette histoire. Pressé d'offrir à sa femme le
petit professeur afin qu'elle le détruise et le transforme dans l'acide
de sa bouche. Afin qu'elle le broie entre ses dents et l'écrase de sa
langue jusqu'à ce qu'il n'en reste qu'une bouillie exécrable avec laquelle elle façonnera le visage de l'hypocrisie. Jusqu'à ce qu'il
puisse oublier l'entente, la collaboration, le respect et parvienne à
haïr cet homme qu'il a cru différent des autres mais qui s'est rangé
dans son dos avec les autres pour lui faire perdre son poste.

* * *

Jeudi, 5 juillet 1984.

Immobile, la pelle encore dans le gras de la glaise,
l'excavatrice des frères Taillefer se dresse sur le terrain de Ti-Jean.

C'est pas normal, pense Léopold Potvin en se dirigeant vers
la machine pour l'examiner. Pas plus tard que ce matin, il
l'entendait travailler de sa galerie en se délectant du ronron régulier du moteur. Il est sûrement arrivé quelque chose pour qu'elle
s'arrête subitement.

L'ancien garagiste gravit le talus de mottes et jette un coup
d'œil laconique à la tranchée. Quelle habileté tout de même ils possèdent ces frères Taillefer! Il doit bien l'admettre; ils ont de

l'expérience bien qu'ils soient les fils de son ennemi juré. On dirait qu'ils ont une vue de rayon X pour détecter l'emplacement des tuyaux et des fosses septiques. De vrais chirurgiens, dans leur genre. Ils ouvrent la terre, juste là où il faut et juste ce qu'il faut. Ah! Oui. Ils sont habiles, compétents, connaisseurs. L'achat de cette machine le prouve bien. On ne peut trouver mieux. Alors, pourquoi diable s'est-elle arrêtée tout d'un coup?

Léopold s'approche du moteur pour vérifier le globe du séparateur-filtreur au cas où de l'eau se serait mélangée à l'essence, causant ainsi l'arrêt du moteur. Il n'y trouve rien d'anormal. Cela l'aurait grandement surpris que les frères Taillefer négligent ce détail. Et puis, s'ils avaient eu de réels ennuis mécaniques, ils seraient venus au garage de son fils, Gustave, contrairement à leur père qui évitait de l'encourager, lui, un partisan de l'Union nationale.

Le vieux hoche la tête, s'assoit sur une grosse roche extraite du sol et avale une gorgée à la bouteille de bière qu'il a pris soin d'apporter avec lui, question de ne pas manquer de carburant. Ouais, le père Taillefer, quand il avait le contrat des chemins, se rendait à la municipalité voisine pour faire réparer sa machinerie par un garagiste libéral. Quel entêté, ce Taillefer! Libéral jusque dans la moelle de l'os. Convaincu comme pas un. Avec une foi, mais une foi inébranlable et aveugle. Mais ce qu'il pouvait avoir le caquet bas quand l'Union nationale reprenait le pouvoir et accordait les contrats de voirie aux supporters du parti. Force était alors donnée au père Taillefer de faire le plein d'essence à l'unique garage de la municipalité, soit le sien.

Léopold amorce un sourire moqueur, enfonce sa bouteille dans la terre fraîchement retournée et sort un paquet de tabac pour se rouler une cigarette. Le fin papier tremble dans sa main, fait tomber des miettes sur ses cuisses. Maudit gaspillage! Faudrait qu'il arrête de boire. Ce tremblement incontrôlable est un mauvais signe. Il s'allume, tire une longue bouffée qui le fait aussitôt tousser. Faudrait qu'il arrête de fumer aussi. Maudite cochonnerie!

Hervé Taillefer ne fume pas, lui. Fume pas, boit pas. Mais, c'est un Libéral. On a chacun ses vices. Mais ce qu'il peut être arrogant avec son parti encore vivant. Des fois, il aurait envie de lui casser la gueule. Surtout lorsqu'il l'accuse d'être un vire-capot. Ce n'est pas lui le vire-capot, mais l'autre là… l'ancien chef qui a opté pour l'option souverainiste. Et hop! On change de bord... Tout l'monde balance pis tout l'monde danse... Changez votre compagnie. Swing la bacaisse dans l'fond d'la boîte à bois. C'est comme ça qu'il s'est retrouvé tout fin seul sur le plancher de danse. Alors, comme il voulait rester dans la ronde, il a, lui aussi, changé de bord. Comme tout le monde. Avec l'espoir que ça serait différent. Qu'il y aurait moins de pourriture, moins de chicane dans les petits villages. Parce qu'on serait occupé à construire un seul et même pays qui nous appartiendrait. Non. Il n'est pas un vire-capot car il a vraiment cru à ce rêve de souveraineté pendant que Taillefer se démenait pour que le peuple lui dise NON. NON à la fierté. NON à l'autonomie. Il y a vraiment cru... et Taillefer a vraiment cru qu'il avait raison. C'est un soumis, on n'y peut rien. Faut être soumis pour aller à la guerre des autres. Se faire massacrer en Europe, sous des ordres anglais. Faut être soumis. Hervé Taillefer a connu l'enfer de la guerre. Et l'enfer est rouge... Lui, il n'a connu que le beau ciel bleu d'un Québec sans bombe.

Leurs différends datent de loin. Très loin.

Léopold reluque la tranchée en se demandant si Hervé a déjà combattu là-dedans. Ce qu'il faut être soumis pour se glisser dans un trou qui ressemble à une fosse en risquant d'y laisser sa peau! Lui, s'il n'avait pas été marié, il se serait caché dans le bois. Ou encore, il aurait fait comme Camillien Houde qui s'est élevé contre la conscription. Brave homme que ce Camillien Houde! Il allait au bout de ses idées au moins. Rares sont les politiciens aujourd'hui qui vont au bout de leurs idées... quand ils en ont.

Un homme de petite mais très petite taille s'avance vers lui. On dirait un lutin ayant égaré le sac du père Noël tant il semble désemparé. C'est le touriste chez qui son fils Gustave fait office de plombier à l'occasion. Un professeur paraît. Léopold l'invite à s'asseoir.

— C'est toé qui est professeur?
— Oui.

Il n'en doute pas une seconde, avec ces petites lunettes à monture dorée, ces mains délicates et cette expression douce et sensible qu'il a.

— C'est un beau métier, ça. Ben beau. Ma femme était institutrice.

Ah! Sa femme! Il l'aimera toujours. Il la voit encore corriger les cahiers sur la table de la cuisine. Voit encore son écriture soignée, son geste doux lorsqu'elle épongeait avec son buvard. Il l'entend encore lui parler des enfants qui ont des difficultés, s'inquiéter de la santé de l'un et soupçonner les mauvais traitements que subit l'autre. Ah! Oui. Il l'aimera toujours. Et elle restera toujours jeune et belle dans son esprit puisqu'elle est morte quand elle était jeune et belle après lui avoir donné un seul fils, Gustave.

— Ah oui? Elle devait enseigner à plusieurs niveaux.

— Plusieurs niveaux?

— Plusieurs degrés en même temps.

— Oui. Tous les degrés en même temps.

— Ce n'est plus pareil aujourd'hui.

— Paraît, hein?

— C'est dur, aujourd'hui.

— J'imagine. Les enfants sont moins écoutants. C'est eux autres qui mènent astheure. Les p'tits de Gustave sont ben effrayants. Y a son grand, là, Pierre, qui travaille en été au garage. Crois-moé, crois-moé pas, mais à son âge, Gustave s'occupait tout seul du garage. Pis quand y vous faisait une réparation, c'était ben faite. J'avais pas à vérifier. Y oubliait rien. C'est pas comme son grand flanc mou. C'est juste si y est capable de servir le gaz... Pis, les p'tits sont bruyants. Passent leur temps à faire crier leur mère. Ah! Ça doit pas être un cadeau d'enseigner... Mais dis-moé donc, les frères Taillefer ont-y démissionné ou quoi?

— Non. C'est l'inspecteur qui est venu suspendre les travaux.

— Ti-Ouard-la-pelouse?

— Oui. J'avais oublié de lui présenter un croquis de ce que je voulais faire. J'sais pas comment j'ai fait pour oublier ça.

— Ben, tu veux réparer ton tuyau. Faut toujours ben savoir ce qui va pas avant de faire un plan de réparation. Ça m'paraît logique.

— Oui, mais y aurait fallu que j'dise au moins les grandes lignes.

— Bah! Fais-y-en un plan.

— Ben... c'est que... je m'y connais pas trop là-dedans.

— T'as du papier, un crayon?

— Oui.

— J'vais l'faire, moé, le plan. Pis à soir, Gustave nous dira si y a de l'allure.

— Vous feriez ça pour moi?

Le regard admiratif et reconnaissant du petit homme touche Léopold Potvin. Il aimerait pouvoir tout lui dire, tout lui expliquer. Mais ce qu'il lui dirait passerait pour des extravagances d'ivrogne. Ce serait difficile pour cet homme de la ville de concevoir, qu'en réalité, ce n'est pas à lui qu'on en veut mais à la famille Taillefer. Et il soupçonne René Mantha de manigancer tout cela. Oui, René Mantha, ce seul et unique manipulateur qui a remplacé la saine rivalité du patronage d'antan. Avant, c'était à chacun sa chance. Chacun son tour d'avoir le dessus sur l'adversaire politique. À chaque élection, les contrats de chemins, subventions et autres changeaient de clan. Mais aujourd'hui, il n'y a qu'un seul et même manipulateur qui se trouve parmi eux et les tient tous dans sa main. Ce n'est pas bien: ça dissout les clans, ça dissout l'unité, ça dissout les idées et même les familles. Tout un chacun est prêt à se vendre et à vendre son père pour être dans la manche de Mantha. Non, ce n'est pas bien. Il n'approuve pas.

Léopold lorgne le chalet du seul et unique manipulateur de leur petite société. En aidant Ti-Jean, il aide les frères Taillefer et, par conséquent, Hervé Taillefer. Il le sait. Mais, il n'approuve pas cette guerre déloyale contre son ennemi juré. Après tout, Hervé Taillefer mérite qu'on l'attaque de front. Il ne laissera pas René Mantha le surprendre par derrière.

— Ben oui. J'vas faire ça.

— J'sais pas comment vous remercier.

— T'auras juste à me fournir d'la bière.

Bonne action? Erreur de jugement? Indiscrétion? Léopold Potvin ne s'arrête pas à savoir s'il a tort ou raison. Il le saura bien assez tôt. D'ici là, il préfère savourer sa fierté d'obéir à ses convictions tout comme un certain Camillien Houde, lors de la conscription.

* * *

Vendredi, 6 juillet 1984.

Il ne comprend pas: Ti-Ouard a toujours été jovial et détendu
en sa compagnie, comme si un coup échappé des griffes de son acariâtre épouse, il parvenait enfin à s'épanouir. Mais aujourd'hui, Ti-
Jean ne le reconnaît plus. Aujourd'hui, il a affaire à un homme ren-
fermé, froid, distant. Un homme qui mesure, calcule, réfléchit
avant d'accorder son approbation. Présentement, il égrène de la
terre glaiseuse entre ses doigts, le front barré de rides. C'est la
plus mauvaise terre qui soit pour une installation septique, son imperméabilité empêchant d'absorber, de filtrer. Hélas, son terrain en
entier est composé de cette terre maudite. L'inspecteur acceptera-
t-il le plan qui propose de creuser davantage et de combler avec du
sable? Aucune loi ou amendement n'a de secrets pour lui. S'il y a
pierre d'achoppement, il le découvrira immédiatement. Faut lui
donner ce qu'il a; en matière de pollution par les installations septiques inadéquates, on ne peut trouver plus renseigné que Ti-Ouard-
la-pelouse. C'est le genre de pollution en laquelle il croit. Y a-t-il
toujours cru? Est-ce sa nouvelle fonction d'inspecteur municipal qui
l'a poussé à reconnaître les résultats des études de la qualité de
l'eau? Nul ne saura jamais. Mais, dès l'entrée en vigueur des lois ré-
glementant le traitement des eaux usées, Édouard Patenaude s'est
donné corps et âme à sa cause, étudiant les moindres alinéas, lui demandant des explications afin de bien comprendre le langage hermé-
tique et parfois obscur des lois et surveillant de près les travaux de
modification et d'installation. Rien ne lui a échappé. Aucun riverain
n'a été épargné de ses conseils judicieux. C'est ensemble qu'ils ont
travaillé à protéger ce lac. Ensemble qu'ils ont exécuté le plan de
correction des installations existantes. Mais voilà qu'aujourd'hui,
Ti-Ouard se dissocie de lui, un des représentants des Riverains. Lui
qui s'est toujours montré docile, souple, coopératif. Serait-il vexé
parce qu'il a oublié de lui présenter un croquis? Ou peut-être est-il
vexé du surnom que les Riverains lui ont octroyé, en raison de son
amour immodéré des pelouses et de son manque de conviction en la
protection des rives et du littoral? Pourtant, cela fait plus d'un an
qu'on le surnomme ainsi et lui-même semblait y prendre plaisir.
Qu'est-ce qui se passe?
— Quelque chose qui ne va pas, monsieur Patenaude?

— Hmm.

L'inspecteur émiette des mottes entre ses doigts courts aux ongles rongés. Il est plus fermé qu'une huître. Léopold Potvin lui a glissé un mot, hier, sur l'imperméabilité des gens du village. «Pareil comme de la glaise» qu'il répétait après la vingtième bouteille de bière. Paraît qu'ils ne se livrent pas facilement et n'acceptent pas les étrangers d'emblée. Que les touristes leur glissent toujours sur le dos sans les mouiller. Même pas un petit peu qu'il disait. Hier, il pensait que c'était des propos d'ivrogne et c'est justement Ti-Ouard-la-pelouse qui le faisait douter des affirmations de Léopold. Ti-Ouard, avec qui il n'a jamais eu l'ombre d'une ombre. Ti-Ouard, aujourd'hui fermé, vexé, glacial.

— Faudrait que ça se fasse au plus sacrant.

L'inspecteur signe le croquis. Il a tellement pesé sur son stylo que le papier s'est perforé.

— Les frères Taillefer vont venir dimanche.

— C'est trop tard.

— C'est qu'ils ont des heures supplémentaires à l'usine et leur père est pris par les foins. Le temps est inquiétant, paraît, pour les foins.

Ti-Ouard jette un regard au ciel aussi maussade que lui.

— Ouais… mais ça peut pas attendre. J'ai eu des plaintes à votre sujet.

— Des plaintes? À propos de quoi?

— Les mauvaises odeurs.

— Quoi? Qui? Qui a porté plainte?

— Ça, j'peux pas le dire… Vous devez le savoir mieux que moé.

Qui d'autre que son voisin Mantha? Il peut bien parler d'odeur, lui, avec son usine qui pollue l'atmosphère. Un coup de vent rabat justement une fumée âcre qui irrite sa gorge.

— Ah! Maudite fumée! Faudrait faire quelque chose.

Immobilité d'Édouard Patenaude, qui fait comme s'il n'était nullement incommodé. Quoique riverain, lui non plus n'a pas signé le pétition. Oh! Il se passe des choses sous la couverture. Léopold avait raison, pense Ti-Jean. Il se trame quelque chose contre les Taillefer. Mais quoi et pourquoi? Et par qui?

91

Son regard louche vers le luxueux chalet de son voisin. «Ce gars-là est trop gros, trop pesant pour la place, disait encore le vieux garagiste. Y va défoncer le décor.» Oui, il se trame quelque chose contre cette famille, contre ces frères travaillants et honnêtes, contre cette femme qui lui a vendu de la crème fraîche, contre Marjolaine, si convaincue. Marjolaine qui sera probablement élue présidente du conseil demain soir. Il regrette soudain que sa femme ait tant cabalé en sa faveur. Qui sait si le fait de ravir à madame Latour le poste qui dorait quelque peu son blason défraîchi n'aggravera pas la situation?

— Ça peut pas attendre un peu?

— Non, ça peut pas attendre. Faut que ça se fasse tout de suite.

L'inspecteur plie soigneusement le croquis pour le glisser dans sa poche.

— Ça peut pas attendre deux jours? Deux p'tits jours?

— Non... Vous polluez en attendant. C'est ben demain vos élections?

— Oui.

— Ça regarde mal un représentant qui pollue... le monde jase. J'peux pas accorder de permis.

Le monde? Quel monde? pense encore Jean. Il fulmine. Sent vaguement qu'on l'utilise à une fin qu'il désapprouve. Les avertissements de Léopold Potvin s'annoncent de plus en plus justes. Quelque chose se passe à l'ombre. Se passe sous terre. Sous le décor pittoresque de la carte postale. Quelque chose étend ses racines et se sert de lui pour gagner du terrain. Il n'aime pas qu'on se serve de lui. N'aime pas qu'on le prenne pour un imbécile.

Il a envie de crever le décor, de percer le mystère, de soulever la couverture sur les complots. Envie d'entrer dans la jolie carte postale au risque de perdre la sérénité que dégage ce lieu. Ce coquet village blotti dans le vert des prés, au pied des montagnes et bercé par les vagues du lac Huard. Ce coquet village imperméable et fermé. Régi par ses propres lois.

Oh! Oui, il a envie de s'insurger, lui, l'outil d'il ne sait quelle machination.

— Bon, si je comprends bien, faudrait que je prenne quelqu'un d'autre que les Taillefer.

92

— Vous m'avez ben compris.

— Bizou Gagnon, par exemple?

— Qui vous voudrez.

— Y en a pas d'autres.

— Ça, c'est pas d'ma faute.

— Et si j'attends jusqu'à dimanche?

Édouard Patenaude, qu'il a toujours cru sans malice, lui décoche alors un regard plein de venim. Un regard qu'il n'aurait jamais pu imaginer dans ce visage bonasse et qui ne parvient pas à s'adapter aux traits résignés. Un regard qui luit méchamment à la surface de cette masse imperméable qu'est devenue l'inspecteur en bâtiments, comme si sa femme avait pu se concentrer toute entière dans ses prunelles.

Youri arrive sur l'entrefaite et urine, le plus naturellement du monde, dans un bosquet. L'inspecteur l'observe puis:

— J'peux pas accepter de vous laisser polluer plus longtemps.

Lui, polluer? Lui, Ti-Jean? Il a tant fait pour l'environnement. S'est tant dépensé à faire du porte à porte, pendant que les vacanciers se prélassaient au soleil. A passé tant d'heures à aider ce futur inspecteur à déchiffrer le texte des lois. Tant d'heures à le seconder, le présenter, l'épauler. Tant d'heures à lui assurer ce poste dont il se sert aujourd'hui pour le menacer. Tant d'heures pour se voir refuser deux petites journées. Tant de bénévolat pour se heurter soudain à un fonctionnaire rigide et incompréhensif.

Le mutisme de Ti-Ouard le met en garde contre toute réplique engendrée par la colère. Il se calme. Se contrôle. Conscient qu'il ne peut s'insurger davantage.

— Très bien, j'appelle Bizou Gagnon.

* * *

Samedi, 7 juillet 1984.

On n'entend que la pluie sur le toit de tôle. Que la pluie dans les flaques d'eau. Que la pluie au bout des gouttières. Et sur les feuilles, sur la terre. Et sur le toit de la grange qui abrite la récolte de foin.

Marjolaine masse sa nuque endolorie, cambre ses reins fatigués. Quelle dure journée! Elle devrait aller se coucher, mais elle sait qu'elle ne trouvera pas le sommeil. Trop de choses lui trottent dans la tête. Trop de sentiments la bombardent. Elle ne sait plus si elle doit être heureuse ou malheureuse de ce qui lui arrive. Ne sait plus si la pluie chante ou pleure, elle sait seulement que cette eau qui abreuve la terre s'acidifie de plus en plus. Sait qu'on fait des études à son sujet. De plus en plus d'études. Pour avoir de plus en plus de preuves. D'un côté comme de l'autre, soit pour réagir ou laisser faire.

Elle ramène ses genoux sous elle. Serre son kangourou de coton ouaté. C'est frisquet. Humide. Quand elle était petite, elle se serrait contre ses frères sur le banc de la galerie. Ensemble, ils écoutaient tambouriner la pluie. Florient, l'aîné des garçons, la prenait sur ses genoux. Elle était bien dans ses bras. Elle n'était qu'une petite fille et lui, déjà un homme. Et elle aimait tâter ses biceps, voir le poil sur sa poitrine par l'ouverture de sa chemise à carreaux, toucher sa joue râpeuse, détecter son parfum de foin et de sueur et, les samedis soirs, celui de la lotion à barbe qu'il mettait pour aller voir les filles. Elle était fière de lui, de sa force, de sa vaillance. Elle s'émerveillait de le voir lancer les ballots de foin dans la charrette, persuadée que jamais, personne ne pourrait le briser. Jamais personne. Et pourtant, on l'avait brisé. Par en dedans.

Ce matin, il est venu donner un coup de main pour engranger avant la pluie. Il lançait les ballots aussi haut dans la charrette et travaillait avec autant de vigueur. Sinon plus. Mais à bien y penser, ce n'était pas avec vigueur mais avec rage. Bizou Gagnon lui avait raflé le contrat du professeur, et il avait perdu ses heures supplémentaires à l'usine. Oui, c'était avec rage qu'il travaillait, et son silence pesait lourd. Aussi lourd que le ciel qui menaçait de gâcher la récolte. «Mon idée est que les riverains sont pas mieux que les autres», lui avait-il dit alors que les premières gouttes commençaient à tomber sur leur dos trempé de sueur. C'était le dernier voyage. Ils avaient réussi à sauver la récolte du père. Florient avait renversé la tête pour se rafraîchir. Cette ondée était-elle devenue aussi amère que lui?

La jeune femme questionne longuement la nuit pluvieuse. Comme si la réponse résidait en chacune des gouttes qu'elle entend mais ne voit pas. Chacune des gouttes qui blessent, petit à petit, et finissent par briser l'équilibre d'un écosystème. Comme on finit petit à petit par briser un homme, un frère, un père.

Elle caresse le banc verni par l'usure. Qu'il en aurait des choses à raconter s'il pouvait parler! Qu'il en a entendu des jeux et des secrets. Des chants, des rires et des pleurs. Maintenant, il n'y a plus que Gaby et Alex pour s'y asseoir. Et Max qui se couche dessous. Elle se penche, avance la main dans le noir. Il y est sûrement: jamais il ne se sépare d'Alex. Un museau froid rencontre ses doigts. Elle caresse doucement les oreilles molles de la bête. Tap! Tap! Tap! fait la queue contre la galerie. C'est un son familier. Il y a toujours eu un chien sous le banc. Pitou, Fido, Bozo, ils ont tous frétillé de la queue lorsqu'on leur accordait un peu d'attention.

Neuf enfants se sont assis sur ce banc. Neuf frères et sœurs, des cousins, des cousines, des amis et combien de chiens et de chats, à quêter l'affection. C'était un compromis agréable entre la maison et le monde extérieur. La tête appuyée contre le bardeau qui effilochait ses tresses, elle écoutait travailler sa mère dans la cuisine en observant les marmottes, gardant un point de contact avec le nid familial. Comme font les jeunes caribous dans les migrations, la joue appuyée contre le flanc maternel. C'est Mike qui lui a raconté cela, ce fameux soir où elle s'est laissé séduire. Il parlait si bien, décrivait si bien ce pays de toundra et de mines où il comptait retourner. À cette époque, elle rêvait de devenir biologiste et imaginait les petits caribous, la joue bien appuyée contre leur mère pour ne pas les perdre en traversant les lacs et les rivières. Mike prétendait qu'elle gardait, à l'instar de ces animaux, sa joue trop collée contre le flanc maternel. Il avait raison. La fille sage qu'elle était n'osait se dégager de son rôle de bâton de vieillesse, tout en rêvant d'études et d'horizons nouveaux. Cette comparaison avait réveillé la femme en elle et, dans un bref et doux instant de folie, cette femme avait décollé sa joue du flanc sécurisant pour l'offrir à la passion d'un homme.

Instinctivement, Marjolaine appuie à nouveau la tête contre le mur. Comment se détacher de cette maison qui les a vus grandir? Cette maison où elle a été choyée, et par ses parents, et par ses frères aînés, elle, la petite dernière. La princesse benjamine, le dernier rayon de soleil, le bâton de vieillesse. En réalité, elle n'a fait

95

qu'allonger le cordon ombilical en s'installant sur l'île, au bout de la terre. Tous les jours, elle emprunte le chemin qui mène à la ferme pour aider son père à la traite des vaches et passe autant de temps ici que là-bas. Et Alex peut-être plus. C'est ici qu'il a fait ses premières dents, ses premiers pas. C'est ici qu'il a été élevé, tantôt par sa grand-mère, tantôt par sa mère. C'est ici qu'a également abouti Gaby, à trois ans, devenant d'emblée le compagnon d'Alex. Comment se détacher des bras chauds et maternels de Flore? Comment ne pas revenir à la maison? C'est si sécurisant. Si réconfortant. Il le faudra bien un jour. L'installation sur l'île n'est qu'un début. Un tâtonnement. Un symbole d'autonomie qui doit devenir réalité.

Son élection au poste de présidente de l'Association des riverains est-elle aussi un symbole d'autonomie? En acceptant, elle sait très bien qu'elle a accepté de faire abstraction de sa famille. Mais réussira-t-elle, si Florient et Jean-Paul se font briser? Réussira-t-elle à éclipser les bras musclés et la lotion à barbe du grand frère pour n'envisager que la cause de l'environnement? Pourra-t-elle réellement départager son amour envers la nature et son amour envers les siens? Quelle sera sa limite?

Elle regrette d'avoir accepté tout en étant convaincue qu'elle seule, présentement, pouvait combler ce poste. «Fais ce que tu as à faire», lui a conseillé son père en lui prêtant la camionnette pour se rendre à la soirée d'élections. Brave Hervé! Il a toujours agi selon sa conscience et leur a enseigné à faire de même. Il est d'un autre âge. D'un autre monde presque. Demain, au premier coup d'œil, il saura qu'elle a accepté. Il saura que sa conscience est en paix, mais que la peur s'est installée en elle. Et il sera fier d'elle, bien qu'inquiet lui aussi. Fier qu'elle se tienne debout et qu'elle se batte pour ses idées.

Elle ferait mieux de se coucher. Demain, à la barre du jour, elle doit l'aider à faire le train.

Elle se lève et ramasse la chopine vide que lui a laissée le professeur pour sa mère. Le ressort de la porte grince. Elle grimpe l'escalier qui mène à sa chambre, se déshabille et se glisse sous les draps, tout contre Alex endormi. Avant, c'était Irène qui dormait avec elle. Il y a longtemps de cela. Très longtemps puisque Irène est partie alors qu'elle avait quatre ans. Mais elle se souvient que sa grande sœur la serrait contre elle quand il faisait froid, en hiver, en lui disant qu'elle était sa jolie poupée.

Elle touche les cheveux bouclés de son fils. Aimerait tout à coup lui annoncer que sa maman a été élue présidente. Dans le fond, c'est pour lui qu'elle a accepté car c'est avec lui que tout a commencé. Avec cette histoire de BPC dans le lait maternel. Elle qui l'avait allaité pour son plus grand bien, confiante qu'il fallait obéir à la nature. Confiante que le lait qui montait dans les seins des femmes était le meilleur qui soit pour leur petit. Celui qui les protégeait contre les maladies et les formait sainement. Il n'en était rien selon le récent rapport du mois de juin sur les biphényles polychlorés. Apparemment qu'il y avait tout lieu de croire que le niveau de BPC dans le lait maternel humain au Québec, serait déjà responsable de nombreux problèmes de santé chez les enfants en bas âge. Elle en était bouleversée. Prête à pleurer sur la contamination de cet aliment sacré qu'est le lait maternel. Ce nectar des dieux qu'elle offrait à son petit roi.

Les bases même de l'humanité s'effritaient en silence. L'eau, le lait. Les bases nourricières. Ce qui donne vie et maintient la vie. L'eau, le lait, maintenant porteur de germes de mort.

Marjolaine écoute la pluie, se demandant quelle en est sa teneur en acidité. Enfant, la pluie la séduisait tout simplement. Aujourd'hui, elle l'inquiète.

Goutte à goutte, elle gruge la planète terre. Goutte à goutte, elle pollue l'eau, et, à travers la chaîne alimentaire, le lait des mères. Goutte à goutte, elle brise l'équilibre fragile des écosystèmes. Goutte à goutte, elle s'infiltre, perce et détruit. Il lui faut maintenant mener son combat contre ce goutte à goutte que les politiciens ne veulent pas voir. Ce goutte à goutte que les hommes d'affaires dénient.

Quelle tâche de don Quichotte! Quel formidable moulin à vent que cette goutte d'eau nourricière qui sème lentement la mort!

Ta maman va charger contre le moulin à vent avec son vieux cheval, mon petit. Elle va tomber mais se relever. Pour toi… pour ta femme qui, un jour, voudra allaiter tes enfants, pense Marjolaine en serrant contre elle le corps chaud d'Alex. L'enfant geint, se retourne.

— T'as été élue, maman?

— Oui.

— Bravo.

Alexandre lui entoure le cou de ses bras mous de sommeil.

Oh! Oui. Elle a bien fait d'accepter. Bien fait d'envisager qu'il lui faudra un jour décoller pour de bon sa joue du flanc maternel.

— Zut! Y pleut. J'ai hâte que tu voies ma balançoire.

— J'la verrai demain.

— Est-ce que j'pourrai me balancer même si y pleut?

— À condition que tu mettes ton imperméable.

— J'ai hâte à demain. Y'est gentil, Mike.

— Oui, je sais. Dors maintenant.

C'est vrai. Il doit être gentil, Mike, lorsqu'il est seul avec son fils. Il est demeuré si jeune, si enthousiaste, si opposé au monde adulte. Bien qu'il ait la joue décollée depuis longtemps du flanc maternel, un enfant persiste dans cet homme. Et elle ne sait pourquoi, cet enfant les séduit, elle et son fils.

* * *

Dimanche, 8 juillet 1984.

S'écouter, il l'accompagnerait au pont de l'île et de là, se rendrait jusqu'à la vieille cabane sur ses terrains. S'écouter, il s'échapperait lui aussi par ce chemin sablonneux longeant la clôture où, hier encore, roulaient les charrettes pleines de foin. S'écouter, il laisserait tomber la messe pour s'évader comme elle.

Hervé s'appuie à la barrière et regarde s'éloigner Marjolaine, Alex et Max. Cette image le ravit. S'il était photographe, il figerait dans le temps la silhouette de cette femme, de son enfant et du chien qui gambade autour d'eux. Il figerait le soleil timide, voilé par moments de quelques fins nuages, figerait les perles de pluie dans les toiles d'araignée, figerait ce paysage propre, lavé qui s'égoutte et s'assèche lentement. Mais surtout, cette femme élancée et souple, avec sa grande natte qui lui bat les reins et les boucles brunes de son enfant joyeux. Mais l'image saurait-elle rendre cette harmonie entre la mère, l'enfant et la nature? Saurait-elle rendre ce parfum d'eau, de feuille et de mìel? Ce silence humide qui pénètre

98

le paysage et flotte de ci, de là, dans les écharpes de brume errante. Saurait-elle rendre ce qu'il ressent? Cette envie qu'il a de se joindre à eux, tout en demeurant spectateur tellement c'est beau. Tellement ça lui rappelle ce qu'il y a de beau dans sa vie.

Hervé regarde s'éloigner Marjolaine avec l'envie folle de la suivre sur ce chemin. L'envie folle de la poursuivre jusqu'à ses terrains. De nettoyer ses bottes d'écurie dans l'herbe mouillée et la mousse. L'envie folle de tendre l'oreille et le cœur à la joie neuve d'Alex, étrennant sa balançoire. De vérifier si les framboises rougissent, de visiter la vieille cabane de trappe et de boire au torrent. L'envie folle de se détacher momentanément du monde. D'être seul. Tout fin seul. Comme Marjolaine sur son île. Comme lui, quand il s'était réfugié avec ses blessures de guerre au bout de la terre paternelle devenue sienne. Oh! Oui… S'écouter. Écouter son cœur, son désir; il filerait lui aussi par ce chemin, laissant derrière l'étable, la grange et la maison. Laissant son quota de vingt-cinq vaches, sa machinerie et la messe du dimanche matin. Il se replie si facilement, si automatiquement, quand surgissent les ennuis. Quand se rouvrent les blessures infligées par des hommes et que se justifient les déceptions. En 1943, lorsqu'il est revenu du front, avec un choc nerveux, sa première réaction a été de s'isoler dans la cabane de trappe. Ce chemin n'était qu'un sentier à l'époque. Sentier qu'ils empruntaient pour aller chasser ou pêcher au lac. Son père, sa mère, ses frères et sœurs ne connaissaient que ce sentier relié à la forêt et la route cahoteuse les rattachant tant bien que mal au village. Qu'auraient-ils compris de son histoire de guerre? Du bateau qui avait traversé la mer? Du débarquement à Dieppe? À qui pouvait-il raconter que la cervelle de son ami avait volé dans ses mains et failli le rendre fou? À personne. C'est pourquoi il s'était isolé pour guérir. Pour oublier la folie des hommes, leur haine et leur impuissance. Oublier ce même Dieu que les soldats des deux camps priaient avant la bataille. Dieu avait-il plus écouté l'Allemand qui avait fait éclater la boîte crânienne de son ami? Dieu était-il parmi les hommes quand ils s'entre-déchiraient? Non. Il n'y était pas. Ne participait pas à la destruction mondiale. C'est dans la vie, qu'il était. Dans l'innocence des bêtes et la croissance des plantes. C'est peut-être Dieu qu'il cherchait à rencontrer au bout de la terre. Non pas le Dieu qui figure sur les images et qu'on prie à genoux, mais

99

l'autre, sans image... présent dans toutes les manifestations de la vie. Est-ce Dieu que sa fille tente de rejoindre sur son île? Soigne-t-elle encore sa mésaventure avec Mike Falardeau? Que reste-t-il de cet homme dans le cœur de sa fille? Car il reste quelque chose. Il le sent. Quelque chose qu'elle combat, qu'elle renie et redoute mais qui est là, et persiste à y rester.

Il ne peut rien faire de plus pour l'aider. Il lui a aménagé le chalet de l'ancien curé, ainsi que le pont de l'île, malgré les objections de Flore qui craignait que cet isolement fasse sombrer sa benjamine dans une dépression nerveuse. Non. Il ne peut vraiment rien faire de plus. C'est à elle de s'aider. De prendre les décisions. Et elle les prend. Fait preuve de maturité, d'audace. Il ne devrait pas être fier d'apprendre qu'elle a accepté le poste de présidente des riverains, car cela ne leur apportera que des ennuis... Mais il est fier... stupidement fier qu'elle se tienne debout, conscient des désagréments que cela implique autant pour elle que pour le reste de la famille. Elle est déjà si mal vue, la pauvre enfant, si mal perçue par ses concitoyens. D'abord, elle est mère-célibataire, ensuite elle vit seule sur une île et ne semble pas vouloir s'embêter d'un homme. On ne lui pardonne pas cette vie à part, cette indépendance. Oh! Non. Il ne devrait pas être stupidement fier, car trois de ses fils travaillent maintenant à l'usine de panneaux d'aggloméré. Qui sait si elle ne joue pas avec leur emploi? Mais il est fier... parce qu'il se retrouve en elle. Parce qu'elle redonne un sens à l'échelle des valeurs et des principes qu'il lui a transmise. Parce qu'elle remet l'honneur à la mode, car il sait qu'elle tiendra parole et respectera son engagement.

Et c'est de cela qu'il est particulièrement fier: elle est une femme de parole. C'est si rare de nos jours. Même parmi ses enfants. La vie les a forcés à se vendre, à se trahir. À mentir même. Comme si apprendre à vieillir signifiait s'habituer à se salir. Mais Marjolaine ne leur a pas emboîté le pas. Son dénuement l'a rendue invulnérable à la bassesse. Son isolement l'a protégée des complots. Oui. Il se retrouve en cette femme qui s'enfonce maintenant dans la lisière de conifères près du lac. Cette femme qui lui rappelle le soldat taciturne qui vivait jadis, près du torrent.

Un rayon de soleil filtre entre les nuages. Une raie de lumière balaie le champ fauché et allume les gouttes d'eau. Hervé se sent soudain l'âme joyeuse. C'est fou ce qu'un seul rayon peut transformer et le paysage et son humeur! Et même ses souvenirs. C'est Flore maintenant qu'il revoit en pensée. Flore, qu'il avait prise pour un jeune garçon aidant son père à bûcher. Un jeune garçon trapu et énergique qui guidait le cheval de sa voix claire, debout sur les billots ou courant derrière. Comme il n'avait plus d'allumette, il leur en avait emprunté. Le père Thibault, leur voisin, l'avait invité à casser la croûte. Et là... dans les senteurs de résine, le sourire de Flore a filtré entre les sombres nuages de son existence pour venir réchauffer son âme. Il se souvient nettement de l'instant où il a eu soif des belles joues rouges de Flore et de ses yeux rieurs. Soif de sa jeunesse, de sa vitalité, de sa santé. Elle avait seize ans, lui vingt-quatre. Elle était comme un beau fruit de jardin, fraîche et prête à croquer. Tandis qu'il avait traîné comme une algue moribonde sur la plage de Dieppe. Et il ne sait encore par quel miracle cette petite bonne femme pétillante s'est éprise du sombre ermite qu'il était. Et qu'il redeviendrait facilement, s'il s'écoutait. Et si elle n'était pas là. Derrière. Le guidant au travers les embûches de la vie, comme elle guidait son gros cheval entre les arbres de la forêt.

Un nuage glisse devant le soleil. Glisse aussi dans son âme. Quel âge avait Irène lorsqu'il l'emmenait à la pêche, par ce chemin sablonneux? Cinq ans, six ans peut-être. Qu'il a aimé cette enfant! Plus que les autres, il l'admet. Plus que tous les autres. Comment expliquer ce fait? Était-ce parce qu'elle était la première à habiter le ventre de Flore et la seule à être née dans la cabane de trappe? Il ne le sait. Mais si Flore avait été sa planche de salut, Irène était vite devenue sa raison de vivre. Le stimulant qui l'encourageait à bâtir l'avenir.

Lorsqu'il bûchait, essouchait, labourait, il pensait au bien-être qu'il pourrait lui procurer. Et quand il rentrait, fourbu, à la cabane, après une dure journée à faire de la terre neuve, il tâtait les petits pieds froids d'Irène et lui promettait qu'un jour elle aurait une vraie maison avec un plancher chaud. Au bout de deux ans, il lui avait offert cette vraie maison, mais elle était vite devenue trop petite pour elle... ou trop pleine de marmots dont il fallait s'occuper, de sorte qu'à dix-sept ans, elle s'était engagée comme bonne chez madame Latour, la touriste qui arrêtait prendre de la crème. C'est là qu'elle avait rencontré René Mantha.

Hervé fronce les sourcils; il n'a jamais aimé René Mantha. Il lui a ravi la petite fille qu'il emmenait pêcher par ce sentier sablonneux et ne l'a pas rendue heureuse... Oh! Elle a une vraie maison, avec un plancher chaud, mais s'il pouvait prendre son cœur dans ses mains, il serait aussi glacé que ses petits pieds sur le plancher de terre battue. Oh! Non. Il n'a jamais aimé cet homme! Et n'a jamais rien dit, sachant qu'il serait inévitablement jaloux de celui qui lui ravirait sa fille. Aujourd'hui, il conçoit que ce n'est pas la jalousie qui le meurtrit mais la colère. Il en veut à René Mantha de ne l'avoir pas rendue heureuse. Il en veut à René Mantha de la forcer à abandonner Gaby. Il en veut à René Mantha d'avoir fait d'elle une femme dépressive qui boit plus qu'il ne le faudrait.

Cet homme n'a pas de parole. C'est un fourbe. D'autres diraient un homme d'affaires. Il ne recule devant rien pour grossir ses profits. Vendrait père et mère, comme on dit. En temps de guerre, il serait du genre à vendre des armes défectueuses. Qu'il a été naïf de croire en sa parole! Naïf de lui donner ce grand terrain où il a construit l'usine. Ah! Tellement naïf d'avoir voulu garantir, par ce cadeau de noces, l'avenir de ses garçons! Tant de promesses fusaient de la bouche de cet homme! Des promesses qui faisaient pendant aux angoisses profondes qui l'assaillaient à chacune des naissances de ses fils. Contrairement à la majorité des cultivateurs, il avait espéré ne mettre au monde que des filles afin qu'aucun fils ne puisse connaître les horreurs de la guerre. Mais le destin lui en avait donné sept et René Mantha surgissait juste au moment où ceux-ci devaient s'orienter. La possibilité d'emploi à l'usine luisait comme un mirage à l'horizon de leur avenir incertain. Il y a cru. A marché vers le mirage. A donné l'emplacement au bord du lac. Donné pour une piastre. Le mirage l'a trompé, l'a fait espérer en vain, tourner et retourner dans son lit. Ses fils n'ont pas bénéficié de sa générosité. Seul, Lucien, le quatrième, avait hérité du poste de concierge et ne gagnait guère plus que ses frères sur l'aide sociale. Quant à Florient et à Jean-Paul, leur situation demeurait précaire et oscillait selon les humeurs de René Mantha.

Ironiquement, Claude, le dernier fils, s'était engagé dans les Forces Armées, pour y trouver cette sécurité qu'il n'avait su leur procurer.

Quel naïf il a été! Quel naïf il est encore d'être stupidement fier de cette équipée qu'entreprend sa fille! Quel naïf il sera toujours, prévoyant d'avance demeurer intègre à la table du conseil municipal, face à l'Association des riverains.

Il est trop vieux pour changer. Trop vieux pour balancer intégrité, loyauté, honnêteté par-dessus ses épaules voûtées. Trop vieux et trop las, après toute cette vie à être déçu des hommes. Trop vieux pour s'habituer à être déçu de lui-même. Il est fier. Stupidement. Remué. Viré à l'envers par cette fille qui lui ressemble. Sa fille. Aussi naïve, intègre et loyale qu'il a tenté de l'être. Il ne devrait pas. Tant d'ennuis vont surgir. Tant d'ennemis vont se dresser. L'élection de Marjolaine au poste de présidente lui portera préjudice. Et la guerre sourde va éclater bientôt, si ce n'est déjà fait. Oui, c'est déjà fait puisqu'il pense à s'évader par ce chemin en laissant tomber la messe. Il n'a pas envie de rencontrer la jalousie sur le perron d'église. N'a pas envie d'entrevoir la grosse Berthe vomir des méchancetés sur sa fille. N'a pas envie de croiser le Flasher-à-Mantha qui occupe un poste-clé à la place d'un de ses fils, ni son gendre, qui leur coupe l'herbe sous le pied. N'a pas envie de parler température avec Andrew Falardeau, qui élève des porcs près du lac. N'a pas envie de participer au commérage dominical. Vraiment pas. Mais Flore s'endimanche à l'heure présente. Elle met sa belle robe et chausse les sandales blanches qu'Irène lui a données. C'est sa sortie de la semaine. En quarante ans de vie commune, elle n'a manqué aucune messe et l'a toujours entraîné avec elle, comme si elle tentait de le réintégrer continuellement à la société, l'empêchant de dimanche en dimanche de redevenir l'ermite qu'il était. Flore a toujours su apprivoiser le sauvage en lui.

Gaby se colle doucement le long de sa jambe.

— Oui, j'y vais, lui répond Hervé en caressant la tête blonde comme l'avoine.

Flore l'a envoyé chercher pour se préparer.

— Toé aussi, va falloir te laver p'tit mousse. T'as les genoux pleins de boue. T'es tombé?

Gaby sourit. Court devant lui. C'est fou ce que cet enfant lui fait du bien. Comment Irène peut-elle se passer de lui?

Flore attend, sur le banc de la galerie.

— Ho! Donc!

De fines rides se dessinent au coin des yeux rieurs et un sourire grandit dans le visage rond et rose de sa femme.

103

Il se sent alors un grand rabat-joie. Un pessimiste incorrigible qui ne voyait que la jalousie qu'il irait rencontrer, en oubliant l'amour pendu à son bras. Et cet amour lui sourit, éclaire sa vie et le guide.

* * *

Lundi, 9 juillet 1984.

Berthe s'empresse d'essuyer un cercle de jus d'orange sur le comptoir avant de se précipiter sur la galerie, pour y étendre sa brassée de linge. Rapidement, elle pique les morceaux et pousse la corde. Squick! Squick! Squick! grince la poulie, à un rythme saccadé. Les yeux tantôt sur ses pinces à linge, tantôt sur le chemin du terrain de baseball par où reviendra Odette Ladouceur, elle accroche caleçons, culottes courtes, bas et taies d'oreiller avec une dextérité remarquable. Rien ne lui échappe. Elle ne perd ni un mouvement, ni un morceau, ni une seconde et termine sa tâche à l'instant précis où elle voit poindre le maigre visage de la conseillère. Comme si de rien n'était, elle pousse sa cordée, accompagnant d'un regard satisfait les chemises immaculées d'Édouard.

Et, se retournant vers sa voisine, elle s'exclame d'un ton surpris:

— Odette! Mais d'où viens-tu comme ça?

Minutage. Coordination. Mise en scène réussie. Odette ne se doute de rien. Tombe facilement dans le panneau de la rencontre fortuite.

— J'viens d'aller reconduire mes mousses au terrain de jeux.

— Pas vrai?!

— Oui. J'suis pas pour manquer une chance comme ça. Y savent jamais quoi faire dans leurs vacances. Là, j'ai la paix pour la journée.

— Ben, viens donc prendre un café. Y a personne qui t'attend à la maison? Ton mari travaille toujours à l'usine?

— Y a mon lavage à faire.

— C'est pas grave. Ça peut attendre. Et pis, ça sèche vite aujourd'hui. On a un bon p'tit vent.

À nouveau, un regard satisfait sur les chemises immaculées d'Édouard. Qu'elle s'en mette plein la vue, la conseillère! C'est ça

104

du linge propre et lavé à temps. Du linge blanc. Le sien est toujours gris. À croire qu'elle lave le blanc avec la couleur.

— Un p'tit vent qui pue, par exemple, ajoute Berthe, en invitant Odette à pénétrer.

— C'est effrayant comme ça peut puer, quand le vent vient de l'ouest, renchérit celle-ci.

— Maudits cochons à Falardeau. S'y fallait qu'on fasse une pétition comme les riverains, on n'en finirait plus, hein? Oh! Sais-tu qu'on a perdu notre madame Latour?

— Hein? Quand? Elle est morte?

— Non. Non. J'veux dire qu'elle a perdu son poste de présidente des riverains.

— Pas vrai!?

— Ouep! T'sais pas qui la remplace?

— Non.

— Marjolaine Taillefer.

— Hein?!!

— J'comprends pas les riverains de l'avoir élue, elle. Est pas représentative pour deux sous. Une vraie traînée. À comparer à madame Latour, ça fait dur! Oh! J'te dis, j'comprends vraiment pas les riverains... À moins...

— À moins?

— À moins qu'ils l'aient élue à cause des filtres. Marjolaine a signé la pétition.

— Non? Mais c'est-y possible?! À quoi a pense, celle-là?

Berthe branche sa bouilloire. Pose deux tasses sur le comptoir reluisant. Qu'elle s'en mette plein la vue, aussi, d'une cuisine propre et ordonnée. Puis, elle sort du lait en laissant le temps à sa voisine de s'en mettre plein la vue de l'intérieur exemplaire de son réfrigérateur, ainsi que de ses armoires où elle va prendre sucre et café instantané.

Odette remarque tout cela. Avec rage et envie. Et regrette d'être arrêtée. Cet hiver, Berthe était venue faire un tour pour la surprendre dans sa pauvreté. Son mari, désabusé, sur le chômage, laissait tout à la traîne dans la roulotte. Berthe avait détaillé, en un coup d'œil, la paperasse sur le dessus du réfrigérateur, les traces de doigts sur les armoires et le comptoir terne et usé. Pire, elle avait trouvé un drôle de goût au café qu'elle mélangeait

105

subrepticement à des rôties brûlées émiettées pour en doubler le volume.

Pauvreté était-il vraiment le mot qui traduisait leur condition? Odette se le refusait. Bien sûr, il y avait plus souvent qu'autrement du baloné sur la table et les enfants portaient du linge d'hiver, donné par les professeurs de l'école, mais somme toute, ils n'avaient eu ni faim, ni froid. Défavorisé lui convenait mieux. Mais aujourd'hui, l'étalage de la suprématie des Patenaude l'humilie et ternit sa journée si bien amorcée. Elle rage en silence, tout en souriant poliment. Il lui semble que Ti-Ouard-la-pelouse gagne trop pour ce qu'il fait. Après tout, il n'est que secrétaire municipal et inspecteur. Il gagne trop et c'est trop assuré, contrairement à Gilbert, son mari, toujours sur la corde raide, entre le chômage et le travail éreintant. Ce n'est pas juste, selon elle. Et puis le favoritisme crève les yeux, dans cette municipalité. C'est à croire qu'il n'y a que les Patenaude et les Sansouci qui méritent des emplois convenables. Elle n'a qu'à penser à Suzon, la fille de Berthe, engagée comme monitrice au terrain de jeux.

— T'as vu ma Suzon?

Comment ne pas la voir? Elle est aussi grosse que sa mère et aussi molle que son père.

— Oui. Les enfants ont l'air de l'aimer.

— Elle adore s'occuper des jeunes. C'est sa ligne. C'est ce qu'elle étudie au cégep.

Les siens pourront-ils étudier au cégep, s'ils en avaient l'envie? Hélas non; le salaire de Gilbert ne permettrait pas de défrayer le coût de la pension et des études. Et les emplois d'été aux étudiants semblent réservés à un groupe choisi d'avance. Les Ladouceur ne sont pas dans la bonne manche.

— Paraît que les Riverains veulent mêler le gouvernement à l'histoire des filtres, poursuit Berthe, prenant place à table devant les cafés fumants.

— Pas vrai?

— C'est Yvon mon frère qui m'a appris la nouvelle. Apparemment que le professeur s'est échappé au magasin, l'autre soir avec Jérôme Dubuc.

— Pis qu'est-ce qu'y a répondu, le flasher-à-Mantha?

106

— Que Mantha avait justement pas peur de lui, ni du gouvernement. Oh! Y se laisse pas manger la laine sur le dos Jérôme. Mais Ti-Ouard pense que si le gouvernement s'en mêle, y pourrait ben fermer l'usine jusqu'à temps qu'on installe des filtres.

— Fermer l'usine! Non, c'est pas possible!

Pas encore un mari désœuvré à endurer dans la petite roulotte. Odette se refuse à envisager cette perspective.

— Qu'est-ce que ça peut ben leur faire, qu'y ait des filtres ou pas?! De quoi y s'mêlent, ces Riverains-là? Elle n'a pas toute sa tête, la Taillefer, pour faire signer une pétition de même. Ça paraît que c'est pas son mari qui est sur le chômage.

— A pense peut-être que tout le monde va vivre comme elle, comme dans l'ancien temps. Pas d'électricité, pas d'eau. Une vraie folle! T'as vu comment elle s'habille? Pis son p'tit?

— Élue présidente... On était ben mieux avec madame Latour, même si elle était un peu montée.

— Oh! Oui. Elle s'occupait juste des installations septiques. C'est elle qui a fait venir le gouvernement pour vérifier les toilettes des Riverains. Crois-le, crois-le pas, y en a qui déversait leur «tu sais quoi» dans le lac. Pas plus compliqué que ça. Floush au lac! Après ça, ça vient nous faire la morale à cause d'un brin de poussière. Une chance que Ti-Ouard y a vu. Pas plus tard que l'autre fois, tiens, y a été obligé d'aller chez le professeur... justement celui qui s'est occupé de la fameuse pétition.

— J'ai mon voyage!

— Mais on se laissera pas faire. Jérôme Dubuc a son mot à dire au conseil. Toé aussi. Pis Andrew Falardeau. Ça fera pas son affaire, lui non plus, d'avoir les Riverains du lac à la Tortue sur le dos à cause de son purin de porc.

— Mais le conseil peut pas grand-chose finalement.

— Peut-être pas, non... mais nous autres, on peut. J'pense que personne a le droit de nous enlever nos jobs.

— Ça, c'est vrai; personne a le droit de faire fermer l'usine. On va surveiller ça de près. Mais, j'y pense, Marjolaine, c'est la belle-sœur de Mantha. Penses-tu qu'elle irait contre lui?

— Ouep! C'est une Taillefer. Elle tient de son père. T'sais comment y est Hervé? T'es témoin de comment c'est qu'il agit au

107

conseil. Ti-Ouard m'en parle des fois; Hervé est pas contre les Riverains pantoute.

— Ouais.

— Pis, si y a les Riverains de son bord, as-tu pensé que ça amène de l'eau à son moulin?

— Son moulin?

— Ben, la pépine de Florient pis de Jean-Paul. C'est lui qui l'a financée. Les Riverains vont automatiquement favoriser les Taillefer pour les contrats de creusage. Surtout si l'autre est présidente.

Bon! Une autre famille qui vient de se trouver une bonne manche. Avec les Riverains, cette fois-ci. Odette n'a vraiment pas de chance. Il ne lui reste qu'une solution: se ranger du côté du plus fort, c'est-à-dire dans le giron de cette mégère qui a finalement plus de voix qu'elle au conseil municipal.

— T'as ben raison. Une chance que tu m'a appris ça. Aie! Faire fermer l'usine à cause des filtres. C'était donc ça, la pétition?

— Ouep.

— Pis la Taillefer l'a signée?

— Yvon a vu son nom. Imagine-toé donc que le professeur voulait le faire signer.

— Y a du front!!! Faire signer une pétition pour qu'on perde nos jobs.

— Faut donner ça à madame Latour; elle n'a jamais signé.

— Pas surprenant qu'elle ait perdu son poste, non plus. Aie! sont graves! Mais, y veulent nous mener, ces Riverains-là!

— Ça se pense supérieurs à nous autres parce que ça vient de la ville. Faudrait tous êtres pauvres ou vivre à l'ancienne pour leur faire plaisir, j'suppose. Une chance qu'y sont pas tous de même. Y a monsieur Mantha qui pense à nous autres, pis madame Latour. T'sais qu'y sont ben amis, ces deux-là.

— Ah! Oui? Amis dans quel sens?

— J'en dis pas plus... mais... Irène... c'est connu de tout le monde ça, qu'elle prend un coup...

— Oui, c'est connu. Pis ça regarde mal, son Gaby qui est en pension chez sa mère.

— Ben mal... Monsieur Mantha s'en occupe pas pantoute. Pareil comme si...

— S'il n'était pas de lui.

— J'osais pas le dire. Y en a qui prétendent qu'il serait plutôt de Gustave Potvin.

— C'est plus sensé parce que monsieur Mantha est intelligent... pis que Gaby...

— C'est un p'tit fou. Parle pas encore à son âge.

— Ouais... Bon! Faut que je me sauve. Mon lavage m'attend. Crains pas que je vais avoir l'œil ouvert au conseil pis merci ben pour le café.

Ce qui veut dire, «pour toutes ces nouvelles en première».

Berthe accompagne sa voisine sur la galerie. Ramène la corde et tâte le premier morceau.

— Ça sèche ben, Odette. T'as le temps en masse.

Odette lui sourit encore une fois, avant de couper court par le sentier qu'empruntent ses enfants pour aller à l'école. Chemin faisant, elle pense à leur avenir. Cette petite piste de terre battue les mènera-t-elle bien loin? Jusqu'à maintenant, ils n'ont pas eu à souffrir de leur condition, car ils sont jeunes, la plus vieille, suivie de deux garçons, n'ayant que douze ans. Mais bientôt elle constatera la différence entre elle et Suzon Patenaude. Elle constatera que ses parents ne sont pas dans la bonne manche et elle leur en voudra. Peut-être. Du moins, elle, elle s'en voudra de ne pas avoir agi quand elle en avait l'occasion.

Mais Odette ne se résoud pas à adhérer aux convictions de Berthe Patenaude. Elle se sent sale, manœuvrée et tente de se convaincre qu'elle agit en toute liberté. Mais la grosse Berthe s'impose, s'implante en elle. Loge dans son esprit. Comment a-t-elle réussi à semer ses idées dans son cerveau? Il n'y a plus de place pour sa pensée maintenant. Quand elle devra prendre une décision au conseil, elle se demandera toujours si c'est son idée ou celle de Berthe. Comme avant, elle se demandait si c'était son idée ou celle de Gilbert. Est-ce que cela valait la peine de s'affranchir de son mari pour tomber sous la férule de Berthe? Ça lui a pris tant de temps, tant de volonté, pour cerner sa propre identité. Elle n'en était qu'à ses premiers pas d'autonomie et ce matin, après avoir laissé ses mousses aux soins de la monitrice, elle s'apprêtait à savourer sa première journée d'indépendance. Être seule à la maison. Faire son ouvrage en paix. Manger quand ça lui tente. S'étendre un brin au soleil. Fallait que la grosse Berthe l'intercepte et coupe court à tout cela. Fallait qu'elle vienne lui démontrer clairement combien il est avantageux d'être dans la bonne manche. Fallait qu'elle vienne lui brouiller l'esprit.

Le visage crispé, Odette pénètre dans sa roulotte, qu'elle trouve soudainement minable. Pourtant, elle les a gardés bien au chaud cet hiver. Mais ce n'est pas assez. Ce n'est plus assez.

Elle s'attelle à la tâche de séparer ses vêtements de couleur des blancs que sa laveuse fatiguée teintera d'un gris uniforme et fade. À quoi rime cette sélection puisque tout devient gris en fin de compte? Gris comme ses idées, pêle-mêle avec celles des autres qui déteignent.

À quoi cela lui servirait-il de départager ses opinions de celles de Berthe ou de Gilbert? Tout comme le linge finalement grisâtre qu'elle étendra dans le vent d'ouest qui sent le purin de porc, elle sait qu'elle exposera une opinion tout aussi grisâtre à la table du conseil.

Son cerveau, comme sa vieille lessiveuse, n'a plus la force de brasser tout cela.

* * *

Mardi, 10 juillet 1984.

Séance du conseil municipal

Andrew Falardeau ne conçoit clairement qu'une seule chose à la table du conseil: il est ici pour veiller sur les intérêts de sa famille. Rien d'autre. La politique, c'est fini pour lui. Elle l'a laissé choir sans atout et sans tour dans son sac.

Avant, il avait beau jeu; maintenant, il n'essaie que d'en retirer son épingle le plus habilement possible. Avant, c'était le temps de l'Union nationale contre le Parti libéral. C'était le temps où il obtenait des subventions pour l'irrigation de ses terres et le temps où il conseillait à ses frères de brûler le vieux pont couvert afin d'être en mesure de demander des octrois pour sa reconstruction. Mais maintenant qu'il n'a plus de parti, il ne lui reste qu'à retirer cette fichue épingle du jeu.

Devenu péquiste pour demeurer en opposition au Parti libéral, il ne s'emploie qu'à protéger le clan et le domaine Falardeau du mieux qu'il peut. Et ce n'est pas une sinécure que de protéger ces terres familiales qui s'étendent aussi loin que peuvent voir les yeux de sa mère, de sa galerie. Ces terres, qu'ils se sont arrachées du ventre, arrachées des reins, arrachées du cœur. Ces terres qui ont musclé leur bras dès l'enfance et couvert leurs paumes de corne. Ces terres qui les ont façonnés et endurcis. Qui ont trempé leur caractère et fait d'eux les hommes qu'ils sont aujourd'hui. Ces terres qui, à l'origine, n'étaient que le rêve tenace et grandiose de l'Écossaise venue s'établir au Canada. Ces terres auxquelles cette femme a sacrifié sa jeunesse et ses amours. Car, à trente-deux ans, Jane Sutherland pouvait-elle être vraiment éprise de Conrad Falardeau de vingt ans son aîné ou ne voyait-elle en cet homme, propriétaire de nombreux arpents négligés, que le moyen efficace d'assurer ses assises en ce pays? Oui, c'est plutôt cela: Jane Sutherland a contracté un mariage de raison et sa raison l'a guidée tout au long de sa vie. Sa raison a élevé ses fils et exploité son époux. Sa raison s'est servie de l'ostracisme dont ils souffraient pour les souder les uns aux autres et les rallier à son ambitieux projet. Oui, c'est la raison de leur mère qui les a endoctrinés, stimulés, enhardis. La raison de leur mère et le domaine ne faisant qu'un. Devenant la raison d'être du clan Falardeau, le mortier qui les a cimentés les uns aux autres pour former une muraille contre tout assaut.

Et l'assaut est à venir. Le danger est devant. Présent et informulé. Andrew le flaire. Il est là, le danger. Là, parmi ces Riverains qui se targuent de combattre la pollution. Là, parmi ces alarmistes, lorgnant de travers leur établissement de production animale. Là, parmi ceux qui se pincent le nez quand le vent souffle de l'ouest et transporte l'odeur de purin sur le village. Oui, le danger est parmi les Riverains qui se sont donné pour mission de protéger le lac Huard et ses affluents, incluant le lac à la Tortue, enchâssé en grande partie dans ses terres et relié au premier par un canal d'irrigation. Alors, il a de quoi appréhender les ennuis venant de ces gens de la ville, surtout depuis que Marjolaine Taillefer a été élue présidente.

Ah! Ces Taillefer: des gens de conviction. Des gens qu'il ne comprendra jamais. Honnêtes, droits, francs, mais hélas sans une once de ruse, voire de bon sens. L'honnêteté ne paie pas: le père Taillefer en est un exemple frappant. Cet homme, organisateur dévoué et efficace du Parti libéral, ne s'est jamais servi, ni lui, ni les siens en premier. Ni même en dernier. C'est à croire qu'il n'a jamais

111

fait de politique active. Lui, Andrew, n'a pas hésité à se servir de son influence ni de celle de son clan pour leur plus grande prospérité. Et il n'éprouve aucun scrupule d'avoir été ainsi motivé par ses intérêts. Contrats des chemins, subventions, octrois, nominations ne le font pas plus rougir aujourd'hui qu'hier. C'était cela, la politique. Cela qu'il fallait faire avec le pouvoir quand on en avait la chance. Pas être honnête, loyal et intègre comme Hervé Taillefer qui, au lieu de favoriser ses fils lors de la construction de la route menant au lac à la Tortue en 1964-65, s'est contenté de laisser le gros morceau à son voisin Boisclair, en établissant le tracé sur les terres de celui-ci (prétextant que celles des Falardeau, voisines, étaient trop rocheuses) et en l'engageant de surcroît comme contremaître. Lui, Andrew, a montré à Hervé ce qu'il fallait faire quand, en 1969, le ministère de l'Agriculture sous l'Union nationale avait accordé un octroi pour l'irrigation des terres. D'abord, par un long détour, il faisait passer le canal d'irrigation au beau milieu du domaine Falardeau, prouvant que le sol n'était pas plus rocheux qu'ailleurs, ensuite, il avait réussi à faire nommer son frère Maurice contremaître tout en faisant travailler le camion d'Harold dont Kenneth était conducteur. Ces travaux avaient beaucoup rapporté au clan Falardeau et les quatre frères s'étaient félicités du creusage de ce canal inutile jusqu'au jour où les ennuis ont commencé. Oh! Au début, ils ne portaient guère attention aux plaintes des villégiateurs du lac à la Tortue qui trouvaient une drôle d'odeur à l'eau du ruisseau d'irrigation, baptisé d'abord cric* Falardeau puis cric Cochon par la suite. Suffisait, pour les calmer, de prétendre que cela avait toujours été ainsi. Peu à peu, cependant, les plaintes se sont multipliées au fur et à mesure que l'eau devenait opaque et vaseuse. En 1979, madame Latour fondait l'Association des riverains du lac Huard et de ses affluents dans le but évident de protéger sa plage de l'envahissement des plantes aquatiques. Rien n'était donc à craindre de ce côté. Mais maintenant que Marjolaine Taillefer occupe le poste de présidente, il se méfie. Cette fille a trop d'idéal. Il a bien fait de s'en débarrasser en inventant l'histoire du viol. Mike lui donnait déjà assez de fil à retordre qu'il a jugé bon d'éloigner cette fille. Elle aurait pu le détourner, l'arracher définitivement à ce domaine dont il doit faire partie.

---

* Cric: ruisseau.

Arrivé dix ans après Kenneth, dix ans trop tard, Mike n'a pas bénéficié de la même éducation que les autres. Il n'a pas creusé les premiers sillons, ne s'est pas donné jusqu'à la dernière goutte de sueur, n'a pas travaillé côte à côte avec ses frères, n'a pas mangé coude à coude avec eux, les épaules harassées de fatigue, ni dormi flanc contre flanc pour s'éveiller à la barre du jour et tirer le collier ensemble. Non! Il a été gâté. Trop gâté par son père devenu sénile. Mike lui a toujours tenu tête. A toujours contesté son autorité. «T'es pas mon père» qu'il disait souvent. Pauvre enfant! Son père n'était plus qu'un vieillard débile. Fallait bien que quelqu'un le dresse. Que quelqu'un sévisse et commande. Et ce quelqu'un, c'était lui, Andrew, et il avait jugé bon d'éloigner Marjolaine Taillefer de ce jeune frère révolté, en exploitant l'orgueil démesuré de ce dernier. Il a bien fait. Ne regrette rien. N'a ni scrupule. Ni remords. Comme pour tout ce qu'il a fait dans sa vie jusqu'à maintenant.

Alors, ce n'est pas ce soir qu'il va commencer à se ramollir. Il est ici pour veiller sur les intérêts de sa famille et doit profiter de l'occasion offerte pour mâter cette Marjolaine Taillefer. Le maire vient tout juste de leur apprendre que ses frères ont soumissionné pour le creusage des travaux d'égouts de la municipalité ainsi que Bernard Gagnon, alias Bizou. Voilà comment la mettre au pas dès à présent. Comment écraser la menace dans l'œuf quitte à atteindre Hervé et ses fils par ricochet. Il doit attaquer avant même d'être attaqué et faire fi de ce respect qu'il est censé éprouver envers cet ancien combattant. Sa mère n'a plus à lui dicter sa conduite, n'a plus à lui imposer son admiration pour le soldat Taillefer parti délivrer l'Europe des griffes du nazisme. Il n'est plus un enfant, n'est plus le petit garçon jaloux du regard pétillant de sa mère envers un homme en uniforme. Oui, jaloux. Il a été jaloux de cet homme.

Discrètement, Andrew observe Hervé et le trouve vieux, maigre, désillusionné. Quelque chose dans son regard d'un bleu intense évoque une profonde tristesse. Sa charpente osseuse est celle d'un homme robuste. Les épaules sont larges mais voûtées, les mains démesurément grandes, avec des doigts noueux. On dirait qu'il y a tout juste assez de peau pour recouvrir ce squelette d'homme costaud. Lui, il se souvient l'avoir connu autrement. Il se souvient d'un beau soldat venu les visiter avant de partir. Une impression de force tranquille et sûre se dégageait de ses larges

113

épaules et de l'uniforme tendu sur ses pectoraux. Ses cheveux bruns étaient rasés et drus, son regard plein d'espoir et son expression d'homme de bonne volonté inspirait confiance. C'est de cet homme-là qu'il était jaloux, pas de ce vieil homme vulnérable qui a conservé, malgré les horreurs qu'il a vécues, cette bonne volonté qui ne lui est d'aucun secours.

D'un geste nerveux, Hervé passe ses doigts dans sa tignasse grise, les yeux rivés à ses papiers, l'oreille attentive à la lecture que fait le secrétaire-trésorier. Andrew s'attarde aux cheveux longs, épais et indisciplinés qui diffèrent tant de ceux du soldat. Non. Il n'est vraiment pas jaloux de cet homme. Seulement de ce qu'il a été à un moment donné de sa vie. Seulement de la place qu'il a prise dans le cœur de sa mère alors qu'il s'est senti détrôné par lui. La place qu'il avait volée à son père ou plutôt non, la place de son père que sa mère lui avait refilée très tôt. Trop tôt. «C'est toé l'homme de la maison maintenant que ton père est aux chantiers.» L'homme de la maison. Quelle farce! Un gamin qui jouait des épaules et se faisait taper sur les doigts à la petite école. «C'est toé, l'aîné des garçons. L'homme de la maison quand ton père n'est pas là.» Simple. Il n'était jamais là. D'abord aux chantiers une grande partie de l'année puis par la suite, évadé magiquement de son corps par la maladie. Oui, c'est lui, l'homme de la maison. L'homme du domaine Falardeau. C'est lui l'homme qui a concrétisé le rêve audacieux de Jane Sutherland. Et lui qui doit aujourd'hui le protéger.

Le secrétaire-trésorier termine la lecture des soumissions.

Andrew prend soudain conscience qu'il fait terriblement chaud dans la pièce. Incommodé, il jette un regard oblique à la porte fermée puis au huissier, son vis-à-vis, suant à grosses gouttes. Paraît que l'odeur l'indispose. Il préfère crever de chaleur plutôt que de laisser pénétrer la légère brise de l'ouest.

Cet homme qui, tantôt, s'est empressé de fermer la porte derrière chaque visiteur, représente l'action perfide, la manœuvre sournoise qui ronge patiemment la muraille de protection. Son geste peut paraître anodin, naturel pour un homme de la ville quand en réalité il constitue un danger réel.

Andrew considère les visages cramoisis des échevins, les rigoles de sueur sur leurs tempes et les cernes d'humidité sous leurs aisselles. Quelle bande d'imbéciles ils font à se laisser cuire dans cette pièce surchauffée, se pliant aux caprices de ce fat personnage et exposant l'établissement de production animale des Falardeau à la critique. Oh! Il connaît d'avance le processus. Suffit de faire accepter les méfaits de l'odeur, puis de l'odeur on passe au crottin, du crottin à la bête et de la bête au propriétaire, c'est-à-dire à lui. À eux.

Il n'est pas question de laisser s'amorcer cette démarche. Il est ici pour défendre les intérêts de sa famille.

— On crève icitte, affirme-t-il soudain, coupant court au résumé que s'apprête à faire le maire. D'un pas décidé, il se rend vers la porte qu'il ouvre toute grande au rafraîchissant vent d'ouest parfumé d'odeurs agricoles.

Martial Bourgeon grimace. Tente de s'allier l'assemblée.

Seul le maire, encore éberlué par l'intervention d'Andrew, esquisse un vague sourire.

— Nous venons de lire les soumissions pour les cent heures d'excavation que la municipalité a demandées, relativement aux travaux qu'elle devra effectuer cet été pour la pose et le remplacement des tuyaux d'égouts. Nous avons deux soumissionnaires, soit Bernard Gagnon et Taillefer et frères, enregistré. Je vous rappelle que la municipalité ne s'est pas engagée à accepter la plus basse, ni aucune des soumissions présentées, ni à payer aucun dédommagement dans un tel cas.

Pour Andrew, c'est décidé d'avance. Il ne peut se permettre de ne pas utiliser ce dernier pouvoir qu'il possède sur les Taillefer. Leur accorder le contrat, ce serait ouvrir le barrage à toutes les démarches que désireraient entreprendre Marjolaine et son association. Il doit leur signifier que tant qu'il sera là, les Falardeau ne se laisseront pas intimider. Doit leur rappeler qu'il est bel et bien là, même s'il n'a plus de parti. Qu'il est là et veille sur les plus belles terres de la région. Les plus belles et les plus grandes, soudées côte à côte. Irriguées. Plates. Les terres que sa mère contemple fièrement.

Il remarque le regard presque suppliant d'Hervé dans sa direction et en conclut que trois des membres du conseil se sont déjà décidés en faveur de Bizou. Aucun argument ne les convaincra d'accorder ce contrat aux frères Taillefer. Ni l'habileté de ceux-ci, ni leur excavatrice plus puissante, ni leur prix concurrentiel.

Jérôme Dubuc, le Flasher-à-Mantha, ne peut faire autrement que favoriser son gendre, Martial Bourgeon, le huissier, dont le rêve est de saisir le bien de ces courageux frères; il n'a donc pas d'autre alternative que d'exposer ce bien à une seconde faillite et Odette Ladouceur ne peut qu'assurer l'emploi de son mari à l'usine de René Mantha. Cette histoire de filtres et de pétition a beaucoup nui aux Taillefer. Marjolaine joue avec le feu et ce sont ses frères qui s'y brûlent en premier. Puis son père qui lorgne vers lui à la recherche d'un honnête homme. Pauvre Hervé! Il n'y a plus d'honnête homme. Ils font partie de l'histoire ancienne. Aujourd'hui, il n'y a que des hommes qui défendent leur bien. Et c'est pour cela qu'il est ici ce soir et non pour s'initier à l'honnêteté. Voilà donc trois membres en faveur de Bizou Gagnon et deux en faveur de Taillefer et frères, enregistré, soit Hervé et Claude Boyer, l'organisateur péquiste, amateur de cause perdue à saveur d'intégrité. Lui, Andrew, que fera-t-il? Acceptera-t-il la soumission des frères Taillefer, portant le compte à trois contre trois et obligeant le maire à trancher? Non. Il ne veut pas que ce bouffon de maire use de ce privilège. Ne veut pas voir sa grosse face plate faire mine de peser le pour et le contre quand il sait très bien que les dés sont jetés d'avance en faveur de Bizou Gagnon. Il n'a pas envie, lui, Andrew Falardeau, de jouer la comédie. D'être mou, indécis et de reporter sur les épaules de cette marionette à Mantha la décision qu'il doit prendre. La décision qui indiquera SA position à Hervé et qui, il l'espère, fera réfléchir sa fille Marjolaine. Alors, il vote contre les frères Taillefer. D'ailleurs, depuis la désintégration de son parti, il ne vote jamais pour quelqu'un mais toujours contre. Cela l'agace, le déprime. Il n'a plus à se battre pour quelque chose, n'a plus à édifier, ni à bâtir mais seulement à défendre. SE défendre. Lui si constructif, si audacieux, se voit retranché sur le domaine qu'il défend. Finis les débats engagés, les instances auprès des députés et les actions directes. Fini, tout ça. Tout est redevenu comme il y a bien longtemps, avant qu'il ne fasse de la politique active. Avant qu'il ne se donne corps et âme au parti de l'Union nationale. Avant, quand il devait se défendre d'avoir une mère anglaise, d'avoir les cheveux roux et de vivre sur une terre à proximité du village. Oui, tout est redevenu comme avant. Tout ce qu'il a bâti s'est effondré en 1980. Avec grand fracas. Il a perdu ses ficelles, ses contacts, ses appuis. Il ne lui reste vraiment plus qu'à se défendre.

116

Ce soir, il vient de perdre l'estime d'un honnête homme. D'un pauvre rêveur. Aussitôt, Andrew repousse le vague remords qui tente de l'assaillir. Que lui arrive-t-il? Pourquoi, tout à coup, ces ébauches de scrupule? Il n'a fait que se défendre. Hervé devrait comprendre cela. S'il a attaqué, c'est uniquement dans le but de se défendre.

Andrew évite maintenant de regarder cet homme qui nerveusement repasse ses doigts noueux dans sa tignasse emmêlée, dénudant son front où s'inscrit une nouvelle défaite. Le beau soldat au pied de l'escalier, le beau soldat parti en enfer pour libérer les Vieux Pays n'est plus. Ici, personne ne se rappelle de lui dans son uniforme. Personne ne sait jusqu'à quel point le fardeau de la guerre a ployé son échine et affaissé ses épaules jadis impressionnantes. Lui, il se rappelle. Lui, il sait. Hervé ne mérite pas ce qui lui arrive. Ne mérite pas ce nouveau coup dans son dos prématurément voûté.

Mais ce n'est pas lui qui lui a porté ce coup. Lui, il n'a fait que se défendre. Le coupable est ailleurs. Bien au frais dans sa luxueuse résidence à air climatisé. Dirigeant l'offensive de ce somptueux bunker. Loin du champ de bataille. De cette table du conseil et des décisions à prendre et à formuler.

C'est Mantha qui a porté ce coup dans le dos de son beau-père. Il est devenu trop fort pour ce petit village. Trop puissant.

Telle une pieuvre, il étend ses tentacules dans toutes les familles et s'enroule autour des gorges. Il n'a qu'à serrer un peu pour qu'on lui obéisse. C'est Mantha le coupable. Mantha, le monstre qui les régit. Et lui, Andrew, il ne peut rien contre Mantha. Pas plus qu'Hervé qui lui a permis d'établir l'usine sur un de ses lots à bois, ignorant qu'un jour, son gendre parviendrait à manipuler les élus municipaux et autres par le truchement de ces emplois à offrir ou à ravir. Ignorant qu'un jour, il lui porterait ce grand coup dans le dos.

C'est Mantha le coupable, se répète intérieurement Andrew. Lui, il n'a fait que se défendre.

* * *

117

Mercredi, 11 juillet 1984.

Une fonctionnaire pas comme les autres

Ti-Bit va bien maintenant. Après deux semaines d'antibiotiques et d'onguent, son bobo sur la cuisse est guéri.

Réjeanne Robichaud examine la perruche, installée dans une nouvelle cage, avec de nouveaux copains. Ti-Bit se balance sur son perchoir, l'air heureux. Vaguement reconnaissant.

Après un grand soupir de satisfaction, Réjeanne se met à la tâche. Elle s'immerge dans ce grand désordre compris d'elle seule. Veut-elle un dossier? Une loi? Un amendement? Elle sait exactement où les trouver dans ses paperasses. Cette jungle n'a pas de mystère pour elle.

Le facteur lui laisse une lettre et, poursuivant sa distribution, se dirige vers le bureau du directeur général de l'Aménagement des lacs et cours d'eau lorgnant d'un mauvais œil les cloisons envahies de plantes grimpantes. Si la section de la conseillère auprès des associations lui fait penser à une animalerie, celle du directeur n'a d'équivalent que le jardin botanique. Cette race de fonctionnaires a de quoi le dérouter. Cette foi rare qu'ils ont, doublée d'une énergie quasi antisyndicale, le font sentir différent, radicalement opposé, chaque fois qu'il parcourt leur département rempli de chants d'oiseaux et de verdure.

La conseillère auprès des associations décachète l'enveloppe avec empressement. Elle aime recevoir du courrier. Cette joie enfantine ne s'est pas tarie en elle, pas plus que sa joie de vivre. Ah! C'est l'Association des riverains du lac Huard et de ses affluents qui l'avertit d'un changement à la présidence. Marjolaine Taillefer, anciennement membre du conseil, remplace madame Latour de Montréal.

Marjolaine, c'est un nom qui l'inspire. Elle connaît bien cette plante aromatique. Il lui semble qu'elle hume son parfum au bout de ses doigts quand elle cuisine. Le lac Huard? Où donc? Ah! Dans les Hautes-Laurentides. Oui, elle se rappelle... C'est ici. Elle sort une carte, un dossier. Étale cela devant elle en chantant mentalement: «Marjolaine, toi si jolie, Marjolaine le printemps fleurit.» Ah! c'est un joli nom. Vraiment. Le lac Huard est sûrement entre

118

bonnes mains... Son chant mental s'accompagne du cri incomparable de ce magnifique oiseau-plongeur. Soudain, elle fronce les sourcils, en apercevant le lac en question sur sa carte. La joyeuse ritournelle se tait en elle, laissant planer la plainte de l'oiseau. C'est un cri de détresse qu'elle entend. Un cri de détresse auquel elle veut répondre. Elle est née pour répondre à ces appels désespérés de la nature. C'est sa mission. Elle ne le dit à personne, évidemment, de peur de passer pour une folle, une illuminée, mais elle le croit. Et c'est parce qu'elle le croit, qu'elle occupe ce poste. Et c'est parce qu'elle le croit que ce lac lui fait peine à voir.

Au nord, une usine de panneaux d'aggloméré; au sud, des terres où l'on pratique exclusivement l'élevage porcin et tout autour, un déboisement excessif des rives et des berges. Rattaché à lui par un canal d'irrigation, le lac à la Tortue, marque déjà des points de non-retour. Il va mourir. Situé au beau milieu des terres et alimenté par une eau contaminée de purin de porc, il agonise en silence. Il n'a pas la chance du Lac Huard, d'être alimenté par un torrent et d'avoir conservé le quart de ses berges intactes.

Elle feuillette son dossier pour s'assurer que l'analyse de la qualité de l'eau et des installations septiques a été menée à bien au lac Huard. Il ne reste donc qu'à convaincre les gens de protéger les rives et le littoral. Ce n'est pas une mince affaire. Cette Marjolaine y parviendra-t-elle? Étant résidente, parviendra-t-elle à convaincre ses concitoyens qu'on peut tout aussi bien polluer un lac en rasant sa ceinture protectrice qu'en y déversant des poisons? Trouvera-t-elle les mots pour le dire? Et la patience de le redire? En général, les gens acceptent la réalité de la pollution par le déversement des matières fécales ou autres, mais refusent celle de la pollution par le déboisement excessif. Ils ne peuvent comprendre qu'une pelouse bien tondue, bien traitée est plus dommageable au lac que les broussailles dont mère Nature l'a doté pour se défendre. Le coup d'œil a beaucoup d'importance. Ce qui se voit, ce qui a l'air, l'emporte sur le reste. Ceci découle du fait que l'homme considère encore un lac comme une immense piscine et non comme un être vivant. Il conçoit bien que s'il jette des saletés dans sa piscine, elle va se polluer. C'est évident. Mais s'il aménage et enjolive le pourtour de cette piscine, il se refuse à croire que cela affectera la qualité de son eau.

Qu'il est difficile de faire comprendre aux gens qu'un lac n'est pas une piscine mais un être vivant! Ça prend du temps et de la patience. Autant qu'en a mis mère Nature à élaborer tous ces écosystèmes interdépendants.

Curieux! Pour certains, un lac n'est qu'une piscine et pour d'autres qu'un nom dans un comté électoral. Qu'un proton bleu sur la carte autour duquel gravitent les électeurs. Et elle là-dedans, elle est coincée entre les deux. Elle et une petite poignée de bénévoles. Elle et les gens de FAPEL. Elle et son directeur, Antoine Lemaître. Pas grand-monde en tout, à crier qu'un lac est vivant et qu'il peut mourir. Pas grand-monde à demander aux villégiateurs d'arrêter d'améliorer dame Nature. Pas grand-monde à accuser le ministère d'incompétence.

Pas grand-monde à se faire prendre pour des dingues ou des alarmistes. Pas grand-monde de coincé entre l'indifférence du peuple et la froide politique, les deux alliées de la pollution. Cette habitude du peuple d'établir des échelles de comparaisons qui endorment du genre de «l'air de Los Angeles comparé à celui de Montréal» et cette création de l'illusion par nos politiciens que tout est bien dirigé. Avec l'appui de statistiques et d'un docteur ès quelque chose, pigé dans la masse bureaucratique et retourné à cette masse aussitôt la bonne nouvelle publiée en gros titre dans les journaux. Tout va bien. Le gouvernement veille. Le ministère a créé des comités et sous-comités pour étudier la question en profondeur... Suivi de commissions d'étude, et d'études des études... Pour faire accroire que c'est très compliqué cette histoire de lac qui n'est pas une piscine et démontrer ainsi qu'il ne peut adopter à la légère des lois visant à protéger les rives et le littoral. Une manière élégante de ne pas se mouiller, quoi? De persévérer à considérer un lac comme une petite tache bleue plus ou moins politiquement rentable. Une tache sèche, sans vie. Un nom, un comté, un potentiel d'électeurs, des chances de garder le pouvoir. C'est tout. Rien de plus. Même pas le chant d'un huard ou une odeur d'eau fraîche.

Mais pour elle, un lac, c'est tellement plus. C'est une richesse naturelle mondiale. Laisser mourir un lac, c'est laisser mourir un être vivant d'une valeur inestimable. Irremplaçable. C'est laisser mourir un être vieux de quelques milliers d'années et pourtant un être jeune. Plein de vie. Laisser mourir un lac, c'est en priver la génération qui nous suit. Comment peut-elle accepter ce crime? Comment accepter les pluies acides sur nos lacs? Comment envisager leur mort prématurée comme allant de soi? Elle ne le peut. Ni elle, ni son directeur. Ni FAPEL. Ni cette Marjolaine, en qui elle a confiance sans même la connaître. Ni tous ces bénévoles qui travaillent sans relâche. Ces bénévoles avec qui elles transplantent de petits arbustes pour régénérer les rives. Ces bénévoles qui donnent de leur temps, de leur énergie et souvent de leur argent pour sauver leur lac. Ces bénévoles qui se sont fait dire, le plus poliment du monde, par le ministre de l'Environnement en personne: «C'est louable ce que vous avez fait, mais nous, nous allons faire mieux. Nous allons «bonifier» tout ça. Dormez sur vos deux oreilles, nous sommes là. Je veillerai personnellement à protéger vos lacs.» Que de présomption! Il n'a rien fait d'autre que de créer des comités. Pas même l'ombre d'une loi protégeant le littoral. *Bonifier,* ça voulait dire laisser le gros bon sens des gens qui considèrent un lac comme une piscine s'occuper de tout cela. Leur remettre les lacs entre les mains. S'en laver les mains, quoi, puisqu'il y a plus d'électeurs croyant en la version de la piscine que d'électeurs croyant en celle de l'être vivant. C'est cela un lac, pour un politicien: un capital électoral.

Mais pour elle... Réjeanne regarde encore une fois le lac Huard. Encore une fois entend son cri de détresse. Encore une fois recueille cet être sans défense, comme elle recueille chats et chiens perdus. Encore une fois, le prend sous son aile protectrice. Pour elle... il n'est pas qu'une tache bleue plus ou moins politiquement rentable. Pour elle, il n'est pas une piscine. Il a sa vie, son passé, mais son avenir aussi. Il a ses caractéristiques, sa personnalité. Pour elle, il a une odeur, une image, un chant. Elle le regarde attentivement. Il a la forme d'une tête d'oiseau, un amas d'îles lui servant d'œil. Dans la mâchoire inférieure, se déverse un torrent s'échappant d'un lac de montagne et dans l'autre, il y a l'usine crachant son poison. Tout autour, des chalets.

Il a son histoire aussi. Des tonnes et des tonnes d'eau dans son bassin de cinq milles de diamètre. C'est un beau grand lac qu'elle recueille. Qu'elle chérit déjà. Qu'elle adopte.

Ti-Bit gazouille dans sa cage.

— Oh! Pauvre Ti-Bit. Si t'entendais le huard.

121

Réjeanne ferme son dossier, prenant soin d'y insérer la lettre d'information et le range dans son fouillis.

Le lac Huard a maintenant sa place parmi les autres. Il a son cachet, sa personnalité, son ange gardien au nom suave de Marjolaine. Elle sait où le situer dans les Hautes-Laurentides, connaît ses bobos, ses points forts. Son affluent et son torrent.

Le lac Huard fait maintenant partie de cette grande famille entassée pêle-mêle sur son bureau, mais clairement identifiée dans son cœur et sa tête.

Et tandis que Ti-Bit gazouille, Réjeanne reprend son ouvrage, de plus en plus convaincue de sa mission.

* * *

Jeudi, 12 juillet 1984.

Obstinée, la vieille Écossaise persiste à se bercer du côté ouest de la galerie.

Mike hoche la tête, observe un instant la peinture usée par le roulis de la chaise berçante. Depuis toujours, l'orgueil a cloué sa mère à cet endroit d'où elle peut contempler son domaine. C'est toujours là qu'il l'a vue, soir de pluie, comme de beau temps, avec ce regard qui ne se rassasie pas de la montagne au bout de l'horizon. Enfant, il s'interrogeait sur les visions de sa mère et il scrutait ce paysage, à la recherche d'un lièvre ou d'un cerf sorti des bois. À la recherche du merveilleux qui surgirait de ces terres longues et plates, méthodiquement clôturées. Mais rien ne surgissait et, au fil des jours et des ans, cette ligne d'horizon a fini par l'ennuyer mortellement.

— Vous seriez mieux face au lac, mom: y a une bonne brise.

— J'suis bien ici, rétorque Jane Falardeau en essuyant le dessus de sa lèvre supérieure avec un mouchoir de dentelle.

Mike hoche à nouveau la tête en s'appuyant contre un poteau ouvragé. Brièvement, son regard passe en revue l'horizon orange et brumeux et ces terres longues et plates, où rien n'a jamais surgi. Il étouffe. L'atmosphère lui pèse.

— Andrew a voté contre Hervé, l'autre soir, lui apprend-elle, sans détacher son regard du domaine des Falardeau.

— À cause?

— Because of the new lady président, Marjolaine of those damned Riverains.

— Marjolaine présidente... c'est son genre, en effet.

— Andrew pense qu'elle peut nous faire du tort avec le cric là, pis les odeurs.

— Ah! Mom, a pourra rien contre la merde. Y en a partout d'la merde. A devrait s'occuper de son beau-frère de merde avant de s'occuper de nos cochons. Paraît qu'y cherche à mettre le grappin sur la compagnie de camionnage. Ça me surprendrait pas de lui. C'est pas pour rien qu'y nous donne pas d'ouvrage. Y veut mettre la compagnie dans l'trou, c'est ben simple. Y sait qu'on a pas les reins forts après l'hiver qu'on vient de passer. Y sait qu'on a besoin d'lui, mais y engage nos concurrents pis quand on sera sur le bord de la faillite, y va v'nir nous acheter pour une bouchée de pain. Vous allez voir... Oh! Oui. C'est une belle merde, celui-là. Mais, Marjolaine pourra rien contre la merde. Y en a partout. Jusqu'à Scheffer-ville. Vous devriez venir face au lac... y a une bonne brise.

— Non, non... ça va bien ici. Vas-y. Go, my boy. Go.

Il la laisse, arpente la longue galerie, régulièrement peinte en gris, qui ceinture la maison. Les talons de ses bottes résonnent clairement par ce temps humide. Mayday, la grosse chienne, suit de ses yeux mi-clos le mouvement de ses pieds. Nez au vent, elle économise ses énergies. Ce temps lui pèse à elle aussi et sa montée de lait l'incommode. Elle bouge à peine la queue lorsqu'il s'assoit près d'elle et se contente de lui adresser un fidèle regard de tendresse.

— Fait chaud, hein, Mayday?

Encore le même regard économique et expressif que deux demi-cercles blancs soulignent sous les prunelles. Moitié terre-neuve, moitié husky, Mayday supporte mal ces journées chaudes et moites. Elle cherche continuellement l'ombre, la fraîcheur et se creuse de grands trous dans lesquels elle se vautre. Il aurait peut-être mieux fait de la laisser à Schefferville.

Il lui caresse les oreilles un instant puis regarde le lac Huard qui scintille par-dessus les toits du village.

Là-bas, au nord, la petite île de Marjolaine est déjà gagnée par l'ombre. Il ne la voit pas d'ici, mais la devine. Son fils doit se balancer à cette heure, en ployant son corps vers l'arrière, les pieds

123

pointés vers le ciel. Peut-être tend-il le cou dans son envol en direction du village. Peut-être que si la distance disparaissait comme par enchantement, ils se regarderaient tous les deux, face à face.

Curieux que cet enfant lui manque, après tant d'années! Il sent comme un vide en lui. Une absence qu'il ne s'explique pas. Alexandre n'a jamais fait partie de sa vie. Il a toujours été en aparté. Bien au chaud, en sécurité dans les bras de sa mère. Mais depuis samedi, Alexandre s'est infiltré dans ses pensées... depuis samedi, il pense à cette foutue balançoire, cette foutue île, cette foutue femme pas comme les autres. Depuis samedi, il pense à ce petit garçon qui a dit «merci papa» en rougissant jusqu'aux oreilles. Depuis samedi, une vision stupide le hante: il se voit avec une grosse brassée de bûches d'érable, fermant vite la porte sur une tempête de neige. Cette image lui est apparue alors qu'Alexandre lui faisait visiter la maison où trônait un gros poêle à bois. C'est là qu'il s'est vu avec ses bûches d'érable leur garantissant la chaleur en hiver. C'est fou! Il s'est même renseigné sur le prix d'une corde auprès de Spitter, son neveu qui en fait le commerce. Le voilà obsédé par le bois de chauffage, lui l'aventurier, lui le mauvais garçon qu'aucune femme n'a su attacher, lui l'homme libre. Libre? Plus maintenant. Cette vision le tient prisonnier. Cette île et cette balançoire aussi. Et ce petit garçon de huit ans qui lui ressemble.

Comment était-il, lui, à huit ans? Que pensait-il? Comment voyait-il ce monde adulte? Huit ans, c'est l'âge où il a perdu son vieux compagnon de jeu: ce vieillard de soixante-quinze ans qu'était son père. Ce vieillard sénile que grondaient Andrew et sa mère. Ce vieillard qui lui apprenait de gros mots en cachette et bénissait ses mauvais coups. Ce vieillard qui lui renvoyait la balle sans se lasser et écoutait ses rêves sans s'ennuyer. Ce vieillard complice avec qui il partageait un code secret que nul adulte n'était en mesure de comprendre, d'imaginer même. «Le vieux est mort», entendait-il dire au salon funéraire. Cette phrase le peinait et le poussait près du cercueil où il regardait froidement la dépouille. C'est vrai qu'à la regarder comme ça, c'était une vieille dépouille, toute ratatinée. Mais lui, il se rappelait quand les yeux brillaient de gourmandise à la vue des bonbons cachés. Et ces yeux-là avaient l'âge des siens.

Il avait l'air d'enterrer son grand-père, quand en réalité c'était son père. Et il avait l'air d'avoir perdu son père, quand dans le fond de son cœur, il avait perdu son frère. Personne n'a jamais su cela. Personne n'a jamais imaginé son chagrin, sa détresse, sa solitude. Lui parti, il tombait seul dans la grande maison. Seul avec sa mère ambitieuse et travaillante et seul avec Ken, de dix ans son aîné. Seul d'enfant avec ses rêves folichons, ses yeux innocents, et ses désobéissances. Seul à entendre le roulis de la berceuse scandé par la phrase rituelle de sa mère: «Aussi loin que tu peux regarder, jusqu'à la montagne là-bas, qui nous appartient.» Seul à scruter l'horizon, dans l'attente du merveilleux. À attendre qu'une fée, un lutin, ou une soucoupe volante illumine les heures ternes et vides de son enfance. Seul, avec cette femme qui a toujours été vieille. Toujours été pareille. Toujours été besogneuse. Toujours à la même place, avec toujours la même phrase, la même tasse de thé, le même corps maigre et sec, les mêmes longues rides de chaque côté de la bouche, les mêmes doigts cassants, la même rigidité, la même sévérité. Seul avec sa vieille mère à s'ennuyer devant le domaine des Falardeau.

Aujourd'hui aussi, il se sent seul. Seul comme lorsqu'il venait d'enterrer son père et qu'un vide silencieux le cernait impitoyablement.

Seul comme s'il venait de perdre à nouveau un compagnon de jeu. Un complice.

Mike scrute l'horizon violacé que zèbrent par moments des éclairs au loin. À vingt, trente milles l'orage gronde.

L'île est là… très loin dans l'ombre. Et le petit garçon est là aussi. Ce petit compagnon d'un jour qui creuse un vide autour de lui en lui rappelant sa propre enfance. Jamais, il n'aurait cru s'entendre si bien avec son fils. Jamais, il n'aurait pensé connaître à nouveau cette complicité, cette amitié, que l'âge ne peut altérer. Jamais, il n'aurait imaginé revivre les instants merveilleux qu'il avait vécus avec son vieillard de père… Et revivre aussi cet ennui que l'absence provoque. Alex l'a vraiment conquis. Conquis à ses jeux et conquis à son sourire facile. Conquis dès le premier contact, alors qu'il gardait l'entrée de l'île avec Max, le fils de Mayday, aussi gros et poilu qu'elle. Il le revoit encore, torse nu, vêtu d'un jean coupé et délavé, bien installé devant la barrière du petit pont, à pêcher des crapets-soleils en l'attendant. Bien qu'il ait entendu la moto de loin et que Max ait déjà grondé à ses mollets,

Alex feignait l'indifférence en enfilant calmement un ver à son hameçon. Il l'a regardé, a commandé le silence au chien et a lancé sa ligne à l'eau. Ploc! Les petits cercles sur l'onde semblaient le captiver.

— T'as emmené long de corde? a-t-il demandé le plus naturellement du monde.

— Oui.

— Y est haut le pin. T'as pas le vertige, c'est sûr?

— C'est sûr.

Il se renseignait comme une sentinelle diligente. N'entrait pas qui voulait sur cette île. Marjolaine partie, c'est lui et Max qui veillaient à ce qu'aucun intrus ne pénètre ce royaume.

Un homme veillait jalousement en ce petit garçon. Un homme qui le percevait de prime abord comme un rival. Alexandre se lisait si facilement. On décelait en lui l'homme jaloux et vindicatif en contradiction avec l'enfant au pardon facile.

— Bon, si t'as pas le vertige...

Il remontait sa ligne, rejetait le ver à l'eau.

— Marjolaine est partie pour la journée.

Il mettait cartes sur table. Lui rappelait qu'elle ne désirait pas le voir, mais permettait qu'ils se rencontrent. Après cette mise au point, il a finalement ouvert la barrière. Voilà, il avait eu la permission de pénétrer l'univers d'Alexandre et de Marjolaine. Un univers merveilleux. Un univers qu'il découvrait sur la pointe des pieds, sur la pointe du cœur. Alex lui faisait visiter l'île, suivi de Max et d'un régiment d'oies agressives. Elles aussi protégeaient cet univers. Plus concrètement que Max puisqu'elles lui pinçaient les mollets à l'occasion.

— C'est ici qu'on se baigne, ça c'est notre jardin; j'ai planté des carottes, t'en veux? Elles sont sucrées... Prends: Marjolaine est d'accord. Ça, c'est notre chaloupe... on la prend pour aller pique-niquer au torrent... Ici, c'est notre sentier de course. C'est toujours moé qui gagne. T'es vite à la course?

— Assez.

— Le premier rendu à la maison! Alex n'avait pas gagné cette fois-là et l'événement semblait le rendre heureux.

— C'est plate de toujours gagner... Avec toé, j'apprendrais à courir plus vite. Viens. J'vais te montrer la maison.

126

Maintenant qu'il était admis sur l'île, Alexandre lui livrait toute son intimité, sans réserve. Il lui montrait sa chambre, ses jeux, les conserves de sa mère et même les papiers des Riverains. Un coup sa confiance accordée, elle était sans restriction, sans limite.

Alexandre le considérait comme un ami. L'homme avait cédé sa place à l'enfant candide. Et cet enfant lui plaisait énormément. Sa spontanéité, son honnêté lui faisaient oublier toute la merde de ce monde pourri. Ensemble, ils se sont balancés entre ciel et terre. Libres, heureux, riant tout haut et chantant. Ils ont sauté à l'eau de la balançoire. C'était le rêve d'Alexandre. Le sien aussi lorsqu'il avait cet âge. Un rêve folichon. Un rêve qu'il avait réalisé pour son fils.

Qu'il aurait aimé vivre l'enfance de son fils! Habiter cette île aux multiples horizons. Pas loin d'un torrent où l'on peut aller cacher des trésors de pirate en chaloupe. Qu'il aurait aimé que sa mère soit jeune, belle et enjouée comme Marjolaine! Qu'elle prenne le temps de s'amuser avec lui, d'écouter ses rêves et de consoler ses chagrins.

Un coup de vent renverse les feuilles des saules et frise l'eau encore teintée par le soleil couchant. Mayday se gratte l'oreille, s'étend sur le côté, exhibant ses mamelles gonflées et dures. Il a donné le dernier chiot à Spitter, le fils d'Andrew. Elle souffre en silence de tout ce lait maintenant inutile que fabrique son corps.

Depuis deux jours, elle cherche dans la cour, sous la galerie, dans la remise. Est-ce uniquement le lait qui motive ses recherches? Un regard entre eux. Un soupir de la bête. Mike lui caresse les oreilles, songeur. S'ennuie-t-elle du dernier chiot?

L'impression de partager avec elle le vide de l'absence multiplie les caresses sur le poitrail de Mayday. Il aurait peut-être dû la laisser à Schefferville mais qui aurait pris soin d'elle?

Qui aurait pris soin de ces chiens que leurs maîtres abandonnaient? Dick, son ancien maître, la lui avait offerte. Établi depuis vingt ans à Schefferville, il ne savait où rebâtir sa vie. Il avait pris racine dans cette lointaine ville minière, s'y était fait un nid. Rien, ni personne ne l'attendait ailleurs. Chez lui, c'était cette ville, où il exerçait le métier de pilote depuis vingt ans. Il ne pouvait s'encombrer de sa chienne, qu'il avait secourue alors qu'elle hurlait

127

de désespoir au fond d'une poubelle. Qui l'avait mise là et pourquoi? Nul ne le savait. Mais Dick l'avait recueillie et baptisée «Mayday», le signal de détresse dans le code radio.

— Tu t'ennuies de Schefferville, hein Mayday?

Lui aussi, il s'en ennuie. De l'atmosphère surtout qui unissait les gens. De cet horizon tendu devant eux. De l'argent à faire. De l'ouvrage à volonté, sur les gros camions de la mine. De la froidure qui dure et endurcit.

De cette société d'aventuriers qui se serraient les coudes pour se divertir et s'amuser. Qui permettaient tout et n'accusaient personne. Il se sentait libre à Schefferville. Libre d'agir à sa guise, de boire sa paye s'il le voulait ou d'aller à la chasse au caribou, de dépenser une fortune en une soirée ou de frayer avec les Montagnaises. Il était libre. Même avec France avec qui il cohabitait. Ils vivaient chacun leur vie, couchaient ensemble sans s'attacher l'un à l'autre. Une saprée bonne femme, cette France. Comme il les aimait. Avec des idées ouvertes et de l'audace plein les yeux. Avec cette rage de vivre et ce besoin de liberté. Ce goût de l'aventure caché dans le sourire. Cet esprit d'indépendance soutenu par l'orgueil. Oh! C'était une saprée bonne femme, et pourtant, il n'avait éprouvé aucune tristesse lorsqu'elle était partie. Leur séparation avait été aussi facile que leur union. Pas une bêtise, pas une larme. Juste un dernier baiser. C'est ainsi que les choses auraient dû se dérouler avec Marjolaine. Mais, il y a eu cette déchirure entre eux, cataloguée de viol, cette longue blessure qui guérit mal. Et maintenant, il y a Alex. Depuis samedi, il y a Alex.

Depuis samedi, il se sent vraiment père. Avant, il le savait, mais ne le sentait pas. C'est étrange ce qu'il ressent. Un mélange de joie, de nostalgie et de crainte. Crainte de perdre sa liberté, crainte d'être attaché, lié pour la vie. Déjà, il n'est plus libre de ses pensées et son regard se porte souvent vers le lac… vers l'île. Il pense à des choses auxquelles il ne pensait pas auparavant, comme au prix du bois de chauffage. Il pense à tout ce qu'il pourrait faire avec Alex. Il a envie d'être avec cet enfant, maintenant. Envie d'habiter son enfance toute propre. Envie de ses yeux clairs, de son sourire moqueur, de ses grosses incisives, de son corps souple et bronzé dans son jean coupé — frangé — délavé. Envie de l'entendre rire, de l'entendre rêvasser, de l'entendre chanter. Envie de sa pureté. Ce monde est une merde. Et lui aussi, il est une merde. Mais cet enfant, là-bas, n'est pas encore souillé. Ni par l'orgueil, ni par l'argent. Cet enfant, là-bas, c'est comme un rêve. Et il a soif de ce rêve, de cet innocence. Il a soif et peur d'être lié à tout jamais par ce rêve. Peur d'en devenir l'esclave.

Peur du mot viol qui unit leur deux noms et habille tout entier Alexandre.

Est-ce elle qui a accordé ce mot à l'acte qu'ils ont commis? Est-ce son père, lorsqu'il est venu s'en plaindre à Andrew? Comment savoir? Et à quoi bon? Le mot est lâché, l'acte étiqueté, et lui, catalogué d'écœurant. Marjolaine demeure la bonne petite fille qui garde sa joue bien collée sur le flanc de sa maman et lui, l'ingrat qui s'est sauvé à Schefferville. Quelqu'un a triché quelque part dans cette histoire. Et ce n'est pas lui. Lui, il est prêt à reconnaître ses torts. Prêt à admettre qu'il a profité de la crédulité, de la naïveté de Marjolaine. Elle n'était qu'une jeune étudiante de secondaire V qui avait bu et fumé pour la première fois lors d'une danse, et lui, un homme rompu à toutes les exigences de la séduction. Il est prêt à admettre qu'elle l'attirait autant qu'elle l'agaçait. Que sa beauté virginale le provoquait et le stimulait. Oui, il est prêt à admettre qu'il n'a vu d'abord qu'un défi dans cette liaison et qu'à sa grande surprise, il y a puisé une jouissance profonde et différente de toutes celles qu'il avait connues avec d'autres. Même prêt à admettre qu'il lui a sciemment écrit une lettre bête et méchante après qu'elle l'eut éconduit. Mais le mot viol, jamais, il ne l'admettra. S'il a violé quelque chose, ce n'est sûrement pas son corps, car elle a joui avec lui. Oh! Non! Ce mot-là... jamais, il ne l'admettra. Jamais. Quelqu'un a triché pour qu'il fasse maintenant partie de leur vocabulaire. Ce doit être elle. Ce ne peut être qu'elle. Sans le prononcer, elle a dû le laisser germer dans l'imagination des gens. Ce mot ne la déculpabilisait-il pas, faisant d'elle la blanche brebis souillée et de lui, le gros méchant loup? Ne s'octroyait-elle pas le rôle de la victime, lui destinant celui de l'agresseur? Ne se lavait-elle pas les mains en salissant les siennes?

C'était facile; elle avait déjà la réputation d'une bonne petite fille, et lui, du mauvais garçon. Un rien permettait de croire que le mauvais garçon avait déshonoré la bonne petite fille.

Mais ce n'est pas ainsi qu'il voit les choses. De son point de vue, c'est plutôt la bonne petite fille qui s'est payé le mauvais garçon et s'en est offusquée par la suite. C'est contre elle-même qu'elle est en colère et contre lui qu'elle s'en prend.

Mike secoue la tête, tente de chasser les souvenirs qui l'assaillent traîtreusement. Qu'il aimerait oublier cette histoire! Mais comment faire, à présent, depuis qu'Alex s'est infiltré dans sa vie? Comment oublier qu'il a suggéré l'avortement quand les yeux candides de son enfant se posent sur lui? Comment oublier le refus de Marjolaine?

Il fulmine. Frappe son poing droit dans la paume de la main gauche. Serre les dents au point de les entendre grincer. À grands coups d'orgueil, il repousse ce passé qui s'obstine à ressurgir. Tente de lui enfoncer la tête dans la boue. De le noyer, de l'asphyxier. Peine perdue. Toute cette malheureuse histoire se redessine avec netteté et précision. Dire qu'il avait pris tant de soin à camoufler les faits et à distordre les gestes. Tant de soins à transformer les paroles et à déguiser les sentiments. Et voilà que ça lui rebondit en pleine face parce qu'il s'ennuie de son fils. Huit ans. Cela fait plus de huit ans qu'il a enterré cette histoire qui aurait dû se décomposer et se transformer. Mais, elle est demeurée intacte. Aussi incompréhensible et douleureuse qu'avant.

Aussi bien se rappeler. Aussi bien la revivre tant qu'à être confronté à elle.

Il avait tellement aimé avoir à conquérir Marjolaine. À user de subterfuges pour faire tomber ses défenses. L'obligation d'avoir à berner la sage fille pour rejoindre la femme le stimulait. Tous les moyens étaient bons pour arriver à la séduire. Tous deux victimes de leur réputation, ils tenaient leur rôle pour se donner bonne conscience. De tout temps, Marjolaine avait exercé un charme indéniable sur lui. Dès son arrivée à la petite école, alors qu'il était en cinquième année, la petite sœur des frères Taillefer avait inscrit sa beauté en lui. Intouchable, surprotégée de ses frères, il l'avait rangée parmi les rêves inaccessibles. Puis, bien vite, la puberté et l'adolescence avaient relégué aux oubliettes la fillette pudique, pour l'aiguiller vers les fantasmes sexuels que déclenchait la grande sœur Irène, devenue femme.

Vert de jalousie le jour des noces de cette dernière, il n'avait guère porté attention à la demoiselle d'honneur et ce n'est que l'année suivante qu'il découvrit la femme que Marjolaine façonnait le plus admirablement du monde à son insu. Dès lors, elle avait ré-intégré son piédestal de rêve inaccessible et, pour parvenir à ne pas en être incommodé, il s'ingéniait à la dénigrer, la traitant dans son for intérieur de sainte-nitouche, d'enfant de Marie et de bonne sœur manquée. Comme pour le renard de la fable, il s'efforçait à croire que les raisins étaient verts.

Vert et amer, le fruit entre les cuisses de cette vierge, vou-lait-il croire, quand la natte de cette fille différente des autres al-lait le chercher jusqu'au fond du ventre. Mais, le fruit avait été doux, sucré et enivrant. L'ultime moment de leur union avait chassé la bonne petite fille et le mauvais garçon. Il n'y avait plus qu'une femme et un homme, se livrant aux jeux de l'amour. Elle, pour la première fois, lui, pour la plus belle fois. Aucune femme ne lui avait procuré tant de jouissance, d'extase, lui donnant l'impression que toutes les autres relations n'étaient que des pratiques, en vue de cette performance sublime. Hélas! le lendemain, alors qu'ils étaient réveillés en sursaut par les insultes de son ex-blonde, c'était la fin. Le bris. L'irréparable. Autant lui qu'elle se devait d'enfiler au plus vite leur réputation respective, l'ex-blonde s'égosillant toujours à les condamner! «Maudit cochon! Maudit courrailleux de Mike Fa-lardeau! Pis toé, Marjolaine Taillefer, tu peux ben jouer la sainte-nitouche. T'es pas mieux que lui.»

Vite, ils s'abritaient derrière leur réputation, oubliant qu'ils furent des amants, Marjolaine avec plus de furie que lui. Elle s'en voulait, c'était évident. D'autant plus qu'aucune précaution anticon-ceptionnelle n'avait été prise. C'était lamentable, comme fin. Après avoir atteint les nues, il retombait aux enfers, ou plutôt les deux pieds sur terre, à espérer un fléchissement dans l'attitude de Marjo-laine, une preuve de sa clémence. Mais elle le fuyait. Se dérobait à tout entretien. En désespoir de cause, il l'avait rejointe à l'école, pour lui offrir son aide et lui suggérer l'avortement si jamais… Sans l'ombre d'un doute, elle lui a fait comprendre qu'elle l'excluait de sa vie. La bonne petite fille tenait à mettre les choses au clair. Ce qui s'était passé entre eux n'était qu'une erreur, qu'une faiblesse, qu'un faux pas commis sous l'effet de l'alcool et de la marijuana. Rien de plus. Froide, distante, tenant contre sa poitrine de femme ses livres d'étudiante, elle établissait le compte de leur relation et le rejetait, là, d'où il venait, c'est-à-dire dans le lit des filles faciles. Pour sa part, elle comptait poursuivre ses études et atteindre quelque échelon social au-dessus du mécanicien-camionneur qu'il était.

Blessé, humilié comme jamais, il s'est empressé de retourner à Schefferville, dès que la mine l'a rappelé. Et de là, il lui avait écrit une lettre dans l'intention de la blesser à son tour, en lui faisant savoir qu'elle n'avait été pour lui qu'une parmi tant d'autres.

Quelques mois plus tard, Andrew l'informait qu'elle était enceinte et que la rumeur circulait au village qu'il l'avait violée. Il lui recommandait chaudement de ne pas revenir pour l'instant, les frères Taillefer voulant lui faire un mauvais parti. Son sang n'avait fait qu'un tour et, pour oublier tout cela, il s'était payé une cuite formidable. Trois jours, trois nuits sans dessoûler, ni desserrer les dents et les poings, la gorge nouée par l'humiliation, l'indignation, la colère. Trois jours, trois nuits, à haïr le nom de Marjolaine, à le traîner avec lui dans les bars, à le salir, à le vomir. Trois jours, trois nuits, à frapper du poing contre la table où s'entrechoquent les bouteilles vides et à provoquer des bagarres à l'heure de la fermeture.

Puis, ce fut la résignation... une espèce de lucidité inculquée par France qui cohabitait avec lui, de sorte qu'à la naissance de son fils, il était immunisé contre toute atteinte et considérait d'un œil logique l'arrivée de ce poupon qui ne cadrait nullement avec la vie qu'il menait. Ne voulant, ni ne pouvant en avoir la garde, il avait expédié une grosse somme d'argent à Marjolaine qu'elle avait aussitôt renvoyée. Elle ne voulait pas de son argent. Ne le voulait pas dans sa vie. C'était clair. L'enfant, elle désirait l'élever seule. Mener jusqu'au bout son rôle de martyre et le forcer à persévérer dans celui du bourreau. Elle voulait la monoparenté. Soit. Il la lui laissait.

Il avait reçu une photo d'Alex avec sa taille et son poids à l'endos et s'était permis de lui acheter des pyjamas qui l'avaient étonné, tellement il les trouvait petits, un ensemble d'hiver et de petits *mukluks* fabriqués par les Montagnais. C'était tout ce qu'il avait pu faire. Elle ne voulait pas de lui, et lui ne voulait pas s'encombrer d'un bébé.

Dans une longue lettre, elle lui avait promis que jamais elle ne dresserait son fils contre lui. Elle avait tenu parole.

D'un geste machinal, Mike caresse la chienne.

Peu à peu, la colère se dissout en lui pour ne laisser qu'un immense point d'interrogation relativement à Marjolaine. Qui est cette femme qui le fascine et l'exaspère? Insaisissable, insondable, elle lui a coulé entre les bras comme de l'eau. Il a beau tenter de l'étiqueter, il ne parvient pas à la définir. À la caser pour de bon dans son esprit. Elle l'intrigue. Le déroute.

Farouche, indépendante avec les hommes, elle hésite cependant à rompre le cordon ombilical. Hésite à s'envoler hors du nid et loin du nid. Elle revient toujours à la maison. On dirait qu'elle craint le vaste monde. Qu'elle croit impossible de trouver le bonheur ailleurs. Impossible de forger son bonheur avec un étranger. Elle a été trop choyée, trop protégée. Sept frères ont veillé sur elle. Personne à l'école n'osait penser à y toucher. Sauf lui, parce qu'il était bagarreur. Lui, il avait envie de l'arracher à son petit cocon. Envie de lui tirer la natte, envie de la scandaliser. De lui montrer autre chose que sa foutue ferme, ses foutus parents et ses foutus frères. Envie de lui ouvrir les yeux sur le siècle présent. De libérer la femme en elle, séquestrée par la bonne petite fille qui poursuivra des études et quittera ainsi le nid, avec une assurance vol et la bénédiction des parents.

Il l'a réveillée, cette femme. Il l'a aimée. Hélas, la bonne petite fille les a séparés et depuis, il sait qu'elle châtie cette femme. Qu'elle l'isole sur son île. L'enferme dans un autre cocon pour la protéger et la soustraire du monde, la repliant ainsi sur l'enfant. Oui, aujourd'hui, Marjolaine ne vit que pour Alexandre, il le voit bien. Mais lui n'a pas envie de ne vivre que pour Alexandre. Il a envie de vivre avec Alexandre. Voilà la différence.

Des nuages s'amoncellent rapidement, éclipsent les lueurs rouges du soleil. Ciel et eau s'assombrissent. De grosses gouttes résonnent sur la toiture de la galerie, perforent le lac, s'aplatissent sur le sol. Puis, des pics blancs naissent dans la masse sombre, au loin. Ce sont les crêtes des vagues. L'orage fond sur la petite île, se rue vers le village. Un coup de vent renverse une chaise de jardin dans la cour du voisin.

Contrariée, sa mère abandonne la berceuse, face au domaine des Falardeau et va préparer ses lampes à l'huile en prévision d'une panne d'électricité.

133

Lui, il reste dehors à contempler l'orage. Fasciné par cette énergie et cette violence dans l'air. Fasciné par le roulement du tonnerre et la rapidité des éclairs capables de tuer. Un peu inquiet pour la première fois de sa vie que la foudre ne touche ce grand pin, là-bas, auquel il a accroché une balançoire pour son fils.

* * *

Vendredi, 13 juillet 1984.

Le huard tend l'oreille au trémolo de son congénère habitant la baie de l'Est. Il y discerne toute son inquiétude, sa tension, son angoisse à défendre son territoire. Il ne lui répond pas, glisse lentement sur l'eau, suivi de sa compagne. Il n'a pas à lui répondre. N'a plus à lui répondre puisqu'il n'a plus d'aire de nidification à revendiquer et à protéger. Il n'a plus qu'un nid vidé de ses promesses, là, sur une des nombreuses petites îles rocheuses qui gardent l'entrée de sa baie. Là, comme un souvenir lugubre, lamentablement accroché et à moitié défait, avec des images de vie et de mort entremêlées. Avec l'espoir et le désespoir tressés à même les plantes aquatiques. Là, avec ce vide immense qui l'emplit.

Le cri du voisin exige une réponse. Mais il se tait. Son être entier se tait. Il n'a pas de réponse à donner. Plus de réponse. Il n'a pas à crier: «Reste chez toi, j'ai mes petits.» N'a plus à crier: «Chez moi, c'est la baie où se déverse le torrent, compris?» Alors, il se tait en écoutant son voisin revendiquer cette baie si mal oxygénée où l'eau et les poissons ont un arrière-goût de civilisation. Cette baie cernée de chalets et sillonnée de bateaux. Cette baie où crache l'usine. Il regarde la sienne; sauvage, tranquille, avec le caquetage des oies domestiques sur l'île habitée.

Qu'il aurait aimé offrir tout cela à ses petits ou son petit! Enfin à la progéniture que la nature aurait bien voulu lui accorder. Mais, elle a accordé, la nature. Il n'y a pas si longtemps, deux beaux gros œufs remplissaient le nid qu'il avait rebâti sur l'ancien. À tour de rôle, lui et sa femelle se relayaient pour couver. C'était merveilleux de sentir ces œufs sous son ventre, de les couvrir entièrement et chaudement en écoutant clapoter l'eau tout près. Merveilleux de savoir qu'aucun renard ou prédateur ne se risquerait sur

134

cet amas d'îles rocheuses. Merveilleux d'avoir les mouettes à vue. Merveilleux d'habiter la partie sauvage du lac. De n'avoir pour visiteurs qu'une femme et un enfant dans une chaloupe de bois.

Merveilleux, jusqu'au jour où un gros bateau s'est rendu jusqu'au torrent. En passant trop près de l'île, il a soulevé une énorme vague. Il l'a vue venir, la vague. A tenté de se faire pesant comme lorsqu'il plongeait. Mais la vague a inondé le nid en arrachant les œufs sous son ventre. Un instant, il les a vus à la dérive. Puis, une seconde vague les a fracassés contre les roches. Les coquilles ont éclaté et deux oisillons presque à terme ont échoué, morts et mouillés entre les plants de menthe... Et...

Encore une fois, le trémolo du voisin qui surveille son aire de nidification. Encore une fois, le silence dans la gorge du huard. Il s'éloigne de son nid, disparaît de la surface de l'eau, plonge vers les abîmes.

Un long hurlement se fait alors entendre. C'est le yodel du voisin qui célèbre sa souveraineté territoriale.

* * *

Samedi, 14 juillet 1984.

Le soleil levant grimpe hardiment derrière les pins de la rive opposée. De sa balançoire, Alex l'observe habiller de lumière les milliers d'aiguilles à la tête des arbres. Il tend le cou vers le village qu'il ne voit hélas pas. Puis, se laisse retomber dans le vide en se cambrant. On dirait qu'il va plonger la tête première dans l'eau piquée d'étoiles. Le vent sur ses joues l'excite, l'encourage à se donner de grands élans pour aller plus haut, jusqu'à sentir ses fesses décoller de la planche de bois. Et voilà le soleil, fantaisiste, chaud et puissant. Et voilà l'eau, froide et mystérieuse source de vie. Et encore le soleil qui monte et voyage dans le ciel. Et encore l'eau, immobile et généreuse. Alexandre se balance. Entre ciel et terre. S'offrant tour à tour des images d'eau et de soleil. Il entend vaquer sa mère dans la maison. Elle a allumé le poêle à bois pour chasser l'humidité et préparer son café. L'arôme de la fumée monte jusqu'à lui. Monte jusqu'à la branche où Mike a noué les cordes. Et plus haut, s'entremêlant au parfum résineux de l'arbre. Il emplit ses narines, cet arôme, emplit son cœur, emplit sa tête. Fait naître des images de confiture sur son pain grillé et de lait au chocolat mousseux. Il lui ouvre l'appétit, cet arôme et lui parle de sa mère, de sa maison, de son lit, de sa table. Il lui certifie que tout cela est là pour lui. Que l'île est là, ancrée pour des siècles dans cette baie sauvage. Que sa mère y est aussi, ancrée pour la vie dans son cœur. Ancrée avec ses bras doux et tièdes, avec son sourire et ses mains qui consolent et caressent.

Le regard de l'enfant grimpe le long des cordes et s'arrête à la branche où Mike s'agrippait. Il éprouve un mélange de remords et de regret à se recréer les images qui ont déclenché son admiration et sa fierté. Celles de son père grimpant à l'aide de ses bras et de ses jambes. De son père rampant sur la branche, se couchant sur elle et s'y enroulant comme un boa puissant. De son père nouant solidement le câble. De son père qui n'a pas le vertige. Oh! Si Marjolaine savait. Si Marjolaine voyait ces images en lui. Il ne doit pas les lui dévoiler. Elles peuvent lui faire mal. Une douleur existe entre elle et Mike. Il le voit dans leur visage. L'un comme l'autre sont remués à la seule évocation de leur nom. Non. Il ne doit pas dévoiler ces images. Ne doit pas plaider sa fierté et son admiration. Ne doit pas rouvrir la blessure entre eux. Il les gardera pour lui, ces images. Elles sont nouées au bout des cordes. Avec les cordes, à la branche du pin. Elles l'inondent de leur présence. De leur force. Lui font tendre le cou vers le village qu'il ne voit hélas pas d'ici. Mystérieusement, elles le lient à cet homme qui n'a pas le vertige. Cet homme, fort, habile et intrépide. Cet homme jeune et enjoué qui est devenu son ami. Marjolaine ne doit pas savoir cela. Elle ne doit pas savoir qu'il l'a trompée lorsque Mike est venu. Ne doit pas savoir qu'il a succombé à son charme. Ne doit pas savoir qu'il a eu du chagrin de le voir partir. Un chagrin indéfinissable qu'il a balancé entre ciel et terre, le cou tendu vers le village. Un chagrin qu'elle n'aurait pu consoler.

Tout cela doit rester en lui. Comme un secret entre lui et Mike. Un secret qu'il ne trahira pas.

Alexandre observe le soleil et l'eau en se balançant. Son cœur va du parfum de sa mère à la branche de l'arbre. De son secret à la réalité.

Entre ciel et terre
Je me balance dans les airs.
Je vais, je viens,
Léger et lourd
Au-dessus de l'eau.
Là-bas, le soleil,
Déjà me chauffe
Et me réchauffe
En éclairant
La terre entière
Et l'eau mystérieuse
Où toute vie grandit et meurt.

Entre lui et elle,
Mon cœur balance amoureuse-
ment.
Entre ses jeux et ses repas,
Sa force et sa tendresse.
Entre ses bras d'homme, son cou
de femme,
Le rêve fou et la peur de demain.
Entre mentir ou bien trahir,
Entre lui et elle,
Mon cœur balance et pleure
Dans leur silence.

Entre ciel et terre
Je me balance dans les airs.
Léger et lourd
Au-dessus d'eux.

✳ ✳ ✳

Éthiopie, dimanche, 15 juillet 1984.

S a mère pleure. Grand-père prie. Devant eux, un plein sac de teff que ses deux frères convoitent en silence. Car le silence règne; intense, grave et froid.

Zaouditou dépose le peu de lait que la chèvre vient à bout de donner et interroge du regard sa mère en larmes.

— Ton père est mort.

La femme ne peut en dire davantage et se tord de douleur. Mais il manque un cercueil à ses lamentations tout comme il manque un cadavre entouré de bandelettes sacrées aux prières de son grand-père. Ce sac de teff symbolise-t-il cette mort? Que fait-il là, trois fois plus gros que celui qu'elle a obtenu en échange du costume traditionnel?

139

— D'où vient le teff?

— Des rebelles.

La voix de grand-père est lointaine, détachée.

La fillette s'assoit près de Nigusse, se colle contre lui. Ensemble, ils fixent le sac de teff et combattent le goût de l'injera qui renaît dans leur palais. Ensemble, ils combattent cette brûlure au creux de l'estomac et se taisent. Et s'immobilisent. Laissant pleurer mère et prier grand-père.

Zaouditou aimerait avoir des larmes, elle aussi. Mais elles ne viennent pas. En fait, elle ne peut détacher son regard de la nourriture sur le sol. Ne peut détacher son regard de cette promesse de vie que lui apporte la mort de son père.

Pour un temps, ils n'auront plus à manger les semences. Grand-père pourra à nouveau refermer le sac au cas où le vent changerait d'idée et apporterait la pluie. Au cas où il y aurait ensemencement et récolte.

Pour elle, ce sac, c'est le paradis. Pour grand-père, il est un fruit de l'enfer où elle est née. Elle ne sait ce qu'il représente pour sa mère mais sait que pour Nigusse, Zeferi et elle, il est le paradis. Ça se voit dans leurs yeux. Se capte dans leur attente. Le chagrin ne vient pas tant la faim les accapare. Et les larmes ne coulent pas de leurs yeux agrandis. Pourtant, leur père est mort. Il a été tué par les soldats. Là-bas, dans les collines stériles. Il est mort et au lieu de son corps on a ramené un sac de teff. Comment croire, comment voir qu'il est mort? A-t-il payé de sa vie ce paradis ou ce fruit de l'enfer? Que vaut sa vie, le paradis ou l'enfer? S'est-il battu pour rien, dans un pays qui ne vaut rien et ne donne plus rien? Pourquoi s'est-il battu dans ces collines de l'enfer?

Grand-père en est fier. En lui, sont présentes les fleurs du paradis. Les fleurs de la paix et de la liberté. En son père aussi, elles étaient présentes. Elle, elle ne les connaît même pas. Ne sait pas ce qu'est un pays tout de vert vêtu. Ne sait pas le bruit de la source qui jaillit de terre. Ne connaît pas cette autre dimension au-delà du corps. Ces autres valeurs au-delà de la faim.

Zaouditou regarde le sac sur le sol desséché. Voilà ce qu'il reste de son père. Voilà le dernier présent qu'il leur fait. Son sang a roulé sur le sol sans réussir à le pénétrer. Comme roule l'eau précieuse sur les semis. Sans réussir à pénétrer. Comme si la terre s'était fermée.

Voilà le dernier présent de l'homme que la terre ne nourrit plus et Zaouditou le regarde gravement, sans une larme et sans une joie.

* * *

Lundi, 16 juillet 1984.

L a paix. Les autres sont partis camper en Ontario. Oh! Pas sur un terrain aménagé à cet effet, bien sûr. Gustave n'en a pas les moyens. Non, c'est dans la cour de sa belle-sœur qu'ils vont s'installer. Les enfants aiment cela. Et ce que les enfants aiment, Gustave le réalise toujours. Il est fou de ses enfants. Ils sont sa consolation, son luxe. Sans eux, il aurait une plus belle maison, une camionnette neuve, un train de vie agréable. Mais il calcule que leurs rires valent tout cela.

Léopold avale une gorgée de bière et contemple de sa galerie le chalet luxueux de René Mantha. Dire que Gustave courtisait Irène, dans sa jeunesse. Il l'aimait comme un fou et a eu un chagrin terrible lorsqu'elle est partie pour la ville. Ses six enfants sont-ils venus à bout de la rayer de son souvenir? Non. Il en est sûr. On n'oublie pas une femme si facilement. Ni les enfants ni la boisson ne peuvent l'arracher du cœur lorsqu'elle y est enracinée. Il jette un regard oblique à sa bouteille de bière avant de la vider d'un trait. Non. Ni la bière, ni les enfants.

Ting que ding, la bouteille roule par terre, entrechoque les autres éparpillées sur le plancher de la galerie puis s'immobilise. Pshh! Il en décapsule une nouvelle, l'enveloppe de sa main et jouit momentanément du contact frais de la buée. C'est peut-être elle qui va le rassasier. Peut-être elle qui va étancher sa soif, une fois pour toute. Peut-être elle qui va l'engourdir totalement. Faire de lui une tortue paresseuse que rien ne dérange. Faire de lui un objet quasi in-animé, hébété et abruti entre le hamac et le moteur hors-bord. Faire de lui une quasi-plante, les pieds dans ses bouteilles vides et la tête dans sa fumée de cigarette. C'est peut-être elle qui va l'arracher à ce monde, à ces bruits que l'eau propage. Des bruits de vacances, d'activité. Des cris d'enfants qui déjà se baignent, des bruits de ba-teaux qu'on apprête, de chaloupes qui reviennent bredouilles de la pêche, de pédalos mal huilés qui grincent, de portes de chalets, de rires, de tables de pique-nique qu'on dresse. Ces bruits qui le déran-gent.

Il avale goulûment. Bientôt, il ne les entendra plus. Bientôt, il prendra congé de ce monde et se réfugiera dans ce cocon qu'il tisse avec ses bouteilles de bière et son tabac. Ce cocon qu'il tisse en toute paix. Toute quiétude sans les sempiternels reproches de sa brue et les silences réprobateurs des enfants. Sans la honte au front de son fils. Il se saoulera en paix, tel qu'il l'a prévu lorsqu'il a vu la camionnette disparaître au tournant. Bon! C'est le temps. Le chat parti, les souris dansent. Vite, la caisse de vingt-quatre et les deux paquets de ciga-rettes. Pas de tabac à rouler avec des mains tremblantes. Pas de ca-choteries dans le garage, pas de petits à soudoyer. La paix. Enfin! Une bonne brosse. Une vraie brosse. Des vacances quoi!

Glou, glou, glou. Ting que ding. Pshh. Encore une fois. En-core une autre... C'est peut-être elle qui l'endormira une fois pour toutes et lui fera oublier cette jeune institutrice qui corrigeait les cahiers sur le coin de la table. Elle n'a pas vieilli, elle. Il ne pourra plus la rejoindre lorsqu'il quittera ce monde. Avant, il se disait que la mort les réunirait. Il voyait cela comme un beau film dans son esprit. Et cela le consolait. Mais avec le temps, il voit le vieil ivrogne qu'il est devenu tenter de prendre dans ses bras cette jeune femme. C'est grotesque. Elle doit s'être amourachée d'un fantôme de son âge. Le vieil imbécile qu'il est ne la séduira jamais.

Glou, glou, glou. Ting que ding. Pshh. Encore une autre. Une épaisseur de plus au cocon qui le sépare de ce monde. De cette femme qui fut sienne. De cette femme que la vie lui a arrachée, en laissant toutes les racines dans son cœur. Une épaisseur de plus pour atténuer le bruit et absorber les chocs. Une épaisseur de plus pour filtrer la lumière.

Glou, glou, glou. Ting que ding. Pshh. Et une autre pour fêter ses vacances et boire en paix à cette paix qu'on lui laisse. Ah! Il y arrive presque. A l'impression de pendre mollement à côté de la baie sillonnée d'embarcations. De pendre mollement à côté du temps. À côté des autres. Dans son cocon qui tamise le monde extérieur, l'embrouille, l'assourdit.

Mais qu'est-ce que cette silhouette au pied de la galerie? Est-ce un fantôme? Une apparition? Elle lui sourit gentiment. Chapeau de paille, longue jupe et enfant au bout de la main, une jeune femme monte vers lui.

— Bonjour, monsieur Potvin.

Elle le voit donc!! Il n'est pas à l'abri dans son cocon. Elle le dérange.

— Qu'est-ce que vous voulez? Gustave est parti.

— Je suis Marjolaine Taillefer... je suis venue vous parler de pollution.

— Ah! La p'tite dernière d'Hervé.

— Oui. Je fais le tour des riverains.

— On en fait pas partie.

— Je veux dire de ceux qui habitent près du lac... C'est une campagne de sensibilisation.

Elle parle comme sa femme, jadis. Le même ton doux, patient. Et elle est belle comme elle et jeune. Et cet enfant qui tient sa main. Comme sa femme lorsqu'elle prenait de longues marches avec Gustave. Pourquoi réveille-t-elle tout cela?

— Je peux m'asseoir?

Il aimerait dire non. Elle le dérange. Il promène un regard coupable sur les bouteilles par terre. S'en veut d'avoir tant bu en entendant les tintements qu'il vient de provoquer en bougeant les pieds. Il s'en veut de la caisse ouverte que seulement deux bouteilles empêchent d'être vide.

Quelle heure est-il? Comment? Qu'est-ce qu'elle fait là, dans son cocon? Il aurait dû mettre une pancarte. Privé. Défense de déranger. Par ordre. Mais elle est là et s'assoit sur le parapet de la galerie, une revue contre sa poitrine. Une revue toute bleue comme ses yeux. Elle sourit toujours. L'enfant s'installe dans le hamac.

— Je m'excuse de vous déranger.

Au moins, elle le sait. Ce qu'elle peut être plaisante tout de même, la petite dernière d'Hervé! Beaucoup plus abordable qu'Irène, l'aînée de la famille. Tellement plus simple, plus naturelle avec cette longue natte de cheveux cendrés dans son dos, cette jupe d'une autre époque et ce chapeau de jeune paysanne. Ce petit chérubin à la tête bouclée doit être le fils de Mike Falardeau. Paraît qu'il y a eu une histoire entre eux. Les commères parlent de viol... Lui, il n'y croit pas... Ce n'est pas le genre de Mike...

Curieux, il a envie qu'elle reste, même si elle le dérange. Il voit dans ses yeux qu'elle ne le juge pas, ne le condamne pas. C'est lui seul qui se juge.

— Ben parle ma belle. Dis-moé tout ça.

Elle parle si bien. Tout comme sa femme, jadis. Et tout comme sa femme, elle connaît tant de choses qu'il ignore. Elle en sait long sur le sujet. Lui, pas du tout, sauf qu'on ne peut évacuer ses matières fécales dans le lac. C'est logique. Il a beau être dans son cocon, il n'est pas stupide. Mais elle, elle parle du lac comme d'un être vivant. Et souvent son regard bleu se pose sur lui, avec amour et affection, comme sur un enfant malade. Elle veut le soigner, le protéger. Fronce immanquablement les sourcils à l'usine de panneaux d'aggloméré. Ce lac lui tient à cœur. Et lui, il ressent ce qu'elle ressent, sans comprendre les détails qu'elle lui explique. Il ressent son inquiétude, sa peur même, de le voir mourir. Car on ne revient pas d'une mort... C'est l'inéluctable et l'irréparable. Avant, on peut agir, soigner, prévenir. Mais après... on ne peut rien... rien. Il épouse son inquiétude, regarde d'un autre œil cette eau vivante, passible de mort.

Elle lui donne la revue qu'elle tient sur son cœur. Lui conseille de la lire. Il sait qu'il ne lira pas mais regardera la page couverture, toute bleue comme ses yeux. Comme les yeux de sa femme.

— J'ai soif, dit-elle.

Il tend la main vers une bouteille.

— J'aimerais un verre d'eau, s'il vous plaît.

Ouach! De l'eau. Bien sûr. Il va lui en faire couler un, bien froid, apporte une paille pour le petit. C'est connu, les enfants adorent les pailles. Mais il ne se résoud pas à l'accompagner avec ce liquide. Pshh. Elle ne sourcille pas, ne condamne pas. Continue à lui parler comme si de rien n'était. Comme s'il n'avait pas une vingt-troisième bouteille à la main. Comme s'il n'était pas un vieil ivrogne dans son cocon. Il ne veut plus qu'elle parte mais elle se dispose déjà à le quitter. L'enfant ne veut plus de la main qu'elle lui tend. Il se croit grand. Se croit un homme parce qu'il a réussi à se coucher dans le hamac sans tomber. Il part devant elle, lui qui, tantôt, hésitait à la suivre.

— Comment on fait pour être membre des Riverains?

La retiendra-t-il avec cette question? Cette petite carte à remplir? Ces cinq dollars à débourser? Que ne ferait-il pas pour lui démontrer qu'il l'appuie? Qu'il s'inquiète, lui aussi, de la santé du lac.

Elle le remercie, lui conseille à nouveau de lire le dépliant. Il la regarde… jeune et ancienne à la fois, sa grande tresse rythmant son pas souple.

Pshh. Il tourne la carte de membre entre ses doigts tremblants. Elle a inscrit son nom. Quelle belle écriture! Tout comme sa femme.

Cela le dérange maintenant qu'elle soit partie. Il se sent bizarre. Comme si les vieilles racines, laissées dans son cœur, se mettaient tout à coup à reverdir.

* * *

Mardi, 17 juillet 1984.

Plus que jamais, c'est Bizou Gagnon l'homme désigné pour les travaux d'excavation et d'installation septique. Sa carte d'affaires est partout, son nom sur toutes les lèvres. Le maire ne fournit pas de glisser les cartes dans les sacs d'épicerie des villégiateurs. Comme s'il estimait que Bizou n'avait pas de chance, vue la présidence de Marjolaine au conseil de l'Association. Ces gens de la ville sont imprévisibles. Particulièrement les Riverains.

L'huissier lui, ne fournit pas de salir les Taillefer. Pour cela, il n'a qu'à ouvrir la bouche. Avec la bonne personne, au bon moment. Lorsqu'il apparaît comme un sauveur ou un étrangleur. Cette capacité que lui accorde sa profession le sert à merveille. Il en profite. Profite que les gens sont bouleversés par la catastrophe financière, remués de fond en comble comme la terre du jardin, pour semer ses petites graines de jalousie et de méchanceté. Une parole, une expression, une soi-disant confidence suffisent. À celui qui vient de perdre son toit, il confie sournoisement: «C'est pas comme les Taillefer... ils sont en train de voler le marché à cause de leur sœur, présidente des Riverains, celle qui veut fermer l'usine.» Quelques jours d'amertume, quelques larmes de la femme désorganisée font éclore la semence. Le temps qui use, la fierté des frères Taillefer et l'intégrité de Marjolaine font le reste. Et le plant grandit, grandit. Devient un solide plant de haine et de jalousie qui finit par aveugler et priver le reste du jardin des bienfaits du soleil. Alors tout meurt autour de lui.

Quant à Jérôme Dubuc, il cligne de plus en plus des yeux. Et de plus en plus vite. On dirait un clignotant d'ambulance. C'est peut-être le petit garçon en lui qui est gravement malade. Celui qui jouait des heures de temps avec une chambre à air dans l'eau et regardait droit dans les yeux. Il est en train de mourir. Il ne peut survivre à la bassesse et à la médiocrité. Ne peut survivre au langage destructeur des adultes.

Ce langage qui échoue dans l'oreille réceptive d'Odette Ladouceur et dans celle non moins réceptive de Ti-Ouard-la-pelouse. Cette intrusion forcée et répétitive de Berthe dans leur conscience. Toujours, à cœur de jour, à se laisser enfoncer des commérages dans le crâne. Comme on se laisserait enfoncer un clou à coups de marteau dans la cervelle. «Marjolaine par-ci, Marjolaine par-là, les Taillefer par-ci, les Taillefer par-là.» Ces assauts quotidiens et inlassables contre leur volonté défaillante et leur personnalité chancelante. Drapeau blanc levé pour avoir la paix, ils abdiquent. Épousent la cause de la haine en taisant ce petit quelque chose d'eux-mêmes qui revendique ses droits. Cette petite parcelle d'eux-mêmes, tout au fond, là où se trouve «le bon diable» des mécréants. Petite parcelle de leur moi, que Berthe tasse du pied dans un coin, que Berthe balaiera d'un coup de mauvaise langue pour la jeter aux ordures.

Et puis, il y a Andrew Falardeau, à l'écart et pourtant présent dans le village entier quand le vent souffle de l'ouest et répand l'odeur de son purin jusque dans les maisons. Andrew Falardeau, qui se tient droit et à l'écart de ce purin qui fermente dans l'âme de ses concitoyens. Andrew Falardeau, qui se tait et s'enracine indubitablement à ce sol que contemple sa mère de la galerie. Andrew Falardeau qui se prépare à combattre quiconque oserait s'en prendre à leur domaine. Andrew Falardeau, pas trop pollué malgré qu'il ait les pieds dans le fumier de ses porcs.

Et plus que jamais, c'est l'inactivité qui pèse lourd, dans la cour des frères Taillefer. Plus que jamais, c'est l'inquiétude dans le regard de leur femme qui épie l'excavatrice, immobile et inutile. L'excavatrice qui coûte si cher et rapporte si peu. L'excavatrice paralysée qui gruge leur profit, leur salaire. Gruge sur le montant du marché et des vêtements. Gruge sur leur confiance, leur détermination. L'excavatrice arrêtée, qui creuse un grand trou entre elles et leur mari. Un grand trou d'incompréhension, où tour à tour ils jettent leurs reproches.

Plus que jamais, c'est l'inquiétude qui vire à l'angoisse sous le toit des frères Taillefer. Et, dans les yeux de leurs enfants, c'est la fierté qui tourne à la honte.

* * *

Mercredi, 18 juillet 1984.

Elle a de belles jambes. De charmantes petites fesses, qu'il connaît sous la jupe serrée. Dures et rondes comme des pêches. Et puis, une jolie frimousse. À cet âge, il est difficile d'être laide.

— Vous avez une lettre des Riverains.

Elle lui dit vous dans le bureau, mais dans le lit elle dit: «tu, mon chéri, mon gros nonours». Et, bien qu'elle ait dit vous, Denise, la vieille et efficace secrétaire réagit en haussant sèchement

149

les épaules. Il la comprend! Mariette est jeune et inefficace. À part dactylographier et photocopier des documents, elle ne sait rien faire. Même pas dépouiller le courrier convenablement.

Qu'est-ce que ça peut bien lui faire, que les Riverains lui écrivent? Il n'a rien à foutre de ces gens. La poubelle est le lieu désigné de cette missive. Denise sait cela. Elle ne le dérange jamais pour des futilités. Mais, il ne couche pas avec elle. Dieu l'en préserve. Elle est vieille et laide. Et si elle avait le malheur de le déranger pour de telles balivernes, il ne se gênerait pas pour l'engueuler. Mais, il ne peut engueuler Mariette et prend la lettre qu'elle lui tend.

— Tiens, tiens, tiens... intéressant, dit René Mantha avant de chiffonner le tout et de le lancer au panier.

— Voilà ce que je fais avec les Riverains.

— Qu'est-ce qu'ils voulaient? s'informe Mariette.

Ce qu'elle peut être innocente tout de même. On ne demande pas ce genre de choses à son patron. Surtout pas devant une autre employée. Autant crier sur tous les toits qu'ils ont une liaison. Elle n'a vraiment pas de tête. Un beau corps certes, mais pas de tête. Sans doute pour cela qu'elle l'ennuie à la longue.

René Mantha se tourne vers Denise. C'est à elle qu'il va répondre, comme si c'était elle qui avait posé cette question indiscrète.

— Ils me demandent d'installer des filtres aux cheminées. Les prochaines lettres des Riverains, jetez-les donc directement au panier. Ça nous économisera du temps.

Estomaquée, Denise ouvre grand la bouche. René Mantha grimace un sourire, lui tourne dos et cligne un œil à Mariette. Voilà, petite sotte, ce qu'il te faudra faire avec les lettres de cette Miss Granola alias Marjolaine Taillefer: la poubelle, compris?

Satisfait de son habileté à sauvegarder les faveurs de sa maîtresse au détriment de sa fidèle et dévouée secrétaire, René Mantha quitte les lieux, nullement affecté par la demande des Riverains, mais plutôt amusé par la bouche grande ouverte de Denise.

* * *

150

Lundi, 30 juillet 1984.

Lourde, faible et vieille, Flore avance péniblement dans la forêt. On dirait une grosse tortue qui se meut lentement, ralentie par le poids des ans.

Elle s'arrête, s'assoit sur un rocher pour reprendre haleine. Gaby la rejoint, la dépasse, court d'un buisson à l'autre ramasser des framboises. Flore l'observe avec sa mine bienveillante de grand-mère. Il y a tant de petits issus de son corps épais et déformé! Tant de vies issues de son ventre! Gaby en est une.

Elle étend ses jambes gonflées de varices. Douloureuses, chaudes et pesantes. La chaleur l'accable et la fait suer à grosses gouttes sous son chapeau de paille. Elle n'aurait pas dû, elle n'est plus d'âge à se rendre au bout de la terre. Plus d'âge à faire ce pèlerinage annuel au torrent. Le cœur y est, mais son corps ne suit plus. Il regimbe, souffre, s'épuise. Il veut rester dans la cuisine, ce vieux corps lourd. Il veut rester dans la berceuse chromée, face au téléviseur. Il refuse de se rendre au bout de la terre. De grimper le talus. De progresser sur un sol accidenté. Mais elle le force, le traîne. Pour la dernière fois, peut-être.

Elle a rendez-vous avec son âme de femme qu'elle a laissée près du torrent.

À chaque année, sous prétexte d'aller cueillir des framboises, elle se rend ainsi au bout de la terre, jusqu'à la vieille cabane, se re-tremper dans sa jeunesse et s'abreuver de sa moelle de femme. Cette fois-ci, cependant, elle n'a pas camouflé sa démarche par la cueil-lette des petits fruits. Cette fois-ci, elle s'est déplacée pour elle seule, sans récipient attaché à sa taille. Qui comprendra son geste? «Môman, vous êtes folle! Avec vos varices. Vous êtes plus d'âge! Voyons môman! On va aller pique-niquer tous ensemble au cam-ping.»

Tous ensemble. Encore tous accrochés à sa jupe. Entourée de ses marmots, elle n'est qu'une mère. Seule, elle redevient une femme.

Elle observe Gaby ramasser des framboises. Quel compagnon idéal! Quel témoin merveilleux et silencieux! C'est la première fois que quelqu'un l'accompagne dans ce pèlerinage. Mais, il ne gêne pas, ne dérange pas. En fait, elle aime qu'il soit là.

Flore entend le chant de l'eau qui déboule de la montagne et cascade sur les rochers. L'haleine fraîche du ruisseau cajole sa joue. Elle se relève. Cherche son souffle. S'impatiente des quelques maringouins qui bourdonnent à ses oreilles. «Maudits fatigants!» Elle a soif. C'est fou: elle n'est vraiment plus d'âge mais elle avance. Grimpe le talus en riant de ses maladresses devant le petit-fils.

Enfin, il lui apparaît. Scintillant et vif, filant entre les berges de mousse et de terre noire où se prolongent les racines de cresson. Il court, s'amuse à bondir, à pirouetter, à chanter et à faire tournoyer la mousse dans les bassins. Là, il y a des truites et là, un fond de sable et là, les restes de leur glacière. La vieille cabane au toit défoncé la surprend. Qu'elle est petite! Mais si petite. Et si misérable! Avec son plancher de terre battue et son unique fenêtre. Elle se revoit, épiant le carreau givré dans l'attente d'Hervé. Amoureuse et courageuse. Et elle le revoit, lui, grand et maigre, avec sa hache sur l'épaule et ses reins fatigués. Il regarde vers la cabane. Et marche plus vite en l'apercevant. Il court vers elle. Tout à coup léger, dégagé, libéré du poids du labeur. Elle lui saute dans les bras. Il l'étreint, l'embrasse, lui fait l'amour sur la couchette de bois.

Cette femme à qui Hervé fait l'amour est encore présente en ce lieu. Flore la retrouve. Mêle ses pas hésitants aux empreintes qu'elle a laissées dans le sentier. Puis, s'agenouille dans la mousse où elle venait cueillir l'eau. Flore se penche et boit dans sa main. Elle asperge son visage et son cou. Elle se sent rajeunir. Cette femme revient en elle et la console: «Non, tu n'es pas qu'une grand-mère ou une mère… tu es aussi femme, malgré ton ventre déformé par les accouchements, malgré tes jambes gonflées de varices, malgré tes cheveux gris et tes rides, malgré ton tablier et ton balai… Tu es encore une femme… Tu es aussi une femme.»

Des larmes lui montent soudain aux yeux. Elle ne croit plus être une femme depuis qu'Hervé l'a trahie. Plus personne ne la perçoit en tant que telle maintenant. Même plus Hervé. La mère des enfants a pris le dessus. La mère des enfants qui se sacrifie encore pour eux, la mère des enfants qui risque de perdre le torrent pour les épauler financièrement. La mère des enfants qu'on ne consulte plus à ce sujet, comme si sa générosité allait

152

de soi. Allait de pair avec son rôle. Aux propres dépens de sa quiétude, aux propres dépens de ses désirs et rêves.

Hervé devrait savoir tout l'attachement qu'elle porte au torrent. Pourquoi l'a-t-il exposé au danger sans son consentement? S'aperçoit-il seulement qu'il n'y a plus de femme dans sa cuisine? Qu'il n'y a que la mère de Jean-Paul et de Florient parce qu'elle se sent cataloguée ainsi par lui. Les larmes coulent. Elle les laisse filer sur ses joues réchauffées par le soleil. Cela la soulage de pleurer ici. Avec le souvenir de la femme. C'est mieux que de pleurer en cachette, dans la salle de bain, entre la machine à laver et le lavabo. Elle en a assez d'être le remonte-moral de tout un chacun. En a assez de se sacrifier pour les autres. En a assez de ce rôle de femme pimpante qui la démoralise.

Gaby revient. Elle essuie hâtivement ses joues, fait naître un sourire. Il lui offre des framboises et se colle près d'elle. Instinctivement, elle lui caresse les cheveux et se sent coupable des pensées qu'elle vient d'avoir. Quand pourra-t-elle s'appartenir vraiment? Quand pourra-t-elle penser à elle sans remords? Pourra-t-elle, un jour, se libérer de toutes ces vies issues de son corps, de tous ces chagrins à consoler, de tous ces morals à remonter? L'enfant pousse sa tête entre ses bras et demeure blotti contre elle. Il a capté sa tristesse derrière le sourire et veut lui faire savoir qu'il est là. Et qu'il l'aime.

— Mémère a peur de perdre tout ça.

Elle lui doit des explications. Il la considère puis hoche la tête pour lui démontrer qu'il comprend. Oh! Oui. Il comprend, cet enfant. Il vibre à sa tristesse et capte les ondes que son silence amplifie. Il est tellement ouvert, tellement réceptif aux autres malgré tout ce que peuvent en dire les psychologues de l'école.

— C'est icitte que ta maman a marché. Dans la vieille cabane, là-bas. J'étais une jeune femme dans l'temps.

Il sourit. Regarde sa petite chaudière de framboises. Elles sont pour elle, pour sa maman. Il les lui a cueillies avec amour, pardonnant facilement qu'elle l'ait à nouveau abandonné. Flore lui peigne les cheveux de ses doigts. Elle se sent soulagée de s'être confiée à lui. Se sent comprise.

— Si on mangeait, hein? Va te laver dans le ruisseau. T'as les joues toutes barbouillées.

Il s'exécute tandis qu'elle déballe les sandwichs et les pose sur un torchon de vaisselle à côté d'elle. L'odeur des conifères, de l'eau et de la moutarde lui ouvre l'appétit et lui redonne goût à la vie.

Soudain, l'enfant se met à crier en pointant une mousse brune et nauséabonde qui s'agglutine à ses jambes. Il hurle, comme pris au piège. Flore va le chercher, trébuche sur les roches et se retrouve à quatre pattes dans l'eau avec lui. À quelques pouces de son visage, une masse puante tournoie dans les remous et lui lève le cœur.

— Mais c'est... Non! Pas ça! s'exclame-t-elle, incrédule.

Avec horreur, elle constate les matières abondantes et répugnantes que le ruisseau charrie vers elle.

— Oh! Non! Qui a fait ça?!

Des relents de puisard fusent maintenant du torrent. Une mousse brunâtre s'accroche aux vieilles feuilles mortes tapies le long des berges. Et l'eau cristalline se métamorphose en un liquide sale et malodorant cernant Flore et Gaby.

Un mille en amont, le camion de récolte des boues de fosses septiques achève de vidanger son contenu dans le torrent. Le camionneur guette nerveusement sur le vieux pont couvert qu'on devrait avoir la sagesse de brûler comme l'autre. Si jamais un véhicule vient à passer, il fera mine d'avoir des ennuis mécaniques. Faut faire attention avec les villégiateurs. Surtout les riverains qui voient de la pollution partout. Mais lui, il sait bien que ce n'est pas un petit voyage de merde qui viendra à bout de polluer un ruisseau vif et limpide comme celui-là. Il est capable d'en prendre. Et puis, si c'était tellement dangereux, il y aurait des sites pour la disposition des boues de fosses septiques. Mais voilà, il n'y en a pas. Il veut bien les ramasser de puisard en puisard mais il faut bien qu'il s'en débarrasse. Ici, c'est l'endroit rêvé. Demain, rien n'y paraîtra.

— Maman a vérifié. Tu sais c'était quoi qu'y avait dans l'ruisseau?

Gaby ouvre de grands yeux inquiets en déniant de la tête.

Alex hésite soudain à lui dévoiler la vérité. Son cousin est si sensible, si… bien oui quoi, si braillard. À voir trembler son menton, il sait à quoi s'attendre.

— Ah! laisse faire… Tu vas brailler encore.

Il ne tient pas à être responsable des pleurs de Gaby.

Des éclats de voix lui parviennent de la cuisine. Il reconnaît les cris hystériques de sa tante et la voix contenue de sa mère. Quant à grand-mère, après avoir pleuré tout son saoul, elle laisse tomber un mot ou deux par intervalle, comme le bruit d'une goutte pendue au robinet.

Alex remplit le camion de terre sablonneuse.

— Envoye, Gaby. Va le décharger sur le chemin du village.

Vroum! Vroum! Le jouet Tonka creuse dans la cour. C'est plus amusant que d'écouter les adultes. Gaby s'exécute, vide la benne du camion sur le chemin en construction entre les poteaux de la galerie et revient.

— Sont beaux tes Tonka! T'es gâté.

Gaby sourit. C'est vrai qu'ils sont beaux ses jouets. Attrayants et amusants quand Alex est là pour inventer des jeux.

— Ma mère est jamais assez riche pour m'en acheter, poursuit Alex en remplissant consciencieusement la benne du camion.

Gaby se mordille la lèvre. Ses beaux jouets se ternissent à la pensée de cette femme qui les lui a donnés. Tantôt, elle a dit que grand-mère pleurait pour des niaiseries. Ne comprend-t-elle pas toutes les vies qui sont mortes aujourd'hui dans le ruisseau? Il préférerait que sa mère soit pauvre comme Marjolaine, mais qu'elle soit concernée à préserver toutes les petites vies du monde invisible.

— Mais j'changerais pas de mère.

Alex a raison. Pourtant la sienne est si jolie. Si frappante. Si riche aussi. Tout ce qu'elle lui a offert le confirme. Surtout sa bicyclette BMX appuyée contre la maison.

— A va s'en occuper du ruisseau, tu vas voir. C'est elle, la présidente. A va finir par découvrir c'est qui les écœurants qui ont mis du…

Alex se tait. Considère son cousin, aux yeux agrandis et au menton tremblant. Il a bien envie de lui dévoiler cette vérité. De lui démontrer comment les pollueurs sont méchants. Les pollueurs

155

comme son père qui crache de la saleté dans l'air avec son usine et ne daigne même pas répondre aux lettres des Riverains. À l'aide d'un caillou, il écrit sur le sol.

— Si t'es capable de le lire, c'est ça qu'y avait dans le ruisseau.

Alex reluque les lettres qu'il vient de graver. Elles lui font mal à lui aussi, comme s'il les avait gravées quelque part en lui. Il regrette, veut effacer, mais Gaby l'en empêche d'un geste. Le caca qu'il a écrit s'imprime avec force dans son cerveau. Jamais, il n'oubliera les sombres sillons, semblables à des égratignures de chat, qui identifie le crime commis envers madame la Terre. Jamais, il n'oubliera non plus, les larmes silencieuses de Gaby qui tombent sur son camion tout neuf. Il se sent méchant, fautif. Tente désespéremment de divertir son compagnon en déversant un plein voyage de sable dans la benne. «Va le porter sur le chemin.» Mais les larmes redoublent sur le voyage de sable en creusant de minuscules cratères.

Qu'a-t-il fait? Marjolaine lui avait bien recommandé de ne pas lui fournir ces détails scabreux. Gaby et grand-mère ont été tellement bouleversés par leur découverte qu'il ne devait pas tourner le fer dans la plaie comme on dit.

— Pleure pas, Gaby. M'man va s'en occuper, tu vas voir. Est présidente: c'est pas pour rien. Ça se reproduira plus. A me l'a promis. Pleure pas.

Gaby promène un doigt tremblant dans les lettres. Il ne comprend pas ce monde plus intelligent que lui. Ne comprend pas pourquoi on a voulu tuer le ruisseau, aujourd'hui. Ne comprend pas la discussion animée entre sa mère et Marjolaine. Tout ce qu'il comprend, tout ce qu'il connaît, c'est cette tristesse, cette peine qui l'envahit tout entier. Jusqu'au bout de ses doigts. C'est ce chagrin sans nom, sans étiquette qu'il ne peut identifier à personne, même pas à lui. Cette douleur dans son estomac, dans sa gorge, dans sa tête. Ces larmes qui débordent. Cette souffrance totale, jumelle de la joie totale qui l'envahit lorsqu'il regarde sautiller le merle dans le jardin. Tout ce qu'il comprend, c'est qu'il est heureux d'observer toutes les vies qui grouillent autour de lui. Heureux de savoir qu'il y a des mondes infiniment petits et d'autres infiniment grands qu'il ne voit pas, mais qui sont là. Tout partout autour de lui. Tout ce qu'il comprend, c'est qu'il est malheureux de voir ces vies-là mourir inutilement et impunément. Malheureux de voir que ce sont les plus petits qui se chagrinent tant de cela. S'en préoccupent tant.

Le ressort de la porte grince. Sa mère apparaît. Toute floue à travers le voile de ses larmes. Elle s'approche. S'accroupit. Essuie brusquement ses joues avec un mouchoir hygiénique.

— Cesse de pleurer, Gaby. Fais un homme de toi. Maman s'en va. Allez, donne-moi un beau bec.

Elle lui tend sa joue parfumée. Ce n'est pas comme ça qu'il aurait envie de l'embrasser. Il dépose un baiser sur la peau bronzée. Qu'il aimerait qu'elle le prenne dans ses bras et l'écrase contre elle. Qu'il aimerait avoir le nez enfoui dans sa belle blouse fleurie. Qu'il aimerait qu'elle plonge ses mains pleines de bagues dans ses cheveux.

— Sois sage. Ne pense plus à ça et merci pour les framboises.

Elle se relève, ajuste sa jupe. Qu'elle est belle! Mais belle! Il la regarde aller, remarque qu'elle creuse de petits trous avec les talons de ses sandales. Elle ramasse au passage les framboises qu'il lui a cueillies. Chacune d'elles lui dira «Je t'aime».

Elle démarre la voiture, recule en lui envoyant un baiser du bout des doigts. Gaby regarde s'éloigner l'automobile vers le village en soulevant un nuage de poussière puis il regarde s'étendre la poussière sur l'herbe des fossés. S'étendre la poussière à travers les clôtures jusque dans les champs où broutent les vaches.

Il revient lentement vers Alex qui creuse dans le vilain mot avec l'excavatrice.

— Viens Gaby, on va se débarrasser de ce caca-là. Amène ton camion.

Vroum! Vroum! Ensemble, ils débarrassent la terre de cette saleté.

— Y en aura pas des cochonneries de même quand on s'ra grands, hein?

L'espoir luit. Tout au bout de l'enfance qui les rend impuissants face aux crimes des adultes.

* * *

157

Éthiopie, lundi, 30 juillet 1984.

Zaouditou et Nigusse observent l'homme de la fontaine remplir leur cruche avec précaution.

Les yeux rivés au mince filet d'eau qui bruit si joliment, ils n'ont qu'une seule et même pensée, qu'un seul et même rêve. Ensemble, sans se concerter, ils tentent d'imaginer les chutes du grand lac Tana dont grand-père leur parle depuis quelque temps. Ils tentent de se figurer cette vaste étendue d'eau, le fleuve se divisant en quatre bras et ces cataractes chutant d'une hauteur vertigineuse et disparaissant dans une épaisse végétation couronnée de brouillard. Combien de cruches faut-il pour remplir le lac? Combien de filets d'eau faut-il pour produire un bruit de cascade? À quoi ressemble ce bruit? Celui qu'ils entendent est un doux chant de vie, fragile et précieux qui naît seulement quand l'homme verse son récipient. Mais les chutes Tis-Isât rugissent tellement fort qu'on a peine à s'entendre parler. Est-ce possible qu'une telle richesse existe encore dans leur pays? Est-ce possible que le paradis soit ailleurs? Ailleurs qu'en ce lieu que le désert rogne. Ailleurs qu'en ces terres que la pluie ignore. Grand-père ne devrait pas tant leur parler de ce paradis perdu. Sans s'en rendre compte, il coupe les maigres racines qui les relient à ce sol désertique.

Si le paradis existe ailleurs, pourquoi rester en enfer? Qu'est-ce qui les retient d'obéir à l'appel de l'eau?

Voila. C'est fini. Ils ont leur ration. Zaouditou et Nigusse regardent dans la cruche pour s'assurer. Oui, c'est comme d'habitude. Ils en ont juste assez pour eux, la chèvre et l'âne. Juste assez. Calculé à la goutte près.

Les enfants reviennent, marchant près de leur bête maigre et poussiéreuse pour la ménager. Ils ne voient plus les collines pierreuses et les buissons desséchés. Ne sentent plus la soif qui brûle en eux tant le grand lac Tana et les chutes de l'Abbai (le seul vrai Nil, selon grand-père) les hantent. Ils s'inventent leur paradis, tout près, dans la province de Bengendir et Simen. S'imaginent y conduire leur mère fatiguée, les deux petits frères et le grand-père. S'imaginent tous les six à se crier par la tête près des chutes assourdissantes, entremêlant leurs voix à celles des merles métalliques, des martins-pêcheurs noirs et blancs, des cigognes, des ibis et des calaos géants. S'imaginent même y plonger leurs mains grandes ouvertes, en laissant couler l'eau le long de leurs bras. S'imaginent le brouillard humide qui les enveloppe. S'imaginent qu'ils pourraient s'y baigner, s'y arroser en riant. Est-ce possible? Peut-il y avoir tant d'eau, quelque part sur cette terre? L'enfer n'est-il donc que pour eux?

— Ça prendrait bien des jours, hein Zaouditou?
— Oui.
— J'ai peur des soldats.
— Moi aussi.
— Tu crois qu'ils peuvent nous empêcher d'aller jusque-là?
— J'sais pas. Grand-père dit qu'ils veulent nous envoyer vers le sud pour se débarrasser de nous.
— Le lac Tana, il est vers le sud?

— Non... vers l'ouest... d'après grand-père.

— Pourquoi ils veulent se débarrasser de nous?

La fillette hausse les épaules. Elle est censée en savoir plus long que son frère, mais voilà, elle ne comprend pas au juste ce qui se passe dans son pays. Trop de choses la préoccupent, l'obsèdent. Des choses comme la faim, la fatigue, l'espoir. Elle ne comprend pas pourquoi son père se battait et pourquoi elle devrait être fière de lui. Fière de grand-père et d'elle-même. Fière de ce qu'ils sont. De cette très ancienne civilisation dont ils sont issus. Fière de leur digne passé, de leur noblesse d'antan, de la paix et de la liberté qui régnait autrefois. Le présent a trop de prise et d'emprise sur elle. Le présent envahit entièrement sa pensée et lui brouille l'esprit. Elle ne comprend pas quand grand-père parle comme s'ils devaient tous se sacrifier et mourir sur le sable brûlant. Comme si le lac Tana aussi était mort. Comme si partout sur la terre, les plantes avaient séché. Comme s'ils devaient se battre pour conserver le droit de se consumer ici.

Elle arrête l'âne, chasse les mouches autour de ses oreilles. Nigusse l'épie gentiment, prêt à s'emparer du rêve qu'elle s'apprête à lui offrir. Avec des gestes religieux, elle soulève le couvercle de la cruche.

— Sens Nigusse. Sens l'eau.

Il obéit.

— Paraît que bien avant d'y arriver, on le sentira de loin, le grand lac Tana.

Son frère se ferme les yeux pour renifler. Elle fait de même et voit alors surgir cette grande nappe bleue. Si grande qu'on ne voit pas la berge opposée. Elle voit des îles, çà et là, tantôt groupées, tantôt éparpillées comme des parcelles de terre ancrées depuis des siècles, avec leurs arbres et leur végétation, avec quelquefois, un monastère et des pythons géants qui nagent de l'une à l'autre.

Elle voit glisser des radeaux de pêcheurs en tiges de papyrus et l'antilope qui vient boire prudemment. Elle voit un prêtre baptiser dans le lac. L'eau coule sur la tête... avec un chant cristallin. L'attitude du baptisé est recueillie... l'eau coule partout dans ses cheveux, sur son front, son visage, dans son cou. L'eau s'égoutte au bout de son nez, au bout de son menton, au bout des doigts du prêtre et les gouttes se perdent dans cet immense bassin liquide.

161

— Paraît qu'on entendra les chutes bien avant aussi, dit-elle d'une voix méditative pour les propulser davantage dans le rêve. Les propulser jusqu'aux cataractes de Tis-Isât. Dans ce vacarme incroyable de l'eau en chute libre. De l'eau qui gronde et rugit. De l'eau qui jaillit, bondit, rebondit, s'élance, gicle, arrose. De l'eau qui déborde comme s'il y en avait trop dans le lac et qu'il ne parvenait pas à la contenir toute. De l'eau qui se jette, tête première dans le gouffre en grondant et en menaçant afin que personne n'intervienne. Que personne ne tente de l'arrêter, de la capturer. De l'eau qui plonge dans l'épaisseur touffue de la végétation, crachant et bavant, l'écume à la bouche, la mousse recouvrant ses flancs mouvants. De l'eau qui se drape, s'enveloppe de brouillard, permettant au Nil de s'échapper entre les fougères, les palmiers et les acacias.

Et longtemps, Zaouditou et son frère s'évadent de l'enfer par le truchement de leur imagination. Longtemps, ils forment et reforment ces images du paradis, écoutant rugir les chutes de l'Abbai et la tranquille immensité du lac Tana qui les invitent.

* * *

Mardi, 31 juillet 1984.

T i-Ouard garde encore le goût amer du café resté trop longtemps sur le réchaud. Il a beau avaler, se racler la gorge, il ne parvient pas à s'en débarrasser. Pas plus qu'il ne parvient d'ailleurs à se
nettoyer de toutes les insanités que sa femme a déblatérées sur
Marjolaine Taillefer.

Il prend de bonnes respirations par la fenêtre de sa camionnette. Il ne sait pourquoi il se sent sale, ni pourquoi, il redoute
cette rencontre avec Marjolaine. Tout ce qu'il sait, c'est qu'il a hâte
que ce soit fini. Hâte de revenir sur ce chemin et de faire son rapport au maire. Pourvu qu'elle ne l'accule pas au pied du mur avec
l'histoire des filtres de cheminées! Il ne réussira probablement pas à
la leurrer, en lui faisant accroire qu'ils sont commandés. Cette dé-

163

faite imminente le fait ralentir inconsciemment. C'est bête de rouler comme ça, vers un échec. D'accepter de se faire damer le pion par une fille de la place. Une dévergondée? Une malade?

Voilà la ferme des Taillefer. Flore semble l'attendre sur la galerie. Oui, elle l'attend. Ses poings noués à ses hanches énormes, elle s'avance vers lui. Imposante. Menaçante presque.

— Y'est pas mal tard, Ti-Ouard, pour une urgence. C'est hier qu'y aurait fallu venir! débite-t-elle d'un ton sec.

— Je l'ai su à matin.

— Y est déjà dix heures.

L'inspecteur hausse les épaules, esquisse un vague sourire d'excuse. Ça ne lui tentait pas de venir ici. Il avait raison.

— Marjolaine t'attend au bout de la terre… Mais j'ai ben peur qu'y soye trop tard. Suis-moé, j'vais t'ouvrir.

La vieille femme le précède en déambulant comme une cane. Ce qu'elle a l'air contrariée! Elle déroule la chaîne, pousse la barrière et l'autorise à passer sur la terre.

— J'espère qu'y est pas trop tard, lui crie-t-elle, en mettant ses mains en porte-voix. Que veut-elle dire par cela? Le maire ne lui a pas parlé d'une telle urgence puisqu'elle n'a pas voulu spécifier pourquoi elle voulait le voir.

Il l'aperçoit à l'orée du bois. Avec sa grande jupe d'habitante. Cette idée de s'habiller comme en ancien temps! Elle cueille des marguerites. Ti-Ouard constate qu'il a les mains trempes. Il les essuie contre son pantalon à maintes reprises. Qu'il aimerait être autre chose qu'un inspecteur municipal en cet instant précis! Il freine brusquement. Fait monter un nuage de poussière. Il doit avoir l'air d'un homme pressé. Cela explique et son retard et son départ hâtif. «Excusez-moi, je suis pressé.» Il ramasse des papiers, histoire de se donner contenance et importance.

— Enfin! Je suis heureuse que vous ayez pu venir, monsieur Patenaude.

Elle lui tend une main sèche et ferme. Le regarde droit dans les yeux avec un sourire amical. Complètement désarmé, Ti-Ouard balbutie des excuses.

— Venez! Je crois qu'il reste des preuves. Il y a eu un déversement de boues de fosses septiques dans le ruisseau.

— Quoi?!

164

— Vous avez bien entendu.

— Quand?

— Hier midi.

Elle l'entraîne vers un bassin où tournoient encore des matières nauséabondes à la surface de l'eau. Ah! Ça! Ça, il ne l'admet pas. Ça, c'est de la pollution. De la vraie de vraie. Cette merde a coulé dans son lac. Horreur! On a métamorphosé sa plage en puisard.

— C'est criminel faire ça. Ils ont dû déverser au vieux pont. C'est tranquille par là. Bon Dieu! Ça s'peut pas! C'est terrible!

Il s'accroupit, cueille la mousse brunâtre du bout des doigts et la hume. Ouach! C'est bien ça, c'est bien de la...

— Merde! C'est terrible, dit-il encore en risquant un regard vers Marjolaine. Elle a l'air si triste, si affectée, elle aussi. À la manière dont elle regarde filer l'eau souillée du ruisseau, il capte toute sa déception. Comment peut-on être si irrespectueux envers la nature? Se sentant observée, elle se retourne vers lui et le considère un moment, sans hauteur, ni pudeur. Et ces yeux de femme, avec tout leur mystère et toute leur douceur, descendent creux en lui. Jusqu'au fond. Là où jamais les yeux de Berthe n'ont réussi à descendre. Là où il se sent bien, où il se sent propre.

— Vous pouvez nous aider, monsieur Patenaude. Il faut faire un rapport. Ça ne doit plus se reproduire.

Cette façon qu'elle a de lui parler. En toute simplicité et franchise. Comme s'il était quelqu'un d'important et autonome. Comme s'il était autre chose qu'un minus, qu'une marionnette. Comme s'il était un vrai inspecteur municipal, complètement affranchi du maire et de sa femme. Madame Latour, l'ancienne présidente, usait toujours d'un ton condescendant. Elle venait de la ville et le considérait comme un valet surpayé. «Vous ferez ci, et ça.» Mais Marjolaine le traite en égal. Elle lui demande son aide, lui offre sa collaboration pour combattre des gestes aussi barbares. Il ne peut résister à la tentation de se revaloriser à ses propres yeux et adhère aussitôt à sa proposition.

— Je ferai un rapport à la direction régionale de comté.

— J'en ai fait un pour FAPEL. J'aimerais que vous le signiez.

— Certainement. Je ferai enquête. On ne peut pas accepter ça! Ça donne quoi de s'être battus pour avoir les installations septiques

165

convenables si on décharge la récolte totale dans le lac? C'est du travail pour rien, ça! Ça ne me rentre pas dans la tête…

Il se sent grandir auprès d'elle. Se sent quelqu'un de propre. Quelqu'un de bien. Et cela lui coûte de la quitter et de revenir vers le maire et vers sa femme. Il aimerait rester ici, auprès d'elle, uni à elle par ce bassin d'eau contaminée. Il écouterait des heures de temps cette voix aussi charmante que celle du ruisseau. Cette voix de femme, sans fard. De femme seule. Il regarderait des heures de temps ce visage sans maquillage, ce regard turquoise et limpide et ces bras bronzés, chargés de marguerites. Oui, cela lui coûte de redevenir Ti-Ouard-la-pelouse. Il s'accorde quelques minutes de plus, à savourer cette impression profonde d'être quelqu'un de bien et de propre et atteint au paroxysme lorsqu'il signe le rapport de la présidente des Riverains.

Puis lentement, il regagne sa camionnette en se disant qu'il devrait lui en vouloir pour tous les déboires que ce geste va lui apporter. En se disant qu'il devrait fermer les yeux et ne rien signer. En se disant qu'il devrait nier qu'il y a eu déversement de boues de fosses septiques dans le ruisseau. Car il sait, lui, qui a fait cela. Il connaît le coupable: c'est le beau-frère de sa femme et par conséquent le beau-frère du maire. En le dénonçant, il risque de lui faire perdre son contrat mais qu'importe. Jamais, il n'admettra que l'on pollue si gravement son lac.

— Merci, monsieur Patenaude.

Elle lui offre encore sa main par-dessus son bouquet, ainsi que son sourire qui ne s'abaisse à aucune flatterie.

Ti-Ouard succombe au charme, résolu jusqu'au tréfonds de son être à faire son devoir envers et contre tous.

* * *

Mercredi, 1er août 1984.

Envers et contre tous, c'est surtout envers et contre Berthe, cet incomprésensible monument de haine.

— Faire ça à ma p'tite sœur!!! Leur enlever le pain d'la bouche. J'te laisserai pas faire, Édouard Patenaude. Maudit gnochon! Tu t'es laissé monter la tête par la Taillefer! Maudit mou! Ça te prend pas grand-chose, hein! Ça s'passera pas de même, prends-en ma parole.

Elle brasse les casseroles neuves qu'il lui a offertes à la fête des Mères. Les entrechoque rudement en les rangeant dans les armoires. C'est lui, qu'elle aimerait malmener de la sorte. Il le sent dans ces gestes, dans ce regard furieux qu'elle braque sur lui. Elle aimerait l'envoyer au bout de son bras, loin d'elle, loin de la maison, loin de son lit. Il n'obéit plus. N'est donc plus bon à rien.

Il s'explique mal, cette colère, cette explosion de mépris étant donné qu'elle n'a jamais considéré ce beau-frère comme étant digne d'épouser une Sansouci. Outre Marjolaine, celui-ci servait quotidiennement de nourriture à cette ogresse qui le grugeait, le dévorait petit à petit et en entier, pour ne laisser qu'une ombre de vaurien. De dégoûtant et paresseux alcoolique qu'il était, il est devenu, du jour au lendemain, un honnête homme faisant vivre sa famille. Et, du jour au lendemain, s'est haussé au rang de protégé de la redoutable Berthe.

Ti-Ouard se ronge les ongles jusqu'au sang. Il se tait obstinément. S'ancre davantage dans sa décision. Ça lui arrive des fois de tenir tête à sa femme.

— C'est la Taillefer qui t'a monté, hein? Dis-le donc! La maudite putain! La vache! A dû te faire accroire que t'étais important. Maudit mou! Maudit Jell-O, tiens! Sans cœur! Enlever le pain d'la bouche de tes neveux et nièces. Père Ovide!

Il en a assez. Se lève, ramasse ses papiers sur la table et la laisse avec les maudites casseroles qu'elle peut malmener tant qu'elle veut. Ce soir, lorsqu'il reviendra, elle ne sera ni calmée, ni assouvie et poursuivra sans relâche ses litanies de bêtises.

Sitôt rendu dehors, Ti-Ouard prête l'oreille aux chants d'oiseaux. Enfant, il les aimait beaucoup et leur construisait des cabanes. Adulte, il en avait construit de très jolies que Berthe avait détruites et jetées aux ordures sous prétexte que les oiseaux faisaient des crottes. Depuis, il recherche leurs chants. Ça le console. Le réconcilie avec la vie. Présentement, il aimerait que Marjolaine soit près de lui pour lui confier combien il souffre de cet enfer dans la bouche de Berthe. Il recompose l'expression qu'elle avait lorsqu'elle regardait le ruisseau souillé et presse le pas vers le dépanneur, afin d'avertir le maire de sa décision.

Déterminé, il pousse la porte. Yvon l'attend, accoudé à son antique caisse enregistreuse-attrape-touristes. Son visage est fermé. Son regard hostile. Berthe lui a téléphoné.

— J'vais envoyer un rapport à la direction régionale.

— Bien. Je peux le voir?

— Oui. Y est prêt.

Il le lui remet. Le maire le parcourt rapidement, et, d'un geste vif, le déchire en deux.

— Tu peux pas l'accuser, comme ça: t'as pas de preuve.

— Mais c'est lui qui a fait la récolte, avant-hier. Tous ceux qui ont fait vidanger leur fosse peuvent le dire.

— L'as-tu vu toé, décharger son voyage dans le torrent?

— Non, mais...

— Y a-t-y quelqu'un qui l'a vu?

— Non, mais...

— Si personne l'a vu, t'as pas de preuve, et ça peut te mener loin, une fausse accusation. Pas seulement toé, mais la municipalité aussi. On n'accuse pas les gens comme ça, à tort et à travers, sur des suppositions. Et puis, si y a pas de site d'enfouissement à qui la faute? Y est toujours ben pas pour ramener ça dans sa cour. C'est le gouvernement le grand coupable là-dedans. Pourquoi ça serait encore le p'tit qui paierait?

— Y aurait pu au moins jeter ça dans un fossé au lieu d'un ruisseau! Même un enfant agirait pas d'la sorte.

— Là, t'es en train de paniquer, Édouard. Admets que ce ruisseau-là est capable d'en prendre.

— La question est pas là.

— Y est-y capable d'en prendre, oui ou non?

— Non.

— Aie! Aie! Tu charries. C'est de l'eau pure qui vient de la montagne. Y est presque pas polluable.

— En tout cas, ce que j'ai vu, moé, ça puait.

— J'en doute pas. Calme-toé. Grimpe pas dans les rideaux. On va en faire un rapport à la direction régionale mais... on n'a pas à mettre des noms: juste constater qu'il y a eu déversement. Autrement, tu vas te faire taper sur les doigts.

Ce disant, Yvon reluque les morceaux déchirés qu'il a déposés sur le comptoir.

Édouard ne se résout pas à admettre l'évidence de sa défaite. Il voulait tant poser un geste concret pour combattre la pollution. Un geste d'action. Pour une fois qu'il en avait la force et le courage. Il aurait donc emmagasiné toutes les meurtrissures que lui a infligées sa femme, pour se buter si brutalement à son impuissance. Sa nullité. Battu, abattu, il ramasse les morceaux.

— J'vais lui parler, t'inquiète pas.

Le maire s'amadoue. Laisse poindre qu'il est concerné par la famille. Toute la famille.

— J'aimerais pas qu'y t'arrive de quoi, Édouard. C'est une bonne job que t'as là.

— C'est justement ma job de faire des rapports, réplique-t-il avec de moins en moins de conviction.

— Es-tu ben sûr de ce que t'avances? La Taillefer aurait pu inventer tout ça pour montrer qu'elle mérite d'être présidente.

— Non, non… elle n'a pas inventé.

Non. L'expression de Marjolaine ne saurait mentir. Ça, personne ne pourra la lui arracher. Elle est gravée au plus secret de son être.

— Y en avait-y beaucoup?

— Ben non. Après une journée, y en restait pas le yable.

— Moé, j'me mouillerais même pas les pattes avec cette histoire-là. La direction régionale va te demander des précisions, des preuves. Tu vas avoir l'air fou.

— Ouais…

— T'as juste à dire que tu soupçonnes que de tels actes peuvent arriver, étant donné qu'y a pas de site d'enfouissement. Comme ça, tu t'en laves les mains pis tu leur renvoies la balle. C'est de leur faute, après tout.

— Ouais, c'est ce que j'vas faire.

Le dos ployé, les yeux bas, Ti-Ouard regagne son bureau. Les chants d'oiseaux ne le consolent guère de cette défaite. Son petit pouvoir d'inspecteur municipal n'était donc qu'une illusion. Comme tant d'autres illusions qui ont jalonné sa vie.

Et curieusement, ce qui le chagrine le plus, c'est de ne pouvoir venir en aide à cette jeune femme affectée près du ruisseau. Souvent, il puise son image au fond de lui. Il aurait tant aimé faire

169

quelque chose de bien, de propre. Il a soif d'elle tout à coup. Soif de se sentir grandir, ennoblir.

Mais, sa famille, sa femme et son travail l'enchaînent à son poste de minable. Le cimentent à ce bureau où il ne fait que remplir des paperasses, pour d'autres minables comme lui, qui lisent les paperasses et en remplissent d'autres pour d'autres comme lui et eux, derrière leur bureau, à végéter de leur petite vie tranquille. Sans faire de vague, pour se rendre à la retraite en toute sécurité. En silence. Sans rien dénoncer de la pollution stagnante des ministères. En laissant faire, en laissant dire. En fermant les yeux jusqu'à sa retraite. Jusqu'à la vieillesse.

Mais lui, quand il ferme les yeux, il voit une jeune femme, près d'un ruisseau pollué. Elle ne pleure pas... mais il l'entend pleurer. C'est l'eau qui pleure devant ses yeux tristes. L'eau qui pleure, là-bas, loin de son bureau et des paperasses. Il ne peut lui venir en aide. On l'a menotté. Comme tous les autres. Avec les chaînes d'or de la sécurité.

* * *

Jeudi, 2 août 1984.

Petit triangle rouge sur carré noir que Flore épingle méticuleusement. Marjolaine a toujours vu sa mère assembler avec patience ses pièces de courtepointe. Toujours contemplé la boîte pleine de retailles aux couleurs vives, toujours reluqué les ciseaux qui alimentaient son enfance de leurs crouch crouch fascinants, toujours convoité les bobines de fil, qui, vidées, servaient à fabriquer de petites voitures à l'aide d'un élastique et d'un petit bout de crayon. Mais elle ne sait pourquoi, aujourd'hui, quelque chose diffère. Elle ne retrouve pas cette paix qui rayonnait de sa mère penchée sur l'ouvrage. Pourtant, elle a le même maintien, la même manie de tenir ses épingles entre ses lèvres. Mais quelque chose diffère. Quelque chose cloche. Elle ne voit qu'une femme âgée, accomplissant une tâche quelconque. Laver la vaisselle dégagerait aussi peu d'harmonie que ce travail de création.

— C'est pour qui, celle-là? demande-t-elle afin de rompre le silence qui règne dans la cuisine. Est-ce à cause de la pluie qu'on entend tambouriner sur le toit de tôle qu'elle réprime un frisson? S'accoudant à la longue table d'arborite, elle sent aussitôt ses bras se couvrir de chair de poule. Flore ne répond pas, se servant du prétexte qu'elle risque d'avaler une épingle.

— C'est pour Gaby? Signe que non.

— Un autre des petits-enfants?

— C'est pour moé, répond finalement Flore en piquant sa dernière épingle, avec un rien de défi dans le regard.

— C'est une bonne idée de vous en faire une. Celle que vous avez est toute usée.

— C'était ma première. Je l'avais cousue dans la cabane.

Un rien se brise dans la voix de la femme. Un soupir gonfle sa généreuse poitrine. Elle s'emplit à nouveau la bouche d'épingles, démontrant ainsi que parler lui est devenu pénible.

Marjolaine remarque que sa mère écarquille curieusement les yeux pour refouler ses larmes. Jamais, elle ne l'a vue ainsi. Sa mère a toujours été un pilier de bonne humeur et de joie de vivre dans cette maison. De la voir ainsi la déroute, l'attriste et la gêne. Elle se sent en présence d'une étrangère qu'elle ne sait comment aborder.

Du second étage, parviennent les rires de Gaby et d'Alex.

— J'ai écrit à la FAPEL. Samedi, nous allons exiger du député qu'il fasse des pressions pour qu'il y ait des sites d'enfouissement. Monsieur Patenaude aussi a écrit à la direction régionale. Je ne crois pas que ça va se reproduire.

— Le mal est fait.

Flore dépose son ouvrage. D'un geste distrait, elle s'amuse à tourner une retaille rouge entre ses doigts.

— Tes frères sont v'nus hier. Y te demandent de démissionner... y ont pas d'ouvrage pour la pépine. C'est encore ton père qui a payé ce mois-ci.

— Démissionner de la présidence! Pour une fois que je peux faire quelque chose! Qu'est-ce que vous en pensez, vous?

Vous, contre qui j'ai gardé ma joue collée trop longtemps. Vous, nouvelle et différente, avec ces épingles qui vous cousent la bouche de silence.

— J'pense que c'était plus facile avant... quand vous étiez p'tits pis que j'vous entendais rire sur le banc, comme ces deux-là, en haut.

171

— Est-ce que vous voulez que j'démissionne?

— C'est ton affaire, mais rêve pas trop. Le torrent est perdu de toute façon. Mantha va mettre la main dessus. C'est pas pour rien qu'il l'a mesuré l'autre fois.

— C'est Alex qui vous a raconté ça?

— Oui. Les enfants ne me cachent rien... sont pas comme les adultes.

Marjolaine se sent fautive. À trop vouloir épargner sa mère, elle a éveillé sa méfiance.

— Prenez pas ça de même.

— Faut jamais que j'prenne ça de même. Hervé a garanti avec les terrains, pis faut pas que j'prenne ça de même. Irène abandonne Gaby, pis faudrait pas que j'prenne ça de même. Florient pis Jean-Paul t'accusent de leur nuire, pis faudrait pas que je prenne ça de même. Toé, tu l'sais-tu comment y faudrait que je prenne tout ça?

L'agressivité pointe dans ce ton las. Flore abandonne son tissu, promène maintenant son doigt dans les oreilles des ciseaux.

— Vous vous chicanez, à c't'heure. Florient veut rien savoir d'Irène, à cause de son mari. Betôt, y voudra rien savoir de toé. Avant, j'savais comment prendre les choses. C'était simple. Même la misère était simple. Suffisait de l'accepter. Le travail était dur, mais on savait où on s'en allait... C'était simple. Ça allait ben. Aujourd'hui, j'comprends plus rien... Jusqu'à ton père qui a perdu la tête. On va finir par perdre le torrent et la vieille cabane, si ça continue de même.

Flore écarquille à nouveau les yeux, se saisit de deux morceaux rouges qu'elle épingle sans entrain.

Sa mère en a assez dit. Juste assez pour comprendre à quel point elle tient à ce torrent et à cette cabane en bois rond où s'est échafaudée sa vie. Juste assez pour comprendre que les tiraillements entre ses enfants lui compliquent l'existence. Juste assez pour qu'elle sache qu'avant, son simple courage la soutenait dans la misère et qu'aujourd'hui, il ne suffit plus à surmonter des épreuves de plus en plus compliquées, voire sophistiquées.

Cette nouvelle femme, en sa mère, la touche profondément, la rejoint en dehors du temps et de l'espace. Elle la voit autrement, avec les yeux neufs de son passé. Les anciennes photos brunes revivent et lui présentent la jeune femme du torrent. Celle qui, à seize ans, s'était éprise d'un soldat taciturne, réfugié dans une cabane. Ni belle, ni élégante, mais forte et riante, cette femme sentait bon la vie. Elle lavait ses joues roses à l'eau fraîche et pêchait les truites. Elle chantait comme l'eau, cajolait les épaules lasses de son homme comme fait la vague sur les pierres moussues. Paix et harmonie rayonnaient de sa personne. Cette femme en sa mère la séduit, la ravit. Elle se sent tout près d'elle, aimerait lui confier qu'elle aussi ne sait plus comment prendre l'inconscience des hommes. Ne sait plus comment prendre les scissions et les heurts. Ne sait plus comment prendre la tristesse de cette mère qui assemble ses morceaux, sans enthousiasme. Ne sait plus comment prendre les larmes qui luisent sous les lunettes. Elle aimerait lui confier sa propre inquiétude face à la lente destruction de la terre, mais se tait. Cette vieille femme a le cœur trop lourd, trop torturé. Cette vieille femme, depuis trop longtemps, se tait et se ferme sur sa douleur. Depuis trop longtemps, sert de pilier et de remonte-moral. Qui s'est jamais intéressé à ce qu'elle ressentait, à ce qu'elle pensait?

— Maudit! J'me suis trompée, s'exclame tout à coup Flore, en apercevant les mauvais morceaux épinglés ensemble.

— J'vais vous aider, offre Marjolaine, inquiète par cette distraction, ce désintéressement évident de sa mère envers un ouvrage qu'elle a de tout temps affectionné.

Flore est atteinte. Comme le torrent, comme la terre entière. La blessure a percé le bouclier de son simple courage. L'inconscience a vaincu la femme vive et forte du torrent, pour la dépouiller de ses souvenirs de jeunesse.

L'œuvre de destruction se poursuit. Insidieusement. Goutte à goutte et jour après jour.

✳ ✳ ✳

173

Éthiopie, vendredi, 3 août 1984.

G outte à goutte, la chèvre s'est vidée de son lait. De sa vie. Elle halète faiblement, sa langue pâteuse pendant dans la poussière. Des mouches s'agglutinent dans ses yeux, ses oreilles, son museau. Zaouditou les chasse, mais elles reviennent aussitôt, avec leur bourdonnement chaud et morbide.

Que cet animal est maigre! On voit son squelette à travers sa peau. Grand-père veut qu'on la mange après l'avoir offerte en sacrifice. Il aiguise son couteau pour l'égorger. Qu'y aura-t-il à manger là-dedans? En quoi consiste cette offrande?

La fillette ne peut détacher son regard de l'animal agonisant. Elle guette le moment où la vie s'en retirera. Guette l'instant où le corps deviendra cadavre. Elle pense à son père. Au sac de teff sur le

175

sable qui a dévié sa pensée de la mort. Comment cela s'est-il produit pour lui? Avait-il des mouches plein le visage et de la difficulté à respirer? Ouvrait-il quelquefois ses yeux pour les rouler dans leur orbite? Disait-il son nom ou celui de sa mère? À quoi pensait-il? La chèvre sait-elle qu'elle va mourir? Grand-père dit que oui. Il approche avec son couteau en psalmodiant des prières, s'agenouille près de l'animal et lui pose la main sur la tête.

Puis, il lève vers le ciel un regard qui implore et offre. «J'ai désobéi… nous avons désobéi… accepte cet animal, Seigneur, pour la rémission de nos péchés… Envoie-nous les pluies en leur saison, Seigneur.»

Zaouditou frémit. Son grand-père l'effraie. La bouleverse. Depuis quelque temps il passe ses journées et ses nuits, à lire les livres saints. À chercher la faute commise qui leur mérite ce châtiment. Il déparle, il délire. S'attribue tantôt la faute parce qu'il n'a pas veillé à la faire exciser puis l'attribue au gouvernement central qui a bafoué leur très ancienne civilisation issue de Salomon. Il puise dans les écrits du Lévitique, les sentences du Seigneur qui aujourd'hui s'accomplissent. «Si vous n'obéissez pas à mes lois, je rendrai votre ciel comme du fer et votre terre comme de l'airain. Vous sèmerez en vain votre semence car vos ennemis la mangeront.»

Zaouditou s'interroge. Y a-t-il vraiment un Être qui a décidé de tout cela? Qui a résolu de faire expier la faute par sept générations à venir? Qui a rendu le ciel de fer et la terre d'airain?

Qu'a-t-elle fait, elle, pour être punie de la sorte? Qu'ont fait ses frères? Qu'auront fait les enfants de leurs enfants pour devoir naître en enfer à leur tour? Durant sept générations. C'est cruel. Injuste. Terrifiant à entendre, de la bouche de son aïeul qui chasse impatiemment les mouches avant d'enfoncer la lame dans le cou de l'animal. Le sang jaillit de la fourrure miteuse, coule et stagne sur le sable. Grand-père l'aide à se répandre.

La fillette observe la chèvre qui roule des yeux en silence, tressaute puis s'immobilise. La mort est maintenant logée dans les prunelles fixes et glauques, et les mouches envahissent la masse sombre du sang que le sol n'imbibe pas. Est-ce ainsi qu'est mort son père?

«Laissez couler le sang sur la terre et enterrez ce sang car l'âme de toute chair, c'est son sang», rappelle grand-père, en jetant du sable sur le sang, faisant voler les nuages de mouches.

Le sang de son père a-t-il été enterré ou l'a-t-on laissé rouler sur le sol d'airain? Troquant l'âme de sa chair contre un sac de teff?

D'ici Zaouditou entend pleurer sa mère. Elle n'a plus de lait pour le bébé et maintenant plus de chèvre. Le petit Groum va-t-il mourir, lui aussi? Sa vie était-elle reliée à cet animal squelettique? Survivait-il grâce à ces gouttes de lait que la bête parvenait à donner?

Oui, confirment les pleurs de sa mère.

Une vision atroce surgit alors dans l'esprit de Zaouditou. Elle voit son frère Groum sur le sable, suffoquant et roulant les yeux dans ses orbites. Il perd sa vie près de la chèvre qui le nourrissait de son lait. Comme la chèvre a perdu la sienne près des buissons dégarnis qui n'ont pu s'alimenter d'eau.

La fillette lève son regard vers le ciel avare et cruel. Le ciel vide de pluie que le soleil brûle. Le ciel de fer, responsable de la mort qui plane sur eux. Les prières de grand-père s'entremêlent aux lamentations de sa mère et elle ne sait si elle doit maudire ce ciel de fer et d'enfer ou s'agenouiller sur le sol d'airain. Elle ne sait si elle doit réclamer justice pour les sept générations à venir ou accepter la volonté de cet Être qui châtie. Cet Être terrifiant, cet Être dur, inflexible et impitoyable qui retient les nuages et braque sur eux son soleil de feu. Cet Être qui a desséché les buissons et amaigri la chèvre. Cet Être qui fait pleurer sa mère et prier grand-père.

Elle ne sait et éprouve une grande peur face à la vie. Face à la mort.

* * *

Samedi, 4 août 1984.

S a sœur Nadia s'est aussitôt endormie contre lui sa Bout-de-chou reposant sur ses cuisses.

Dans le halo de la lumière, Youri observe sa mère qui paie madame Potvin pour les avoir gardés pendant la réunion hebdomadaire de l'Association des riverains. Que de différence entre les deux femmes! Autant l'une est belle et soignée, autant l'autre est grosse et négligée.

— Est-ce que cela a bien été Youri? lui demande son père en le regardant par le rétroviseur.

— Oui.

— Tu t'es amusé avec tes amis?

— Ben sûr: on a eu du fun en batèche.

179

Youri bâille, s'appuie la tête contre la banquette et ferme les yeux. Maintenant qu'il a joué tout son saoul, il est fatigué. Il a hâte de retrouver son lit et sourit en se remémorant les jeux de Michel et Marc, la vente des cuisses de grenouilles sur le bord du chemin, la bière que lui a laissé boire Léopold en cachette et le Cool-aid que Madame Potvin a servi. Il aimerait vivre dans cette famille, avec cette mère confortable et ce père indulgent. C'est si bon ici. Les enfants ne font jamais rien de mal, même lorsqu'ils se font des blondes. Le contact de sa jeune sœur contre lui le fait rêver. Il aimerait que ce soit Cindy qui dorme ainsi, sa tête sur son épaule. Rien qu'à y penser, son cœur bat fort. Cindy, quel joli nom! Quelle jolie petite fille! Elle a des cheveux blonds et frisés et une voix si douce. Qu'elle est gentille! Elle le regarde comme un héros parce qu'il vient de la ville et lui demande souvent de décrire sa maison à Montréal, sa rue, son école.

Sa mère ouvre la portière. Laisse entrer une bouffée d'air frais à odeur de trèfle et d'eau. Il grelotte, se presse contre sa sœur. Ah! Si c'était Cindy!

Enfin, l'auto démarre. La tête toujours appuyée contre la banquette, Youri combat le sommeil.

— T'es-tu amusé Youri?

Il ne répond pas. Laisse croire à sa mère qu'il s'est endormi mais tend l'oreille à leur conversation.

— Les enfants n'ont vraiment pas de rancune. Tu te souviens, au début de l'été, quand Youri s'est battu avec le plus vieux, Marc qu'il s'appelle?

— Oui. C'est souvent comme ça avec les enfants. Les plus grands ennemis deviennent souvent les meilleurs amis.

— Tant mieux.

Un court moment.

— J'aime pas ça, Diane, cette histoire de purin de porc. J'ai l'impression qu'on va avoir des ennuis avec les Falardeau.

Son père est tendu. Inquiet.

— Faut s'impliquer, Jean. On peut pas faire autrement. Le lac à la Tortue fait partie de notre association.

— Je sais, je sais. Mais ça peut nous mener loin. Les Falardeau sont pesants dans la place. Ce sont de bons amis à Gustave Potvin, justement…

Enregistré. Ceci l'intéresse. Les discussions des Riverains concernant de bons amis à Gustave Potvin retiennent toute son attention. Demain, quand il accompagnera Marc à la pêche aux grenouilles, il lui fera un compte rendu de la réunion des Riverains.

— Mais on peut pas laisser le purin de porc couler comme ça dans le lac à la Tortue. Il est relié au lac Huard par le canal d'irrigation.

— Je sais. Je sais. Mais je te dis que ça ne me plaît pas. Les lettres au ministre pour qu'il fasse des pressions auprès de son ministère, ça c'est pas dangereux. Mais quand on touche aux gens de la place, c'est comme manipuler des explosifs. Et puis, j'ai l'impression que ça donnera rien au bout de la ligne. T'as-vu la lettre qu'on a envoyée à Mantha? On a beau lui en envoyer une deuxième, j'ai l'impression qu'elle va aboutir dans le fond de son panier comme l'autre.

— Oui, mais on peut pas laisser faire ça. J'suis persuadée que légalement, on peut pincer les Falardeau. J'vais étudier la question.

— Même légalement, tu ne parviendras jamais à leur faire changer quoi que ce soit, Diane. Je les connais. Ils ne sont pas faciles. Faut être très prudents.

L'auto s'arrête; les voilà de retour au chalet.

— Réveille-toi Youri, on est arrivé.

L'enfant fait mine de s'éveiller. Fier de cette nouvelle qu'il aura à communiquer à ses amis.

✳ ✳ ✳

Dimanche, 5 août 1984.

Le perron de l'église. De la rosée encore sur les souliers des enfants qui ont couru dans l'herbe. De courts frissons, de temps en temps, le long de l'échine. Il a gelé cette nuit. On devrait parler du jardin qu'on a dû couvrir. Raconter comment on a réchappé concombres et tomates ou vanter les bienfaits d'une serre. Mais les conversations se chuchotent de bouche à oreille, avec des yeux qui épient tout le tour et des mains en paravent pour cacher le mouvement des lèvres. On s'étudie, on se méfie. On ignore Flore Taillefer

181

qui sourit en arrivant au bras de son mari. On lui tourne dos, faisant mine de ne pas la voir.

Elle serre le bras d'Hervé. Que se passe-t-il? Pourquoi les boude-t-on? Les enfants de Gustave Potvin les reluquent avec insolence. Un froid les isole. Ils sont seuls au beau milieu de tous ces gens. Pressés l'un contre l'autre. Inquiets, muets.

Hervé aimerait se voir loin. Au bout de sa terre. Dans sa vieille cabane. Il éprouve les mêmes sensations qu'à son retour de la guerre. Le même désir d'être tout fin seul. Hors de la société. Il tapote la main de Flore, désemparée par l'attitude des paroissiens et cherche en vain un visage amical.

Florient et Jean-Paul arrivent avec leur petite famille et subissent le même traitement. Voilà donc les Taillefer devenus la cible de tous ces regards accusateurs braqués sur eux.

On ouvre les portes de l'église. Les familles prennent leur place, fidèles aux clans établis depuis deux générations.

Andrew Falardeau décoche un regard foudroyant à Hervé, bombant son torse, lui démontrant ainsi qu'il est prêt à se battre. Prêt à défendre son domaine. Puis, il glisse un regard vers ceux qui l'appuient, signifiant clairement que son clan est le plus important.

Hervé regarde autour de lui et constate qu'on l'a isolé au sein de son propre clan. Que se passe-t-il donc?

Au sortir de l'église, il se fait bousculer et on lui verse à l'oreille:

— Ta fille est mieux de s'lever de bonne heure, si a veut faire perdre l'élevage des Falardeau.

Maintenant, il sait. Mais, là-bas près du lac, Youri qui rêve de Cindy en lançant des cailloux dans l'eau, ne saura jamais les ravages que sa «nouvelle» a causés.

* * *

Lundi, 6 août 1984.

Son fils lui a échappé. Il ne sait quand, ni comment mais constate qu'il lui a échappé. Qu'un abîme les sépare. Et que du fond de cet abîme, son fils lui a lancé un quartier d'érable par la tête, dans l'intention de le blesser. Tuer plutôt.

182

Il a esquivé le coup mais demeure blessé à l'intérieur. Démonté. Comme si l'un de ses plus importants mécanismes internes venait de se détraquer.

Appuyé contre les cordes de bois, Andrew se ronge l'intérieur des joues en attendant Mike, incapable de détacher son regard de la bûche que lui a lancée Spitter. Il serre les mâchoires et prend de bonnes respirations pour chasser le malaise qui l'envahit. Mais il souffre. Là, dans son cœur. Il souffre terriblement de cet enfant perdu. Cet enfant à qui il a offert la vie facile, les jeux, les gâteries. Son p'tit dernier qu'il a affectionné plus que tous les autres. Son chouchou, il se l'avoue. Il souffre et cherche désespérément à se ressaisir. À reprendre les rênes de son autorité qu'il a abandonnées trop tôt pour satisfaire Spitter. Mais, dans la course folle du poulain, les rênes ont glissé de l'encolure. Il ne peut les rejoindre. Les reprendre. Son fils lui a échappé et lui, il reste là, impuissant, à le regarder courser les trains aveugles et meurtriers.

Son orgueil aussi souffre. Lui, Andrew Falardeau, si coriace et si intransigeant, est pris au piège du favoritisme. Lui, le chef, le dur, l'aîné. Le maître-d'œuvre du domaine Falardeau. Lui, l'ambitieux, le rationnel. Lui, qui a trimé dur toute sa vie, se voit malmené par un garçon de dix-huit ans. Un décrocheur. Un drogué. Personne ne doit savoir cela.

Non, personne ne doit connaître l'intimité de la famille Falardeau. Personne ne doit s'introduire dans leur clan. Ils doivent paraître unis et jouer le jeu. Perdre la face publiquement, ce serait laisser s'infiltrer le venin des mauvaises langues qui, à coup sûr, les démantèleraient. Non, personne ne doit savoir ce qui s'est passé entre lui et Spitter. Ni ses enfants, si ses frères. Sauf Mike, le seul qui puisse lui venir en aide.

Le jeune frère s'amène justement sur sa moto. Andrew le regarde venir avec embarras: il a tant rouspété contre lui, tant condamné ses agissements. Et puis, il a inventé l'histoire du viol. Cela le gêne un peu d'implorer aujourd'hui son aide. Mais Mike est le seul en qui Spitter a confiance. Le seul qui puisse faire entendre raison à ce fils qui lui a échappé.

En quelques grandes enjambées, Mike se retrouve devant lui, le défiant de cet éternel sourire insolent qu'il utilise depuis l'enfance pour lui tenir tête.

183

— Viens pas me dire, Andrew, que c'est Marjolaine qui te fait peur. Tombe pas dans ce panneau-là. Y a ben du commérage là-dedans.

— C'est pas à cause d'elle que je t'ai appelé.

— Non? Ah! De qui alors?

Son regard tombe sur la bûche. Lourde, meurtrière. Pour Mike, c'est une bûche comme les autres, mais pour lui, elle représente une fosse entre lui et son fils. Sa fosse. La gorge serrée, il s'en détourne et fait quelques pas le long des cordes de bois de chauffage.

— De Spitter.

— Qu'est-ce qu'y a fait encore?

— Y a… j'aimerais que tu lui parles. T'sais qu'y t'aime ben. T'es son oncle préféré.

— Pas depuis quelque temps. Lui parler à propos de quoi?

— Savais-tu qu'y cultivait du pot?

— Non. Il ne m'en a jamais parlé, mais ça ne me surprend pas. Tu dois savoir autant que moé qu'y prend plus fort que ça, maintenant.

— Oui. C'est pour se payer ce «plus fort» qu'il avait cultivé la pièce du fond, pas loin du cric. En vendant la récolte, il pouvait se payer son LSD, c'est ça?

— PCP maintenant. Des *peace pills*. J'me doutais ben que juste avec le bois de chauffage, y pouvait pas se payer son stock. C'était donc ça?

— Oui.

— T'étais au courant?

— Oui.

— Tu m'en as rien dit avant. Pourquoi tu m'en parles aujourd'hui?

— Parce qu'à matin, j'ai tout détruit avec mon tracteur.

Jouissant de la satisfaction profonde d'arracher du sol le poison qui détruisait son enfant. D'écraser le serpent qui empoisonnait leur existence.

— Pourquoi?

— Des inspecteurs vont peut-être venir examiner le cric. C'est trop risqué. J'veux pas prendre de chance.

— T'as ben fait. Ben fait.

— C'est pas c'qu'y pense, lui.

— Je m'en doute.

— Y a... Y a...

Les mots bloquent dans sa gorge. Il se tait. Regarde par terre. Les yeux rivés à son cap d'acier qui luit à travers le cuir percé de sa bottine de travail.

— Y a voulu me tuer, Mike.

— Quoi?!

— Quand y l'a appris... y est devenu comme fou.

— Qu'est-ce qu'y a fait?

— Y était en train de corder le bois que son engagé a fendu. Y a pris un quartier pis y me l'a lancé par la tête... Ses yeux... C'est dur à expliquer. T'aurais dû les voir. Y voulait me tuer.

— Ben voyons! C'est pas possible. Pas Spitter. J'sais que ce n'est pas un ange, mais de là à vouloir te tuer... Y a peut-être juste eu un mouvement d'impatience, de colère parce qu'y venait de perdre gros... mais de là à vouloir tuer.

— T'as pas vu ses yeux... j'sais qu'y voulait m'tuer. J'l'ai perdu, cet enfant-là. J'ai manqué mon coup avec lui... j'l'ai trop gâté. J'y ai tout laissé passer; j'aurais pas dû. Même son surnom en dit long: Spitter, celui qui crache. Depuis qu'y est tout p'tit, qu'y crache sur tout pis sur tout l'monde... Y a du respect pour rien.

— Ça, c'est vrai. Y respecte pas grand-chose, même pas les règles du club. Qu'est-ce que tu veux que j'lui dise au juste?

— J'veux que tu y expliques que je pouvais pas faire autrement. Brûler un pont, c'est pas comme cultiver du pot. Brûler un pont, ça laisse pas de preuves. Mais cultiver du pot, ça laisse tout plein de preuves au bout de ma terre. J'pouvais pas faire autrement. Y en a beaucoup, icitte, qui rêvent de nous voir pris en défaut.

— J'sais. Y est où?

— À la cabane du père.

Une dernière fois avant de partir, Mike se renseigne.

— T'es sûr qu'y a voulu t'tuer?

Andrew baisse la tête. Jamais au grand jamais, il n'a vu son aîné baisser la tête de cette façon.

Oui, Spitter a voulu tuer son père. Mike n'en doute plus maintenant. Même qu'il a réussi à le tuer de l'intérieur. Cela l'affecte plus qu'il ne veut se l'admettre. Quel sentiment le lie à ce

185

frère de vingt ans son aîné qui a contrôlé son enfance? Ne conserve-t-il pas un ressentiment, de la rancune envers cet homme qui faisait larmoyer son vieillard de père, ce vieux compagnon insolite? Il a longtemps pensé qu'il éprouverait une certaine joie à voir Andrew mordre la poussière. Et voilà qu'il se sent tout drôle. Pas content du tout. Voilà qu'il mesure l'ampleur de la détresse de cet homme. Comment réagirait-il, lui, si un jour Alex tentait de le tuer? Il chasse cette idée, enfourche sa Harley Davidson et laisse Andrew rouler de sa bottine une bûche d'érable.

En empruntant le chemin menant à la vieille cabane, Mike renoue instantanément avec les émotions et les tiraillements de sa puberté et de son adolescence. Il se revoit, à douze ans, s'évadant par ce même chemin, sur les reins fatigués de leur vieux percheron, vociférant des injures à l'adresse d'Andrew en cours de route. Le cœur bouillant de révolte et de colère, il se réfugiait dans la maison où avait vécu son père avant qu'il ne convole avec Jane Sutherland. C'est là qu'il renouait avec ce compagnon disparu, là qu'il se confiait à son fantôme, là qu'explosait sa rage ou son chagrin. Là qu'il pleurait, brisait, criait, sans que personne ne l'entende. Oui, que de fois il a fui l'intransigeante autorité d'Andrew par cette route! D'abord sur leur vieux cheval. Puis sur une motocyclette brisée qui lui avait été donnée et qu'il avait réparée. Que de fois, à maudire Andrew, à haïr Andrew et crier à l'injustice. Que de fois, les dents serrées et les poings noués, à s'enfuir de ce dictateur qu'il ne parvenait pas à faire fléchir. Andrew, c'était le roc auquel se butait sa liberté. La muraille où s'écrasaient ses rêves. Oui, il a détesté Andrew. Contesté Andrew. Affronté Andrew. Défié Andrew... mais jamais il n'a eu l'intention de le tuer ou même de lui faire mal. Comment Spitter en est-il venu à cela, lui qui jamais n'a eu à vivre sous la férule d'Andrew? Avec quelles intentions s'est-il réfugié dans cette cabane du père devenue le refuge du Club des motards? De quelle façon sera-t-il accueilli? Plusieurs différends l'opposent maintenant à ce neveu qu'il a lui aussi choyé, en le traitant d'égal à égal, à un âge où il aurait dû lui rappeler qu'il n'était qu'un enfant. À un âge où il aurait dû lui botter le cul quand il le surprenait à fumer de la mari en cachette. Mais, à l'époque, il se voyait en Spitter. C'est sa propre enfance qu'il projetait sur celle de ce garçon qui crachait sur tout ce qui s'opposait à ses caprices. Ce garçon qui s'est rallié à lui dans sa révolte contre Andrew et s'est dissocié de lui aussitôt qu'il a imposé des règlements en tant que chef du Club des motards. Oui, comment sera-t-il reçu par Spitter et de quelle manière l'abordera-t-il? Sera-t-il en état de comprendre les enjeux de la situation? A-t-il encore la capacité de reconnaître la gravité de son geste? Sera-t-il sous l'effet de cette drogue qui le rend agressif, violent et paranoïaque?

Il doute fort être encore l'oncle préféré de Spitter; toléré serait plus juste.

Le voilà arrivé à destination. Le lieu le surprend. Pourtant, il a l'habitude de venir ici. Il met pied à terre. Hésite devant le silence mortel qui entoure la maison de bardeaux gris et les vieux bâtiments. Tout semble figé. Sans bruit et sans vie. On dirait un décor de film western où le bandit s'est terré pour abattre le shérif. Rien ne bouge sous le soleil de midi. Pas un souffle. Tout dort. Immobile. Comme arrêté. Soudain, la stridulation obsédante des insectes lui perce les tympans, lui vrille le cerveau. Il avance. Entend crisser le sable sous ses pas. Un vrai film western. Il se tient sur ses gardes. Prêt à se défendre. Contre quoi? Contre ce lieu désert écrasé de soleil? Contre cette vieille cabane où vivait Conrad Falardeau le bambocheur? Contre quoi se défendre? Les sauterelles? Les souvenirs? Il est idiot. Seuls les enfants ont des réactions de ce genre. Des pensées de ce genre. Il n'y a ni bandit, si shérif. Seulement lui et Spitter, quelque part dans la maison. Il ouvre, pénètre, retrouve cette atmosphère tendue des films western. Son regard parcourt les affiches de moto et de filles nues au mur. La grande pièce vide le saisit. C'est fou, mais il ne peut se défaire de l'étrange et désagréable impression qui le paralyse près de la porte. Il vérifie la présence du Suzuki de son neveu et tend l'oreille à un bruit bizarre, régulier. Celui d'une balle de baseball qu'on lance au fond d'un gant. Tap... Tap... Tap... Cela provient de l'étage. Spitter est en haut. Ah! Il doit se pratiquer pour égaler son père à ce sport. Cela lui fera une bonne entrée en matière.

D'un pas rapide, Mike traverse la pièce. Satisfait des rénovations que les motards y ont effectuées. En décloisonnant tout le premier étage, ils se sont offert un espace assez grand pour tenir leurs réunions et leurs soirées. Les banquettes alignées le long des murs constituent le seul mobilier, à part une table et une armoire où sont rangés quelques outils d'urgence. Au fond, l'escalier qui mène au grenier. Là, sont entassées toutes sortes de vieilleries qui n'ont pas encore atteint l'âge de l'antiquité. Et là, se trouve Spitter. Au grenier.

En grimpant, Mike évite de justesse un petit amoncellement de matières fécales. Puis, silencieusement il soulève la trappe de sa tête.

Une vision horrible lui coupe alors le souffle. Mon Dieu! C'est pire que tout ce qu'il aurait pu imaginer dans un film western. Pire que le bandit attendant le shérif. Pire que le prisonnier évadé, se cachant. C'est pire parce que gratuit et macabre. Pire parce qu'incompréhensible et inexplicable. Il ferme vite les yeux et les rouvre à nouveau comme si la vision pouvait ainsi disparaître et n'être qu'un mauvais rêve. Mais elle ne disparaît pas. Tap… Tap… Tap… Des gouttelettes de sang tachettent le visage de Spitter accroupi à l'indienne. Tap… Tap… Tap… Des filets rouges coulent entre ses doigts ouverts. «Tu l'as perdue ta tête, hein ma chienne? Tu l'as perdue», articule-t-il mollement.

Cette phrase glace Mike. Il ne peut détacher son regard de la tête du chiot que Spitter lance dans sa main. Le plus beau chiot de la dernière portée de Mayday. Sur le plancher gisent des pattes, une queue, un tronc. La bête est en morceaux et les intestins sont répandus partout. Au milieu de cette boucherie, Spitter répète par intervalles: «Tu l'as perdue, ta tête, ma chienne.» Puis, il crache dessus. Le profil qu'il lui offre est celui d'un homme hébété, drogué, possédé. Sait-il seulement ce qu'il fait cet homme?

Mike ne peut détacher son regard de la langue rose du chiot en pensant qu'elle a affectueusement léché la main qui l'a martyrisé. Il regarde aussi la petite queue blanche baignant dans le sang. La petite queue blanche qui frétillait d'allégresse à l'approche du maître. Pourquoi? Pourquoi?

Il referme la trappe. Étourdi. Écœuré. Il ne sert à rien d'aborder Spitter. Cela peut même se révéler dangereux.

Il quitte cette maison, cette horreur. Ce lieu. Arrête subitement derrière les vallons d'où on ne l'aperçoit plus. Ses mains tremblent et il a envie de vomir. Un froid intense gagne ses os, son ventre. Le pôle Nord en entier glisse dans son corps et le fait grelotter. Il n'ose s'avouer cette peur qui l'envahit et le soumet. Ce n'est pas pour lui qu'il a peur. Non, pas pour lui. Mais pour les petits et les faibles. Son petit et Marjolaine. C'est Alex qu'il imagine coupé en morceaux, c'est la tête de Marjolaine qu'il voit dans les mains ensanglantées de Spitter. Un danger terrible plane sur eux, car c'est de Marjolaine que Spitter parlait. Il lui en veut pour les plants de cannabis que son père a dû détruire. C'est sa tête qu'il veut. Et un coup la démesure atteinte, jusqu'où ira le tueur, le maniaque? Quelle destruction effroyable se permettra-t-il? Ce chiot massacré n'est que la pointe de l'iceberg, l'ombre du monstre qui habite Spitter. Mais un coup le monstre déchaîné par la drogue, qu'adviendra-t-il de son fils et de Marjolaine? Sera-t-il là pour les défendre? Les sauver d'une mort atroce?

Il désire follement serrer la tête d'Alex sur son cœur. Désire follement rencontrer les yeux de cette femme. Désire follement se retrouver sur leur île tranquille où gambade Max. Désire follement laver ses yeux de cette vision d'épouvante.

Il redémarre, file à vive allure sur le chemin cahoteux. Andrew l'attend toujours près des cordes de bois.

Il lui en veut, tout à coup, le tient responsable de la déchéance de Spitter. Andrew a failli à la tâche d'éduquer correctement son fils en manquant d'autorité. Mais qui est-il, lui, pour jeter des pierres? Qu'a-t-il fait jusqu'à maintenant pour l'éducation de son propre fils? Qui lui dit qu'un jour, il ne le verra pas croupir dans le sang et la fiente, monologuant des paroles insensées et méchantes? Sa fureur fait place à la compassion.

Andrew pose sur lui des yeux désespérés.

— Pis?

— Je lui ai pas parlé... y est pas en état... C'est pas à toé qu'y en veut le plus, mais à Marjolaine.

— Y a raison. On est plus maître chez nous avec elle. Toujours le nez fourré dans les affaires des autres.

— Tu ferais mieux de surveiller ton fils. Y est dangereux, surtout pour elle. Très dangereux. Y va finir mal, Andrew, si y continue comme ça.

— Mais qu'est-ce que j'vas faire Mike, qu'est-ce que j'vas faire?

— Le faire désintoxiquer... y a pas d'autre solution.

— Mais ça va se savoir: tout le monde va en parler. Ça va assez mal de même. Et pis, y voudra rien savoir de ça.

— J'vois pas d'autre solution.

— Mais toé, t'es correct; t'es pas dangereux pis tu prends de la drogue.

— Légère… et à l'occasion. C'est pas la même chose. Spitter est un habitué des hallucinogènes. Y a pas de comparaison possible. T'as jamais voulu comprendre ça, Andrew. C'est toujours moé que t'as vu tout en noir, mais à côté de Spitter, j'suis blanc. À douze ans, y fumait plus de mari que j'en fume aujourd'hui. Lui pis moé, on fraye pas avec le même monde. On n'a pas les mêmes contacts. Un jour y va être obligé de voler… peut-être de tuer pour payer son stock. Mais si y touche à un cheveu d'la tête de mon fils ou de Marjolaine, j't'avertis que moé, j'vas le tuer. J'attendrai pas la décision d'la Cour, tu comprends?

— Oui.

— Alors, t'es ben mieux d'laisser faire ce que les autres vont penser pis d't'occuper de le faire désintoxiquer.

— J'pense pas être capable de ça, Mike.

— Un Falardeau est toujours capable. C'est toé-même qui me disais ça quand j'étais p'tit. Tu te rappelles?

L'attitude défaitiste de son aîné le choque. Il semble résigné à l'inévitable. Voué à l'échec. «Un Falardeau est toujours capable», répète-t-il avant de succomber au sentiment de la pitié que lui inspire Andrew. Il ne veut ni le plaindre, ni le traiter en faible et en dépourvu. Jusqu'à maintenant, Andrew n'a jamais rencontré d'obstacle. Tout lui a souri, et tous lui ont obéi. Mais l'obstacle est là, aujourd'hui. L'abîme se creuse entre lui et son enfant. Il doit y plonger pour aller le chercher. Tête première, en laissant son orgueil de côté. Tête première, au risque de se noyer lui aussi. Tête première pour demeurer fidèle à l'homme qu'il a toujours été et à l'éducation qu'il a donnée aux autres.

— Ça s'ra pas facile, mais t'es capable. Faut que tu le fasses, Andrew. Oublie pas que j'serai sans pitié si y touche à Alex ou Marjolaine. Ni pour lui, ni pour toé. C'est plus le temps d'laisser faire. C'est l'temps d'agir. Salut.

Mike le quitte, emportant cet instinct nouveau qui vient de germer en lui. Cet instinct de mâle protecteur qui lui fait durcir les muscles. Tout son être se prépare à défendre l'enfant et la

190

femme de l'île tranquille. Tout son être, tel un soldat, se conditionne au combat.

* * *

Mardi, 7 août 1984.

De fines gouttelettes zèbrent la fenêtre panoramique. «Y pleut, y mouille, c'est la fête à la garnouille», chantent les enfants de Gustave et leur ami Youri, occupés à pêcher les batraciens dans cette baie envahie de plantes aquatiques.

Irène pense vaguement à leur acheter des cuisses, ce soir. Pour les encourager. Puis, son regard se porte vers la maison négligée de Gustave et sa cour encombrée de pièces mécaniques. Sa propriété jure près des chalets bien aménagés, des pelouses entretenues et des arbres taillés. Son emplacement blesse le regard, rompt le charme. On dirait une cour de ferraille. C'est une blessure dans tout ce beau vert ordonné. Une blessure qui suinte la misère et le délabrement. Elle devrait s'en détourner et admirer les îles au-dessus desquelles se groupent des nuages menaçants. Devrait se contenter des vagues qui soulèvent les feuilles de nénuphar avant de s'étendre sur la grève. Mais elle regarde la cour de Gustave, obsédée par une seule et même question: accepterait-elle de vivre cette vie? D'être la femme de Gustave? Accepterait-elle d'avoir pour horizon une corde à linge, des clapiers et des traîneries de toutes sortes? Changerait-elle de place? Troquerait-elle cette misère pour cette autre qu'elle trouve au fond de son verre? Pour cet ennui qui lui étreint le cœur? Cette amertume qui la gagne? Cette solitude qui la traque?

Échangerait-elle tout cela, pour le sourire d'un homme qui l'aime? Car Gustave l'aime, elle le sait. D'ailleurs, il n'a jamais cessé de l'aimer. Ses yeux le disent tant lorsqu'il la rencontre et sa gêne le confirme. Mais elle, est-ce qu'elle l'aime encore? Ça ne doit pas. Son cœur est sec et dur. Sans sève. Son cœur est mort. René l'a tué puis laissé en place pour la maintenir en vie. Non, elle ne doit sûrement plus l'aimer. Elle n'aime plus personne. Même pas elle. Surtout pas elle. Alors, autant se détruire petit à petit. En silence. Sans déranger personne. Autant partir peu à peu et verre après

191

verre, dans l'ombre de René. Autant se faire un deuil du bonheur que n'a pu lui apporter ni son prince charmant, ni le château.

Il pleut à verse maintenant. Les enfants rament vers la berge, en riant. Tout est drôle à cet âge. Tout est bon et sucré. Ils accostent et se réfugient sous la galerie voisine. Elle les envie. Aimerait se retrouver par magie avec eux. Ou redevenir la fillette qui s'amusait avec Jean-Paul et Florient. C'était si simple à l'époque. Si simple avant que la possession des choses ne vienne tout gâcher. Avant, quand ils vivaient de la terre paternelle. Nourris par elle et par le labeur de leurs parents. Avant qu'elle ne parte pour la ville. Avant que son père n'hypothèque l'excavatrice avec le torrent.

Elle observe les enfants qui se blottissent les uns sur les autres. C'est le bon temps, pense-t-elle. Le bon temps des petits chatouillements qu'éveille un bras chaud, un sourire, une tresse. Vivez votre enfance, voudrait-elle leur dire, ne rêvez pas à l'amour, ne rêvez pas à demain. Car demain, quand vous serez grands, vos possessions vous sépareront. Vos possessions éclipseront l'amour. Il est là, l'amour, parmi vous. Jeune et libre. Buvez-le sans crainte. Ne jouez pas au jeu des adultes.

Demain, vous serez comme moi. Vous serez comme vos parents. Tiraillés entre le cœur et la raison.

Mais il ne sert à rien de dire cela aux enfants, eux qui se croient privés de bien des avantages du monde adulte. Tout comme il n'aurait servi à rien de dire à la fillette qu'elle était qu'un jour elle perdrait ses merveilleux compagnons. Qu'un jour, elle les verrait passer devant sa porte, sans la saluer, le visage fermé et les poings crispés au volant. Qu'un jour son père userait d'un ton poli mais froid à son égard. Qu'un jour sa mère lui reprocherait l'abandon de Gaby. Qu'un jour, elle serait seule dans un grand château et qu'elle envierait des enfants blottis sous la galerie du voisin. Qu'un jour ce grand château l'écraserait du poids de son mortel ennui. La presserait comme un fruit pour en extraire l'âme et l'isoler des siens. Voilà ce qu'il a fait, ce grand château. Si au moins, elle l'avait choisi. Mais voilà, elle n'a pas eu à décider entre le prince charmant et le château. C'est le prince charmant qui l'a laissée tomber et le château qui l'a accaparée. Puis, le maître du château s'est plu à la persécuter. Quelle histoire bête! La sienne pourtant. Inscrite depuis des décennies dans les annales des servantes de campagne séduites par un jeune seigneur de la ville. Elle n'a pas fait exception et s'est amourachée, de Bobby, le frère de sa patronne. Bel étudiant en droit, il déclenchait en elle de merveilleux rêves d'amour et d'argent. Il la courtisait avec ruse, lui tendant des pièges parfumés afin de l'attirer sur la banquette arrière de sa décapotable et de la déposséder de son précieux hymen. Ceci étant accompli, il s'était marié à quelqu'une de plus fortunée, de plus ins-truite, de plus rangée.

Restée sur le carreau, la petite bonne. Restée sur le carreau, sa virginité en moins.

Se présente le besogneux et l'ambitieux qui garantit la sécurité. Elle l'épouse, faisant abstraction de la différence d'âge et de son morne physique. Arrive le soir des noces. Et vlan! Il lui lance en pleine face sa rage de la trouver souillée.

Depuis, ce mince voile perforé ouvre à l'homme les portes de l'adultère en la maintenant responsable. «C'est ta faute: c'était à toi d'être vierge.»

Grandit le château. Grossit la faute. S'alourdit l'âme.

Elle sombre, la petite bonne. Elle s'enlise. Seule, devant sa grande fenêtre panoramique.

Il pleut. Dehors et dans son âme.

Ce matin encore, il lui a lancé sa virginité perdue en plein visage, la traitant de haut. Comme une vulgaire putain. Lui rappelant sa mauvaise conduite passée et exigeant ainsi sa tolérance pour les écarts qu'il se permet. Pour cette Mariette avec qui il couche au su de tout ce village de commères. Être cocue, c'est une chose. Mais l'être aux yeux de tous en est une autre qui fait bien plus mal.

Irène se verse à boire. Revient à sa fenêtre. À quoi peut-elle donc s'accrocher pour ne pas se noyer? Avant, il y avait son père, ses frères. Mais aujourd'hui, il n'y a plus personne. Elle est seule devant une fenêtre, à regarder tomber la pluie sur la cour lamentable de Gustave Potvin. Dominique, son fils aîné, a pris position auprès de son père. C'est plus profitable pour lui. Quant à Gaby, il est rejeté d'eux, elle le sait. Supposément qu'il serait le fils de Gustave Potvin. Mais il n'y a jamais rien eu entre eux. Jamais.

Soudain, elle aperçoit le fils du voisin se détacher du groupe et courir vers sa résidence. S'emparant d'une motte de boue, il la

193

lance dans sa piscine. Aussitôt, le jeune Potvin vient le bousculer et lui interdire de continuer.

Des larmes montent dans les yeux d'Irène. Ce brave garçon l'a défendue, car c'est elle qu'on attaquait par le biais de sa piscine. C'est un peu comme si Gustave l'avait défendue. Il leur a sûrement parlé d'elle. Elle n'est pas morte dans son cœur, elle le sait. Pas morte pour quelqu'un sur cette terre. Elle pleure. Déjà ivre à cette heure. S'accrochant désespérément au regard chaud et fidèle de Gustave.

La pluie redouble. Les enfants se resserrent. Les larmes voilent ses yeux. Elle écoute tambouriner les gouttes contre la fenêtre et pose la paume de sa main pour sentir la fraîcheur de la vitre. Qui viendra lui apprendre à goûter la vie? Qui viendra la libérer de cette prison dorée? Qui viendra lui donner le courage de s'en évader? Qui viendra briser la vitre entre elle et la vie? Briser le verre au fond duquel elle se noie?

* * *

Mercredi, 8 août 1984.

Cap nord-ouest. La chaloupe fend les courtes vagues. Des gouttes d'eau éclaboussent et font frissonner Youri et Michel assis sur le banc faisant face au conducteur. Impassible et concentré à se donner un air d'indifférence, ce dernier fixe l'île de Marjolaine, au loin. Léopold s'amuse à voir Marc jouer au vieux loup de mer. En fait, Gustave vient juste de retaper ce vieux moteur donné et c'est la toute première fois qu'ils s'en servent. Mais, à regarder faire son petit-fils, on croirait qu'il a navigué sur tous les océans du monde avec cet engin.

Le vieil homme sourit et se tourne vers l'avant. Il contemple le lac et surtout l'île au loin. Avec ses pins qui balaient le ciel gris de leurs bras asymétriques. Comment sera-t-il reçu par cette belle enfant solitaire? Nerveux comme un soupirant, Léopold appréhende le moment de rencontrer Marjolaine. Se souviendra-t-elle seulement de lui, ce vieil ivrogne qui l'avait reçue, les pieds dans ses bouteilles vides? Étant donné qu'elle s'occupe de pollution, elle l'a sans doute relégué parmi les déchets humains. Lui, il se souvient d'elle, de son regard bleu qu'elle portait sur le lac avec tendresse. Bleu comme la brochure qu'elle lui a laissée. Que pensera-t-elle de sa démarche? Heureusement qu'il a emmené les enfants avec lui. Ça fera taire les mauvaises langues. On ne prend jamais assez de précautions. Et somme toute, cette démarche pourrait simplement être une visite pour permettre aux enfants de s'amuser ensemble.

Le vent lui caresse le visage. D'un geste satisfait, il effleure ses joues fraîchement rasées puis examine sa chemise propre et ses ongles curés. Une vague de fierté le submerge. Il n'a plus l'air du vieil ivrogne sur la galerie. Mieux, il n'a pas bu une seule goutte de la journée. Sa sobriété le rassure.

L'île s'approche de plus en plus, creusant un vide dans son estomac. Elle grossit, tandis qu'il diminue au point de n'être qu'un vieux maboul ratatiné à la pointe de l'embarcation. Il scrute attentivement les berges, espérant les trouver désertes. Mais il aperçoit l'enfant qui se balance et, faisant lever les oies sur son passage, la belle femme solitaire suivie de son chien aux abois. D'un geste, il indique à Marc où accoster.

— Bonjour monsieur Potvin. Quelle belle visite!

Cet accueil le ragaillardit. D'un bond, il se retrouve sur le sable, en face d'elle, aspirant ce regard bleu jusqu'au fond de son âme où repose en paix celle qu'il a tant aimée. Le chien renifle ses mollets.

— Bonjour. J'ai emmené les enfants… pour jouer avec le tien. Y s'connaissent. Voici Marc.

Feignant toujours l'indifférence, partout et en tout temps, le garçon la salue vaguement, laissant à Youri et à Michel le soin de sourire et de parler. Guidé par un Alex fou de joie, le groupe de jeunes s'éclipse vers la balançoire.

— Venez, monsieur Potvin, je vais vous faire visiter l'île.

— J'suis déjà venu… Ah! Il y a une trentaine d'années. Quand le curé venait à son chalet… Y est méchant ton chien?

— Non. Juste gardien. Venez, vous verrez que je n'ai pas fait de gros changements sur l'île. J'ai voulu la garder intacte… J'ai ajouté un jardin derrière la maison… C'est tout.

Elle le conduit tout en lui expliquant les travaux qu'a nécessités son installation permanente en ce coin idyllique. Il marche sur les aiguilles moelleuses des pins, respirant leur parfum sucré. Elle a raison. Rien n'a beaucoup changé. Il retrouve le cachet sauvage et reposant qu'adorait le vieux curé. «Je crois, mon Léopold, que cette île est un coin du paradis», disait-il souvent, en se berçant sur la galerie. Léopold reconnaît soudain avec stupéfaction cette berceuse à sa place habituelle.

— C'est la berceuse du curé.

— Oui. Tenez. Prenez-la... Elle est très confortable.

Il s'assoit. L'entend geindre un peu. Comme jadis. Ce respect du passé et de la nature le met en confiance. Il a bien fait de venir. Cette jeune femme mérite sa loyauté.

— J'suis venu en tant que membre des Riverains.

— Oui. Parlez à votre aise. Est-ce que je peux vous offrir quelque chose auparavant. Une tasse de thé, de café?

Pourquoi pas! Aussi bien lui montrer qu'il est sobre et lucide.

— Café.

— Ce ne sera pas long.

Elle le laisse seul sur la galerie. Il l'entend préparer le café. Devant lui, à travers l'écran d'aiguilles de pin, il aperçoit le lac. Il ferme les yeux, tend l'oreille. D'ici, il entend les vagues susurrer sur la grève. D'ici, il entend rire les enfants. De temps à autre, des mouettes crient désespérément il ne sait quoi. Ces oiseaux l'agacent. Il n'y en avait pas auparavant. Ils sont toujours à s'égosiller sur un ton dramatique. Selon lui, ils appartiennent à la mer. Vaste et mystérieuse. Ils ne cadrent pas avec ce lac tranquille, ce coin du paradis oublié de Dieu.

Le soleil joue à cache-cache avec les nuages. Apparaît, disparaît. Illumine et éteint les vagues et les aiguilles des pins. Léopold se roule une cigarette, pestant contre le besoin qu'il en a. Ses mains tremblent, éparpillent des miettes de tabac partout sur ses cuisses maigres. Il souhaite que Marjolaine ne le voie pas trembler ainsi et en profite pour s'en rouler quelques autres d'avance. Elle revient avec deux cafés brûlants, du miel et un pot de crème fraîche sur un plateau antique.

Encore une fois, il passe la main sur ses joues. Elle prend place sur une chaise d'osier, ancienne elle aussi.

— Alors, qu'est-ce qui me vaut votre belle visite?

— C'est rapport à Falardeau. L'histoire du lac à la Tortue là, tu m'suis?

196

— Oui, les Riverains du lac à la Tortue qui ont porté plainte contre l'écoulement du purin de porc dans le cric Cochon.

— Ouais, c't'affaire-là. Écoute-moé ben; j'trouve que tu devrais laisser tomber c't'histoire-là. J'dis pas ça parce que les Falardeau, pis moé... dans le temps de l'Union nationale...

Léopold croise ses deux doigts. Marjolaine acquiesce. Elle sait qu'Andrew et lui ont frayé ensemble en politique. C'est connu de tous.

— Les Falardeau, c'est une grosse famille. Une famille de la place, tu comprends? Moé, tu peux me prendre pour un vieux singe.

Elle s'oppose.

— Mais on n'apprend pas à un vieux singe à faire des grimaces. J'vais te donner un conseil: attaque-toé pas aux gens de la place dret de même. Tu vas te casser la gueule, pis l'Association va en prendre un coup. J'le sais. Les gens d'la place, ben y s'tiennent tous. Sont comme des racines. Tu tires sur un, pis c'est tout le paquet qui vient avec. Fais attention. Monter les Falardeau contre l'Association, c'est monter tout le village. Pis ça serait ben de valeur de perdre l'Association.

Il jette un coup d'œil sur le lac. Lui fait comprendre l'enjeu de son plaidoyer.

— Que me conseillez-vous?

— Laisse tomber c't'histoire-là. Laisse faire le lac à la Tortue. T'as assez de pain sur la planche avec l'usine. René Mantha te suffit comme ennemi. Ajoute pas Andrew Falardeau en plus.

— Je n'peux pas laisser tomber le lac à la Tortue: il est intégré dans notre chartre en tant qu'affluent.

— Ah...

— Et puis les lois, c'est fait pour tout le monde, les Falardeau compris. Ils n'ont qu'à respecter les normes, c'est tout.

— Ouais... les Falardeau ont toujours eu leur propre loi... Y ont même déjà balancé l'inspecteur en environnement dans l'purin.

— Va falloir qu'ils changent.

— Le fait qu'y a des touristes là-dedans, ça empire la situation. T'sais comme moé que le monde d'la place aime pas s'en faire montrer par les touristes.

197

— Oui, je sais... mais les villégiateurs ont droit à un environnement décent et le lac à la Tortue a le droit d'être protégé.

— C'est pas une raison pour enlever son gagne-pain à Falardeau.

— Y veulent pas lui enlever son gagne-pain. Tout ce qu'ils veulent, c'est que Falardeau respecte les normes.

— C'est tout?

— Oui.

— J'vais te suggérer queque chose, la belle. J'vais y parler, moé à Andrew. Y m'connaît ben. Toé, si tu y vas, y va faire une bouchée de toé. Mais moé, j'suis trop dur: pas mangeable. O.K.?

— D'accord, je vous laisse carte blanche, Léopold.

Elle accepte. Incline gentiment la tête. Léopold lui sourit, avale une gorgée de café. À ce moment, un rayon illumine la longue chevelure cendrée de la femme. Il croit vivre un rêve ou un vieux souvenir d'amour et fait amples provisions du regard troublant qu'elle lui destine. Demain, s'il vient à flancher devant Andrew, il y puisera son courage.

∗ ∗ ∗

Jeudi, 9 août 1984.

«S'assurer avant tout», grommelle Léopold en poussant de toutes ses forces sur sa rame afin de déloger la chaloupe enlisée dans le ruisseau de la décharge ou cric Cochon. Dire qu'auparavant, on passait aisément avec un moteur. Les choses ont changé, ici, en trois ans, contrairement à l'île de l'ancien curé où trône encore la berceuse sur la galerie. Il pousse, sue, sacre. Ne réussit qu'à enfoncer davantage sa rame. Il tire maintenant pour la revoir. Rien n'y fait. Elle le défie, bien fichée dans le lit glaiseux. Avant, les premiers villégiateurs du lac à la Tortue empruntaient ce ruisseau pour se rendre au village. C'était plaisant de les voir arriver sur l'eau, le dimanche matin pour la messe. Maintenant, c'est bloqué à l'entrée. Oui, les choses ont beaucoup changé par ici. La rame lui résiste toujours. À contrecœur, il enlève chaussures et bas, roule ses pantalons jusqu'aux genoux et, surmontant son dégoût, se résoud à plonger les pieds dans cette eau grise et opaque. Ouach! Il sent des matières visqueuses lui monter entre les orteils. Le voilà enfoncé jusqu'aux chevilles, à tirer sur sa rame. Et plus il tire, plus il cale, hanté par la vision d'un tesson de bouteille lui transperçant la plante des pieds. Finalement, la rame cède avec un fort bruit de succion. Il la lance dans la chaloupe allégée de son poids qu'il lui faut maintenant hâler jusqu'à une plus grande profondeur. Il hésite, reste là, les pieds plantés dans la vase. Là, il n'y a pas de tesson... mais ailleurs? La turbidité de l'eau l'empêche de voir. Avant, il se souvient, c'était un ruisseau avec de l'eau claire et un fond de petits cailloux. Mais ce ruisseau-là, ils l'ont fait mourir en creusant un canal artificiel pour irriguer les terres de Falardeau. Il en a assez vu même s'il n'est qu'à l'embouchure de la décharge. Pourquoi risquerait-il de s'estropier? Et puis, il peut y avoir des sangsues là-dedans et il a horreur de cela. Ça vous colle après, ça vous suce. C'est dégueulasse!

«Vieux maboul! T'es rien qu'un vieux maboul!» se dit-il en avançant prudemment, tâtant de son pied à chaque pas.

Il éprouve la désagréable sensation d'avoir des milliers de sangsues à ses chevilles et retire vitement ses pieds de l'eau pour vérifier. De les voir blancs et indemnes le soulage. «C'est dans ta tête... dans ta tête... y a pas d'sangsue.»

Pour s'encourager, il descend souvent au fond de son cœur chercher le regard bleu de Marjolaine et la vieille berceuse du curé restée en place.

Le pont neuf lui apparaît comme la fin de son calvaire. L'eau a toujours été profonde à cet endroit. Sacré Falardeau! Il en a de l'audace tout de même: faire brûler le vieux pont couvert pour obtenir des subventions du fédéral. Fallait y penser. Encore quelques pas à patauger dans cette merde et hop, il se retrouve assis à califourchon à la pointe de la chaloupe et passe sous le pont, béat d'admiration envers Andrew Falardeau. Ce qu'il pouvait être puissant du temps de l'Union nationale! Faire irriguer ses terres et obtenir un octroi pour la construction d'un pont neuf. Bien sûr, qu'il a ses propres lois... mais il les a toujours eues et le gouvernement a toujours fermé les yeux. Ce doit lui être très pénible aujourd'hui d'être traité en citoyen ordinaire.

Léopold se roule une cigarette. Celle-là, il la mérite bien. Il l'aspire avec satisfaction, se laissant porter par le faible courant.

Quelque chose, cependant, l'agace à la plante de son pied droit, l'empêche de savourer pleinement cette cigarette. Il regarde. Aperçoit une grosse sangsue et en brûle immédiatement l'extrémité. Elle lâche prise. Une goutte de sang zigzague dans les rides et les crevasses.

«Celle-là était pas dans ma tête. C'est plein de sangsues là-dedans. J'le savais.» Il appréhende de poursuivre sa route en pensant au chemin du retour. La chaloupe ralentit, gratte le fond. Il recommence à pousser avec les rames jusqu'à ce qu'il se retrouve immobilisé quelques mètres plus loin. Il n'y a plus d'eau. Ou si peu. Il remet ses souliers, descend dans le lit asséché où rampe un mince filet d'eau. Le voilà au beau milieu des terres de Falardeau. Il inspecte les berges argileuses et érodées. Elles lui font penser, elles aussi, à des tranchées de guerre ou à des fosses. C'est rendu qu'il en voit partout, des fosses. Mais ici, il se sent vraiment dans une fosse. Premièrement, il se trouve tout au fond et les berges le dépassent d'un bon pied, ensuite il voit pendre des racines et cela lui rappelle l'expression funèbre: «Manger les pissenlits par les racines.» Finalement, il y a des petites roches et des couloirs de vers qui lui inspirent des pensées lugubres. Vite! Il lui faut sortir d'ici! Léopold s'élance, tente de gravir la berge escarpée. Les mottes et les pierres déboulent sous ses pas. Il panique, comme si la mort voulait le retenir au fond du trou. Il réussit à se hisser et s'étend sur l'herbe, affolé, épuisé. Ce qu'il ne ferait pas pour cette Marjolaine! «Vieux fou! vieux maboul» se répète-t-il d'une voix faible, la joue écrasée sur l'herbe. Hier, elle était fraîchement rasée, cette joue. Aujourd'hui, elle l'est moins et des brindilles la piquent. Qu'importe? Aujourd'hui, Marjolaine ne le voit pas. Pourtant, c'est aujourd'hui qu'il se sacrifie. Il aurait mieux fait de rester chez lui, à boire de la bière. Et puis non. Elle lui a laissé carte blanche. Il doit se montrer à la hauteur.

Léopold se redresse, regarde autour de lui et demeure surpris de voir une pièce labourée à ce temps-ci de l'année. Il s'avance. Constate qu'une récolte vient d'être volontairement saccagée. Mais une récolte de quoi? Qu'est-ce que c'est que cette plante dans le creux d'un sillon? Il la ramasse, l'étudie.

«Du pot! Ça doit être du pot.» Le hasard vient de lui fournir un argument de taille. Reste à voir maintenant cette histoire de purin de porc. Il lui faudrait pour cela examiner les abords du canal d'irrigation jusqu'au lac à la Tortue. Non. Pas besoin. D'ici, il repère une fosse de fumier cachée au creux des vallons. Cela lui suffit. Nerveux, il rebrousse chemin, s'apprête à regagner sa chaloupe quand son pied bute sur quelque chose. Il s'arrête, échappe un cri en apercevant une tête de chiot parmi ses membres. Qui est l'auteur d'une telle horreur? Est-ce un avertissement pour quiconque découvrirait cette culture de cannabis? Il se voit en morceaux à la place du chien, sa tête par-ci, ses jambes par-là avec une sangsue sur le pied droit. Voilà le message que lui livre ce cadavre: «Ferme ta gueule. T'as rien vu.»

Épouvanté, il dégringole la berge, pousse férocement sa chaloupe et, sans prendre le temps d'enlever ses chaussures, il court dans l'eau, traînant l'embarcation dans sa fuite. Oui, c'est bel et bien une fosse, cet endroit, et cela risque de devenir la sienne bientôt s'il ne fait pas attention. Brûler un pont ou un vieux maboul comme lui, quelle différence cela fait lorsque les lois ont changé? Lorsque la pègre a remplacé le gouvernement pour assurer la puissance?

Apeuré et dérouté, il ne sait plus comment s'acquitter de sa tâche, ni comment mettre Marjolaine en garde sans tout dévoiler. Mais, avant tout, il doit quitter ce lieu.

Rendu sous le pont, il se sent hors de danger. L'admiration fait place à la déception et la détermination place à l'inquiétude. Il descend au fond de lui chercher les yeux de Marjolaine, se confesser à eux et leur admettre qu'il est un bien faible ambassadeur. Leur admettre qu'il a peur, et pour lui, et pour elle.

* * *

Vendredi, 10 août 1984.

Spitter foule rageusement la terre retournée.
— Icitte, Tiger, icitte.
Il siffle son chien.
— Pourquoi tu le siffles? demande Andrew d'une voix étranglée.
— Ben, tu m'as dit qu'y était icitte. Je l'appelle.
— Mais, tu... te souviens pas de ce qui lui est arrivé?

201

— Il est arrivé quelque chose à mon chien?

Spitter se retourne brusquement vers lui et l'assaille de son regard furieux, dément.

— Qu'est-ce qui est arrivé à mon chien?

La menace gronde dans sa voix, dans ses poings fermés, son attitude agressive. Andrew camoufle aussitôt cette peur naissante en lui. Cette peur latente, à l'affût quelque part dans son âme. Cette peur qui se manifeste par des contractions à l'estomac et des serrements au niveau de la poitrine. D'un rapide coup d'œil, il évalue ce garçon malingre et chétif. Qu'a-t-il à craindre de ces poings délicats, de ces longs bras aux veines apparentes, de ces biceps flasques, de ces épaules étroites? Le physique de Spitter n'a rien d'imposant, d'impressionnant, de menaçant. C'est tout juste une loque à apparence vaguement humaine. C'est ailleurs… ailleurs… C'est autre chose… Oui… Autre chose. C'est là, dans cet œil qui luit méchamment. Là où la folie loge. Là, dans l'œil froid… l'œil bleu pâle et cruel… L'œil qui ne respecte rien… n'aime rien… l'œil d'un autre monde… qui déforme et tord la réalité. Il est là, le siège de sa peur. Là, dans les pupilles glacées du poulain fou coursant avec les trains meurtriers. Là, dans les pupilles où se concentre un potentiel démoniaque de plus en plus redoutable. Là, dans les pupilles braquées sur lui… Les pupilles qui l'ont déjà tué… et ne le considèrent plus comme faisant partie du monde des vivants. Les pupilles qu'il défie en les soutenant malgré toute la répulsion et l'effroi qu'elles inspirent.

— Ben, voyons, Spitter. C'est toé même qui l'as…

— L'as quoi?

— Ben voyons! Tu l'as tué.

— Moé?! J'ai tué mon chien? Menteur! T'es rien qu'un menteur. Où tu l'as mis?

— Ben, là-bas, pas loin du cric. J'voulais pas que personne voie ça.

Le jeune homme se dirige vers l'endroit désigné, bottant des mottes au passage. Andrew suit, la tête basse et les mains dans les poches, incapable de détacher son regard des plants fanés gisant à travers les sillons. Des plants de la mort que son fils a semée en cette terre si riche et si grasse. Cette terre si bien irriguée, si bien arrosée, si bien ensoleillée. Abritée par les vallons des grands vents destructeurs.

202

— Tiger! Mon chien-chien...

Son fils s'agenouille devant le cadavre rongé de vers.

— C'est toé qui l'as tué... quand t'es venu faucher. Y m'suivait partout... Tu l'as pas vu pis tu l'as fauché. Pis là, t'essaies de me mettre ça sur le dos.

— J'te jure que non, Spitter. Le chien était avec toé quand j'ai fauché.

Spitter se relève, pâle comme la mort, et pose à nouveau sur lui ses yeux glacés où loge la folie.

— C'est toé qui l'as fauché.

— Non, j'te jure.

— T'es un beau salaud. Tu veux m'faire passer pour un fou? C'est ça?

— Non, j'te jure, Spitter. Tu l'as tué dans la maison des motards. Mike t'a vu. Demande-lui, tu verras.

— Mike?! T'es en train de mettre Mike de ton bord. Ça m'surprend pas: y est pareil comme vous autres, astheure. Un Falardeau tout chié. T'es un beau salaud. Ça te suffisait pas d'avoir détruit ma culture? Fallait que tu tues mon chien en plus. Que tu le découpes en morceaux et que tu le laisses icitte pour me faire accroire que c'est moé qui a fait ça pis que j'm'en rappelle plus. Me faire accroire que la drogue me rend fou. C'est Mike qui t'a donné l'idée, j'suppose. Y est même pas capable d'en prendre d'la forte, ton Mike.

— Tu ferais mieux de faire comme lui.

— Ah! Oui? Pour me réveiller avec un bâtard au bout de quelques années et une bonne femme qui prétend avoir été violée parce qu'elle a fumé un joint.

— Mike a rien à faire là-dedans, Spitter. Tu sais bien que j'aurais pas fait ça.

— Tu veux toujours gagner. Toujours avoir raison. Toujours obliger tout le monde à t'obéir. Tous les moyens sont bons pour toé. J'pense pas que t'aurais des scrupules à vouloir me faire passer pour un fou. Tes frères t'écoutent toujours. À croire qu'ils ont peur de toé. Mon oncle Ken a même brûlé le pont sous tes ordres. Pourquoi Mike serait différent des autres?

— Parce que j'ai toujours eu de la misère avec lui.

— Ça colle pas... ça colle pas. Épargne ta salive.

Du bout de sa bottine, Spitter recouvre la bête avec la terre.

203

— T'aurais pu l'enterrer.

— J'voulais que tu voies dans quel état tu… C'était pire que ça dans la cabane des motards. J'ai été obligé de tout nettoyer… C'était plein de sang…

— Menteur.

— Spitter, t'en avais dans la figure pis sur les mains.

— Pour un coup monté, c'est un beau coup monté. T'aurais pu le mettre ailleurs qu'icitte.

— Non. C'est icitte que j'voulais que tu le voies… J'voulais que tu comprennes jusqu'où ça peut te mener. Mais tu veux rien savoir. Tu veux… tu veux te détruire… pourquoi? T'es en train de te détruire, Spitter. T'es rendu au PCP. Arrête, je t'en prie… T'as pourtant manqué de rien.

— Oh! Non! J'ai eu toutes les bébelles qui m'intéressaient, mais ta p'tite christ de vie plate à respirer du fumier de cochon pis d'avoir grand de terre, ça m'suffit pas. J'aime mieux *sniffer** autre chose que la marde, es-tu capable de comprendre ça?

— Rien t'oblige à me succéder.

— J'en ai pas envie non plus. Laisse-moé vivre ma vie à ma façon, O.K.?

Spitter abandonne le monticule de terre à ses pieds et s'approche du canal d'irrigation.

— Y a quelqu'un qui est v'nu icitte. Viens voir les pistes.

Andrew le rejoint. En effet, dans le lit presque asséché du canal, il remarque des empreintes de pas et la trace d'une chaloupe. Son cœur fait un tour. Quel étranger est venu écornifler sur ses terres? Qui a vu les plants illégaux?

— Faut ramasser tout c'qui reste de plants, Spitter, et les brûler.

— Pourquoi?

— Parce que si jamais la police les voit, on est cuit…

— Toé, t'es cuit, pas moé.

— Moé, j'en prends pas… mais toé t'as des contacts. C'est toé qu'ils vont questionner, Spitter.

— Ouais… t'as raison. Ça doit être la chienne des Riverains qui est v'nue icitte. A perd rien pour attendre, celle-là.

---

* Sniffer: priser.

— C'est pas sûr que c'est elle, Spitter. Accuse pas comme ça sans avoir de preuve.

— J'l'haïs, la chienne... A va me payer ça.

Rageur, Spitter ramasse ce qui reste des plants identifiables, les réunit en paquets et les arrose d'essence. Puis, il y jette une allumette. Tout s'enflamme.

Aussitôt, il déguerpit avec la camionnette, abandonnant son père dans le champ.

Andrew s'agenouille et ramasse une poignée de terre. Il la respire. Elle sent bon la vie et la moisissure. Il la tâte, la trouve moite comme l'entrecuisse d'une femme. Moite et chaude, avec des promesses de fertilité. Riche, fidèle et généreuse, lui rappelant les mères fécondes qui enfantaient, année après année, des vies nouvelles. Il la laisse couler entre ses doigts. Respectueusement, religieusement. Le sablier de terre vivante coule. Les temps ont changé. Il ne peut s'adapter à eux. Ne peut surmonter cette barrière qui le sépare de son fils. Et demeure dans son champ, à faire couler entre ses doigts cette terre qu'il a arrosée de ses sueurs. Cette terre qu'il a fait irriguer par ses ruses politiques. Cette terre qui a assuré le pain de sa famille. Cette terre que son fils a injuriée en semant la mort dans ses entrailles. En semant le malheur dans ses sillons. Car c'est la mort qui intéresse Spitter. C'est elle qui l'attire indubitablement. C'est elle qui l'invite à la destruction. Aveugle et sourd, il lui obéit. Plus rien de cette vie, de ces odeurs de moisissure, de ces gages de renouveau n'intéresse son enfant. C'est un mort en sursis qui sème la mort autour de lui et fait pousser dans les entrailles vivantes de la terre ce qui l'anéantira finalement.

* * *

Éthiopie, samedi, 11 août 1984.

L e vent emporte la poussière dans la main de grand-père. L'éparpille comme de la cendre. Voilà ce qui reste de leur terre. Zaouditou l'imite, ramasse une poignée qui lui file entre les doigts comme du sable fin. Déposeront-ils leurs semences dans ces entrailles stériles? Grand-père hoche la tête, se relève, recommence l'opération quelques pas plus loin. Le sol inerte, encore une fois, glisse sur sa paume avec une froide sensation de mort avant de s'éparpiller au vent. Grand-père s'agenouille près de son précieux sac et couvre d'un regard triste ce champ aride. Lui qui a connu le paradis, il doit souffrir de cette vision.

    — Nous n'ensemencerons pas, Zaouditou... La terre est morte ici. Regarde.

Il crache sur le sol. Le crachat ne s'imbibe pas.

— La terre n'est même plus capable de retenir l'eau... Même s'il pleut.

Il regarde le ciel brûlant.

— Ce sera trop tard. Il est trop tard maintenant.

— Qu'allons-nous faire des semences?

— Nous allons les manger, Zaouditou.

— Et quand elles seront toutes mangées?

— Nous verrons... alors.

— Pourquoi n'irait-on pas au lac Tana? Vous connaissez le chemin.

— Parce qu'il y a ta mère et le bébé, et Zeferi et Nigusse. Nous sommes trop nombreux pour l'âne et trop fatigués pour marcher jusque-là.

— Donnez-moi une graine de semence, une seule.

— Pourquoi?

— Je veux la mettre en terre.

— La terre va la brûler.

— Je veux voir, je veux essayer.

— Très bien... je te la donne pour l'espoir..., car il faut toujours qu'il y ait de l'espoir.

Avec des gestes cérémonieux, grand-père lui présente un grain de teff au bout de ses longs doigts osseux. Elle le dépose dans sa main et le contemple longuement, concentrant sur lui tous ses espoirs. Elle lui parle dans son âme, projette son éclosion, son enracinement. «Petit grain de teff, lui dit-elle, germe et grandit dans cet enfer qui m'a vue naître. Fais-le pour moi... pour toutes ces moissons que je n'ai pas vues. Vis malgré la mort qui te cerne.»

De son index, elle creuse un trou pour l'y laisser tomber.

— Viens, maintenant, dit grand-père.

Elle le suit. Laissant derrière, dans le champ, tous ses espoirs liés à un petit grain de teff. L'a-t-elle laissé choir dans un tombeau? Pourquoi a-t-elle déposé un grain de vie dans ce grand jardin de la mort? Son âme d'enfant retient la réponse de son grand-père sans la comprendre parfaitement. «Pour qu'il y ait de l'espoir.» Il faut toujours qu'il y ait de l'espoir.

* * *

Dimanche, 12 août 1984.

Pour la première fois en quarante ans, Flore ne se prépare pas pour la messe. Habituellement, à cette heure, elle l'attend, tout endimanchée sur le banc de la galerie. Elle n'y est pas, et le banc vide crée un déséquilibre en lui. Hervé pénètre dans la cuisine et trouve sa femme concentrée à assembler les morceaux de sa courtepointe.

— On ne va pas à la messe? demande-t-il, incrédule.

— Vas-y si tu veux. Moé, j'aime autant faire mon ouvrage icitte.

— Oh! Non. Sans toé…

Il se débarrasse de ses vêtements de travail qu'il accroche sur la galerie et enfile machinalement un pantalon propre. Assis sur le lit, il observe Flore penchée sur la table et ne sait que penser. Son attitude l'inquiète, le trouble. Elle vient de chavirer quarante ans d'habitudes comme si de rien n'était. Mais voilà, il ne croit pas que rien n'y est. Au contraire, quelque chose est là, dans sa femme, mais il ne sait pas ce que c'est. Le sait-elle elle-même? Sait-elle exactement pourquoi, en ce beau dimanche ensoleillé, elle ne s'est pas payé sa sortie dominicale? Sa sortie de couple? Car c'était le seul moment où on les voyait ensemble. Peut-elle identifier ce qui bouscule ainsi leurs habitudes?

Il aimerait lui parler et cherche les mots pour la rejoindre. Pour fouiller et trouver ce qui est en elle et la métamorphose ainsi. Mais il craint qu'elle ne se dérobe par une excuse ou un sourire. Elle a pris l'habitude de lui cacher son âme et depuis qu'il a hypothéqué les terrains, ses yeux ne cessent de lui adresser des reproches.

Il aimerait l'entraîner, lui dire: «Fais-toé belle, on va à la messe», mais ce rôle ne lui appartient pas. En quarante ans, il a toujours été à la remorque de sa femme. Maintenant qu'elle démissionne, il ne sait que faire et se tourne les pouces.

— Tu pourrais aller à la pêche avec Gaby. Y est tout seul. Mike est allé chercher Alex.

— Mais toé?

— Oh! J'ai assez d'ouvrage, mon vieux.

Elle se faufile tout en faufilant comme si de rien n'était. L'envoie à la pêche avec Gaby. Résigné, Hervé change à nouveau de vêtements et range son habit du dimanche avec nostalgie. Alarmé par cette brisure que sa femme tente de camoufler.

— Tiens! V'la Mike qui revient, dit-elle sans détacher les yeux de son ouvrage.

Il regarde par la fenêtre. Alex ouvre la barrière et laisse passer son père. L'enfant arbore un très beau sourire sous son casque de sécurité et enfourche la moto avec aisance.

— Marjolaine lui a laissé pour la journée?

— Oui, Mike va l'emmener au baseball.

— J'vais aller avertir Gaby pis chercher mon moteur dans la remise. Tu veux nous faire un lunch?

— Ben sûr.

Ben sûr qu'il ne peut pas l'emmener. Il n'est pas son père mais celui d'Alex. Et puis, il n'y a pas de place pour trois sur la

210

moto. Et puis... Mike ne sait même pas qu'il aurait aimé faire un tour.

Les yeux rivés au chemin où redescend lentement la poussière, Gaby attend, soupire et espère. La tête appuyée contre la boîte aux lettres qui ne lui livre jamais de courrier, il espère que quelqu'un vienne le secourir de cet ennui qui l'engloutit. Il imagine la voiture neuve de sa maman poindre là-bas, au tournant. Ce qu'il aimerait qu'elle vienne le chercher ou le visiter! Qu'elle vienne spécialement pour lui, comme Mike tantôt qui est venu chercher Alex. Il envie son cousin. Rêve de changer de place avec lui et de vivre sur l'île avec sa maman. Est-ce mal de lui souhaiter cet ennui qui l'étreint?

La main de grand-père lui frotte les cheveux. Il la reconnaîtrait entre mille.

— Viens-tu à la pêche, Moussaillon?

Grand-père s'ennuie aussi. Tout comme lui. Il n'a pas besoin de mot pour saisir l'âme de grand-père. Il la voit tout entière dans ses yeux.

Gaby acquiesce, abandonne la boîte aux lettres. Personne ne viendra pour lui, aujourd'hui. C'est une trop belle journée, un trop beau dimanche pour perdre son temps avec un petit garçon comme lui. Seuls les vieux ont cette patience ou du temps à perdre.

Ah! Perdre son temps. Quoi de plus formidable? Être assez riche en temps pour le perdre tout bonnement. Sans se culpabiliser, sans paniquer. Le perdre consciemment, volontairement et en éprouver une jouissance inavouable.

Couché à plat ventre sur sa planche à voile, Ti-Jean se laisse dorer le dos, ses mains traînant dans l'eau. Il a décroché la voile et décidé de relaxer. De toute façon, il n'y a guère de vent. Et puis, c'est si bon ce soleil, cette chaleur qui s'amasse au creux de ses reins, le clapotis des vagues contre la planche et cette eau rafraîchissante entre ses doigts. C'est si bon, si bon la vie des fois. Il doit faire provision de ces moments merveilleux, doit les emmagasiner d'ici la fin de ses vacances. Ne rien faire, ne rien dire, ne rien penser, sauf à la polyvalente pour apprécier davantage l'instant présent.

Les yeux fermés, il écoute les bruits autour de lui. Tente de les découvrir, de les identifier. Ah! Ça? C'est le babillage de Nadia baignant sa poupée et là-bas, il reconnaît Youri avec les Potvin, quelqu'un vide sa chaloupe ici, un autre cogne du marteau là-bas, le malheureux, par une si belle journée. Il discerne maintenant le chuchotement du vent dans les feuilles des trembles et jusqu'aux insectes qui stridulent le long de la route. Ah! C'est merveilleux! Hélas! Il ne lui reste plus qu'une dizaine de jours de vacances et, avec les Riverains, il n'a guère eu de repos. Il repère sa femme sur la balançoire. Bien qu'il la distingue mal sans ses verres, il sait qu'elle étudie encore les règlements sur la pollution des eaux par les établissements de production animale. Autrement dit, elle tient mordicus à se mettre les pieds dans les plats à sa place. Car lui, il a décidé de bénéficier une fois pour toutes de ses vacances, de son terrain, de son chalet, de son lac. A décidé de se mêler de ses affaires et de vivre comme une tortue oisive les quelques jours de répit qu'il lui reste avant la rentrée des classes. Qu'ils aillent au diable, Falardeau et ses porcs!

Ces pensées l'irritent, l'empêchent de se détendre à fond. Il en veut à Diane de ne pas abandonner la lutte et ferme les yeux pour ne plus la voir, le nez plongé dans les règlements endormants. En plus d'être endormants, ils sont inefficaces puisque personne ne les respecte. Alors, à quoi ça sert de s'en faire? Ce n'est pas lui, petit avorton de professeur, qui va changer la face de ce monde.

Un bruit de moteur au loin. L'oreille collée contre la planche, c'est fou ce qu'on entend. Le grondement s'intensifie de plus en plus. Mais, ma foi, ce bruit semble foncer directement sur lui. Il ouvre les yeux, aperçoit la coque d'une embarcation à quelques mètres de lui. Vite, il se lève pour signaler sa présence au conducteur qui lui tourne le dos.

— Aie! Ohé! Retourne-toi, bon sens! Aie! J'suis ici! Aie!

Il s'égosille, gesticule, hurle. Rien n'y fait: le conducteur n'a d'yeux que pour le skieur.

— Aie! Aie! Y va m'tuer!

Ti-Jean plonge. Bulles, grondement et éclatement au-dessus de sa tête. Miracle, il émerge à la surface. Indemne.

René Mantha, éberlué, ramasse la planche sérieusement endommagée.

— Mais qu'est-ce que c'est que ça?

— C'est ma planche. T'as failli m'tuer.

L'homme le regarde, hébété comme s'il apercevait une sirène.

— T'es pas en loi. Faut être deux dans l'bateau quand on tire des skieurs.

— J't'ai pas vu... excuse-moi.

Diane accourt en brandissant les textes de lois sur les productions animales comme si c'était ceux des embarcations motorisées.

— J'appelle la police... Vous avez failli tuer mon mari. Ça va vous coûter cher, monsieur Mantha.

Son voisin le hisse à bord. Ti-Jean tremble comme une feuille sous le soleil. Où est cette chaleur au creux de ses reins? Sa femme menace sur le quai. Cela l'énerve. Il veut la paix, la sainte paix.

— T'as rien? s'informe Mantha, inquiet.

— Non.

— J'vais te payer ta planche.

— Et si j'étais mort... ou blessé?

Un silence glacial. Le yacht accoste. Ti-Jean, tremblant et chambranlant, s'effondre en larmes dans les bras de sa femme. Il a eu si peur. Mais si peur. Et, à la façon dont elle le console, le cajole, il comprend qu'elle aussi a eu peur. Il l'aime tellement, sa grande Diane qui s'entête à décortiquer les règlements de production animale. Elle aussi, elle l'aime. Elle l'aime de tout son cœur, lui, le petit professeur qui a abandonné la lutte en cette fin d'été.

Des gens s'attroupent à la recherche de sensations. Il doit les décevoir d'être sans égratignure et de pleurer spasmodiquement comme un gamin qui a eu une grande frousse. Pas une goutte de sang et il pleure. Il doit se ressaisir. De quoi a-t-il l'air avec sa petite taille qui le fait paraître comme un enfant dans les bras de sa mère?

Il s'essuie les yeux du revers de la main. Se détache de sa femme. Réussit un sourire vacillant. Tout à coup, dans la masse des curieux, un visage retient son attention. C'est celui de Youri, son fils. Tout à coup, un regard parmi tous ces regards braqués sur lui l'atteint en plein cœur.

Youri est déçu de lui. Youri a honte de son comportement. De sa peur et de ses pleurs. Humilié, il s'éloigne du groupe et va se terrer dans le chalet.

— Ça sert à rien de porter plainte. J'vais la payer, ta planche.

Cette phrase fouette Ti-Jean. Il se tourne vers Mantha, gros, grand et puissant. Tout petit et encore tremblant, il se sent cependant supérieur à lui. Il peut, s'il le veut, négocier trois planches à voile. Ou même quatre. Il peut marchander sa conscience. Faire payer son silence. Mais il pense aux enfants qui flânent sur l'eau avec leur matelas pneumatique, pense à Youri et à ses amis à la chasse aux grenouilles, pense à ses vieilles voisines sur leur pédalo. Quatre planches à voile valent-elles une seule de ces vies? Non, il ne permettra pas à Mantha d'acheter cette négligence criminelle.

— Espèce d'imbécile! Tu crois que le lac t'appartient? Que tu as le droit de faire du ski nautique sans avoir personne pour surveiller? Tu vas apprendre que les lois sont faites pour tout le monde. Va appeler la police, Diane.

C'est de rage, maintenant, qu'il tremble en invectivant son voisin. L'attroupement, qui s'apprêtait à se dissoudre, se resserre autour d'eux. Un sourire suffisant relève les lèvres épaisses de Mantha, dévoilant sa prémolaire en or.

— P'tit niaiseux! Tu vas prouver quoi, à la police? As-tu des témoins à part ta femme?

Des témoins? Quelle question? Ils sont tous là autour de lui, les témoins. Ti-Jean les parcourt du regard et constate avec désolation que les adultes se désistent et s'en retournent sans faire d'histoire. Ne restent que des enfants, tous prêts à témoigner. Son impuissance le terrasse. Quoi donc? Il n'arrivera jamais à faire régner l'ordre et la justice. Ni avec les enfants, ni avec les adultes.

— Nous allons porter plainte, quand même, affirme Diane en se postant tout près de lui.

— Et chaque fois que vous serez dans l'illégalité, monsieur Mantha, nous allons porter plainte jusqu'à ce que vous respectiez les lois.

Adieu vacances, adieu bienheureuse paresse, adieu temps perdu à flâner sur l'eau. Le combat inégal que Diane vient d'engager ne leur laissera aucun répit. Comme un insecte, il devra harceler sans cesse le puissant magnat du village au risque de se faire écraser d'une pichenette. Qu'importe? Il se tiendra debout… ou du moins il essaiera. Pour lui. Pour Youri, parti avec la honte au front.

— T'enverras ta police chez nous. Tant pis pour ta planche. J't'avais offert de la payer.

Mantha engage son moteur à la renverse et passe à toute vitesse devant eux. D'énormes vagues viennent mouiller les pieds de Ti-Jean sur son quai. Il fulmine. Suit d'un regard courroucé son arrogant voisin jusqu'à ce que sa myopie estompe la silhouette massive de René Mantha.

— Tiens? Il a de la visite. Connais-tu ces imbéciles, Diane, qui l'accueillent avec des applaudissements?

— Oui. C'est l'huissier et sa femme.

Sa femme: il regrette un peu de l'avoir amenée. Elle rit comme une chèvre et n'a pas un sou de génie. Et puis, elle se couvre toujours de ridicule en voulant plaire. L'expression de madame Mantha le confirme. Qu'il a honte présentement de la voir applaudir et glorifier leur hôte comme s'il venait de terrasser un lion.

— Bien fait! Vous leur avez parlé dans le nez, félicite-t-elle en l'accueillant en héros. Ça, c'est un homme qui ne s'laisse pas piler sur les pieds. Faut les mettre à leur place, ces gens-là.

Sa place à elle, ce n'est sûrement pas ici, pense le huissier. Dans la maison, elle ne dépare pas trop. Mais ailleurs, dans des endroits chic, sa culture de bas-fond tranche nettement. Elle possède le sans-gêne et la familiarité d'une tenancière de bordel. Le pire, c'est qu'elle ne s'aperçoit de rien. Ni de l'œil moqueur de Mantha, ni de la mine incrédule de son épouse, ni même du fou rire de son fils.

— Vous prendrez bien quelque chose avant le dîner.

D'un geste large, Mantha exhibe un chariot chargé de bouteilles, de verres et de coupes ainsi que le barbecue au propane où rôtissent de petits poulets.

— C'est à la bonne franquette.

— Nous aussi, on en a un au propane, précise la femme du huissier, les yeux sur la piscine creusée qu'ils ne possèdent hélas pas.

Indisposé par cette remarque, Martial Bourgeon se contente de masquer son agacement, se donnant l'air le plus naturel du monde en tétant sa vodka jus d'orange, bien étendu sur la chaise en

215

résine de synthèse qui vaut deux cents dollars pièce et dont il possède une pâle imitation en plastique.

— Les affaires vont bien?

— Oh! Vous savez, moi, quand les affaires des autres vont mal, les miennes vont bien.

Ce qu'il peut aimer cette phrase! Elle dit tout. Explique tout.

Satisfait de sa réplique, l'huissier ne remarque pas le sourcillement de René Mantha. Une autre vodka. Il est à la hauteur; sa femme, non. Pourvu qu'elle ne parle pas de leur chaise en fausse résine! Dire qu'un jour, il pourrait saisir tout cela. Faudrait que les affaires de Mantha aillent mal pour en arriver là, mais elles prospèrent puisqu'il désire s'approprier l'entreprise de camionnage sur le bord de la faillite. C'est d'ailleurs pour lui tirer les vers du nez qu'il l'a invité avec son épouse. Mais il est habile et ne dévoilera que ce qui lui ouvrira les portes grillagées de cette résidence, gardant le reste sous le sceau du secret professionnel. Car il aime côtoyer ces gens riches. Aime rêver qu'un jour, il pourrait se payer tout cela. Il aime la puissance que donne la richesse.

— Une vodka?

— Juste une autre.

Juste une autre. Après, il ira la voir pour lui confesser sa lâcheté. Léopold s'engourdit avec sa bière, se fait accroire qu'il aura le courage de rencontrer Marjolaine. Mais il ne l'a pas et échoue à se leurrer.

Il n'ira pas. Pas aujourd'hui. Il ignore comment la prévenir du danger qui la guette. Il n'a pas de mot pour expliquer ses appréhensions. Seulement des images. Et les images vont et viennent dans son cerveau brumeux. Tantôt, c'est la sangsue à son pied, tantôt le cadavre démembré du chiot, tantôt la fosse où git le ruisseau de la décharge. Tout cela a des odeurs de pourriture. Pègre et pollution se fondent dans la mort, s'unissent dans ce mot qui le glace.

Il n'ira pas aujourd'hui. Demain peut-être. S'il trouve le courage et les bons mots.

Un bon mot sur sa pelouse bien entretenue et le voilà gagné.

À quatre pattes à la chasse aux pissenlits, Ti-Ouard accompagne sa voisine de chalet d'un regard conquis. Qu'attendre de plus de la vie après le compliment qu'elle vient de lui faire? «Votre pelouse a de quoi rendre un vert de golf, vert de jalousie.» Y a pas à dire, elle sait l'atteindre droit au cœur. Dommage qu'elle ait été si hautaine envers lui quand elle était présidente des Riverains, car après tout c'était bien plus facile et bien plus simple de son temps. Aujourd'hui, c'est rendu si compliqué. L'homme porte automatiquement son regard vers l'île de Marjolaine, au loin. Farouche et sauvage, avec ses grands pins et sa végétation dense. Selon elle, il faudrait laisser pousser arbustes et broussailles le long de la rive. Jamais il ne pourra se résoudre à cela, lui qui fouille et inspecte chaque pouce carré de son terrain à la recherche de mauvaise herbe ou de plante indésirable. Le priver de sa pelouse, ce serait le priver de sa fierté. Ce serait l'expulser d'un domaine où il excelle. Il aurait dû devenir paysagiste, comme il l'entendait. Comme il le rêvait. Mais le diable de beau-frère et sa femme l'ont rivé à un poste qui ne lui sied pas. Un poste qui ne lui apporte que bien peu de satisfaction. Surtout depuis que Marjolaine est devenue présidente des Riverains. Oh! Il ne lui en tient pas rigueur depuis qu'il l'a vue près du ruisseau. Depuis qu'il sait qu'elle est réellement affectée par les crimes commis envers la nature. Elle fait de son mieux. Risquant gros, risquant tout finalement. Dernièrement, elle a déterré la hache de guerre entre le clan des Falardeau et celui des Taillefer. Heureusement pour lui, ce cas relève de la direction régionale de comté et il peut se laver les mains en toute quiétude. Mais il ne se lavera jamais de ce sentiment de culpabilité qui entache sa conscience face à Marjolaine. Il se sent si minable. Si poltron. Si traître de n'avoir jamais envoyé son rapport sur le déversement des boues de fosses septiques. Pourquoi a-t-il fallu que cette femme vienne lui remuer le fond du cœur? Pourquoi a-t-il fallu que le regard de Marjolaine se rende là où jamais celui de Berthe ne s'est rendu? Là. Tout au fin fond de lui, sous l'avalanche des injures et les décombres de sa faiblesse. Là, où il est droit, fiable et propre. Pourquoi l'attitude de cette femme complique-t-elle tout ce qui était si facile du temps de madame Latour? Pourquoi le fait d'avoir été considéré comme un inspecteur autonome le trouble-t-il à ce point? Préférait-il être traité en valet par madame Latour?

Il se pose tant de questions maintenant. Revoit souvent en pensée l'île sauvage où dame Nature fait office de paysagiste selon des règles totalement différentes des siennes et, par moments, il lui arrive d'être ébranlé dans ses convictions et de croire que madame Latour a peut-être mal agi, l'an passé, en répandant des herbicides dans l'eau. À l'époque, cette solution lui paraissait tellement évidente: les herbages sont là et, pour s'en débarrasser, on les tue. Mais aujourd'hui... depuis que le regard de Marjolaine se creuse en lui, aujourd'hui, il a des doutes.

C'était si simple. Si facile avant.

Ti-Ouard soupire. Se concentre à nouveau sur sa tâche qui consiste à mener à l'extinction l'espèce nuisible des pissenlits. Il pense à l'île, à Marjolaine, au sentiment exaltant de fierté qui l'a gagné lorsqu'il a signé le rapport qu'elle a rédigé pour la FAPEL. Son cœur bat curieusement et il rougit tout à coup comme si Berthe pouvait voir ce qui se passe là où s'est rendu le regard de Marjolaine.

Déjà, le compliment de madame Latour n'a plus d'effet sur lui.

De l'effet sur lui? En a-t-elle encore? Elle serait portée à le croire. La réaction de Mike la laisse perplexe, et elle ne peut se concentrer sur les règlements de production animale. Les mots dansent devant ses yeux sans rejoindre son esprit préoccupé par cet homme paternel et protecteur qu'elle vient de découvrir. Comment dire? Mike lui a toujours semblé irresponsable, inconscient et inconséquent et voilà que ce matin, il produit une toute autre impression chez elle. Voilà même qu'il s'offre comme médiateur entre les Riverains et Andrew. Ce changement d'attitude la déroute. Elle refuse d'admettre que cet homme lui a plu. Ne fut-ce que l'instant fugitif où elle a perçu tout son attachement envers Alex quand il lui a ajusté son casque protecteur. Ce regard bienveillant qu'il avait, ces gestes doux, ce ton ferme mais amical: «J'ai pas envie que tu t'cognes la tête, mon bonhomme.» Il ne faut pas qu'il lui ait plu. Ne faut pas qu'elle cède devant lui. Elle a déjà tant souffert de son immaturité. Non... il ne faut pas lui laisser mettre le pied dans la porte de son cœur. Lui laisser la chance de la reconquérir.

Des mots reviennent sans cesse la troubler. «Ne t'fais pas un ennemi de mon frère Andrew. Laisse-moé arranger les choses. T'as qu'à me dire ce qui va pas avec son élevage... Brasse pas l'eau, Marjolaine, tu vas faire monter la boue.»

L'expression qu'il avait la met en garde contre un danger mais lequel? «Brasse pas l'eau, tu vas faire monter la boue.»

De la boue, il y en a partout. Marjolaine ne sera pas contente de voir son linge neuf tout sale. Ce n'est pas de sa faute. Il a glissé et il est tombé dans une flaque au terrain de baseball. Mike a ri. Lui a payé un hot-dog, une patate frite, une boisson gazeuse. C'est bien meilleur que les sandwichs aux concombres de sa mère et le sempiternel verre de lait. Ce qu'il peut être excitant, son père! Amusant! On dirait qu'il a son âge tout en étant un adulte.

Maintenant, il l'emmène visiter la cachette des motards. Il sera le premier enfant à y être admis. La moto roule dans le champ écrasé de soleil et le vent rafraîchit ses joues. Il se sent fort, invincible avec son casque protecteur. Rien, aujourd'hui, ne peut venir à bout de sa joie, de son assurance, car Marjolaine lui a donné le feu vert ce matin. «Va t'amuser avec ton père.» Elle n'avait plus cette douleur errante dans les yeux à la vue de Mike. N'avait plus cette inquiétude au front qui le freinait dans ses élans et le limitait. C'est comme si elle lui avait dit: «Vas-y, tu peux l'aimer.»

Alex ne sait pas s'il aime son père. Du moins, ce qu'il ressent envers lui diffère tellement des sentiments qu'il éprouve envers Marjolaine. Elle, il l'aime, c'est sûr. Mike, il ne sait pas, mais il est heureux avec lui. Il est fier de lui, fier d'être son fils. Son père éclipse tous les autres. Et puis, ils se comprennent.

Une cabane, une grange surgissent derrière les vallons.

— Descends, chum, on est rendu.

Rendu ici, il regrette d'avoir cédé aux instances d'Alex. Comment dire? Il n'aurait pas dû l'emmener au refuge des motards, mais il n'a su comment le lui refuser. D'ailleurs, il ne sait, ni ne veut lui refuser quoi que ce soit. Il a tellement envie d'être aimé de son fils qu'il lui répugne de jouer le rôle qu'Andrew a joué dans sa propre enfance. Il n'est pas là pour sévir mais pour amuser. Pas là pour refuser mais pour ouvrir le monde à son enfant.

Tout de même, il est contrarié, inquiet, déçu d'avoir comblé le désir d'Alex de visiter ce lieu. Heureusement, Spitter n'y est pas.

219

Mais le petit chien dépecé, là-haut, ne cesse de le tourmenter et de lui reprocher sa faiblesse. Il n'aurait pas dû, mais comment faire? Comment dire non sans risquer de perdre l'estime, l'affection naissante? Il ne peut se comparer à Marjolaine. Elle possède tant de temps auprès d'Alex pour laisser mûrir les explications. Elle possède tant de temps qu'elle peut se permettre de le laisser bouder. Lui, pas. Il est limité. Pressé de se faire accepter et aimer. Et puis, il ne veut pas refléter l'image d'Andrew mais celle de son père, de son vieux compagnon sénile. Quand même, il n'aurait pas dû. Le petit chien dépecé là-haut lui donne envie de prendre Alex dans ses bras et de le serrer très fort pour exorciser sa peur. Mais l'enfant joue au petit homme. Surtout depuis qu'il porte le casque protecteur. Avec Marjolaine, il doit avoir un tout autre comportement. De toute façon, cet enfant, il ne l'a jamais pris, lui, dans ses bras. Jamais serré contre lui. Pour cela aussi, il lui faut du temps. Il aimerait bien le faire mais ne sait comment s'y prendre. Comment le prendre. Il n'a pas le tour.

— Enlève ton casque, on va aller visiter.

Redeviens un enfant, souhaite Mike. Alex obéit, pose le casque sur le siège et, fourrant ses mains au fond des poches, il suit en se donnant des airs de conquistador, s'initiant au rôle de petit homme en sa compagnie et rejetant par le fait même celui de l'enfant qu'on étreint tendrement.

— Ça ressemble à un film de cow-boy.

— Où t'as vu ça des films de cow-boy? Vous avez pas de télévision.

— Chez pépère quand j'me fais garder.

— Ah! oui, c'est vrai.

Curieux, lui aussi trouvait cela dimanche dernier.

— T'as peur?

— Peur de quoi?

— J'sais pas… y peut y avoir un bandit de caché là-dedans.

— Ben non, voyons. J'ai pas peur.

Alex pénètre en premier.

— Wow! C'est grand. Aie!

Son regard s'attarde sur une affiche de femme nue.

— Marjolaine est encore ben plus belle, dit-il simplement en passant devant comme s'il voulait lui rappeler qu'il a perdu au change.

— Qu'est-ce qu'y a en haut?

— Rien, des vieilleries.

— Je peux y aller?

— Non, viens.

— Oh! Envoye donc.

— Non. Faut rentrer maintenant mais avant, tu vas m'faire une promesse. T'sais c'est quoi, une promesse, une parole d'honneur?

— Oui.

— Tu vas me promettre de jamais venir ici sans moé.

— J'te promets de jamais venir ici sans toé. Croix de bois. Croix de fer. Si j'meurs, j'vas en enfer.

— Parfait. Oublie jamais c'te promesse-là, Alex.

Qu'il aimerait le prendre dans ses bras pour consacrer cette promesse! Presser sa jeune tête bouclée dans ses mains prêtes à le défendre et calmer ainsi ses angoisses. Mais il n'a pas le tour et ne sait comment s'y prendre afin de ne pas froisser ce petit homme qui s'affirme chez l'enfant.

— Viens, faut rentrer… Marjolaine va s'inquiéter.

S'inquiéter, elle ne fait que ça. S'inquiéter de Marjolaine et d'Alex, s'inquiéter d'Irène et de Gaby, s'inquiéter d'Hervé, de Florient et de Jean-Paul. S'inquiéter de la fin de mois qui approche et de l'argent que son mari doit trouver pour respecter les paiements de l'excavatrice. Comment réussir une courtepointe dans ces conditions? Avec, en plus, cette guerre froide entre le clan des Falardeau et le leur. Comment se concentrer pour réunir les morceaux?

Découragée, Flore abandonne son ouvrage. Seule, elle se berce dans sa grande cuisine. Les souvenirs émergent de partout; de l'escalier où les enfants pendaient leur bas de Noël, du coin de table où s'était blessé Jean-Paul, du poêle à bois où Marjolaine s'était brûlé le doigt, du coin à balai où Irène se cachait, de la fenêtre que tous ses enfants ont souillée de leur petit nez curieux.

Les souvenirs heureux émergent et font sentir à Flore qu'elle est bien vieille et bien seule en ce beau dimanche ensoleillé.

* * *

221

Lundi, 13 août 1984.

Les inspecteurs ne pourront rien prouver, pense Andrew devant sa fosse à purin qu'il vient de faire vidanger. Ils viendront ici, prendront un échantillon au drain périphérique qui passe autour et au-dessous du plancher et, comme celui-ci ne contiendra ni purin, ni eau contaminée, le tour sera joué. Ils n'iront sûrement pas marcher sur l'étendue de ses terres à la recherche de ce surplus qu'il a caché entre les vallons, là-bas, près du canal d'irrigation.

Avec satisfaction, l'homme arpente de long en large sa fosse à purin, cette preuve incontestable que son établissement observe les règlements de production animale. Il se sent revivre. Se remet lentement de cette bûche que Spitter lui a lancée à la tête. Avec le recul et le changement qui s'est opéré chez son fils depuis les trois derniers jours, il veut considérer cette agression comme un mouvement de colère, un acte isolé qui n'incrimine pas son enfant comme le suppose Mike. Il veut oublier l'étincelle malicieuse qu'il a décelée dans le regard de Spitter. Il veut même se convaincre qu'il a détruit trop hâtivement la culture de cannabis quoique finalement, il se trouve soulagé d'avoir débarrassé sa terre de ces plants sataniques. Ces plants qui ont momentanément plongé son fils dans un bain de folie et de sang.

Il veut oublier tout cela, le rayer de sa mémoire, l'ensevelir pour toujours dans sa conscience. Mais ce n'est pas aussi facile que d'enterrer les morceaux du chien. Ça remonte toujours à la surface comme un cadavre mal lesté. Alors, il le repousse au fond de lui avec acharnement. Il doit oublier. Oublier. Il doit effacer. Il doit pardonner et laisser à Spitter cette dernière chance qu'il demande. Comment la lui refuser? N'a-t-il pas reconnu ses torts et exprimé le désir de s'amender? De se corriger?

Et, depuis trois jours, ne fait-il pas de louables efforts pour repartir sur de nouvelles bases? Depuis trois jours, n'est-il pas devenu un vrai Falardeau, stimulant ses oncles à se serrer les coudes pour faire face aux Riverains? Depuis trois jours, n'est-il pas concerné par le bien familial?

Oui, il doit oublier. Doit s'arracher ces visions morbides du crâne. Cette peur indéfinie de l'âme. Le poulain lui revient, marchant sur les rênes qui lui massacrent la gueule. Il doit les reprendre, ces rênes. Doit guider le poulain qui se soumet à son autorité, évitant de rencontrer son regard qui saisit. Tout doux, tout doucement, avec une main prête à caresser et l'autre à diriger, il doit s'approcher de lui. Tout doux, tout doucement il doit lui faire savoir qu'il oublie tout ce qui a été saccagé. Qu'il oublie tout et recommence.

Pas facile. Mais il le doit. Il le veut. Il le faut. C'est sa dernière chance à lui aussi. Se la refuser et la refuser à son enfant, c'est mettre un terme, un point final. C'est cadenasser la porte de la maison et du cœur. Et puis, cet enfant, il l'aime. Il le préfère. C'est injuste, il le sait, mais c'est ainsi. Cet enfant représente sa réussite, sa victoire sur les éléments et les gens du village. Né en pleine prospérité, il a pu à loisir vêtir Spitter des plus beaux habits et le traiter en jeune prince. Il a pu à loisir le gâter, le combler, le dorloter. Faire en quelque sorte qu'il se démarque des autres petits gars de la campagne afin que l'on voie en lui un fils de riche propriétaire terrien.

Oui, Spitter a toujours été sa fierté et sa raison de prospérer davantage. Il s'en est rendu compte lorsqu'il a esquivé la bûche. Plus rien ne le tentait alors. Cet immense domaine Falardeau ne parvenait pas à amoindrir sa peine. Il avait le cœur si atteint qu'il ne l'avait plus pour se défendre des Riverains. Mais maintenant que Spitter est en de si bonnes dispositions, il reprend goût au combat et ambitionne même d'atteindre vingt mille unités animales. Il doit oublier cette bûche ou du moins parvenir à la considérer comme une folie due à l'absorption d'une drogue. Son père, Conrad dit le bambocheur, n'a-t-il pas commis maintes folies sous l'effet de l'alcool? Quelle différence au fond? Les temps ont changé, c'est tout. Le comprimé a remplacé la bouteille. Les folies demeurent. Mike a tort de s'alarmer et de considérer Spitter comme un criminel en puissance. Le fait qu'il ait décapité le chiot ne prouve rien. Est-ce que tous les garçons qui ont fait fumer des grenouilles jusqu'à l'éclatement sont devenus des assassins? Pas du tout.

Il soupçonne Mike de se venger par l'intermédiaire de Spitter. De le lui jeter en pleine figure comme une erreur monumentale, démontrant ainsi qu'il a été inutilement sévère à son égard. Il n'aurait pas dû le mettre dans le secret et demander son aide. Cette bûche, ce regard, il aurait dû les garder pour lui. Les laisser entre lui et Spitter.

Depuis, Mike essaie de le manipuler avec cette histoire. Voilà qu'il s'offre comme médiateur entre lui et les Riverains. Voilà qu'il fraie à nouveau avec cette Marjolaine et qu'il renoue avec son fils. Il les a vus se promener ensemble en moto. Il a vu le bambin avec l'ancien casque de Spitter. De quel clan est-il au juste, ce jeune frère? De celui des Falardeau ou de celui de ces illuminés qui s'alarment à propos du cric Cochon? Pourquoi s'offre-t-il en médiateur? Il n'y a rien à négocier car il est bel et bien en loi. Personne ne pourra prouver quoi que ce soit. Et puis ce canal d'irrigation n'est même pas considéré comme un cours d'eau protégé. Lui aussi, il les a étudiées les lois. Il ne laissera pas Marjolaine et les Riverains le prendre en défaut. Maintenant, il a plus que jamais l'intention de se défendre. Tant pis pour elle si elle ne veut pas comprendre. Tant pis pour Hervé. Tant pis pour les frères Taillefer. Il n'y peut rien. C'est la vie. Chacun pour soi.

Pourquoi s'efforcerait-il de protéger cet environnement que d'autres polluent tout autant que lui, sinon plus? René Mantha ne se soucie guère, lui, des méfaits qu'il occasionne au lac Huard. Il empoche son argent et personne ne souffle mot. Que fait l'Association contre lui? Pas grand-chose puisque la moitié de la municipalité travaille à son usine. S'attaquer à lui, ce serait s'attaquer à la moitié de la municipalité. Alors, l'Association préfère s'attaquer à un homme seul. Mais elle se trompe. Il n'est pas seul. Spitter est là. Spitter est de retour. Spitter l'encourage à protéger le bien familial et entraîne toute la famille. Et puis il y a l'autre moitié silencieuse de la municipalité qui appuie son clan. Il n'est pas seul à polluer et ne cessera que lorsque les grands cesseront.

Cette fois-ci, la lettre était enregistrée. Denise a jugé bon de l'en informer. Sans même la décacheter, il lui a fait subir le même sort que la précédente.

René Mantha considère l'enveloppe froissée au fond de la corbeille. Ces Riverains le font rire. Ils sont d'une naïveté déconcertante. Pensent-ils le toucher avec ces avertissements et mises en garde? Il n'a qu'à penser à son voisin, cet avorton qui braillait dans les bras de sa femme, pour que le fou rire s'empare de lui. Quelle bande d'imbéciles, menée par une illuminée!

Le peu de poussière que ses cheminées d'usine répandent dans l'air n'est rien à comparer à ce que crachent les cheminées géantes de la Noranda et de l'Inco. Il serait bien dupe de se prévaloir de filtres coûteux pour laisser à d'autres le soin de polluer son environnement. Pour laisser le vent charrier des tonnes d'anhydride sulfureux juste au-dessus de sa tête. Pour laisser les pluies acides polluer le lac et la forêt. Selon les Riverains, la pollution dépend en grande partie de son usine. Il est devenu leur bête noire numéro un, le numéro deux étant désormais réservé à la production de porcs de Falardeau. Quels aveugles ils sont! Quels bornés! Ils respectent et veulent faire respecter des lois que le gouvernement lui-même enfreint. Ce gouvernement qui adopte des lois sur l'environnement, n'est-il pas le même qui possède des actions, via la Caisse de dépôt, dans la compagnie Noranda? Ne polluez pas, ordonne-t-il aux gens, laissez-nous faire cela à votre place. Faites ce que je dis, ne faites pas ce que je fais. Le vieux dicton de son père lorsqu'il était pris en défaut. Et il faudrait que lui, il installe des filtres, compromettant ainsi les emplois de ces gens qu'il a sortis de la misère. Car il ne rognera sûrement pas sur ses profits, prenant exemple sur la Noranda qui menaçait de perte d'emplois toute dépense occasionnée par l'installation de filtres. Leur but commun n'est-il pas de faire de l'argent? Ah! Oui, ils le font rire ces Riverains. Quand comprendront-ils qu'il n'installera des filtres que lorsque les plus grands pollueurs le feront? C'est d'eux que doit venir l'exemple en premier. C'est du gouvernement. Lui, il suivra.

D'ici là, il peut dormir sur ses deux oreilles, gardant l'atout de la perte d'emplois de la moitié de la municipalité. Quel puissant avantage il possède! Rien ni personne ne peut le forcer, l'obliger, l'intimider. Tous mangent dans sa main, même l'huissier. La survie de ce village dépend de lui ainsi que l'avenir de centaines de travailleurs. Il a réussi, quoique issu d'une classe sociale bien modeste, à consolider un empire gigantesque, non seulement ici où il s'apprête à acquérir la compagnie de camionnage, mais un peu partout en périphérie de Montréal.

C'est lui qui manipule les gens et non l'inverse. Ces Riverains l'apprendront à leurs dépens.

* * *

225

Mardi, 14 août 1984.

Cet appendice qui meurt là-bas, au bout de son bras d'eau, le trouble et l'angoisse profondément. Car il se meurt, le lac à la Tortue. Privé d'apport d'eau, privé d'oxygène, attaqué de toutes parts, il ne parvient plus à se défendre. Il abdique, rend l'âme, goutte après goutte, laissant le vent rabattre sur la berge ses poissons morts et ses déchets.

Et lui, le lac Huard, il sent la mort envahir cette partie de son être. Il craint la mort dans cet appendice au bout de son bras maladif. Remontera-t-elle le courant par le canal d'irrigation pour se répandre dans ses eaux? Lorsque bel et bien mort, le lac à la Tortue, ne le gangrènera-t-il pas? Il faudrait l'amputer afin que la pourriture ne remonte pas le courant pour s'attaquer à ses décomposeurs débordés de travail. L'amputer et le jeter loin de lui, loin de tout ce qui est appelé à vivre. Il n'aime pas savoir la mort si près de lui, si présente au bout de son bras d'eau.

Il pleure cette mort de lui-même, là, aux pieds des hommes sur la plage. Il implore leur pitié, les appelle au secours... Ne voient-ils pas qu'il peut mourir, lui aussi, tout comme l'autre? Ne savent-ils pas qu'ils ont le même âge? La mort prématurée du lac à la Tortue leur servira-t-elle de leçon? Servira-t-elle à le sauver, lui, le lac Huard? Ne constatent-ils pas la prolifération de ses plantes aquatiques? Quand comprendront-ils que cette poussière que crachent leurs cheminées l'étouffe et l'encrasse impitoyablement? Le laisseront-ils mourir, lui aussi, comme ils ont laissé mourir l'autre?

Y a-t-il quelqu'un sur cette Terre pour capter sa détresse?

* * *

Mercredi, 15 août 1984.

Quelqu'un sur cette Terre s'intéresse-t-il seulement à lui? Quelqu'un sur cette Terre pense-t-il à lui comme lui il pense aux autres? Ça ne doit pas. Il se sent tellement abandonné.

Dans la lune, Gaby fixe un caillou au fond de l'eau. À ses côtés, son cousin Alex lui raconte son extraordinaire aventure à motocyclette. Mais lui, il se sent comme ce caillou sur le sable que personne ne voit vraiment. Sauf lui. Parce que c'est lui qui l'a lancé. Plok! Trois, quatre gouttes qui éclaboussent et le voilà, baignant dans la solitude. Tout comme lui. Sans éclat. Sans valeur. Fade et muet au fond de l'eau. Tout le monde voit la plage, tout le monde voit le sable mais personne ne voit le caillou. Personne ne se demande s'il s'ennuie en ce milieu aquatique. La joie d'Alex augmente ce mal d'âme qu'il ne peut définir. Tout près des larmes, il se mordille les lèvres. Fait mine d'écouter, essaie de sourire. Qu'elle a dû être merveilleuse cette balade! Délicieuse, cette boisson gazeuse! Excitante, cette visite de la cachette des motards! Lui, il a hérité de l'air pensif de grand-père, laissant tremper sa ligne à l'eau, et du sourire triste et fragile de grand-mère, qu'il a surprise à pleurer dans la salle de bain. Lui, il a hérité des espoirs insensés, des rêves invraisemblables. Lui, il a vu son frère faire du ski nautique remorqué par son père aux commandes du luxueux yacht blanc. Mais eux ils ne l'ont pas vu. N'ont pas répondu à son geste de la main. C'est sûr, personne ne le voit. Personne ne l'entend. Il est ce caillou terne au fond de l'eau. Il n'y a que grand-père en quête d'affection et de consolation pour lui frotter les cheveux et apparenter sa solitude à la sienne. Mais le vieil homme ne peut savoir ce qu'il ressent. Ne peut savoir à quoi il rêve la nuit en étreignant son oreiller. Ne peut savoir à qui il rêve. Ne peut deviner que lorsqu'il s'est rassis dans la chaloupe, hier, et que le yacht a disparu au loin, ne leur laissant que des vagues, il a pensé à elle, là-bas. Toute huilée et si belle près de la piscine. A pensé qu'ils auront la chance de voir son sourire, d'entendre sa voix, de sentir sa main qui caresse et égratigne à cause des ongles longs, de respirer son parfum et de goûter au rouge sur ses lèvres. Les vagues ballotaient l'embarcation, chaviraient son cœur tout plein d'elle pendant que le regard de grand-père se perdait là où le fil perce l'eau.

— J'te dirai pas où elle est la cachette des motards. J'ai pas le droit. C'est un secret entre moé et Mike, répète Alex, sans vouloir le blesser.

Son cousin le considère comme un être normal, capable de parler, de raconter et même de trahir par la parole. Mais la parole ne lui appartient pas. Quoique vivante en lui, en son cerveau, elle ne réussit pas à se frayer un chemin jusqu'à sa bouche. Il l'entend en lui, il l'entend crier son amour pour cette femme, là-bas. Belle et toute huilée près de la piscine. Il l'entend en lui accuser son père du mal qu'il cause au lac. Il l'entend en lui consoler grand-mère s'essuyant les larmes avec le coin de son tablier. Il l'entend en lui apprendre à Alex que sa joie le dérange. Mais elle demeure en lui, sans jamais s'épanouir sur sa langue. Dommage! Il en a des choses à dire.

— Paraît que si ton père répond pas à la lettre des Riverains, ma mère va aller voir le député.

Alex change de sujet comme il change de direction avec son camion dans le sable. Mais cette conversation le blesse tout autant. Le bouleverse indubitablement. Le lac, là, devant lui, il l'entend se plaindre et appeler à son secours. Il entend ces milliers de petites vies s'éteindre. Il entend ces milliers de petites voix muettes à qui personne ne prête foi. Car qui, sauf lui, sait qu'on peut crier sans l'aide des sons? Qu'on peut consoler. Qu'on peut expliquer. Qui, sauf lui, conçoit que la détresse, l'amour, la joie peuvent exister sans jamais être véhiculés par la parole? Cette parole imparfaite qui échoue auprès de son père. En aurait-il l'usage qu'il ne pourrait davantage intercéder en faveur du lac. Son père est-il devenu sourd à tout ce qui l'entoure? Sourd à sa mère? Sourd à ce lac? Sourd à tante Marjolaine? Sourd à son existence? Personne ne semble être en mesure de l'atteindre. Trop grand, trop gros, trop fort, il écrabouille tant de vies autour de lui. Sa main trop puissante se ferme sur tant de bouches. Son pied pesant ploie tant d'échines. C'est un géant, son père. Un géant dans un monde de lilliputiens. Il veut tout, mange tout, brise tout. N'entend rien des voix minuscules qui l'implorent et quand il parle, il tonne en faisant trembler les cœurs.

Marjolaine ira voir un autre géant pour lui faire entendre raison. Mais cet autre géant possédera-t-il la faculté de comprendre les petits? Prendra-t-il la peine de se pencher jusqu'à eux? Prendra-t-il le temps d'attendre que les voix de l'eau montent à son cœur? Il l'espère… Il espère que ce géant soit sensible à sa requête et à celle de tante Marjolaine. Il espère que ce géant puise l'eau de sa main grande ouverte et l'examine avec amour et respect. Que ce géant se recueille sur ces mondes invisibles et entende enfin leur supplique.

Il espère, lui qui n'intéresse personne et à qui personne ne pense. Il espère farouchement, intensément, passionnément. Il espère pour toutes ces petites vies, qui n'intéressent personne et à qui personne ne pense.

* * *

Éthiopie, jeudi, 16 août 1984.

Mort le bébé sur sa couche.
Déjà froid, déjà cadavre.
Éteinte en lui, la flamme de la
vie.
Yeux fixes, bouche tordue,
Les poings crispés sur son destin,
Il a quitté l'enfer qu'habite Zaou-
ditou.

Elle regarde, non pas contemple,
Ce petit vieillard de dix mois,
Cette peau flasque et fripée,
Ce ventre énorme,

231

Ces fesses pendantes,
Ces membres osseux,
Ce visage ridé où la douleur s'est
inscrite à tout jamais.

Ce petit vieillard de l'enfer
Connaîtra-t-il le paradis?
Dieu l'a-t-il sauvé de ce désert
Pour lui offrir les sources des
verts pays?

Cet enfer ne convenait pas à la
vie fragile et neuve de bébé
Groum.
Cet enfer a brûlé sa fraîcheur
Et évaporé le lait de sa chair.
Il a tordu son ventre par la faim
et la soif
Et l'a complètement déshydraté,
De sorte que, vidé de toute ma-
tière,
Il gise comme un fruit séché sous
des essaims de mouches.
Tantôt, après des prières,
Grand-père le déposera
Dans les entrailles mortes
De la terre,
Comme elle, elle a déposé un
grain de teff pour l'espoir.

L'espoir de quoi?
D'une goutte d'eau? D'un vent fa-
vorable?
Un sol mort peut-il revivre?
Quel miracle peut régénérer le
désert?
Qui pourrait insuffler la vie dans
les narines de son petit frère?
Revient-on de la mort?
S'échappe-t-on de l'enfer autre-
ment que par la mort?

Personne ne pleure
Autour du petit vieillard de dix
mois.
Car c'est vivant qu'il faisait
peine à voir.
Si eux, les habitants de l'enfer,
n'ont plus de larmes pour bébé
Groum,
Les gens du paradis en auront-ils
jamais?
Alors, pourquoi est-il venu,
comme ça, souffrir pendant dix
mois,
Et repartir en leur laissant son
cadavre décharné?
Qu'est-ce que sa vie,
Qu'est-ce que sa mort a apporté?
Pourquoi est-ce ici l'enfer et là-
bas, le paradis?

Parce qu'ils ont désobéi?
Parce qu'ils doivent expier pen-
dant sept générations?
Celui qui a décidé de cette sen-
tence
Peut-il l'empêcher d'entendre
l'appel du lac Tana?
Peut-il taire la voix des cata-
ractes du Nil
Qui peuplent ses songes?
Peut-il lui arracher cet espoir du
paradis?
Celui qui a décidé de cette sen-
tence,
La retiendra-t-il dans cet enfer,
Jusqu'à ce qu'elle se torde de
faim et de soif
Comme bébé Groum?
Lui fera-t-il lâcher prise à
l'espoir,
En lui siphonnant la vie, goutte à
goutte?

233

Asséchera-t-il son grand rêve
d'eau
En déshydratant son corps?
La fera-t-il s'évader de cet enfer
Par la porte de la mort?
Pour toute réponse, l'enfant du
désert
Tend l'oreille à cette eau du pa-
radis... quelque part sur Terre...
L'eau du lac Tana... quelque part
dans son pays.

* * *

Vendredi, 17 août 1984.

Encore une fois, on joue au chat et à la souris avec lui. Et c'est toujours lui, la souris. Le rôle du chat, cette fois-ci, appartient à son gendre, René Mantha. Et le chat le traque, le libère de ses griffes, le rattrape, fait luire l'espoir d'une délivrance et s'amuse à le voir se débattre. Ce fut le lot de toute sa vie, ce rôle de souris.

Marquée par la Crise, sa jeunesse n'a vu d'échappatoire que dans l'enrôlement. Devenu soldat, il a affronté non pas un chat, mais un tigre qui, d'un coup de patte, l'a renvoyé dans son pays, à jamais ébranlé. C'est à ce moment de son existence qu'il a connu un répit. Grâce à l'amour, il a repris goût à la vie, goût au travail. Tant que les yeux de Flore le couvaient derrière, il allait de

235

l'avant, défrichant sa terre, bâtissant grange et maison, améliorant le troupeau. Les enfants sont arrivés, ajoutant leurs yeux à ceux de la femme mais aussi leur bouche à nourrir. Et il s'est démené, craignant toujours qu'un gros chat ne surgisse et ne rafle d'un coup de patte ses menus travaux de souris, sa menue petite vie de souris, ses menus petits espoirs de souris. Et voilà, le chat s'est montré. Il a fait luire ses griffes et dénudé ses crocs. «Vois ma puissance, lui a-t-il dit. Fais selon mes exigences. D'un coup de patte, je peux te déchirer.»

Hervé arrête sa camionnette. Il ne peut rentrer chez lui, ne peut rencontrer les yeux de Flore et lui apprendre que René Mantha a mis à pied ses fils. Que c'est lui désormais qui devra assurer les mensualités exorbitantes de l'excavatrice. Même en puisant dans sa pension d'ancien combattant, il ne parviendra pas à réunir la somme. D'autant plus que l'on ne prévoit guère d'ouvrage pour cette machine à ce temps-ci de l'année. Quelle gaffe il a commise en garantissant avec les terrains sans l'accord de sa femme! C'est comme s'il s'était livré lui-même au chat. Car ce sont ses terrains que désire posséder Mantha. Pourquoi? Il ne le sait pas. Mais ce sont eux qu'il convoite. Eux qu'il veut. Comme il voulait sa fille jadis. Les détruira-t-il eux aussi? À quoi lui serviront ces terrains? Que mijote-t-il? Pourquoi s'en prendre à ses terrains? À Flore? À lui? Pourquoi ce gros chat, à ce moment de son existence où il n'aspire qu'à la retraite tranquille? Pourquoi ce rôle de souris qui lui échoit si brutalement? Aura-t-il la force de le tenir cette fois-ci? Et si les yeux de Flore ne le couvent plus derrière, aura-t-il seulement l'intention de se défendre?

L'homme laisse tomber sa tête contre le volant. Aura-t-il seulement l'intention de se défendre?

Oui, il l'aura, et même, il l'a déjà cette intention mais elle a besoin d'être renforcée par Flore. Sans son appui, il doute de lui, doute de ses capacités. Et sa femme le fuit, de jour en jour. Atteinte, elle s'éloigne, s'isole, s'enferme dans un silence impénétrable. Comment la rejoindre? Cette nouvelle la secouera peut-être de sa léthargie. Lui fera lever les manches et se cracher dans les mains. Malgré l'usure, malgré la fatigue. Ils n'ont plus l'âge de ce combat. Plus l'âge de rencontrer un chat sur leur chemin. Mais il est là, le chat. Par sa faute. Il est là, feulant et grondant. C'est à lui de l'affronter. Oui, c'est à lui, non plus à elle. C'est à lui de la défendre et de défendre son bien. C'est à lui d'être le soldat de ce petit pays de souris.

Hervé sent le courage grandir en lui, monter dans ses bras, dans son cœur, sa tête. Il se sent rajeunir. Est-ce le mot soldat, le mot défendre, il ne sait. Mais le fait que Flore ne soit plus en état de combattre décuple ses énergies. Il se sent la force et la folie de contrer le chat. La faiblesse de Flore sera sa force. Oui, c'est à lui, à lui seul qu'il incombe de repousser cette invasion.

Premièrement, il haussera la pension de Gaby. Et deuxièmement, il fera application au poste de chauffeur d'autobus scolaire, dont lui a parlé Gustave Potvin. Ce surplus de revenus lui permettra de tenir le coup jusqu'à ce que ses fils soient réengagés. Oui, voilà ce qu'il fera pour l'instant. «Tiens méchant chat, voilà ta pitance. Tant que tu auras la gueule pleine, il n'y aura pas de danger pour nous. Je te l'emplirai ta gueule. Surpris, hein? Mais je te l'emplirai ta gueule. Tiens méchant chat, mange ta pitance; la souris prépare sa défense.»

* * *

Samedi, 18 août 1984.

Un fort vent du nord rabat les vagues sur la grève et le flanc de la chaloupe. Il se lamente dans la tête des pins, fait claquer la balançoire contre le tronc et grincer la poulie de la corde à linge.

Seule sur la berceuse du curé, Marjolaine se laisse étourdir par tous ces bruits. Les feuillages n'en finissent plus de frémir. Et le vent de gémir et les vagues de mourir avec fracas, une à la suite de l'autre.

Elle n'entend même pas le torrent. Sait seulement qu'il est là, dans son écrin vert. S'agitant sur son lit rocailleux.

Il y a un fond d'automne dans l'air frais qui caresse sa joue et balaie ses cheveux. Un fond d'automne qui lui parle de solitude et d'abandon. Un fond d'automne qui annonce la diminution de la chlorophylle et le départ des vacanciers. Oui, ils s'en iront tous à la ville, laissant le lac sous sa vigilance. La dernière réunion de l'année des Riverains vient d'avoir lieu. Elle a regardé partir chacun des membres de son conseil avec une pointe d'envie et un pincement au cœur. «Ne partez pas, ne me laissez pas seule, aurait-elle aimé leur dire. Seule, je suis la risée du village. Seule, je n'ai ni poids, ni influence. Seule, je n'ai aucun pouvoir.» Mais elle n'a rien dit et a écouté fermer les portières des autos, une à une.

Une à une, elles lui ont confirmé: «Voilà, tu restes seule et impuissante. Nous, nous devons partir et te laisser derrière. Veille sur le lac, nous avons confiance. Veille pour nous.»

Le lac. Elle est seule maintenant à le savoir en danger. Ou presque. Seule à écouter les mises en garde du torrent. Qui la secondera désormais?

La panique fait place à l'envie, à la nostalgie. Elle sait trop ce qui l'attend, connaît trop ces gens, cette mentalité. Don Quichotte soudain lucide, elle entrevoit sa défaite, conçoit le ridicule de sa mission impossible. À quoi a-t-elle pensé pour s'attaquer à un tel moulin à vent, avec des armes aussi dérisoires? René Mantha, tout comme un moulin de pierres, ignore complètement les coups qu'elle porte avec son épée de bois. Et voilà que les fidèles Sancho Pança viennent de la quitter dans leurs petits ânes-chevaux-vapeur économiques.

La voilà seule avec son épée de bois devant l'imposant moulin. Cette arme d'enfant, incapable d'érafler les murailles, fait rire le meunier, tout en haut, près de sa meule. Et la meule tourne et fournit le pain quotidien à ses frères et aux gens de la municipalité.

Elle sent des regards haineux, accusateurs, railleurs peser sur elle. Comment les convaincre du bien-fondé de sa démarche? Comment leur parler d'avenir quand le présent les angoisse? Le veut-elle, encore? Elle hésite. Regarde le lac devant elle. Il est tellement présent par cette nuit de clair de lune et de grand vent. Il ne chuchote pas comme à l'accoutumée, mais rugit, en brassant ses vagues d'argent sous la lumière blanche de l'astre de la nuit. On le croirait en colère. Il rage d'écume. Fait naître des moutons qui n'ont rien d'innocent. Des moutons blancs bêlant bêtement, au sommet des crêtes noires, émergées, semble-t-il, du plus profond de son être. Sens dessus dessous, bouleversé et bouleversant, il revient sans cesse sur la grève. Sans cesse lui rappelle sa présence, sa détresse. Oui, il étouffe la plainte du torrent, pour faire entendre la sienne. Oui, aidé du vent, il s'impose à elle en cette nuit décisive.

Faire ou ne pas faire. Être ou ne pas être Don Quichotte. Aiguiser l'arme ou la ranger dans le coffre à jouets. Poursuivre le rêve fou ou le céder aux enfants. Écouter ou faire la sourde oreille. Voir ou faire l'autruche. Tout serait tellement plus facile avec le deuxième choix. Il lui suffirait de vivre au jour le jour, sans penser à demain. Suffirait de jouir du paradis avant qu'il ne devienne un enfer. Suffirait de laisser tomber cette visite au député. Rien de plus facile. Faut laver le linge sale en famille alors pourquoi irait-elle lui dévoiler les vilaines taches du meunier? Pourquoi?

Quoique présent dans sa supplique, le lac ne lui apporte pas de réponse. Il l'attendrit et l'attriste sans la convaincre qu'elle puisse lui venir en aide. Il meurt comme il est né. En silence, petit à petit et sans une goutte de sang. Il vieillit prématurément, sans cri, sans pathétisme. Un être vieillissant n'éveille pas l'attention. On le croit bon pour bien des années encore et puis un beau matin... Il ne sera pas beau ce matin-là, lorsqu'il aura atteint son point de non-retour. Mais personne n'en aura conscience... Ce n'est que plus tard, lorsqu'il sera bel et bien mort, qu'on tentera de le réanimer. Mais il sera trop tard. On ne peut rien contre la mort! Lorsqu'elle s'empare d'un être, nulle vie ne peut l'en chasser.

— Tu es rentrée?

Des bras chauds l'étranglent d'affection.

— Tu ne dors pas, Alex?

— Le vent m'a réveillé. Penses-tu qu'il y a du danger pour ma balançoire? J'l'entends cogner.

— Non, non, pas de danger. Va te coucher maintenant. Y a pas de danger pour ta balançoire, j'te jure.

— J'l'aime assez! J'vais la garder toujours pis quand j'serai grand, mes enfants vont pouvoir s'en servir... Y vont aimer ça. C'est rare une balançoire au-dessus de l'eau. Pis, c'est l'fun de s'balancer pis de sauter dans l'eau.

— Oui, c'est l'fun. Allez! Au lit, monsieur.

Il l'embrasse. Elle suit d'une oreille attentive le bruit de ses pieds nus sur le plancher de bois. Puis elle entend cogner la balançoire contre le tronc du pin.

«Elle n'est pas en danger, ta balançoire.» Non. Elle n'est pas en danger, sa balançoire... mais son lac, oui. Car c'est aussi son lac à lui et aux enfants qu'il aura un jour.

Et ce jour où elle sera grand-mère, il lui sera insupportable d'entendre ses petits-enfants se languir près de l'eau morte. Oui, ce jour-là, elle ne pourra endosser ce crime, sous prétexte qu'il s'est perpétré, petit à petit, et sous les yeux de tous. Non. Elle ne pourra alourdir sa conscience de cette négligence et regarder ses petits-enfants droit dans les yeux. C'est pour eux, pour son fils qu'elle se doit de protéger cet être sans défense.

Alors, par cette nuit de clair de lune, assise sur la berceuse du curé, Marjolaine reprend la petite épée de bois qu'elle avait momentanément abandonnée. Consciente de l'issue possible du combat, elle grimpe sur son vieux destrier et charge l'imposant moulin afin que toujours des enfants puissent se balancer et plonger dans l'eau en riant.

* * *

Dimanche, 19 août 1984.

La lame étincelante glisse dans la chair rouge. Elle se taille un chemin entre les fibres, laissant couler un liquide sur la planche. Tok! Le couteau tranche la tomate. Que c'est fascinant, cette lame étincelante dans la chair rouge! Spitter la regarde sans se lasser, les yeux fixes et la bouche entrouverte. Il ne sait pourquoi, il manque du noir et du blanc à cette vision... Des morceaux de chien peut-être... Les couteaux de la faucheuse ont dû pénétrer ainsi dans la chair de Tiger... une patte par-ci, la tête par-là... Oui c'est ce qui a dû arriver. Il voit nettement l'image maintenant. Noir, blanc, rouge et couleur de métal. Oui, c'est clair. Tok! Tok! pour casser les os... Tok! contre le bois... et des gouttes de liquide qui éclaboussent... non, pas si c'est la faucheuse qui a tué... il n'y a donc pas de tok, pas de bois, pas de goutte de liquide qui éclabousse. Cela, il vient de l'inventer parce qu'à force de se faire dire qu'il a tué son chien, il commence à le croire. Ils se sont tous ligués contre lui. Ils veulent tous lui faire accroire qu'il est fou pour l'interner dans un centre de désintoxication. Mais il voit leur jeu. Même Mike s'est associé à eux. Mike, son oncle préféré. Mike qu'il aimait, admirait tant. Il était le seul à tenir tête à Andrew et le seul à faire à sa tête. Les autres ne sont que des chiens bien dressés.

Maurice, qui se prend encore pour Maurice Richard, Harold le batailleur et Ken le brûleur de pont ne sont que des bêtes à l'allure
féroce, prêtes à ramper devant Andrew. Mais Mike, lui, il est
libre. Ou plutôt, il était libre. Car il ne l'est plus depuis que la
folle des Riverains lui a mis la main dessus avec son p'tit christ de
bâtard. Cet Alexandre de malheur qui l'a remplacé derrière Mike
sur la moto. Qui a même hérité de son casque. Oui, le beau casque
que Mike lui avait offert pour ses dix ans. Bien sûr qu'il ne servait
plus et qu'il pendait depuis longtemps au mur du refuge des motards mais Mike n'avait pas le droit de le prendre. Pas le droit de le
donner au petit morveux.

Tant de souvenirs étaient liés à ce casque. Chaque fois qu'il
le voyait, il se rappelait exactement ses premières randonnées avec
Mike, ses premières évasions de la ferme où il étouffait, ses premières rébellions contre Andrew. Serré contre Mike, il avait la
certitude de faire partie du seul clan qui osait défier son père. Et
quand la moto filait, l'emmenant loin de la porcherie et de son
odeur collante, il se sentait revivre. Et quand la moto grondait au
retour, il se sentait protégé par cette bête métallique et puissante.
Son père n'osait rien faire. Rien dire. Mike veillait sur son engin.
Ah! Oui… Mike n'avait pas le droit de donner son casque au p'tit
christ de morveux. Pas le droit!

«C'est mon casque», échappe Spitter en regardant sa mère
tailler les tomates pour son ketchup rouge. Cette femme l'énerve,
le fatigue avec son air résigné. On dirait une grosse brebis, tendant
son cou au-dessus de la pierre immolatrice. D'ailleurs, Andrew en a
toujours fait ce qu'il voulait. C'est un être informe, pétrissable,
obéissant. Présentement, elle s'apitoie sur elle-même parce qu'il se
drogue. «Oh! Calamité! Mon fils a recommencé à se droguer! Lui
qui avait arrêté.» Il les a bien eus, les imbéciles. Ils ont vraiment
cru en sa bonne volonté, en ce droit chemin qu'il prétendait vouloir
suivre. En réalité, la destruction de sa culture de cannabis ne lui
permettait plus de se payer ses *peace pills*. Mais il a trouvé un
moyen. Oh! Oui! Il a trouvé un moyen en s'ingérant dans les affaires familiales. Il voit encore la mine effarée de son père lorsqu'il
lui a dit: «Si tu ne veux pas que je fasse revenir l'inspecteur pour
lui montrer le purin que tu as oublié dans le champ, t'es mieux de
me payer.» Oublié dans le champ… c'est ça le plus drôle; ce mot

oublié. Ah! Oui... Il a eu de l'argent et il en aura encore. Qu'ils crachent, les imbéciles! Elle, la stupide brebis bêlante et l'autre, le coq roux d'Andrew, à se croire maître de la basse-cour.

Spitter rigole. La vision de ces animaux de ferme l'amuse. Il voit une brebis, assise à la table, l'échine courbée sur son ouvrage, avec son œil éteint et sa bouche pendante.

Il se lève, regarde par la fenêtre les longs bâtiments où les porcs engraissent.

— Le coq est pas là?

Aucune réponse. La brebis devrait savoir où se trouve son maître. Elle se tait, résignée, avec des taches rouges sur son tablier. Elle lui donne envie de la mener à l'abattoir et de faire couler son sang sur le casque noir et blanc que Mike a donné au morveux. Ce serait joli, comme image. Le beau casque de moto noir et blanc avec des filets rouges coulant dessus... Ce serait une belle vengeance pour son petit chien décapité par la faucheuse du coq rouge. Il imagine d'ici la face d'Andrew. Et celle de Mike en voyant le casque. «Tiens, p'tit christ, t'as plus de casque. Tu peux plus prendre ma place, en arrière de Mike. Débarrasse, morveux! Faudrait t'enlever la tête. Couic! Plus de place pour mettre le casque!»

— Couic!

La lame étincelle toujours dans la chair rouge des tomates. Et toujours, la brebis travaille d'un air résigné et accablé, avec son grand cou pendant au-dessus de la pierre. Il resterait des heures à regarder cet aller-retour du couteau dans la matière. La couleur est tellement vibrante et la sensation tellement excitante.

La brebis s'arrête, se lève, s'occupe à remplir maintenant une marmite. Pourquoi a-t-elle mis fin à son spectacle?

Spitter s'empare du couteau et, silencieusement, se glisse derrière sa mère. Couic, sur son cou offert en immolation.

— Surprise, maman! Ferme tes yeux!

Il lui met une main sur la bouche en lui renversant la tête, et, doucement, lui pose la lame sur la gorge.

Elle se raidit, tremble contre lui en roulant des yeux exorbités. Elle crie dans sa main. Andrew, vraisemblablement.

— Couic! Comme une tomate. Ça serait simple, tu vois. Faire un gros pot de ketchup rouge avec toé. Te tailler en p'tits cubes, te hacher. Une affaire de rien... Tiens. J'ai juste à peser un p'tit peu. Oups! Excuse. J'ai coupé. C'est rien... J'veux pas te faire mal. Juste te prouver que je le pourrais. Comme j'aurais pu tuer mon p'tit chien mais je l'ai pas fait. C'est Mike qui a inventé ça. Il m'a volé mon casque pour le donner à son p'tit christ, pis là, y veut me voler ma raison, ma réputation. C'est Mike qui a machiné ça avec Andrew. Y va me payer ça... pis pour le casque aussi. Crie pas. J'te lâche.

Il lance le couteau et le fait planter dans le plancher. C'est Mike qui lui a montré à jouer au couteau. L'ustensile se balance un instant puis s'immobilise dans le linoléum. Il enlève sa main de la bouche de sa mère.

La grosse brebis se laisse tomber sur sa chaise, éclate en sanglots en se couchant sur la planche à découper. Spitter prend alors les cubes de tomates et les mêle avec satisfaction aux cheveux gris de sa mère.

* * *

Dimanche, 19 août 1984.

Hervé, son père, est venu. Froid, cassant, pressé. Il s'est assis sur le bout des fesses, prêt à repartir aussitôt ses affaires réglées relativement au paiement de l'excavatrice.

Ce n'est pas de gaieté de cœur qu'il est venu. Elle l'a bien vu. L'a bien décelé dans le ton de sa voix et la brusquerie de ses gestes.

Maintenant qu'il est reparti, elle regarde le fauteuil où il s'est à peine assis. Quel grand trou il vient de creuser, en si peu de temps. Si peu de mots. Sa mort ne lui aurait pas fait plus mal. Ne l'aurait pas laissée plus désespérée. Elle vient de perdre son père et il est vivant. Elle vient de perdre son père et il conserve sa rage en lui. Sa rage contre elle, contre René, contre lui-même. Quel grand trou, en si peu de temps, si peu de mots! C'est comme si elle n'était plus sa fille. N'avait jamais été sa préférée. Finie la belle histoire d'amour entre eux. Rompu à tout jamais, ce lien privilégié. Effacés de sa mémoire les souvenirs de tendresse. Et il souffre de cela autant qu'elle. Souffre d'obéir à son orgueil.

Tantôt, il n'a pas osé la regarder. N'a pas osé s'attarder. Il avait peur de flancher. Peur de ne pas aller au bout du mal qu'il désirait lui faire. Mais, il s'est rendu au bout... là où il n'y a personne pour la consoler. Personne d'autre que cette bouteille de brandy qui l'invite au fond du verre. Là, où semble luire l'espoir.

Et, en ce dimanche de beau soleil, Irène boit. À la recherche de son père, à la recherche du lien privilégié entre eux. Elle boit, tentant de combler, verre après verre, ce grand trou qu'il vient de creuser en si peu de temps, si peu de mots.

* * *

Lundi, 20 août 1984.

Le front appuyé contre la clôture grillagée, sa sœur Nadia convoite la piscine creusée des Mantha. Heureusement qu'il n'y a personne chez les voisins pour constater jusqu'à quel point elle a envie de s'y baigner. Lui, ça lui est égal. Il a pris l'habitude de patauger dans les plantes aquatiques. Pourtant, il détourne la tête de ce bassin d'eau turquoise surmonté d'un magnifique tremplin, de peur d'être envoûté à son tour et de laisser filtrer ses désirs. À l'instar de Marc, il ne doit rien laisser paraître de ses émotions et de ses faiblesses. Rien. Pas même ce chagrin qui le submerge à l'idée de quitter le chalet et le lac. Encore moins sa joie à voir les trois Potvin, venus faire leurs adieux sous prétexte de pêcher des grenouilles.

— Bonjour!

La vieille chaloupe glisse entre les sagittaires. Marc saute à l'eau, imité par Michel et Cindy.

— Comme ça, tu t'en r'tournes en ville?

— Ouais.

— Tu vas aller à la Ronde?

— J'pense ben.

— Nous on pêche.

— Ouais. Le touriste baisse; ça s'ra plus tellement payant.

— Non. Plus tellement. Bon ben salut. Viens Cindy! crie Marc à la fillette qui sympathise déjà avec Nadia sur le bord de la clôture et obéit promptement aux ordres du grand frère, offrant à Youri le spectacle de ses cheveux dorés étincelant au soleil et l'inspirant à en faire d'emblée sa dulcinée.

244

C'est elle qu'il décrira aux copains de sa classe en ajoutant qu'elle savait ramer, nager et assommer les grenouilles d'un seul coup de bâton.

Youri! Nadia! appellent les parents. Le moment de partir est arrivé. Nadia éclate en sanglots, Cindy se mord les lèvres. Lui, il regarde Marc, pieds nus dans son embarcation. Avec ses jeunes muscles, sa peau bronzée, son jean délavé et recousu, son poignard à la ceinture, il inspire la joie d'être et la liberté. Tout comme lui, cet été. Marc lui accorde un de ses rares sourires en gage d'amitié, avant de pousser sur les rames et de s'éloigner.

Sans entrain, mais camouflant toujours son chagrin, Youri rejoint l'auto et éprouve un pincement au cœur en voyant le porte-bagages vide. Il se rappelle de l'excitation communicative de son père, lorsqu'ils sont arrivés au début de l'été, avec la planche à voile flambant neuve, bien arrimée sur le porte-bagages. Maintenant, il ne reste que la voile, soigneusement roulée sous le divan. La planche a été brisée par le gros yacht de René Mantha et son père a éclaté en sanglots dans les bras de sa mère. Quelle honte! Marc Potvin prétend que Gustave, son père, aurait donné un bon coup de poing au visage de Mantha. Mais le sien s'est mis à pleurer devant tout le monde. Quelle honte!

Plus tard, quand il sera grand, il sera comme Gustave Potvin et non comme son père.

Youri s'assoit nonchalamment sur la banquette tandis que Nadia arrose sa Bout-de-chou de ses larmes.

— Voyons, Nadia, nous allons revenir l'année prochaine, console sa mère.

L'année prochaine, il sera plus grand. Du moins, il l'espère. La courte taille de son père ne l'emballe pas et il ne veut pas lui ressembler. Il sera plus grand et plus fort. En compagnie de Marc, il fera des choses d'homme.

Malgré lui, son regard revient vers la chaloupe où s'amusent les trois enfants. Il aimerait rester avec eux, rester ici, dans leur famille drôlement plus amusante que la sienne. Mais il ne doit pas pleurer, ne doit pas laisser paraître sa tristesse. Pour ce, il s'arrache à l'image de bonheur et de liberté flottant sur l'eau, pour se concentrer sur ses ongles sales. Semblables à ceux de Gustave. Outre ces lignes de crasse, il emporte avec lui le fameux «batèche» qu'il lance à tout bout de champ ainsi que toutes les lampées de bière prises en cachette dans les bouteilles du vieux Léopold, l'art de défaire et refaire de vieux moteurs, de réparer des crevaisons, de redresser de vieux clous, de ramasser des vers et de pêcher les batraciens. Quoi encore? Tellement de choses intéressantes qu'il a apprises. Quelle école excitante que la cour désordonnée des Potvin. Quels professeurs emballants que ces enfants qui grandissent comme de la mauvaise herbe.

L'auto démarre. Contrairement à Nadia, Youri ne s'attarde pas à imprimer l'image du chalet jusqu'à la dernière minute. C'est droit devant qu'il regarde.

Bientôt, il aperçoit le garage de Gustave Potvin et repère ce dernier, occupé à inspecter un de ses autobus scolaires. La simple vue de ces véhicules l'horrifie. Lui confirme qu'il quitte bel et bien les lieux et qu'il ne reviendra que dans dix mois, après le calvaire de l'école.

La voiture stationne devant les pompes à essence.

— Sers le gaz, Youri, demande le garagiste en s'essuyant les doigts contre sa salopette.

Cela aussi, il sait le faire maintenant. Avec diligence, il accomplit son travail de pompiste, partageant ses regards entre la mine surprise de sa mère et l'indication des litres au compteur, se gardant bien de laisser paraître son excitation.

— Tu veux que je vérifie l'huile, papa?

— Oui, si tu en es capable.

Il verra bien s'il en est capable. Youri s'éxécute sous l'œil médusé de ses parents. Il vient de leur démontrer quel petit homme il est déjà. Gustave s'avance, un sourire engageant éclairant son visage barbouillé. Voilà quel genre d'homme il rêve d'être un jour.

— Salut Youri. À la revoyure, lui lance celui-ci en empochant l'argent.

À la revoyure! C'est loin, la «revoyure». Youri s'engouffre dans la petite voiture, incapable de jouer l'indifférence plus longtemps. Le voilà tout remué, triste et heureux en même temps, car c'est la première fois que Gustave prononce son nom correctement, et cela à deux reprises. Ainsi, lui, le petit citadin, il a réussi à s'inscrire dans la pensée de cet homme qu'il admire.

— C'est un bon diable. Dommage qu'il soit si négligent. Il gâche le paysage.

— C'est une pollution visuelle, défend Diane. Il y en a de bien pires. Y a qu'à songer à Mantha.

Pollution mon œil! Il en a marre! Ses parents n'ont que ce mot à la bouche. Ils ont catalogué tout le monde de ce village selon leur degré de pollution. Gustave comme les autres. S'ils savaient, les pauvres, qu'il a pissé volontairement à l'eau dans une épreuve de distance avec Marc. S'ils savaient qu'il a laissé les débris de grenouilles sur la plage et s'est amusé à faire choquer le vieux Léopold en lançant ses canettes le plus loin possible du rivage. Il a bien envie de le leur dire, mais se ravise.

Ils lui interdiront, peut-être, l'année prochaine, de fréquenter les Potvin. Et puis, cela peinerait sûrement sa mère. Et s'il n'a rien contre sa mère. Et rien contre son père non plus... sauf... qu'il aurait dû se battre plutôt que de pleurer.

Et Youri refoule ses larmes, en pensant à son idole qui a prononcé correctement son nom et à cette plaie visuelle que sa cour désordonnée inflige au paysage, le cataloguant hélas parmi les pollueurs dans le registre de ses parents.

* * *

Éthiopie, mardi, 21 août 1984.

Morte la chèvre, mort le bébé, mort le grain de teff en terre. Il ne sert à rien de rester ici plus longtemps. Grand-père a opté pour l'espoir. Si on peut appeler ainsi ce départ en désespoir de cause. Il attache les maigres bagages sur l'âne chancelant, vérifie par deux fois les cruches d'eau et le sac de semences. C'est tout ce qu'il reste de nourriture. À son cou, pend un petit sac contenant quelques birrs. Il laisse derrière lui ses livres sacrés et trente ans de sa vie. Elle, elle laisse sa maison d'argile blanche au toit de chaume qui lui garantissait l'ombre le jour et la protégeait du froid la nuit. Elle laisse bébé Groum, mis en terre, et le souvenir du sac de teff relié à la mort de son père. Mais Zaouditou n'éprouve qu'une vague inquiétude à laisser sa maison. Bien sûr que dorénavant, elle sera plus pauvre, puisque démunie d'un toit mais par contre, elle sera riche de la possibilité d'atteindre, un jour, le paradis. Pourquoi rester en enfer quand le paradis appelle au loin? Pourquoi rester ici à attendre que la mort vienne les sécher l'un après l'autre? Maman prétend que l'on va à sa rencontre. Elle désapprouve ce voyage et ses yeux s'attachent farouchement à sa demeure.

Zaouditou s'efforce de n'y voir qu'un peu d'argile et de chaume et tourne plutôt son regard vers l'ouest. «C'est par là», indique grand-père, de son index osseux. Elle voit la grande main maigre pointée sur le ciel avare et cruel. Par là, les nuages! Par là, la verdure! Par là, la vie. Là devant, passé l'horizon tremblant et les mirages. Passé les plateaux abrupts, passé la brousse. Là devant. Il n'y a plus rien à attendre de ce qu'on laisse derrière. Plus rien à attendre de l'inaction, de l'attente passive, de la bête résignation. Mieux vaut encore partir à la rencontre de la mort que de se laisser surprendre par elle. Elle sait qu'elle est en chemin quelque part. Sait qu'elle se trouvera sur sa route à un moment donné. Mais elle préfère l'affronter plutôt que de lui tourner le dos. Sa mère devrait comprendre cela.

Le cortège se met en branle. Grand-père mène l'âne. Dignement, lentement pour ne pas l'épuiser. Zeferi suit l'animal en s'accrochant à sa queue. Viennent ensuite elle et Nigusse et, derrière, leur mère, la tête toujours tournée vers sa maison.

Grand-père entonne un chant religieux. Hier, il leur a lu l'histoire de Moïse, cet homme qui a dirigé son peuple vers la terre promise. Se prend-il pour ce libérateur? A-t-il fait sienne la mission d'atteindre le grand lac Tana en passant tout d'abord par Axoum, la ville sainte? Axoum et sa cathédrale Ste-Marie de Sion où reposent les tables de la Loi, dans l'arche d'alliance. Grand-père croit qu'il faut s'approcher de Dieu, avant tout. Il dit que Lui seul est leur salut et répète sans cesse qu'ils doivent se repentir. Mais elle, elle ne sait de quoi se repentir. Elle, elle fait partie, semble-t-il, de ces générations qui ont attiré le courroux de Dieu sur leur échine innocente. De quoi se repentirait-elle?

La fillette considère gravement le vieillard qui va devant. Porte-t-il à lui seul le fardeau de la désobéissance qui leur mérite cet enfer? Doit-elle voir en lui le coupable qui attire la foudre de Dieu? Doit-elle lui en vouloir? Le langage qu'il tient est si difficile à comprendre. Si compliqué. Et ce qu'elle vit, elle, est si simple. Si directement relié à son ventre et à sa gorge. Elle a faim et soif, tout simplement, et elle porte un rêve d'eau en elle. Grand-père, lui, porte un rêve de purification. Là-bas, en présence des tables écrites avec le doigt de Dieu, il se lavera de cette faute, et ce n'est qu'après qu'il les conduira au pays où ruissellent le lait et le miel.

Grand-père va vers le paradis de l'âme, elle, vers celui de l'eau.

Et elle suit. Et elle suivra sans regarder derrière, sans succomber à la fatigue, à la faim, à la soif. Elle suivra en silence, dans cet enfer brûlant. Brûlant ses pieds sur le sol rocailleux et poussiéreux, brûlant ses yeux sous le vent aride du sud-est, brûlant sa gorge, sous le soleil implacable. Elle suivra, se consumant lentement, indubitablement de l'intérieur de ce corps mal nourri. Elle suivra les pistes du paradis dans ce pays calciné.

Nigusse accompagne grand-père en chantonnant. Zaouditou lui prend la main. Son frère échange avec elle un regard profond comme un puits. Bienfaisant comme un puits. Sans une parole, il lui promet qu'il suivra lui aussi. Qu'il sera là, près d'elle, avec elle, lui tenant ainsi la main, devant le grand lac Tana.

Et lentement, très lentement pour ne pas épuiser l'âne et Zeferi, l'enfant de quatre ans, Moïse mène son petit monde, vers la terre promise.

* * *

251

Mercredi, 22 août 1984.

Irène dépouille le courrier accumulé dans sa boîte aux lettres de la maison d'Outremont. Cette tâche, à son retour de vacances, l'a toujours détournée de la nostalgie de fin d'été. Ses mains bronzées tranchant sur le blanc des enveloppes lui permettaient de croire qu'elle avait capturé le soleil dans sa peau. Mais aujourd'hui, la nostalgie persiste et ses mains bronzées sur les enveloppes ne lui rappellent que ces longues heures de solitude passées près de la piscine. Longues heures à se perdre au fond d'un Cinzano sur glace, pendant que Dominique s'acoquinait de plus en plus avec son père. Longues heures à être prisonnière de son château, longues heures à penser à son père, à ses frères, à Gaby et même à Gustave. Longues, longues heures, à capturer un soleil qui n'a pu ni la réchauffer, ni l'égayer. Elle n'a rien entreposé pour l'hiver à venir. Aucune joie, aucune espérance. Rien qu'une couche d'épiderme brunie.

Une enveloppe de format carte de noces attire son attention. Elle la tourne entre ses doigts, examine cette écriture malhabile qui éveille en elle les réminescences du passé. Elle se revoit, enfant, près de la boîte aux lettres galvanisée. Squik! faisait la petite porte lorsqu'elle l'ouvrait, le cœur plein d'attentes. Squik! Il n'y avait rien pour elle. Seulement le *Bulletin des agriculteurs* ou le journal local. Squik! Pas de carte d'invitation, pas de lettre d'amour. Squik! Rien qu'un dépliant quelconque et inintéressant. Squik! Voilà le son qu'éveille cette enveloppe. Squik! avec tout ce qu'il comporte d'espoir non fondé et de déception. À la longue, sa hâte se teintait de crainte, tout comme aujourd'hui. Que découvrira-t-elle, en décachetant cette enveloppe? Tombera-t-elle sur un vide immense, un rien troublant? Elle aurait tellement aimé recevoir une missive de ce format dans son enfance. Qu'attend-elle? Pourquoi ses doigts tremblent-ils?

Elle décachète. Oui, c'est bel et bien une invitation pour le quarantième d'Hervé Taillefer et de Flore Thibeault. Prière de faire parvenir votre réponse à Florient Taillefer. Que tout cela est froid! Elle a peine à croire que c'est de son père et de sa mère dont il s'agit. Peine à croire que c'est son frère qui lui a expédié cette invitation. Peine à croire qu'il la traite comme une lointaine cousine des États dont on ne se souvient que lors des enterrements ou des quarantièmes. Il y a donc rupture entre elle et ses frères. Oui, ce faire-part le confirme. Il y a rupture. Il aurait pu la rejoindre en tout temps, là-bas, pour l'informer de leur intention de fêter l'anniversaire de mariage de leurs parents. Il a eu tout l'été pour lui en parler mais pendant tout l'été, il a passé devant sa porte sans s'arrêter.

Il y a rupture, bel et bien rupture. À cause de René, à cause du fameux contrat de l'excavatrice, à cause des terrains hypothéqués. Rupture, déchirure, scission. Elle d'un bord, le reste de la famille de l'autre. Elle toute seule, René et Dominique ensemble. C'est elle qui paie les pots cassés de son mari. Lui, il va son chemin en dévastant tout sur son passage et, elle, elle hérite des déserts qu'il crée et des hivers qu'il provoque dans le cœur des gens. Il l'a séparée de Gaby et maintenant de sa famille. Est-ce consciemment qu'il creuse une tranchée autour d'elle afin que personne ne puisse la rejoindre? Non. Il va son chemin tout simplement sans se soucier de ce qu'il piétine. Faire de l'argent, multiplier les entreprises, grossir le capital, voilà ce qui lui importe. Pour l'instant, il désire s'accaparer des terrains de son père au bord du lac. Elle l'a deviné d'après ses agissements. Que veut-il en faire? Elle l'ignore mais elle sait qu'il les veut et qu'il les aura. Comme il l'a voulue, elle, et l'a eue. Rien ne lui résiste. «Suffit de payer, dit-il, tout le monde a un prix.»

Son prix à elle, c'est ce château où il l'a enfermée. C'est cette voiture de l'année. Ce niveau de vie élevé. Oui, c'est cela, son prix. Le jeu en valait-il la chandelle? Cette question jette la panique dans son âme. Les retours en arrière et les remises en question la traumatisent et l'insécurisent. Elle ne veut pas envisager un train de vie autre que le sien. Il lui semble toujours que la misère rôde autour d'elle et qu'il suffirait d'un faux pas pour lui tomber dans les pattes. Après tout, elle n'est qu'une fille de campagne, qu'une ancienne domestique sans instruction. Advenant un divorce, elle ne pourrait maintenir son niveau de vie, que seul le décès de son époux pourrait garantir. Qu'elle se sent coupable de cette pensée! Coupable du soulagement qu'elle éprouverait à être débarrassée de lui. Souvent, elle pense à une crise du cœur. Quelque chose de vite et de subit. Pof! Il n'est plus. De préférence dans le lit de sa maîtresse afin de la déculpabiliser davantage. Cela la rajeunirait, la rapprocherait des siens. Lui mort, elle recommencerait à vivre car elle ne vit plus, près de lui, vivant. Il l'écrase de tout son poids, l'étouffe de ses mains puissantes, agrandit la tranchée autour d'elle. Non, elle ne vit plus, coupée de sa famille, coupée de ses fils, coupée de ses racines. Elle n'est plus qu'une poupée poudrée, bien conservée pour son âge. Qu'un accessoire de standing. Et voilà que même pour ses frères, elle est devenue la sœur riche, qu'on ne rejoint que par courrier.

Elle prend un stylo, inscrit sa réponse sur le faire-part. Oui, elle ira. Elle ira, ne fut-ce que pour leur démontrer qu'elle existe et qu'elle ne les a pas reniés pour autant. Elle ira parce qu'elle a besoin de leur présence, besoin de leur chaleur. Tellement besoin d'eux qu'elle ne peut accepter cette rupture.

* * *

Éthiopie, lundi, 27 août 1984.

L a mort de bébé Groum a suivi celle de la chèvre. La mort de
Zeferi suivra-t-elle celle de l'âne?

Zaouditou observe son petit frère, secoué de frissons, entre
les pattes raidies de l'animal. Il claque des dents, grelotte et
tremble de partout. Par intervalles, un froid immense s'empare de
son corps malingre et l'ébranle brutalement comme pour en faire
sortir la vie.

Pourtant, le soleil brûle. Le soleil darde.

Mais Zeferi a froid. La nuit glaciale s'est infiltrée en lui.
S'est incrustée dans ses os. S'est logée dans ses entrailles qui éva-
cuent inconsciemment des selles liquides et nauséabondes. La nuit
glaciale a débuté l'œuvre de déshydratation. Le soleil, maintenant,

la poursuit impitoyablement. Le soleil, maintenant, s'emploie à évaporer cette chair sans défense. Le soleil, maintenant, s'emploie à l'assécher, la dessécher, la sécher. À en faire une chose plissée et racornie comme bébé Groum.

Zeferi a froid et ils n'ont plus de murs pour conserver la chaleur du feu. Zeferi est à la merci du soleil et ils n'ont plus de toit pour lui garantir l'ombre.

Cette nuit, il s'est niché entre les pattes de l'animal moribond, profitant ainsi de la tiédeur qui émanait de ses flancs haletants. Cette nuit, il a mêlé ses gémissements aux râles de l'âne. Mêlé ses plaintes et ses pleurs aux derniers souffles de la bête.

Cette nuit, la mort est venue. Sournoise et glacée comme un serpent, elle a rampé parmi eux, les frôlant chacun leur tour, se lovant autour de leurs reins crispés, s'enlaçant à leurs bras tremblants. Elle est venue en silence... glissant en silence sur le sable froid puis, furtivement, elle s'est enfuie avec le souffle de l'âne, ne laissant qu'un ventre gonflé et des membres raidis entre lesquels se blottissait Zeferi. Ne laissant que les myriades de mouches. Sordides et morbides. Vilaines et malsaines. Obsédantes et bourdonnantes. Harassantes et insistantes. Qui se posent. S'envolent. Se reposent. Et violent. Et profanent. Et propagent le mal. Propagent la mort. Avec leurs pattes, avec leur trompe, avec leurs ailes qui vont et viennent des yeux vitreux de l'âne à ceux de son frère. De la langue blanche pendant dans la poussière à la bouche grimaçante de Zeferi, des genoux croûtés de sang au postérieur souillé du garçon.

Qui vont et viennent, butinant le sang, la salive et les excréments. S'y vautrant. S'en nourrissant.

Il faut soustraire Zeferi à l'envahissement des mouches. L'éloigner de cette carcasse. Le mettre à l'abri sous la tente rudimentaire que grand-père érige présentement.

La fillette s'agenouille près de son frère. Chasse les mouches.

— Viens, lève-toi... grand-père t'a fait une petite maison.

Un gémissement. Une plainte. Un refus de revenir à cette vie qui exige trop.

— Nigusse va te chanter...

Le malade roule la tête, s'agrippant du bout des doigts à la fourrure miteuse. Zeferi n'a plus de force, et eux, ils n'ont plus d'âne pour le transporter. La mort le leur a volé cette nuit.

Zaouditou s'appuie contre le cadavre afin de déloger son frère. Grand-père accourt aussitôt, la mettant en garde et la condamnant tout à la fois.

— Ne te souille pas!... Malheureuse! tu y as touché... cet animal est impur... Emmène ton frère sous la tente...

Elle obéit, employant ses maigres ressources à traîner Zeferi sur le sable et les cailloux.

Grand-père balbutie des prières. S'agenouille. Ploie l'échine en s'excusant au ciel: «Pardonnez-lui, Seigneur, d'avoir touché cet animal impur.»

Impur, l'âne? Depuis quand? Il a toujours été, pour eux, d'une grande utilité. Zaouditou accorde un regard reconnaissant aux sabots fendillés et aux genoux écorchés de la bête qui a partagé le fardeau de leur misère. De la bête qui a trébuché et roulé dans un ravin. De la bête qui a traîné ses pas près des leurs et porté leurs bagages. De la bête peu exigeante qui s'est contentée de presque rien pour survivre et les a menés à la limite de ses forces. Qui s'est écroulée, hier, pour ne plus se relever. Impure cette bête? Comment? Pourquoi? Depuis quand?

Depuis que grand-père s'est égaré dans les livres sacrés. Depuis que grand-père cherche à définir la désobéissance. Depuis qu'il cherche à la démasquer.

— Demain, ils nous faudra repartir, dit-il en se relevant. Il nous faut trouver de l'eau.

La mère jette un regard désapprobateur au vieux.

— Il nous faut partir, répète grand-père. Ils partent tous... le pays se vide...

Oui, le pays se vide de ses eaux. Le pays se saigne de ses habitants. Le voilà sillonné des chemins de l'exode. Le voilà jonché de cadavres. Partout, les paysans abandonnent leurs terres incultes. D'est en ouest, ils pérégrinent à la recherche de l'eau, à la recherche d'un secours. Du nord au sud, ils errent, fuyant la guerre, fuyant la misère. Il ne sert à rien de retourner en arrière. De retourner dans cette fosse à ciel ouvert.

— Il est peut-être trop tard...

Grand-père s'alarme. Tant d'autres ont fait comme eux. Bien avant eux. Dévorant la moindre feuille aux broussailles, brûlant la moindre bouse séchée ou le moindre morceau de bois. Tant de pieds ont déjà foulé les pistes, tant de sabots les ont creusées. Tant d'écuelles ont puisé dans les points d'eau qu'il n'y reste quelquefois qu'un peu de boue. Tout est ravagé sur leur passage. Il ne reste plus rien. Sont-ils les derniers à entreprendre l'exode? L'espoir les a-t-il retenus trop longtemps? Grand-père a-t-il eu trop confiance en ce ciel qui le punit aujourd'hui?

— Laissez-nous manger l'âne au moins, demande la femme, sans oser lever les yeux.

— Jamais! C'est un animal impur. Nous avons déjà désobéi. Le Seigneur a dit de manger tout animal qui a l'ongle fendu, le pied fourchu et qui rumine. Ne touchez pas au cadavre de l'âne, il va vous souiller. Il nous faut obéir. «Si vous suivez mes lois, je vous enverrai les pluies en leur saison», a-t-Il dit. Nous avons déjà trop désobéi. Demain, nous partirons.

C'est dit. Demain, ils partiront. Sans l'âne.

Sa mère se tait. La bouche scellée, elle réplique au vieux de son seul regard. Un regard plein, un regard lourd. Plein de reproches et de protestations et lourd des conséquences de cette décision. Lourd comme l'enfant malade à porter.

Elle n'est qu'une femme et se tait. Son opinion ne compte pas. Ne mérite même pas d'être formulée.

Le patriarche a parlé. Ou déparlé. Elle doit se résigner. Obéir. Elle n'est qu'une femme. Les pensées ne sont pas de son ressort. Les choses spirituelles ne la concernent pas. Elle n'est qu'un être de chair, condamné à veiller à la survivance et à la continuation de la chair.

Nourrir les ventres, entretenir le feu, quérir l'eau, voilà en quoi consistent ses tâches sur Terre. Elle n'est qu'une femme.

Elle n'a pas à faire savoir qu'elle désire retourner à sa maison. Qu'elle préfère attendre la mort sur le pas de sa porte plutôt que de venir à sa rencontre. Elle n'a pas à discuter. Elle n'est qu'une femme, et Zaouditou n'est qu'une fille quoique grand-père lui ait parlé de choses d'hommes, autrefois. Quand ils espéraient encore contre tout espoir. Quand la désobéissance n'était qu'une vague faute à l'échelle humaine, impossible à identifier. Quand son aïeul n'avait pas encore compartimenté cette faute dans les faits et gestes de tous les jours. Quand il ne l'avait pas reliée à l'omission de son excision.

Zaouditou serre les cuisses, contracte son vagin. Un malaise envahit son sexe qui aurait dû être charcuté, mutilé. Est-il responsable en partie de ce ciel vide et livide? Attire-t-il la colère de Dieu sur eux? Grand-père ne cesse de prétendre qu'il aurait dû... Elle, elle ne sait pas. Elle ne sait plus. Elle n'est qu'une fille à qui ce vieil homme a jadis octroyé le privilège d'une conversation portant sur les choses immatérielles. Choses qui, à l'époque, ne parvenaient pas à taire la voix de la faim et de la soif en elle. Choses qu'elle ne comprenait pas et qu'elle ne comprend pas encore, sans doute parce qu'elle est une fille et qu'il lui faut trouver de quoi nourrir le feu pendant que Nigusse apprend les chants. Sans doute parce que la voilà condamnée à chercher dans ce désert la brindille ou le bout de bois oubliés par ce peuple en exode. Parce que la voilà condamnée à scruter le paysage incendié à la recherche d'un crottin. Condamnée à fouiller et à creuser pour un peu d'eau.

Condamnée à être responsable du feu qui chassera le serpent de la mort.

Et elle cherche et cherche, sous le soleil torride. S'épuisant. S'assoiffant. En proie à l'incertitude. Au doute. Au remords relié à elle ne sait quoi au juste qui ne devrait plus être présent dans son sexe.

Elle cherche, les yeux et les pieds brûlés par le soleil. Écoutant de loin les chants religieux de Nigusse.

Elle cherche pour Zeferi qui a froid. Pour sa mère penchée sur lui qui regrette sa maison.

Elle cherche pour grand-père qui déraisonne. Qui accuse et blâme et voit la faute partout.

Elle cherche, la tête débordante d'interrogations fiévreuses, le ventre vide et glacé et le gosier desséché.

Elle cherche, tiraillée, partagée entre l'index osseux et délirant du patriarche pointant le paradis et les yeux lucides de sa mère.

Partagée entre les plateaux qu'il leur faudra gravir sans l'âne et la sécurité du toit de chaume. L'un et l'autre l'attirent. L'un et l'autre l'effraient. L'inconnu, devant; la maison, derrière. L'égarement et le fanatisme du vieillard, devant. L'attachement aux possessions terrestres de sa mère, derrière.

261

Et devant comme derrière, la mort qui guette. Tapie dans les ravins. Cachée derrière la porte. La mort qui attend. Patiente. Inéluctable. La mort sans visage, devant. Avec la grimace de la faim et de la soif, derrière.

La mort accablée de multiples souffrances, devant. Comme celle de l'âne bêlant douloureusement.

Et derrière, l'agonie, lente et longue. L'abdication de la vie, de cellule en cellule. De goutte en goutte. Comme la mort de bébé Groum métamorphosé en petit vieillard.

Zaouditou s'arrête, reluque les plateaux qui se profilent au loin. Troublée, elle ferme les yeux. S'interroge. Veut-elle aller de l'avant ou retourner derrière? Qu'importe au fond? Elle ira là où pointe l'index de grand-père. Son silence plein et lourd, ajouté à celui de sa mère, ne changera rien.

Mais elle a peur... Tellement peur... de cette mort sans visage.

Alors, pour se donner courage, elle puise tout au fond d'elle les diamants du lac Tana que grand-père a enfouis en elle du temps où il n'était pas dérangé par LA faute et elle les imagine derrière l'horizon redoutable, tendu devant.

✳ ✳ ✳

Éthiopie, mardi, 28 août 1984.

Marche encore.
Encore un pas.
Un pas de plus
Avec la mort.

Marche encore, Zaouditou,
Les yeux rivés au paradis der-
rière l'écran des plateaux.
Marche encore, Zaouditou,
Courbée sous le fardeau qui a
terrassé l'âne.
Encore un pas, Zaouditou.
Un pas de plus.

Encore une fois, Zaouditou,
Pose la plante de tes pieds meur-
tris
Sur les roches brûlantes et bles-
santes.
Avance encore,
Avance toujours, Zaouditou,
Vers les plateaux lointains.
Là-bas, chantent les sources, en-
fant du désert.
Là-bas, l'eau roule sur la grève.
Là-bas, verdissent les prés et
paissent les troupeaux.

Traquée par le soleil. Dévorée par ses rayons ardents. Épuisée et assoiffée, Zaouditou tombe. S'écorche les genoux.

Son visage rencontre le sol ingrat et ses dents grincent dans le sable. «Relève-toi, Zaouditou et marche, lui dicte une voix intérieure. Reprends tes bagages et progresse.»

Elle se relève et marche,
L'enfant du désert.
Elle fuit l'enfer à petits pas,
À pas d'affamée.
Espérant s'en échapper
Avant qu'il ne la consume toute
entière.

✳ ✳ ✳

Jeudi, 30 août 1984.

Nouveau chauffeur, vieil autobus. Cela allait de soi et avant que la clientèle scolaire ne manifeste son mécontentement, Hervé n'y voyait aucun inconvénient.

Possédant lui-même des véhicules usagés, le ventilateur défectueux, les fenêtres bloquées et la porte qui coince ne l'importunaient guère. Le moteur ronronnait bien. C'était le principal. Du moins, c'est ce qu'il croyait. Mais la réalité est tout autre.

La réalité, il la vit présentement à chaque arrêt, à chaque visage d'écolier insatisfait, à chaque coup de pied donné à la porte, à chaque blasphème accordé au passage. La réalité, il la subit par le chahutage et les bagarres qui éclatent dès qu'il se concentre sur la conduite du véhicule. La réalité, il la déteste. Il la rejette. N'osant envisager le désordre dans son rétroviseur. N'osant sévir de peur de faire rire de lui par les grands du secondaire. La réalité, c'est cette chaleur suffocante, oppressante, chargée d'agressivité. C'est cette tension dans tout son corps, cette boule au creux de l'estomac, cette envie de vomir. La réalité, ce sont ces regards vindicatifs qu'on lui destine, comme s'il était responsable de cet état de choses. La réalité, ce sont les grands yeux effarés de Gaby tassé dans son coin et l'exubérance d'Alex assis ailleurs. Avec d'autres. Comme s'il avait honte de son cousin. La réalité, c'est cette responsabilité immense qui lui incombe. Ces soixante-trois vies, qu'il tient entre ses mains moites. Ces soixante-trois vies qu'il pourrait faire basculer dans un fossé ou dans l'outre-tombe. Chacune d'elles, précieuse et unique. La réalité, c'est aussi le rang des Falardeau, inclus dans son circuit et constitué de passagers dont l'agressivité se voit envenimée par la guerre des clans. La réalité, c'est…

— Woah! Chauffeur! Woah! Pépère! T'as oublié mon cousin.

Hervé stoppe. C'est vrai: il a encore oublié ce petit de première année que les buissons éclipsent totalement. Un Falardeau, hélas.

— T'as fait exprès, hein, mon vieux calice, accuse un étudiant en avançant.

— Non. J'l'ai pas vu à cause des arbustes.

— Ça pouvait passer pour hier, c't'excuse-là. Mais deux fois de file c'est trop. Envoye, recule. M'a le dire au directeur que tu fais exprès pour oublier les Falardeau. Envoye, recule. Qu'ossé que t'attends, épais?

Des rires fusent. L'humilient. Le font rougir et rager. Hervé se lève, affronte l'adolescent qui le dépasse d'un bon quatre pouces. Il a de grosses lèvres, des boutons et une barbe naissante. Et puis il sent le parfum, comme Florient lorsqu'il allait voir les filles. Mais Florient ne lui a jamais manqué de respect. Ne lui a jamais parlé sur ce ton. Un sourire ironique danse encore sur les lèvres épaisses du jeune Falardeau.

— Écoute, le jeune, j'te trouve pas mal effronté.

Un rire pour réponse. Un rire qui blesse et insulte. Un rire qui se propage, de banc en banc. Faisant quelquefois baisser les yeux des filles. Un rire qui l'anéantit et l'isole. Bon sang! il aurait envie de crier à tous ces jeunes qu'il a fait la guerre, qu'il a connu le débarquement à

266

Dieppe, que la cervelle de son ami lui a volé dans les mains. Il aurait envie d'exiger d'eux le respect. Mais les mots se bousculent derrière ses dents serrées. Il tremble des genoux, l'indignation le submerge, envahit ses tripes, engourdit ses bras et sa nuque. Il ne voit plus que les lèvres épaisses et rouges de l'adolescent. Les frapper, le sang jaillirait sur les boutons et les poils de la barbe. Les frapper, ce rire qu'on lui inflige ferait place au silence. Mais, il ne peut pas frapper. Ne doit pas frapper. Il a trop besoin de cet emploi.

Sa fierté se doit d'abdiquer.

— Va le chercher; je n'aime pas reculer l'autobus.

— C'est mieux de plus se représenter.

Hervé se rassoit, prend de bonnes respirations pour se calmer. Il entend chuchoter et rire dans son dos. Qu'il aimerait fuir par cette porte ouverte sur des marguerites poussiéreuses. Fuir jusqu'à l'écurie parmi ses vaches dociles. Fuir jusqu'au bout du champ, jusqu'au torrent. Mais il ne le peut, car il doit subir tout cela s'il veut conserver les terrains où semble s'être enraciné le cœur de sa Flore.

Il glisse un regard vers le premier banc à sa droite et recueille le sourire réconfortant de Gaby. Cet enfant sait ce qu'il ressent. Cet enfant le console, le réconcilie avec le reste du monde.

— Tiens, il le fera plus le chauffeur. C'est vrai qu'y est pas gentil, hein? explique l'adolescent au petit qui, plus intimidé qu'autre chose, s'installe près de Gaby, des larmes tremblant au bord des paupières.

Hervé lui cligne de l'œil.

— Pleure pas... j'oublierai plus astheure.

L'adolescent retrouve son banc où l'acclament ses amis; lui, reprend son volant, sa fierté bafouée au fond de l'âme. Blessé, il canalise ses efforts à ne pas en avoir l'air, laissant l'autorité lui filer entre les doigts. Et déjà, après seulement deux jours de transport scolaire, l'ouvrage lui pèse et l'excède.

* * *

Vendredi, 1ᵉʳ septembre 1984.

Alex s'amuse tant avec les Potvin. D'ici, il l'entend rire. D'ailleurs, partout dans la cour d'école les autres s'amusent.

S'amusent tant, qu'il espère la cloche pour mettre fin à ces cris joyeux, ces interpellations, ces chants. «Am stram gram» par-ci, «j'ai un beau château» par-là, «lance-moé le ballon et qui est-ce qu'il l'a, c'est Marie Stella?» torturent l'âme solitaire de Gaby. La cloche de la rentrée a, pour lui, sonné le glas des jeux tranquilles avec son cousin Alex. Le glas de leur amitié discrète. Sitôt qu'il a mis le pied dans l'autobus scolaire, Alex s'est acoquiné avec les Potvin, le délaissant, l'ignorant même. C'est tout juste s'il le regarde. Tout juste s'il lui parle en débarquant de l'autobus le soir avec pépère. Pauvre pépère! Les élèves lui causent bien des soucis, surtout les grands. On se moque de lui dans son dos et on répand la rumeur qu'il n'est qu'un vieux fou, un vieux détraqué de la guerre. Des larmes montent aux yeux de Gaby. Il tente de les refouler mais avec quoi? Avec quelle image joyeuse? Celle de mémère... mais mémère n'est plus comme avant... elle pleure quelquefois dans la salle de bain et ses yeux sont étranges... comme perdus... Avant, la pensée de mémère souriante le consolait mais aujourd'hui, le flot de ses larmes s'enfle. Il lui faut refouler ses larmes... mais avec quoi? Avec quoi? Gaby regarde la joie des autres, la joie dont il est écarté, la joie d'Alex courant et riant sans lui et une larme coule sur sa joue. L'enfant se retourne contre le mur. Le front appuyé sur la brique froide, il roule tristement des cailloux sous sa semelle. La larme tombe sur son soulier neuf et lui fait penser à sa mère. Avant de partir pour la ville, elle l'a emmené magasiner. C'était merveilleux d'être seul avec elle. D'être grisé par son parfum, tout un après-midi, de manger un cornet avec elle, d'essayer des vêtements dans la cabine où ils étaient serrés l'un contre l'autre et où, immanquablement, elle le frôlait de sa jupe, de ses mains, de son corps. C'était merveilleux, la façon dont elle replaçait ses cheveux de ses doigts lorsqu'il enlevait son chandail, merveilleux lorsqu'elle avait essuyé de la crème glacée sur sa joue en mouillant le Kleenex de sa langue. C'était merveilleux de l'avoir pour lui tout seul. De se promener dans le hall du centre commercial en lui tenant la main, persuadé qu'elle était la plus belle de toutes. De la regarder conduire la voiture. De l'observer rafraîchir son rouge à lèvre, dans le rétroviseur. Merveilleux d'être séduit, ravi, envoûté par elle. Merveilleux, cette intimité, cette chaleur, cette douceur. Cette maman pour lui tout seul.

Les larmes redoublent.

— Y est aussi capoté que son grand-père, lance une voix.

Gaby se blottit contre le mur en se cachant le visage. «Am stram gram, j'ai un beau château, lance-moé le ballon et qui est-ce qu'il l'a, c'est Marie Stella», l'isolent davantage des autres. Mais, désire-t-il vraiment s'intégrer à eux? À leurs jeux, certes, mais à eux? Eux et leur méchanceté? Eux et leur force? Eux et leur facilité? Désire-t-il vraiment être des leurs? Partager leurs insultes dans le dos de grand-père?

Une main se pose sur son épaule. C'est celle de Sylvie, la surveillante.

— Tiens, va sonner la cloche, Gaby.

Il a dû lui faire pitié. Naturellement, elle ne sait pas pourquoi il pleure, mais de toute évidence elle veut le consoler.

Gaby essuie hâtivement ses joues avec les manches de son chandail et sonne la cloche à toute volée. Les jeux prennent fin, les rires se taisent, les ballons s'arrêtent. Balançoires et anneaux oscillent dans le vide. Les écoliers prennent leur rang.

De sa voix douce et maternelle, Normande réunit les enfants de première année. Le cœur de Gaby bat fort lorsqu'elle s'approche de lui. Elle lui sourit. Il rougit. Se sentant curieusement fautif envers sa mère pour le sentiment d'amour démesuré qui l'envahit soudain.

* * *

269

Éthiopie, samedi, 2 septembre 1984.

P arce que plus rien ne peut réchauffer Zeferi, ni les couvertures, ni le soleil de feu, sa mère l'a pris dans ses bras.

Elle le berce, assise sur le sol. Elle le berce d'avant en arrière, communiant avec lui par son geste. Elle ne chante pas, ne raconte pas d'histoire mais le berce, les yeux dans le vide calciné du désert. Le rejoint-elle dans cet espace? Rejoint-elle Zeferi que plus rien d'autre n'atteint? Se soustrait-elle à ce monde de la conscience pour retenir quelques parcelles de son enfant?

Oui, sa mère est avec Zeferi. Dans cet ailleurs, sur cette frontière entre la vie et la mort où elle se berce. Elle est avec lui; il est dans ses bras. Contre sa peau, contre son cœur. Tout comme à son premier jour. Là, dans ses bras. Bercé, enveloppé, possédé. Il est à elle, elle est à lui. Pour cet instant ultime du premier et du dernier jour.

Zaouditou sait que lorsque sa mère cessera de se bercer, Zeferi ne sera plus avec elle. Il sera retourné d'où il était venu. La nuit glaciale l'aura finalement tué. Mais les bras de sa mère ne peuvent-ils pas le retenir de ce côté-ci de la frontière? L'amour qui les enveloppe ne peut-il pas vaincre cette nuit fatale? Elle l'espère. Le veut tellement qu'elle ne se résoud pas à prier comme grand-père. Zeferi vivra. Il se baignera avec eux dans le grand lac Tana. Oui, il vivra. Il le faut. Trop de morts jalonnent leurs parcours. C'est injuste. Le ciel doit s'amender, se résoudre à les laisser atteindre le paradis. Le ciel doit cesser de persécuter les générations innocentes.

Des lamentations lui parviennent d'un campement voisin. Lui rappellent amèrement que même le ciel se lie contre eux. Hier, un avion a survolé ce groupe d'une dizaine de personnes. À cause des deux chameaux probablement, on les a pris pour des rebelles. L'avion les a mitraillés. Un homme est mort, deux sont blessés. On pleure là-bas. Du ciel, la mort s'est abattue sur eux. Elle guette partout et toujours la mort. De jour et de nuit, sur la terre comme dans le ciel. Partout sur le chemin de la vie, elle guette férocement.

Zaouditou ferme les yeux. Tente d'imaginer le grand lac Tana. Elle ne sait trop quelle image lui donner. Elle n'a jamais vu de lac. Grand-père le décrit comme un immense bassin d'eau bleue. Immense comme quoi? Comme combien d'écuelles et de points d'eau? Assez pour aller toucher la ligne de l'horizon, paraît-il, et se confondre avec elle.

La fillette se concentre. Fait naître dans sa tête bouillante d'angoisse, cette oasis, à perte de vue. La tâche se complique cependant lorsqu'il s'agit de piquer des diamants à cette masse fluide. Grand-père raconte que le lac Tana brille au soleil comme un bijou. Alors, elle pose, ici et là, des étoiles sur l'eau.

C'est fait. Le lac est là, derrière son front brûlant. Entre ses oreilles bourdonnantes. Là, derrière ses yeux clos sur le désert. Clos sur sa mère qui se berce d'avant en arrière avec l'enfant à mourir dans ses bras.

Maintenant, elle imagine sa mère pénétrant dans l'eau du lac en tenant la petite main de Zeferi. Il craint cet univers inconnu mais la suit. Viens Zeferi, viens, disent-ils tous en l'invitant. Viens. Et il vient. Grand-père l'attend pour le baptiser. Grand-père puise l'eau dans ses mains et la fait couler sur son front. Et l'eau coule sur le crâne de Zeferi, abandonnant des perles dans ses cheveux. Et l'eau ruisselle sur son visage, sur son cou, sur ses épaules, traçant des chemins dans la poussière de l'enfer qui le recouvre. Et l'eau le lave, le purifie de cette désobéissance. Et l'eau le délivre du châtiment destiné aux sept générations à venir. Et l'eau l'absout.

Grand-père prie. Grand-père rend grâce. Il les baptise chacun leur tour, accompagné des chants de Nigusse.

Tranquillement, Zeferi s'apprivoise à cet univers. Il plonge ses mains dans l'eau et s'amuse des gouttes qui pleuvent au bout de ses doigts. Il les éclabousse tous et rit. Il ne comprend pas leur périple en enfer qui les a conduits au paradis. Il n'a que quatre ans. Il ne se souvient plus d'avoir été transporté dans une civière improvisée. D'avoir été bercé. D'avoir été soigné.

Il est là, vivant. Avec sa petite tête pleine de gouttelettes et son sourire.

Zaouditou projette ces images devant elle. Elle les ancre dans l'avenir et s'y rattache par la corde de l'espoir. Il lui suffit maintenant de haler, sans jamais lâcher prise. Sans jamais perdre espoir. Bien sûr, le grain de teff n'a pas levé et il n'a pas plu, mais Zeferi vivra... Les bras de sa mère doivent l'arracher à ceux de la mort. Les bras de sa mère doivent le garder toujours contre son cœur, contre sa peau. Doivent toujours l'envelopper dans ce geste de possession et de tendresse.

«Oui, berce-toi, maman. Berce-le, comme ça, dans tes bras» pense Zaouditou, en se berçant inconsciemment d'avant en arrière. Comme si elles pouvaient être deux pour retenir Zeferi.

Sa mère s'arrête. Non! Il ne faut pas. Ce n'est pas possible. Va pour l'âne, pour la chèvre et même Groum mais pas Zeferi. Pas lui qui avait entrepris la route du paradis. Pas comme ça, bêtement, à cause de la nuit glaciale. «Berce-toi, maman.»

La femme pose la main sur la tête de l'enfant mort dans ses bras et se replie, se recroqueville de tout son être sur le corps inerte. Comme si elle pouvait l'englober, l'insérer à nouveau dans son ventre pour lui redonner vie. Une douleur indescriptible marque son visage. Et en silence les larmes roulent sur ses joues, son

nez et s'égouttent sur les cheveux de Zeferi, qui jamais ne se cou-
vriront des perles du grand lac Tana.

* * *

Mardi, 5 septembre 1984.

L e jardin de Berthe regorge de concombres cette année. Pour
s'en débarrasser, elle en encombre la cuisine de Gilberte qui se voit
forcée de les mariner. Concombres salés, cornichons sucrés, relish,
salade d'hiver, concombres glacés, les recettes abondent. Elle n'a
que l'embarras du choix. Avec un soupir de lassitude, madame la
mairesse feuillette son livre de *Cuisine raisonnée*, à la recherche de
la recette miracle qui économisera temps et patience. Il lui rebute
de s'astreindre à cette tâche, et elle ne le fait que pour plaire à son
mari et à sa belle-sœur. Ah! Rien de mieux que de bonnes marinades maison, s'est exclamé Yvon en voyant arriver sa sœur avec ses
concombres encombrants. Cela voulait dire qu'il désirait qu'elle
soit à la hauteur du don que Berthe lui faisait. À la hauteur de la

275

belle-mère qui alignait, automne après automne, des bocaux de condiments aux couleurs variées et appétissantes dans sa chambre froide. Mais elle, elle n'a pas le don, n'a pas le goût d'éplucher, de laver, de hacher, de tailler, d'épicer, de cuire, de stériliser et d'empoter. D'autant plus qu'après avoir goûté et vanté ses marinades, Yvon se tourne invariablement vers celles du dépanneur, l'obligeant de printemps en printemps à s'en débarrasser, ne conservant que les pots, au cas où...

Gilberte décoche un regard agacé aux trois boîtes rangées contre le mur. Le téléphone sonne. Retarde momentanément la pénible corvée qui l'attend. Pourvu que ce ne soit pas pour Yvon.

— Oui, allô.

C'est Berthe! Pourvu que ce ne soit pas pour lui donner d'autres concombres. Ah! Oui! Ça va! Merci pour les concombres. Oui, j'étais justement en train de choisir une recette. Ah! Oui... C'est sûr, les concombres glacés c'est plus long mais meilleur. Oui, j'essaierai. À part ça? Ah!? Hervé Taillefer.

— Ben oui, Gilberte, ton gars t'a pas raconté ça?

— Raconté quoi?

— Paraît que le vieux fou fait exprès pour oublier les Falardeau.

— Non?!

— Oui... tout l'autobus en parle. T'sais que sa fille est partie en guerre contre Andrew... A veut lui enlever le pain d'la bouche comme on dit...

— Ben, faut dire que ses cochons sentent jusqu'ici quand le vent vient d'ouest pis...

— C'est pas une raison! tranche la belle-sœur offusquée. Bon! Ce n'est plus une raison. Sa verve aiguisée est maintenant dirigée contre les Taillefer.

— Empêcher quelqu'un de vivre, c'est quelque chose d'épouvantable. En tout cas, Hervé s'est fait parler dans le nez par le fils de Kenneth. Paraît qu'y ont failli se battre. Le jeune aurait eu le dessus, tu comprends bien. T'sais le grand six pieds et quelques.

— Oui, oui... J'le replace... Comme ça, y lui a parlé dans le nez?

— Aie! Y s'est pas laissé faire. Tu connais les Falardeau. Ça se laisse pas piler sur les pieds, ces gens-là.

276

— Pour ça, non.

— Moé, j'comprends pas Gustave Potvin d'engager un homme comme Hervé. Un homme qui a plus de nerfs. T'sais que c'est dangereux pour nos enfants. Depuis qu'y est revenu de la guerre, tout le monde sait qu'y est resté avec quelque chose de pas normal… Y a pas d'affaire à conduire un autobus d'écoliers. Paraît qu'y perd les pédales pour un rien.

— Oui mais c'est dur d'endurer tous ces enfants-là. Moé, j'en ai rien que deux, pis j'trouve ça difficile.

— Ouais, mais tu t'engages pas comme chauffeur d'autobus scolaire, non plus. C'est sûr que c'est dur; ma Suzon a été monitrice cet été. Elle en sait quelque chose mais faut avoir le tour. Hervé, à l'âge qu'y a, pis avec l'enfant d'Irène qu'y garde, c'est pas comme ça qu'y va prendre le tour avec les jeunes. Gustave doit avoir ses raisons.

— Ça doit.

— Ben, tu sais c'que j'veux dire… Ça doit l'arranger que l'bonhomme garde Gaby…

— Ouang! J'comprends.

— Mais nous autres, ça nous arrange pas. Qu'est-ce qu'on fait de la sécurité de nos jeunes, là-dedans?

— Ouais…

— J'laisserai pas faire ça ben longtemps. Je l'ai à l'œil, pis si ça se reproduit, j'téléphone à la commission scolaire. Toé ton Denis, y prend l'autobus avec Hervé: tu devrais lui demander un compte rendu à chaque jour. Faut l'avoir à l'œil, j'te dis.

— Denis m'en a pas parlé…

— C'est sûr mais tu devrais être capable d'y arracher les vers du nez de temps en temps… à moins que la sécurité des enfants…

— Ben, j'ai ça à cœur, tu sais ben!

— Alors, c'est à nous autres de s'en occuper. Bon, j'te laisse à tes marinades. Bye! Tu me donneras des nouvelles.

Des nouvelles de quoi? Des marinades ou des agissements d'Hervé Taillefer? Comment Berthe parvient-elle toujours à lui imposer ces tâches désagréables? Et pourquoi lui obéit-elle? Elle aimerait bien dire non de temps en temps et faire valoir ses droits. Mais elle plie toujours. Molle comme de la guimauve, elle plie et dit oui. Devant Berthe, devant Yvon, devant les enfants. Elle plie et dit oui, tout en rêvant intérieurement de dire non et de garder la tête droite.

* * *

Lundi, 11 septembre 1984.

— Il ne vous reste que la présidente des Riverains du lac Huard à rencontrer, une certaine Marjolaine Taillefer.

— Après, c'est tout?

— Oui, monsieur.

— Bon, tant mieux. Je pourrai partir plus tôt pour Québec. Faites entrer.

La secrétaire de ce bureau de comté s'éclipse. Ni vieille, ni jeune, elle a accepté ce travail à temps partiel afin de s'habiller et de se coiffer à la mode du jour. Ni bonne ni mauvaise, elle accomplit cependant sa tâche sans enthousiasme. D'ailleurs, tout ce qui l'entoure n'est que désenchantement.

Le feu sacré s'est éteint. En lui comme chez les autres. Et sa vie n'est plus qu'une suite monotone de visites officielles, de coupage de rubans et de séances à l'Assemblée nationale. Même ses journées de bureau de comté ont sombré dans le sable mouvant de la démotivation.

Las, maître Benoît Larue, député du comté, enlève ses verres et se frotte les yeux. Après cette dernière visite, il partira pour Québec. Six heures de voyage et il se retrouvera dans son petit appartement. Le whip parlementaire s'assurera de sa présence, et dès neuf heures demain matin, il siégera en Chambre. Caucus spécial, dîner au poulet dans des assiettes de carton, café dans des contenants de plastique, insomnie et fatigue accrues, il ne reviendra chez lui que samedi et ce, pour assister à un cinquantième ou à un vernissage ou à une visite de la nouvelle aile de l'hôpital ou... les raisons ne manquent pas. Il entreverra sa famille. Sa femme de plus en plus distante. Ses enfants de plus en plus exigeants. Et lundi prochain il recommencera sa routine, côtoyant les mêmes gens, usant des mêmes arguments, avalant les mêmes repas, ingurgitant les mêmes cafés, occupant le même siège, le même bureau morne et vétuste. La seule pensée de ce bureau l'étouffe. Il revoit les grandes portes, le

278

plafond élevé, les longues fenêtres étroites et ressent cette peur claustrophobique d'y être emprisonné. De manquer d'air et de sombrer dans la poussière et la paperasse.

La porte s'ouvre. Apparaît sa secrétaire indifférente. Sans ses verres, il ne distingue pas ses traits. C'est sans importance. Elle n'est ni belle, ni laide. Sans ses verres son œil droit louche légèrement quand il est fatigué. Cela aussi est sans importance. Cette présidente pourra dire qu'elle a serré la main du député et dès lors, tout ira bien.

Une silhouette insolite s'offre à son regard. Celle d'une grande femme, coiffée d'un chapeau à large bord et vêtue d'une longue jupe. Il lui serre la main.

«Enchanté, mademoiselle Taillefer», lui offre de s'asseoir, s'empresse de remettre ses verres. La femme lui sourit. Jeune, belle, racée, elle respire la santé et le grand air. Ses joues bronzées, ses yeux clairs sans maquillage, ses lèvres rosées, sa longue natte de cheveux et sa tenue pour le moins originale le dérident et le charment.

Amateur de peinture et féru en histoire de l'art, il trouve qu'elle semble sortir tout droit d'un tableau de Monet avec les reflets d'or tissés dans sa chevelure et la teinte chaude de sa peau. Il l'imagine assise dans une barque, son chapeau romantique lui ombrageant le visage. Il l'imagine, peinte avec la lumière pure des impressionnistes. Traduite par cette lumière qui émane des pores de sa peau et des yeux magnifiques qu'elle pose sur lui. Il se sent bien, juste à la regarder, et demeure un long moment silencieux à se gaver de cette image, craignant la parole qui fera s'évanouir le rêve. Elle devrait quitter les lieux sans rien dire et rien demander en lui laissant la lumière et la fraîcheur qui irradient de sa personne. Ainsi, elle aurait ensoleillé sa grise existence. Ah! Pouvoir emmener cette image dans son morne bureau de l'Assemblée nationale. Pouvoir emmener cette femme dans son appartement ennuyeux. Pouvoir se réchauffer et se désaltérer à son contact.

— C'est à propos du lac Huard...

Elle parle de ce lac comme d'un être vivant. Comme d'un ami personnel qui court un grand danger. Même son langage est lumière et vie, et sa voix est d'une telle fraîcheur, d'une telle douceur qu'on croirait entendre roucouler l'eau.

279

Il se rassasie maintenant des paroles qu'elle prononce, attaché à ses lèvres, à ses yeux, aux gestes de ses longues mains.

La secrétaire s'impatiente, fait voir qu'il est temps de fermer le bureau.

— Vous pouvez disposer, madame. Je le ferai moi-même.

Heureux d'être seul avec elle dans ce fade bureau de comté, il la laisse raconter l'histoire de ce lac qu'une usine pollue lentement mais assurément. La laisse présenter les personnages de ce lâche assassinat. La laisse défendre les droits des citoyens à une eau de qualité. Contrairement à ce qu'il craignait, la parole ne fait pas s'évanouir le rêve mais l'épanouit en lui présentant cette âme aussi limpide qu'un ruisseau. Cette âme dont il a soif soudain. Cette âme dont il est amoureux. Oui, indubitablement et fatalement amoureux sans toutefois rechercher la réciprocité de son sentiment. L'aimer lui fait du bien. L'aimer le purifie et le rajeunit. Il ne s'attend pas à ce qu'elle lui rende la pareille et se contente de vivre l'émotion intense qu'elle lui procure. Se contente d'écouter palpiter son cœur et de sentir s'éveiller en lui la conscience de vivre.

— Puis-je vous inviter à souper?

Un brin de folie: il retarde son départ pour Québec, raccourcit sa nuit mais prolonge le moment avec elle. Oui, il est amoureux. Comme ça. Sans arrière-pensée. Sans calcul. Bêtement et gratuitement amoureux. Sans même y penser, sans même le vouloir. Tout naturellement. Sans combattre, sans coup férir. Sans honte. Ni tambour, ni trompette. Le voilà amoureux en silence, souriant timidement derrière son meuble en tek. Ébloui, ravi comme un enfant malade découvrant une fée sur son oreiller. Le voilà amoureux de tout ce qu'elle représente: la pureté, la fraîcheur, la spontanéité. De tout ce qu'il ne rencontre plus sur son chemin depuis longtemps.

Elle accepte l'invitation. Le tableau de Monet s'anime. Le comble de ses gestes posés et calmes. La femme au grand chapeau marche près de lui d'un pas majestueux. Puis, elle s'assoit face à lui, à la table d'un restaurant discret. Lumière tamisée et air climatisé ne parviennent pas à atténuer cet éclat et cette chaleur qui émanent d'elle. Cette chaleur qui l'enveloppe, le couve, le gagne tout entier. Faisant éclore ses rêves de jeunesse et ses aspirations de jeune avocat: défendre la veuve et l'orphelin, se battre pour la justice. Il retrouve ce courant d'enthousiasme et d'énergie qui

280

l'électrisait à la remise de son diplôme et embrasse d'emblée la cause de cet être sans défense qu'est le lac Huard. Oui, il le défendra. Oui, il est en mesure de le faire. Ne croit-elle pas en lui, en ses capacités? N'est-il pas son dernier et plus puissant recours? Elle vient de sortir des boules à mites, ce Superman que la pratique du droit et la vie politique lui avaient ordonné de ranger dans ses placards psychologiques. Ce héros qui l'a guidé et inspiré tout au long de sa jeunesse. Ce héros auquel il s'est identifié dès son plus jeune âge alors qu'il regardait les bandes dessinées que l'oncle Roland lui envoyait du Vermont. Affublé de verres correcteurs, rejeté par les garçons de son âge et exclu des compétitions sportives, il se réfugiait dans les aventures de ce héros qui cachait, sous une apparence similaire à la sienne, un être puissant, beau et juste. Un être qui défendait les bons et punissait les méchants. Un être voué au bien, à la vérité, à la justice. Un être invincible que personne ne soupçonnait sous le déguisement d'un journaliste timide. Peu à peu, il en était venu à croire qu'il cachait en lui une autre identité qu'il se devait d'élaborer, de perfectionner. Et, lorsqu'il entendit l'expression défendre la veuve et l'orphelin, il y vit un signe tangible de sa vocation. Seul le droit lui permettrait d'amener à terme cette autre identité, orientant et canalisant le flot de ses bonnes intentions.

Mais ce Superman caché en lui avait, par la suite, essuyé bien des revers. La pratique du droit l'avait désillusionné puisqu'il ne parvenait pas à défendre la veuve et l'orphelin, laissant les vilains et de plus habiles avocats triompher.

C'est alors qu'il s'est tourné vers la politique, se vouant tout entier à la cause référendaire, exalté et passionné par le *Donnons-nous un pays en une nuit*, de Félix Leclerc. La province opprimée était devenue la veuve pour qui il réclamait l'autonomie et l'orphelin était ce peuple qui se doterait d'un pays et marcherait la tête haute. Hélas, le NON avait laissé tomber Superman du haut d'un gratte-ciel et depuis, il traînait au fond de lui tel un déchet toxique dont on ferait mieux de se débarrasser... Et voilà que cette femme arrive, le ramasse, le secoue au grand jour en lui disant: «J'ai besoin de toi. La nature a besoin de toi.» Et voilà qu'il croit à nouveau, qu'il s'emballe, qu'il s'emporte. Voilà qu'il embarque avec elle, communie avec elle, vibre avec elle. Tout ce bien vital qu'il pourrait faire, tout cet avenir qu'il pourrait sauvegarder le stimulent. Le voilà anarchiste, idéaliste, rêveur. Il n'a plus quarante ans, mais vingt ans. Il n'est plus un député mais un étudiant prêt à réformer le monde. Il n'est plus mal marié à la fille d'un juge mais uni déjà à cette femme par la même cause.

Le temps passe. Trop vite. Elle a fait un accordéon de son napperon tandis qu'il a mille fois regretté de ne pas porter ses lentilles cornéennes.

— Je vais vous reconduire.

Le rêve s'achève. Il veut le vivre jusqu'au bout. Jusqu'à cette maison de déclin où attend son enfant. Il veut connaître l'orphelin, aimer l'orphelin rébarbatif. Aller jusqu'au bout de la terre par le chemin qui longe la clôture de barbelés. Et là, marcher jusqu'au pont où gronde l'énorme chien.

— J'aimerais visiter votre île, un jour...

— Bien sûr, quand vous voudrez.

Elle traverse la barrière, la referme aussitôt à cause du molosse. Alexandre saute sur le pont en faisant des cercles avec sa lampe de poche.

— Tu viens, maman?

— Oui, j'arrive.

Maître Benoît Larue, alias Superman, ne parvient pas à tourner dos à cette femme que la pénombre lui voile. Il se complaît à la regarder comme une apparition, comme un songe. Il hume à pleins poumons l'odeur de l'eau, des feuilles mortes et des aiguilles de pin. S'en met plein la tête et le cœur pour cette semaine qu'il passera à Québec.

— Maman!

— Allez-y. Votre enfant s'impatiente. Je vais vous regarder partir... Après je partirai. Allez...

— Bon, alors, à bientôt, j'espère.

— Oui, je viendrai visiter votre lac... Samedi prochain peut-être... si cela vous convient?

— Oui, ça me convient. Bonne nuit.

Elle rejoint l'enfant, donnant subitement un sens concret à la veuve et à l'orphelin. Et lui reste là, longtemps, dans son sillage. Émerveillé, remué, enthousiasmé. Longtemps, il regarde se profiler les pins sur le ciel étoilé puis l'eau sous le pont. Cette eau qu'il s'est promis de défendre.

Il sent revivre Superman en lui et, à pas lents, rejoint sa voiture, déjà absorbé par les mesures qu'il entend prendre pour défendre sa cause.

* * *

Éthiopie, 12 septembre 1984.

Encore debout, à bout de forces, ils se traînent, les yeux rivés à la ville de Wikro. Sa mère boite sérieusement, soutenue par grand-père. Tantôt, lors d'une chute, elle s'est blessée à la cheville. Sans même voir l'expression de son visage, Zaouditou sait que chaque pas éveille en elle une souffrance qui les obligera à un arrêt. L'enfant ferme les yeux, étourdie, vacillante. Le soleil torride lui siphonne toute son énergie. Sa gorge brûle, ses yeux brûlent, ses lèvres brûlent. La fine poussière que lèvent leurs misérables pas se dépose sur ses dents et sa langue, absorbant le peu de salive qui lui reste. Et les bagages pèsent, pèsent sur sa tête et sa nuque. Et la mort de Zeferi pèse, pèse sur eux. Mille fois plus lourde que son corps malade qu'ils devaient transporter. Oui. L'absence de Zeferi est si présente. Omniprésente même. Elle règne en maître et régit leur exode, rendant grand-père méfiant et prudent, poussant sa mère à leur laisser sa couverture lorsqu'ils n'ont pas de feu pour la nuit et incrustant la peur en elle et en Nigusse.

La peur non identifiable. Omniprésente, elle aussi. Avec des odeurs de charogne et des bourdonnements de mouches. La peur de ne pouvoir trouver un jour le repos, de ne pouvoir étancher sa soif, de ne pouvoir rassasier sa faim. La peur de perdre l'espoir du grand lac Tana qui, peu à peu, s'atrophie en elle. La peur que cet espoir ne soit interprété comme un sacrilège par le Créateur. Est-ce permis d'encore rêver de tant d'eau douce? A-t-elle droit à ce paradis au bout de l'horizon calciné? Un point d'eau pour étancher le feu dans son gosier ne lui suffit-il pas? De tous les réfugiés qu'ils ont rencontrés, aucun ne rêve du grand lac Tana. Ils n'ont qu'un mot, qu'un objectif: rejoindre Mekele où des secours et des vivres sont distribués. Mekele a fait son chemin dans l'âme méfiante et prudente de grand-père, le détournant d'Axoum, la ville sainte, le détournant du lac Tana. Mekele alimente maintenant ses pas, ses efforts, ses pensées. Modifiant complètement son itinéraire. Il abandonne son projet de se recueillir en présence des tables de la Loi de l'arche d'alliance, conservées dans la cathédrale Sainte-Marie de Sion, abandonne sa mission de les baptiser dans l'eau du lac Tana. Mekele s'impose comme le plus court trajet vers leur survie. Mekele canalise le flot de tous ces paysans déracinés de leurs terres incultes. De partout ils affluent, affamés, assoiffés, malades, car nulle part, les grains de teff n'ont levé.

Un cri. Zaouditou ouvre les yeux. Sa mère tombe à genoux, puis à quatre pattes. Encore un pas, deux pas, tel un animal blessé. Grand-père laisse tomber les bagages. C'est ici le bout de leurs forces. Ici, qu'ils s'arrêteront; aux abords de Wikro. L'enfant se dégage de son fardeau et se couche près de sa mère, désemparée par l'aspect inquiétant de la cheville enflée et violacée de celle-ci. Désemparée par le sol nu. Sans végétation, sans bois, sans bouse séchée. Un peu plus loin, Wikro. S'ils ne trouvent rien pour se réchauffer, grand-père consentira peut-être à donner quelques birrs pour l'achat de bois. Les nuits froides des plateaux les épuisent autant que les jours torrides. Elle comprend maintenant la réticence de sa mère à quitter la maison. Comprend le regard d'adieu qu'elle attachait à ce simple toit de chaume qui l'abritait du soleil et à ces murs d'argile qui conservaient la chaleur du feu. Maintenant, elle comprend. Depuis que le rêve fou a cédé sa place à la réalité.

Grand-père hoche la tête en examinant le pied de sa mère.

C'est ça, la réalité. Cette blessure qui les immobilise ici, au bout de leurs forces. Cet exode vers Mekele, entraînant des hordes qui consomment bois, bouses, eau et végétation sur leur passage. Ce repos qu'ils ne connaissent jamais. Cette lente torture, de jour et de nuit, de feu et de glace, qui mine leur corps affaibli. C'est l'enfer, leur réalité.

* * *

287

Samedi, 15 septembre 1984.

C'est ça, le paradis, pense Maître Benoît Larue, assis contre un pin, face à Marjolaine. À quelques pas d'eux, le bambin s'amuse au bord du ruisseau impétueux.

C'est ça, le paradis. Il ferme les yeux, renverse la tête. Le soleil réchauffe doucement ses joues, ses paupières, son front. Un faible vent chante dans la tête des arbres et l'eau murmure sur les pierres. Là-bas, deux écureuils se disputent les croûtes de pain qu'il leur a lancées. La chaleur amplifie le parfum de résine dans le tapis d'aiguilles où ils ont étendu la nappe pour le pique-nique. Il pense au *Déjeuner sur l'herbe*. Conserve encore le goût du vin, du pain et du fromage dans sa bouche. C'est ça, le paradis. La femme se tait, étendue dans la lumière. Sa chevelure étincelante cascadant sur ses épaules.

Il aimerait pouvoir arrêter le temps, figer cette aiguille qui trotte allègrement vers l'abandon de ce paradis. Enfant, il n'avait aucune notion du paradis. Cette histoire de jardin merveilleux où vivaient un homme et une femme ne lui semblait ni enviable, ni attrayante. Superman offrait beaucoup plus d'intérêt. Mais aujourd'hui, aujourd'hui seulement et à son âge, il comprend la félicité de ce paradis et la touche du bout du doigt. Il lui a fallu pour arriver à cela se morfondre dans son bureau vétuste à l'Assemblée nationale. Il lui a fallu se dépenser en caucus, en séances et en voyages. Il lui a fallu se trahir. Il lui a fallu mentir. Il lui a fallu se sacrifier pour le pouvoir et se priver d'une vie normale. Il lui a fallu perdre sa femme, son foyer. Lui en reste-t-il un, foyer? Y a-t-il un toit sur cette terre où il fait bon vivre? Un toit sous lequel il peut se reposer, se détendre? Non. Sauf ici. Sous la ramure généreuse de l'arbre où perce la lumière. Sauf ici, sur le sol moelleux, dans ce creux confortable entre deux racines. Ici, il repose. Son front, comme ses paupières, se détendent. Ses muscles s'assouplissent. Il se sent revivre. Se sent rajeunir.

Il entrouvre les paupières. S'assure de la présence de Marjolaine. Rêve-t-il tout cela? Rêve-t-il qu'il est avec elle, dans une forêt, près d'un ruisseau? Rêve-t-il qu'elle se laisse gagner par le soleil de septembre, tout près de lui? Dort-il à l'Assemblée nationale, en rêvant à tout cela? Un collègue viendra-t-il le bousculer et lui faire ouvrir les yeux sur la paperasse de son bureau? Non. Personne ne viendra le secouer. Il ne rêve pas. Il est bien ici et elle est bien là. Ils ont bel et bien visité le lac Huard et le lac à la Tortue, ont bel et bien dîné sur la nappe à carreaux rouges, se sont bel et bien assoupis, la chaleur et le vin aidant. Engourdi, bienheureux, il referme les yeux emportant cette image de femme dans son âme. Étonné de n'avoir pas envie de lui faire l'amour. Ni même de l'embrasser. Contenté par sa simple présence.

Les yeux clos, il se dessine des images poétiques. Toutes liées à la femme, à Marjolaine. Des images qu'il grave sur cet espace vierge qu'elle a dégagé en lui, balayant d'un seul de ses regards la poussière et l'ennui. Il voit la nature qui se lit à ces hanches et ces cuisses tandis que la longue chevelure s'enlace aux bras des arbres pour ensuite s'épanouir en feuilles. L'eau qu'il entend coule des yeux turquoises, baignant les fougères, les plantes, les fleurs et les arbustes. Fécondité, générosité, pureté. La terre, l'eau, la chaleur, la lumière. Toutes femmes. Toutes sources de vie. Toutes présentes en Marjolaine. Le paradis est un monde féminin; il en est persuadé. Comment peut-il en être autrement? Saint François d'Assise ne disait-il pas «notre sœur la Terre, riche de tant de fruits et notre sœur l'eau, si utile, si humble, si précieuse et si pure»? Comment aurait-il pu saisir la notion de paradis, enfant, quand celui-ci était en réalité celle-ci. En réalité femme et vie. Pureté et vérité. Simplicité et maternité. Il lui a fallu avoir soif de tout cela pour comprendre la félicité du paradis. Soif de cette oasis de paix. De ce retour aux sources qui le purifie, le rajeunit. Ah! si ses collègues pouvaient voir ses pensées à cet instant même, ils le banniraient de leur parti immédiatement. Pauvres cons! pense-t-il soudain. Con moi-même que j'étais avant. Avant qu'elle n'entre dans mon bureau. Avant aujourd'hui. Il vit le rêve inaccessible d'un adolescent boutonneux, méprisant ses lunettes.

Timidement, il apprivoise le mystère de la femme. Prudemment, il s'en approche, espérant que le mystère s'ouvre à ses yeux éblouis et craignant qu'il ne se ferme à ses désirs. Ce monde féminin qu'il approche sur la pointe du cœur, l'émerveille et le fascine. Mystérieux, chaud, puissant et patient, ce monde exerce sur lui un charme infiniment serein. Il rêve d'y puiser des forces, d'y plonger pour se purifier. Il rêve d'avoir un esprit de femme dans son corps d'homme, un esprit de femme avec les possibilités que lui octroie son poste.

Et il reste là, contre son arbre, entrouvrant les paupières de temps à autre pour s'assurer de la présence de Marjolaine et bénissant ce silence qui les unit. Mentalement, il refait le trajet sur le lac et la revoit, conduisant le vieux moteur hors-bord de son père, sa longue chevelure fouettée par le vent. Elle ne portait ni son chapeau à large bord, ni sa jupe, ni sa natte, mais elle semblait toujours sortir d'un tableau impressionniste, avec cette lumière qui persistait sur sa peau et sur chacun de ses cheveux. Il revoit les berges dénudées, le ruisseau malade s'amenuisant vers l'agonisant lac à la Tortue. Il revoit et s'afflige de cette tristesse dans ses yeux. Cette tristesse qui lui donne un regard émouvant. Cette tristesse devant l'usine crachant sa fumée noire. Devant les rives dégradées, l'eau souillée, le purin.

Devant ces attentats tolérés. Cette destruction imperceptible et fatale du paradis.

Benoît ouvre les yeux sur la nature devant lui. Il sait qu'elle est atteinte sans que rien n'y paraisse encore. Elle semble se porter bien, comme quelqu'un au début d'un cancer. Il sait aussi que lorsque le mal paraîtra, il sera trop tard pour réagir. Exactement comme pour un cancer. Marjolaine aussi sait cela mais là-bas, au pouvoir, le savent-ils? Oui, ils le savent. Peut-être pas jusqu'au fond de leurs fibres, mais ils le savent en faisant semblant de l'ignorer. Ce qui les intéresse, c'est l'arbre du pouvoir, l'arbre de la connaissance, l'arbre du fruit défendu qui chasse du paradis.

La connaissance n'a-t-elle pas mené au feu? Et le feu à la bombe atomique? Et à cette énergie qui mène le monde. Détruit le monde. Cette énergie qui engendre les pluies acides au-dessus du paradis. Cette énergie qui assure le pouvoir.

Lui et ses collègues politiciens ne se préoccupent-ils pas de cueillir les fruits de l'arbre défendu plutôt que de protéger leur paradis? À genoux devant l'arbre du pouvoir, de la connaissance et de l'énergie ne ferment-ils pas les yeux sur la dégradation, la pollution, l'intoxication?

Ici, l'arbre du pouvoir, c'est l'usine et, seule, Marjolaine ne pourra rien contre lui. Il sait cela. Et parce qu'il sait cela, il a approché le ministre de l'Environnement cette semaine. Quelle déception il a connue! Tout ce qui semblait intéresser son collègue, c'était la création de comités et sous-comités, engendrant de nouveaux postes et de nouvelles fonctions. Mutations, changement de direction et transfert des responsabilités le préoccupaient plus que la protection des lacs. Et que dire des associations de riverains qui semblaient lui casser les pieds. Il voulait bonifier tout cela. Améliorer l'impact de la prise de conscience de ces bénévoles. Faire mieux. À grands coups d'argent. Investir là où, gratuitement, des citoyens se dépensaient. Engloutir de grosses sommes dans la dépollution des rivières. Dans ce qui se voit. Dans le bien que son ministère fera et non dans le mal qu'il évitera. La prévention ne l'intéressait guère. Elle n'avait pas d'éclat, pas de preuve, pas d'investissement. La prévention n'assurait pas des votes. «J'ai dépollué vos rivières; votez pour moi à nouveau» a plus d'effet que «J'ai fait en sorte que vos rivières ne se polluent pas». Il fallait des gestes d'action, d'éclat, qui puissent frapper le peuple assis devant son téléviseur à l'heure des nouvelles. L'adoption de règlements cadres, visant à protéger les rives et le littoral ne frapperait pas autant qu'un mirobolant million dépensé pour assainir les eaux et faire travailler les chômeurs. Son collègue lui avait donné l'impression qu'il travaillait pour conserver l'arbre du pouvoir et non pour conserver ces incroyables richesses naturelles et mondiales que sont nos lacs.

Et il s'en voulait d'être comme lui. D'accepter en Chambre, des projets qu'il désapprouvait afin de donner une impression de solidarité à leur parti. Aujourd'hui, il conçoit combien il est impuissant depuis que son parti est au pouvoir. Marjolaine sait-elle cela? Le lui avouera-t-il un jour? Elle croit en lui, croit en Superman. Mais Superman accomplit des gestes d'éclat. Il n'a pas la puissance de la patience des gouttes d'eau qui creusent les pierres. Pourtant, il lui faudra l'acquérir, car son ennemi a cette puissance. Son ennemi procède sournoisement, goutte à goutte, œuvrant patiemment à gruger le paradis. Il devra apprendre à procéder comme lui. Devra s'initier à ce monde féminin, tout près de lui. Devra s'éloigner de l'arbre du pouvoir. Il est si las, si las et si déçu de lui-même.

L'enfant, qui s'amusait aux alentours, surgit alors avec des mains pleines de noisettes et d'échardes.

— C'est pour toé, Marjolaine.

Il les dépose devant elle et le défie silencieusement d'en faire autant. Alex voit en lui un rival. Benoît lui sourit. Hostile, l'enfant se détourne et disparaît dans les boisés.

— Il est très possessif, explique Marjolaine, et jaloux de tous ceux qui m'approchent.

— Pauvre enfant! Il n'a aucune raison de l'être.

Qui veut-il convaincre? Lui, elle ou sa conscience? Après tout, il n'a rien déclaré, rien avoué encore.

Il s'est tout simplement déplacé pour constater de lui-même l'état du lac Huard et profité de l'occasion pour pique-niquer près du torrent avec la présidente des Riverains. Ne joue-t-il pas au golf avec des présidents et des gestionnaires, dans un but similaire? Cette excursion lui a fait prendre conscience du problème crucial de l'environnement. Lac, berge, littoral perdent leur sens abstrait et ennuyeux que leur confèrent les projets de règlements. Chacun de ces mots éveille en lui des images, des parfums, des sons, des touchers. Les feuilles déjà jaunies des arbustes, l'herbe et le plantain fatigués, les quelques taches rouges des érables, la beauté majestueuse des pins, les rassemblements des carouges à épaulettes, l'odeur fraîche du torrent, la douceur du vent sur sa peau, la couleur du ciel et de l'eau s'inscrivent avec force en lui. Il en fait provision pour trouver des arguments en chambre, car l'arbre du pouvoir exerce sur lui aussi son emprise. Il a goûté à ses fruits. Vécu de ses fruits, menant un train de vie que ne lui permet pas son salaire de simple député. Pire, sa femme et ses enfants attendent de lui qu'il cueille sans cesse les fruits de l'arbre. Sa grande maison, les toilettes chères de madame, le harcèlement des enfants qui demandent une piscine creusée, le forcent à trahir sans cesse Superman. Alors, il doit laisser ce paradis et cette femme l'envahir tout entier s'il veut, un jour, se libérer de l'arbre du pouvoir. S'il veut vaincre. Sur lui-même en premier.

— Il faudrait faire adopter un règlement-cadre pour la protection des rives et du littoral, résume-t-il pour conférer de l'importance au but de sa visite.

— Absolument, répond-elle, les yeux pétillants d'intérêt.

— Je ne suis, hélas, pas seul à décider de cela, mais j'essaierai de faire quelque chose en ce sens.

Déception perceptible sur le visage de Marjolaine. Il ne l'endormira pas avec ces phrases. Bien que retranchée sur son île, cette femme sait détecter les faux-fuyants. Il rougit, ressent une bouffée de chaleur.

— Je veux dire que je suis convaincu qu'il faut absolument adopter ce règlement.

— J'espère bien t'avoir convaincu. Je compte sur toi, maintenant, pour convaincre les autres.

Ils ont laissé tomber le vous, tout naturellement, au fil de l'eau. Il ne sait s'il aime cela. Le *vous* la marquait du sceau de l'inviolable, de l'inaccessible, faisant d'elle un mythe, un fantôme sorti d'un tableau. En la tutoyant, elle perd non pas de la grandeur, mais de la distance entre lui et elle. Et cela l'inquiète. Pourtant, il tutoie les présidents et les gestionnaires lorsqu'il joue au golf. L'enfant aurait-il raison d'être jaloux de lui?

La femme lui sourit. Il s'attarde à ces lèvres sensuelles et concède que, oui, peut-être, il aurait envie de les embrasser.

Tout à coup, cette fête du quarantième lui apparaît comme une pièce montée par des amateurs. Les mots y sont, les gestes y sont mais pas l'âme. Est-ce à cause de cette troisième coupe de vin qu'elle a cette perception des choses? Sans doute. Elle n'a pas l'habitude de la boisson et pas l'habitude d'embrasser publiquement Hervé chaque fois qu'un convive a la géniale idée de frapper une cuillère contre sa coupe. Ding, ding, ding, ding, il faut qu'ils s'embrassent. Qu'ils donnent leur spectacle eux aussi. Qu'ils remplissent les conditions de quarante ans de vie commune. C'est pesant à la longue. Pesant de sourire quand le cœur n'y est pas. Pesant d'embrasser quand la déchirure s'agrandit. C'est comme embrasser un étranger. Comme jouer la femme de l'étranger. Mais ce n'est pas le temps de leur dire cela, même pas le temps d'y penser. Il faudrait qu'elle fasse comme si… Comme si Hervé n'avait pas hypothéqué les terrains, comme s'il ne devait pas conduire un autobus scolaire pour parvenir à régler les paiements de l'excavatrice, comme si Jean-Paul et Florient n'avaient aucun souci, comme si Irène ne buvait pas tant, comme si Marjolaine ne s'entêtait pas à protéger le lac, comme si René Mantha ne désirait pas s'accaparer du torrent. Comme s'ils étaient tous des enfants innocents et sincères accrochés à sa jupe. Tous des enfants.

Le regard de Flore glisse vers son petit-fils Gaby. Endimanché comme un prince, il n'a de regard que pour sa mère. Cette adoration muette qu'il lui voue la chagrine et elle devine combien sa jeune âme doit souffrir en silence. Qu'elle aimerait partir avec Gaby! Se retrouver seule avec lui sur le bord d'un étang, à ne rien dire, à ne pas faire semblant, à ne pas se forcer à sourire. Seulement être là. Évadée de ce mensonge tissé de bonnes intentions. De cette farce de mauvais goût. De cette pièce mal montée par des amateurs. Évadée. Épargnée de cette mise en scène du bonheur conjugal.

Nerveusement, Flore roule son alliance. Il lui est impossible maintenant de l'extraire de son annulaire tellement elle a engraissé. Elle regarde sa main potelée et ce jonc incrusté dans sa chair. Cette vision l'effraie. Elle se sent prisonnière. Prise au piège de l'amour qui l'a surprise un beau matin qu'elle conduisait son percheron dans les senteurs de résine. Piège de l'amour. C'est la première fois qu'elle associe ces mots. La première fois qu'elle remarque ce jonc intégré à son doigt. Insidieux, le piège. Déguisé, le piège. Patient, le piège qui, jour à jour, sape la femme en elle pour n'y laisser que l'enveloppe de la mère. Sournois, le piège qui tire l'essence et la sève d'un être. Impossible à retracer, le piège. À quelle grossesse au juste? À quel sacrifice, la femme a-t-elle cédé sa place à la mère dans l'esprit d'Hervé, l'excluant des décisions importantes? Comment savoir? Comment retracer le petit à petit? Le jour à jour? Comment calculer à quelle goutte déborde la coupe? Tout ce qu'elle peut savoir, c'est laquelle des gouttes est l'inacceptable. Et cette goutte-là, c'est l'hypothèque des terrains sans son consentement. Oui, c'est cela puisque le simple fait d'y penser lui donne mal. Là, dans sa poitrine. Là, comme une grosse boule pesant sur ses poumons. Ils vont perdre les terrains, elle le sent. René Mantha agit déjà comme s'il les possédait. C'est un rapace. Il les veut, il les aura. Comme il a eu Irène et le terrain de l'usine. Et elle, elle perdra tous ses rêves avec eux. Tout ce qui lui reste d'avenir et tout ce qui est son passé. Elle perdra le torrent de l'amour sans piège, le torrent où elle escomptait écouler ses vieux jours.

Son regard se porte sur René Mantha qu'elle repousse de tout son être. Elle lui impute tout ce désordre, tout ce chaos que connaît sa famille. Sans lui, les choses seraient si simples, si faciles. La misère sans lui est plus supportable que l'aisance avec lui. Elle n'a qu'à observer Irène pour s'en convaincre. Déjà ivre, elle taxe Marjolaine de tête de linotte.

— C'est niaiseux de faire tant d'histoires pour les filtres des cheminées.

Elle l'accuse de mettre en péril l'emploi de ses frères et de ses concitoyens. Florient s'offusque, étreint sa fourchette qu'il plante agressivement dans la poitrine de son poulet barbecue.

— C'est pas tellement elle que ton mari qui profite de ça pour faire ses coups de salaud dans le dos, échappe-t-il dans sa fureur.

La phrase est échappée, bien enregistrée par René Mantha. Un silence complice isole ces dernières paroles, mettant l'accent sur la fourchette de Florient plantée dans la poitrine de poulet et forçant l'imagination des convives à y substituer la poitrine de Mantha. Celui-ci termine une mastication pour le moins mordante, s'essuie les commissures des lèvres et se lève en entraînant Irène.

— Y a du monde qui sait pas vivre, ici, commente-t-il avant de condamner Florient d'un bref regard éloquent.

L'assemblée figée les regarde partir, écoute claquer les talons d'Irène sur le pavage du stationnement puis le claquement des portières. La grosse Cadillac démarre sans bruit, regagne la somptueuse résidence d'été.

La sentence plane sur Florient.

— J'pense ben que j'peux dire adieu à ma job, dit-il d'un air piteux en tentant de dégager son ustensile. S'aidant de ses doigts, il pousse sur la viande. Flock! Le poulet retombe dans l'assiette, éclaboussant son visage de sauce.

Cet épisode n'était pas prévu, ni ce texte, inclus dans la pièce d'amateurs. Flore pouffe de rire. Et de voir le visage moucheté de son fils et de voir sa mine d'enfant fautif qui vient de dévoiler ces vérités pas bonnes à dire. Florient lui emboîte le pas, puis Hervé, puis Jean-Paul. Autant en rire maintenant puisque, de toute façon, il le perdra définitivement cet emploi. Autant cracher la vérité au visage de Mantha. Autant lui démontrer qu'il ne pourra jamais leur ravir leur fierté. Aurant rire en pleine face de l'adversité.

Toute la famille s'en donne maintenant à cœur joie, plaisantant sur la fourchette dans le poulet et la sauce piquante qui picote. Flore retrouve ses petits, riant de tout et de rien à table. Pauvres, mais tellement heureux, tellement riches de leur fierté, de leur solidarité. Elle les retrouve unis et riant des hautains qui cherchent à les écraser. Riant ensemble. Coude à coude. Et de bon cœur...

Et elle rit, rit au lieu de pleurer. Faisant fi des convenances, de la bienséance, du rôle qu'elle a à jouer en tant qu'actrice principale de la pièce et de cette femme en elle qu'Hervé a trahie.

Elle rit, heureuse d'entendre Gaby parmi les autres. Comme les autres. Heureuse de constater qu'il n'a pas saisi toute la portée de l'événement et qu'il ne se rend pas compte que sa mère est exclue de ce rire. De cette folie qui les réunit à nouveau. De cette fierté qui renaît parce qu'elle rit, elle, la mère. Parce qu'elle leur fait don à nouveau de son rire qui les a remorqués tout au long de la misère quand ils portaient le linge donné par les touristes et se réchauffaient à trois ou quatre par lit, en hiver. De son rire, qui, de la cuisine, a insufflé courage et énergie, au détriment de la femme, du torrent en elle.

* * *

Lundi, 17 septembre 1984.

Visiblement intimidé, le jeune journaliste lui tend une main moite et molle.

— Enchanté, monsieur Mantha.

Il s'assoit, sort tablette et stylo d'un sac de toile et, croisant une jambe sur l'autre, s'apprête à prendre des notes.

— Je peux vous offrir à boire?

— Euh… oui, oui, pourquoi pas?

— Mets-toi à ton aise. J'mange pas personne, blague René Mantha en dévoilant son cabinet à boisson dissimulé dans la bibliothèque. Le fait qu'il l'ait tutoyé met le jeune homme en confiance.

— Scotch? Whisky? Cognac?

— Scotch.

Oui, scotch: cela fait journaliste du *Globe and Mail*. Cela fait important. Il doit sûrement être sur la piste d'une grosse affaire.

— Habituellement, je suis à Montréal en semaine. Je ne viens qu'à toutes les quinzaines.

C'est ce qu'il espérait. Seule une grosse affaire justifierait la présence de monsieur Mantha en ce lundi cafardeux.

— Les temps sont encore durs. La récession de l'année dernière a profondément marqué notre économie, surtout dans le domaine forestier. Mais je crois que je ne t'apprends rien là-dessus.

— Ça été une période noire dans la région.

— Oui. Très noire. Des gens sans emploi. Des usines fermées. Ça fait peine à voir. Vraiment.

Quel grand cœur que ce Monsieur Mantha! Quelle âme compatissante!

— Justement, j'ai dû mettre à pied cinq hommes dernièrement. Ce n'est pas de gaieté de cœur, je t'assure.

298

Le journaliste écrit. René Mantha en profite pour s'accorder un sourire au souvenir du renvoi de Florient et de Jean-Paul. Tiens! Voilà pour la fourchette dans le poulet. Puis, il reprend sa mine affectée. Les trois autres de toute façon n'avaient été engagés que pour six mois. Mais le journaliste n'a pas à savoir ces détails. Au total, cela fait bel et bien cinq mises à pied.

Une gorgée de scotch précède la question du journaliste.

— Quel est le motif de ces mises à pied?

— Le?! J'aimerais qu'il n'y ait qu'un motif. Disons que les difficultés à écouler notre marchandise dues à la baisse de la construction y ont contribué pour une grande part. À cela, évidemment, il faut ajouter que nous sommes loin des grands centres et que le transport rend nos prix moins compétitifs.

— En effet.

Autre gorgée. Il écrit. Maintenant fébrile. Enthousiaste.

— Prévoyez-vous d'autres mises à pied?

— Cela plane toujours au-dessus de nos têtes. Nous nous relevons à peine… à peine.

Encore une gorgée. Le jeune s'attarde au geste de la main pesante de René Mantha qui se soulève à peine, à peine de son bureau de chêne.

— Est-ce que vous avez envisagé de fermer à nouveau l'usine?

Une gorgée de plus. Il attend. Tendu comme un ressort. René Mantha fronce les sourcils en laissant tomber sa grosse main sur une lettre. Puis, il échappe un soupir de découragement. On dirait un homme au bord de la faillite.

Dernière gorgée. Le verre est vide.

— Tu veux un autre scotch?

— Non, merci.

Ce qu'il veut maintenant c'est une réponse à sa question.

— Tiens, lis toi-même, permet René Mantha en poussant la lettre vers le journaliste. Lettre dont il connaît le contenu par cœur et, fait à ne pas négliger, dont le député possède une copie conforme. Ce n'est que depuis que Marjolaine a été vue en sa présence qu'il a jugé bon de lire le courrier provenant de l'Association des riverains.

Les doigts du journaliste tremblent en ouvrant l'enveloppe. C'est ce qu'il prévoyait. Lui donner l'impression d'être mis dans le secret. L'impression de tenir une primeur. D'avoir accès à des documents.

Profitant de le voir absorbé dans sa lecture, René Mantha lui verse un autre scotch. Au fil des lignes, le jeune homme prend de l'assurance et n'accorde qu'un bref remerciement pour le verre de boisson revenu au creux de sa main moite.

— Hmm! C'est assez sérieux comme demande.

— Sérieux!? Mais c'est de la folie, mon jeune ami. Je vais te dire une chose, une seule. Je peux garantir, à cent pour cent que mon usine ne polluera plus le jour où j'installerai des filtres.

– Ah! Oui? Comment ça?

Nouvelle gorgée. Il écrit vite et mal. René Mantha lui laisse du temps, mettant ainsi bien en relief le coup d'éclat qu'il a préparé cette fin de semaine.

— Parce que mon usine ne fonctionnera plus. Voilà pourquoi.

Gorgée. Il n'a pas à écrire cette phrase. Il ne l'oubliera jamais.

— Elle ne fonctionnera plus?

— Non. Elle ne polluera plus mais ne fonctionnera plus. Je ne peux me permettre d'investir dans l'achat et l'installation de filtres quand la survie de l'usine est menacée. Et puis, entre toi et moi, ça continue de pleuvoir acide partout au Québec et même au Canada et le gouvernement n'installe pas de filtres aux cheminées de ses usines. Alors, pourquoi ce serait toujours les petites gens qui paieraient pour les pots cassés?

Que de modestie chez ce puissant magnat qui s'immerge ainsi de plein gré dans le flot des petites gens! Que d'humilité! Ainsi donc, il ne se considère pas plus grand que lui, jeune blanc-bec de l'hebdo local ou pas plus grand que sa secrétaire ou que les ouvriers qui travaillent à son usine. Quelle grande âme!

Béat d'admiration, le journaliste sursaute à la sonnerie du téléphone. «Oui, lui-même à l'appareil. Oui. J'ai quelqu'un présentement dans mon bureau. Je vous rappelle.»

— Tu as tout ce qu'il te faut pour pondre un article?

— Oui, monsieur. J'ai pensé mettre en gros titre: *L'usine menacée de fermeture par l'installation de filtres antipolluants.*

— Parfait! Excuse-moi, maintenant, j'ai à faire.

Pressé, le journaliste vide son verre d'un trait et disparaît.

Voilà pour toi, Marjolaine. Coup pour coup, pense Mantha. Tu as voulu emmener ça sur la scène politique, t'allier les faveurs du député péquiste, me sachant libéral. Et bien, me voilà sur la scène politique. Toi et ton député, vous êtes mieux d'apprendre à patiner vite.

Il sourit en déchirant la lettre. Il n'en a plus besoin. L'article dans le journal local est sa réponse. Tout le monde la lira; le député, Marjolaine, les ouvriers. Et le député ne pourra risquer les emplois de ces ouvriers, quelle que soit sa liaison avec Marjolaine.

* * *

Éthiopie, vendredi, 22 septembre 1984.

Des mouches sur ses yeux. Lourdes et collantes. Posées là, sur ses paupières. Elle n'a plus la force de les chasser.

Des doigts effleurent son visage. Les mouches s'envolent, bourdonnent au-dessus d'elle puis reviennent l'envahir.

Des mouches sur les excréments où elle gît. Partout sur son corps. Elle n'a plus la force d'être décente. Privée de toute dignité, elle agonise dans une marre de matières fécales, la tête appuyée sur les genoux de sa fille, Zaouditou.

Elle a conscience de tout cela. Conscience qu'elle va mourir. Conscience encore de la douleur qui lui torture le ventre. Conscience de la soif intense qui lui étreint le gosier. Conscience du soleil torride qui achève de la consumer. Conscience de la tendresse de

Zaouditou penchée sur elle. Conscience de son état lamentable. Conscience du peu de temps qu'il lui reste avant de sombrer dans le néant. Avant de laisser à cette enfant l'héritage démoniaque d'un pays brûlé.

Elle voudrait parler... mais n'a plus la force. Les mots ont séché dans sa gorge et sa langue s'est soudée à son palais. Quels mots exprimeraient sa détresse et son angoisse? Il n'y a pas de mot convenable. Pas d'explication convenable. Pas d'excuse convenable. Tout ce qu'elle sait, tout ce qu'elle sent, c'est que ce n'était pas ainsi qu'elle voyait les choses, pas ainsi qu'elle voulait les choses. Ce n'est ni l'héritage, ni le pays qu'elle se voyait offrir à sa progéniture. Ce n'est pas cela qu'elle voulait. Pas cela qu'elle méritait. Elle a été une bonne épouse et une bonne mère, mettant au monde des enfants pour garantir l'avenir, assurer la vieillesse et perpétuer la race. Mais ce monde s'est brusquement fermé à ses désirs. S'est brusquement durci comme pierre. Ce monde nouveau qui a vu naître ses petits les a, dès le premier jour, marqués par la faim et la soif.

Sorti des entrailles de l'enfer, avec son haleine brûlante chargée de sable et son ciel avare de pluie, ce monde impitoyable a calciné les semences et tari les points d'eau. Il a desséché les feuilles aux buissons et déshydraté la chèvre. Il a réduit la terre en poussière. En cendres. «Souviens-toi que tu es poussière et que tu retourneras en poussière.» Elle n'a pas souvenance que ce pays fut toujours poussière. De quoi sont-ils punis aujourd'hui, pour que les sillons, jadis fertiles, soient réduits en cendre? Pour que ce pays des moissons devienne cet immense brasier inculte? Le vieux aurait-il raison dans sa déraison?

Des gestes doux effleurent ses joues, son front, en dérangeant les mouches. Des gestes doux lui descendent jusqu'au fond de l'âme. Là où elle berçait Zaouditou, là où elle l'allaitait. C'est comme si elle devenait son enfant et comme si Zaouditou devenait sa mère. Mais, il ne faut pas s'abandonner. Pas tout de suite. Il ne faut pas sombrer dans l'inconscience. Tant de choses restent à dire. Son esprit fatigué s'acharne à trouver un héritage pour cette enfant. Qu'apportera sa mort à Zaouditou? Que lui léguera-t-elle de femme à femme? De sa chair à cette chair qui, un jour, couvera d'autres vies? Elle s'angoisse à l'idée de laisser sa fille derrière elle, en ce pays si cruel. Combien de temps lui survivra-t-elle? Qui chassera les mouches de son visage et la bercera, elle, jusqu'au dernier instant? Qui pleurera sur elle? Elle aimerait l'emmener dans le pays de l'inconscience. Aimerait l'arracher à cet enfer ainsi que Nigusse. Aimerait qu'ils partent avec elle. Pourquoi lui faut-il les abandonner en ce monde cahotique et meurtrier? Qui veillera sur eux? Mon Dieu! Ce n'est pas ça qu'elle voulait pour ses enfants. Pas ça qu'elle espérait à leur naissance. Pourquoi ne peut-elle leur laisser rien de valable? Rien de bon, rien de beau?

Brûlé, dévasté, déchiré le pays. Présente la mort, sur tous les chemins et sous tous les toits. Présente dans les puits vides, présente dans le ciel. Présente partout et partout en errance, du nord au sud et de l'est à l'ouest. Qui sait où bat la vie? Est-ce là, à Mekele où les guide maintenant le vieux? Ou est-ce dans le rêve fou du lac Tana qui appelle obstinément Zaouditou?

Les gestes caressent ses cheveux. L'invitent à rompre avec ce monde infernal. Elle glisse lentement vers le néant. Alors, le mot apparaît. Comme une fleur blanche, tremblant sous le souffle aride du désert. Elle cueille la fleur, cueille le mot à laisser en héritage à l'enfant de l'enfer qui la berce. Elle l'amène à ses lèvres desséchées, ouvre sa bouche scellée par la soif et décolle sa langue de son palais. «Tesfa» naît de son gosier pendant qu'elle meurt. Tesfa chasse un instant les mouches de son visage et s'inscrit en héritage. Tesfa s'enracine dans l'âme affectée de Zaouditou.

Tesfa: l'espoir. Le seul bien qu'il reste à léguer. Seul et précieux comme l'eau.

* * *

Lundi, 24 septembre 1984.

«Ta mère, c't'une folle!» On ne veut plus de lui. Partout, les groupes se ferment, les dos se tournent, les conversations s'étiolent. Alex sent l'hostilité de la gent écolière en ce beau lundi de septembre. Ça commence mal la semaine. Pourtant, vendredi, il s'est amusé avec les Potvin et il a joué au ballon. Que s'est-il passé entre-temps pour qu'on l'exclut ainsi de toutes les activités?

Ce rejet flagrant l'accule au pied du mur et il n'a d'autre solution que de rejoindre Gaby. Il l'aime bien son cousin... mais, pas ici... Ici, ils sont tous là à rire de lui. Ici, cela paraît trop qu'il est différent. Lorsqu'ils sont seuls ensemble sur l'île ou à la ferme, hors des regards, Gaby est le meilleur compagnon qu'il soit possible d'imaginer. Doux, sensible, loyal, il accepte tous les jeux et tous les rôles. Mais ici, il doit bien admettre qu'il lui fait honte avec sa bouche cousue de silence et son doigt désœuvré qu'il promène entre les briques du mur de l'école. L'âme en peine, Alex arrête la main de Gaby sur le chemin imaginaire tracé sur le mortier. Gaby lui sourit. «Viens, on va se cacher dans le p'tit bois», propose Alex.

Déjouer la surveillante, voilà un défi nouveau, amusant, excitant. Les voilà seuls. Hors de cette société qui les élimine. Seuls à essayer de comprendre ce brusque revirement, à essayer de s'amuser, à essayer d'éclipser les méchancetés. À essayer de se réjouir de l'automne multicolore et de l'écureuil engrangeant ses noix. Seuls à essayer.

Il devrait s'essayer ce matin. Prendre le taureau par les cornes et discuter avec Flore en toute franchise. L'article paru dans le journal en fin de semaine a dû l'ébranler autant que lui. On n'a même pas à lire entre les lignes pour comprendre que Florient et Jean-Paul n'auront pas d'ouvrage de l'hiver. Et pas d'ouvrage, pas d'argent. Et pas d'argent... Inutile de faire un dessin.

Hervé contemple ses vaches laitières broutant dans le champ. Il les connaît toutes par cœur. Outre leur nom, il sait la quantité de lait que chacune a coutume de donner et tous leurs antécédents médicaux. Une telle s'est blessé un pis dans la clôture, telle autre a des problèmes de mammite et celle-ci a accouché du siège. C'est un peu comme ses enfants, à vrai dire, mais des enfants qu'il aurait choisis. Ces vingt-cinq Holstein, pure race, le comblent de satisfaction et de fierté. Il possède un excellent troupeau. Le vendre, il en obtiendrait un bon prix.

Il fronce les sourcils. Cette simple supposition lui froisse toute l'âme. Il a mis tant d'ardeur, tant d'intérêt à monter ce troupeau. Et puis, il lui est tellement attaché... Bête à dire; s'attacher à des ruminants sans grâce et sans éclat. Pour les gens de la ville, ils ne se résument qu'à une série de quatre estomacs, capable de transformer l'herbe en lait. Une espèce d'usine animale rentable. Mais pour lui qui les soigne, lui qui choisit avec quel taureau les inséminer, lui qui les nourrit, les lave, les tond, les trait régulièrement, pour lui, ces vaches sont comme... oui... comme ses enfants. C'est une grosse part de lui-même qu'il a investie dans ces animaux. Une très grosse part.

Hervé les observe, en train de brouter paisiblement. Rien ne les perturbe. Quelle sérénité se dégage de ces bêtes tranquilles et dociles, promenant calmement leurs taches noires et blanches sur la lisière orangée de la forêt! Sérénité qui ne le rejoint pas depuis qu'il pense à les vendre. Cette solution à long terme ouvre un gouffre terrible devant lui. Il faudra bien qu'un jour ou l'autre, il l'envisage et en discute avec Flore. Mais il ne sait plus comment rejoindre sa femme depuis qu'il a hypothéqué les terrains sans son consentement. Il ne sait plus quoi faire. Ne sait plus quand agir. Est-ce prématuré de parler de vendre le quota afin de parer les coups durs de l'hiver? Est-ce risqué d'en toucher mot à Flore déjà si bouleversée? Est-ce vraiment ce matin qu'il doit prendre le taureau par les cornes suite à l'article paru dans le journal local? Non... Il ne faut pas qu'il cède à la panique: l'équilibre de Flore en dépend. Il doit donner l'image d'un homme confiant et sûr de lui. C'est à son tour de prendre les guides, d'assumer les responsabilités. Le journal, il le brûlera dans le poêle comme s'il n'avait pas pensé à vendre son troupeau, son gagne-pain.

— Nous enlever le pain de la bouche: c'est ça qu'a veut, la Taillefer! assure Berthe à Odette devant le comptoir de boucherie du dépanneur.

— Tu me l'avais ben dit pourtant, hein? Mais j'pouvais pas l'croire.

— C'est ben écrit dans l'journal: si on installe des filtres, l'usine ferme.

— Oh! Mon Dieu! J'aime autant pas y penser. Une livre de baloné tranché mince, commande Odette l'épinglette, comme si la misère venait à nouveau de lui mettre le grappin dessus. En réalité, elle venait chercher du bœuf fumé... mais la perspective de la fermeture de l'usine lui a amèrement rappelé les conditions difficiles qu'ils ont connues l'hiver dernier. C'est cher du bœuf fumé. Plus cher que du baloné. Elle sait par expérience que le dollar économisé aujourd'hui lui permettra, demain, d'acheter un pot de moutarde ou du papier hygiénique bon marché. Elle sait aussi qu'en temps de disette, tout vient à manquer en même temps et qu'il faut constamment s'en tenir à une liste de priorités. La nourriture avant les savons et détergents. Donc, les bains une fois la semaine si l'on veut manger trois fois par jour.

Yvon dépose le pauvre paquet sur le comptoir.

— C'est tout?

— Oui, c'est tout.

Sans joie, Odette s'en empare.

— Donne-moé deux livres de bœuf fumé, Yvon, commande la grosse Berthe.

Odette salive inutilement. Autant mettre fin à cette torture.

— Bon, j'ai à faire.

— Perds pas courage. En tout cas, j'suis pas mal certaine que monsieur Mantha laissera pas faire la Taillefer.

— Lui, non. Mais le député? Tout le monde l'a vu avec la Taillefer. Cherche donc ce qui s'est passé sur l'île. Personne n'était là pour voir, hein?

— Avec un article de même, le député est pris les culottes à terre, certifie monsieur le maire en pesant la commande de sa sœur.

— J'l'espère ben, souhaite Odette.

Désenchantée, elle se dirige vers la caisse enregistreuse, pressant le pas devant les cornichons à l'aneth qu'elle s'était promis pour accompagner son smoked-meat. Elle souffre, elle rage de ce bon repas qu'elle sacrifie. De ce luxe qu'elle s'était enfin accordé, vu les payes régulières du mari. C'était trop beau pour être vrai. Il lui semble qu'on lui enfonce la tête dans l'eau chaque fois qu'elle réussit à s'en sortir. Tiens, toé! Glou! Glou! Glou! Envoye au fond! Mange du baloné. C'est toujours pareil, à chaque maudite fois qu'on commence à prendre le dessus, monologue Odette dans le sentier menant à sa roulotte. Les talons aigus de ses souliers embrochent les feuilles sèches d'automne. Tantôt, cela l'amusait. Elle allait gaiement, chaussée de neuf, s'acheter son mets favori. Mais maintenant, plus rien ne l'amuse. Colère, dépit, jalousie reviennent façonner son âme, associant un nom à cette fatalité qui lui enfonce la tête dans l'eau chaque fois qu'elle réussit à s'en sortir: celui de Marjolaine.

Le Cessna 172 se dirige vers le lac Huard. Volubile, le pilote crie pour se faire comprendre, manifestement ravi que le député de sa circonscription ait accepté ce voyage au pays des couleurs, histoire de faire de la publicité pour sa toute nouvelle base aérienne.

Assis derrière, le jeune journaliste inquiet se ronge les ongles. Le manque de professionnalisme et d'objectivité de son récent article n'a sûrement pas échappé à l'homme politique qui a précisément exigé sa présence pour ce vol. De surcroît, il a peur en avion et passe son temps à se pencher du côté opposé au virage. Une idée morbide lui tenaille l'esprit, lui noue les tripes; si la portière venait à s'ouvrir pour le laisser choir dans le vide. Si... Il serre davantage sa ceinture de sécurité, quitte à être étranglé sur place, et vérifie son appareil-photo. C'est cet instrument qui captera la forêt dans son habit fantasmagorique. Lui, il n'est pas en état d'observer, encore moins d'écrire. Ce n'est que lorsqu'il sera de retour sur le plancher des vaches qu'il pourra élaborer son article à partir des photos.

— Ça, c'est le lac de tête qui approvisionne le lac Huard, indique le pilote au député, en inclinant l'avion du côté du passager.

Un lac. Comme une agate sertie dans un tapis orangé pommelé de rouge. Un lac inviolé. Inviolable. Caché au sommet d'une montagne abrupte. Un lac vierge. Avec ses rives boisées, ses cèdres courbés sur l'eau, ses rochers escarpés. Avec son ruisseau de décharge, bouillonnant et vif qui dégringole la pente rouge feu des érables, laissant apparaître le blanc nacré des rapides dans son ruban de soie noire. Un lac, sans aucune habitation. Tel que conçu à l'origine. Beau, sauvage, unique. Un lac, une perle rare, une agate précieuse.

— C'est la tordeuse de bourgeons qui a fait ça? demande Benoît à la vue de conifères séchés.

— Non. Les pluies acides. Les érables aussi en souffrent. Regardez, ils sont morts ici.

Horreur que ce fouillis de branches grises dans la laine écarlate de l'automne. La mort qui vient du ciel, pense Benoît, attristé par ce mal invisible. Ce danger sournois. Cette espèce de cheval de Troie que représente chaque goutte de pluie. Cette mort déguisée, enveloppée, noyée par le cadeau du ciel à la terre. Il le regarde maintenant d'un autre œil, ce lac. Et d'un autre œil, la bande de légers nuages traînant à la ligne d'horizon comme un déshabillé vaporeux. Est-ce madame la Mort qui l'a oublié là? Il regarde d'un autre œil cette forêt vulnérable. Si belle, si chatoyante, si riche. Offerte comme une femme mûre à ses pieds. Étalée dans toute sa

311

beauté, toute sa splendeur. Incroyable spectacle! Inconcevable symphonie de couleurs et de textures. Du jaune au pourpre, en passant par le mordoré des chênes et des merisiers. De la laine à la soie, du gros tricot au crochet, du tapis à la brosse, l'œil ne cesse de découvrir des détails et de s'en émerveiller. L'œil ne cesse de se rassasier.

Le journaliste fait provision d'images. Mais, tandis qu'il se préoccupe à en saisir une, il perd toutes les autres, pense Benoît, les yeux accrochés à la ligne d'horizon où traîne le déshabillé de madame la Mort. Ce qu'il voit l'éblouit, le surprend, le confond. C'est trop vif, trop osé. Nul peintre n'oserait juxtaposer des tons d'une telle pureté, d'un tel contraste. D'une telle intensité. Du rouge et du vert. De l'orangé, du jaune or, du vert lime. Nul peintre, sauf un peintre fauve, n'aurait cette audace, cette folie. Et pourtant, l'harmonie règne malgré l'excentricité. C'est fou, c'est délirant, c'est libéré. Rien ne semble retenir les extravagances de dame Nature. Chaque automne, il éprouve la même surprise, la même admiration béate. Cette explosion de couleurs ne rejoint pas la grisaille de son âme. N'y répond pas. Il demeure sidéré chaque fois que le tableau fauve s'impose à lui. Et chaque fois, il croit pouvoir s'en rappeler jusqu'à l'automne prochain. Mais les gris de novembre et le blanc de l'hiver estompent invariablement cette fantaisie de notre vieille mère la Terre. À son âge, se maquiller de la sorte! Se permettre des rouges vifs près des verts profonds. À son âge, dresser sur le ciel bleu, des arbres orangés et jaunes. À son âge, se faire osée, chatoyante et vibrante. À son âge, faire fi des règles de l'art et désarmer les pires critiques.

— Voilà le lac Huard.

Sous lui, la baie où se déverse le torrent. La baie profonde, génératrice. Noire comme un tableau d'école, avec des gribouillis blancs où l'eau du torrent rencontre celle du lac. Il reconnaît l'endroit où il a pique-niqué avec Marjolaine. C'était là. Oui, là dans le méandre. Il s'était adossé à cet arbre. Ou cet autre peut-être. Peu importe. Il pensait au paradis. Pensait qu'il aurait aimé l'embrasser. Pensait à Superman à qui elle avait redonné vie. Tout cela semble si loin. C'est comme si c'était arrivé à un autre que lui. Peut-être aurait-il fallu qu'il l'embrasse pour que son rêve devienne réalité. Pour qu'un geste tangible et identifiable existe entre eux.

Un sentiment informe de nostalgie et d'ennui lui monte à la gorge. Il a l'impression de vouloir effacer, atténuer quelque chose. L'impression de vouloir taire une voix.

L'île glisse sous l'aile de l'avion. Des bouquets de pins sur un tapis d'aiguilles rousses, un jardin dégarni et un filet de fumée accroché à la cheminée.

Il suffoque. Désire tout à coup se retrouver sur l'île avec Marjolaine. C'est elle qu'il tente d'effacer, d'atténuer. Elle qu'il tente de couvrir sous les gris de sa vie de politicien et le blanc mortel de sa vie conjugale. Mais elle persiste, tout comme cette forêt colorée, à s'imposer à lui. À le faire vibrer, le faire revivre. Je t'aime, pense-t-il. C'est fou, c'est délirant, c'est osé. Il s'avoue finalement cette phrase et ose habiller de mots ce qu'il ressent depuis le jour où elle est venue lui parler du lac Huard. Oui, il l'aime. Ne cesse de penser à elle. De l'associer à la nature, à l'eau. Tout le ramène à cette fille, à cette longue chevelure couleur d'avoine mûre, à ces yeux clairs et limpides, à la lumière irradiante de sa peau. Tout. Sa collection de reproductions, les paysages le long des routes, les textes de lois sur l'environnement, les pluies acides, les tuyaux d'échappement des voitures. Tout. Absolument tout le dirige vers cet aveu. Ce je t'aime impossible, illogique. Tout comme la forêt a hardiment vêtu de couleurs la fin de ses beaux jours, il vient d'habiller de mots ce trouble inavouable. Il l'aime. Voilà. Il se l'est dit. À elle, le dira-t-il? Il craint que le sentiment ne soit partagé. Il aurait dû l'embrasser. Chercher la réponse sur ses lèvres. Il doit la revoir. Doit trouver un prétexte pour retraverser le pont de l'île. C'est sans difficulté qu'il éclipse sa femme et ses enfants. Sans difficulté et sans remords. Les enfants sont grands, gâtés, exigeants et ne semblent le considérer que lorsqu'il consent à leur payer leurs caprices. Quant à sa femme, elle attend de lui qu'il se trahisse constamment pour conserver son titre de député. Elle ne l'a jamais accepté tel qu'il était et ne l'a jamais aimé pour ce qu'il était. En lui, elle voyait une bonne carte dans son jeu. Rien de plus. Un mari avocat. C'est l'avocat qu'elle a épousé. Les possibilités d'avancement et la plaque dorée sur la façade de la maison. Jamais elle n'a pris conscience de Superman.

— Ici, c'est l'usine, indique le pilote en lui touchant l'épaule.

313

Ah! Oui. L'usine. Il a demandé expressément qu'on le conduise ici, en présence du journaliste dont l'article a dû causer préjudice aux Riverains et à sa présidente afin qu'il voie maintenant l'envers de la médaille. L'endos de la carte postale, les dessous de la couverture.

— Remarquez jusqu'où se rend cette poussière. Nos rapports précisent qu'elle se compose de grosses particules qui se déposent à proximité et d'autres particules beaucoup plus fines qui peuvent couvrir un rayon de six milles.

Le jeune journaliste écarquille les yeux. Cet estomac ouvert dans les flancs rouges de la forêt lui retourne le ventre. Les tuyaux ressemblent à de longs intestins couleur de saucisse crue d'où s'échappent, d'ici, de minuscules fumées d'encre, de là, d'immenses bouquets denses et crémeux. Partout autour, règne la saleté. Partout, sur les toits, les champs, les bois. Partout de cette poussière, couleur de saucisse crue.

— C'est pire en hiver, ajoute le pilote en tournant comme un vautour au-dessus des tripailles d'usine. «La neige disparaît sous la poussière. Pis, vous avez raison, monsieur Larue, elle se rend loin, cette poussière-là. Ça salit beaucoup.»

Est-ce l'appareil, la vue de l'usine, la présence du député qui lui donne soudain la nausée? Le journaliste cherche un sac pour vomir. Ou plutôt mourir, tellement il se sent mal.

— Si on rentrait.

— Ça vous lève le cœur, n'est-ce pas, cette usine? insinue Benoît.

Le jeune journaliste vomit dans le sac. Intimidé. Diminué.

— Il faut toujours montrer les deux côtés de la médaille.

— Oui… j'le ferai.

L'avion retourne à la base. Repasse au-dessus de l'île en réveillant l'amour assoupi qui maintenant exige une réponse à son existence. Une réponse sur les lèvres de Marjolaine. Une réponse claire et définitive. Il ira la chercher sous prétexte de discuter le prochain article du jeune journaliste.

Benoît cherche à découvrir le chemin menant à l'île. Ah! Le voilà. Un cordon de sable dans le velours vert des champs. Et voilà des vaches minuscules comme des jouets qui se dirigent vers l'étable. Et la maison où a grandi Marjolaine, grande comme une boîte de souliers. Et la boîte aux lettres de la grosseur d'un carton d'allumettes. Vu d'en haut, tout semble si facile, si simple, si clair. Vu d'en haut, cette ferme repose paisiblement, étrangère aux excès flamboyants de la forêt. Un autobus scolaire pénètre dans la cour. Jaune et gai. Benoît sourit en croyant contempler une image de bonheur simple. Ignorant l'immense chagrin dans l'âme des deux petits bonshommes qui descendent du véhicule. Ignorant l'inquiétude du vieux conducteur qui s'attarde à contempler les ruminants ponctuels, à l'heure de la traite. Ignorant, au village, la méchante langue de Berthe Patenaude et celle d'Odette l'épinglette qui s'est privée de son mets favori.

Tout semble si simple. Si facile.

* * *

Lundi, 1ᵉʳ octobre 1984.

Maintenant qu'il a les deux pieds sur terre, face au petit pont menant à l'île de Marjolaine, il ne retrouve plus cette naïve assurance qu'il avait du haut des airs. Il ne retrouve plus également l'imprévisible vieille mère la Terre dans son extravagante toilette d'automne. Ce soir, elle veille, un châle de brume sur ses épaules. Ce soir, elle compte les feuilles mortes et mouillées au pied des arbres. Ce soir, elle remarque les premières rides de l'hiver dans le miroir de la baie. Les premiers gels. Les premiers vents du nord qui ont arraché ses charmes aux branches. Ce soir, elle écoute une volée d'outardes en partance. On l'abandonne. On la laisse sur le seuil de la porte. Ses cheveux blancs de neige chassent les oiseaux, endorment les grenouilles, les marmottes et les ours. Ce soir, elle veille. Immobile, silencieuse, déjà grise comme l'écorce, avec par-ci, par-là, des touffes de feuilles de hêtres bruissant sèchement au moindre souffle. Ce soir, elle veille, drapée d'un mystérieux châle de brume qui enveloppe et estompe le paysage. Le tableau fauve a laissé sa place à un Turner. Flou, vague, impalpable. Et lui, il hésite, une reproduction de *La Vache jaune,* de Franz Marc, sous le bras et l'article de journal sous l'autre. Décevant, celui-là. Une tentative de poésie plus qu'un compte rendu impartial. Benoît jette un coup d'œil à la reproduction, espérant que la netteté et l'audace des

315

tons purs attisent en lui la témérité qu'il avait là-haut. Mais de là-haut, le chemin menant chez Marjolaine n'était qu'un lacet de sable dans le velours vert des prés quand, en réalité, il a failli s'embourber à maintes reprises et a dû contourner moult flaques d'eau. «Même les pas de tes sabots sont agrandis en flaques d'eau», chantait Félix Leclerc lorsqu'il l'avait vu en spectacle à l'université. Oui, maintenant qu'il a les pieds sur terre, même les pas de ses sabots sont agrandis en flaques d'eau. Il devrait rebrousser chemin, renoncer à ce rêve. Il n'est qu'un «Bozo pleurant sur son radeau. Celle qu'il aime n'est pas venue puisqu'elle n'existe pas.» Déjà, il s'est rendu trop loin. Faut-il qu'il soit amoureux pour être rendu devant le pont, avec une reproduction fauve en guise de cadeau et un article en guise de prétexte. Qu'il s'ouvre donc les yeux! Il a quarante ans et elle, vingt-cinq à peu près. Il est marié, député sans grande envergure, et il louche d'un œil lorsqu'il est fatigué. Que fait-il ici, dans un imperméable humide, à deviner les pins de l'île voilée de brume?

Un monstre poilu fige sa réponse. Aboyant, grondant, menaçant, Max se rue sur la barrière, l'ébranlant à maintes reprises. Les jambes flageolantes, Benoît recule à pas lents.

— Couché Max! Couché! ordonne une voix de femme.

C'est elle. Qu'il a l'air idiot! Pétrifié et pâle comme un mort, tenu en respect par le chien qui gronde toujours.

Marjolaine ouvre la barrière, l'invite.

— Viens. Il n'est pas dangereux. C'est un bon gardien.

La bête se faufile malgré l'ordre de sa maîtresse et vient à sa rencontre. Benoît demeure cloué sur place tandis que l'animal le renifle. Ce gros museau sur ses mollets l'effraie. On dit que les chiens sentent la peur à cet endroit et qu'ils y mordent souvent. Cette énorme gueule n'en ferait qu'une croquée. Benoît se voit déjà à l'hôpital, tentant de trouver une explication à sa présence ici. Jamais il n'a eu si peur. Jamais. Il lui semble que le chien n'était ni si gros ni si terrifiant la dernière fois qu'il est venu.

— Il ne te reconnaît pas, explique Marjolaine en venant le prendre sous le bras. Viens, n'aie pas peur. Il ne mordra pas. Appelle ton chien, Alex.

Le gamin obéit en rouspétant et regagne le logis, suivi de Max.

316

— Ouf! J'ai eu peur, avoue Benoît en échappant un rire nerveux.

— Viens prendre un bon café, ça va te remettre.

Le bon café ne l'a pas tout à fait remis de ses émotions. Méfiant, le chien ne dort que d'un œil sur le tapis d'entrée, guettant ses moindres mouvements. À l'autre bout de la table, c'est l'enfant qui épie, le menton entre les mains. L'enfant silencieux, jaloux, observateur. L'enfant qui le détecte, le devine, le fouille de son regard effronté. L'enfant qui protège sa mère, l'emprisonne de son amour possessif et la séquestre pour lui seul.

Benoît parle de pollution, de politique. Du projet de loi 6 et de la protection des rives et du littoral. Passant de l'article de la semaine aux pluies acides. De René Mantha à l'Association des riverains. Il veut démontrer à Marjolaine et surtout à cet enfant quelles intentions louables il avait en venant ici. Mais il échoue à berner Alex, il le sait, et quand leurs regards se croisent sur la reproduction fauve, il se sent rougir, tout comme si ces couleurs criaient son amour à sa place.

— Il est temps de te coucher, Alex.

Froid, le bambin leur tire sa révérence et grimpe les escaliers menant à l'étage. Mais il ne s'endormira pas. Benoît l'imagine, l'oreille collée au plancher, espionnant jusqu'à ses silences. Il doit partir. Déjà, il s'est trop attardé dans cette toile intimiste de Vermeer. En présence de cette femme tranquille, doucement éclairée par la lampe à pétrole. Curieux qu'elle ne cesse de lui rappeler toutes ces toiles et tous ces peintres.

— Bon. Je dois me rendre à Québec.

— Je vais te reconduire. Il fait déjà noir.

Déjà! Il fera donc pleine nuit lorsqu'il arrivera dans la Capitale. Il dormira peu et demain, se taxera d'imbécile d'être venu ici.

Dehors, ça sent bon la feuille morte, l'humus et le feu de bois. Il respire à pleins poumons, suivant le halo de lumière qu'elle promène devant lui. Les voilà rendus à la voiture.

— Bon. Alors, tiens bon. De mon côté, j'essaierai de faire avancer le dossier.

C'est l'amoureux qui est venu, et le politicien qui repart.

— Je penserai à toi en regardant *La Vache jaune,* dit-elle en éteignant sa lampe de poche.

317

— Moi, elle m'a fait penser à toi... Pas parce que tu es une vache... non... non... Mais les couleurs de l'automne et la ferme vue d'en haut...

Il savait que ce tableau parlerait pour lui. Il n'a maintenant qu'à cueillir une certitude sur les lèvres de la femme.

Il lui serre la main puis doucement l'attire. Elle se laisse aller contre lui, se laisse embrasser sur les lèvres en caressant sa nuque de ses doigts. Et longtemps, il goûte cette réponse sur la bouche de la femme, laissant éclater une symphonie de couleurs dans la grisaille de son existence.

* * *

Mardi, 2 octobre 1984.

Est-ce l'amour ou un mirage de la solitude? Est-ce bien l'amour en elle, insaisissable comme un poisson limoneux? À quoi ressemble le visage de l'amour? Elle ne sait plus. Croit s'être trompée une fois. Ne sait plus depuis. Ses doigts ont tremblé, incertains, sur la nuque de Benoît. Est-ce par amour? Et ce trouble? Et cette distraction? Et ce vague à l'âme? Est-ce bien l'amour ou un mirage né de cette longue solitude, sans fard et sans fond, qu'elle habite depuis la naissance d'Alexandre? Courra-t-elle vers cette illusion, en abandonnant l'oasis des yeux francs de son enfant? Elle aimerait tant savoir. Formuler clairement en elle un «je t'aime» aussi précis, vrai et sonore que *La Vache jaune* de Franz Marc. Mais elle se sent l'âme voilée de brume et d'obscurité tout comme le paysage à l'aube de ce lendemain. Quelque chose en elle va et vient, comme un poisson dans l'onde. C'est là. En elle. Fuyant et fluide. Sans identité. Sans piste. Sans empreinte.

La voiture de Benoît a laissé des traces dans la boue. Elle les suit, fait fi des flaques d'eau avec ses bottes de caoutchouc. Alex, à ses côtés, les évite pour ne pas mouiller ses souliers de course.

— Ça paraît qu'y a les yeux croches, dit-il soudain en apercevant un zigzag dans le cordon jusqu'ici rectiligne de la trace des pneus.

Pour lui, c'est clair, évident. Il tient à le dire: il n'aime pas Benoît. C'est un intrus. Un rival. Il ne veut pas de lui sur l'île.

Marjolaine s'arrête. Son fils en fait autant.

— Quoi?! Qu'est-ce qu'y a? C'est vrai qu'y a les yeux croches, non?

— Il louche un peu d'un œil, c'est tout, Alex. Et puis même s'il avait les yeux croches, ce n'est pas gentil de le dire.

— Ben, c'est la vérité. Tu m'as toujours dit de dire la vérité.

L'enfant lève vers elle un visage d'innocence feinte. Ce matin, il a les yeux gris comme la glace de février. Ce matin, il a l'expression moqueuse de Mike. Elle ne sait quelle attitude prendre face à ce petit bonhomme qui, ouvertement, la séquestre pour lui seul, l'enfermant à double tour sur son île. Elle se sent prisonnière de lui, prisonnière de toutes ces années qu'elle lui a consacrées. La voilà devant le fait accompli. Dans sa petite tête d'enfant, Alexandre s'est attribué l'exclusivité de son amour. Lui seul a le droit de vivre à ses côtés, de l'embrasser, de la caresser. Quiconque viendra bouleverser l'ordre établi se verra automatiquement exclu de ses bonnes grâces. Et Benoît a bouleversé cet ordre.

— Tu sais bien que je t'aimerai toujours, toi, dit Marjolaine en caressant les boucles de son fils.

Une douleur farouche passe, rapide, dans l'œil gris d'Alexandre. Douleur qu'il camoufle aussitôt d'un sourire. Il veut lui cacher jusqu'à quel point il est fou d'elle. Épris d'elle.

— On tire une course jusqu'à la clôture, propose-t-il.

— Très bien.

Il déguerpit. Vite comme le lièvre. Vite, pour laisser derrière lui ce garçon amoureux et jaloux. Vite, pour effacer vite, oublier vite l'aveu de sa mère qui lui donne envie de la prendre dans ses bras en pleurant. Vite, parce qu'il est un grand garçon. Parce qu'il doit veiller sur elle. Se montrer digne. Se montrer fort. Plus digne et plus fort que le «loucheux».

Rendu premier à la barrière, Alexandre enlace le brave et fidèle Max, cadeau de son père.

— T'as bien fait, Max, de gronder après lui. Tu lui as fait une de ces peurs, rigole-t-il en sourdine à l'oreille poilue de son compagnon.

Marjolaine le rejoint.

— T'as gagné.

319

— Avec Mike, c'est toujours lui qui gagne, précise-t-il, éprouvant la nécessité d'introduire ce nom dans la conversation. Comme une preuve d'infidélité.

— Mike, c'est un homme; il a de bien plus grandes jambes que moi.

— Que lui aussi.

La nécessité également de cette comparaison. Au détriment de l'autre.

— Tiens! Une vache noire et blanche. Est-ce que ça existe une vache jaune, Marjolaine?

— Non.

Et encore cette nécessité de lui faire admettre que tout cela n'est qu'un grossier mensonge, qu'une erreur loufoque. Une absurdité.

— Alors pourquoi?

— Pourquoi quoi?

— Pourquoi que l'homme a peinturé une vache jaune si c'est pas vrai?

Pour en arriver finalement à la confondre. Lui faire lâcher prise à cette illusion qui la possède tout entière.

— C'est difficile à expliquer.

Alexandre n'attend pas l'explication. Il a dit ce qu'il avait à dire et se presse vers la maison pour déjeuner avec Gaby et grand-mère.

Marjolaine gagne l'étable comme à tous les matins pour aider son père à la traite des vaches avant qu'il n'effectue le transport scolaire.

Huit heures trente. La brume stagne encore sur le paysage. Nul vent n'a osé la déplacer. Marjolaine revient vers l'île. Avec cette chose indéfinissable et insaisissable en elle. Personne, sauf Alex, n'a osé la questionner sur la visite de Benoît. Rien, dans le regard de sa mère, n'a laissé filtrer son approbation ou son mécontentement. Encore moins dans celui de son père. Rien. Comme si rien ne s'était passé. Comme si personne n'avait ouvert la barrière au député. Rien. Silence et immobilité. Seul l'enfant s'insurge.

320

Et cette brume, stagnante, collante, omniprésente. Tout partout. En elle et autour d'elle. Et le seul bruit de ses pas dans la trace des pneus. Et cette solitude qui, tout à coup, fond sur elle comme le hibou sur la souris. Qui, tout à coup, l'étreint dans ses serres et l'entraîne vers son repaire. Hi! Hi! crie la souris que personne n'entend. Hi! Hi! en se débattant dans le vide. D'où viendra la main qui secourt? L'épaule qui console? Le cœur qui écoute? D'où?

Est-il déjà venu? Était-ce lui, hier, sur sa bouche?

L'île se présente bientôt. Trop tôt peut-être. Aujourd'hui, elle lui apparaît si désolée, si abandonnée. On la croirait oubliée du reste du monde. En aparté de la société. Le pont suffit à peine à la rattacher à la terre ferme. Le couper, l'île prendrait peut-être le large, poussée au gré des vagues et du vent.

Elle déraisonne. Les gens du village ont sans doute raison: il n'est pas normal qu'une femme habite ainsi seule, retirée du monde. Elle a voulu jouer à l'amazone, se prouver qu'elle pouvait se passer d'un homme. Elle a décollé tant qu'elle a pu sa joue du flanc maternel. Et voilà où elle en est, pataugeant dans des sentiments informes et imprécis.

Elle pousse la barrière. S'attendrit au souvenir de l'homme qui ne cachait pas sa peur. Il était si attachant avec sa mine effrayée et son sourire timide. Si attirant et si différent de ce qu'elle a connu jusqu'à ce jour. De Mike. Si différent, avec son air doux, sa voix chaude, ses mains raffinées. Avec ce bagage de culture et cette sensibilité face à la nature. Si différent et si compatible à toutes ses aspirations. Alors, qu'est-ce qui l'irrite dans ce premier baiser? Qu'est-ce qui l'empêche de le goûter bien longtemps après?

Elle aimerait tant savoir et aboutit finalement devant *La Vache jaune,* épinglée au-dessus du sofa. Et longtemps, elle la contemple, cherchant un écho à ce je t'aime clair, précis et sonore. Cherchant à identifier le visage de l'amour ou à démasquer celui du mirage né de la solitude.

* * *

Mardi, 2 octobre 1984.

Séance du conseil

Le maire fait vraiment adopter ce qu'il veut, constate Andrew en observant Yvon Sansouci présider à la table du conseil. La satisfaction malicieuse qu'il voit luire dans ses yeux chaque fois qu'il rature un point de l'ordre du jour le révolte.

Ce maire est une farce. Cette assemblée aussi. À part Hervé Taillefer, tous discutent avec empressement, impatients de se rendre à la période de questions. On bâcle les discussions, on propose à l'aveuglette, on seconde en toute ignorance. C'est qu'ils ont soif. Leurs lèvres brûlent d'incendier tantôt la réputation de Marjolaine Taillefer. C'est pour cette raison d'ailleurs que ce soir, ils ont droit à un public. Habituellement, les délibérations de la table du conseil ne parviennent jamais à arracher du petit écran les citoyens indifférents. Mais ce soir, ils sont venus. Nombreux, mesquins et indisciplinés. Monsieur le maire aurait dû les ramener à l'ordre. Mais ce bruit sourd et sournois du public le sert à merveille. Ce bruit sourd et sournois rappelle aux conseillers que tantôt, ils pourront à leur tour se jeter dans la mêlée. Tantôt. Quand ils seront venus à bout des points à discuter. Tantôt, la récompense aux bons chiens-chiens affamés qui ont mandat de veiller sur la municipalité. Tantôt, couchez! Et parce qu'ils salivent d'avance au bout de la chaîne du devoir, les bons chiens-chiens donnent la patte, se couchent, s'assoient, se roulent sous les ordres de monsieur le maire. Et celui-ci biffe les points, satisfait d'avoir fait zoner tel lot ou encourager tel comité dont sa cousine fait partie. Tantôt, il offrira en pâture cette Marjolaine Taillefer sous l'hypocrite couvert de la période de questions libres. Mais ce ne seront pas de vraies questions. Seulement des commérages interrogatifs. Seulement des diffamies, des calomnies à peine déguisées. Depuis ce matin, la population s'échauffe. Depuis ce matin, les langues vont bon train, supputant, condamnant, analysant la visite du député chez les Taillefer. On exagère, on omet, On ment, on triche, on invente. On s'alerte. Cinq employés licenciés. À quand les autres? On s'enflamme, on s'excite. Mantha s'est approprié l'entreprise de camionnage pour en fermer les portes. Quand fermera-t-il celles de l'usine? Lorsque les filtres seront installés; c'est écrit dans le journal. Et quand seront-ils installés? Bientôt. Marjolaine y a vu avec le député... Sur son île... Allez donc savoir comment.

Andrew observe un à un tous ces bons chiens-chiens, salivant et trépignant au bout de la chaîne du devoir. En face de lui, le gros Martial Bourgeon lui fait penser à un bouledogue, avec sa gueule dangereuse et manifestement malveillante. Ce n'est pas tant Marjolaine qu'il convoite que l'excavatrice des frères Taillefer, mais si celle-ci peut le mener à cela, il mordra férocement sa chair sans défense. Il la déchirera, la broiera sous ses crocs, l'avalera d'un trait, quitte à la régurgiter plus tard. Il ne manque pas une occasion de dénigrer quelqu'un, croyant stupidement qu'il s'élève en abaissant les autres. Mais ses pattes seront toujours courtes et tordues. Et sa mine toujours redoutable et toujours repoussante.

Jérôme Dubuc, le Flasher-à-Mantha, lui fait penser à un caniche. Celui de Mantha justement. Lui léchant la main, lui léchant les bottes, lui léchant le cul. La langue pendante d'admiration et la queue frétillante à cause de ce collier orné de faux diamants que le maître a attaché à son cou. Comme ils brillent les faux diamants! Comme ils attirent l'attention! C'est lui qu'on questionnera sur le transfert de l'entreprise de camionnage, sur les emplois, sur les filtres. Que d'importance ce collier lui confère! Langue pendante et queue frétillante, il affiche son collier de beau toutou, prêt à défendre ce maître qui le laisse dormir sur ses coussins de velours.

Claude Boyer, l'organisateur péquiste, c'est un chien de garde qui sonne l'alarme. Vite! Il doit avertir le propriétaire que les loups sont dans la bergerie et que bientôt il n'aura plus de bergerie s'il s'entête à fréquenter cette bergère. Il la connaît, lui, cette fille. Il a partagé le même banc qu'elle dans l'autobus scolaire et se rappelle qu'elle sentait la vache certains matins. Le député a complètement perdu la raison de s'être amouraché d'elle. Et pas seulement la raison, des votes aussi. Beaucoup de votes. S'il y avait des élections, ce soir, quelles que soient les promesses qu'il ferait, le peuple l'éliminerait, car en s'affichant avec Marjolaine, il s'est rangé contre les ouvriers de l'usine. En disant non à la pollution, il dit oui au chômage. En protégeant l'environnement, il expose sa carrière politique à une fin lamentable. Les loups sont là, dans la bergerie. Tous là, ce soir, les crocs aiguisés et le ventre creux. Il fera de son mieux pour protéger le bien du propriétaire parti à Québec.

Odette l'épinglette, pour sa part, jappe et mordille comme une chihuahua. Elle va, vient, trottine, mord un mollet, gronde, jappe, mord encore de ses petites dents pointues dans le dos de cette putain qui fait à nouveau planer le spectre de la misère. Elle grogne et bave dans sa rage. Impuissante mais vindicative. Aveuglée. Dépassée.

Finalement, il y a Hervé. Avec sa bonne mine d'épagneul fidèle. De petit chien loyal qui n'a jamais mordu, jamais désobéi. De bon petit chien sans malice. Humble, affecteux, trop doux pour ce chenil de bêtes enragées. Il fait peine à voir, avec ses yeux tristes et ses soupirs découragés. Sera-t-il de taille à protéger sa progéniture quand les fauves seront libérés tantôt? Il en doute. Il a l'air si vieux, si voûté ce soir. Si las. Son travail de chauffeur d'autobus scolaire le mine. Il n'est plus d'âge à subir les impolitesses et les insolences. Andrew ne sait pourquoi il se sent près de cet homme ce soir. Bien sûr, pour protéger le clan des Falardeau, il a attribué le contrat de creusage à Bizou Gagnon, mettant Marjolaine en garde d'user d'indulgence à l'égard de ses porcheries. Bien sûr que le clan des Falardeau s'est durci envers celui des Taillefer. Bien sûr. Mais, il n'a pas envie de faire partie de cette meute. N'a pas envie de salir cette fille, d'humilier cet homme. C'est trop facile. Trop inutile. Il aime les combats, non les massacres.

Et puis cette fille... Cette fille n'est pas comme il pensait. Il s'est trompé à son égard. Cette fille, il commence à l'admirer et simultanément, il commence à regretter d'avoir inventé ce viol. Cette éclosion tardive de remords sur sa conscience, jusqu'à maintenant inculte, le décontenance. Il ne se reconnaît plus. Ne se retrouve plus.

Désespérément, il cherche à redevenir l'Andrew d'antan, l'Andrew sans scrupule et sans remords. L'Andrew sans doute et sans regret que Spitter a fait chavirer. Mais cet homme-là a sombré, corps et âme, avec toutes ses armes, toutes ses ruses, tous ses moyens. Cet homme-là se débat, s'interroge, se blâme, se remet en question et se condamne. Il n'aurait pas dû insérer le mot viol entre Mike et Marjolaine. À l'époque, il croyait bien faire. À l'époque, il se frottait les mains de satisfaction et dormait sur ses deux oreilles. Il avait éloigné cette fille du domaine Falardeau.

Issue d'une famille libérale aux idéaux élevés, elle ne cadrait nullement avec la leur, aux idéaux plus terre à terre. De plus, il craignait qu'elle ne coupe le fil ténu qui rattachait Mike au domaine. Oh! Oui, à l'époque, il était fier de son coup.

Il ne l'est plus aujourd'hui. Il ne l'est plus depuis que cette fille lui impose le respect. Depuis qu'il la voit se tenir debout dans cette tempête. Depuis qu'il la voit tenir le coup. Tenir son bout. Tenir tête. Depuis qu'elle s'est démarquée de ces gens rampant vers leur croûte de pain. Depuis qu'elle se bat avec courage malgré l'utopie de son combat. Il aime la bravoure. Il aime les combats. C'est sa nature et il aime voir cette fille charger contre des géants avec l'élan de cette foi qu'il envie. De cette foi qu'il n'a plus.

Et, surtout, il aime qu'elle se soit attaquée à lui de plein front. C'est loyal. Avec elle, il a pu riposter. Avec elle, il a pu parer les coups. Avec elle, il a pu prévoir. C'est loyal. C'est courageux de sa part et, contrairement à ce qu'il pensait, c'est sans danger.

Car le danger, il l'a compris, ce n'est ni elle, ni les Riverains. Le danger, il est chez lui. Entre ses murs.

Le danger, c'est Spitter.

Spitter qui l'a leurré, berné, trahi avec son repentir et ses bonnes intentions. Spitter qui le fait chanter avec le purin caché dans le champ. Qui lui extorque des fonds. Qui lui vole ses économies pour s'acheter une Harley Davidson comme celle de Mike dans l'intention de le supplanter. «Tiens, y a pas que toé qui est capable d'avoir une FLH Electraglide des années 72.» Spitter qui rogne sans vergogne le domaine Falardeau. Qui le gruge sournoisement.

Spitter qui terrorise sa mère et effrite les bases de la famille.

Il est là, le danger. Là, dans ce poulain coursant avec la mort. Là, dans les rênes que plus personne n'est capable de rattraper. Dans l'écume de haine et la démence de son galop. Là, dans son œil malade. Là, dans ses sabots qu'il frappe lâchement contre la porte de chambre de sa mère pour la terrifier la nuit. Il est là, le danger contre lequel il ne peut rien.

Là, à lui lever le cœur par sa lâcheté. Là, à lui inspirer un dégoût profond. Là, à lui faire serrer les poings d'impuissance.

Comme il se sent vieux, ce soir! Ses cinquante-cinq ans lui pèsent tout à coup. Pourtant, ses cheveux sont encore roux et son torse, bien bombé. C'est en dedans qu'il est vieux. Aussi vieux qu'Hervé. C'est en dedans qu'il est défait. Démonté. Détraqué. En dedans qu'il est mortellement atteint.

Mais personne ne doit le savoir. Aux yeux de tous, il doit demeurer l'Andrew autoritaire et audacieux. Celui qui ne craint ni dieu, ni diable. Celui qui n'a pas un poil gris dans sa chevelure et qui paraît costaud pour son âge. Personne ne doit soupçonner sa blessure. Il doit la cacher et la lécher quand il est seul.

En société, il ne faut jamais dévoiler son talon d'Achille, jamais laisser paraître une blessure, car aussitôt, les gens se ruent dessus comme les poules sur une tache de sang que présente l'une d'elles, pour la picorer à mort.

Il doit continuer à faire comme si... Comme s'il était encore le maître du domaine. Comme si son fils, Spitter, le seul qui ne se soit pas enfui à la ville en maudissant l'odeur prenante du purin, faisait encore toute sa joie et sa fierté. Comme si sa femme parvenait à dormir sans faire d'affreux cauchemars. Comme si Spitter ne se vautrait pas dans le sang des porcs abattus. Comme s'il ne cachait pas les queues sanglantes dans les tiroirs de sa mère, comme s'il ne riait pas sadiquement en regardant les films d'horreur sur le vidéo. Comme s'il ne dévorait pas tous les livres traitant des tortures pratiquées dans les camps de concentration. Comme s'il ne considérait pas le Club des Motards, dont Mike est le chef, comme de la p'tite bière pour femmelettes.

Oui, il doit continuer à faire comme si rien n'avait changé dans son existence. Pourtant, qu'il aimerait se confier à quelqu'un!

Andrew porte un regard sur Hervé, l'homme revenu du front avec sa tache de sang qu'on s'est empressé de picorer. Lui seul pourrait recevoir ses confidences sans les retourner contre lui. Lui seul n'agrandirait pas la blessure. Lui seul ne se ruerait pas sur sa tache de sang.

Il le voit encore, jeune et beau soldat au pied de l'escalier. Qu'en reste-t-il? Un homme brisé par la démence des hommes, par la haine déchaînée. Il sait, lui, quel paroxysme atteint la folie des hommes. Il l'a vu. Il l'a entendu. Il l'a subi.

Il comprendrait, lui, ce que doit ressentir un père lorsqu'il découvre que son fils est un assassin en puissance. Que son fils est un bourreau. Un voleur. Un malicieux.

Oui, il se sent près d'Hervé ce soir et n'a pas envie de joindre la meute pour picorer la tache de sang.

S'il siège encore à la table du conseil, c'est pour montrer qu'il défend les intérêts de la famille et du domaine Falardeau que Spitter démantèle froidement, pas pour se ruer sur Marjolaine sous prétexte que le député l'a visitée.

La séance tire à sa fin. Impatients, les regards bondissent de l'un à l'autre.

Période de questions libres. On coupe la corde du devoir des bons chiens-chiens.

— On voudrait savoir si c'est vrai que Mantha a racheté l'entreprise de camionnage.

Le caniche jubile. Fait étinceler ses faux diamants.

— Oui, c'est vrai... et j'ai de bonnes raisons de croire que les emplois de l'entreprise seront conservés.

— Mais si l'usine ferme, y aura plus de transport.

Évident. Les camions transportent des copeaux et des panneaux.

Le caniche tourne en rond. Cligne nerveusement les yeux. Amorce l'attaque.

— C'est sûr que si y faut qu'on installe des filtres, on peut dire adieu à nos jobs. On a été obligés d'en remercier cinq autres, cette semaine... mais ça, c'est pas nous autres qui décidons de ça. Ça dépend du gouvernement.

Le caniche laisse le morceau au chien de garde. La voilà, la bergère fautive. Mords, allez! Ou les loups vont entrer dans la bergerie.

Du vacarme à la porte d'entrée épargne à l'organisateur politique une attaque de front.

— Salut la compagnie, bredouille Spitter en trébuchant sur une chaise.

Andrew pâlit à la vue de son fils. Ce sang sur ses mains, est-ce celui de sa femme? L'expression démente et cruelle de Spitter le glace et l'humilie. Il baisse la tête. Oui, cette loque humaine, c'est son fils. Son p'tit dernier. Son chouchou.

— La pute est-y icitte?

Un rire méchant, complice. Le public se réjouit de son apparition. L'encourage tacitement à exprimer leur haine sourde et sournoise. À dire tout haut ce qu'ils calomnient tout bas.

327

— J'ai couru après la maudite vache, mais je l'ai manquée.

Andrew rencontre le regard angoissé d'Hervé.

Les citoyens rigolent, pendus aux lèvres molles et folles du drogué.

— J'l'ai manquée mais pas toute. Tiens! C'est à toé, Hervé.

Le jeune homme lance quelque chose en riant. Quelque chose de long et sanguinolent qu'il cachait sous sa veste de cuir et qui aboutit sur la table du conseil. Pétrifiés, stupéfaits, les conseillers regardent couler un filet rouge à l'extrémité d'une queue de vache. Hervé a un mouvement de recul et l'angoisse atteint son paroxysme sur son visage. Le silence règne. On n'entend que le raclement des chaises lorsque les gens se lèvent pour mieux voir.

— Je propose la levée de l'assemblée, s'empresse de dire Andrew, les yeux rivés à ce membre d'animal qui pourrait bien signifier la mort pour lui.

— Vous n'avez pas le droit... j'ai mon mot à dire sur la vache. A l'a couché avec le député pour faire mettre des gars dehors.

— Ferme ta gueule, Spitter, pis rentre à la maison, maudit sans dessein.

Andrew s'emporte, lance furieusement la queue au visage de son fils. Après lui avoir taché le front, elle rebondit sur un citoyen qui la rejette avec répugnance, pour aboutir finalement par terre, au beau milieu de la salle. Tous n'ont de regard que pour elle.

— Tu vas me payer ça, l'vieux.

— Y a le droit de parler comme tout le monde, défend Bizou Gagnon.

— Pas quand c'est pour salir la réputation d'une dame, rétorque aussitôt Léopold Potvin en brandissant ses bras maigres.

— Dame mon œil!

Un chahut s'ensuit.

— Silence! Silence! s'égosille monsieur le maire. Silence ou je fais évacuer!

— Je seconde la levée de l'assemblée, crie Hervé en se levant précipitamment.

— L'assemblée est levée.

Andrew suit d'un regard désolé Hervé qui se rue vers la sortie. Il se sent coupable. Coupable d'avoir un fils tel que Spitter. Ce monstre rigole, maintenant, en expliquant comment il a coupé cette queue à une des vaches d'Hervé broutant dans le champ.

La mort dans l'âme, Andrew regagne sa maison, sachant qu'il taiera cette atrocité à sa femme, de peur de la terroriser davantage. Gardant pour lui cette phrase à jamais vrillée dans son cerveau et dans ses tripes: «Tu vas me payer ça, l'vieux.»

* * *

Mercredi, 3 octobre 1984.

Il l'a cherchée toute la nuit, courant partout dans le champ avec sa lampe de poche.

L'a cherchée toute la nuit, pour la découvrir, ce matin, couchée derrière une butte: morte.

Hervé s'agenouille près de sa vache, bouleversé par les grands yeux bruns fixés sur lui. Sa main désemparée glisse sur cette carcasse sans élégance, soupesant les mamelles généreuses au passage. Puis la main s'arrête là où il y avait la queue. Là, où la bête a été saignée à blanc.

La cruauté des hommes le consterne. Lui rappelle cette plage de Dieppe jonchée de cadavres. Ces yeux fixes, immobiles, ces plaies mortelles, béantes, ce sang coulé sur la terre et dans la mer.

Ses mains tremblent, furieuses, impuissantes sur cette bête innocente. Cette bête torturée, sacrifiée. Quelle fut sa souffrance? De grosses taches rouges sur les trèfles marquent son cheminement avant qu'elle ne s'écroule. Elle a dû meugler, appeler au secours à sa façon puis se résigner. Les bêtes se résignent si facilement quand vient l'heure. Sans doute parce qu'elles n'ont rien à se reprocher. Rien à craindre de la mort. Contrairement aux hommes, qui s'inventent le paradis après avoir créé l'enfer sur terre. L'enfer de la guerre. De la guerre.

Hervé tremble maintenant de tout son être. L'enfer revient l'habiter. Il entend le crépitement des mitrailleuses. Il a peur. Le chaland s'enlise. Son ami Jean s'écrase soudain sur lui, la boîte crânienne éclatée et une matière grise et chaude lui vole entre les mains. Instantanément, instinctivement l'idée stupide de remettre le cerveau en place lui traverse l'esprit. Comme s'il pouvait ainsi le faire revivre. Éviter l'irrémédiable, l'inéluctable. Il la revoit couler entre ses doigts, cette matière grise, et renoue avec la conviction atroce que ce cerveau d'homme était son ami. Que ce cerveau comprenait ce qui lui arrivait et battait doucement dans ses paumes pendant qu'il pleurait sous les rafales.

L'homme pleure et tremble devant sa vache morte.

– Papa! Qu'est-ce qui est arrivé? Papa! Ressaisissez-vous.

Marjolaine et son fils accourent vers lui.

— Qui a fait ça? interroge Alex. Qui lui a coupé la queue, pépère?

— Un voyou, Alex, un voyou, répond Hervé en s'essuyant les yeux du revers de la manche.

— C'est Fleurette, hein, maman?

Marjolaine jette un coup d'œil.

— Oui, c'est Fleurette.

Tout comme son père, elle connaît le nom, le pedigree et le bulletin de santé de chacune des bêtes.

Pauvre Fleurette! L'enfant attristé caresse le museau de la vache. Ses gestes doux et inutiles remuent Hervé. Pourquoi les grands et les méchants ne s'arrêtent-ils jamais aux gestes des enfants? À leur regard? Si ministres et généraux avaient pu voir des enfants caresser leur père ou leurs frères allongés sur le champ de bataille, auraient-ils cesser les guerres? Qu'est-ce qui rend le cœur de l'homme si dur, lui qui enfant, caressait et enterrait de petites bêtes mortes?

Hervé s'éloigne de l'animal, pressant farouchement Marjolaine contre lui. Il aimerait l'emmener en un lieu sûr. Là, où la méchanceté et la rapacité des hommes ne les rejoindraient plus. Hier, à un moment donné, il a cru que Spitter s'en était pris à elle. Il doit l'avertir de la colère qui gronde au village et de la folie dangereuse du fils d'Andrew. Doit l'avertir que l'étau de la haine se ferme sur eux. Se ferme inexorablement. Sans que rien ni personne ne puisse l'en arrêter. L'étau se referme. D'un cran, chaque jour. Se referme sur eux pour les broyer, les pulvériser, les anéantir. D'un cran, chaque jour, à chaque tournée d'autobus où on se permet de l'insulter, à chaque séance de conseil, chaque récréation d'Alexandre, chaque messe, chaque meurtrissure à la réputation de Marjolaine.

La main implacable de Mantha tourne la manivelle, presse contre eux la populace sans conviction pour les faire éclater. Les vider de leur idéal.

Hervé pétrit affectueusement l'épaule de Marjolaine. Il ne sait où aller pour la mettre à l'abri. Ne sait comment la soustraire des flancs impitoyables de l'étau. Il ne veut pas la perdre, elle aussi. Ne veut pas que Mantha la lui ravisse de cette façon, en serrant d'un cran chaque jour l'étau de la haine. Ne lui a-t-il pas déjà ravi Irène? Pourquoi ne se contente-t-il pas de s'amuser de la souris entre ses pattes? De la voir se démener afin de régler les versements de fin de mois ne lui suffit-il pas? Qu'exige-t-il? Que cherche-t-il? Qu'apportera de plus la souris pleurant la mort d'une bête innocente? La souris affolée, cherchant un trou pour cacher son enfant? Que veut Mantha? Pourquoi utilise-t-il la rapacité et la méchanceté des hommes contre eux? Contre elle?

— Fais attention, p'tite fille, j'ai pas envie de te perdre, toi aussi, dit Hervé, combattant sa tendance à se replier. À s'éloigner, à s'isoler des hommes.

* * *

Jeudi, 11 octobre 1984.

Marjolaine éprouve un tel sentiment d'abandon, de solitude, qu'elle grelotte sur le chemin menant à l'île. La main chaude d'Alex dans la sienne ne parvient pas à la réchauffer. Des outardes passent, meublant de leurs cris sauvages la terne froidure qui s'installe. Elles vont ailleurs, vers le soleil, vers la lumière, laissant derrière elles les montagnes grises où subsistent les taches ocre et mordorées des bouleaux, des chênes et des hêtres. Fuyant à grands coups d'ailes les rivages que le gel commence à pétrifier. Fuyant ce vent qui sent la neige et trahit l'hiver. Passant outre les champs labourés et les jardins vidés. Les sols de boue et de givre. Et les îles éclaboussées d'écume.

Marjolaine tente de repérer la formation en V sur le ciel sombre et, ne l'apercevant pas, se résoud à regarder par terre les flaques d'eau à contourner. Les dernières pluies ont effacé les traces de la voiture de Benoît. Plus rien ne subsiste de son passage. Sauf ce trouble immense dans son âme. Ce trouble et cette lettre au fond de sa poche. Lettre qu'elle a reçue aujourd'hui. Lettre d'amour et de rupture. Pour un temps du moins. Le temps de trouver un moyen de passer inaperçu dans le village.

Elle ne sait plus. N'a jamais su quel sentiment la liait à Benoît. Mais elle se sent abandonnée. Abandonnée des Riverains, de Benoît, d'Alex, des outardes, de la douceur de l'été, de la tiédeur de l'automne. Abandonnée des oiseaux, des papillons et bientôt du huard qui pliera bagage à son tour. Abandonnée et dans quelque temps isolée par la neige qui rendra ce chemin impraticable.

Tout est si sombre. Si froid. Il lui répugne d'entrer dans sa maison pour y allumer les lampes et y attiser le feu. Ce soir, elle aimerait pénétrer dans une maison chaude et bien éclairée. Une maison avec toutes les commodités: salle de bain, téléviseur, cuisinière électrique. Ce soir, elle aimerait se dorloter. Se divertir plutôt de ce trouble en elle. Tenter d'oublier ce village qui se resserre sur eux. Tenter d'oublier la tristesse dans le regard de son père et les absences dans celui de sa mère. Tenter d'oublier *La Vache jaune*, de Franz Marc, et celle à la queue coupée. Tenter d'oublier l'agressivité d'Alex à chaque retour d'école.

Ah! Si elle pouvait être outarde. Fuir à grands coups d'ailes son île assaillie par les vagues et cette petite maison qu'elle doit éclairer et réchauffer. Fuir loin. Très loin. Avec Alex sur son dos. Fuir loin de cette soirée où, dans le halo des lampes à pétrole et le silence de la nuit, la réalité deviendra songe, rêve ou cauchemar. Les anciens n'auraient pu créer de légendes sous l'éclairage du néon et dans le brouhaha des poses commerciales. Il leur fallait pour cela être au fond de la nuit, sous la lueur des lampes, avec le vent à fleur de peau, à fleur de mur. Et le mystère des étoiles pesant sur leur nuque.

Non, ce soir, il lui répugne de veiller côte à côte avec la solitude. Lui répugne de l'entendre geindre dans le roulis de la vieille berceuse. De l'entendre gémir dans le vent et craquer dans le poêle.

Déjà le petit pont et sa barrière levée. Max se précipite en aboyant. Fonce vers la maison. Que se passe-t-il? Marjolaine presse le pas, inquiète, retenant Alex qui veut prendre les devants.

Elle aperçoit un homme acculé sur la galerie par le chien furieux. C'est Spitter.

332

— Dis à ton chien de s'fermer.

— Qu'est-ce que tu fais ici?

— J'suis v'nu te voir. Ben important. Veux-tu ben dire à ton chien de s'fermer.

– C'est toé qui a tué Fleurette, hein? Envoye, mords-le, Max, ordonne Alex.

— Toé, l'morveux, écrase.

Marjolaine rappelle Max.

— Comment t'es venu ici?

— En chaloupe c't'affaire.

— Va-t'en d'ici. Prends ta chaloupe pis va-t'en.

— Correct. Correct. Si t'es pas parlable. J'étais v'nu par rapport au purin de porc. J'pensais que ça t'intéresserait en tant que présidente.

— Va-t'en, Spitter.

— Tiens ton chien avant.

Elle retient la bête par son collier. Spitter s'avance. Ses cheveux filasses, longs, secs et cassants, ses petits yeux d'un bleu livide et ses dents pointues saisissent Marjolaine. Ses dents pointues surtout. Oui. Comme s'il n'avait que des canines dans la bouche. De petites dents effilées et pointues qui lui rappellent les annonces-réclames du film *Les Dents de la mer*. Les yeux aussi, lui rappellent ce requin aveuglé par la soif de sang. Des yeux de glace, détectant et se délectant de la peur, de la panique. Il sourit et ce sourire la transit.

— T'sais quand les inspecteurs sont v'nus vérifier en rapport au purin, cet été, ben mon père a caché le surplus de purin dans les vallons. J'peux te montrer où n'importe quand.

— Pourquoi tu le dis aujourd'hui?

— Parce que j'ai pensé que c'était pas correct de faire ça.

— Viens pas me faire accroire que t'as des remords. Va-t'en!

— Oui, oui, oui. J'm'en vas. Mais t'es obligée de faire quelque chose, astheure. Tu sais où le purin est caché pis tu sais que ça coule dans le lac à la Tortue, toé, la présidente. Tu sais tout ça, toé, la présidente. Faut ben que tu fasses quelque chose, hein?

— Va-t'en! Va-t'en!

Lentement, il se dirige vers la chaloupe d'un pas traînant. Marjolaine remarque une mince et longue tresse blonde pendant sur la veste de cuir où figure une tête de mort. On dirait une queue de rat. Un rat immonde, dégueulasse. Un rat d'égout dégoûtant. Vite! Qu'il s'en aille! Mais volontairement, Spitter prend son temps, jouissant de sa frayeur, de sa répulsion. Poussant sur ses rames avec lenteur, en lui criant: «Toé, la présidente, tu dois faire quelque chose.»

Squick! Squick! Squick! grincent les tolets. Pourtant, l'embarcation ne semble pas s'éloigner de l'île. Elle se déplace mais ne s'en éloigne pas.

— Y fait le tour de l'île, m'man.

— Ça m'en a tout l'air. Allons souper. On laissera Max dehors, comme ça, il n'osera pas mettre le pied sur l'île. Il commence déjà à faire noir. Y va se fatiguer. Viens.

Elle mime la mère confiante. Fait comme si cet homme déterminé à l'encercler la laissait indifférente. Comme si elle ne l'entendait pas crier, chaque fois qu'il passe devant la maison: «Aie! la présidente, tu dois faire quelque chose.»

Huit heures. Un noir épais collé aux fenêtres. Alex tourne et retourne dans le lit, incapable de s'endormir, tandis que l'homme passe et repasse en criant toujours: «Astheure que tu l'sais, t'es obligée de faire quelque chose. Aie! la présidente.» Marjolaine n'entend plus maintenant que ce grincement de tolets devenu menaçant. Assise dans la berceuse, face à *La Vache jaune*, elle épie le silence que ce bruit déchire régulièrement. Squick! Squick! Squick! Elle frissonne, met une bûche dans le poêle, se rassoit. Évite de bouger afin de ne pas laisser geindre la berceuse puis tend l'oreille. Plus rien. Elle laisse écouler quelques minutes. Non. Plus rien. Où est-il? Que fait-il? Est-il parti? A-t-il mis pied sur l'île? Max devrait l'avertir. À moins que Spitter ne l'ait assommé à coups de rame. Oui, c'est ça; il a assommé le chien et maintenant il avance furtivement dans le jardin. Il rase les murs de la maison. Oui. Il est là et la guette par la fenêtre, prêt à se ruer sur elle ou sur son fils. Oui, là, derrière le mur avec son sourire sadique découvrant ses petites dents pointues et sa queue de rat dans le dos. Qu'a-t-elle pour se défendre contre ce fou? Marjolaine passe en revue tous les objets qui pourraient éventuellement lui servir d'arme: le tisonnier, la hache... Oh! La hache. Oh! Non! Elle l'a laissée dehors. Bien en vue, plantée dans la bûche à fendre. C'est lui qui va la voir, lui qui va la prendre, lui qui va s'en servir. À part le tisonnier, avec quoi peut-elle se défendre contre une hache? La poêle à frire? Ça fait scène de ménage, mais c'est plus efficace que le balai. Elle pense à tous ses instruments aratoires dans la remise: le râteau, la pelle, la bêche, la fourche. Oh! La fourche, avec ça, elle n'aurait pas peur de lui, mais elle n'ose sortir dehors. Ce silence la terrifie et la peur noue ses entrailles. Elle l'imagine, tapi dans l'ombre, la hache à la main. Là, au pied de la galerie. Avec ce sourire cruel dont il ne se départit jamais. Et ce cerveau malade, dérangé, détraqué. Depuis l'histoire de la vache à la queue coupée, son père ne cesse de la mettre en garde contre Spitter, l'invitant même à passer l'hiver dans la maison familiale en raison de l'isolement dans lequel elle se trouve. Ici, il n'y a pas de téléphone. En cas d'urgence, elle ne peut rejoindre personne. Ce «personne» la glace, fait battre son cœur violemment. Personne ne sait que Spitter rôde autour de l'île. Il est venu par voie d'eau, sans laisser de trace. Sans laisser d'indice. Et puis, il porte des gants. Oui, elle l'a remarqué: des gants noirs. Est-ce pour ne pas laisser d'empreintes qu'il les porte? Squick! Squick! Squick! «Aie! la présidente.»

Dieu soit loué! Il n'a pas mis les pieds sur l'île. Marjolaine se précipite vers la remise pour y chercher ses outils de jardinage, ramasse la hache et siffle Max. Le chien accourt et se couche à sa place habituelle devant la porte.

Squick! Squick! Squick! Tout le temps et tout le tour de l'île.

Marjolaine ajuste les lampes à pétrole, se réinstalle dans la berceuse, la fourche à portée de main, prête à subir ce siège infernal. Squick! Squick! Squick! patiemment, méchamment comme pour fatiguer la proie, la rendre à bout de nerfs, l'épuiser par la peur. Tout le tour de l'île et tout le temps, criant au passage: «Aie! la présidente, j'vas t'montrer où le purin coule dans l'lac.» Puis le silence, mille fois plus horrible, peuplé d'incertitudes, d'angoisses, de tensions. Le silence qui lève le barrage de l'imagination, laisse déferler des images de terreur. Elle le voit partout. Il est là, caché dans le noir et bondit sur elle pour lui couper la main ou l'éventrer ou encore pour couper le pénis d'Alex. Non, il s'est faufilé par le soupirail de la cave pour surgir par la trappe du plancher comme un revenant. Surgir dans son dos, avec le reflet des lampes sur ses petites

335

dents pointues, avec ses yeux si pâles que blancs et sa queue de rat sur la nuque. Squick! Squick! Squick! met fin à la torture du silence. Patiemment, méchamment, Spitter rôde autour de l'île. Marjolaine observe le chien. Le menton couché sur ses pattes avant, il veille, lui aussi, tout son être exprimant la tension du guet. Brave bête.

— C'est beau, Max. Guette.

Un bref regard entre elle et le chien. Éloquent. Rassurant. Ils sont deux pour soutenir le siège. Deux pour surveiller ce fou qui tourne en rond pour les étourdir. Deux, pour tendre l'oreille à tout bruit suspect. Deux, pour défendre le petit garçon enfin endormi. Deux, dans la nuit, sur l'île coupée du reste du monde.

Encore le silence. Où est-il? Que fait-il? Marjolaine retient son souffle. Qu'elle a froid, mais froid! Elle frotte ses doigts glacés, réprime ses frissons, enfourne une autre bûche dans le poêle. Toujours le silence maintenant. Comme cousu à tout ce noir aux fenêtres. Soudain, le chien gronde. Marjolaine étreint sa fourche, le cœur figé par la peur. Max aboit férocement. Ça y est. Le monstre a mis pied sur l'île. Il s'avance, furtif, sournois, mal intentionné.

— Va-t'en.

Crie-t-elle cet ordre? Il lui semble que pas un son n'est sorti de sa gorge. Toc! Toc! toc! Quelle audace il a! La pense-t-il assez folle pour ouvrir?

— Va-t'en, va-t'en, bredouille-t-elle à travers les aboiements effrénés du chien. Supplie-t-elle plutôt d'un mince filet de voix, les genoux mous, sur le point de flancher sous elle. Aura-t-elle la force d'enfoncer cette fourche dans le ventre de ce maniaque?

— Ouvre Marjolaine, c'est moé Mike, chuchote une voix. Marjolaine s'avance, colle l'oreille à la porte.

— Ouvre Marjolaine, c'est moé, Mike.

Est-ce bien la voix de Mike ou une imitation de Spitter? Mike ne vient jamais sur l'île sans son autorisation. Pourquoi serait-il venu ce soir?

Voilà où voulait en venir le monstre: la terrifier au point qu'elle lui ouvre.

Squick! Squick! Squick! au loin. Et cette voix qui porte sur l'eau. «Aie! la présidente.»

336

Et cette autre voix derrière la porte.

— C'est moé, Mike. Ouvre Marjolaine.

Elle ouvre. Reconnaît aussitôt la carrure des épaules et la tête bouclée de Mike. La voilà dans ses bras, à sangloter comme une petite fille. Tremblant de tous ses membres. Il caresse ses cheveux, l'enserre de ses bras solides et la berce contre lui. Elle pleure, incontrôlable, ses mains toujours nouées à la fourche.

— C'est un fou. Andrew m'a averti qu'y avait loué une chaloupe chez Boisclair. Ça fait longtemps qu'y est ici?

Signe que oui. Elle est épuisée: il la fait asseoir, lui enlève la fourche des mains.

— J'suis venu aussi vite que j'ai pu. J'suis arrivé d'Abitibi à neuf heures. Reste tranquille. J'vas m'occuper de lui. Ta chaloupe est toujours à l'eau?

Signe que oui.

— T'es capable de retenir le chien. J'veux surprendre Spitter.

Elle s'agrippe au collier de Max. Son cœur bat maintenant si fort qu'elle a de la difficulté à capter les sons et à réaliser l'espace-temps. Tout est à la démesure: les battements de son cœur affolé et ces secondes ou minutes entre les pas de Mike sur la galerie et le heurt d'une chaloupe contre une autre. Un violent échange de paroles suivi d'un plouf. Puis le rire dément de Spitter que l'eau porte triomphalement jusqu'à elle. Le rire fou et méchant qui lui glace le sang. Mike sait-il nager? Elle l'ignore. Instinctivement, elle s'agrippe à nouveau à la fourche et libère Max, tourmentée à l'idée de Mike se débattant à la surface de l'eau, alourdi par le poids de sa veste de cuir et de ses bottes. Mike, tantôt si chaud, avec sa belle carrure d'épaules et ses cheveux bouclés. Mike et ses bras protecteurs, sa main sur sa tête qui apaise. Non. Elle ne veut pas. Elle perçoit maintenant des sons mats comme si quelqu'un battait un tapis. Puis un cri de Spitter suivi d'un bruit de lutte.

— Va-t'en! Si j'te vois encore une fois ici, j'te tue. T'entends ça? J'te tue.

C'est Mike. Mike! Elle reconnaît sa voix. N'y tenant plus, Marjolaine accourt vers la rive. Squick. Squick. Squick, grincent les tolets dans la retraite de Spitter.

Mike accoste. Elle distingue sa silhouette. Il semble épuisé, fait quelques pas en titubant, la main sur l'œil gauche. Elle s'élance vers lui pour le soutenir. Le trouve mouillé, glacé et grelottant.

— Rentre vite te réchauffer.

— Le p'tit salaud. Y m'a frappé avec sa rame.

L'homme n'a pas la force d'en dire plus. Essoufflé, blessé, il se laisse guider vers la maison s'appuyant de plus en plus contre elle. De plus en plus lourd et froid.

— Y m'a crevé l'œil, le salaud! J'suis sûr qu'y m'a crevé l'œil.

Elle retient son cri à la vue de la paupière ensanglantée et le dirige vers la berceuse.

— Laisse-moi regarder. Penche ta tête en arrière. C'est ça.

— Les maudites rames de Boisclair avec leur bout en métal. Y est pas capable d'avoir des rames comme tout le monde, Christ!

Délicatement, Marjolaine éponge le sang accumulé dans l'orbite, faisant abstraction des tremblements convulsifs de l'homme.

— C'est ta paupière pis ton sourcil qui sont touchés. Le reste semble correct. Ton œil est sauvé.

— Tu penses? Tu dis pas ça pour pas m'inquiéter. J'veux la vérité, Marjolaine. J'suis capable de la prendre. Dis-moé la vérité.

Il lui saisit les poignets en proie à une vive inquiétude, tremblant de peur et de froid.

— J'dis pas ça pour pas t'inquiéter, Mike. J'sais que t'es capable d'entendre la vérité. Laisse-moé nettoyer ton œil avec une débarbouillette.

— O.K. Nettoye. Vite.

Elle s'exécute, prenant bien soin de mettre à jour la plaie qui a vraisemblablement atteint un des nombreux vaisseaux sanguins sous l'arcade sourcilière.

— Ton œil est sauvé. T'auras même pas besoin de points de suture. Y a des p'tites veines dans ce bout-là, explique-t-elle en dégageant les cils du sang coagulé. Tiens, rouvre ton œil.

Il obéit. Sourit aussitôt en l'apercevant penchée sur lui.

— Ouf! Christ que j'ai eu peur!

Le regard vert de l'homme plonge en elle. Trouble l'onde de son âme. La remue en profondeur.

— Sais-tu que t'es belle de même.

Elle ne devrait pas se laisser prendre par ce regard d'homme. Ne devrait pas le laisser pénétrer en elle, couler en elle comme du miel chaud. Trop tard. Le regard vert, capable de la virer à l'envers, envers et contre elle-même a déjà atteint le fond de son ventre en éveillant ses fibres de femme.

— Moi aussi, j'ai eu peur, Mike.

— Un beau gars comme moé, hein? Ça m'aurait donné un genre avec un bandeau de pirate.

Avec assurance, il profite de l'effet que produit son regard où s'éveille un rien d'insolence.

— Déshabille-toi, tu vas attraper du mal.

— Une femme n'me dit jamais ça deux fois.

Il crâne carrément, s'esclaffe de rire en réprimant ses frissons. Arrache lui-même ce regard enfoncé en elle en redevenant le Mike polisson, le grand enfant impuni, le tombeur de femmes.

— J'vais aller chercher des couvertures de laine. Tu mettras ton linge mouillé sur la table. J'le ferai sécher.

— Apporte-moé une serviette aussi.

Le Mike dominateur. Le sauveteur. Le guerrier. Le vainqueur. Celui contre lequel elle s'est blottie, tout effrayée. Celui qui l'a sauvée. Celui à qui elle est redevable.

Avec une pointe de rage, elle défait son lit, s'emparant de ses plus chaudes couvertures ainsi que de la serviette de plage d'Alex qui évoque tous leurs jeux d'été sous le bon soleil. Toutes leurs éclaboussures et tous leurs plongeons. Et ces plouf joyeux se superposent à cet autre plouf dans la nuit noire. Dans l'eau glacée. Avec force, elle chasse la terrible vision qui l'avait empoignée alors: celle d'un corps d'homme, livide et gonflé que la vague ramène sur la plage. Un corps que l'on reconnaît par les bottes ou la veste de cuir. Un corps d'homme où elle ne retrouverait plus jamais la chaleur des bras protecteurs.

— Ça vient la serviette?

Il ne veut pas lui laisser le temps d'élaborer sur le geste qu'il a posé.

— Oui, la voilà.

Il tremble de tous ses membres, nu, ses cheveux dégoulinant dans son dos.

— Frotte-moé l'dos.

Il ne veut vraiment pas lui laisser ce temps.

— O.K. C'est assez. Tu devrais m'faire un café.

339

Il se retourne. Lui présente son physique athlétique. Un sourire moqueur retroussant ses lèvres.

— Aussi bien te rincer l'œil... c'est pas avec TON député que tu vas avoir cette chance.

Douche glacée pour elle aussi. Il s'enroule dans les couvertures, s'assoit. Elle l'entend se bercer en claquant des dents tandis qu'elle s'affaire au poêle. Il monologue, la tête renversée, les yeux clos.

— J'vais avoir l'air fin demain. Mes blondes me reconnaîtront plus.

Sa chevelure s'égoutte sur le plancher. Les choses ne devraient pas se passer ainsi. Elle ne devrait pas être attachée à son poêle et lui à sa chaise après un tel événement. Ils ne devraient pas être à couteaux tirés, se rebiffant l'un contre l'autre. Chacun au sommet de sa tour d'orgueil.

Les gouttes sur le plancher l'agacent. Elle prend la serviette et commence à lui sécher les cheveux.

— Ouch! Mes prunes! Attention! Y a pas lâché de m'frapper pendant que j'montais dans sa chaloupe. Fais attention, bon sens, j'ai pas envie que tu m'achèves à soir. Y faut que j'aille voir mes blondes demain.

Vraisemblablement, Mike veut lui démontrer qu'il y a d'autres filles dans sa vie.

— J'ai eu peur pour Alex, surtout. Spitter est rendu fou.

D'autres raisons d'avoir risqué sa vie.

— Christ de Spitter. J'm'attendais pas pantoute à ce qu'y m'frappe avec sa rame.

D'autres excuses d'être tombé à l'eau. Tel un chat indépendant, il s'entête à renier les élans de son cœur, la générosité et la grandeur de son geste.

— Alex dort dur.

— Oui. Y va être surpris, demain, de te voir ici.

— Ouang. C'est vrai. J'suis obligé de coucher ici. T'as pas peur que j'te viole?

Il relève la tête, se soustrait ostensiblement à ses mains attentionnées. Ce mot fait mal à l'homme. Ce mot insulte le mâle. Qui a inventé ce mot entre eux! Qui a glissé ce cinquième as dans leur jeu de cartes, faisant de l'un d'eux un tricheur?

— Non. J'ai pas peur. C'est pas ton genre.

340

— C'est pas ce qu'on dit partout. L'eau bout. Fais-moé donc un café.

Le ton mordant de Mike l'affecte. Il lui fait penser à un animal blessé, s'en prenant, dans sa douleur, aux barreaux de sa cage. Elle sent que ce mot vient de mettre fin à toute tentative de réconciliation. À lui seul, il vient d'effacer le geste qui aurait pu les réunir ou du moins les apaiser.

Il boit son café. Les coudes appuyés aux genoux.

— J'aime pas te voir vivre toute seule, ici, sans téléphone. J'vais t'payer une pension pis t'iras vivre au village.

— Ça m'adonne de vivre ici. Faut que j'aide mon père à faire le train. Surtout depuis qu'il est chauffeur d'autobus scolaire.

— C'est ben de ta faute. Tu nuies à ton père pis à tes frères avec les Riverains. Tu devrais laisser tomber ça. Pas surprenant que tout le monde t'en veuille. Laisse donc tomber; t'auras ben moins d'ennuis.

— C'est vrai. C'est vrai, j'aurais moins d'ennuis mais le lac va finir par mourir et moi je ne pourrai plus regarder Alex dans les yeux.

— Y a d'autres lacs.

— Mais qui va le défendre, celui-là?

— Tu fais tout ça pour rien. Les pluies acides vont finir par l'avoir, ton lac, que tu l'veuilles ou non.

Que de contraste entre l'attitude défaitiste de Mike et celle, positive, de Benoît. De toute évidence, la combativité de Mike ne se résume qu'à l'échelle physique mais celle de Benoît, par contre, se mesure sur le plan moral et intellectuel. La lutte qu'il mène avec elle contre la pollution en est une inégale, ardue et ingrate. Car lutter contre les grands de ce monde et contre le pouvoir de l'argent reste un combat impitoyable pour celui qui siège à l'Assemblée nationale. Benoît risque gros, investit gros.

Un coup d'œil à *La Vache jaune* lui certifie tout cela. La raffermit dans sa décision.

— J'vais rester ici, Mike, pis j'vais continuer à me battre.

— C'est pas toé qui m'inquiète, mais Alex. Y mérite pas, c't'enfant-là, de vivre ici, sans électricité, sans téléphone. Comme en ancien temps.

— Y est heureux ici.

— Oui, mais pas en sécurité. Pas depuis que c'maudit Spitter rôde dans les parages.

— Penses-tu qu'y va revenir?

— Pas pour l'instant. J'y ai fait peur, pis mal. Mais quand y prend trop de drogue, y perd la tête. J'serai pas toujours ici. Andrew m'avertira pas toujours. Ah! Et puis, fait donc à ta tête. De toute façon, j'pense que Max à lui seul aurait suffi, hein mon chien?

Insensible au compliment, l'énorme bête roupille.

— C'est ça mon gros, fais dodo. J'ai ben envie de faire comme toé.

Il vide sa tasse d'un trait.

— Tu peux prendre mon lit.

— Non. J'aime autant le sofa. J'espère que l'affreuse vache jaune que t'as mis là me donnera pas des cauchemars.

Non, ce n'est pas ainsi que les choses auraient dû se passer après qu'il eut risqué sa vie pour elle et Alexandre. Avec regret, Marjolaine le regarde s'étendre sur le sofa au pied de l'escalier. Le regarde barricader les portes de sa tour d'ivoire. Minimiser lui-même le beau geste qu'il a eu ce soir. Faire en sorte qu'aucun sentiment, si minime soit-il, ne puisse éclore entre eux.

Désolée, elle étend le linge autour du poêle. L'écoute ronfler déjà.

Avant de monter à l'étage rejoindre Alex, elle s'arrête devant l'homme endormi.

À la lueur de la lampe, il a l'air d'un dieu grec, avec sa tête bouclée et son nez droit. Un dieu endormi. Tout à coup accessible. Tout à coup à portée de ses doigts. À portée de ce qu'elle ressent. Elle se penche, caresse doucement la joue rapeuse et chuchote tout bas, pour ne pas l'éveiller: «Merci Mike.»

C'est ainsi que les choses auraient dû se passer mais, pour une raison qu'elle ignore, il en fut tout autrement.

* * *

342

Éthiopie, 30 octobre 1984.

V oilà. C'est ici qu'elle s'arrête. Ici qu'elle s'effondre.

Sur son dos, Nigusse geint faiblement. Elle s'en dégage, le couche par terre, chasse machinalement les mouches de sa figure.

— Continuons, Zaouditou, encourage grand-père, chancelant.

— Il faut s'arrêter. Nigusse est malade et vous aussi, grand-père. Ici, il y a de l'aide.

La fillette considère la foule de miséreux entassés dans le cap de Mekele. Cette foule de réfugiés affamés, de cadavres ambulants chassés de tous les coins du pays par la famine. Vêtus de haillons, le regard et le ventre vides, ils attendent l'espoir de vivre ou l'heure de mourir. C'est ici, la limite de leur endurance et la fin de leur dignité. Ils devront dorénavant quêter leur pitance. Eux qui jadis ont tiré de leurs terres le teff, l'orge et le froment. Eux qui faisaient paître bœufs, moutons et chèvres. Eux qui cultivaient fèves, lentilles, haricots, choux, poireaux, ail, oignons, piments et récoltaient le miel abondant dans les ruches se voient réduits à l'état de mendicité.

Elle les regarde. Déchus, défaits. Ils ont tous laissé derrière eux une maison d'argile au toit de chaume, des semences brûlées dans les labours stériles, des morts le long de la route. Ont tous laissé le goût de l'injera. Ont tous laissé leurs prières et leurs coutumes. Là, derrière eux.

Grand-père aussi les regarde. Malade, fiévreux, affaibli, il titube. Il ne veut pas tomber, ne veut pas fléchir et se perdre dans cette masse anonyme de miséreux. Il veut rester debout le plus longtemps possible, comme si debout, il conservait encore sa dignité. Une toux sèche, tenace, secoue sa maigre carcasse et le fait râler.

— Venez vous reposer, grand-père.

— Ce n'est pas ici... pas ici que je voulais vous conduire, confesse-t-il.

Non, pas ici. Il croyait fermement qu'au bout de l'horizon tremblant apparaîtrait un jour l'oasis tant espérée. Mais il n'y a plus d'oasis en ce pays. Uniquement des rassemblements de faméliques.

Il n'y a plus d'acacias, ni de tamaris, de bambous, de citronniers sauvages, de sycomores géants et de palmiers doums. Il n'y a plus d'arbres à gommes, à encens, à myrrhe. Il n'a rien vu de tout cela durant l'exode. N'a pas reconnu les pistes et les lieux. Que s'est-il passé? Ce pays regorgeait de fruits auparavant. De quoi le ciel les punit-il?

Le vieil homme glisse un regard le long de son bras décharné. Il en distingue nettement les os. Puis, il s'arrête à l'index coupable qui a dirigé sa descendance jusqu'ici. Il y avait tant d'assurance en lui lorsqu'il le pointait vers Axoum, la ville sainte. Axoum, où ils se seraient recueillis en présence des tables de la Loi, écrites avec le doigt du Seigneur.

Il y avait tant de foi, tant de confiance qu'après s'être retrouvé en présence de l'arche d'Alliance dans la cathédrale de Sainte-Marie de Sion, Dieu pardonnerait la désobéissance et les guiderait vers le lac Tana.

344

Mais au lieu de cela, il a erré avec sa descendance dans un paysage de fin du monde, côtoyant la mort chaque jour. Dieu l'a abandonné en cours de route et lui a fait savoir qu'il ne le guidait pas comme il a guidé Moïse. Dieu n'a pas fait jaillir l'eau du rocher, ni n'a couvert de manne le sol désertique. Il a puni, châtié sept fois la faute pour les sept générations à venir. Mais quelle faute au juste? Il ne sait plus. Il ne sait pas. Ancien chantre, il a eu des doutes, des manquements, des faiblesses. Il a omis de pratiquer la circoncision et s'est détourné de Dieu dans les années de prospérité. Est-ce là sa faute? Est-ce pour cela qu'il a échoué en ce lieu?

— Non... non... Ce n'est pas ici, pas ici, répète le vieillard en traînant ses pas. Il tousse à nouveau. Crache. Râle. Chancelle. Il ne veut pas tomber. Ne veut pas se perdre dans la foule des miséreux. Il lève les bras pour s'accrocher au ciel. Se pendre à la main de ce Dieu qui condamne. Mais il s'écroule par terre. Le visage contre le sol ingrat, dur, cruel. Où est son pays? Son Éthiopie, héritière directe d'Israël? Qui l'a assassinée? Le gouvernement central? La guerre? La sécheresse? La désobéissance? Qui a assassiné le pays de l'or, de l'encens et de la myrrhe? Qui a réduit en poussière les terres qui fournissaient du blé à l'étranger? Qui a courbé l'échine de ces hommes jadis si fiers? Qui les a réduits à cet état lamentable, après les avoir fait errer longtemps en enfer? Qui? Qui? Et pourquoi?

Zaouditou se penche sur lui, essuie de sa main la sueur à son front. Il prend cette main dans la sienne.

— Ce n'est pas ici que je voulais vous conduire.

— Le lac Tana peut-il mourir, grand-père?

— Non... non... il est tellement vaste. L'Abbaï y prend sa source. Non, il ne peut pas mourir, lui.

Il ne faut pas qu'il meure. Le vieil homme ferme les yeux et revoit les Waïto, traqueurs d'hippopotames qui vivaient aux alentours du lac Tana. Il revoit les pistes de ces énormes animaux dans les grands roseaux de papyrus et entend leurs solos de trombones. De toutes ses forces, il espère que ce paradis existe encore et étreint la main de sa petite fille.

— Aide-moi à m'asseoir, Zaouditou.

Il veut lui parler de l'Abbaï, le Nil Bleu qui y prend sa source. Veut lui parler de chutes Tis-Isât. De la végétation, tout autour. Du bruit des cataractes. Il veut l'assurer de l'existence de ce paradis.

Un mouvement de foule l'en empêche. Un homme, grand et bien nourri, se fraie un passage en examinant les réfugiés. Muni d'un crayon feutre, il trace des croix sur le front de certains d'entre eux.

— Que fait-il? s'enquiert la fillette craintive.

— Il marque ceux qui vont avoir des vivres et des vêtements, explique une femme sans âge près d'eux.

L'homme approche. Le cœur de Zaouditou s'emballe. Elle s'avance et lui présente son front. L'homme sourit brièvement et trace la croix salvatrice. Elle lui prend la main et l'emmène voir Nigusse, inconscient. L'homme s'agenouille, tâte le front et ouvre les paupières du malade en hochant la tête. Zaouditou s'empare du crayon et trace la croix elle-même. Nigusse vivra, il le faut. Il est une bénédiction du ciel. Il chantera pour défier le vacarme des chutes du Tis-Isât. Il le lui a promis. Ensemble, ils sentiront l'eau, bien avant de l'avoir vue.

Maintenant qu'elle en a la possibilité, Zaouditou veut sauver son grand-père également. Elle s'apprête à tracer la croix sur le front de son aïeul, mais l'homme lui prend le crayon des doigts. Les sourcils froncés, il lui fait signe que non et poursuit son chemin.

Grand-père a pour elle un regard résigné. Un regard d'adieu. Il comprend la condamnation, accepte la condamnation.

L'enfant s'agenouille devant lui, baissant son front marqué du sceau du salut. Elle se sent honteuse sans savoir pourquoi. La main de l'ancêtre se pose sur sa tête, avec douceur, avec tristesse.

La main de celui qui a connu le paradis caresse maintenant la tête de la fillette née en enfer. Il préfère la mort à cette trace diffamante que la vie a dessinée sur le front de son héritière. La voilà marquée comme du bétail. Celui-là est pour l'abattoir, celle-ci, non. Celle-là a des chances; cet autre, non.

Il préfère être cet autre. Préfère partir plutôt que de s'abaisser à l'état d'animal famélique qui vaut ou ne vaut pas la peine d'être sauvé.

Il connaît une autre nourriture. Une autre dimension. Une autre source de vie.

Une larme perle au bout des cils de Zaouditou. Comment son corps déshydraté a-t-il pu en fabriquer une? Le vieil homme la regarde étinceler. Plus belle, plus brillante que l'étoile des mages voyageant avec leurs présents d'or, d'encens et de myrrhe.

La fillette lève vers lui un regard profond qui lui certifie qu'elle n'est pas réduite à l'état d'animal affamé. Cette larme et cet espoir tenace qui brillent dans ses prunelles lui font comprendre que Zaouditou, quoique fille, quoique non excisée, possède la force spirituelle pour atteindre les rives du paradis.

Alors, tremblante, la main du patriarche se pose sur le front de l'enfant et, de son pouce, y trace une croix. Effaçant ainsi la diffamation et permettant à l'instinct de survie de conduire sa descendance jusqu'à la terre promise.

* * *

Mercredi, 31 octobre 1984.

A lex ferme la porte de la laiterie derrière lui et lève le regard vers le ciel étoilé. La voûte céleste lui fait penser à ces enfants d'ailleurs. Ces enfants qui ont faim et soif. Automatiquement, il secoue sa tirelire de l'Unicef pour bien entendre tinter la monnaie que grand-père lui a donnée. Pauvre grand-père! Il a vidé ses poches, incapable de détacher son regard du surplus de lait qu'il venait de chasser avec un jet d'eau sur le plancher de la laiterie. «Si j'pouvais leur donner tout ce bon lait que j'gaspille à chaque traite», a-t-il dit d'un ton navré. Presque coupable. Comme s'il était responsable de la mauvaise répartition des richesses sur cette terre. Puis, il a dit: «J'suis sûr qu'un beau p'tit bouffon comme toé va réussir à ramasser pas mal de sous.»

Vite! Il doit se presser: sa mère attend dans la camionnette pour le conduire au village. Alexandre court, incommodé par le vieux pyjama constituant un élément du costume qu'il a fabriqué avec l'aide de Marjolaine. Dans sa hâte et son excitation, il ne sent pas le vent âpre traverser son chandail de laine ni le froid glacer le bout de son nez maquillé. Il entend seulement ses pas sur le sol durci par le gel, le tintement de la monnaie dans la tirelire et le ronronnement du moteur.

Il grimpe à bord du véhicule, se cale dans le siège, sa citrouille de plastique dans une main, sa tirelire dans l'autre.

— Oh! Le beau clown! T'es un p'tit qui, toi?

Il rit en haussant les épaules et sa collerette vient chatouiller son menton, lui remémorant clairement son image de tantôt dans la glace et celle de Marjolaine guettant son approbation.

Alexandre branle doucement la tête pour sentir le poids de son gros pompon jaune au bout de son chapeau pointu et vient toucher avec précaution ses cheveux crêpés en tire-bouchon. Oui, il est bel et bien devenu ce jeune bouffon joyeux, avec sa grande bouche souriante, son nez rouge et ses yeux triangulaires. Bel et bien devenu ce légendaire personnage de cirque. C'est plus qu'amusant d'être quelqu'un d'autre pour un soir. Ça touche à la magie. Oui, la magie de cette soirée unique et mystérieuse.

Il aurait aimé convaincre Gaby de l'accompagner. Alex s'attarde à la silhouette de ce dernier, à son front fataliste collé à la fenêtre de la cuisine. À tous les désirs refoulés qu'il perçoit dans le geste triste de la main.

— Gaby est trop gêné pour passer l'Halloween.

— Oui. Il n'est jamais venu. Toi, es-tu gêné?

— Non.

Il répond avec assurance afin de balayer les derniers vestiges du cauchemar de cette nuit. Cauchemar où il se voyait refuser de porte en porte. Mais, ce soir, il n'est pas Alex mais bel et bien un clown. Et personne ne le reconnaîtra, il en est sûr.

Chemin faisant, il observe le foin sec le long des fossés. Sous la lumière des phares, ces longues tiges cassantes qui transpercent moult feuilles mortes ajoutent à l'atmosphère particulière de cette soirée. Bou! Hou! Hou! Hou! Et les branches nues des buissons agités par le vent lui font penser à des doigts de squelette, et ce nuage devant la lune, à une sorcière sur son balai. Et ces labours, à des tombes fraîchement retournées. Brr! Heureusement qu'il est un clown pour rire de tout cela.

La maison ancestrale où habite son père avec grand-mère Falardeau se dresse à l'entrée du village. Toute blanche, ceinturée de sa longue galerie, elle n'offre cependant que deux fenêtres éclairées.

— Est-ce qu'on arrête chez grand-maman?

— Ben oui.

Bien que ces deux fenêtres ne soient guère invitantes, il tient à épater Mike avec son costume. Fut un temps où il voulait se déguiser en motard mais outre le casque protecteur, il n'avait pas assez d'éléments pour rendre son personnage crédible. En guise de maquillage, Marjolaine aurait pu lui dessiner une balafre sur l'œil pour montrer qu'il sait se battre. Mais cela n'aurait pas suffi à le déguiser. Il veut vraiment être un autre, ce soir. Être un clown comique. La perspective d'amuser Mike lui donne le courage nécessaire d'actionner la sonnerie. Dring! Il sent ce dring jusqu'au fond de lui-même. Imagine ce dring rejoignant Mike quelque part dans cette vaste maison. Se demande même s'il a encore cette blessure sur la paupière gauche. Blessure qui lui a été infligée lors d'un combat contre Spitter pour les défendre.

Un temps. Des pas. Une lumière dans le vestibule, suivie de l'apparition d'une femme austère, osseuse: grand-mère Falardeau.

— Halloween!

— Je donne pas à l'Halloween, répond-elle d'un ton aussi sec que le foin le long des fossés. Elle ressemble à une sorcière avec sa toque gris-jaune et son visage tout plissé.

— Mike?

— Mike travaille. Qui c'est toé?

La vieille se penche, l'examine attentivement en plissant ses yeux myopes.

— Hein? T'es qui toé?

Au moins, elle ne le reconnaît pas. Il n'a qu'à rebrousser chemin.

— Oh! C'est Alexander! s'exclame-t-elle soudain en apercevant la camionnette. Oh? Toé, c'est pas pareil. Rentre. Je vais te donner. Rentre.

Il la suit jusqu'à la cuisine, expédiant des regards furtifs à gauche et à droite, à la recherche d'indices sur la vie privée de son père.

— Mike a un voyage en Abitibi. Va rentrer tard.

Elle fouille dans les armoires. N'y trouve rien d'intéressant pour un garçon de son âge. Elle opte alors pour le réfrigérateur et y déniche une pomme. Boung! Au fond de la citrouille, avec les douceurs que Flore lui a données avant de partir.

Il tend sa boîte de l'Unicef.

– What's that? Ho! J'aime pas donner à ça... On sait jamais où va notre argent.

Il n'insiste pas. S'en retourne déçu. Et du manque de générosité de sa grand-mère et de l'absence de son père.

La vue d'un groupe d'enfants costumés l'arrache à ces pensées moroses. Vainement, il tente de les identifier tandis que Marjolaine stationne devant le dépanneur. Un fantôme, une sorcière et un cow-boy le croisent.

— Salut Alex.

Qui le reconnaît? Et le trahit en plus?

— Dépêche-toé d'aller au dépanneur. Y donnent des gommes pis des palettes de chocolat pis des chips.

C'est la voix traînante de Marc Potvin. Les deux autres doivent être Michel et Cindy. La jolie Cindy sous un masque de sorcière. Alex contemple la citrouille illuminée à la porte du dépanneur et les squelettes collés aux vitrines. Quelle fête merveilleuse! Folle mais merveilleuse! Ce qui l'excite et multiplie son bonheur, c'est cette complicité des adultes qui œuvrent et manœuvrent pour faire de cette soirée une réussite. Là, c'est la citrouille qu'on a vidée et taillée, là, un costume qu'on a cousu, là encore, des parents venus des rangs avec un tas d'enfants à bord de leur voiture. Sans parler de toutes ces friandises achetées en vue de les distribuer.

Contrairement à chez grand-mère Falardeau, ici, ils sont attendus, espérés. Tout est prêt pour leur venue: les plats de bonbons et d'arachides en écale ainsi que les poignées de monnaie. Ici, il pourra recueillir des fonds pour ces enfants d'ailleurs. Devenir leur protecteur, leur défenseur, leur sauveteur. Tout comme Mike sur l'île mais d'une manière moins spectaculaire, il en convient. Cette possibilité de pouvoir aider efface toute trace de gêne récoltée chez grand-mère Falardeau.

— Reste icitte, Marjolaine. On me reconnaît quand t'es là.

Fébrile, Alexandre pénètre dans le dépanneur. Quatre adultes le toisent, un sourire complaisant aux lèvres.

— Qui c'est celui-là? Ou celle-là? Ha! Ha!

Yvon Sancouci, le maire, l'examine minutieusement. Il fronce soudain les sourcils, laisse tomber son sourire. On dirait une feuille morte qui vient de se détacher d'un arbre. L'arbre est nu, froid, gris.

— C'est le gars de Marjolaine.

Tous les sourires se détachent des bouches, s'envolent au vent froid de cette dénonciation.

— Tiens.

Une gomme atterrit au fond de sa citrouille. C'est tout. Pas de sous pour l'Unicef. Les grandes personnes entament une conversation sur le chômage. Une conversation qui l'exclut totalement, le chasse vertement du magasin, la gorge serrée.

Alex perd de l'assurance. Hésite maintenant devant les maisons malgré les citrouilles invitantes. Partout où on le reconnaît, les sourires figent ou s'envolent et les mains se font moins généreuses. Est-ce sa collerette qui tout à coup l'étrangle? Est-ce son costume qui laisse le vent lui glacer le dos? Il aurait dû rester avec Gaby. Dans la chaude cuisine de mémère. Que fait-il ici? Une auto passe, exhibant un chevreuil mort sur le toit. Des enfants courent derrière, l'accompagnent jusque chez Odette l'épinglette en criant: «Mon oncle a chancé.» Un rassemblement autour de la voiture. Madame Ladouceur, maigre et grelottante sous son châle, répète à qui veut l'entendre: «Ça va nous faire de la bonne viande pour c't'hiver.»

Alex regarde la bête et ne parvient pas à la considérer comme de la bonne viande. Il a beau s'efforcer, il ne voit pas de steak au fond d'une assiette mais seulement un superbe animal, avec des yeux de velours et un majestueux panache. Seules, la langue pendante et une traînée de sang coagulé sur le pare-brise le ramènent à l'idée de la mort.

— Venez-vous-en les enfants! Rentrez! On va fêter ça! Odette jubile, ouvre grand la porte de sa petite roulotte. Les enfants s'entassent, piétinant les bottes de chasse à l'entrée.

— Tenez! Y en a pour tout le monde. Oh! La jolie poupée! Ah! Pas une poupée, une fée? Oui, bien sûr. Et ça, c'est un bandit,

353

ah? C'est le p'tit Patenaude... pis toé, t'es Marc Potvin. Tenez. Tenez.

À pleines poignées, Odette distribue des papillotes de tire. Alex reprend courage, se mêle au groupe joyeux. En un rien de temps, il retrouve son enthousiasme. Tous sont à la fête ici. Monsieur Ladouceur, vêtu d'une culotte de molleton et d'un maillot de corps, arrose l'événement sur le divan du salon, une caisse de bière à ses pieds.

– Pis, c'est qui ce beau p'tit clown-là?

Les regards se braquent sur Alex. Il baisse les yeux, tendant sa citrouille et sa tirelire.

— Gilbert, viens voir le beau clown.

— Ouang! Ouang!

— Mais c'est qui ça?

Intriguée, Odette interroge du regard les autres enfants. Un silence désagréable s'installe, fait craindre à Alexandre d'être dénoncé. Il retire sa citrouille, tendant uniquement sa tirelire.

— C'est Alex, informe Cindy la sorcière en toute candeur.

Le visage d'Odette se crispe. Se crispe aussi sa main sur le sac de bonbons.

– Pas le p'tit de Marjolaine Taillefer? demande monsieur Ladouceur d'une voix forte.

— Oui. En plein ça.

Odette range le sac.

— Sacre ton camp, p'tit christ. Tu peux ben ramasser pour les pauvres d'ailleurs. Ta mère se gêne pas, elle, pour mettre du pauvre monde sur le chômage.

Alex s'évade de ce lieu, le cœur gros, le cœur broyé. Vite, il se réfugie dans la camionnette.

— Bon, où on va maintenant?

— Chez nous, réussit-il à dire en ravalant ses sanglots.

— Déjà? Y a beaucoup de maisons à faire encore.

C'est fini, il ne veut plus forcer ces portes fermées. Ces cœur endurcis. Il n'en peut plus de voir se détacher les sourires et se refroidir l'atmosphère dès qu'il est reconnu et on le reconnaît partout. C'est manqué. Il aurait dû rester avec Gaby.

— Regarde là, c'est plein d'enfants. Vas-y.

— Non.

354

Il arrache sa collerette, enlève son chapeau. Le gros pompon jaune lui rappelle le visage de Marjolaine près de celui du clown dans le miroir de la salle de bain. Elle était si fière de son maquillage. Il ne doit pas lui dire la méchanceté des gens. Lui raconter tout ce qu'il subit par sa faute. Par la faute des Riverains.

— Qu'est-ce qu'y a, Alex?

— Rien.

Le petit clown roule nerveusement le pompon jaune entre ses doigts, incapable d'effacer le visage souriant de sa mère dans la glace. Elle voulait tant lui offrir et il escomptait tant recevoir en cette soirée de mascarade, unique et magique à la veille du mois de novembre mortellement ennuyeux. Il escomptait tant recevoir pour lui et pour ces autres enfants qui se contenteraient de laper le lait sur le plancher de la laiterie. Il secoue sa tirelire. C'est bien peu. Secoue sa citrouille et sent rouler la grosse pomme de grand-mère Falardeau. Si au moins il pouvait la donner à ces enfants d'ailleurs.

La camionnette ralentit pour laisser traverser un groupe bruyant et pressé. Alex évite de le regarder, de l'écouter. Cette fête manquée lui fait trop mal. Ce pompon jaune aussi lui fait mal. Et le sourire artificiel dessiné sur sa figure aussi. Et ses cheveux crêpés en tire-bouchon. Mike n'a même pas eu la chance de le voir. Tout est manqué. Tout. Il étouffe, s'appuie le front contre la vitre. Pense inévitablement à la silhouette de Gaby dans la fenêtre. Sentait-il ce froid, lui aussi, sur son front? Et cette buée de son haleine? Était-il impressionné par le gouffre noir de la nuit? Sentait-il piquer ses yeux? Les larmes roulent. Une à la suite de l'autre. Comme autant de sourires détachés des bouches, autant de feuilles détachées des arbres. Elles roulent sur son maquillage, sur ses lèvres, son menton, son cou et l'obligent bientôt à renifler.

Marjolaine arrête le véhicule, ouvre la lumière, démasquant ainsi son chagrin. Il ne doit plus être tellement beau à voir, avec son maquillage lavé par les larmes.

— Alex.

Que de tristesse dans sa voix! De déception à la vue de sa cueillette misérable.

— Ils t'ont fait des misères?

Signe que oui.

— À cause de moi.

Il n'en peut plus. Éclate carrément en sanglots en se blotissant contre elle.

Marjolaine pose sa main dans les cheveux crêpés en tire-bouchon et doucement, très doucement, lui caresse la tête. Cela l'apaise, le soulage. Il frotte son visage dans le makina* pour effacer au plus tôt ce maquillage absurde de clown réjoui. Effacer au plus vite ce grand sourire et cette fête manquée. Il se sent ridicule dans son costume.

— J'veux rentrer chez nous. J'veux m'changer.

J'veux oublier serait plus juste.

— Oui, nous rentrons, Alex.

Vite, vite. Il veut oublier, tout oublier. Pour cela ils ne doivent pas s'arrêter chez les grands-parents. Marjolaine le devine et passe tout droit, ne s'arrêtant que devant l'île.

Alex traverse le pont verglacé par endroits. De sa lampe de poche, il éclaire la rive de l'île. Déjà, l'hiver a resserré son étau de glace autour d'elle et durci le sol sous la couche d'aiguilles de pins. Déjà l'hiver sent la neige au fond de l'air. Son île lui apparaît tellement seule, tellement froide, tellement abandonnée. Tout comme sa mère sur qui se resserre l'étau de la méchanceté.

Glacé par cette vérité, l'enfant se presse contre elle, essuyant à nouveau son maquillage de clown pour tout effacer.

* * *

---

* Makina: grosse veste de laine à carreaux.

Éthiopie, dimanche, 4 novembre 1984.

Allongé près d'elle, Nigusse a perdu ses cheveux. Elle aussi, sans doute. D'un geste qui demande toute son énergie, elle touche son crâne chauve coiffé de mouches. Oui, elle les a perdus. Comme elle a perdu grand-père, comme elle a perdu ses forces, comme elle a perdu conscience. La voilà hors de la réalité, dans un sommeil léthargique, s'accrochant à chaque réveil à la présence de son frère près d'elle. À ce bracelet de plastique et cette marque encore visible sur son front. Elle aussi, elle a un bracelet. Elle le sent à son poignet et n'a pas à vérifier. C'est son permis de vivre. Grâce à lui, on la soigne et on l'alimente. Grâce à lui, on nettoie les selles évacuées involontairement. Grâce à lui, on l'abreuve.

À nouveau, elle se sent glisser vers le néant et se laisse descendre sans résister. Elle devient alors insensible aux puces qui la rongent et aux mouches qui se promènent sur son visage. Insensible à ces douleurs dans son ventre. Insensible à ses pieds meurtris. Insensible à la chaleur torride du jour et au froid glacial de la nuit. Insensible. Comme préservée de la torture qu'elle a connue jusqu'à maintenant.

Zaouditou repose avec son frère, entre la vie et la mort. Retenue dans cette vie par un fil fragile. Cassera? Cassera pas? Quelle baisse de température engendrera l'hypothermie ou la pneumonie? Quel parasite transmettra une fièvre récurrente? Quelle diarrhée la déshydratera complètement? Si fragile, le fil qui retient Zaouditou et son frère au-dessus du gouffre infini. Un rien peut le briser. Les laisser choir hors de ce monde sans que l'humanité s'en aperçoive. Les laisser tomber sans bruit, sans éclat dans les entrailles mortes de leur pays.

Pour l'instant, les deux enfants reposent au bout de leur fil. Main dans la main, avec leur petit bracelet de plastique au poignet et la croix de la survie au front.

Ils reposent, au bout de ce fil de rien, qu'un rien peut briser. Ils reposent entre tout et rien, entre la vie et la mort. Au bout de ce fil de rien, qu'un rien peut briser. Ce fil de rien qui les retient encore dans notre monde.

* * *

Lundi, 5 décembre 1984.

Ils sont trois pour le convaincre. Mais en réalité, derrière eux, se profilent tous les autres, soudés en ce bloc homogène que doit représenter leur parti. Lui, il est la mèche rebelle, l'engrenage défectueux, l'entêté à contre-courant. Lui, il est l'homme intègre dans cette lutte sans merci pour la conservation du pouvoir. Aujourd'hui, il n'a pas été en mesure de mentir, durant le débat de l'Assemblée nationale. N'a pas été en mesure d'endosser le projet de loi 6, pour démontrer à l'opposition leur unité politique. Cela a été plus fort que lui. Plus fort que le dédain qu'on accorde au simple député qu'il est. La protection des rives et du littoral des lacs étant en cause, il n'a pu accorder son assentiment à ce projet qui propose d'abolir certaines dispositions législatives pour permettre aux mu-

359

nicipalités de favoriser la mise en valeur du milieu aquatique. Il n'a même pas pu se contenter d'un silence tacite. Cela a été plus fort que lui. Les paroles ont jailli spontanément. Il s'écoutait parler avec consternation, conscient qu'il s'était levé en chambre pour condamner le projet du ministre des Affaires municipales. Conscient que son intervention alimentait l'opposition en arguments valables et déroutait les membres de son parti. Mais conscient surtout qu'il avait raison et foi en ce qu'il disait. Il se sentait propre, et beau, et fort, d'être debout et de défendre avec acharnement ces incroyables richesses naturelles que sont nos lacs et nos cours d'eau. Et il était propre, et beau, et fort de se dissocier ainsi des autres pour protéger les choses muettes de la terre. Protéger ce qu'on laisse mourir en silence et en toute légalité. Protéger ce que l'on condamne d'une signature au bas d'un document officiel. Il était propre, et beau, et fort. Tel Superman. Dommage que Marjolaine n'ait pu le voir. N'ait pu l'entendre.

— Te rends-tu compte de ce que tu as fait, Benoît?

— Oui, tu l'as dit tantôt, une brèche dans la grande muraille de notre parti.

Il en a assez. Souhaite fermement que ces trois hommes politiques le laissent seul. Seul à savourer ce qu'il considère comme une progression et eux, comme une trahison. Mais, ils ont mission de dissuader le Judas qu'il est devenu. Mission de le réendoctriner. De tirer sur les guides pour lui rappeler ce qu'il est: un simple député sans envergure, sans autre fonction que celle de représenter un comté sclérosé par un taux de chômage trop élevé. Il n'est pas adjoint parlementaire, ni président de commission, ni vice-président, ni même membre d'aucune commission. Un simple député, jusqu'à maintenant rangé, docile, effacé, ne faisant pas trop de vagues autour de lui.

— Mais qu'est-ce qui t'a pris?

— Il m'a pris que je trouve que la FAPEL a raison. On ne peut pas permettre aux municipalités d'améliorer le milieu aquatique tant qu'il n'y aura pas un règlement-cadre pour protéger les rives et le littoral.

— Il est évident que le ministre de l'Environnement fera tout en son pouvoir pour contrôler les aménagements et s'assurer qu'ils ne contribueront pas à la dégradation des lacs et des cours d'eau.

— Comment peut-il contrôler sans règlement-cadre? Ce n'est pas le projet en soi qui est illogique, mais le fait d'être présenté sans qu'il y ait de règlement-cadre qui permette un contrôle.

— Voilà que tu prends les arguments de l'opposition! Mais veux-tu me dire de quel parti tu es?

— J'suis du parti de l'honnêteté.

— Foutaise! L'honnêteté est une carte dont on se sert durant les campagnes électorales, un point c'est tout. On n'peut plus s'en servir en Chambre sans risquer de perdre le pouvoir.

Ces hommes politiques le déçoivent grandement. Avant, lorsqu'ils étaient dans l'opposition, ils se servaient de l'honnêteté sans y aller avec le dos de la cuillère. Mais maintenant qu'ils ont pieds et mains liés par le pouvoir, ils se laissent endormir, berner, amollir. Au rancart, les beaux principes! Au rancart, les assauts contre la forteresse de l'autorité établie! Au rancart, l'honnêteté, la loyauté, l'intégrité! Au rancart, le député Benoît Larue qui a osé s'opposer au projet de loi 6.

— On ne peut pas te laisser faire ça!

Un coup de poing sur le bureau. Du rouge plein la figure de son collègue et un tremblement des lèvres qui indiquent son indignation.

— Ce n'est pas toi, Benoît Larue, qui va démanteler notre parti. Pas toi, un... un parvenu. Oui! Parvenu. Tu sais fort bien que dans un autre comté, ton image n'aurait jamais passé.

On emploie l'insulte maintenant pour fouetter la bête récalcitrante, la faire rentrer au bercail comme toutes les autres. Mais c'est inefficace. Cet après-midi, il a été trop beau, trop propre, trop fort. Jamais ils ne pourront dénigrer Superman.

Benoît sourit, fatigué. D'un geste las, il enlève ses verres et se frotte les paupières. Il doit loucher terriblement. Qu'importe, il se sent beau.

— Tous les autres sont unanimes, Benoît. Tu nous as fait honte aujourd'hui.

Il regarde son interlocuteur dans les yeux. Il se sent propre. Fait fuir le regard de l'autre vers le cendrier.

— Des interventions comme celle-là ne doivent plus se reproduire.

Et fort. Sans peur et sans reproche. L'autre n'est qu'un vermisseau finalement. Ne sont tous que des vermisseaux grouillant vainement dans l'épais cocon du pouvoir. Lui, il s'en est sorti. A déployé ses ailes au grand jour.

— Et si tout cela ne parvient pas à te convaincre, pense au moins à ton comté. Sans les subventions qu'on lui accorde ici et là pour compenser l'aide sociale, je ne crois pas qu'il serait disposé à te faire confiance pour un prochain mandat. Penses-y.

Ils s'en vont maintenant, le laissant avec le spectre de la défaite.

Benoît se lève, fait quelques pas vers la reproduction des *Chasseurs dans la neige*, de Bruegel, qu'il a lui-même pendu à ce mur ennuyeux. Le voilà immobile devant la toile, les mains dans les poches comme un gamin, avec le spectre de la défaite ricanant dans son dos.

C'est devant Marjolaine qu'il aimerait être. Devant le pouvoir de ses yeux doux qui lui donnent la force de se lever en chambre. Mais, il est ici. À Québec. Dans son bureau morne et vétuste. Avec ce spectre attaché à ses pas, telle une ombre.

Pour l'oublier, il se réfugie dans le tableau. Retrouve les émotions et les sensations qu'il a connues lorsqu'il est retourné à l'île après une absence de deux mois. Il retrouve même les odeurs qui l'ont assailli alors. Celle de la neige fraîchement tombée, la première de l'année, avec tout ce qu'elle comporte de féérie. Celle des joues roses d'Alex, roulant un bonhomme enrobé d'aiguilles de pin, celle du pelage humide de Max, des mitaines mouillées, du linge sur la corde et du feu de bois. Il s'imagine sur l'île. Devant elle. Ayant profité de la noirceur pour semer le spectre de la défaite qui le suit partout dans cette région où il ne doit pas être vu en présence de Marjolaine.

Il observe le petit village du tableau, au loin, sous le ciel verdâtre. Petit village saisi dans la glace et l'ignorance, semblable à cet autre village prêt à incendier verbalement la sorcière dont il est tombé amoureux.

Il aimerait qu'elle le voit, car aujourd'hui il est beau, et propre, et fort. Malgré la fatigue qui le fait loucher, il est beau, il le sait. Et propre comme la première neige enveloppant l'île. Et fort parce que seul et debout. Le voilà digne d'elle. Digne de la lutte ardue qu'elle mène pour sauvegarder son lac. Il aimerait lui dire qu'aujourd'hui, ils ont combattu, côte à côte. Qu'aujourd'hui, il a pris des risques. Sans les calculer, ni les mesurer. Qu'aujourd'hui, à ses yeux, il a été un vrai député, agissant pour le bien de son pays. Qu'aujourd'hui, il se sent Superman.

Le spectre ricane toujours dans son dos. Lui remémorant qu'il peut perdre facilement son titre de député. Et il a raison, le spectre. Il peut le perdre, ce titre. Et perdre du coup toutes les possibilités qui s'y rattachent. Et perdre sa voix à l'Assemblée nationale. Et s'il vient à la perdre, sa voix, qui d'autre que lui sera assez fou ou inconscient pour condamner un projet de son propre parti? Qui donc prendra le temps d'analyser en profondeur tous les aspects de ce dossier ingrat? Qui d'autre appuiera les revendications de la FAPEL, cette Fédération qui regroupe les Associations de riverains à travers la Province? Qui saura que là-bas, sur une île, une femme seule se démène pour protéger un lac? Qui saura que cette femme est calomniée? Qui saura que son enfant est rejeté à l'école? Qui saura qu'un fou les terrorise? Qui saura qu'une vache est morte, la queue coupée? Qu'un vieux conducteur d'autobus scolaire se fait humilier à tous les jours, et que ses fils chôment avec une excavatrice neuve dans la cour? Qui saura? Sûrement pas le ministre de l'Environnement. Il regarde de haut et de loin. Comme lorsqu'on est en avion et que tout nous apparaît comme un coffre de jouets renversé sur un tapis avec de petites maisons et de minuscules personnages. Qui sera assez fou, ou amoureux, pour contempler inlassablement ce tableau de Bruegel avec des souvenirs de neige fondant sur son cœur et la fierté d'avoir été droit?

Benoît se bombe le torse en secouant la monnaie dans ses poches. Il a l'air d'un gamin fier de son coup. Si seulement cette femme pouvait le voir!

Il se retourne. Le spectre le considère comme un imprudent, un parfait inconscient. Qu'importe! Aujourd'hui, il est beau, et propre, et fort. Aujourd'hui, il est digne d'elle. Digne de cet amour à peine consommé mais combien grand et puissant.

* * *

Mardi, 6 décembre 1984.

Cette fois-ci, il n'a pas besoin d'un jeune journaliste à la main moite pour annoncer la mauvaise nouvelle. Jérôme Dubuc, le directeur de l'usine, suffira amplement. Que dire? Nul autre que lui ne pourra répandre avec autant d'intensité dramatique la fermeture temporaire de l'usine. Non. Nul autre que lui. Il a bien choisi son homme.

René Mantha l'observe clignoter nerveusement des yeux. Avec lui, il n'a pas à dévoiler son bar dissimulé dans la bibliothèque. L'imposant bureau de chêne entre lui et son employé suffit à persuader ce dernier de l'importance de cette entrevue. Et le silence aussi suffit. Ainsi que cette longue bouffée qu'il tire de son cigare, l'air préoccupé.

Assez joué. Le tic nerveux du directeur commence à l'agacer. Autant en finir.

— Tu sais, Jérôme (le tutoyer demeure essentiel pour garder sa confiance, conserver sa loyauté). Tu sais que mon conseil d'administration s'est réuni cette semaine à Montréal?

— Non, j'savais pas. C'est pour ça que vous êtes icitte?

— Oui, pour ça, Jérôme. Pour ça.

René Mantha adopte sa mine affectée des salons funéraires. Tout cela est un jeu facile. Très facile.

— Y a t-y quelque chose qui marche pas dans l'usine? On produit pas assez?

— Non, justement… on produit trop… beaucoup trop.

— Trop!?

— Oui, trop.

— Ça veut dire qu'y faudra que les hommes travaillent moins.

— Pas tout à fait.

— Ben quoi, alors?

— Que les hommes travaillent pas.

— Pantoute!?

— C'est ça; pantoute.

— C'pas possible. Ça s'peut pas. Pas avant Noël. Attendez au moins après les fêtes. Ça fait pas tellement longtemps qu'on a ouvert. Les hommes commencent juste à s'en sortir. Y doit avoir moyen d'arranger les choses... comme travailler à mi-temps. Le gouvernement paierait une partie des salaires.

Jérôme Dubuc s'agite. Il clignote tellement des yeux que son patron préfère regarder la neige dehors, déjà salie par la poussière.

«Le gouvernement?» laisse échapper d'un ton ironique René Mantha, debout devant la fenêtre fleurie de cristaux. Enfant, il pouvait rester des heures à imaginer des châteaux et des forêts enchantées dans ces dessins de givre. Aujourd'hui, il les regarde sans aucun intérêt. Aujourd'hui, il est riche et puissant. Enfant, il était pauvre et dépendant, n'ayant pour tout jouet que la neige et les cristaux. Mais aujourd'hui, personne ne lui ravira ce qu'il a acquis. Personne n'amoindrira ses bénéfices. Personne ne lui dictera de loi. Non, personne. Ni le député, ni Marjolaine et sa bande de Riverains. Il peut, s'il le veut, les anéantir. Et il le veut. Parce qu'ils sont là sur son chemin et l'embêtent.

— Nous ne sommes pas en position, face au gouvernement, depuis tout le tapage fait dans les journaux à propos des filtres. En nous aidant, le gouvernement contribuerait à soi-disant polluer. Tu comprends? Il deviendrait complice.

— Oui, oui, j'comprends. C'est encore les maudits Riverains qui nous empêchent d'avoir l'aide du gouvernement.

— Oui, oui, c'est ça.

Pas tout à fait. Mais son directeur n'a pas à savoir qu'en fait le comité d'administration lui a carrément suggéré la fermeture temporaire afin de rentabiliser au maximum le surplus de production accumulé, d'autant plus que cette fermeture lui procurera un excellent abri fiscal. Autant faire endosser par les Riverains l'odieux de cette décision. Autant éliminer à tout jamais Marjolaine et son association. Ils ne se remettront jamais de ce coup-là.

Le poison est administré. Il ne reste plus qu'à attendre que le temps fasse son œuvre. Lentement. Assurément. Dans le cœur de chaque homme, de chaque femme vivant dans l'insécurité. Attendre que le temps fasse son œuvre chez ces petites gens qui, au printemps, n'auront qu'un seul désir: se débarrasser de l'Association des riverains. Alors la voie sera libre pour le projet grandiose qu'il mûrit et il sera, encore une fois, accueilli en sauveur.

— J'sais pas comment leur apprendre ça, se lamente Jérôme Dubuc.

— Tu leur dis la vérité, Jérôme. Ils y ont droit. Moi, j'te cache rien. Fais pareil.

— Ouais... comme ça, si c'était pas des Riverains, le gouvernement pourrait nous aider.

— Oui... mais il ne peut pas être complice dans la pollution, tu comprends ça?

— Ouais. C'est pour le vingt décembre?

— Oui.

— Cinq jours avant Noël. C'est un dur coup, ça.

— Très dur.

Autant pour les employés que pour les Riverains. Mais il n'y a pas d'autre solution que de les jeter ensemble dans la fosse pour qu'ils s'entre-dévorent et pour qu'il ne reste que des ossements de l'association, au printemps.

— Aussi ben leur dire t'suite avant qu'y achètent trop de cadeaux de Noël.

— C'est préférable, oui. Faut pas tarder avec ces nouvelles-là.

— Vous voulez pas leur dire un mot?

— J'ai le cœur trop brisé, Jérôme. J'compte sur toi pour leur expliquer. Tout leur expliquer, hein?

René Mantha se détache enfin de la fenêtre et s'approche de son employé. Avec consternation, il découvre un homme défait. Visiblement ébranlé par ce qu'il vient d'apprendre. Un homme dont le clignotement nerveux ne l'amuse ni ne l'irrite. Un homme qui rejoint une corde sensible chez lui. Une corde qui n'a pas vibré depuis des années. Il a l'impression de voir son père au bord de la faillite. Son père qui avait fait trop de crédit à la petite épicerie et qui, la veille de Noël, leur avait annoncé que cette année-là, il n'y aurait pas de cadeaux sous l'arbre.

Instinctivement, presque amicalement, René Mantha pose la main sur l'épaule de son directeur.

— Courage Jérôme. Les hommes vont comprendre. C'est pas de ta faute.

— Ni d'la vôtre... Oh! Non, ni de la vôtre. J'vas ben leur expliquer. Tout leur expliquer. Maudits Riverains!

— Vas-y tout de suite.

366

Cesse de faire vibrer cette corde en moi, souhaite René Mantha en reconduisant l'homme jusqu'à la porte capitonnée. Comme à regret, sa main se détache de l'épaule ployée par l'adversité.

Il se retrouve seul pour mesurer toute l'ampleur du geste qu'il vient de poser et se verse à boire.

Un mot toque à la porte de son cœur. Toque et insiste pour pénétrer en lui. Pour s'insérer en lui comme tantôt il a inséré du poison chez ces petites gens. Mais il se refuse à toute infiltration. Se barricade derrière son conseil d'administration. Se convainc que son père n'était qu'un minable commerçant sans ambition. Un homme trop mou pour réussir et qui s'est finalement pendu dans l'entrepôt. Lui, il est dur. Il est dur et il réussit. Il le faut. Il faut être dur en affaires.

Mais le mot salaud toque inlassablement à la porte de son cœur. Et plus il toque, plus l'homme élabore ce projet grandiose qui le rachètera à ses propres yeux en emmenant bientôt la prospérité au village.

Comme si le bien qu'il compte faire un jour pouvait effacer le mal qu'il vient de faire.

* * *

Éthiopie, vendredi, 9 décembre 1984.

D es mains sont venues. Parvenues jusqu'à elle. Au fond de
cette fosse où elle gisait. Des mains ont traversé les flammes de
l'enfer pour rejoindre son corps croûté d'excréments. Son corps sans
dignité et sans force, envahi de mouches morbides. Des mains sont
venues ramasser le résidu au fond du creuset de l'immense brasier de
ce pays. Patientes, douces et fraîches, les mains ont plongé dans
l'horreur pour rejoindre son front brûlant de fièvre. Persévérantes
et bienveillantes, les mains ont déjoué la nuit pour vêtir de laine
son dos transi. Généreuses et bonnes, les mains ont approché la
coupe d'eau de ses lèvres desséchées. Dévouées, elles ont lavé son
corps squelettique et lavé sa couche. Des mains sont venues la ramasser, elle, Zaouditou. Des mains sont venues leur redonner vie.
À elle Zaouditou, et à Nigusse.

La fillette partage avec son frère un regard d'une indicible fierté. Ensemble, ils ont encouragé une jeune mère à se servir des latrines creusées à la périphérie du camp. Maintenant, ils l'aident à se rasseoir par terre avec son bébé pendu à ses seins. L'aident à réintégrer la masse de ces affamés qui attendent, épaules contre épaules. Qui attendent, patients et silencieux, la distribution des rations.

Zaouditou aimerait que Miss soit là. Que Miss les ait vus faire, elle et Nigusse. Mais Miss est partie. Où et pour combien de temps, elle ne sait pas. Miss ne parle pas leur langue. Elle vient d'ailleurs. Sa peau est pâle, ses cheveux cendrés.

Ce sont les mains de Miss qui ramassent les êtres déchus au fond de la fosse où le pays les laisse choir par milliers. Les mains de Miss, les mains des ATO* en blouse blanche qui soignent, les mains des volontaires qui distribuent pansements et médicaments, les mains des femmes qui brassent le contenu des grosses marmites de nourriture, les mains des bénévoles éthiopiens qui guident avec tendresse les troupeaux de miséreux avec leur bâton. Mais les mains de Miss sont spéciales. Les mains de Miss ont établi un contact au-delà du physique. Par le simple regard, un lien s'est tissé entre elles. Zaouditou a du mal à expliquer cela. À le comprendre surtout. Mais son cœur bat fort lorsqu'elle aperçoit Miss et son cœur se languit en son absence.

— Miss serait fière de nous, dit-elle à Nigusse qui la considère gravement.

Nigusse attaché à ses pas. À ses gestes. À ses regards. Nigusse qui a veillé sur elle avec Miss et a chanté doucement à son oreille. Nigusse qui l'imite, qui la suit. Qui adopte ses sentiments et ses émotions.

— Oui, elle serait fière, répète le garçon, réinventant le sourire de Miss qu'elle leur a adressé la première fois qu'ils sont allés d'eux-mêmes aux latrines.

— Tous ceux qui peuvent marcher devraient y aller. Miss a tellement de travail.

Oui, Miss n'arrête pas d'arracher à la mort, les misérables et lamentables loques humaines que la faim a abandonnées dans ce camp de réfugiés. Serait-elle morte de fatigue? Ou retournée dans

---

* Personnel soignant.

son pays pour ne plus revenir? Cela serait logique. Rien n'oblige Miss à s'exiler dans cet enfer qui empeste la mort et la merde. Cet enfer grouillant de poux et de puces qui atteint quarante degrés Celsius le jour et dix degrés, la nuit. Cet enfer, qui tour à tour, consume et glace. Qui continuellement assoiffe et affame. Rien n'oblige Miss à revenir parmi eux.

— Est-ce qu'elle va revenir?

— J'espère.

— Tu crois qu'elle a compris pour le lac Tana?

— J'sais pas... Miss est tellement occupée.

Et puis lui a-t-on bien traduit ce qu'il en retournait du lac Tana? Elle a souri, fait signe que oui et elle est passée à un autre malade. A-t-elle saisi tout ce que représente pour eux le lac Tana? Est-il mort? Comment le rejoindre? Il faut qu'elle sache. Il faut qu'elle parvienne aux rives de ce lac qu'elle voyait miroiter dans son délire. Ce lac qui semblait couler des mains de l'infirmière chaque fois qu'elle les posait sur son corps. Ce lac qui déposait une à une ses vagues fluides au creux de son oreille avec le chant frêle de Nigusse.

Elle doit savoir si au moins il existe encore.

— Viens Nigusse, allons attendre. C'est l'heure.

L'heure de réintégrer, eux aussi, le flot des déshérités. L'heure de redevenir des mendiants. L'heure d'attendre avec résignation. L'heure de se confondre à cette poussière et à ces mouches. L'heure de saliver devant les marmites de lait enrichi où flottent des biscuits vitaminés. L'heure de tendre sagement leur récipient pour obtenir leur ration. L'heure d'obéir à la baguette du bénévole qui veille à l'ordre. L'heure de se perdre parmi ces cinq cents enfants qui, comme eux, ont été extraits de l'enfer. L'heure de rejoindre l'obéissant troupeau de bêtes faméliques.

Zaouditou presse contre elle les deux chandails de laine que Miss leur a donnés et Nigusse, pour sa part, se cramponne aux récipients de plastique. Ces maigres possessions les rassurent. Les hissent au rang d'êtres humains puisque les animaux ne possèdent rien. Et puis, les animaux se soulagent n'importe où tandis qu'eux, ils se soulagent dans les latrines. Non, ils ne sont pas des animaux, quoique l'instinct de survie leur en ait donné les apparences. Quoique la maladie les ait destitués momentanément à l'état de ventres tordus

371

par la faim et la diarrhée. Quoiqu'ils piétinent devant les auges de nourriture.

Soudain, à quelques pas d'eux, un vieillard s'écroule. Secoué de spasmes, il gigote sur le sol, soulevant la poussière. Aussitôt, les mouches s'agglutinent sur son postérieur souillé. Il tremble, grelotte, claque des dents sous le soleil meurtrier. Recroquevillé et gémissant, il se tortille. Il va mourir.

Zaouditou ne peut s'empêcher de le regarder. De comparer sa longue barbe d'honorable vieillard à celle de grand-père. Est-ce ainsi qu'il est mort, tout seul dans la foule? Est-ce ainsi qu'il a rendu l'âme, telle une bête souffrante à l'agonie? Cette âme qui le différencie de la bête. Est-ce ainsi que grand-père est mort? Comme ça? Sans dignité? Sans recueillement?

Bêtement, comme une bête. Simplement comme une bête qui rend sa fiente et son souffle.

Nigusse entonne un chant religieux. Un chant qui redonne à la mort toute sa grandeur. Toute sa noblesse. Toute sa dignité. Un chant grave, méditatif qui rappelle qu'un homme a rendu l'âme et non un petit tas de merde au fond de sa culotte. Des voix faibles, hésitantes, se mêlent à celle de l'enfant. Des voix où le fragile souffle de la vie reconnaît l'indéniable solennité de la mort.

Nigusse chante pour cet homme. Pour grand-père. Pour sa mère. Pour Zeferi et pour Groum. Pour tous ceux qui sont tombés le long des pistes et n'ont pas pu se relever.

Le vieillard cesse de trembler. Cesse de gémir. Cesse de souffrir. Il vient de mourir. Nigusse se tait. Les autres aussi. Un silence plane un instant et permet d'entendre le bourdonnement des mouches et le bruit de la louche contre la marmite de nourriture.

Deux bénévoles s'empressent d'enlever le cadavre décharné. Voilà une bouche de moins à nourrir. Voilà une ration de plus. Aussitôt, le corps reprend ses droits sur l'âme. Aussitôt, l'instinct de conservation dicte les pensées.

Zaouditou et Nigusse se regardent. Remués. Troublés. Est-ce ainsi qu'est mort leur grand-père? Désespérément, ils s'accrochent à leurs maigres possessions pour oublier. Oublier qu'ils sont comme les autres et qu'ils patientent avec la brûlure de la faim au creux de l'estomac et le désir de vivre.

Une perturbation au début de la filée attire leur attention. Zaouditou se hisse sur la pointe des pieds pour voir la cause de cette agitation. Son cœur bondit dans sa maigre cage thoracique en apercevant Miss, tentant de regagner les bâtiments où sont dessinés de belles croix rouges. Miss aussitôt entourée d'enfants qui veulent la toucher. Avoir d'elle un regard. Un sourire.

Zaouditou aussi veut lui toucher. S'assurer qu'elle est bel et bien de retour. Avoir la chance d'intercepter son regard. Miss pose sa main blanche sur les têtes qui se pressent affectueusement contre elle. Elle palpe les petites épaules osseuses, cajole les joues creuses.

Miss! Miss! crie Zaouditou, comme les autres. Avec les autres. Miss! Miss! Autant de je t'aime. Autant de mercis.

— Zaouditou... Nigusse... yes, lac Tana. Yes, dit Miss en lui frottant gentiment la tête. Yes, en faisant signe que oui. Oui, il est vivant. Oui, il existe encore.

Zaouditou embrasse la main de l'infirmière qu'elle accompagne du regard jusqu'aux bâtiments de l'hôpital.

Comme elle aime cette femme qui lui a permis de reconquérir sa dignité! Comme elle aime cette femme qui aujourd'hui lui redonne son beau grand rêve d'eau!

– Il existe Nigusse... il existe encore... nous irons le voir un jour.

— Un lac est droit devant, chantonne son frère à voix basse. Pour elle et lui seulement. «Devant nos yeux brûlés. Au fond de ce pays où l'enfer a sévi. Un lac est droit devant.»

Oui, droit devant le rêve qui est le propre des hommes. Bien à eux, le rêve qui les distingue des bêtes. Vital, le rêve qui nourrira leur âme.

Un lac est droit devant.

* * *

Lundi, 10 décembre 1984.

I
l y a longtemps qu'elle attend cette soirée d'intimité avec
Alex. Longtemps que son fils lui échappe sous divers prétextes.
Mais ce soir il est là, près d'elle, coloriant avec application les petites maisons de carton qu'ils fabriquent ensemble. Elle le regarde.
Apprécie ou plutôt savoure à sa juste valeur ce moment unique.
Quand elle sera vieille et seule, elle se souviendra de cette soirée et
y puisera ses consolations. Elle se souviendra du reflet de la lampe
à pétrole dans ses boucles brunes et du bout de sa langue qui travaille autant que le crayon. Elle se souviendra qu'ils bricolaient ensemble un village pour la crèche de l'école.

Le museau sur les pattes, Max somnole devant la porte avec
moins de vigilance, tout comme s'il captait son assurance. La glace

étant dangereuse sur le lac, elle sait qu'aucun intrus ne se risquera par voie d'eau. Quant à la voie de terre, le fait qu'elle passe par la cour de la ferme décourage toute personne malveillante de s'y engager. Et des personnes malveillantes, il y en a beaucoup depuis l'annonce de la fermeture de l'usine. Pas toutes aussi déséquilibrées que Spitter, heureusement, mais haineuses, rancunières, hostiles. Elle le sent dans leur regard au dépanneur, le constate dans la mine abattue de son père revenant du transport scolaire et même dans le comportement d'Alex. Le ressentiment dont elle est la cible éclabousse inévitablement ses proches. Elle regarde son fils. Si près d'elle, si innocent de tous ces complots d'adultes dont il est la victime. Mérite-t-il tout cela? Le jeu en vaut-il vraiment la chandelle? Pourquoi ne pas abandonner comme le suggère Mike? Pourquoi se battre ainsi avec une ridicule épée de bois contre des moulins imprenables? Pourquoi attirer sur elle et sa famille les foudres du village quand il pleut acide partout sur la Province? Quand la goutte d'eau qu'elle défend aux dépens de sa quiétude et même de sa sécurité se voit détruite par deux gouttes mortelles tombant sournoisement du ciel? C'est fou. Pire! C'est inutile.

Alex lève la tête, fronce les sourcils.

— Qu'est-ce qu'y a maman?

— Rien... je te regardais.

L'enfant sourit, incline la tête en examinant son travail.

— J'ai pas dépassé d'une ligne.

— Tu travailles très bien.

— Mieux que l'année passée, hein?

— Beaucoup mieux.

L'année passée, ils étaient ainsi. Elle et lui. En paix. Sans craindre qu'on vienne les menacer ou les injurier. En paix l'un envers l'autre. Sur cette île comme sur un monde merveilleux n'appartenant qu'à eux. Mais aujourd'hui, ils y sont comme pris au piège. Avec des ombres dans leurs regards et des nuages dans leur âme. Aujourd'hui, par sa faute, toute l'animosité d'un village a sali ce monde merveilleux et l'enfance d'Alex s'en voit grandement troublée. Alors? Pourquoi continuer? René Mantha est beaucoup trop fort pour elle. Pour Benoît même car il possède le pouvoir de l'argent. Il ne reste qu'à rendre les armes. Qu'à déposer la petite épée de bois et à retourner discrètement à la vie tranquille d'autrefois. Ce serait un excellent cadeau à offrir à sa famille.

— Penses-tu que Mike va me faire un cadeau à Noël?

Alex la considère gravement.

— J'imagine que oui... à vrai dire, j'sais pas.

— Y va perdre sa job, lui aussi. Y faut des sous pour faire des cadeaux.

— C'est lui qui t'a dit ça?

— Non... c'est à l'école.

L'enfant reprend son travail. Avec moins d'enthousiasme. L'école lui apprend tant de choses outre l'ABC et l'arithmétique. Des choses qui font mal, qui inquiètent, qui distraient. Des choses qu'il ne lui dit pas toujours et qu'il cache en lui. Des choses qui finissent par faire des abcès.

Soudain le chien gronde. Marjolaine échappe un cri en se retournant vers la porte. Alex laisse tomber son crayon à colorier.

— Qui c'est ça, maman?

— J'sais pas qui peut bien venir à cette heure? Mike peut-être.

— Non. Mike est en Abitibi pour la semaine.

Max aboie férocement. Marjolaine s'en veut d'avoir laissé paraître sa peur. Personne ne peut venir par le lac et son père ne laissera passer aucun malveillant. Elle ouvre et aperçoit Benoît terrifié par le chien.

— Mais comment as-tu pu venir jusqu'ici? demande-t-elle, éberluée, en calmant la bête.

— À pied.

— Dans la piste de motoneige.

— Oui... oui.

Il entre. Alex débarrasse la table de ses crayons et cartons et disparaît, prenant bien soin de démontrer sa contrariété.

Un moment de gêne. De surprise. Elle ne l'attendait pas, s'étant faite à l'idée que la neige freinerait ses élans. Et somme toute, elle n'en était pas trop affectée puisque le «je t'aime» clair et précis de la *La Vache jaune* ne s'était pas encore manifesté. Elle ne se sentait que seule. Terriblement seule dans son combat. Mais maintenant qu'il est là, elle convient que sa présence lui plaît.

— Assieds-toi.

Il se laisse tomber dans la berceuse. Épuisé par cette marche ardue dans la neige.

— J'aurais dû mettre des raquettes.

— J'irai te reconduire avec la motoneige.

Elle aperçoit ses souliers chaussés de caoutchoucs.

— Pauvre toi, t'as les souliers pleins de neige. Enlève ça, je vais faire sécher tes bas.

Il s'exécute, riant nerveusement comme un gamin intimidé. Se retrouve bientôt avec de confortables chaussettes de laine et un café à la main.

— Faut que j'te raconte ce qui s'est passé à l'Assemblée nationale...

Il lui débite son intervention tout d'un trait, en prenant bien soin de décrire la réaction de ses collègues et sa propre intention de ne pas endosser le projet de loi numéro 6. Elle l'écoute, ravie, médusée, stimulée par son enthousiasme et sa vigueur. Il s'empare de la petite épée de bois qu'elle s'apprêtait à déposer et la brandit vaillamment. Il est beau à voir, beau à entendre. Ses yeux brillent de mille feux et sa voix, son expression, ses gestes l'électrisent. Oui, il est beau à voir, à entendre dans sa foi et sa folie, chargeant avec ardeur contre les puissants géants. Elle lui emboîte le pas. Reprend elle aussi l'épée ridicule des Don Quichotte. Ensemble, ils s'enflamment. Se stimulent. Défiant le monde et confiant en leur intégrité. Ensemble, ils nettoient la planète de la vermine politique et font voler les étals des puissants marchands de la terre. Ensemble, ils sont forts. Et beaux. Et propres. Fous mais conscients. Irraisonnables mais sincères.

— Ah! Marjolaine, j'avais tellement besoin de savoir qu'il y a des gens comme toi qui m'appuient. Faut que tu sois toujours derrière moi. J'ai besoin de toi pour avoir le courage de m'opposer contre mon propre parti.

Cet aveu la bouleverse. Exige un je t'aime clair et précis qui se dérobe. Elle ne veut pas se rendre jusqu'à ses mots. Ne veut pas les prononcer de peur de les cimenter entre eux. Pourtant, elle se sent revivre.

— Moi aussi, j'ai besoin de savoir que tu luttes, à un autre palier. J'étais prête à abandonner, tu sais.

— Toi! Abandonner? Ne me fais jamais ça, Marjolaine. Je risque gros, tu sais. Très gros. Laisse pas tomber les Riverains.

— Plus maintenant... promis.

Il se lève. Spontanément, elle se retrouve dans ses bras. Il l'étreint avec passion, embrasse son cou, sa joue puis sa bouche.

— Reste toujours derrière moi, Marjolaine, toujours. Je suis fort quand je sais que tu es là.

Il l'embrasse à nouveau en caressant ses cheveux. Le courage de cet homme repose désormais sur elle. Cette nouvelle responsabilité qui la lie au-delà des limites qu'elle avait imposées à ses sentiments la terrifie.

Elle se détache du baiser, ouvre les yeux et aperçoit le regard malheureux d'Alex, assis sur les dernières marches de l'escalier.

* * *

Vendredi, 21 décembre 1984.

Joyeux Noël! Bonnes vacances! entend-on de toutes parts. Seul Gaby demeure silencieux près de Normande, sa titulaire de classe. Mais ses yeux parlent tant en cet instant qu'il n'a vraisemblablement pas besoin de mots. N'importe qui peut lire sur son visage qu'il est amoureux de cette femme. Et n'importe qui peut deviner son chagrin à devoir la quitter durant les vacances des fêtes. Pauvre Gaby! C'est comme s'il était tout nu, pense Alex en observant de loin le comportement de son cousin. Lui, jamais il n'aura l'indécence et l'imprudence d'afficher ainsi ses sentiments. Jamais plus. C'est trop dangereux. Et ça fait trop mal après. Trop mal quand un autre s'interpose.

Rageusement, il foule la neige à ses pieds. Ses mouvements saccadés secouent les maisonnettes de carton que la directrice lui a remises dans un sac en papier, lui recommandant de faire bien attention de ne pas les endommager. «Elles sont tellement jolies. Toi et ta maman avez bien travaillé.»

Ça lui est égal maintenant de les briser. Il n'y est plus attaché. Ni à Marjolaine d'ailleurs. Elle peut, si elle le veut, se laisser embrasser par ce peureux, ce loucheux. C'est son affaire après tout. Mais elle s'égare. Cet homme-là n'est pas pour elle. C'est un faible. Oui, un faible. Il n'a pas d'affaire sur l'île. Pas d'affaire dans leur maison. Max a raison de gronder et d'aboyer en sa présence. Tout à fait raison.

379

Le garçon jette un bref regard aux écoliers qui s'amusent en attendant l'arrivée des autobus. Lui, il est seul. Comme Gaby. Plus que Gaby puisque auparavant, il faisait partie de cet ensemble bruyant et joyeux. Cette nouvelle situation l'affecte plus qu'il ne le laisse paraître. Il a beau simuler l'indifférence, il s'ennuie terriblement de courir, de glisser, de jouer avec les autres. Comme les autres. Mais il n'est pas comme les autres. Sa mère est présidente de l'Association des riverains. C'est à cause d'elle qu'il est boudé, exclu, condamné à cette solitude. Et bien qu'elle sache cela, elle persiste à poursuivre la lutte. Que lui importe tout ce qu'il endure à l'école pouvu que son député se sente secondé. C'est bien ce qu'elle a dit, non? Bien ce qu'il a entendu du haut des escaliers? Qu'elle était décidée à abandonner les Riverains avant qu'il n'arrive. C'est clair. Elle lui préfère le député. Se soucie davantage de son verbiage à Québec que des problèmes qu'il affronte à l'école. Elle n'aurait pas pu être plus claire, plus précise. Plus cruelle aussi.

— Viens-tu jouer en arrière, Alex?

Il reconnaît la voix mélodieuse de Cindy Potvin et résiste de toutes ses forces pour ne pas céder à l'excitation qui le gagne. A-t-il imaginé cette invitation? Est-ce bien réellement à lui qu'elle s'adresse? Il lève négligemment la tête, rencontre le regard bleu clair et les joues roses de la fillette. Oui, c'est bien à lui. Du calme, il ne doit pas laisser paraître sa joie.

— C'est défendu d'aller jouer en arrière.

— J'sais mais c'est plus l'fun.

Elle a raison. C'est drôlement plus excitant de déjouer les professeurs pour aller s'ébattre dans cette cour condamnée pour l'hiver que de s'amuser ici, sous leur surveillance. Et puis, c'est interdit, donc attrayant.

— Oh! Envoye donc, Alex.

Elle s'empare de son bras, tire doucement. Il résiste pour la forme, faisant mine de s'amuser en creusant un tunnel avec son pied. Il veut lui faire payer tous les déboires qu'il a connus jusqu'à ce jour, lui faire sentir qu'il peut très bien s'amuser seul. Elle insiste.

— Bon. Si ça te fait plaisir.

Il ne peut résister plus longtemps et laisse tomber sa fierté pour courir derrière elle avec un plaisir fou. Enfin quelqu'un pour jouer! Et pas n'importe qui en plus! Nulle autre que la ravissante

Cindy Potvin. Ému, comblé, il contemple les mèches si blondes qu'elles blanches sur le manteau bleu. Qu'elle est belle!

Les voilà à quatre pattes derrière un talus. Elle rigole, l'index posé devant la bouche pour lui rappeler de se taire, et rampe vers la cour arrière. Il la suit. Amusé. Prêt à éclater de rire en pensant aux professeurs qu'ils viennent de tromper. Qu'il est heureux! Cindy ne pouvait pas lui faire de plus beau cadeau. Peut-être qu'elle le trouve de son goût. Peut-être qu'elle va lui demander un baiser. Ça serait excitant de faire comme les grandes personnes. Et puis, il le dirait à sa mère. Oh! Oui, qu'il lui dirait qu'il a embrassé Cindy Potvin.

Des mains s'emparent soudainement de lui. Cindy s'envole et le laisse avec ses frères et d'autres gamins. Marc Potvin donne une claque sur sa tuque. Elle vole par terre. José Falardeau la piétine aussitôt.

— Ta mère doit être contente que l'usine soit fermée.

— Non... non. Elle n'est pas contente. C'est pas elle qui l'a fermée.

— Oui. C'est à cause d'elle. C'est une folle, une maudite folle.

— Non! c'est pas une folle!

On le rudoie, le bouscule, tirant tantôt sur son linge, tantôt sur ses cheveux. Dans quel guet-apens Cindy l'a-t-elle attiré? Et pourquoi, pourquoi l'a-t-elle trahi ainsi?

— Moé, j'voulais un walkman*, mais j'en aurai pas parce que mon père a perdu sa job. Maudit baveux! invective un garçon de sixième en lui donnant des coups sur le sternum pour le faire reculer.

— C'est quoi que t'as dans ton sac?

— Rien.

— Montre donc voir.

On le lui arrache des mains.

— Aie! C'est les cabanes qu'y a faites avec sa môman, reconnaît Michel Potvin.

— Ouang! Avec sa môman, hein? La maudite folle. Tiens! R'garde c'que j'en fais.

_____

* Walkman: baladeur.

Marc vide le sac par terre. Les petites maisons aboutissent pêle-mêle dans la neige et aussitôt des pieds de géant viennent les écrabouiller.

— Les autobus arrivent!

Les garnements se dispersent, laissant Alexandre seul devant les maisons aplaties.

Une douleur qu'il n'aurait jamais pu imaginer lui déchire le cœur.

— Oh! Marjolaine. R'garde ce qu'y ont fait à nos maisons.

Il les ramasse une à une avec respect, avec regret. Comme on ramasse des oiseaux morts. Chacune d'elle lui rappelle les heures merveilleuses passées en compagnie de sa mère. Les heures bénies où il l'avait pour lui tout seul. Chacune d'elle lui rappelle le sourire de Marjolaine, la proximité de son corps lorsqu'elle se penchait sur l'ouvrage pour l'aider, sa voix douce, encourageante, toute pleine de tendresse et de pardon. Chacune d'elle lui parle d'amour. De cet amour exigeant et envahissant qui le dévore tout entier. Chacune d'elle, une à une, échoie piteusement dans son sac avec un bruit de chose froissée. C'est dans le fond de son cœur qu'elles s'entassent si lamentablement. Dans le fond de son cœur qui se froisse et se tord. Et s'accuse et se punit. C'est de sa faute. Il n'aurait pas dû faire comme s'il n'était pas attaché à ces maisons. Il n'aurait pas dû jouer l'indifférence.

Ses yeux piquent. Non, il ne va pas pleurer. Non, il ne veut pas s'abaisser à afficher ainsi ses sentiments même si personne ne le voit. Les larmes coulent sur ses joues: il les essuie vite. Non, il ne veut pas admettre qu'il aime cette femme éperdument. Il ne veut pas. Cela fait trop mal après. Trop mal quand l'autre…

* * *

Lundi, 24 décembre 1984.

C ette énorme boîte, c'est pour lui. Trop énorme pour être glissée sous le sapin. Et trop énorme pour avoir passé par la cheminée. D'ailleurs, il doute maintenant de cette histoire de Père Noël. Du moins en ce qui a trait à ce cadeau parvenu par la poste. Sur la petite carte, il parvient à lire: à Gaby, de maman et papa. S'il n'avait pas vu le postier klaxonner près de la boîte aux lettres afin qu'on vienne chercher le colis, il croirait encore fermement à cette histoire d'un bonhomme rigolo parcourant le ciel avec son traîneau pour distribuer les cadeaux aux enfants sages. Mais depuis qu'il a vu le postier et le paquet, il doute. En ce qui concerne cette boîte, du moins. Le reste de l'histoire, il n'est pas prêt à y renoncer. N'at-il pas entendu des grelots, cette nuit? Disons que la boîte était trop grosse pour le traîneau et que le Père Noël a pris les arrangements nécessaires. Non, le reste de l'histoire, surtout celle du petit renne au nez rouge, il ne veut pas ne plus y croire. Il se sent tellement comme ce petit renne dont on se moquait beaucoup. Ce petit renne invité par une fée qui l'entendit pleurer dans le noir. Une fée comme Normande, aussi bonne, aussi compréhensive. Une fée qui s'occupe de lui et l'entend pleurer dans le noir.

— Tiens Gaby, c'est pour toé, de maman et papa.

Grand-père dépose la boîte devant lui. Elle est tellement grosse qu'il ne parvient pas à en faire le tour de ses bras. L'enfant la soulève partiellement du sol sans avoir toutefois envie de la déballer. Son esprit ne s'ingénie pas à deviner ce qu'elle peut contenir. Ne s'y intéresse pas. Il étreint seulement la boîte, cernant de ses bras maigrichons ce grand vide de l'absence que sa mère croyait combler avec ce présent. Ce grand vide tangible, concret, enveloppé et enrubanné. Ce grand vide noir où personne ne l'entend pleurer. Sauf une fée, quelquefois.

— Ça aussi, c'est pour toé, Gaby, de grand-maman.

Un petit paquet tout flasque. Il s'en empare, le tourne et le retourne entre ses mains avec la sensation agréable de tenir un chaton mou et chaud. Rapidement, il déchire le papier d'emballage pour découvrir une paire de mitaines tricotées. Aussitôt, il se précipite dans les bras de la vieille femme et pousse son visage contre ses seins lourds, la serrant de toutes ses forces.

— C'est pas grand-chose. Mémère a pas pu commander de cadeaux au Père Noël cette année.

Qu'importe? Elle est là pour le donner. Là, pour mettre sa main dans ses cheveux et tapoter tendrement son épaule. Elle est là, avec sa chaleur et sa bonté. Là, tout contre son cœur. Débordant tout plein de ses bras passionnés. Elle est là, elle. Là. Et sa mère n'y est pas. N'y sera pas.

Il reluque l'énorme présent qui jamais ne comblera le vide immense que crée cette femme. Il avait tellement hâte de revoir son beau visage et de humer son parfum. Tellement hâte de lui offrir le cendrier de terre cuite qu'il a fabriqué à l'école. Tellement hâte de lui donner cet objet qu'il a pétri, façonné, décoré en pensant continuellement à elle, imaginant sa surprise et son contentement. Tellement hâte.

Il se détourne de l'impressionnant cadeau et se serre davantage contre sa grand-mère qui l'entend pleurer dans le noir de ce grand vide.

Oui, un bien grand vide. Autant pour elle que pour Gaby. Mais, elle, elle n'a personne contre qui se réfugier. Personne à qui se plaindre. Elle se sent comme une mère animale découvrant la disparition d'un rejeton dans sa portée. C'est neuf enfants qu'elle a mis au monde et non huit. Neuf enfants qu'elle a toujours vus autour du sapin. Neuf enfants à la table du réveillon. Neuf. Pas huit.

C'était si simple quand ils étaient tout petits. C'était si beau la fête de Noël. Elle se souvient; l'émerveillement commençait dès qu'elle les éveillait pour la messe de minuit. Tout engourdis de sommeil, ils revêtaient leurs habits de dimanche, conscients du mystère de cette nuit unique. Irène aidait les plus jeunes en leur racontant que Jésus allait naître sous peu et qu'au retour, ils pourraient le coucher entre le bœuf et l'âne gris. Puis, ils s'entassaient dans la camionnette, Irène et les plus vieux s'emmitouflant sous une vieille peau de bison dans la boîte. Chemin faisant, les enfants chantaient des airs de Noël sous les étoiles. Le simple fait d'être éveillés à cette heure tardive suffisait à les rendre joyeux. Et puis, ils pensaient à l'Avent qui tirait à sa fin, aux sacrifices qu'ils s'étaient imposés et qui se verraient bientôt récompensés. Puis, c'était la messe. Tout le monde y était. Partout, dans tous les rangs, on avait empli le poêle à bois avant de se rendre au saint office. Et, quand les cloches sonnaient à toute volée, on s'échangeait des souhaits sur le perron de l'église pendant que les enfants couraient et riaient encore. Tout un chacun retournait à son foyer déposer l'Enfant-Dieu dans sa crèche et faire réchauffer les tourtières. Elle se souvient. Irène l'aidait. Toute jeune, elle la secondait dans la cuisine et auprès de ses frères. Oui, elle se souvient clairement de sa présence. De sa diligence. De son efficacité. Lui a-t-elle seulement dit combien elle l'a appréciée? Non. Jamais. Cela allait de soi: la fille aidait sa mère à la maison. Irène était devenue une réplique. Une partie d'elle-même. Un prolongement de sa pensée dans les tâches quotidiennes. Elle aurait dû lui dire. Au moins une fois. Même si cela allait de soi depuis des générations.

Maintenant qu'elle n'y est pas, Flore constate jusqu'à quel point sa fille lui manque. Et pas seulement à elle. Mais à tous. Personne n'en parle évidemment mais elle capte souvent le regard des garçons qui cherchent autour d'eux cette grande sœur qui les aidait à s'habiller ou qui entonnait des chants. Cette grande sœur qui leur débarbouillait le visage ou leur servait des trous de beignes. Cette grande sœur qu'ils faisaient parfois choquer mais à qui ils finissaient toujours par obéir. Oui, ils la cherchent dans leurs regards, leurs paroles souvent vides de sens, leurs distractions devant l'énorme cadeau de Gaby. Et Hervé aussi la cherche, faisant mine d'être gai, d'être heureux. Pauvre lui! Il ne trompe ni lui, ni personne.

Flore caresse l'enfant blotti contre elle, le rejoint dans ce grand vide de l'absence. Le malheur avec la fête de Noël, c'est qu'il faut être joyeux même si le cœur n'y est pas. Et cela jette la panique dans son âme. Elle pense à la joie universelle que tout homme de bonne volonté est censé éprouver en cette nuit. Cette joie qu'elle ne connaît pas et qu'elle ne peut commander. Cette joie qu'elle devrait feindre pour sauvegarder celle des autres. Mais elle ne parvient pas à faire semblant ou plutôt, elle n'a pas la force de simuler le bonheur. Elle sent seulement au plus profond de son être qu'il manque un rejeton dans sa portée. Sent seulement qu'elle a été amputée d'une vie issue de son corps.

Sans un mot, coulant doucement au fond de sa tristesse, Flore rejoint Gaby dans ce vide noir où pleurent les petits rennes au nez rouge. Autour d'elle, on s'évertue à créer un bonheur factice en remplissant au fur et à mesure les verres de boisson. Avant, quand ils étaient petits, ils n'avaient pas besoin d'alcool pour rire et chanter. Aujourd'hui, il leur faut boire pour être en mesure de s'efforcer au bonheur. Il leur faut se griser pour obéir à l'ordre du Joyeux Noël.

Alex s'approche d'elle, lui offre son regard pers, semblable à celui de Mike. Elle pose la main dans sa chevelure bouclée... si semblable elle aussi, à celle de son père. Curieusement, il s'est détaché de ses cousins, cousines qui crient et rient avec leurs nouveaux jouets pour s'approcher d'elle et de Gaby. Il flaire ce grand vide qui les habite. Capte facilement leurs ondes de détresse et y communie. Il lui sourit, appuie la tête contre son épaule et caresse avec elle les mèches blondes de Gaby. Puis,

— Viens-tu, Gaby, on va ouvrir ta boîte ensemble?

— Oui.

L'enfant glisse de ses genoux, s'évade de ses bras. Flore regarde les deux petits bonshommes affronter ensemble cette solitude enrubannée. Ce qui était une épreuve pour Gaby seul devient un jeu avec Alex. Avec une hâte fébrile, les garçons déchirent le papier d'emballage et se débarrassent du chou et des rubans. Ensemble, ils ont conjuré le pouvoir maléfique de ce gros cadeau, symbole parfait de l'absence.

L'absence. Sortir de ce monde. De ce verre de cristal où tintent les glaçons. S'évader de ces rires, de ces voix, de ces parfums. Se libérer de ces conversations, de ces regards, de ces sourires épuisants. L'absence. S'absenter de cette fête. De cette musique. De ces couples enlacés. S'absenter des femmes trompées et des maris entreprenants. Fuir ce sapin lourdement et richement décoré, fuir le bol à punch et le buffet froid. Mais pour aller où?

Irène promène distraitement son doigt sur le bord de sa coupe. Cette réception l'ennuie, la démoralise. Est-ce donc cela Noël? Qu'est-il advenu de cette fête si simple, si belle, si propre? Oui, propre comme la neige et le premier baiser. Propre comme la mie du pain et la maison après le grand ménage. Qu'est-il advenu de cette pureté? Elle voit madame une telle se laisser courtiser par le patron de son mari tandis que, dans un coin, le mari ivre mort ferme les yeux en souhaitant obtenir sa promotion. Elle voit cela et boit. Se réfugiant dans son enfance pour se rappeler un vrai Noël. Se rappeler des petits frères qui se serreraient autour d'elle dans la boîte du camion. Sous la vieille peau de bison dont grand-père se servait en calèche. Assis sur des ballots de paille, la tête renversée vers les étoiles scintillantes, ils chantaient tous ensemble, s'esclaffant de rire quand le chemin cahoteux faisait trembler leurs voix. «Avez-vous eu froid, les enfants?» demandait papa, rendu devant l'église. Froid? Comment pouvaient-ils avoir froid, blottis les uns contre les autres sous la peau de bison?

Un frisson parcourt ses bras nus. Elle n'aurait pas dû acheter cette robe audacieusement décolletée, mais René insistait, exigeant qu'elle soit belle, désirable, séduisante pour cette soirée. Exigeant qu'elle soit à la hauteur de cette richesse et de ce luxe étalés pour épater les invités. Elle fait partie de ses possessions, tout comme la résidence, la limousine, les bijoux et les meubles de grande valeur. Et tout comme ces possessions, elle doit provoquer l'envie, la jalousie. «Y vont tous avoir envie de coucher avec toi» lui a-t-il chuchoté à l'oreille en guise de compliment. Pourtant, c'était une insulte, une blessure infligée à sa nature de femme. Cette phrase faisait d'elle un objet de luxe enviable. Un objet apte à démontrer l'opulence de René Mantha.

Irène sait cela et parce qu'elle sait cela, elle boit. Se réfugiant dans la petite église de campagne où Gustave Potvin lui adressait des regards épris du banc voisin. Se réfugiant dans l'émotion intense des premières amours. Dans la gêne et la libération du premier je t'aime et l'excitation du premier baiser. C'était après la messe de minuit, alors que les souhaits fusaient sur le perron de l'église. Sans se concerter, ils s'étaient retrouvés seuls dans le portique parce qu'ils avaient envie l'un de l'autre. Envie de s'offrir l'un à l'autre, de se faire don du je t'aime longuement mûri dans leur cœur. C'était le seul, l'unique cadeau qu'ils souhaitaient et ils se l'étaient mutuellement accordé en tremblant des genoux, craignant qu'on ne les surprenne ou que leurs nez n'entrent en collision. Elle n'avait guère plus goûté que lui ce baiser à la sauvette mais à lui seul, il ouvrait la voie à l'amour. À lui seul, il permettait à la femme de s'éveiller dans son corps d'adolescente. À lui seul, il constituait le cadeau le plus beau et le plus précieux qu'elle ait eu en ce Noël. Un cadeau simple. Sans emballage, mais un vrai cadeau.

Elle regarde son fils, Dominique, préoccupé à faire l'étalage des cadeaux incroyablement coûteux qu'il vient de recevoir. Autour de lui, des employés de son père, des employés de condition modeste, tout honorés d'avoir été invités. Des employés qui l'écoutent patiemment pérorer sur les mérites de son ordinateur. Des employés qui en savent plus long que lui et qui se taisent. Par politesse, par gêne. Si au moins la joie se lisait sur le visage de son enfant. Mais elle ne voit que vantardise et vanité dans son expression. Et parce qu'elle voit cela, elle boit. Se réfugiant dans la mine candide de Gaby pour se rappeler de l'amour passionné que lui voue ce petit garçon à la bouche muette. Se rappeler son regard clair, franc, expressif. Se rappeler ce charme incontestable de l'enfance qui opère en sa présence. Se rappeler qu'elle le fait souffrir en n'étant pas à la hauteur de son amour. Qu'elle le fait souffrir malgré elle, à cause de René. À cause de cet autre fils distant et presque étranger. À cause du statut social. À cause de la peur; peur du divorce, peur de la pauvreté, peur de la vieillesse, peur de la solitude.

Oui, elle fait souffrir Gaby à cause de cette peur en elle que René exploite. Et parce qu'elle fait cela, elle boit.

Elle boit. Montre déjà des signes de mauvaise hôtesse en s'isolant. Autour d'elle, les invités gravitent sans la remarquer. Trop de choses les éblouissent pour s'attarder à cette femme un peu plus ivre que les autres. Et c'est ce qu'il désirait. Non pas que sa femme soit ivre, mais que ses invités soient éblouis.

Satisfait, René Mantha se promène d'un groupe à l'autre, alimentant les conversations et recueillant l'extase béate de ses convives. Il n'a rien négligé, rien épargné pour faire de cette fête une réussite. Son regard ne se lasse pas de parcourir les plats variés, appétissants et artistiquement décorés que lui a préparés le meilleur traiteur en ville. C'est un régal, autant pour l'œil que pour le palais. Ici, le rose des crevettes géantes se voit rehaussé du rouge vif des homards. Là, c'est une couronne de cuisses de grenouille ornée de persil. Et là, des montagnes d'huîtres fumées ceinturées de langoustines sans oublier des chapelets de pétoncles agrémentant diverses salades à la chair de crabe. Tomates farcies, cœurs d'artichaut, asperges, pousses de bambou, plateau de fromages, petits pains variés et bûche de trois pieds de long et de dix pouces de diamètre mettent immanquablement l'eau à la bouche. Mais, comme il n'est nullement question de boire de l'eau à cette fête, il a engagé un barman professionnel et acheté le nécessaire pour la préparation des diverses boissons. Oh! Non! Il n'a rien négligé. Ni dans la décoration, ni dans ses invitations. Tout concourt à démontrer sa puissance, sa richesse, autant à ses actionnaires qu'à certains de ses employés qui redoubleront d'ardeur au travail par esprit de reconnaissance, autant à ses concurrents qu'à ses voisins bien nantis à leur naissance. C'est surtout face à eux qu'il exulte ce soir. Face à ce défi qu'ils ont toujours personnifié pour lui. Lui, le fils d'un commerçant malhabile qui a mis fin à ses jours dans l'entrepôt de son épicerie. Lui qui s'est hissé plus haut que ces fils à papa à la seule force de ses bras et de sa volonté. Oui, face à eux, il exulte ce soir. Il leur montre, leur démontre, leur prouve qu'il est plus riche, plus puissant. Ils n'ont qu'à accepter ce fait accompli, bouche bée, et qu'à s'interroger entre eux sur l'ascension prodigieuse de cet ancien camionneur devenu propriétaire de tant d'entreprises. Ce soir, c'est son soir. Son heure de gloire. La concrétisation de toutes ses espérances. Ce soir, il réalise les fantasmes qui le possédaient alors qu'il venait d'acheter sa première entreprise de transport, celle-là même où il travaillait comme camionneur. Ce soir, il concrétise ces fantasmes où il se voyait éblouir les bien nantis qui détenaient le pouvoir, les bien nantis qui se gardaient de jeter un seul regard sur cette plèbe, inoffensive et illettrée, apparemment sans ambition. Cette plèbe dont il faisait partie avec ses journées de travail de douze heures et sa boîte à lunch. Il se voyait les éblouir, les étour-dir, les épater. Les inonder de ses largesses jusqu'à ce qu'ils en étouffent. Lui, parti de rien pour arriver à plus qu'eux. Lui, sur qui ils auraient craché. Lui, de qui ils se seraient moqués. Lui, finale-ment plus fort, plus entêté, plus rusé qu'eux. Oh! Oui! Ce soir, c'est son soir. Son Noël le plus joyeux. Cette fête, c'est sa fête. Personne n'aurait pu l'en priver. Ni sa femme, ni son fils retardé. Encore moins la famille Taillefer qui s'insurge et lui résiste. C'est lui le plus fort. Il n'accepte pas que Marjolaine vienne lui dicter d'installer des filtres à ses cheminées d'usine. Sait-elle seulement le coût de cette installation? Comment peut-elle exiger cela quand il doit momentanément fermer l'usine pour qu'elle demeure rentable? Elle doit s'en mordre les pouces à l'heure qu'il est. Ses concitoyens ont automatiquement associé la fermeture aux pressions des Riverains et se retournent contre elle. Ça lui apprendra. Du moins, il espère qu'elle comprenne la leçon. Qu'elle admette que c'est lui le plus fort. Et qu'elle abandonne ses idées altruistes et ridicules. La voie doit être libre pour le projet qu'il mûrit. Il doit se débar-rasser d'elle et des Riverains, coûte que coûte. Et doit aussi anéantir les Taillefer. Oui. Ces Taillefer qui l'ont insulté au quarantième. Il doit leur montrer qu'on ne se moque pas de lui impunément. Pas de lui, parti de rien et arrivé plus haut que les bien nantis.

Les bien nantis de la terre ont envoyé des vivres, des médicaments, des couvertures aux enfants de l'Éthiopie. Comment faire autrement? Les médias d'information diffusent sans arrêt ces images d'horreur entre les publicités alléchantes du temps des Fêtes. Comment les Occidentaux pourraient-ils manger sans scrupule et sans remords dindes et tourtières quand des scènes de famine les ébranlent quotidiennement? Ils ont tous vu ces petits enfants, si maigres que plissés comme des vieillards, tous vu ces mères aux seins taris, tous vu ces enfants malades, si faibles qu'incapables de chasser les mouches de leurs yeux. Ils ont tous vus et parce qu'ils ont vu, ils se sont montrés généreux. Et parce qu'ils se sont montrés généreux, ils ont calmé leur conscience, endormi leur conscience, n'osant creuser en profondeur le problème de la sécheresse.

Les conséquences de cette catastrophe ayant été palliées, ils sont retombés dans l'insouciance des causes. Mais ces causes, elle ne cesse d'y penser et des scènes d'horreur, mille fois plus atroces, déferlent dans sa tête. C'est toute la planète qu'elle voit comme un désert. Ce sont des gens de partout, de toute race et de tout âge qui errent à la recherche de l'eau. Mais partout, les puits sont condamnés, les lacs asséchés. Partout, les semences brûlent dans les sillons, partout le vent souffle sur la cendre de la planète. Partout, gisent plantes et animaux. Partout, les hommes lèvent leurs mains vers le ciel en des prières inutiles et des questions sans réponse. Nulle part, l'homme n'est à l'abri de la destruction du monde que lui seul peut engendrer.

Marjolaine cajole l'oreille d'Alex, endormi sur ses genoux. Depuis la dernière visite de Benoît, il s'est détaché d'elle, car il aurait aimé qu'elle abandonne sa lutte contre la pollution. Elle le comprend. À son âge, on ne voit pas les causes. Seulement les conséquences qui nous affectent. À son âge, on ne voit pas plus loin que le bout de son nez, pas plus loin que demain, pas plus loin qu'au détour du chemin. C'est normal. Ce qui l'est moins, c'est l'attitude des adultes enclins continuellement à faire l'autruche, préférant le mot famine à celui de sécheresse et s'empressant d'ajouter le mot guerre pour éviter d'envisager le problème de l'eau. Bien sûr qu'il y a la guerre en Éthiopie, mais la guerre n'empêche pas le ciel de pleuvoir. Nul n'est encore assez puissant pour commander les nuages. Pourquoi ce pays, jadis exportateur de céréales, se voit-il réduit à l'état de désert? Quelle est la cause de cette sécheresse qui a tué la terre même. La rendant stérile, imperméable, à jamais fermée à toute goutte qui tomberait du ciel.

Des spécialistes ont expliqué à la télévision l'effet de serre. Oh! Pas longtemps et pas souvent, car c'est une tâche ingrate d'apprendre aux hommes qu'un écran de pollution ceinture la planète, retenant les irradiations et augmentant la chaleur de la même manière qu'on met un couvercle sur une casserole pour élever rapidement la température.

Mais les hommes trouvent une autre méthode de faire l'autruche: celle des comparaisons. Suffit de trouver un pays pire que le nôtre. Un air plus pollué. Un sol plus pauvre. Une eau plus rare. Los Angeles, l'Éthiopie, l'Afrique. Une manière bien consolante d'accepter son sort. De s'en contenter même. «On est bien ici, y a qu'à penser à Los Angeles.» Comme si on était en santé parce que notre voisin est plus malade que nous. Absurde que ce palliatif de la comparaison. Absurde mais hélas efficace. Ainsi, l'on ne s'attarde pas à la déforestation massive qui accélère les phénomènes d'érosion, de latérisation et de désertification. «Pas de danger! Des forêts on en a en masse!» C'est ce que se disaient sans doute les Éthiopiens, il y a un siècle, quand la moitié de leur pays était recouverte de forêt. Aujourd'hui, le couvert forestier ne représente que quatre pour cent. Et aujourd'hui, leur sol est mort. C'est court pour mourir, cent ans, quand on y pense. Ça peut être la vie d'un homme. C'est court pour mourir, cent ans, quand on est un pays. Court quand on sait que la nature met jusqu'à quatre cents ans pour créer un centimètre de sol fertile. Court quand on sait que vingt millions d'hectares de forêt disparaissent chaque année dans le monde, soit l'équivalent de tout le Québec habité. Court quand on sait que trente pour cent des terres arables auront disparu d'ici quinze ans. Court quand on sait que les pluies acides tombent à la grandeur de la planète, quand on sait qu'elles nous ont déjà tué quatorze mille lacs et en menacent quarante mille autres. C'est court, cent ans, pour mourir quand on est un pays.

Dans cent ans, elle ne sera plus mais les enfants de son fils seront encore. Erreront-ils dans ce pays jadis criblés de lacs, à la recherche d'une goutte d'eau? Maudiront-ils son nom et ceux de sa génération d'avoir dilapidé ce fabuleux héritage auquel ils avaient droit? Se raconteront-ils, durant les nuits de désespoir, les légendes du paradis terrestre? À l'enfant qui n'aura connu qu'un ciel avare et une terre ingrate de roches et de poussière, décriront-ils le vert pays des mille lacs? Se souviendront-ils des torrents que remontaient les saumons, des érables qui donnaient la sève sucrée, des animaux qui vivaient dans la forêt, des oiseaux et de leurs migrations? Se souviendront-ils vraiment du paradis terrestre ou ne pourront-ils que l'imaginer. Piètrement. Sans même approcher de la vérité.

Est-elle alarmiste? Pourquoi ces visions d'apocalypse la hantent-elles? «Cent ans: c'est beaucoup. Il va couler bien de l'eau sous les ponts d'ici là. Les gouvernements ne permettront pas cela», disent les optimistes. Pourtant, la détérioration des forêts du sud du Québec est telle qu'on envisage la ruine de l'industrie de l'érable d'ici dix ans. C'est peu dix ans, et quatorze mille lacs sont déjà morts, acidifiés. Elle craint qu'un jour, il n'y ait plus d'eau à voir couler sous les ponts. Si un pays, telle l'Éthiopie, exportateur de céréales pendant la Deuxième Guerre mondiale, a atteint l'apocalypse, c'est-à-dire son point de non-retour, qu'est-ce qui empêchera le nôtre de l'atteindre à son tour?

L'appât du gain et du pouvoir aveugle l'homme lors de son passage en ce monde. Il ne voit pas sa mère la Terre s'éteindre doucement entre ses bras possessifs. Il ne voit pas les forêts se flétrir et les cours d'eau se salir. Trop occupé, trop pressé, il ne sent pas, n'entend pas sa mère la Terre mourir entre ses bras. Goutte à goutte, molécule d'air par molécule d'air, cellule par cellule, atome par atome. Et même si quelqu'un le lui disait, il ne croirait pas que sa mère la Terre lui meurt imperceptiblement entre les bras. Il ne croirait pas qu'elle puisse lui faire cela, c'est-à-dire l'abandonner seul sur une planète inhabitable. Il ne croirait pas et poursuivrait sa course effrénée vers le pouvoir et l'argent. Continuerait de consommer, d'acheter, de vendre. De capitaliser. De rentabiliser et de gouverner.

Mais sa mère la Terre peut lui faire cela. Elle l'a déjà fait en Éthiopie et cruellement l'homme s'est aperçu qu'il ne pouvait survivre de ses cendres. Elle peut si on ne la respecte pas, si on ne la protège pas. Elle peut s'éteindre doucement entre nos bras et nous laisser ses cendres pour la pleurer.

Marjolaine promène un regard songeur dans la cuisine déserte. Tantôt, ses frères y étaient, avec leur femme, leurs enfants.

Ils avaient commencé par chanter puis au fur et à mesure qu'ils buvaient, ils se sont mis à sacrer puis à l'accuser d'attirer les ennuis dans leur famille. Flore s'est enfermée dans sa chambre. La fête était finie. Ils ont rassemblé leurs petits et sont partis, la laissant seule.

Alex a pleuré longuement parce qu'il s'amusait avec ses cousins et qu'enfin il pouvait jouer avec des enfants de son âge. Puis, il s'est endormi, comme ça. Sur ses genoux.

Marjolaine s'attarde au sapin décoré. Qu'il faut être riche pour se permettre de cueillir cette vie dans la forêt, pour si peu de temps! Dans cent ans, serons-nous aussi riches? Qui veille sur madame la Terre? Les gouvernements? Non, pas les gouvernements. Ce sont ses enfants qui la veillent. Ceux et celles qui perçoivent sa lente agonie. Ceux et celles qui la respectent et voient plus loin que demain.

Seule dans la cuisine du Noël manqué, Marjolaine veille madame la Terre, en caressant distraitement l'oreille de son fils endormi.

Demain, quand il s'éveillera homme, elle veut que sa mère la Terre puisse lui ouvrir encore ses bras parfumés et l'accueillir contre son sein généreux.

* * *

Jeudi, 27 décembre 1984.

Mike range sa motoneige près de celle de Marjolaine devant l'entrée du petit pont. Avec agacement, il reluque la vieille Bombardier des années soixante qu'utilise cette fille pas comme les autres. Un engin démodé pour une fille démodée. Une rage insidieuse gruge sa joie légitime du temps des fêtes et c'est d'un geste brusque qu'il s'empare du sac de cadeaux pour Alex. Mais qu'est-ce qui lui prend tout à coup? Pourquoi cette sombre humeur? Cette fille pas comme les autres prend trop de place maintenant et il n'aime pas cela. Il a beau la dénigrer, la ridiculiser, l'amoindrir, il ne parvient pas à se libérer d'elle. Ne parvient pas à lui être indifférent et à pouvoir la rencontrer sans cette colère qui monte en lui. Pourtant, il y a eu si peu entre eux: juste une nuit. Oui, juste une nuit. A-t-elle été belle, cette nuit-là? Il l'a cru jusqu'à ce que le mot viol la transforme en nuit d'agression. Comment a-t-elle pu interpréter comme des gestes de violence ce que lui croyait être des gestes d'amour? Pourquoi lui fait-elle endosser l'odieux d'un acte auquel elle a consenti. Désiré plutôt car seul un désir commun aurait pu nourrir une telle passion entre eux. Pourquoi a-t-elle renié ce qui les a réellement unis en cette nuit-là? Pourquoi a-t-elle tué la femme qui s'était donnée à lui? Et pourquoi l'a-t-elle métamorphosé, lui, en taré acculé à utiliser la brutalité pour obtenir une jouissance d'elle? Oh! Qu'il aimerait lui être indifférent. Ne pas la haïr à ce point. Ne pas lui en vouloir à ce point.

Max accourt en aboyant, suivi d'Alex, à peine vêtu pour la saison. Mike regarde venir son fils vers lui et sent peu à peu sa colère se dissiper.

Juste une nuit entre eux. Une nuit et cet enfant, pense-t-il. Cet enfant qui paie la note de leur déchirure.

— Qu'est-ce que tu fais icitte, Mike?

— Le Père Noël m'a laissé des surprises pour toé. J'suis v'nu te les porter.

— C'est toé l'Père Noël, j'le sais. Wow! Y est gros ton sac. J'peux l'apporter?

— Pourquoi pas?

Il charge l'enfant du sac de présents, regrettant soudain d'avoir sciemment omis un petit quelque chose pour Marjolaine. Il est trop tard maintenant. Et puis de toute façon, il ne savait pas quoi offrir à cette fille pas comme les autres. Des sucreries? Du parfum? Des bijoux? C'est facile de trouver avec les autres femmes. Mais avec elle, c'est tout un casse-tête. De toute façon, tout est tellement facile avec les autres femmes: l'amour, les dialogues, les séparations. Tellement facile que décevant à la longue, il veut bien se l'admettre.

— As-tu fait un cadeau à ta maman?

— Oui.

— Quoi?

— J'lui ai promis d'être sage.

— Oh!

Il en a un cadeau de ce genre abstrait: l'annonce du départ de Spitter. Il lui suffirait de l'envelopper de son plus beau sourire pour le lui offrir. Mais voilà, saura-t-il trouver ce sourire lorsqu'il la verra? Lorsqu'il apercevra cette stupide vache jaune au mur et qu'il se demandera si elle a fait l'amour avec le député? Lorsque leur rencontre provoquera à nouveau des frictions et qu'il aura envie de la piquer au vif. Dans le vif de cette plaie qui les désunit.

Max le talonne de près, le museau attaché à ses mollets, comme s'il captait les ondes négatives qu'il dégage à l'égard de Marjolaine. Mike s'arrête, lui flatte les oreilles. La bête résiste à ses charmes, se méfie de son attitude. Incorruptible, le chien s'imperméabilise à ses marques d'affection et le contourne, reniflant ses jambes, ses bottes, ses mains.

— T'es un bon gardien. Un bon chien, félicite Mike d'un ton rassuré.

— Tu devrais le voir japper après Benoît. Y'a assez peur de lui. C'est comique.

— Benoît?

— Le député. Celui qui a un œil croche.

— Ah! Oui? Y a un œil croche?

— Oui. Pis y a peur de Max. Toé, t'as pas peur.

— Non. J'ai pas peur, moé, hein Max? T'es un bon chien.

Sûr qu'il est un bon chien. Il espère même, qu'un jour, il morde les fesses de monsieur le député dont la place n'est pas ici. Mike s'attarde au pont qu'il vient de franchir. Lorsque le député l'emprunte, ne viole-t-il pas l'intimité de son fils? L'espace de son fils? Et quand le chien jappe à se rompre la gorge, ne constate-t-il pas son incongruité en ce lieu? Est-ce vraiment cette fille pas comme les autres qui l'attire ou serait-ce plutôt une des rares conquêtes qu'il serait en mesure de se permettre? Il aimerait voir cet homme de près, aimerait le jauger, découvrir en lui ce que Marjolaine lui préfère.

Alex court dans le sentier traversant le jardin endormi, grimpe les trois marches de la galerie et s'y secoue les pieds en l'attendant afin d'entrer en sa compagnie.

Marjolaine est là pour l'accueillir, semble-t-il. Les accueillir. Il n'aurait pas dû omettre un petit quelque chose pour elle. N'aurait pas dû lui faire un peu mal pour se rappeler à elle. Mais pourquoi se rappeler à elle au fait? Il devrait lui être indifférent. Il aimerait lui être indifférent.

— Joyeux Noël, Mike.

Elle sourit. Il s'attarde à ces dents perlées. Ces lèvres sensuelles et douces. A-t-elle été bonne, cette bouche-là, lorsqu'il l'a embrassée? Oui, mais le mot viol a vite fait de la rendre amère. Il se ressaisit. Se raidit.

— J'suis v'nu porter les cadeaux d'Alex.

— Je crois qu'il t'espérait. Tu veux un café, un thé, une bière?

— Une bière.

— Maman l'a achetée exprès pour toé, trahit Alex en se précipitant vers le réfrigérateur au propane. Marjolaine penche la tête en rougissant légèrement. Elle a dû être ainsi lorsqu'il s'est penché sur elle pour l'embrasser. Sa timidité rehaussant sa beauté. Mais le mot viol a tout déformé.

Il fixe la vache jaune accrochée au mur et décapsule vitement la bouteille.

— Enlève tes bottes.

— Non. Je ne serai pas longtemps. Le temps de boire une bière.

Cette phrase atteint Alex. C'est à lui qu'elle fait mal. L'enfant ne peut cacher sa déception et abandonne le sac qu'il tâtait avec convoitise. Pourquoi blesserait-il son fils à cause de cette stupide vache jaune? Il se ravise, enlève ses bottes.

— À moins que t'aies plus qu'une bière.

Il s'assoit, dos à la reproduction, près de Marjolaine.

— Vas-y. Développe-les; y sont tous pour toé.

Autant avertir carrément Marjolaine qu'il n'a pas pensé à elle. N'est surtout pas venu pour elle. Il vide le sac et se réjouit de la mine émerveillée d'Alexandre à la vue des cinq boîtes bien enveloppées et enrubannées.

— Par quoi je commence?

— Par ce que tu voudras.

Alexandre s'attaque à la plus petite, déchire sans ménagement le papier d'emballage et découvre…

— Des gants de hockey! Oh! Merci.

Mike décèle un rien d'embarras dans ce remerciement. Alex n'a pas de patins pour pratiquer ce sport, car on ne peut qualifier de patins ce qu'il portait aux pieds la semaine dernière à la patinoire municipale. C'était tellement vieux, tellement mou, tellement usé, qu'inévitablement, son fils patinait sur la bottine, devenant ainsi la risée des autres gamins. Lui, il rageait près de la bande. Il rageait de voir Alex s'acharner à patiner. Rageait d'entendre les rires moqueurs et les commentaires des autres papas félicitant fiston.

— Prends cette boîte-là, suggère Mike, incapable d'attendre plus longtemps la réaction d'Alex à la vue des patins de qualité qu'il lui a achetés.

— Des patins! Des patins comme les autres. Oh! Merci papa. L'enfant lui saute au cou, l'étreint de toutes ses forces.

— Avec ça, tu vas patiner comme un champion, tu vas voir.

Mike profite de cet élan spontané qui a lancé son fils dans ses bras pour le retenir contre lui, tapotant paternellement son épaule. L'enfant s'abandonne, appuie sa joue contre son oreille et prolonge l'instant sans se soucier de Marjolaine.

— Plus personne va rire de toé, chuchote Mike. L'enfant presse sa joue davantage.

Mike n'a pas besoin de mots pour saisir le message. Il sait tout ce que ressent son fils pour l'avoir déjà expérimenté. Il sait ce que cela représente d'être issu d'une famille différente des autres. Avec son vieillard de père et sa mère écossaise, il a subi, lui aussi, les railleries et les injures. Il a essuyé, lui aussi, l'humiliation de patiner sur la bottine avec les patins archaïques hérités d'Andrew qu'on prétendait être ceux de Maurice Richard; deviné, lui aussi, qu'on utilisait ce prétexte pour le rejeter. Enfant, il allait finalement à la patinoire plus pour se quereller que pour exercer un sport car jamais son vieux père n'a pu venir le voir jouer près de la bande. Jamais personne n'a capté sa détresse à être pénalisé d'être issu d'une famille distincte.

C'est tout cela que veut lui dire son fils, tout cela que renferme ce geste. Tout cela qui établit une complicité entre eux, à l'insu de Marjolaine. Tout cela qui jette les fondements de l'amour filial sans l'encombrement et la trahison des mots.

— Tu vas même pouvoir faire partie de l'équipe locale.

— Oh! Non. Pour ça, j'dois avoir tout l'équipement.

— Et qu'est-ce qui te dit que tu l'as pas?

Alex se précipite sur les boîtes et les éventre rapidement, exhibant les pièces d'équipement toutes neuves. Il s'exclame, remercie, saute de joie, caresse d'un doigt incrédule la lame affilée de ses patins et palpe tour à tour ses jambières, ses épaulières, son casque, ses gants pour s'assurer que ces objets sont bien réels et bien à lui.

— T'aurais pas dû. C'est beaucoup trop, Mike, intervient Marjolaine.

Trop? Non, ce n'est pas trop de permettre à son fils d'être pareil aux autres. Ce n'est pas trop de lui offrir la chance de s'intégrer à la société. Ce n'est pas trop et c'est même bien peu à comparer de la haine qui fermente au village et dans les rangs. Qui fermente dans chaque foyer où le père se retrouve sans travail. Qui fermente contre elle et inévitablement contre Alex.

— Non, c'est pas trop, répond-il, risquant un regard à cette fille pas comme les autres. Plus belle que toutes les autres. Que toutes ces autres qui se sont glissées dans son lit et pendues à son cou. Toutes ces autres au maquillage défait du petit matin. Ces autres qui riaient trop fort et pour rien. Ces autres parfumées et faciles. Oui, elle est plus belle que toutes celles-là. Tellement belle qu'il pense à effleurer son visage de ses doigts. Oh! Si doucement qu'à peine. Juste pour dire. Juste pour que ses doigts frôlent sa beauté mystérieuse. Pour que ses doigts l'inscrivent dans sa mémoire. Pour que jamais il n'oublie ce regard limpide, ce regard d'eau turquoise, ce regard mouvant et émouvant, capable de l'apaiser, de le séduire. Ce regard dans lequel il s'est noyé, jadis. Ce regard qui lui a inondé le cœur et sur lequel il s'est empressé d'élever une digue. Mais la digue a rompu par une nuit. Cette nuit-là qui a été très belle et que le mot viol a défigurée. Il se raisonne. Se défend d'effleurer ce visage de ses doigts. Se défend de caresser cette peau dorée, ces lèvres sensuelles, ces longs cheveux tissés d'or. Se défend de soupeser l'épaisse natte dans le dos. Cette natte à laquelle pendait son cœur quand il la voyait passer. Cette natte qui lui descendait directement au fond du ventre, excitant sa sexualité débridée. C'est elle qu'il voulait. Elle, pas comme les autres, elle qui lui résistait. Elle qui ne l'encourageait pas le long de la bande à se battre aveuglément et férocement. Elle qui passait sans même le regarder. Elle envers qui il aimerait être indifférent. Elle qui, aujourd'hui, s'éprend d'une mauviette à l'œil croche.

Il détourne la tête. Choqué. S'en veut d'avoir été touché par sa beauté, par sa longue natte qui lui descend encore directement au fond du ventre et lui donne envie de la violer.

Le spectacle de son fils assis parmi ses présents le désarçonne. Elle aussi regarde maintenant l'enfant qu'ils ont conçu ensemble. L'enfant qu'ils se partagent mais qui ne les unit pas. Il se sent un vrai père et ils ont l'air d'une vraie famille. Mais jamais elle ne sera sa femme, car jamais elle n'a été ou n'a voulu être sa femme. Ils sont irréconciliables et trop orgueilleux, l'un comme l'autre, pour se contenter de l'amitié. Excédé, il boit sa bière d'une traite.

— J'voulais te dire que Spitter est à Montréal. Y va rester là tout l'hiver, probablement. Comme ça, j'peux partir sans m'inquiéter.

— Tu pars?

— J'vais essayer d'me trouver une job en ville. J'hésitais avant, à cause de ce maudit fou-là. Y est tellement dangereux. J'avais toujours peur pour Alex.

— Est-ce que tu vas r'venir, des fois? s'enquiert celui-ci.

— Ben oui! J'viendrai te voir jouer les fins de semaine. Pis, si t'es sage, j't'emmènerai au Forum.

— Wow! Au Forum! Oh! Oui, j'vais être sage.

— En attendant, mets tes patins. Tu vas aller te pratiquer sur le lac. Y a presque pas de neige à gratter.

La situation lui pèse trop avec cette vache jaune qui le poignarde dans le dos et cette fille pas comme les autres qui ne parvient pas à lui être indifférente. Si au moins il pouvait se libérer d'elle. Mais le peut-il, avec l'être entre eux? L'être qui revendique à juste titre et l'amour maternel et l'amour paternel. Peut-il se libérer d'elle? De l'enfant? Du mot viol qui le blesse profondément dans sa fierté de mâle conquérant?

Il se lève, s'habille en même temps qu'Alex. Saisit l'occasion de s'évader de cette maison où s'affrontent continuellement le présent et le passé. L'un condamnant sans cesse l'autre.

Par le carreau givré, Marjolaine les observe s'amuser, les laissant se livrer l'un à l'autre. Les laissant solidifier le lien entre eux et se multiplier les connivences. Est-elle jalouse? Inquiète? A-t-elle conscience qu'il peut détourner son enfant d'elle? Et le peut-il? Le veut-il?

Mike observe Alexandre prendre de l'assurance sur la glace. Déjà, il sait freiner en soulevant une poussière blanche et pirouette

400

à son aise. L'homme se sent seul avec sa joie de père. Il cherche autour de lui une présence avec qui la partager et se retourne instinctivement vers la silhouette de cette femme pas comme les autres derrière le carreau givré.

* * *

Éthiopie, dimanche, 20 janvier 1985.

Timkât, le Baptême, fête de l'Épiphanie. Avant, la veille de ce jour, les prêtres portaient sur leur tête les tables d'autel des églises voilées de lourdes draperies, jusqu'en un endroit où coulait l'eau et, le lendemain, après de somptueux offices, ils bénissaient l'eau et en aspergeaient la foule.

Avant, c'était la grande fête, avec plein de chants liturgiques et de prières. La grande fête où ils étrennaient leurs vêtements neufs.

Aujourd'hui, Timkât est mort. Personne ne le chante, ni ne le louange.

Aujourd'hui, Zaouditou et Nigusse traînent à l'extérieur du camp. Ils vont d'un groupe à l'autre. Écoutent les conversations.

Analysent les intentions. Personne ne célèbre la fête de l'Épiphanie.

À peine rétablis, les réfugiés, en très grande majorité, parlent de rejoindre la frontière soudanaise en direction des camps de Tuki, Saab, Wad Sherifie ou Wad Hileau. Là-bas, paraît-il, l'aide arrive régulièrement tandis qu'ici, au camp de Mekele, elle est plutôt sporadique. Les rations varient d'une journée à l'autre parce qu'il faut, paraît-il encore, les partager avec les soldats du gouvernement.

Zaouditou n'aime pas les soldats. Leurs regards sont fermés. Ils vont et viennent parmi eux comme parmi du bétail. Les soldats ne les considèrent pas. Ne leur prêtent aucune attention.

Le puissant vrombissement d'un Antonov 12 fait lever les têtes et baisser les voix. On chuchote, l'air méfiant: «Ils vont se servir en premier.»

C'est possible. Ils sont là pour décharger l'avion de l'aide alimentaire. Là, avec leur mitraillette à portée de main. Là, avec leur corps bien nourri et bien musclé dans l'habit militaire.

— Ils ne sont pas comme les Rebelles… ils ne se gênent pas, eux, pour fouiller dans nos rations, raconte un homme, visiblement chef d'un groupe. Zaouditou s'approche de lui, attirée par le langage qu'il tient. Avec Nigusse attaché à ses pas, elle prend place parmi les gens qui l'entourent.

— Avant, quand c'étaient les camions qui apportaient les vivres, les Rebelles les escortaient souvent jusqu'ici.

Elle aime entendre parler des Rebelles dont son père faisait partie. Les Rebelles dont elle ne comprend pas le combat. Et elle a besoin, tellement besoin d'entendre parler d'eux. Parler de lui. Elle a besoin de comprendre. Besoin d'associer autre chose qu'un sac de teff à la mort de son père.

— Le chauffeur m'a dit qu'ils étaient obligés de circuler la nuit, poursuit l'homme. Comme ça, ils réussissaient à échapper aux contrôles du gouvernement. Et ça venait du Soudan, cette aide-là. J'vous le dis, y a pas d'autre issue que le Soudan.

— Et le lac Tana? risque-t-elle.

Qu'est-ce qui lui a pris de dévoiler ce rêve fou? Ce rêve qui n'appartient qu'à Nigusse et à elle. Pourquoi a-t-elle exposé à la lucidité de cet homme, ce rêve devenu vital? Essentiel à leur survie?

Elle s'en veut. Se mordille les lèvres et tente de faire oublier sa question. L'homme la soupèse d'un regard mi-amusé, mi-désabusé.

— Pauvre toi, le lac Tana est loin. Y a des soldats là aussi... Viens avec nous au Soudan.

— C'est que...

— Tu ne pourras jamais t'y rendre seule.

— Je suis avec mon frère.

— Il faut des vivres. Sais-tu au moins le chemin?

— Non.

— Viens avec nous au Soudan.

— C'est que...

Elle ne se résoud pas à abandonner l'espoir de rejoindre un jour les rives du lac Tana. Nigusse se presse contre elle, lui donnant ainsi tout son appui dans la poursuite de ce rêve insensé.

– Viens avec nous quand même. Nous te laisserons sur la route du lac Tana... C'est sur notre chemin.

— Vous connaissez le chemin?

— Oui, je connais.

— Quand partez-vous?

— Cette nuit.

— Nous irons avec vous.

Une joie instantanée précède une profonde tristesse. Partir, oui. Pour suivre le rêve fou, oui. Mais pour cela, il lui faudra abandonner Miss. Pour cela, il lui faudra quitter la sécurité précaire de ce camp et l'assurance d'une maigre pitance. Mais c'est abandonner Miss qui lui fait le plus mal. C'est abandonner Miss qui lui fait le plus peur. Comment parviendra-t-elle à vaincre la famine et la guerre sans le sourire quotidien de cette femme? Comment parviendra-t-elle à se passer de la présence de cette étrangère qu'elle vénère?

Miss, c'est presque sa mère. C'est elle qui l'a mise au monde une deuxième fois. Réussira-t-elle à la quitter? Quel prix doit-elle donc payer ce rêve?

Des soldats coupent le fil de sa pensée. Ils encerclent le groupe, demandant les cartes de camarade-citoyen, inscrivent des choses sur des feuilles. «Toi, ici. Toi, là.» Ils font un triage. Sans rien expliquer. Rien répondre. «Toi, ici. Toi, là.»

Le chef s'indigne. Résiste. Demande des explications. Un soldat le frappe à la figure et le couche au sol.

— Suivez-nous. Les soldats rassemblent les gens.

Zaouditou et Nigusse ne font pas partie du troupeau gardé à la pointe des mitraillettes. Ils n'ont pas de carte et puis, en tant qu'enfants, ils ne présentent aucun intérêt pour les soldats.

— Où allons-nous? interroge à nouveau le chef qui se remet lentement du coup reçu.

— Dans la province de l'Illubator... là où il y a de l'eau et de jolies fermes pour vous. Un vrai paradis.

— Nous avons nos terres ici.

— Vos terres sont mortes. Elles ne produisent plus. Dans la province de l'Illubator, il pleut. Allez, avancez!

— Ma femme est au camp... je vais l'attendre.

— Tant pis pour elle. Avancez!

Le réfugié résiste à nouveau. Maigre et faible, il se dresse devant le soldat bien nourri. Un coup de crosse dans le ventre et le voilà plié en deux, à demi inconscient. Ses compagnons le supportent.

Le troupeau s'ébranle, laissant derrière lui son rêve de rejoindre le Soudan. Les soldats crient, les soldats commandent. La horde des malheureux rescapés de la famine se dirige lentement vers l'avion qui les déposera dans la province de l'Illubator. Loin de leurs terres et loin, très loin de leur rêve.

Zaouditou tremble de tout son être. Tremble de peur et de rage.

Ainsi, l'on peut, dans ce pays, ravir jusqu'aux rêves des hommes? Est-ce contre cela que son père se battait? Est-ce tout cela que grand-père condamnait?

C'est le rêve fou du lac Tana qu'on vient également d'atteindre puisque le chef connaissait le chemin et consentait à les laisser sur la bonne route. Qui, désormais, pourra les guider vers les rives du grand lac? Qui?

Qui pourra résister aux ordres des soldats?

Nouveau vrombissement d'avion. Elle le regarde passer, rempli à craquer de déportés. Rempli à craquer d'êtres déracinés, brisés, coupés de leurs racines et privés de leur liberté.

Elle le regarde passer, avec sa cargaison humaine que des mains pétrissent et façonnent sous prétexte de venir en aide.

Puis, elle revient vers Miss. Vers ces autres mains qui secourent et soulagent. Ces autres mains qui lui ont redonné sa dignité. Elle revient vite vers le camp pour y mettre son rêve à l'abri.

* * *

Jeudi, 24 janvier 1985.

S ans une plainte, Ti-Ouard avale son spaghetti trop épicé, apaisant la brûlure dans sa bouche par de grandes gorgées d'un Coke bien froid. La bouteille colossale à portée de main, il s'étonne, comme à toutes les fois, de voir sa femme saupoudrer généreusement son assiettée de piments broyés. Et, comme à toutes les fois, elle le foudroie de son regard méprisant, le traitant de petite nature.

— C'est vrai, t'es une p'tite nature, p'pa. J'le trouve pas piquant, moé, le spaghetti. C'est pas pire qu'un chip barbecue.

Ce disant, Patrick enfourne une énorme bouchée, laissant couler la sauce sur son menton.

— Toé, t'es un homme, vante Berthe en essuyant le bec de sa progéniture.

Lui, il n'en est pas un, sous-entend-elle. Lui n'est pas dans ses bonnes grâces. Ti-Ouard soupire, se verse à nouveau à boire, glissant un regard furtif à la place vide de sa fille partie au cégep. Elle, au moins, partageait ses goûts. Ensemble, ils formaient un bloc équitable d'opposition, mais maintenant qu'elle est partie, il se retrouve seul. Seul contre deux, son fils se rangeant ostensiblement du côté de Berthe. C'est normal de se ranger du côté du plus fort, normal mais tellement douloureux à accepter. D'ailleurs, ça ne s'accepte pas de perdre ainsi son enfant. De le voir s'éloigner de nous tout en restant physiquement à portée de main. À portée de caresses qui n'ont plus leur raison d'être. Pourtant, il est si jeune encore. Dix ans seulement, dix ans et voilà qu'il ne retrouve plus le charme de l'enfance en lui, qu'il ne retrouve plus le bambin qui apprenait à patiner entre ses jambes et dont il était le héros. Non! Il ne retrouve plus le miel de l'enfance chez son fils et s'irrite intérieurement chaque fois que ce garçon s'oppose à lui.

Patrick s'empare de la bouteille de piments et en saupoudre son mets, le défiant du regard.

Non, ce garçon qui s'initie aux manigances des adultes n'a rien à voir avec le bambin à qui il racontait une histoire à l'heure du dodo. Berthe s'esclaffe de rire.

– Mais t'es plus un homme que ton père déjà.

Elle n'a pas pris le temps de se vider la bouche dans sa hâte de lui décocher cette insulte. Insulte qu'il reçoit en plein dos, alors qu'il s'était retourné vers le passé encore plus lointain d'un poupon rose dans le carrosse. Comme tant d'autres, elle reste fichée en lui. Comme tant d'autres, elle prendra racine, s'installera, se transformera en mécanisme de défense. Avec tant d'autres, elle le couvrira, tel un porc-épic, d'aiguilles qui blesseront quiconque tentera d'atteindre son âme. Chaque blessure infligée devenant arme. Chaque blessure infligée, infligeant à son tour pour le protéger. Et les gens diront et les gens croiront qu'il n'aime pas les enfants. Et il deviendra le vieux bourru qu'aucun enfant n'ose approcher et ainsi, il n'aura plus mal. Ainsi, il n'aura plus à souffrir de perdre l'enfant aimé un peu plus chaque jour que le monde adulte l'accapare.

Mais sera-t-il en mesure de tenir ce rôle de vieux bourru? Il en doute. Pas plus tard qu'aujourd'hui, il a échoué dans la répétition. Il a succombé à la tentation et s'est délecté du miel de l'enfance. C'était avec Alex. Dans la cabane de la patinoire. Il venait de lui apprendre qu'il était accepté dans l'équipe Pee-Wee, même s'il n'avait pas tout à fait l'âge réglementaire, étant donné qu'il était trop fort pour l'équipe des débutants et que, la coqueluche ayant fait trois victimes chez les Pee-Wee, ceux-ci ne pouvaient se passer de son aide lors du tournoi inter-municipalité.

— Oh! Merci, monsieur Patenaude, merci! J'suis content, tellement content.

Cet enfant lui avait serré la main avec tant de chaleur, tant de reconnaissance qu'il avait flanché. C'était si bon de voir sa joie sans détour. Si agréable de plonger dans son regard ravi. Si consolant d'être respecté sans aucune bassesse qu'inconsciemment, il avait porté la main à ses cheveux.

— Qu'ossé que t'avais d'affaire à Alex dans la cabane de la patinoire? interroge Patrick, comme s'il lisait dans ses pensées. Pourtant, il n'en est rien. Cet enfant ne capte pas sa détresse, n'imagine pas sa solitude. Il questionne, la bouche pleine, pressé lui aussi de l'acculer au pied du mur, de marquer des points contre lui.

— On parle pas la bouche pleine.

— T'as eu affaire à cet enfant-là? reprend Berthe, léchant le tour de ses lèvres rougi de sauce.

— Oui, j'ai eu affaire à lui. C'est pas un crime.

— Tu y as mis la main dans les cheveux, j't'ai vu, accuse Patrick, conscient de l'effet que provoquera cette dénonciation.

— Mais t'es fou, Ti-Ouard! C't'enfant-là est plein de poux.

— Qui t'a dit ça?

— Y ont pas d'électricité. C'est pas ben propre là-dedans.

— C'est juste si j'y ai touché.

— T'as pas d'affaire à y toucher.

— Admettons.

Un silence. Sa femme attend, le poing noué à sa fourchette, le mitraillant de son regard mécontent et impatient. Elle attend sa pâture, sa nourriture d'âme, elle attend le ragot dont elle se délectera jusqu'à l'os. Sa bouche attend, fermée et dure, attend de lécher de sa langue incendiaire la réputation de Marjolaine Taillefer et de son fils.

— Alex va jouer dans la ligue Pee-Wee lors du tournoi.

— T'es malade! Lui?! Y va jouer avec nous autres? J'aime autant perdre que jouer avec lui. Personne veut l'avoir dans l'équipe! lui lance son fils en se levant brusquement.

— On a décidé qu'il jouerait, Patrick. Y est très habile.

— Ben, si lui y joue, moé, j'joue plus. Compris, maudit épais?

Ce disant, l'enfant renverse violemment sa chaise, se précipite au salon, s'en prenant aux coussins qu'il laboure de ses poings rageurs.

Ti-Ouard demeure pétrifié au-dessus de son plat qui le fait suer à grosses gouttes tant il est épicé. Son estomac se contracte.

— Félicitations, Ti-Ouard, t'en as faite une belle! T'as chassé ton propre fils de l'équipe. C'est à croire que tu y préfères le fils de c'te pute. J'm'attendais pas à ça de toé. Franchement, es-tu rendu fou?

Encouragé par les remontrances de sa mère, Patrick hurle maintenant, exagérant sa fureur.

Ti-Ouard est paralysé d'effroi. À court d'arguments, à court d'excuses, il assiste à la scène désolante de sa femme l'invectivant de bêtises et de son fils se délectant de sa crise.

Mais il assiste à plus grave encore. Il assiste à cette avant-première de la destruction d'un être. Il goûte les hors-d'œuvre amers et les entrées de ce festin macabre que Berthe a cuisiné de longue date dans l'oreille des gens. Usant à volonté de la jalousie, de l'envie et de la méchanceté, elle a laissé mariner sa pièce favorite: Marjolaine Taillefer. Aujourd'hui, avec l'aide de son fils, elle lui dévoile le bûcher de la sorcière qu'elle a perfidement édifié sous son nez. Elle sera là, la sorcière, la putain, elle sera là avec sa maudite association et son pouilleux de fils. Elle sera là, avec son père débile et sénile. Là, sur les fagots de toutes leurs médisances et de leurs calomnies. Il ne reste qu'à frotter l'allumette, qu'à jeter la torche sous elle. Et elle brûlera la sorcière et le vent éparpillera ses cendres, sans égard pour son souvenir. La maudite sorcière que le député fréquente. La putain qui se vend, pire, se donne au profit de l'Association. La putain qui a fermé l'usine. Elle brûlera sur leur bûcher soigneusement préparé. Les fagots de ragots séchés s'enflammeront à la moindre étincelle. Car il est là, le bûcher. Là, plus solide, plus patiemment et inextricablement façonné qu'un barrage de castor. Là, bien implanté dans le cœur du village et dans le cœur de chaque homme et de chaque femme qui a contribué à le monter. Là, jusque dans le cœur de son enfant.

Berthe a gagné sur toute la ligne. Maîtresse du réseau d'espionnage et de commérage, elle a savamment dressé le bûcher, pervertissant son fils, le salissant de sa bave mensongère et lui inoculant sa méchanceté à petites doses. Le droguant, le nourrissant de cette méchanceté. Elle a siphonné tout son miel, le remplaçant par du fiel. Jamais plus il ne retrouvera le bambin qui apprenait à patiner entre ses jambes. Jamais plus. En combien de mots, combien d'exemples a-t-elle réussi à pourrir leur enfant? Quelle adresse! Quel pouvoir satanique!

— Maudit épais! Maudit épais! rugit Patrick en frappant les coussins. C'est lui qu'il désire frapper, lui qu'il désire meurtrir de ses poings. Lui qu'il désire exécuter.

Ti-Ouard sent remonter sa nourriture accompagnée d'un peu de bile. Il avale une gorgée de Coke pour en effacer le goût.

— As-tu fini de boire ton Coke, maudit épais? Maudit gnochon! Tu vois pas que ton fils a d'la peine? Vas-tu le laisser de même? Hein? Vas-tu le laisser de même?

Elle le secoue comme un torchon. Du moins, c'est ainsi qu'il se sent.

— T'aime mieux le fils de la pute, hein? Dis-le donc que t'as couché avec elle.

Coucher avec elle. Cette phrase souille le sentiment qui l'unit à Marjolaine. Sentiment d'une grande pureté et d'une grande beauté qui parvient à lui faire oublier les choses laides de ce monde. Sentiment qu'il associe au chant des oiseaux capable de le consoler de sa condition. Sentiment qui le fait grandir et s'ennoblir parce que justement libéré des exigences du corps. Jamais il n'a pensé coucher avec elle. Jamais il n'a pensé crever cette pâte doucement fermentée en lui, par l'acte physique. Pourquoi sa femme vient-elle détruire ce sentiment indispensable à sa survie? Ne lui suffisait-il pas de jeter aux ordures ses cabanes d'oiseaux? Pourquoi vient-elle aujourd'hui lui arracher ce chant de l'âme, cette image de la jeune femme près du ruisseau à laquelle il s'abreuve derrière son bureau de fonctionnaire? Pourquoi vient-elle profaner cette image en lui?

413

Cette façon qu'elle a de considérer cet acte comme étant plausible entre eux l'ébranle dans sa conviction d'un amour platonique. Maintenant qu'elle a prononcé ces mots, qu'elle a habillé de gestes ce sentiment qu'il préférait laisser à l'état latent, il doute de sa pureté et même de sa beauté. L'image brutale de la fornication tente de supplanter celle de l'innocence. C'est, encore une fois, la tactique du miel remplacé par le fiel. Quelle adresse!

Ti-Ouard se ressaisit. Cette fois-ci, il ne se laissera pas entraîner à se défendre par la répétition de ces mots. Il ne se salira pas en voulant se blanchir.

— Y a pas que moé dans le comité des loisirs. Alex jouera parce qu'on a besoin de lui.

— Et ton fils? Et Patrick?

— S'il veut quitter l'équipe, c'est son affaire.

Berthe demeure sidérée. Un silence inédit plane dans la maison, permettant d'entendre le ronronnement du réfrigérateur. La tête enfouie sous les coussins, Patrick tend l'oreille, abasourdi par la résistance de son père.

— J'ai compris: t'as couché avec elle, échappe Berthe, affaissant les épaules. Elle revient à la charge avec cette phrase, la lui sert avec un autre aromate: celui de la femme trompée. Jouant la cocue à merveille, elle flatte du plat de sa main grasse le rebord de la table, usant de toutes ses astuces pour infiltrer en lui la goutte d'eau qui fera éclater le ciment.

— Est plus jeune, plus belle que moé.

Habile, elle s'acharne à répandre en lui ses semences malsaines, espérant qu'une d'elles lui atteigne finalement le cœur. Voilà qu'elle sème des chardons sur cette admirable pelouse où repose Marjolaine.

— Tu f'rais mieux de t'occuper de Patrick au lieu de dire des niaiseries de même.

— C'est vrai que c'est des niaiseries. Plus j'te r'garde, plus j'me rends compte qu'a peut pas s'contenter d'un homme comme toé après avoir goûté au député.

Ti-Ouard reçoit l'injure en plein cœur. Elle reste plantée là, avec toutes les autres, condamnée à faire partie de ces aiguilles de porc-épic dont il se recouvre lentement. L'obscénité échouant, Berthe utilise maintenant le mépris pour détruire en lui Marjolaine

Taillefer. Elle insiste et persiste à obtenir de lui un fagot de plus pour brûler cette femme.

Il lui résiste, se sentant soudain grandir, ennoblir. Est-ce la poignée de main d'Alex qui lui a insufflé ce courage? Sont-ce toutes ces épines enfoncées en lui par la main experte de sa femme qui l'ont immunisé? Peu importe la raison de ce courage nouveau. Il ne reste qu'à l'utiliser à bon escient pour ne pas contribuer à grossir le bûcher. Ce qu'il réussit.

Mais la crainte vire à la peur et l'inquiétude à l'angoisse. Alarmé, Ti-Ouard appréhende ce jour où une étincelle enflammera les fagots de ragots séchés.

* * *

Lundi, 28 janvier 1985.

Accoudé au comptoir, le responsable de la patinoire écoute distraitement la radio. Il attend le bulletin de météo, inquiet de savoir si une seconde bordée de neige l'obligera à déblayer à nouveau. Son œil fatigué vagabonde pour l'instant sur les nuages gris qu'il aperçoit derrière les fenêtres grillagées. De tous les enfants présents, seul Alex peut vraiment le comprendre et sans doute l'apprécier à sa juste mesure. Mais l'homme ignore cela et l'enfant sympathise secrètement avec lui en laçant ses patins. Il sait, lui, ce que représente le déneigement d'une patinoire pour l'avoir souvent fait sur le rond qu'il s'est gratté à même le lac. Et aujourd'hui, il apprécie grandement d'être soulagé de cette tâche et de bénéficier de tout cet espace pour s'entraîner. Quelque part dans son âme d'enfant, il inscrit cet homme dans le carnet de ses amis et pense qu'il a l'intention de jouer, de gagner pour lui lors du tournoi inter-municipalité.

Alex s'assure de la solidité de ses boucles et frappe fièrement ses lames sur le plancher de bois. Ce son le ravit, le grise plus, beaucoup plus que la musique anodine flottant dans l'air chaud. Puis, il enfile son chandail de la ligue avec des gestes que l'impatience rend gauches. C'est qu'il a hâte, tellement hâte d'arborer ce chandail, confirmant ainsi aux joueurs groupés dans le coin opposé de la cabane qu'il fait partie de leur équipe.

415

Patrick Patenaude le remarque et hausse les épaules en chuchotant quelque chose aux autres. Alex aimerait avoir de grandes oreilles de lapin pour comprendre ce qu'il dit et demeure un trop long moment à les observer.

— J'suis pas à vendre, Taillefer!

Rigolade générale.

Il regarde alors ailleurs, vers cet homme distrait appuyé au comptoir, espérant naïvement que les couleurs flamboyantes de son chandail attirent son attention. Mais il n'en est rien.

— Fais-tu partie de l'équipe? interroge la voix mélodieuse de Cindy Potvin qui prend place près de lui. Il se tait. Se doit de l'ignorer. De la pénaliser pour sa trahison d'avant Noël.

— Y est beau ton chandail! C'est quoi ton numéro?

Il lui présente le dos, combattant de toutes ses forces le désir qu'il a de lui répondre.

— Onze.

Oui, onze. «Vive le onze», criera la foule en délire lors de la joute. Il est tellement déterminé à se surpasser, à briller. Oui, briller d'un tel feu que le numéro onze éclipsera Alex Taillefer. Ce ne sera plus le fils de Marjolaine que les gens verront mais uniquement le numéro onze. Ici, à faire une passe, là à marquer un but ou à monter la rondelle. «Envoye le onze. Envoye!» crieront-ils, comptant sur lui, se fiant à lui pour la victoire. Oui, il est bel et bien déterminé à faire du numéro onze le héros de cette joute. Bel et bien déterminé à triompher et à hisser sa mère près de lui lorsqu'il sera au sommet de sa gloire. Et les gens l'applaudiront, elle aussi, ne pouvant faire autrement.

— J'm'en souviendrai. J'te r'garderai jouer au tournoi.

Il cède subitement, abdique totalement. Malgré lui, malgré son orgueil, malgré sa volonté de la châtier. Il cède et prend goût à sa faiblesse, se laissant toucher le cœur par les mèches blondes sur le manteau bleu.

— C'est vrai? Tu vas v'nir me voir jouer?

— Oui. J'aime ça. J'connais tous les gars de l'équipe.

Elle lance un coup d'œil au groupe vis-à-vis d'eux mais reporte aussitôt sur lui ses yeux enjôleurs, le gratifiant de son plus beau sourire.

— Tu dois être bon pour avoir été accepté dans l'équipe.

416

— Ouais, j'suis pas mal bon.

— T'étais dans les débutants, avant?

— Ouais.

— C'est la première fois que tu viens pour du patin libre?

— Oui. Avant j'patinais sur le lac pis j'venais juste pour les pratiques régulières. Mais grand-père m'a offert de m'entraîner icitte pour le tournoi... y va me prendre avec le voyage des secondaires.

— Tu dois trouver ça grand icitte?

— Oh! Oui! Pis y a pas de craques comme sur le lac.

— Ça, c'est vrai. Nous autres aussi, on avait une patinoire.

— Vous l'avez plus?

— Y a trop neigé.

— Ha.

— Mes frères étaient tannés de pelleter. Y ont lâché. Toé, t'as pas lâché?

— Ben, j'viens juste, là. Pour le tournoi. J'trouve pas que c'est si dur que ça de pelleter.

Alex aimerait lui dire plus, lui avouer que pour elle, il pelleterait aussi grand que la patinoire publique. Mais il pense à tout cela, il vit tout cela sans trouver un seul mot pour le dire. Sans trouver une seule boîte pour ranger l'avalanche de sentiments qui le submerge.

— T'as dû te pratiquer beaucoup pour être accepté dans les Pee-Wee.

— Pas mal. Ma mère était obligée de v'nir me chercher le soir. Même qu'une fois, j'me suis réveillé dans nuit pour me pratiquer au clair de lune.

— Dans nuit!? T'avais pas peur?

— Ben non! On voit clair avec la lune.

— Brr! Moé, j'aurais eu peur.

Le regard admiratif de la fillette l'enhardit. Il ne peut décemment lui confesser maintenant qu'il a cru sa dernière heure arrivée lorsqu'il a senti la glace se fendre sous ses patins. L'impressionnante plainte de la glace, amplifiée par l'eau, lui avait saisi le cœur pour un instant. Et l'espace de cet instant, il avait visionné sa noyade, le chagrin de Marjolaine, de Mike, de grand-père, de grand-mère, de Gaby et même celui de ses coéquipiers qui le regrettaient. Et puis, la

417

plainte s'était tue, laissant à la surface de sa patinoire une longue fissure noire qui la lézardait d'un bout à l'autre. Immobile sous la lumière argentée de la lune, les yeux fixés aux myriades d'étoiles scintillant au manteau de neige, il écoutait le martèlement de son cœur dans le silence pénétrant de cette nuit d'hiver. Qu'il s'est senti seul, tout d'un coup, seul dans tout ce silence. Seul, après cette grande peur. Il s'est remis à patiner, le bruit de ses lames éraflant à leur tour le silence implacable. Alors, il a couru vers sa maison, non pas effrayé mais écrasé par le mystère de la nuit.

— Tu dois être content de faire partie de l'équipe?

— Oui.

— Allez-vous battre ceux du lac Brochet?

— Oui, si on s'tient. L'union fait la force.

Il ne se hasarde pas à lui expliquer la démonstration de grand-père mais se la remémore pour lui seul. Celui-ci avait pris un brin de fil et l'avait défié de le briser de ses mains. C'était facile. Un peu blessant pour les auriculaires mais relativement facile. Puis, il avait demandé de relever le même défi avec cinq brins de fil. C'était impossible. Cette expérience concluante établissait, sans l'ombre d'un doute, qu'il devait s'intégrer à l'équipe Pee-Wee et il n'avait pas de plus cher désir.

Alex risque un regard vers ces garçons, en face de lui, unis en un bloc homogène. Qu'il a hâte d'être un élément de cet ensemble! Hâte de ne faire qu'un avec eux! Hâte de se fondre dans l'équipe! De dissoudre Alex Taillefer au profit du numéro onze.

– Veux-tu lacer mes patins, Alex, j'ai de la misère?

Le sourire en coin de Patrick Patenaude le freine dans son élan spontané. Il pense à refuser ce service. Hésite. Il préférerait de loin se tenir avec ces garçons plutôt que de s'agenouiller devant Cindy. Il a l'impression bizarre de faire faux bond au monde masculin. De trahir un code d'honneur tacite.

— S'il te plaît, implore-t-elle, se faisant câline.

— Bon.

Le rouge au front, il s'exécute, tâchant d'ignorer les railleries dans son dos.

— T'es gentil.

La fillette le console. L'encourage.

Un grelot attaché au lacet l'agace par son tintement régulier, mettant ainsi l'accent sur son geste. On rit derrière lui. De lui sans doute.

— Y est beau ton chandail. Vas-tu jouer avec eux autres?

L'audace du petit menton de Cindy pointé vers les garçons le gêne. Mal à son aise, il hausse les épaules.

— P't'être.

— J'vais t'donner de mon chip, O.K.?

— Oh! J'ai de l'argent pour m'en acheter.

Il lève le ton, veut leur signifier qu'il est comme les autres. Qu'il mange ce que Marjolaine appelle des cochonneries et qu'il s'en achètera si le cœur lui en dit, bénissant intérieurement grand-père de lui avoir donné de la monnaie à cet effet. Brave grand-père! Depuis qu'il joue au hockey, il s'est sensiblement rapproché de lui ou plutôt il s'est établi une complicité d'hommes entre eux. Une solidarité d'hommes. Leurs rapports diffèrent. Ils ne traitent plus d'adulte à enfant mais sur un pied d'égalité. Comme avec Mike. Le monde de ces hommes correspond tellement à ses attentes qu'il y a accédé tout doucement sur l'erre d'aller de ses patins. Tout doucement, il a pénétré leur monde, s'est grisé de leur monde en écoutant comme eux les parties de hockey du samedi soir, plaignant Gaby, attardé dans son univers, à dessiner sur le coin de la table.

— Merci. Viens. J'vais t'montrer mes fantaisies.

— Non. Faut que j'me pratique.

— Ce s'ra pas long.

«V'nez-vous-en les boys!» crie Jonathan Sansouci en entraînant les autres à sa suite.

— J'ai pas le temps… une autre fois.

Alex suit le groupe. Comme eux, exécute deux tours de patinoire à toute vitesse, bravant le vent vorace qui lui mord les joues. Le groupe s'arrête, face à l'abri, et deux capitaines s'en détachent: Patrick Patenaude et Jonathan Sansouci, des cousins. Le nombre des joueurs étant impair, Alex saisit l'occasion de faire partie d'une équipe et se range parmi les aspirants, décidé à se donner corps et âme au capitaine qui aura le courage de le choisir. Son cœur bat fort. Mille fois plus fort que cette nuit où le mouvement de la glace a fendu sa patinoire. Le grincement des lames lui écorche l'âme. C'est comme si on lui patinait dans le ventre. Les deux La-

419

douceur sont choisis en premier. Un dans chaque équipe. Ils ne font pas partie des Pee-Wee mais se débrouillent très bien.

«Envoyez les p'tits gars!» encourage une voix enivrée le long de la bande. Alex risque un regard et rencontre celui de monsieur Ladouceur, plein d'hostilité. «Tiens! Y en a qui ont d'l'argent pour faire partie de l'équipe.»

La démarche titubante de l'homme l'effraie. Se permettra-t-il, sous l'effet de la boisson, de le chasser de la patinoire comme il l'a chassé de sa roulotte à l'Halloween? Alex avale difficilement. C'est le tour des deux Potvin d'être choisis. Il s'accroche, tour à tour, au regard des deux capitaines indécis. Il sait être le meilleur de ceux qui restent et promet intérieurement de jouer de son mieux pour celui qui le choisira.

S'ils savaient comme il est prêt à se démener! S'ils savaient comme ils ne regretteront pas leur choix. Oh! Non! Ils ne regretteront pas leur choix. Mais hélas, d'autres sont élus au rang de joueurs. Ne reste que Baloune et lui. Baloune qui s'essouffle au moindre effort. Baloune, plus souvent à terre que debout. C'est comme si on le comparait à cet enfant obèse et inapte au sport. Lui, le numéro onze. Lui, trop fort pour l'équipe des débutants. Lui qui a pelleté, gratté, patiné jusqu'à ce que sa mère l'oblige à se coucher. Lui, tellement déterminé à faire honneur à celui qui le choisira.

— Viens, Baloune.

On l'abandonne, lui signifiant clairement qu'on ne veut pas de lui. Qu'il est seul! Mille fois plus seul que cette nuit-là où le silence sans merci l'étreignait dans sa main glacée. Seul et humilié. Seul et blessé. Sa mère lui recommande toujours d'être prudent lors des joutes, de faire attention de ne pas se blesser. Si elle savait comme il vient de se faire blesser. Sans même que cela n'y paraisse. Si elle savait comme il a mal. Il aurait préféré se faire massacrer physiquement. Oh! Oui! Il aurait préféré sortir sur une civière, avec tous les honneurs du combat, plutôt que d'être abandonné comme ça, déclassé par Baloune.

Mise au jeu, grincement des lames qui lui charcutent les entrailles. Les bâtons s'entrechoquent, la rondelle frappe contre la bande. Cindy évolue vers lui en levant une jambe vers l'arrière. Gracieuse et dans un équilibre précaire, elle passe et repasse.

— T'as vu Alex? Ça, c'est l'avion.

420

Le numéro onze sort une rondelle de sa poche et la laisse tomber à ses pieds. Il va leur montrer quelle grave erreur ils commettent tous. Il va patiner si vite, manier si bien son bâton que les capitaines regretteront de l'avoir ignoré. Il va leur montrer de quel bois il se chauffe. De quel talent il est doué, de quelle énergie il est doté.

Il échappe un soupir. Le cœur n'y est pas, car il a mal au cœur. Mal pour vomir. Mal pour pleurer. «Fais attention de pas te faire mal», lui répète constamment Marjolaine. Si elle savait!

Il se sent tout à coup déplacé avec son chandail flamboyant, tout comme il se sentait ridicule avec son costume de clown à l'Halloween. Il n'aurait pas dû le mettre et écouter Marjolaine qui lui conseillait de le porter dans les pratiques régulières seulement. Pressentait-elle qu'il serait exclu lors des pratiques libres? Voulait-elle l'épargner?

Il frappe la rondelle. Fuyant le tintement de grelots et l'ombre impressionnante de monsieur Ladouceur. Mais il a mal au cœur, mal à vomir, mal à pleurer. Il suit paresseusement la rondelle, ployant sous les bourrasques du vent, écrasé par le poids de la solitude et tourmenté par l'unique brin de fil qu'on brise facilement des mains.

* * *

Samedi, 9 février 1985.

Le ciel livide, aussi blême, aussi maladif que la neige, pend mollement au-dessus de leur tête. Fatigué, prêt à rompre, il pèse sur la terre. Il pèse avec tout ce qu'il peut y avoir de tempêtes derrière l'écran voilé de ses nuages.

Nulle lumière définie, nulle ombre au sol. Tout se perd, se confond dans la clarté diffuse. Nul chant d'oiseaux. Nul mouvement. Tout est arrêté, figé sur la feuille blanche de l'hiver. On dirait une photo en noir et blanc. Une photo ancienne qui rend mal la troisième dimension. Une photo sans profondeur.

Flore s'attarde aux gribouillis d'épinettes s'agriffant désespérément à ce ciel laiteux. Le déchirant, le déchiquetant de leurs silhouettes agressives, comme si elles voulaient venir à bout de sa

421

torpeur. Comme si elles voulaient crever l'abcès et dénoncer ce mal engourdi. Ce mal qui pèse lourd au creux des reins de l'hiver. Qui pèse lourd dans son âme. Ce mal lourd et sourd qui l'envahit et la ravit à sa famille. Qui la ravit aux attentions d'Hervé. Qui la ravit à la présence apaisante de Gaby. Qui la ravit à l'enthousiasme d'Alex. Qui la ravit jusqu'à ce tournoi inter-municipalité puisqu'elle regarde ailleurs, vers les champs, vers la lisière de la forêt, désintéressée de cette rondelle que les enfants se disputent. Elle se sent hors de ce monde qui crie et encourage autour de la patinoire. Hors de la main d'Hervé, à ses côtés, hors de son corps épuisé, lourd lui aussi de tant de vies données. Elle se sent l'âme accrochée aux épinettes qui s'agriffent désespérément au ciel incolore et communie à l'immobilité lugubre du paysage. Elle ne devrait pas s'abandonner à cet état. Ne devrait pas s'échapper ainsi, hors du temps. Hors du monde. Ne devrait pas s'installer hors de la réalité. C'est dangereux: elle le sait.

Une pression sur ses doigts l'oblige à ce retour.

— R'garde Alex; c'est le numéro onze. Un vrai p'tit Maurice Richard.

Elle regarde. Se réjouit des couleurs vives et joyeuses. Se réjouit du mouvement. Se réjouit des cris et des grincements de lame sur la glace. Que faisait-elle hors de cette main calleuse? Cette main qui s'est jadis posée sur ses seins gonflés de désir, cette main qui a puni et béni les enfants. Cette main douce et rude qui a égrené l'humus de la terre entre ses doigts et tiré le lait des vaches. Et que faisait-elle encore, loin de ce petit-fils qui se donne au jeu avec toute sa fougue et ses rêves fous d'enfant? Flore se ressaisit. Se concentre sur la patinoire, faisant abstraction de cette journée grise qui, trop facilement, s'infiltre dans son âme. Son regard s'attache au numéro onze. Qu'elle aime cet enfant! Ces enfants issus de son union avec Hervé! Que sa récolte est belle et abondante! Cela devrait ensoleiller la grisaille de sa vieillesse. Peindre des taches de couleur, de-ci, de-là. Des taches gaies et vivantes comme celles des joueurs.

— Bou! Tue-le! Plante-le! Bou! Chou! Chou pour l'arbitre! Y triche. Chou! Chou!

L'équipe du lac Brochet vient de marquer un but. Avec consternation, Flore observe la foule et sent ses jambes s'amollir sous elle.

Elle panique, se cramponne au bras d'Hervé. Le ton et les gestes agressifs de ces adultes, venus regarder s'amuser des enfants, lui glacent le cœur, lui donnant soudain raison de fuir ce monde. Leur monde. Trop rapide, trop exigeant, trop différent du sien. Monde qu'elle ne côtoie plus depuis qu'il lui a blessé les flancs. Elle veut s'en aller, retrouver au plus vite sa cuisine et les souvenirs qu'elle berce inlassablement devant le téléviseur. Hervé la rassure, lui tapote la main.

— C'est pas grave, c'est juste un à zéro. Notre p'tit Maurice Richard va compter un but, comment tu gages?

Il sait ce qu'elle ressent. Comprend son désir de fuite et lui rappelle gentiment sa raison d'être ici. Elle se raisonne et, faisant abstraction de la foule, suit les déplacements du numéro onze.

Le numéro onze doit s'illustrer. Jusqu'à maintenant, il n'a guère épaté: c'est Patrick Patenaude le héros. C'est à lui qu'on fait des passes. Alex se résigne à escorter son équipe d'un bout à l'autre de la patinoire, guettant l'instant propice où il aura la chance d'avoir la rondelle. Avant la joute, Bizou Gagnon, leur entraîneur, leur a bien recommandé l'esprit d'équipe mais ces paroles n'ont pas porté fruit. Ses coéquipiers l'éliminent complètement. Jouent comme s'il n'y était pas. Il se sent nul et inutile. Rangé de côté comme une voiture défectueuse hors la chaussée. Le jeu se fait sans lui. Son père, venu expressément de Montréal, remarque-t-il cela? Et grand-père qui s'entête à l'appeler Maurice Richard alors qu'il préférerait de loin se faire appeler Wayne Gretzky? Et sa mère qui craint qu'il ne se blesse? Et grand-mère que l'événement a enfin réussi à faire sortir de sa cuisine? Et Gaby qui l'a dessiné avec son chandail? Et Cindy Potvin? Et le responsable de la patinoire? Remarquent-ils qu'on joue sans lui?

Soudain, miraculeusement, la rondelle claque contre la palette de son bâton. Il la retient. Hésite une fraction de seconde entre un lancer direct ou une passe à Patrick Patenaude. Il opte pour la passe, croyant ainsi s'allier les bonnes grâces de l'équipe. Volontairement, Patrick laisse filer la rondelle vers un joueur de l'équipe adverse. Démonté, Alex cherche son père le long de la bande.

— Laisse-le faire, Alex! Vas-y! lui hurle l'homme en mettant ses mains en porte-voix.

Cela l'encourage. Le stimule. Lui donne des ailes. Il fonce, vole, rentre dans la mêlée et s'empare du disque qu'il monte à toute vitesse, contournant habilement les défenseurs. Il lance et compte. Les cris de la foule le grisent, lui enlevant toute notion de pesanteur. Il flotte, flotte sur ses patins en levant victorieusement les bras et ralentit devant Marjolaine pour forcer les gens à respecter la mère du champion qu'il est devenu. Coup de sifflet. Fin de la période. Il flotte encore en se rendant dans le vestiaire et ne tient pas compte de la bousculade de Patrick et de Jonathan. Bizou Gagnon le félicite.

— C'est beau, Alex. Oubliez pas, les gars, qu'Alex est pas tout seul dans l'équipe. T'as manqué une belle passe tantôt, Patrick. J'veux que vous jouiez ensemble, compris? Vos chicanes d'école ont pas d'affaire icitte. C'est-y clair?

Qu'il est reconnaissant envers cet homme d'avoir noté le comportement inacceptable de ses coéquipiers! Avant, il ne l'aimait guère parce qu'il avait fauché l'herbe sous le pied de ses oncles Florient et Jean-Paul avec son excavatrice, mais aujourd'hui, il compte non pas l'aimer, mais du moins le respecter. «J'vais vous chercher des jus, les gars.» L'homme disparaît.

— Était mal faite, ta passe. Tu sais pas faire des passes.

Patrick Patenaude s'assoit à sa droite. Jonathan Sansouci, à sa gauche.

— Était pour toé, la passe.

— Pantoute. Les Ladouceur eux autres savent faire une passe. C'est eux autres qui devraient jouer à ta place.

— Ouang! Sont ben meilleurs que toé, renchérit Jonathan. Mais eux autres, y peuvent pas jouer parce que leur père a pas d'argent.

— Parce que ta mère a fait fermer l'usine. C'est drôle, a l'a d'l'argent, elle, pour te payer tout ça, hein? Pour que tu prennes la place des Ladouceur.

— C'est pas elle qui paye ça: c'est mon père, se défend Alex, attaqué de gauche et de droite.

— Ton père mon œil! C'est un bum, ton père. J's'rais pas surpris qu'y aye volé ça.

— Mon père c'est pas un voleur, O.K. là?

Jamais encore on ne s'était attaqué à son père, Marjolaine et les Taillefer en général étant les cibles préférées. Cette accusation lui porte un coup terrible. Rage et chagrin éclatent subitement en lui.

— Aïe! Les gars! C'est tout du stock volé, ça!

Alex bondit sur ses pieds dans l'intention ferme de faire ravaler ces paroles à Patrick Patenaude, mais l'entraîneur apparaît avec une cruche de jus d'orange, l'obligeant ainsi à se rasseoir.

— Stock volé! Stock volé! chuchotent Patrick et Jonathan entre leurs dents, tout en souriant hypocritement à Bizou Gagnon quand celui-ci les regarde.

Deuxième période. Alex serre les poings dans ses gants. La colère l'aveugle et le prive de ses moyens. Il sent ses jambes trembler, tout son corps trembler désagréablement et une marée violente monte en lui chaque fois qu'il aperçoit la mine détestable de Patrick ou de Jonathan. L'occasion de faire une passe se présente. Il la tente et échoue, remettant encore une fois le disque à l'équipe du lac Brochet.

— Passe manquée, stock volé, injurie Patrick au passage.

Alex obéit alors à l'impulsion qui l'habite et bondit sauvagement sur son coéquipier de deux ans son aîné. Surpris, celui-ci tombe à la renverse. Alex en profite pour lancer ses gants et le frappe de toutes ses forces.

— Arrêtez-le! Arrêtez-le, commande la voix hystérique de Berthe Patenaude, secondée par un chœur mécontent. Le sifflet retentit. L'arbitre l'accroche par son chandail, le sépare de sa victime.

— C'pas du stock volé! C'pas du stock volé! Alex se débat un instant dans le vide puis éclate en sanglots.

— Qu'est-ce qui te prend? C'est un gars de ton équipe!

L'arbitre le secoue comme pour le réveiller d'un horrible cauchemar.

– C'pas... du stock... vo... volé, hoquète-t-il, incapable d'articuler convenablement.

– C't'un fou. J'y ai rien fait moé.

Patrick se relève péniblement, la main sur la bouche. Bizou Gagnon accourt aussitôt et examine la lèvre fendue.

— C'est rien, va te laver. Quant à toé, Alex, on a jamais vu ça, un joueur frapper un gars de son équipe. T'es disqualifié. Va enlever ton chandail.

— C'est... c'est lui.

— J'veux rien entendre. Tu fais plus partie de l'équipe. Va enlever ton chandail, j'ai dit.

Le geste furieux de l'entraîneur indique la porte. C'est sans équivoque. Sans appel.

— Ça prend ben un Taillefer pour faire ça, murmure Gilberte à Berthe.

— On a pas assez d'la mère qui ferme l'usine, maugrée monsieur Ladouceur.

— Bou! Chou! Bou! De... hors, de... hors, de... hors, scandent ses fils.

Toutes ces vilenies ajoutées au chagrin qu'il avait déjà redoublent les sanglots d'Alex. Défait, il ramasse ses gants et se dirige vers la portière, la tête basse.

«Bou! Bou! De... hors, de... hors.

Voilà: il vient de faire honte à toute sa famille. Le numéro onze a échoué et n'aura plus la chance de revaloriser son nom.

Bou! Chou! Dehors!

On l'accuse, on le méprise, on le chasse. Et tout ce poison retombe sur sa mère qu'il rêvait de hisser près de lui, au sommet de la gloire, sur son père, venu expressément de Montréal, sur grand-père qui a tant investi en lui, sur grand-mère à la joie si fragile et sur Gaby. Tout ce poison de haine, toute cette honte, toutes ces insultes pleuvent maintenant sur lui et sur eux. C'est un torrent d'injures. Une pluie démentielle de mots blessants, de remarques méchantes.

Disqualifié, le numéro onze quitte la glace, l'âme pulvérisée. Les larmes inondent son visage, brouillent sa vue. Qu'il est seul, oh! combien seul et défait. L'apprentissage de cette solitude de plus en plus implacable l'effraie. Quand le gouffre cessera-t-il de s'ouvrir entre lui et les autres? Tous ces autres qui se ressemblent et s'amusent ensemble. Tous ces autres ligués contre lui et sa famille. Tous ces autres, unis comme les brins de fil qu'il tentait de rompre de ses mains. Lui, il est seul et tellement vulnérable. Est-ce aujourd'hui qu'il a été brisé? Tous ces autres ont-ils réussi à le rompre?

— Qu'est-ce qui t'a pris, mon bonhomme?

Mike l'attend, assis calmement sur un banc du vestiaire. Il n'a l'air ni choqué, ni attristé. Seulement curieux, un sourire amusé dansant sur ses lèvres.

— Y lâchent pas de m'écœurer. Y disent que t'es un voleur, parvient à expliquer Alex d'une voix mal contenue.

— Comme ça, tu m'as défendu?

— Oui.

— J'suis assez grand pour me défendre, tu penses pas?

Ce blâme le démoralise complètement. Surtout venant de Mike. L'enfant baisse la tête, voit tomber ses larmes sur le bout de ses patins. Une chaleur insupportable lui brûle le visage. Il voudrait se voir ailleurs. Seul sur son lac, avec la lune grandiose et les myriades d'étoiles scintillant au manteau de neige.

— T'as ben fait quand même. Défends-toé dans la vie. Laisse-toé pas écœurer. Lâche de pleurer astheure.

— C'est... t'es v'nu pour rien... c'est fini... J'suis... J'suis disqualifié.

— J'suis pas v'nu pour rien: j'ai appris que mon gars avait du courage pis d'la fierté. C'est pas beau, ça, hein?

Mike lui enlève amicalement son casque protecteur et le dépeigne de ses doigts.

— Ça t'a coûté cher... tout ça.

— C'pas grave. Ça valait la peine, non?

— Ben...

— Ça valait pas la peine d'y fermer la gueule à c'te Patenaude-là?

— Oui... j'imagine.

Il n'est pas convaincu. Avoir su qu'il encourrait une sanction si grave, il n'aurait probablement pas frappé Patrick au vu et au su de tous. Qu'est-ce qui lui a pris de bondir comme ça sur son coéquipier? À quoi donc a-t-il obéi? Est-ce bien? L'attitude de son père lui permet de croire que oui. Lui, il doute. Il doute à cause des conséquences terribles que son geste comporte. L'enfant enlève son chandail et le plie soigneusement. Qu'il était beau avec ses couleurs flamboyantes et ce numéro onze qu'il comptait rendre célèbre! Oh! Oui, il doute vraiment. Son père doit ignorer tout ce qu'il ressent pour prétendre que la sentence valait l'offense. Il doit ignorer qu'il vient de plier soigneusement tous ses rêves les plus chers. Qu'il vient de les ranger hors de sa portée. Qu'il vient de leur faire ses adieux.

La porte s'ouvre brusquement sur Jérôme Dubuc, le Flasher-à-Mantha. Apercevant Mike, il s'arrête à quelques pas d'eux, embarrassé.

— J'suis v'nu récupérer le chandail.

— Ah.

— C'est monsieur Mantha qui commandite l'équipe.

— T'avais-t'y peur qu'on le vole?

— Non... non, qu'est-ce que tu vas chercher là?

— Ben, le v'la, ton chandail.

Mike le lui lance comme une vulgaire guenille. Avec un geste de dédain qui confirme qu'il ne comprend pas toute l'importance qu'il revêtait. Tout le pouvoir magique qui lui était associé. Alex s'écrase sur le banc, prétextant délacer ses patins pour n'avoir pas à voir son beau chandail maintenant tout froissé dans la main de monsieur Dubuc. Ces adultes ignorent vraiment ce que représentait pour lui cette pièce de vêtement. Ils discutent âprement, l'un et l'autre, sans souci pour ce qu'il ressent. Sans même imaginer un seul instant qu'ils se lancent sans égard une partie de son âme. Qu'ils la chiffonnent et la brandissent pour avoir le dernier mot.

— Ton Bizou, c't'un gnochon pour coacher, gueule son père.

Ce n'est pas tout à fait vrai, pense Alex, sans avoir le cœur de défendre l'entraîneur. Oh! Non. Il n'a plus le cœur, ni le goût de dire d'autres mots, de faire d'autres gestes. Il pense à Gaby. À son amitié silencieuse, à sa présence bénéfique. Il a envie de lui. Envie de quitter ce monde d'adultes pour retrouver ses jeux innocents. Pour retrouver ses dessins où le numéro onze, les bras levés dans un geste victorieux, se dirigeait vers sa mère, canalisant vers elle un courant de sympathie. Oh! Oui, il a envie de fausser compagnie à ce monde absurde et dur. Ce monde où l'éphémère de la gloire ne viendra jamais à bout de la mesquinerie et de l'intolérance. Ce monde où les jeux des enfants continuent à servir les guerres des adultes. Ce monde où ne survivent que les plus forts, les plus pressés à se départir de leur naïveté. Ce monde incompatible avec Gaby, incompatible avec tout ce qu'il ressent face à la perte de son chandail. Monde vers lequel Mike le pousse et qu'il aimerait tout à coup fuir... fuir vers la colline de neige, derrière l'étable. Fuir avec Gaby et la traîne, s'inventant qu'ils sont de grands explorateurs, quelque part au Pôle Nord... ou ailleurs... Oui, ailleurs qu'ici où pèse lourd la défaite. Ailleurs qu'ici, où la mince consolation de la fierté ne vient pas à bout de son chagrin.

Lundi, 11 février 1985.

Quelque chose dans son sang répond à ce quelque chose dans le vent. Il doit s'accomplir, doit obéir à ce que lui commande l'instinct.

Rusé, Max se faufile entre les conifères jusqu'au lac et, de là, accourt à ce rendez-vous de la nature. Passant près de la patinoire de son jeune maître, il frétille de la queue et renifle affectueusement les traces de pas. Qu'il aime cet endroit qui sent tout plein l'amitié! Il y reviendra. Oh! Oui, il reviendra courir derrière l'enfant, le nez collé à ses fesses, à hauteur des mains qui le caressent. Mais avant, il doit s'accomplir. Doit obéir à cet ordre de son sang. C'est péremptoire. Obligatoire. Ça le pousse et l'attire tout à la fois. C'est par là. L'indice discret au fond du vent le certifie. Par là.

L'animal trotte allègrement, à peine troublé par le remords d'abandonner son poste. De fausser compagnie à la femme seule. Il va. Quelque part par là, on l'appelle. Quelque part par là, réside la clé du mystère de sa vie. Quelque part par là, ce quelque chose dans le vent attend de lui un accomplissement. Il ne sait pas ce que ce sera, car jamais encore il n'a quitté l'île de cette façon. Jamais encore ses narines n'ont détecté cet appel dans le vent. Cet appel qui le fait ignorer les pistes fraîches du lièvre sur l'île du huard et qui le fait s'éloigner de la patinoire qui sent bon le jeune maître. Cet appel qui lui perturbe le ventre et les reins et décuple son énergie. Cet appel puissant. Cet ordre au-delà de ceux des hommes. Ce commandement auquel il ne peut se soustraire. Cette loi universelle à laquelle il ne peut déroger. Loi immuable, vieille comme la terre, que les chiens transcrivent de leur urine. Il va, pressé de s'accomplir. Il va vers son destin. Max! Max! Max! entend-il derrière lui. Non. Il ne doit pas laisser l'humain s'immiscer dans son monde animal et double la cadence, défonçant la croûte durcie par le vent de ses grosses pattes et s'enfonçant dans la neige jusqu'au poitrail. Max! Max! La voix se fait moins sûre d'elle, presque suppliante. Max! La voix n'est plus. Il va, libéré de la servitude qu'il doit à l'homme. Il va, mais il reviendra vers la patinoire, vers les mains de l'enfant chatouillant sa fourrure, vers le tapis devant la porte où il se roule la nuit pour veiller, vers son plat de nourriture, vers cette île parfumée qui lui épargne le poids des chaînes. Il reviendra. Après... Après son obéissance à la loi universelle, il reviendra rendre compte de sa désobéissance aux hommes.

Max s'est sauvé. Il n'est plus qu'un point noir à l'horizon. Choquée, Marjolaine le regarde aller. Un instant, elle pense à le poursuivre avec son Bombardier, mais la bête évite les pistes et les abondantes chutes de neige ont rendu le lac impraticable par endroits. Elle risque fort de s'enliser dans la gadoue.

Sa colère se dissipe rapidement en elle. C'est ce refus d'obéissance de Max qui l'a frustrée, mais maintenant qu'il a franchi la frontière de son autorité, elle le regarde aller comme un être libre. Enviant sa fidélité à l'appel de la nature. Enviant l'unité et la simplicité du tracé qu'il doit suivre. Avec indulgence, ses yeux accompagnent cette mouche virevoltant dans l'étendue blanche et gla-

430

cée. Que de force, que de pureté lui inspire le monde animal! Force et pureté qu'il puise dans cette grande simplicité qui est la sienne. Elle aimerait qu'il en soit ainsi des rapports entre hommes et femmes. Elle aimerait finalement que l'amour ne vienne pas compliquer leur existence. D'abord, qu'est-ce que l'amour? A-t-elle déjà aimé ou aime-t-elle? Tout est inextricablement emmêlé en elle. Son cœur, son cerveau, son ventre se nouent et se dénouent, s'entortillent et s'enroulent à tour de rôle à ce qu'elle croit être l'amour. En fin de semaine, elle a vu Mike, et cet homme produit un effet chez elle. Un effet qu'elle combat. Quand elle le voit, un désir douloureux lui remue les entrailles et enflamme sa chair. Quand elle le voit, le tracé simple du monde animal la mène tout droit vers lui, vers sa bouche, vers ses épaules protectrices, vers ses mains, vers son ventre. Et ce chemin en ligne droite l'étourdit, l'ahurit. Il ne devrait pas exister. Cette attirance n'a plus sa raison d'être. Pourquoi le tracé simple du monde animal n'est-il pas effacé entre eux? Pourquoi Mike revient-il peupler ses délires de femme en chaleur? Pourquoi revient-il figurer dans ses fantasmes sexuels, volant la vedette à Benoît? Éclipsant Benoît totalement.

La femme revient lentement vers son île où tournoient tous ces pourquoi qui brouillent la piste de l'amour. L'amour qu'elle ne peut cataloguer et qui, telle une immense vague d'incertitude, la noie tout entière, à chaque rencontre, chaque regard de Mike coulant vers elle, fondant en elle comme un métal en fusion.

L'amour qu'elle cherche à bâtir, à chaque regard de Benoît s'accrochant à elle.

Par habitude, elle s'empare de quelques bûches et s'attarde à contempler les cordées enlignées tout autour de la maison. Elles lui rappellent Mike. Sa prévoyance virile et la force de ses bras. Elles la ramènent directement à ce tracé simple du monde animal. Marjolaine s'en détourne, pénètre à la chaleur où *La Vache jaune* triomphe au mur. Si Benoît pouvait venir aujourd'hui. S'il pouvait déloger Mike de sa pensée et prendre toute la place en elle. S'il pouvait s'imposer en tant que mâle. Oui, en tant que mâle et non en tant que député partageant le même combat. Ah! S'il pouvait esquisser, ne fut-ce que timidement, ce tracé simple du monde animal entre eux.

431

Revenir. Il doit revenir. Aussi péremptoirement qu'il devait partir ce matin. Mais, cette brûlure dans son ventre, cette douleur dans son corps entier l'empêche de progresser. Exténué, le chien s'effondre, éclaboussant la neige de son sang. Il souffle péniblement, des bulles rouges crevant au bout de son museau. Ses narines détectent maintenant l'odeur de la mort. L'odeur de sa mort. Ce matin, c'est celle de la vie qu'elles décelaient au fond du vent. Et la vie, il l'a donnée, tel que l'exigeait la nature. Et la vie a explosé au bout de son pénis pour se déposer dans le ventre chaud d'une femelle. Au printemps... des petits chiots naîtront... Des petits chiots de lui.

Maintenant, il doit revenir. Max lèche la blessure à son flanc, reniflant ses propres intestins pendant dehors. Il va mourir mais avant, il doit revenir. Il doit revoir cet enfant qui sent tout plein l'amitié et ce tapis devant la porte. Il doit revoir la femme seule. Doit revenir chez lui. Rassemblant ses forces, l'animal blessé parvient à se relever et accomplit quelques pas, traînant ses intestins sur la croûte durcie. Une douleur atroce, une brûlure incroyable l'habite. Il se lamente, progressant difficilement dans ses propres pistes. Celles de ce matin qu'il creusait avec impatience, fuyant la voix de la femme seule vers qui il se traîne. Fuyant cette île, cette patinoire qui sent bon le jeune maître. Il doit revoir tout cela. Doit sentir à nouveau les petites mains se perdre amoureusement dans sa toison.

Doit entendre la voix claire du maître chanter son nom. Dire son nom. Le répéter inlassablement comme autant de liens entre eux, autant d'attaches invisibles. Il doit revenir.

Une plainte? Non. C'est le vent. Le vent espiègle, s'amusant dans la gouttière. Vraiment? Incertaine, Marjolaine se penche à la fenêtre, observant les branches immobiles des pins. À nouveau, une plainte se fait entendre. Un faible gémissement d'être en souffrance. On dirait un chien. Max!

Elle se précipite dehors... et là, affaissé dans une neige rougie de sang, elle aperçoit son chien moribond, levant vers elle des yeux piteux et affectueux.

— Max! Oh! Max! Elle s'agenouille près de lui, constate immédiatement la gravité de la blessure et doucement lui caresse la tête. La bête ferme les yeux et geint. Une bave rose coule de sa gueule. Il halète.

Pourquoi l'a-t-elle laissé filer ce matin? C'est de sa faute. Il aurait fallu qu'elle le rattrape et lui passe une corde au cou. Qu'elle l'enchaîne à un arbre tant et aussi longtemps que des effluves d'amour auraient parfumé l'air. Mais non. Elle l'a regardé partir, admirant sa beauté d'être libre et enviant ce tracé simple qu'il suivait instinctivement. Elle l'a laissé partir, l'exposant ainsi à la fureur des hommes. Jamais elle ne se pardonnera cela.

Un froid intense saisit soudain la femme. Machinalement, elle se frotte les bras. Mais le froid fige son cœur, sa pensée. Son regard s'arrête à ce long et douloureux labour dans la neige blanche, souillée de ci, de là, de sang et de matières fécales. Elle frissonne, claque des dents, se frotte davantage les bras, les yeux maintenant perdus dans ce sillon morbide taché des flancs ensanglantés de Max. Elle le voit encore ce matin, être libre et impatient, crevant la croûte de ses grosses pattes. Qu'il était beau, courant allègrement vers son destin. Vers cette balle qui l'a traversé de part en part. Alex ne doit pas voir cela. C'est trop horrible. Trop cruel. Trop cru.

La femme se penche tout près de l'oreille du chien. Avec des gestes tendres et respectueux, elle promène son doigt autour des yeux fidèles pendus aux siens.

— Je t'en prie, Max, tu dois mourir avant qu'Alex arrive de l'école... J'veux pas qu'il te voit souffrir... fais ça pour lui, Max. Meurs... je t'en prie. Fais ça pour Alex.

Maintenant qu'il est rendu, maintenant qu'il est couché sur l'île. Maintenant qu'il retrouve cette maison, cette femme, ces cordes de bois marquées de son urine. Maintenant qu'il retrouve les odeurs familières des écureuils et des lièvres. Maintenant qu'il est revenu, il ne lui reste plus qu'à attendre l'arrivée du jeune maître. Quelque chose dans son cœur, dans ses os, l'avertit que bientôt, il entendra crisser ses pas dans la neige, que bientôt, il l'entendra l'appeler par son nom, que bientôt, il sera là, collé sur lui. Là, avec ses petites mains amicales et sa voix claire. Sa voix qui lui remplit le cœur de joie. Bientôt, il sera là, avec sa voix et son odeur qui le font vibrer au-delà du monde animal. Quelque part entre celui des hommes et des bêtes. Quelque part où seulement lui et l'enfant peuvent accéder. Ce quelque part bienheureux où il touche maladroitement de son museau humide cet autre monde supérieur à lui. Cet autre monde qui règne sur lui et les siens. Cet autre monde que l'enfant lui laisse entrevoir par la porte entrebâillée de son cœur. Oui bientôt, il sera là. La journée atteint l'âge de son arrivée.

— Je t'en prie, Max... Alex va arriver... Meurs mon bon chien... Il va avoir trop de peine. Si tu savais, Max. Il est déjà si malheureux.

Depuis samedi, Alex se terre dans un silence néfaste. Après avoir remis son chandail, il s'est éloigné d'elle, de Mike, de grand-père, se rapprochant de Gaby. Empruntant son silence et son absence. Jouant avec lui des heures durant sur la colline derrière l'étable. Rentrant des brassées de bois d'un air grave, mangeant sans appétit et cajolant son chien roulé sur le tapis. Alex ne se ressemble plus. Un trop grand chagrin, une trop grande défaite le mine. Il ne doit pas voir mourir son chien. Ce serait trop ajouter à son fardeau. Non. Il ne doit pas.

Résolue, Marjolaine va chercher la hache pour mettre fin aux souffrances de Max et épargner cette vision à son fils. Il le faut.

C'est à elle d'accomplir cette sale besogne. C'est de sa faute; elle n'aurait pas dû le laisser partir ce matin. Elle soupèse l'arme meurtrière, prévoit qu'avec un bon coup entre les yeux...

Debout, elle paraît tellement grande, tellement loin aussi. Pourquoi approche-t-elle cette odeur de métal de lui? Pourquoi balance-t-elle la hache près de son crâne, l'encensant de cette odeur forte? Cette odeur du règne supérieur. Ne sait-elle pas qu'il attend celle toute sucrée du jeune maître? La femme laisse tomber un regard vers lui sans oser rencontrer le sien. Elle veut l'achever. Son regard fouille ses tripes exhibées, se concentre sur les caillots et les lambeaux de chair pour se convaincre. Son regard n'a plus d'égard pour lui, seulement pour sa blessure.

Marjolaine lève les bras, lève la hache. Trébuche sur le regard de Max. L'arme glisse de ses mains. Ses bras retombent, inertes et tremblants. Elle regarde le chien la regarder, le chien lui dire «Ne m'tue pas».

— J't'en prie, Max, meurs avant qu'il arrive. J't'en prie. Tu vois bien que j'suis pas capable. Max, meurs. Allez, mon brave chien... meurs.

Elle ne voit plus que cette pupille brune encerclée de blanc. Cette pupille attachée à ses moindres mouvements. Cette pupille perdue dans l'épaisse fourrure noire. Cette pupille qui veille sur la bête agonisante. Qui comprend, qui parle, qui interdit.

— Oh! Max! Je t'en prie. Il doit être sur la piste de ski-doo à l'heure qu'il est. Fais ça vite.

Marjolaine se laisse tomber à genoux, impuissante à provoquer cette mort. Honteusement, elle avance ses doigts tremblants de cet œil sans malice. Cet œil de chien honnête veillant sur ce qui lui reste de vie.

Max s'agite faiblement, tente de relever la tête pour happer au passage les senteurs et les sons. Puis... sa queue tape, sa queue frétille amoureusement sur le sol, indiquant l'approche du jeune maître. À la vue de cette réaction, Marjolaine éclate en sanglots.

— Max! Max! Ici, chien-chien. La jolie voix le transporte entre ces deux mondes: celui des humains et celui des bêtes. Bientôt le maître viendra l'y rejoindre avec ses petites mains et son parfum sucré. Comme ses pas chantent dans la neige! Il bat la mesure de cette musique avec sa queue. Bat la mesure joyeusement parce que cet enfant le remplit d'un bonheur indéfinissable, supérieur en tout point à l'accomplissement de ce matin. Malgré la douleur, malgré l'épuisement, il bat la mesure de sa queue, impatient de lécher les mains moites qu'Alex sortira de ses mitaines.

— Max! Max!

Oh! La douleur dans cette voix! Oh! La brisure dans ce cœur! Le jeune maître se couche avec lui, contre lui, dans cette fosse de neige. Le jeune maître promène ses mains moites sur son visage, caressant tristement ses oreilles. Le jeune maître lui parle, soufflant son haleine tiède sur son museau glacé, l'embaumant de son parfum unique et magique.

Le jeune maître lui ouvre en cachette cette porte sur l'infini, le laisse pénétrer en catimini ce royaume inaccessible aux siens. Max entrevoit la lumière, l'extase de ce sentiment réservé aux humains. Et son œil se fige sur cette vision et sa queue s'immobilise dans ce silence éternel.

À bout de larme, à bout de force, Alex tourne distraitement une boucle de ses cheveux entre ses doigts. Affalé dans la berceuse, il garde un œil accablé sur la catalogne de couleurs vives où se roulait Max.

Il cherche un moyen de faire mal aux Ladouceur. Pense vaguement à les battre, puis se ravise. Ce geste ne lui entraînera que pénalités de la part des autorités. Il doit rendre justice sans attirer à nouveau la foudre des adultes. Il doit infliger à ces enfants une douleur égale à la sienne. C'est leur père qui a tué Max. Ce crime ne doit pas rester impuni. Cet après-midi, avec Marjolaine, il a remonté les pistes de son ami poilu jusqu'à la cour des Ladouceur où somnolait une chienne en chaleur. Et là, il a vu une flaque de sang dans les grosses pistes de son terre-neuve. L'homme a dû utiliser la même arme qui a servi à abattre son chevreuil, cet automne. Et peut-être qu'il a bu de la bière par après pour fêter l'événement. Ah! Si Mike était là. Il irait, lui, balancer son poing dans la figure de cet assassin. Oh! Oui! Il irait le venger de cette perte.

On toque timidement. Cela lui rappelle que son chien n'est plus là pour signaler la présence d'un visiteur. N'est plus là pour les prévenir de toute intrusion. N'est plus là pour veiller sur eux. Marjolaine y pense également. Son attitude craintive et surprise en fait preuve. Avec précaution, elle entrouve la porte.

— Ah! Benoît! C'est toi. Rentre.

— Mais où est passé ton molosse? Ce féroce gardien se serait-il endormi pour une fois?

L'homme s'essuie les pieds contre la catalogne de Max. C'est comme s'il écrasait, bafouait, piétinait irrespectueusement la mémoire du vigilant gardien. Alex ne peut en supporter davantage et bondit de sa chaise.

— Y est mort, mon chien pis c'est de ta faute! Ladouceur l'a tué aujourd'hui, pis c'est de ta faute!

— Voyons Alex, excuse-toi. Monsieur Larue n'a rien à faire dans cette histoire.

— Y a pas d'affaire icitte. Y a pas d'affaire à v'nir dans notre maison. C'est lui qui t'force à t'occuper des Riverains.

— Alex, excuse-toi tout d'suite.

— Non! C'est à cause des Riverains qu'on a tué Max, c'est à cause d'eux autres qu'on m'écœure à l'école. Si t'étais comme tout

436

l'monde, j'me f'rais pas écœurer. Pis lui... lui... y parle rien que de ça... y vient rien que pour ça, les maudits Riverains.

— Alexandre! Excuse-toi, tout d'suite.

L'enfant grimpe à la course les escaliers menant à sa chambre et se jette sur son lit.

Abasourdie, Marjolaine demeure clouée sur place, le regard rivé au plafond, imaginant son fils, la tête enfouie dans l'oreiller pour étouffer ses sanglots.

— Excuse-le, il était très attaché à Max.

Elle se tourne vers l'homme figé sur le tapis et constate avec agacement qu'il n'est pas à sa place dans sa cuisine, dans sa maison. Surtout pas sur cette catalogne où subsistent les poils du chien. Elle regarde l'habit impeccable, les lunettes à monture dorée, la coupe de cheveux seyante. Il détonne devant le mur de planches, près du rideau bon marché des fenêtres. On dirait un prince dans la mansarde d'une paysanne. Ils ne sont pas du même milieu. N'ont sans doute rien à partager, mise à part la cause de l'environnement.

Elle s'assoit sur le divan devant l'escalier, sous *La Vache jaune*. Pense à Mike qui s'y est endormi l'autre fois. Mike, issu de la même couche sociale. Mike dont elle a eu tellement besoin aujourd'hui. Oh! S'il avait été là près d'elle... Pour la soutenir et la consoler et l'aider à traîner ce chien jusqu'à la motoneige. Qu'il était lourd! Doublement lourd parce que mort. Que comprendrait cet homme qui s'avance vers elle et s'assoit à ses côtés? Outre les lois de l'environnement et les reproductions de peinture, existe-t-il un lien entre eux?

— Dure journée, hein?

Benoît s'empare de ses mains, les glace des siennes. Elle jette un regard rapide et discret aux gants de chamois sur la table puis à ses propres mitaines tricotées en laine du pays. Quel contraste! Il en est de même pour sa paire de jeans, sa chemise de flanelle et ses mocassins. Tout un monde les sépare. Alex peut avoir raison. S'il n'était pas là, elle aurait probablement abandonné la lutte et rien de tout ce qu'ils endurent présentement ne serait arrivé.

Pour toute réponse, elle échappe un soupir.

— Ce n'est qu'un chien, Marjolaine.

— Pour toi, ce n'est qu'un chien. Pas pour Alex... pas pour moi. Il était... il faisait partie de la famille... faisait partie de la maison... Y était tellement attaché à Alexandre... y voulait pas mourir avant son retour. J'ai essayé d'le tuer avec la hache... J'ai pas été capable. Il me regardait. On aurait dit qu'y savait c'que j'voulais faire.

— Voyons donc, tu dis ça parce que tu es fatiguée.

— Non... Y savait que j'voulais l'achever.

— Ne pense plus à ça; tu te fais d'la peine pour rien.

— Y attendait Alex. Quand y l'a vu, y s'est mis à battre de la queue. Oui, y l'attendait pour mourir. Pis c'est d'ma faute, tout ça... J'aurais jamais dû le laisser partir.

Sa voix tremble, fait tomber une larme sur leurs mains réunies.

— Marjolaine, voyons.

Benoît l'attire doucement. Elle se laisse aller. Apprécie le geste consolateur de l'homme. Plus rien, maintenant, ne l'empêche de déverser son chagrin.

— Y était mourant pis y battait d'la queue dans la neige. C'était plus qu'un chien, Benoît. Y aimait tellement Alexandre. C'était pas juste un chien. Mais tu peux pas comprendre ça, toi. T'as jamais vécu ça pis tu l'vivras probablement jamais. T'as jamais été pris tout seul à supplier un chien de mourir... t'as jamais essayé d'le tuer d'un coup d'hache... t'as jamais vu son œil qui t'regarde. Tu l'as jamais traîné en arrière de la motoneige pour le mener au dépotoir comme un déchet. Tu l'as jamais roulé au bord du trou en forçant comme un bœuf... tu l'as jamais vu dégringoler jusqu'au fond pour aboutir sur une montagne de cochonneries. Oh! C'était terrible.

L'image subsiste, imprimée avec force détails: couché sur le côté, Max gisait sur un tas d'immondices. Des pattes de chaise chromée, un matelas éventré, un embrouillis de ressorts rouillés lui servaient de stèle funéraire. Son profil de bête superbe se détachait sur un fond de cannettes de bière où fourmillaient les rats et où pullulait la vermine. Ce brave chien aurait mérité une plus belle mort. Une plus noble sépulture. Mais c'était l'hiver et elle ne pouvait le retourner dans les entrailles de la terre. Et cela l'ulcérait de le mêler aux rebuts des hommes qui l'avaient tué. De voir sa bonne grosse tête reposer sur les cannettes de bière que buvait Ladouceur.

— T'as jamais été tout seul pour tout faire ça. Tout seul à entendre pleurer ton enfant. Tout seul pour te faire crier des bêtises parce que tu défends le lac... Tout seul à te faire haïr. Tu peux pas comprendre ça, toi: tu n'es pas de notre monde.

Un temps. Elle ne peut en vomir davantage et demeure appuyée contre l'épaule de l'homme. Soulagée.

— T'as raison, Marjolaine, j'ai jamais connu ça... mais, j'ai connu d'être tout seul à me lever contre la proposition d'un ministre de mon propre parti... d'être tout seul à m'expliquer avec mes collègues. De se sentir tout seul en Chambre, c'est peut-être aussi terrible que d'être pris tout seul à regarder mourir un chien. Oh! Non! Y a pas que toi qui fais les frais de la solitude. Là-bas, à Québec, dans ce foutu appartement si tu savais comme j'suis seul... et chez moi, avec ma femme qui me considère comme un atout social et mes enfants qui me prennent pour une poule aux œufs d'or. Oh! Marjolaine, si tu savais.

Elle le regarde avec des yeux neufs. S'apprivoise à cette nouvelle facette qu'il lui dévoile et qui le rapproche d'elle, le ramenant sur un même pied d'égalité. Il n'est plus le député dans son bel habit mais un homme traqué par la solitude. Un homme qui a sa part d'angoisse et de frayeur. Sa part de rêve. Sa part d'amour. Il n'est plus le prince dans la mansarde d'une paysanne, mais un homme épris d'une femme.

— Souvent à Québec, je pense à toi pour me donner du courage.

Il avance sa main soignée vers sa joue.

— J'ai besoin de toi... besoin de savoir que tu existes... que tu te bats pour notre cause. Sans toi, ce serait idiot de mener ce combat. Ce serait peine perdue. Sans toi, la vie serait moins belle.

Les doigts aux ongles manucurés plongent dans sa chevelure. S'y perdent amoureusement, sensuellement.

Elle s'apprivoise à cet homme, à ce regard gris sans prétention, sans séduction. Ce regard attaché plus qu'attachant, sans assurance et sans arrogance. Il diffère tellement de celui de Mike, capable de lui revirer les sens en un clin d'œil.

— Je t'aime Marjolaine.

Ah! Ce mot. Pourquoi le prononcer? Pourquoi s'en servir pour esquisser le tracé simple du monde animal? Pourquoi l'ajouter à l'imbroglio des sentiments et l'insérer dans la ronde des interrogations?

439

À la façon dont il se penche vers elle pour l'embrasser, elle sait qu'il la prendra ce soir. Qu'il accomplira ce geste animal qu'on s'empresse de couvrir du mot amour. Et tout en se refusant d'étiqueter ce mot sur les effervescences de son âme, elle sait qu'elle se rendra à ses désirs, à la recherche d'une certitude en elle.

Parti vers la ville.
Vers les micros, les discussions et les trahisons.
Parti en lui infligeant un je t'aime affolant.
Un je t'aime comme un gouffre ouvert
Où elle ne veut ni se perdre, ni mentir.
Parti vers la ville,
Vers les débats et les accusations.
Parti avec l'air heureux d'un enfant contenté
Et les cheveux défaits d'un amant rassasié.
Parti, en la laissant seule avec son tourment
Avec ce mot qui rôde dans son âme,
Prêt à kidnapper ses moindres émotions.

Restée derrière, dans le silence de l'hiver
Et la chaleur du feu de bois.
Restée derrière avec un brin de regret,
Un brin de remords,
Qu'elle tricote, une maille à l'envers et une maille à l'endroit,
Au fil des nuits
Où son corps ne servira plus à découvrir une certitude.
Restée derrière, avec l'obsession de cette autre femme,
Laissée derrière, elle aussi, dans une autre maison,
Avec d'autres enfants.
Laissée derrière avec le même baiser sur la joue
Et peut-être le même je t'aime,
Facile à employer pour effacer les erreurs et les écarts de conduite.

Parti,
Restée.
Et de nouveau la solitude rapace,
*   la solitude vorace,*
*   qui agace*
*   et brouille les traces.*

De nouveau le piège
De ses sortilèges
Dans le silence de la neige.
De nouveau la solitude,
Telle une vilaine habitude.
Partie, restée.

* * *

Jeudi, 14 février 1985.

Non! Personne ne l'aura son cœur en ce jour de la Saint-Valentin. Ni sa mère, ni Cindy Potvin.

Décidé, Alex considère la carte qu'il a dessinée avec tant d'application. C'est vraiment son plus beau dessin. Faut dire qu'il a mis toute sa passion dans ce cœur brodé de dentelle qu'une flèche traverse de part en part. À l'origine, il était destiné à sa mère. L'enfant ouvre la carte: un «maman je t'aime» de toutes les couleurs lui saute aux yeux puis coule à pic au fond de son âme. Plus question de le donner à Cindy Potvin maintenant. À moins d'arracher cette page. Mais cela paraîtrait et Cindy se douterait qu'à l'origine, il était destiné à une autre qu'elle. Et puis, elle a tant de soupirants. Le mieux, c'est de la déchirer en petits morceaux et de la jeter dans la poubelle. Il ne peut se permettre de l'emporter chez lui, car il pourrait alors succomber et la remettre à Marjolaine. Et elle supposera que rien n'a changé entre eux. Mais telle n'est pas la vérité. Tant de choses ont été bouleversées entre eux depuis cette nuit fatale.

D'un geste lent et sûr, Alex déchire la page du «maman je t'aime». Qu'il a été fou d'écrire cela! Oh! Oui. Qu'il a été fou de se livrer sans mesure… Mais ça, c'était avant. Avant cette découverte dans la nuit. Avant qu'il ne la surprenne endormie dans les bras du député. Oui, bien avant puisque sa carte était prête depuis une semaine.

Scricht! Il la déchire en deux. Scricht! En quatre. En huit. Ne restent que des lettres colorées sur des morceaux de carton rose qu'il laisse tomber comme une pluie de confettis géants.

Alex se penche au-dessus de la poubelle et éprouve une satisfaction amère à reconstituer ce je t'aime entre les pelures de bananes et les contenants de yogourt. Il aimerait que sa mère puisse lire par-dessus son épaule, qu'elle en soit ébranlée. Mais, en sera-t-elle seulement atteinte? Remarquera-t-elle ce Valentin qu'il ne lui donne pas? Probablement que non. Surtout si elle reçoit par la poste un énorme Valentin de cet homme qu'il a surpris dans son lit.

D'un geste rageur, l'enfant déchire la page du cœur. En deux, puis en quatre puis en mille s'il en est capable. Non! Elle ne l'aura pas son cœur. Non! Il ne sera plus assez imprudent pour le lui donner et souffrir par après, quand elle le brise, quand elle l'ignore, quand elle lui en préfère un autre. C'est fini. Il ne laissera plus jamais cette flèche à l'air inoffensif lui faire mal. Car, il a eu mal. Oh! Si mal!

Serrant les dents, Alex lorgne les petits bouts de papier dans sa main tremblante. C'est ce qui reste de son cœur... après que cette flèche l'eut mortellement blessé... en pleine nuit... alors qu'il ne s'y attendait pas et qu'il pleurait la mort de Max. Mais la flèche est aveugle, sourde et cruelle. Elle n'a pas d'égard pour les petits garçons qui viennent se blottir contre leur maman afin de se faire consoler d'une si grande perte.

Il s'était éveillé en sursaut avec cette vision de son chien mourant dans la neige. Vite! Il avait accouru vers le lit de Marjolaine pour dormir avec elle. Pour trouver le réconfort dans ses bras et l'assurance qu'elle ne le quitterait jamais. Qu'elle serait toujours là, elle, pour l'aimer. Et là, il a vu le député à sa place... Dans les bras dont il avait besoin. Contre la femme qu'il avait aimée bien avant lui. Et elle, elle dormait, ignorant sa présence, ignorant sa détresse. Elle dormait, son bras chaud reposant sur la poitrine de l'homme, sa main figée dans une dernière caresse. Et lui, il restait là, près du lit, à regarder ce bras, cette main, cette femme à qui il avait dessiné une carte de la Saint-Valentin avec toute sa folle passion. Il restait là, à laisser la flèche le torturer à la vue de cet homme qui prenait sa place auprès d'elle. Il restait là, à affronter la vérité et à reconnaître la trahison. Il restait là, à souffrir. Bêtement et en silence, repoussant la tentation de les éveiller, de les insulter, de les choquer. Combien de temps est-il resté près d'elle qui nouait ses bras à un autre que lui? Près d'elle qui réchauffait de son corps un autre que le sien? Près d'elle qui le trompait? Combien de temps a-t-il souffert, face à lui qui l'éclipsait en ce moment critique? Face à lui qui triomphait dans ce lit où il avait jadis régné. Face à lui qui utilisait cet atout puissant du mâle adulte. Atout qu'il n'aurait pas avant des années et qui rendait la lutte inégale. Le duel impensable. N'étant qu'un petit garçon, il n'avait qu'à se retirer. Ce qu'il fit. Sur la pointe de ses pieds gelés. Pour retrouver des draps glacés et un oreiller tout froid. Pour trembler, pendant que s'émiettait son bonheur en lui. Et pleurer et boire ses larmes tièdes en pensant qu'elles seules lui offraient un peu de chaleur.

Non! Elle ne l'aura pas son cœur. Désormais, il fera comme Mike et ne s'abandonnera plus à elle. Alex renverse la main et observe les petits bouts de papier voltiger avant de se poser sur les détritus. Puis, il les frotte vigoureusement l'une contre l'autre afin de décoller les particules collées par la moiteur de ses mains et revient vite à sa classe qu'il avait quittée sous prétexte d'aller uriner.

* * *

Samedi, 16 février 1985.

Le gros Gilbert Ladouceur à sa table, buvant, rotant sa bière. Au bar, un gars du village voisin exaspère la bairmaid en lui offrant une boîte de chocolats que sa blonde a refusée à la Saint-Valentin. La fille essuie le comptoir; les gestes brusques, l'air embêté. Dans quelques minutes, l'artiste invité prendra place sur la modeste estrade et, accompagné de son orchestre western, il la fera rêver. Elle oubliera le pauvre cocu noyant sa peine dans l'alcool, les clients rudes et vulgaires et le patron pervers. Elle vivra, entre deux services aux tables, des histoires d'amour à l'eau de rose. Se rappellera sans rougir qu'il s'est déjà retrouvé dans son lit et lui fera comprendre que si le cœur lui en dit... Mike cesse d'observer la bairmaid. Le cœur ne lui en dit pas ce soir.

Ce n'est ni pour elle, ni pour l'orchestre qu'il est venu mais bien pour régler ses comptes avec cet homme qui a tué Max, le fidèle gardien de l'île et compagnon inséparable de son fils.

— Comme ça, t'as perdu ta job à Montréal?
— Ouais... C'était pas ben payant de toute façon.
— Moins qu'icitte?

443

— Ouais.

— T'es chanceux. T'as pas d'famille à faire vivre. Moé, avec la femme pis les trois enfants.

L'homme avale une grande gorgée de bière, essuie la broue sur sa moustache puis verse sur lui un regard tout près des confidences. Mike ne décèle aucune animosité, aucune malice dans cette phrase qui le consacre célibataire. Dans l'esprit de Ladouceur, comme dans celui de ses concitoyens, on ne l'associe guère à Marjolaine et Alexandre. La scission s'étant opérée d'elle-même à partir du mot viol. C'est ce qui explique qu'il ait pu si facilement se joindre à cet homme sans éveiller sa méfiance. Cette attitude jette une lumière crue sur ses manquements vis-à-vis cette femme et cet enfant. Cela l'indispose, le rend fautif, le rabaisse. Il se sent comme un éternel irresponsable, surtout en compagnie de ce pauvre diable, tirant le diable par la queue pour venir à bout de nourrir et de vêtir sa famille.

— Ouais, j'te dis que c'est pas drôle, Mike. J'suis ben tanné d'être sur le chômage. C'est pas la femme qui m'coûte le plus cher… mais les enfants. Christ que ça mange à c't'âge-là! Le chèque fournit juste à les nourrir.

— Pis à payer ta bière.

Mesquine, la phrase s'envole comme un oiseau de proie. Elle erre un instant dans la salle enfumée où tintent les verres puis se perd dans le brouhaha sans avoir repéré sa victime.

— Aie! Y a les ensembles d'hiver aussi. Ça coûte une fortune. Pis les bottes, pis les mitaines. Une chance qu'on nous donne du linge: ça aide mais, t'sais, c'est pas comme du neuf. Astheure, c'est plus comme dans notre temps, les enfants aiment ben avoir de quoi qui est à eux autres. De quoi de neuf. Dans notre temps, on était tous habillés avec du linge donné, mais astheure à l'école, surtout au secondaire, y s'font rire d'eux autres. Y a ma grande là qui dit qu'on rit d'elle parce qu'a porte des bottes de ski-doo… À l'aimerait mieux être habillée à la mode.

Gilbert hoche la tête et avale une autre gorgée pour se donner l'illusion de l'insouciance. L'illusion qu'il se désintéresse de ce problème anodin. Que le quotidien n'a pas de prise sur lui et ne ternit pas ce moment de détente qu'il s'accorde.

— T'es chanceux, toé, d'être garçon.

Cette liberté perdue noie l'œil trouble de l'homme d'une nostalgie profonde. Nostalgie qui lui fait apprécier le privilège d'avoir un fils sans être étouffé, lié, refroidi par des obligations de cet ordre. Jusqu'à maintenant, il n'a vu que les bons côtés de la paternité; les sorties amusantes, les cadeaux surprenants. Jusqu'à maintenant, il n'a contribué que faiblement, en fournissant le bois de chauffage pour l'hiver. C'est peu.

Mike se compare à cet homme enchaîné à son devoir de père et de mari. Cet homme qui n'a pour consolation qu'un verre d'illusions aussi vaines et trompeuses que le toupet de broue qui les couronne.

— Ouais, t'es chanceux que la Taillefer t'ait pas mis le grappin dessus.

— J'y aurais goûté, tu penses?

Mike veut enligner la conversation vers cette femme. Cette île. Ce chien.

— En masse. C'te femme-là, Mike, c'est une folle. Est pas normale.

— Comment ça pas normale?

— Ben, c'est pas normal de vivre à l'ancienne sur une île. Moé, me semble qu'a tient un peu du père. T'sais le vieil Hervé, quand y est r'venu d'la guerre, y s'est caché une bonne escousse au bout d'sa terre. C'est à croire qu'y avait peur du monde.

Le vieil Hervé l'a longtemps intrigué. Surtout d'après ce qu'en racontait sa mère. Enfant, chaque fois qu'il voyait des films de guerre, il s'imaginait Hervé avec un uniforme de soldat et une carabine. Et cet homme singulier lui faisait inventer tout plein d'aventures alors que rien ne surgissait à l'horizon plat du domaine des Falardeau.

— T'as pas l'air à l'aimer, sa fille.

— J'l'haïs... C'est elle qui nous a fait perdre nos jobs. Juste avant Noël, à part de ça. J'sais ben que pour toé, c'est pas la fin du monde mais pour moé, c'est terrible.

— C'est pas elle qui a fait fermer l'usine.

— Ben oui! C'est l'Flasher-à-Mantha lui-même qui me l'a dit; vrai comme j'suis icitte devant toé. Pis lui, y tient ça direct de Mantha. A l'a forcé le député à fermer à cause de la boucane. Paraît que Mantha y pouvait pas faire autrement. Y était pris à la gorge.

— J'crois pas ça, moé: Mantha pris à la gorge.

— Tu d'manderas à Jérôme, y va t'le dire.

— Y dirait n'importe quoi pour sauver la face de Mantha.

— Oh! Non. C'est vrai. Le député est toujours rendu chez elle. On voit son char dans la cour d'Hervé. Y a beau essayer d'le cacher, y en a toujours un de nous autres qui l'remarque. C'est toujours ben pas juste pour ses beaux yeux qui va le voir, hein?

Il aimerait que ça ne soit pas du tout pour ses beaux yeux mais il en doute. Une carte de la Saint-Valentin, exposée sur le réfrigérateur, confirme ses soupçons. Et curieusement, cette histoire d'amour entre Marjolaine et le député l'agace terriblement. Que répondre, sans paraître jaloux ou cocu?

— Bon, admettons qu'il aide l'Association des riverains... ce ne sera jamais suffisant pour obliger Mantha.

— Aie! Un député, c'est pesant Mike.

— Pas plus que Mantha. Le vrai pouvoir, y est dans les mains de ceux qui ont d'l'argent.

— Tu penses?

— Ben oui. C'est pareil partout. À Schefferville ou icitte, un patron c'est un patron... Quand ce n'est plus rentable pour lui, y hésite pas à fermer. J'ai vu ça avec les mines de Schefferville. Y s'en sacrent du monde, les patrons.

— Pas Mantha! Ça d'l'air qu'y était ben triste de ça.

— Mantha comme les autres, Gilbert.

— J'suis pas prêt à dire ça.

Pas prêt à affronter la vérité serait plus juste. Mike se désole. Toute l'agressivité qui l'a emmené en face de cet homme s'étiole bêtement à chaque argument, chaque regard convaincu de ce pauvre diable. Plus il creuse cette histoire, plus il se rend à l'évidence que ce n'est pas Ladouceur le vrai coupable. En fait, il n'a été qu'un outil, qu'une marionnette, qu'une concrétisation de la haine qu'on lui a insufflée. Non, le vrai coupable, le grand responsable aux mains propres, c'est celui qui a programmé cette haine dans le cœur de chacun de ses employés. Celui qui l'a enregistrée dans la mémoire de chacun des foyers. Celui qui s'est déchargé des conséquences de cette décision et qui s'en sort indemne et respecté. C'est Mantha, le vrai coupable. Mantha qui a gonflé à bloc de pauvres diables comme Gilbert Ladouceur, attisant leur désir de vengeance, fomentant et fermentant la haine en eux. Oui, Mantha a programmé tout le village contre Marjolaine.

Rusé, astucieux, il a profité des Riverains et de la présence du député pour manigancer sa défense. Et sa défense n'est autre que sa prétendue capitulation devant les pressions de Marjolaine et du député.

Lucide, Mike perçoit tout cela. Il n'a plus envie de parler du chien, plus envie de frapper l'homme naïf engourdi à sa table.

Un souvenir émerge. Un souvenir vieux de quinze ans alors qu'il en avait quinze et que la belle Irène venait d'épouser ce gros lard de Mantha. Il y avait Ti-Nom Bezeau du rang sept. Parce que pauvre, Ti-Nom, un gamin, s'empressait de rendre de multiples services aux touristes dans l'espoir d'obtenir d'eux quelque menue monnaie pour s'acheter du Coke, dont il raffolait. Il ne cessait de harceler Mantha, répétant qu'il était prêt à faire n'importe quoi. Mantha s'était emparé de cette phrase.

— N'importe quoi, hein?

— Oui, m'sieur.

— O.K. Tu vois le cheval, là-bas?

— Oui m'sieur, c'est l'nôtre (les malheureux venaient encore en charrette faire leurs commissions au village) — Tu vois c'qu'y a laissé par terre?

— Oui, m'sieur. Vous voulez que j'le ramasse?

— Non. J'vais te donner un dollar (les yeux de Ti-Nom étaient effectivement ronds comme deux cinquante sous) si t'es capable de mettre une crotte dans ta bouche pendant dix secondes. Un dollar.

Cette proposition dégoûtante n'avait pas arrêté Ti-Nom et il avait déposé la pomme de route sur sa langue. Et ce gros lard de Mantha riait, riait à s'en fendre la bedaine et le petit gars pauvre était là, devant lui, avec sa merde dans la bouche à égrener ces dix secondes interminables. Il le voit encore rire, avec sa dent en or et des gouttes de sueur sur son front déjà chauve. Il voit encore ce pauvre p'tit diable, en guenilles devant lui, combattant sa nausée par l'image subliminale d'un Coke bien froid. Heureusement qu'il lui a donné son dollar car lui, il était témoin et prêt à lui enfoncer le poing dans sa grosse bedaine pleine de merde si l'envie lui prenait de ne pas honorer sa proposition.

L'artiste invité monte sur l'estrade. Mike ne supporte plus cette salle, cette fumée, cette médiocrité. Ne supporte plus cet homme sans ambition, sans travail, sans argent et sans opinion. Ne supporte plus cette société sans discernement et sans pitié. Cette société d'autruches, la tête enfouie au fond de l'univers de bière. Cette société assoiffée de coupables, qu'ils soient vrais ou faux. Cette société endormie, droguée, assoupie.

Le chanteur accorde sa guitare. L'œil rêveur, la barmaid s'accoude au comptoir, près du cocu monologuant son chagrin. Gilbert, la bouche entrouverte, s'est tourné vers l'estrade.

Mike regarde la main de l'homme enveloppant précieusement son verre d'illusions. Il s'attarde à l'index qui a tiré sur la gachette. Il devrait régler cette histoire de chien. Mais pas avec lui, pas avec ce pauvre diable, mais avec le vrai coupable.

Mike cache sa motoneige derrière les cèdres taillés. Nerveux, il épie la piste jalonnée de branches de sapins et la perd bientôt en ce temps couvert. Personne. Il n'y a personne en cette nuit, personne sur le lac désert. Seul le vent persiste à geindre dans l'escalier du plongeoir.

Il attend que le silence reprenne sa place et que ses yeux s'habituent à l'obscurité. Soudain, une raie de lumière balaie la tête des arbres sur la route. Il guette. Voit surgir l'usine dans le noir, tel un monstre endormi. Le véhicule conserve sa vitesse de croisière, passe tout droit en éclairant les arches de fer forgé de la résidence de Mantha. Les pneus bruissent sur le cordon de pavage mis à nu par le calcium.

Mike s'attarde aux phares arrière jusqu'à ce qu'il les perde de vue. Puis, il attend encore que le silence et l'ombre redeviennent ses complices.

Il avance, prudent, tel un chat, prêt à bondir ou à s'enfuir. Son cœur bat. C'est ainsi que devaient se sentir les soldats en terrain ennemi. Peut-être qu'Hervé a connu cela. Il aimerait s'entretenir avec lui à ce sujet un de ces jours.

Le voilà à proximité d'un soupirail. Il est encore temps de renoncer à son projet. Encore temps de rebrousser chemin. Aucun acte n'a été perpétré jusqu'à maintenant. Seule, sa pensée est coupable. Mais dès qu'il aura balancé son pied de biche dans le soupi-rail, l'acte sera commis et le processus enclenché. C'est maintenant ou jamais qu'il doit maintenir ou abandonner sa décision. Mais il n'est pas homme à reculer. Pas homme à bêler bêtement dans le troupeau de moutons. Pas homme à se gaver d'illusions.

Le bruit de vitres fracassées éclate dans la nuit. Il lui semble qu'on l'a entendu jusqu'au village. Il attend encore épiant le silence et l'ombre puis se glisse dans l'antre de son ennemi.

S'éclairant d'une lampe de poche, il visite les lieux, ébahi par tant de richesses, tant de luxe pour une simple résidence secondaire. Ainsi donc, voilà la retraite du tout-puissant magnat. Le rond de lumière se promène sur les meubles de chêne, les tapis de Tunisie, les miroirs, les tentures, les objets de valeur sur la tablette de foyer, les édredons importés d'Allemagne, la verrerie, le cabinet à boisson, le système de son, le mobilier de cuisine. Ainsi donc, voilà le décor dans lequel évolue René Mantha. Et voilà probablement le fauteuil dans lequel il s'est calé voluptueusement en sirotant un verre après avoir fait endosser par Marjolaine la fermeture de l'usine. Mike revoit l'humble maison de l'île, avec ses planches rus-tiques, son poêle à bois, sa pompe à eau et les catalognes sur le plancher peint. Il revoit son fils constamment chaussé de bas de laine, s'amusant des oreilles du chien. Il revoit les chaises de bois et la vieille berceuse du curé. Pas d'électricité, pas de téléviseur, pas de musique. Tout ce qu'il y a de plus rudimentaire. Et c'est à cette femme que Mantha fait porter le fardeau de sa décision?

D'un geste vif et précis, Mike éventre le fauteuil d'un coup de couteau et en éprouve une jouissance indescriptible. C'est comme s'il se vengeait de tous ces patrons qui leur ferment au nez l'usine ou la mine avec des airs désolés. Comme s'il leur démontrait qu'il n'est pas dupe de leur hypocrisie.

Il s'en prend maintenant au divan qu'il laboure à grands coups rageurs puis aux tentures tissées à la main. Cette destruction le sti-mule, l'enhardit. Non! Il n'est pas dupe de leur hypocrisie. Non! Il ne laissera pas passer inaperçu l'acte ignoble de Mantha! Non! Il ne se laissera pas abêtir! Ne se laissera pas broyer et incorporer à la pâte de ce peuple qu'on bafoue et manipule depuis la Conquête.

Oui, il se révolte! Oui, il s'insurge! Oui, il se rebelle! Qu'il aimerait avoir un fusil et un ennemi! Qu'il aimerait avoir une cause nette à défendre et une guerre propre à mener! Mais il n'y a pas de guerre propre, il n'y a que des bassesses et des ennemis sans visage. Il n'y a que le mépris couvant sous les cendres d'une paix fictive. Il n'y a que la lâcheté, la facilité et la paresse.

Mais lui, il aimerait cracher sur tous ces patrons pourris et tous ces gouvernements spoliés. Il aimerait leur faire savoir que le mouton noir du troupeau n'est pas dupe. Qu'il n'ira pas se faire tondre, ni se faire abattre. Que le mouton noir en colère n'a pas peur du loup et qu'il n'obéit plus au chien berger. Que le mouton noir existe et que jamais il ne se rendra. Que jamais, il ne laissera une merde comme Mantha assombrir l'enfance de son fils et terroriser cette femme. Car c'est de son fils qu'il s'agit. Des larmes d'enfant n'ont aucune valeur de rachat mais… De son pied-de-biche, Mike frappe violemment les objets de valeur sur la tablette du foyer. Le bruit de brisure l'électrise. Il aurait aimé être un soldat, aurait aimé agir et se défendre concrètement. Il aurait aimé protéger de son corps son enfant et cette femme. Mais l'attaque est sournoise, perfide. Comment se défendre contre le venin de Mantha injecté à la population locale? Comment atteindre ce serpent enfui vers la ville? Que faire d'autre dans son nid, sinon que le détruire? Sinon que lui démontrer clairement qu'au moins un homme de ce village n'a pas été empoisonné, ni endormi, ni acheté. Car il n'a pas de prix, lui. Ni sa liberté, ni son honneur.

Il pénètre dans la chambre à coucher. Reste médusé devant un immense lit couvert d'édredons blancs. Un coup et les plumes d'oie volent puis retombent en neige. Un autre coup et de nouveau la danse des plumes dans la pièce. Une bordée de duvet s'amasse à ses pieds. Cela l'amuse, le calme un peu.

Il écoute ce surprenant silence habité de son souffle précipité.

Que faire d'autre contre ce serpent éclipsé? Que faire d'autre dans son nid douillet? Comment lui rendre ce mal qu'il a infligé à son fils? Et à cette femme sans défense? Il secoue la tête, revient sur ses pas, savourant ces choses émiettées sous ses semelles. Les choses du serpent… qui ne sont que des choses et qui, finalement, se remplacent. Sa satisfaction est de courte durée. Éphémère, elle laisse à peine une trace en lui. Ces choses détruites n'équivaudront jamais la peine de son fils et le sang du chien dans la neige.

N'équivaudront jamais l'inquiétude de cette femme désormais tenue de veiller sur l'île. N'équivaudront jamais la perte du chandail numéro onze de la ligne Pee-Wee et quoi encore que l'enfant n'a pas traduit par des larmes et qu'il garde en lui?

Qu'il aimerait que le monde soit autrement pour les yeux de son fils! Qu'il soit plus propre, plus juste. Il y a tant de pourriture dans le cœur des hommes. Tant de merde partout.

Mike se dirige vers la cuisine. Il ne lui reste qu'un geste à accomplir. Un geste auquel il tient. Un geste symbolique.

Il sort de sa poche un sac de plastique contenant les excréments gelés de Mayday et les éparpille dans les tasses, les assiettes, les ronds de la cuisinière. À la chaleur, ils fondront et empesteront.

Tiens, voilà pour Ti-Nom et pour tous les pauvres diables qui mangent de la merde à cause de lui. Tous les pauvres diables qui le laissent rire d'eux et qui endurent et endurent, soutenus par des images subliminales d'un système vidéo ou d'une motoneige. Tiens, voilà pour Ti-Nom, pour Ladouceur et tous les hommes de l'usine.

Et avec une satisfaction profonde, Mike emplit une tasse à café marquée du prénom René.

* * *

Samedi, 23 février 1985.

Marjolaine éprouve l'urgent besoin de se retrouver seule près du torrent comme s'il pouvait la consoler et lui indiquer le chemin à suivre. Comme s'il pouvait enterrer de sa voix plaintive les cris de joie d'Alex patinant avec Mike. Comme s'il pouvait laver ce faux pas en elle et enlever l'arrière-goût de sa liaison avec Benoît.

Elle gagne la rive, évitant de marcher là où le mouvement de l'eau gruge sournoisement la glace. La neige s'écrase sous ses raquettes avec un bruit feutré. Mais, c'est Alex qu'elle entend, criant, riant là-bas, sur la patinoire. Criant, riant, jouant avec Mike.

Elle combat la tentation de se retourner vers eux et porte un regard presque désespéré à la prison de glace détenant le torrent. Oh! Non! Il ne faut pas qu'elle les regarde encore une fois. Qu'elle se fasse mal une fois de plus. Une fois pour rien. Ce regard ne règlerait rien, n'absoudrait rien, n'effacerait rien.

Elle se fait violence, touche la rive et contourne les rochers vernis de glace où s'agrippent les racines des pins et aboutit près du ruisseau qu'elle accompagne d'un pas désemparé. Le ruisseau qui gazouille et se faufile, telle une anguille noire et ruisselante entre les berges d'ouate.

L'esprit d'un soldat erre le long de cette eau. Un esprit torturé, apeuré, solitaire. Un esprit qui questionne et cherche. Un esprit qui fuit, fluide et insaisissable comme l'eau. Un esprit qu'elle connaît; celui de son père. Un esprit qu'elle rencontre aujourd'hui, qu'elle épouse dans l'immobilité de l'hiver. Ses yeux se posent sur la berge de flanelle blanche avec le même besoin, la même quête et requête que les yeux du soldat effarouché par l'absurdité de la guerre. Ses yeux implorent, ses yeux demandent et quémandent consolation et réconfort. Ses yeux rencontrent ceux du soldat sur les troncs gris et rugueux, sur les nids d'oiseaux enneigés, sur la broderie fantaisiste des pistes des souris. Et ses yeux questionnent à leur tour ces yeux d'homme réfugié près de la nature endormie. Ces yeux d'homme qui ont trouvé réponse alors qu'une femme guidait de sa voix claire un gros cheval entre les arbres. Trouvera-t-elle à son tour remède à son mal? Réponse à sa question? Trouvera-t-elle comment reconquérir Alex? Comment reprendre sa place dans son cœur? Comment regagner ce trône royal qui lui était réservé et qu'il offre maintenant à Mike?

Elle s'arrête devant la cabane, enfouie jusqu'à mi-corps dans la neige. Une cabane misérable pour qui la regarde objectivement. Un château. Un nid d'amoureux, un foyer pour elle qui la regarde avec les yeux du soldat comblé par l'amour.

Elle s'attarde au carreau, brisé aujourd'hui, givré hier. Y redessine le sourire de sa mère apercevant la longue silhouette osseuse de l'homme revenant vers elle, vers l'enfant. Ponctuellement et fidèlement comme une horloge réglée sur leurs battements de cœur et leurs respirations. Est-ce le temps qui a changé? Est-ce l'amour? Pourquoi tout se complique-t-il à leur époque? Pourquoi se voit-elle prise au piège de cette immense toile d'araignée qu'elle a elle-même tissée sans savoir, qu'un jour, elle s'y prendrait. Tout cet amour démesuré, exclusif, généreux qu'elle a voué à Alex, le tissant à même ses fibres, à même ses jours et ses nuits, à même sa nature de femme, tout cet amour irrationnel et total, aujourd'hui la retient captive dans ce piège. Captive de sa voix claire s'amusant avec Mike. Captive de ce Valentin qu'il ne lui a pas donné. Captive de son regard vindicatif et de son attitude indifférente. Captive de sa froideur. Captive des caresses et des confidences qu'il ne lui fait plus. Captive de son grand lit froid où il ne vient plus se réfugier. Captive de ces deux mots qui lui donnent le vertige. Ces deux mots qu'elle craint depuis les premiers vagissements de cet être entre ses cuisses. Ces deux mots qu'elle n'ose envisager de peur de perdre sa raison de vivre. Ces deux mots qu'elle prononce avec la douleur d'une mère ourse chassant son petit: «sans lui». Est-ce aujourd'hui qu'elle doit se résigner à cette perte? À ces deux mots? Non! répond tout son être en secouant frénétiquement la monstrueuse toile qui l'immobilise. Non. Il est trop jeune… il est à moi. Non. Je ne veux pas. Non, je ne veux pas qu'il décolle sa joue du flanc maternel… pas tout de suite… la rivière est dangereuse encore et il est si jeune… trop jeune pour suivre son père… Suivre son père.

Marjolaine s'assoit sur une souche inconfortable, comme si debout elle n'avait pas la force de penser à cela. Pas la force de se remémorer le comportement d'Alex, empruntant les expressions et les paroles de Mike. Comme si elle n'avait pas la force de constater que son enfant la délaisse. Pas la force de le revendiquer à l'homme qui le lui ravit. À l'homme qui se dédouble dans son fils. Pas la force. Ni le droit d'ailleurs, tellement elle se sent fautive et mauvaise mère. Oui, quelle mauvaise mère elle a été au lendemain de sa nuit avec Benoît, se montrant irritable, distraite. Préparant avec brusquerie un goûter hâtif, incomplet. Déjà, elle se sentait coupable. Non pas de l'acte en particulier, mais de cet ensemble qui détournait d'Alex une part de l'attention et de l'amour dont il avait bénéficié jusqu'à ce jour.

Et depuis, Alex n'a cessé de la persécuter de son regard sévère et chargé de reproches. Cruel, il n'a cessé de la blesser de ses mots, de ses gestes, de ses silences. N'a cessé de répéter: «Y est l'fun, Mike», chaque fois qu'elle tentait de s'amender. «Y est l'fun, Mike», tandis qu'elle jetait au feu l'immense Valentin de Benoît. «Y est l'fun, Mike», tandis qu'elle lui préparait son repas préféré. «Y est l'fun, Mike», pour lui faire savoir qu'il n'y a pas qu'elle dans sa vie, de la même manière que Mike lui fait savoir qu'il y a d'autres femmes qu'elle. D'autres avec qui il s'entend. D'autres qu'il n'a pas besoin de violer.

Quand son fils utilise ainsi les mêmes procédés que son père, elle devient furieuse et malheureuse, combattant l'envie de le renverser sur ses genoux et de lui administrer une bonne fessée. Ce n'est qu'endormi, maintenant, qu'elle peut retrouver son enfant. Et la nuit, elle monte dans sa chambre pour le regarder dormir et glisser ses doigts dans ses cheveux sans qu'il ne se rebiffe. C'est tout ce qui lui reste de tant d'intimité, de tendresse et de chaleur. Tout ce qui lui reste depuis cette nuit de faiblesse avec Benoît. Elle a perdu au change, et la lettre qu'elle a reçue de lui, hier matin, ne fait que le confirmer. A-t-il décelé, lui aussi, l'arrière-goût déplaisant de la culpabilité? Est-ce sa femme ou la politique qui lui a dicté cette missive évasive où, sans être formulé, le mot rupture s'inscrit? Peu importe, sa femme ou la politique, il se voit obligé à l'une comme à l'autre. Et elle, elle se voit dépossédée de sa raison de vivre. Perdre tant pour si peu. En si peu de temps.

Elle ferme les yeux. Écoute un groupe de mésanges réunies sur les branches d'un vinaigrier. Puis le ruisseau… Puis le silence immense qui engloutit tous ces sons. Le silence obsédant qui amplifie le frottement de ses vêtements et le bruit de sa déglutition. Le silence tenace, collé à l'hiver, couché sur la neige, enlacé à chaque tronc, chaque branche, chaque bourgeon.

Elle se laisse descendre au fond de ce silence comme au fond de l'océan. Et là, elle attend, immobile, se confondant à sa souche inconfortable. Alors, la paix, doucement, glisse en elle, entraînant l'espoir fragile de retrouver Alex.

* * *

454

Dimanche, 24 février 1985.

Un débris de verre craque sous la semelle de René Mantha. Il le ramasse, reconnaît le globe de sa pendule importée de Suisse, retrouve le cadran écrabouillé dans un coin du salon... puis laisse tomber le morceau en même temps qu'un grognement. Ting! Suivi d'un silence capital. Glacial.

À ses côtés, Jérôme Dubuc, les mains croisées devant, cligne tant des yeux qu'on le croirait déréglé.

Interdite, Irène promène son regard attristé sur ces jolies choses brisées, sur cet intérieur qu'elle avait décoré avec goût, sur les coupes émiettées et la boisson imprégnée dans le tapis.

Dehors, les agents de la Sûreté cherchent des indices.

Et lui, René Mantha, n'a plus de place où s'asseoir dans sa propre demeure. Il se sent attaqué, offensé. Cette odeur d'excrément l'injurie à chacune de ses respirations. Et sa tasse? Sa belle tasse à café pleine de... Qui? Qui a osé s'en prendre à lui? Qui a osé s'introduire dans SA maison? Quel affront! Le malfaiteur n'a rien volé, semble-t-il, mais tout détruit ce qui portait sa marque. Ce qui lui appartenait. Comme si tout ce qu'il avait touché ne méritait que cette destruction aveugle et totale.

— Comment ça s'fait que t'es pas venu vérifier dimanche dernier, Jérôme? C'est seulement c'matin que tu t'es aperçu de ça?

— Oui... ce matin... Je... ma fille a eu son premier bébé dimanche dernier.

— C'est pas une raison.

«Un garçon ou une fille?» demande Irène simultanément. En guise de réponse à son patron, Jérôme Dubuc baisse la tête, tournant sa casquette entre ses doigts puis sans même lever les yeux, il murmure: «Une fille», à Irène. Et tellement jolie avec ça. La réplique exacte de sa mère. Il revoit l'adorable poupon, sa première petite-fille, endormie sous sa couverture rose. Il revoit ses mains, ses doigts, ses ongles minuscules. Les mains des nouveaux-nés le fascinent, l'émeuvent. Elles sont tellement petites, tellement délicates et parfaites. Tout y est mais à l'échelle réduite. Et puis, elles reposent avec tant de candeur, tant d'abandon près du visage encore bouffi, lui donnant envie de les soulever de l'index et de les secouer doucement. Oh! Si petites qu'elles tiennent au bout de son doigt.

— Je t'ai dit de venir vérifier à toutes les semaines, il me semble.

— C'est la seule fois où j'suis pas v'nu.

— Ouais, c'est ce qu'ils disent tous. Quand le chat est parti, les souris dansent.

— Pas moé.

— Toi comme les autres.

Monsieur Mantha le précipite dans le même bain que les autres employés. Le noie dans cette masse laborieuse, prête à danser dès que le patron s'éclipse. Mais, il n'est pas comme ça, lui. Il est loyal, dévoué, travaillant. Mais comment plaider sa cause maintenant? Comment le convaincre?

456

Les pas de son patron parmi les débris lui font mal, tout comme si Mantha se promenait dans son ventre et pivotait brusquement des talons en lui arrachant les tripes.

— As-tu une idée sur le coupable au moins?

Jérôme saute sur cette planche de salut, croyant ainsi se réchapper aux yeux de l'homme.

— Ben, oui... J'ai une p'tit idée... C'est sûrement un de vos employés.

Avant, il disait «nos» employés, maintenant, il ne s'en attribue plus le droit.

— Pourquoi un de mes employés?

— À cause d'la fermeture de l'usine.

— C'est pas moi qui l'a fermée: c'est Marjolaine, c'est les Riverains. Ils sont supposés de savoir ça. T'étais censé leur dire ça aussi.

— J'l'ai dit.

— Ah! Oui! De la même manière que tu venais vérifier ici à toutes les semaines?

— Oui! Non! J'l'ai dit à tout l'monde... Y savent tous que c'est elle. Vous êtes correct... J'vous l'jure qu'y savent tous que c'est elle...

Jérôme offre un regard d'excuse à Irène. C'est de sa sœur qu'il s'agit, après tout. La femme lui tourne dos et s'approche des tentures lacérées sur lesquelles elle promène une main désolée.

— Alors pourquoi tu dis que c'est un des employés?

— Ben... parce qu'y a des têtes fortes.

— Ah oui? Qui?

— Ben... Y a Mike Falardeau. J'l'ai vu l'autre fois à la game* d'hockey. Y m'a engueulé parce que son fils a été disqualifié... D'après c'que j'ai pu comprendre... ça s'rait son genre de faire une affaire de même.

La fin de phrase s'étrangle dans sa gorge. Il se sent Judas.

— Mike Falardeau, hein? Y était pas camionneur, lui?

— Oui. Y faisait partie des employés de l'entreprise que vous avez rachetée... On l'a congédié comme tout l'monde à la fermeture de l'usine... Y s'trouve à être le père du p'tit à votre... belle-sœur.

---

* Game: joute.

— Ma belle-sœur! Une vraie folle! Est-ce qu'il reste quelque chose entre elle et ce Mike?

— Non. Pantoute... A sort avec le député.

— C'est pas encore mort, cette histoire-là?

— J'pense pas.

— Une chance que j'ai pas voté pour lui: il m'a jamais inspiré confiance. Hmm! Fréquenter une femme de même. Une habitante!

Irène tire sur la tenture. Celle-ci tombe avec un lourd bruit d'étoffe. Un bruit de chute étouffée. Elle la regarde un instant à ses pieds puis se précipite vers sa chambre, les joues empourprées.

Jérôme baisse encore plus la tête à son passage et sursaute lorsqu'il entend claquer la porte.

Une habitante: voilà ce qu'elle est aux yeux de son mari. Ce qu'elle a toujours été sans doute. Cette suprématie que s'accordent les gens des villes sur ceux des milieux ruraux la révolte. Comme si le fait d'être né sur le béton leur octroyait une supériorité certaine vis-à-vis ceux qui sont nés sur l'humus de la planète.

Elle se souvient de son arrivée à Montréal chez madame Latour, du regard hautain de cette femme. De celui, indifférent, de René et de l'autre, enjôleur et menteur de Bobby, le frère de la patronne. Comment oublier ce vocable d'habitante? Cette condescendance des citadins à s'abaisser jusqu'à elle? Cette clémence à passer sous silence le fait qu'elle avait ramassé du fumier et des œufs de poule dans son enfance. Elle devait répondre aux invités qu'elle venait de Sorel: cela faisait plus civilisé. Moins agricole, ricannaient-ils en passant au salon avec leur cigare et leur verre d'alcool.

Elle s'aperçoit dans la glace brisée. Cette femme distinguée, encore jolie pour son âge, n'a su effacer dans la mentalité de son mari la bonne aux talons plats, venue de la campagne. Il la verra toujours cette fille-là, l'utilisera toujours contre elle. Pire, il se sert de sa famille pour l'insulter. Il se sert de cette petite sœur à qui elle nattait les cheveux sur le banc de la galerie. De ce vieil homme ébranlé par la guerre, qui a chaussé ses pieds glacés de ses mains chaudes et aimantes. De cette grosse femme déformée par les naissances à qui elle a peur de ressembler un jour. Il se sert de la maison de bardeaux gris dissimulés sous le déclin d'aluminium, de la moustiquaire où s'amassent les mouches, de la crème tiède et jaune qu'on vend aux touristes. Il se sert de tout ce qu'elle est, de tout ce qu'elle a été pour la rabaisser.

Elle se traîne les pieds dans le duvet, amoncelle les plumes jusqu'à ses chevilles. Combien de poitrines d'oie ont servi à remplir cet édredon? Elle imagine, dans un autre pays, des femmes, des paysannes, occupées à dégarnir la fale des oies entre leurs genoux. Des femmes comme sa mère, comme elle, comme Marjolaine, avec ni plus ni moins de bon sens, ni plus ni moins de courage, ni plus ni moins de qualités que les femmes de la ville qui achètent leurs produits.

Les plumes lui chatouillent les chevilles. Ce n'est pas contre elle qu'est dirigé cet acte mais bien contre son mari. Elle regarde ses pieds enfoncés dans la neige duveteuse, y dessine l'image de Mike Falardeau, avec sa bouche moqueuse, ses yeux insolents, sa tête bouclée qui donne envie d'y plonger les doigts. Elle sourit à cette image, approuve l'acte sauvage auquel il s'est livré et par le fait même devient sa complice morale.

Malgré tous les dégâts, tous les débris, toutes les brisures, elle atteint un degré de satisfaction rarement éprouvé, applaudissant dans son for intérieur le p'tit gars de campagne qui a asséné ce dur coup à l'homme de la ville.

Branlebas au village. La Sûreté du Québec s'est rendue au domicile de Mike Falardeau pour l'interroger. Les agents n'y ont rien appris, semble-t-il, à l'air penaud et mécontent qu'ils avaient en rembarquant dans leur véhicule.

Puis, ils ont questionné un peu partout, confirmant ainsi la rumeur de l'acte de vandalisme perpétré chez René Mantha et colportant les soupçons qui pèsent sur Mike.

Mais ils ne le pinceront pas. Ne trouveront pas la moindre petite preuve contre lui. Il en sera de ce crime comme de l'incendie du vieux pont couvert. Ils connaîtront le coupable sans être en mesure de l'inculper. Car personne ne parlera, personne ne le dénoncera.

Léopold Potvin boit rapidement sa bière, communiant à l'effervescence inaccoutumée du bar salon, habituellement délaissé le dimanche soir. Cette atmosphère de fête, ce sentiment de solidarité, ce regain de vie découlent directement de cet événement qui a pris la communauté par surprise, ce matin, quand Jérôme Dubuc a constaté les dégâts dans la résidence de son patron.

Que demander de mieux pour agrémenter cette fin d'hiver? Pour alimenter les conversations oisives des chômeurs et divertir ces familles paralysées par le désœuvrement? Mike a-t-il planifié tout cela? S'est-il livré au vandalisme pour détourner de Marjolaine l'attention de cette communauté? Ou a-t-il tout simplement obéi à une impulsion en lui? Cette dernière hypothèse lui semble la plus plausible. Ce garçon est un impulsif. Il agit et réagit. Oui, c'est sans calcul de ce genre qu'il a signifié à René Mantha ce qu'il pensait de lui. La porte s'ouvre, laisse soudain apparaître le héros de la journée.

— Aie! Mike!

On l'interpelle, on lui tape l'épaule, on l'applaudit presque. On se rue sur lui comme sur une vedette.

— Qu'est-ce qu'y voulaient les chiens? C'est-y toé?

Mike sourit, commande une bière aussitôt offerte par la maison. La fierté, l'admiration, la satisfaction brillent dans les yeux des villageois qui l'entourent.

— Mais j'ai rien fait, moé, réplique Mike d'un ton enjoué qui déclenche un éclat de rire général.

Léopold considère le groupe agglutiné à l'homme du jour. Un des leurs. Jamais, ils ne le trahiront. Jamais, ils ne le livreront à l'homme de la ville. Ce qu'il a fait, ce qu'il a écrit avec les excréments, c'est ce qu'ils ont rêvé de faire, rêver d'écrire tant de fois en se tournant les pouces devant le téléviseur. Mantha trébuche et cela les amuse, cela les déride de cet ennui mortel, collé à leur vie comme une pellicule de plastique chargée d'électricité statique. Cela les unit, les rapproche les uns des autres comme autant de bardeaux superposés, formant un revêtement imperméable que nul ne pourra percer. Cette communauté le fascine, le fascinera toujours. Cette étanchéité surtout, qui ne laisse s'infiltrer aucune essence étrangère. Il en sait quelque chose pour n'être pas natif de la place. Jamais il ne sera l'un des leurs. Son fils, peut-être. Ses petits-enfants, assurément. C'est ainsi. Cette communauté, si petite, si farouche, si vulnérable ne se laisse pas assimiler. Xénophobe, elle se referme sur elle-même et dresse un rempart autour des siens pour les protéger. Ils ont beau se dévorer entre eux, ils n'accepteront pas qu'un étranger vienne se mêler à leur carnage. Et Mantha est un étranger. Pire, il est un étranger de qui ils dépendent. Un étranger qu'ils sont tenus de respecter mais qu'ils haïssent tout compte fait. Un étranger puissant qu'ils rêvent de voir tomber.

Les Riverains aussi sont des étrangers. Tant que Mantha s'attaquait à eux par le biais de Marjolaine, grugeant leur force et nuisant à leur action, ils l'appuyaient ouvertement. Mais maintenant que Mantha dirige clairement sa fureur contre un des leurs, ils s'associent, laissent tomber leurs querelles intestines, s'unissent comme un seul et même homme. Et c'est ce qui les effraie chez les Riverains: cette unité qui fait la force et qui risque de démanteler leur petite communauté. Qui risque d'ébranler les vieilles assises de leur société établie en ce coin perdu de la Province. En ce Saint-Glinglin-en-dehors-de-la-carte, comme disent les touristes. Qui risque de les anéantir, de noyer leur identité, d'effacer le passé laborieux de leurs pères. Ces hommes de la ville envahissent leur municipalité jadis ignorée. L'été, ils arrivent, s'installent au bord des lacs et veulent, de gré ou de force, leur imposer des lois. Ils s'unissent contre eux et détournent une des leurs: Marjolaine Taillefer. Comment doivent-ils la considérer? Que fait-elle en leur compagnie? Doit-on lui attribuer l'épithète de traître comme à Jérôme Dubuc, toujours à lécher les bottes de son patron en clignant des yeux?

Pauvre petite fille, songe Léopold en se remémorant la visite de la jeune femme. Qu'il aurait aimé faire plus pour elle! Au moins lui expliquer pourquoi il n'a pu arranger cette histoire de purin de porc avec Andrew Falardeau. Mais, il a eu peur. Peur à en crever. Et souvent, il revoit ces débris de chien, cette tête parmi les membres coupés, comme un avertissement à quiconque découvrirait la culture illégale. Et lui, il l'a découverte. Lui, il sait ce que cache Andrew dans les collines à part son tas de fumier. Et lui, il tremble la nuit. Il tremble et se tourne dans son lit. Surtout depuis qu'il a cessé de fumer. Cette constatation dévie sa pensée vers cette maudite cigarette qui accapare à présent tout son cerveau et le remplit tout entier de son absence. Il aimerait mieux se rappeler de Marjolaine que de souffrir de ce sevrage. Il hume avec délectation et douleur l'arôme d'une cigarette fraîchement allumée à la table voisine. Tout son être tend vers ce parfum qui enflamme tant de souvenirs. Ça lui manque tellement. Le geste, le goût, la senteur. Cette habitude, vilaine il va sans dire, est tellement imprégnée en lui qu'il a l'impression de s'amputer de quelque chose. C'est comme s'il retranchait une partie de lui-même. Une partie vitale qui le laisse déséquilibré et perturbé comme un animal abandonné par le sein nourricier. Que ça lui manque! Il en perd le sommeil, en perd la patience, en perd la raison. Il en perd surtout le goût de vivre. Sans elle, sans cette cigarette qui accompagnait tous les moments de sa journée, il n'apprécie rien, ne goûte rien, n'entend rien. C'est elle qui le consolait, elle qui le réconfortait, elle qui le félicitait, le dorlottait, l'encourageait, le stimulait. C'est elle le moteur de sa vie. Elle qui a remplacé sa femme. Mais il se l'est arrachée, s'en est privée pour se prouver qu'il est un homme. Se prouver qu'il est capable de surmonter des épreuves incroyables et de remporter des victoires inimaginables. Mais c'est dur. Surtout là. Surtout ici où tout est à la fête.

Léopold ferme les yeux. Il devrait partir, cesser de se torturer au plus vite avant qu'il ne succombe. Avant qu'il ne soit trop tard, avant qu'on ne lui passe un paquet sous le nez.

— Salut Léopold! Ça va?

Mike lui frappe gentiment l'épaule de son poing avant de prendre place à sa table.

Il aime bien ce garçon. Se rappelle de lui, enfant, alors qu'il mijotait de mauvais coups avec son vieillard de père.

— Oh! Moé, ça va sauf que j'fume plus. Alors, si t'as envie d'en griller une, reste pas à ma table. C'est assez dur de même. J'dors plus la nuit, baptême!

Un éclair dans les yeux de Mike. Il a pigé.

— Ça fait longtemps que t'as arrêté?

— Trois semaines.

— Sans jamais tricher?

— Non, jamais.

— Ça fait-y trois semaines que tu dors pas?

— Ouep.

— J'te paye une bière.

Mike le tient par son regard pâle et scrutateur. Un regard intense, perçant, qui s'enfonce en lui et le paralyse. Un regard de fauve.

Léopold tente de s'en libérer, mais immanquablement ses yeux retombent dans ceux de l'homme comme s'ils étaient aimantés.

— J'sais, moé, qui a fait l'coup chez Mantha, confie-t-il d'une voix qu'il ne se connaît pas.

Bien sûr qu'il sait et cet homme se trouve en face de lui. Il l'a reconnu.

— À cause que j'dors pas la nuit. J'passe mon temps à m'bercer face au lac...

Cette nuit-là, malgré le temps couvert, il a pu discerner la silhouette de Mike et reconnaître sa motoneige.

— C'était un ski-doo Élan. Un vieux.

Nouvel éclair dans l'œil pâle de son interlocuteur suivi d'un sourire soulagé. Il possède un Suzuki de l'année dernière.

— Y avait deux gars... assez courts et un peu baquais. Tout l'monde icitte pense que c'est toé.

— Ouais. C'est fou, hein?

— Aussi ben leur laisser croire. Moé, si jamais on m'interroge j'suis prêt à dire que j'ai vu deux gars sur un Élan usagé. À la tienne, Mike.

— À la tienne, Léopold... et merci. J't'oublierai pas.

C'est entendu. Clair comme de l'eau de roche même si rien n'a été dit. Cette entente tacite le rend complice de Mike et, immanquablement, le rapproche de lui. Ce secret qu'ils se partagent, les lie l'un à l'autre. Les oblige l'un envers l'autre. Eux seuls connaissent la vérité. Eux seuls savent le mensonge qui disculpera Mike. Eux seuls brouillent les pistes. Cette connivence les unit comme deux gosses chapardant des pommes.

Léopold sourit à ce mauvais garçon en levant son verre. Peut-être qu'un jour, il aura besoin de sa jeunesse, de sa force, de sa fougue, mais ce n'est pas en prévision de son aide qu'il a fait cela. Non. Il a fait cela parce qu'il se sent des leurs, même s'il n'est pas natif de la place. À force de vivre parmi eux, il a adopté leur mentalité et se refuse à dénoncer ce grand délinquant qui vient d'agrémenter si royalement cette fin d'hiver.

* * *

Lundi, 25 février 1985.

Brisé, fatigué, vacillant d'une nuit sans sommeil, Gaby pose la tête contre son pupitre et ferme les yeux. Il aimerait glisser hors de ce monde. Hors de cette douleur qu'il habite. Il aimerait glisser hors de lui-même comme la couleuvre glisse hors de sa vieille peau. Il aimerait sortir, tout neuf, de son enveloppe grise et déprimante. Aimerait s'échapper de ce garçon à la bouche scellée. Ce garçon qui ne fait ni une ride, ni un pli sur le cœur de quiconque. Même pas sur celui de sa mère. Oh! Qu'il aimerait glisser hors de ce monde! Quitter cette classe, cette école, ce village par une porte secrète. Quitter cette vie sans que personne ne s'en aperçoive. Retourner au néant d'où sa mère l'a tiré. Non pas retourner en son ventre mais retourner à rien. Rien qui fait mal. Rien qui fait pleurer.

Car il a mal et il pleure. Et des multitudes d'interrogations germent en lui. Son âme est un jardin de questions et d'espérances. Et personne ne vient de sa main cueillir ces fruits bizarres qui l'accaparent. Personne n'arrache les mauvaises herbes. Personne n'arrose. Personne ne se doute de cette culture qui l'étouffe et l'effraie. Personne ne peut imaginer jusqu'à quel point ce matin son jardin est envahissant. Personne ne soupçonne cette marguerite géante qu'il effeuille dans son imagination, passant d'un pétale à l'autre, de la joie la plus profonde au désespoir le plus absolu. Elle m'aime; elle ne m'aime pas… et toujours sur la toile de fond, son amour à lui, solide, intarissable, inviolable. Son amour démesuré, prisonnier de sa bouche muette et de ses gestes timides. Son amour qui le meurtrit et l'écrase et le plie sur ce pupitre blond où coulent ses larmes. Son amour qui lui rappelle tout bas: «Elle n'est pas venue.»

Non, elle n'est pas venue le voir. N'a même pas téléphoné pour prendre de ses nouvelles. Pourtant, elle était si proche, mais sans doute qu'il était très loin dans son cœur à elle. Ou qu'il n'y était pas. Ou plus. La possibilité de n'y avoir jamais été multiplie les larmes chaudes s'égouttant au bout de son nez.

Toute la journée, hier, il a espéré la revoir. Le chemin qu'il a guetté, le front collé à la fenêtre, s'est gravé en lui. Avec toute sa blancheur, tout son vide immense et froid comme la vitre. Elle était si proche. Il lui aurait suffi de prendre sa belle voiture et d'apparaître au bout de ce chemin... Au bout de son monde à lui où il l'attend. Car son monde à lui commence et finit là où apparaît et disparaît la voiture de maman. Mais, elle n'est pas venue... et il a vu l'ombre rogner de plus en plus le chemin blanc. Gruger inexorablement son monde jusqu'à ce qu'il ne subsiste que des dessins de givre troués d'un rond d'haleine sur la vitre. Alors, il s'en est détaché, le front gelé sur ce mal bouillant dans son cerveau, se rabattant désespérément sur le silence vertigineux où la sonnerie du téléphone aurait désigné une nouvelle frontière à ce monde que sa mère régit. Mais le silence a gagné et lui, il a perdu. Elle n'est pas venue.

Elle m'aime. Son cœur tremble. Si elle l'avait aimé, elle serait venue. Il ne reste qu'un pétale à la fleur dépouillée. Un pétale blanc pendu à son cœur. Il lui semble cruel, mais l'est-il plus que tous ces autres qui lui ont laissé la pénible mission de lui apprendre qu'elle ne l'aime pas?

Et tandis que les larmes mouillent la dictée de *Maman me prépare un goûter,* Gaby arrache le dernier pétale et frissonne à voir cette grande tige surmontée d'un bouton jaune régner dans son jardin désordonné.

* * *

Mardi, 26 février 1985.

Tout est prêt: la colle, les ciseaux, la laine, les deux balles usagées, le carton, les vieux bas, la gouache. Il ne manque que de l'imagination et de la bonne volonté.

Alex ne peut retenir son excitation à la vue de ce matériel de bricolage étalé sur la table et en oublie momentanément d'imiter Mike.

— Qu'est ce que tu vas faire, Marjolaine?
— Toi et moi, on va fabriquer des marionnettes.
— Pourquoi?
— Parce qu'on va monter une pièce de théâtre.
— Nous deux?
— Oui.
— Ah! C'est l'fun!

Il s'assoit, plonge les mains dans les retailles de tissu tout en balançant rapidement ses pieds sous la chaise. Marjolaine le contemple avec l'irrésistible envie de souhaiter la bienvenue à son petit garçon. Mais, elle se contente de lui sourire, l'apprivoisant patiemment.

— On va monter une pièce?

— Oui. Avec une grand-mère et un enfant. Quelle marionnette tu choisis de faire?

— L'enfant. C'est un garçon ou une fille?

— Comme tu veux.

— C'est une fille. J'l'appellerai Cindy et j'lui ferai de beaux cheveux blonds... Est-ce qu'on a de la laine jaune?

— Oui, regarde là. Tu lui fais des cheveux longs ou courts?

— Longs, c't'affaire. Une vraie fille, ça porte les cheveux longs.

— Ah bon. T'as assez de laine.

— Qu'est-ce qu'elles vont faire dans la pièce?

— Bon, je vais te raconter un peu: ça te donnera des idées. C'est l'histoire d'une grand-mère avec sa petite-fille... en l'an 2050 à peu près... dans le futur en tout cas. C'est en été et il fait très chaud. Mais, il n'y a plus de lacs, car ils sont tous morts et la petite fille demande à la grand-mère comment c'était dans son temps, comment ils s'amusaient dans l'eau. La grand-mère raconte tout ça et alors la petite fille est très choquée de voir qu'on a laissé mourir les lacs. Surtout que les hommes sont incapables d'en faire et qu'il n'y en a ni sur la Lune, ni sur les autres planètes. La petite fille trouve que c'est injuste et que les grandes personnes n'ont pas fait attention à ce qui lui revenait. Est-ce que t'aimes ça?

— Ben sûr. J'ai hâte de faire la petite fille. Est-ce qu'on va la présenter notre pièce?

— Oui, je vais m'arranger pour la présenter à l'école.

— Toé pis moé?

— Oui. Ça te plairait?

— Aie! Oui... mais faudrait changer de nom. J'l'appellerai... Nadine au lieu de Cindy. Bon, montre-moé comment on fait.

Marjolaine lui enseigne, le cœur bondissant de joie. Cette idée d'une pièce lui est venue cette nuit et elle en a écrit le texte ce matin.

L'espoir lui a conseillé ce premier pas. Il ne lui reste maintenant qu'à faire les autres pour retrouver son fils. Mais, somme toute, il n'était pas si loin qu'elle le croyait puisque ce premier pas, déjà, lui ramène le sourire et les manières d'Alex et les réunit sans difficulté au-dessus d'un ouvrage commun. Il suffisait de le faire, suffisait d'avoir confiance en l'indulgence de l'enfant.

— Penses-tu que c'est Mike qui a fait les dégâts chez ma tante Irène?

Alex n'emploie plus ce nom pour l'écorcher et dépose cette arme redoutable qui l'a tant fait souffrir.

— Non, je ne crois pas que ce soit lui.

— Ah? Pourquoi?

— Mike ne ferait jamais ça, voyons.

Elle peut, elle-même, prononcer ce nom sans se déchirer.

— Moé, j'pense que c'est lui.

— Et tu penses que c'est bien ce qu'il a fait?

— J'sais pas… mais ce n'est pas mal en tout cas, conclut Alex en piquant adroitement son aiguille de laine dans la tête de la marionnette. Tu vas voir… a va être belle… avec des beaux cheveux blonds.

Et maintes fois, tout en cousant, collant, peinturant, Marjolaine s'assure que c'est bien son fils qui lui est revenu. Que c'est bien lui qui travaille en face d'elle. Et maintes fois, elle l'observe, cherchant à découvrir s'il est sorti indemne de ce bouleversement.

✳ ✳ ✳

Jeudi, 14 mars 1985.

Pluie verglaçante. Essuie-glace défectueux et agaçants. Squik! Squik! Ils grincent sur une plaque de glace qui brouille sa vision.

Quatre heures vingt. Un ciel gris foncé, gris fer, gris d'enfer. Dans son dos, trente-huit adolescents, chahutant, sacrant, s'excitant. Devant lui, ce chemin noir lustré et la pluie qui bondit dessus puis se fige et se colle pour le vernir dangereusement. Et le vent malin, traînant tout ce qu'il trouve sur son passage. Un objet roule soudain devant l'autobus. C'est quoi? Trop tard pour freiner. Hervé voit voler une poubelle.

467

— Aie! C'est la poubelle de mon grand-père, rouspète John Falardeau.

Depuis le premier jour, cet élève cherche à lui faire des misères. Hervé l'ignore et se concentre sur la conduite de son véhicule qu'il sent déraper légèrement. Trente-huit vies dépendent de lui. Trente-huit vies exercent sur lui une pression incroyable. C'est comme si la route était trente-huit fois plus glissante et le vent trente-huit fois plus traître. Comme s'il voyait trente-huit fois moins bien à travers son pare-brise croûté.

— Aie! Pépère, on gèle dans l'autobus. Mets la chaufferette.

Il devrait ignorer cet ordre, ignorer cette agressivité concentrée sur sa nuque. Encore une fois, le véhicule dérape de l'arrière. Il le reprend. Juste à temps. Avec des mains moites et une boule dans l'estomac. Des scènes d'accidents défilent dans sa tête; un autobus renversé dans le fossé ou en collision avec le mastodonte qu'il vient de croiser. Du sang, des vitres brisées sur les sièges et les sacs d'école, des pleurs, des plaintes. Aurait-il la force d'endosser la responsabilité d'un accident?

Hervé sent tout son être se tendre, se raidir, se contracter.

— On gèle. On gèle. On gèle, scandent les jeunes inconscients.

L'homme ralentit, immobilise prudemment l'autobus sur le bord de la chaussée. Puis, il se lève, surpris de sentir ses genoux trembler et se tourne vers les élèves.

— La chaufferette marche pas ben, vous l'savez.

— Bou! Bou! Chou pour le chauffeur. On gèle. On gèle. On gèle.

— Écoutez, c'est ben glissant. J'vous d'manderais d'être tranquilles, implore-t-il.

— Tranquilles? mais on est tranquilles, nous autres. Qu'ossé que t'as à t'plaindre? Envoye grouille! On n'a pas envie de geler sur le bord du chemin.

C'est encore ce jeune Falardeau, dressé devant lui, avec ses lèvres épaisses, ses boutons et sa forte odeur de parfum. Hervé s'en détourne avec dédain et colère et s'empare de son grattoir pour aller déloger la glace de son pare-brise.

Dehors, c'est froid, humide, déplaisant. Il glisse en mettant pied à terre et se retrouve assis dans une flaque d'eau. Des rires fusent, se fichent dans son dos plus tendu qu'une peau de castor sur son cerceau. Il gratte furieusement, écoulant par coups saccadés toute cette indignation en lui. Voilà. Son pare-brise est enfin libéré. Mais cela le console à peine, le rassure à peine et il reprend sa place derrière le volant, les épaules chargées d'inquiétude.

— Qu'est-ce qu'y a chauffeur? T'as-t-y pissé dans tes culottes?

Son pantalon mouillé le fait frissonner et trembler des mains. Ou peut-être est-ce cette peur d'avoir un accident?

— Aie! Le chauffeur a pissé dans ses culottes. C'est d'famille. Y est pareil comme Gaby.

Ou peut-être, est-ce cette colère?

— Ferme la porte, on gèle.

Hervé reprend la route, les tripes nouées, les yeux sortis des orbites, la gorge sèche. Tout son être se tend vers cette route. Par intervalles, des phrases blessantes réussissent à l'atteindre, détournant momentanément son attention. Quel fossé entre lui et cette génération! Jamais, ils ne parviendront à s'entendre, à se comprendre. Jamais, il ne parviendra, lui, à les faire obéir. Obéir! Un mot dont ces jeunes ignorent la signification, n'ayant jamais obéi, ni à l'école, ni à la maison, mais ayant toujours négocié l'observation des règlements. Tandis que lui, il a obéi toute sa vie: promptement et sans poser de question. Son père lui disait de rentrer du bois et il en rentrait. Le curé lui disait de servir la messe et il la servait. La maîtresse lui disait de se taire et il se taisait. Et puis, un jour, on lui a dit de s'embarquer dans une péniche et il s'est embarqué. Avec son ami Jean qui s'était enrôlé pour échapper à la Crise et pouvoir payer un cornet de crème glacée à sa blonde. Ils ont obéi tous les deux. Sans rouspéter... malgré le pressentiment sinistre qui planait parmi les soldats et malgré leurs crampes d'estomac. Mais, ces jeunes-là, ne savent pas obéir. Ces jeunes-là ne respectent rien ni personne. Un coup d'œil au rétroviseur lui permet de surveiller les passagers de l'arrière qui ont dernièrement lacéré les bancs. Mais il ne s'y attarde pas longtemps préférant se concentrer sur la route.

Quand même, dans son temps, on avait le respect des choses. Sans doute parce qu'on n'avait rien et qu'on appréciait tout. Aujourd'hui, tout ce qui concerne cette génération se détériore à un rythme accéléré. C'est qu'ils ont trop et n'apprécient rien... Oh! Quel fossé entre lui et toutes ces vies qu'il tient entre ses mains!

Le ciel noircit rapidement et les phares ne lui procurent pas encore une lumière suffisante. De temps à autre, le véhicule dérape de l'arrière, lui arrachant le cœur et le souffle. Les voix des élèves se transforment en rumeur, en grondement, en vacarme, rappelant le crépitement des mitrailleuses au-dessus de sa tête. «Embarquez dans la péniche» qu'on leur avait ordonné. Et ils avaient embarqué. Avec la peur envahissant tout leur être. Et la péniche glissait sur l'eau noire comme l'autobus glisse présentement sur le chemin glacé. Et la guerre faisait rage autour d'eux, les terrifiant, les paralysant sur le banc. Avant même de mettre pied à terre, des camarades étaient déchiquetés par les rafales des mitrailleuses. L'affolement, la panique se propageaient instantanément chez les hommes qui voguaient vers le carnage de la plage. Leur péniche s'était enlisée, laissant le fracas leur défoncer les tympans et la peur leur tordre les boyaux. C'est alors que Jean s'est écrasé sur lui. Il le sent encore sur son épaule, avec toute sa pesanteur et sa chaleur et entend encore ce curieux gargouillement, ce râle étouffé suivi d'une matière visqueuse coulant entre ses doigts tremblants. Et il voit encore l'horreur de cette tête éclatée, vidée de sa cervelle. Vidée de sa vie, de son âme, de son entité. Vidée de son ami Jean.

Hervé reçoit un coup derrière la tête. Durant une fraction de seconde, il se demande s'il ne l'a pas imaginé mais se ressaisit aussitôt en sentant déraper son véhicule qui empiète sur l'autre voie avant de revenir frôler le fossé sur une bonne distance et de s'y arrêter.

Le vieil homme se palpe la tête et n'éprouve aucune douleur. Que s'est-il passé? Un rire niais s'aventure à briser le silence d'effroi que charcutent avec agacement les essuie-glace défectueux.

— C'pas drôle, John Falardeau; on a failli avoir un accident, accuse une fille d'une voix chargée d'émotion.

— Qu'est-ce qu'y s'est passé?

— Y vous a lancé une vieille pomme par la tête, dénonce-t-elle de plus en plus choquée envers le coupable riant à gorge déployée.

Est-ce pour cette génération que Jean s'est fait arracher la cervelle avant même de mettre le pied sur la plage de Dieppe? Et

470

est-ce pour subir de telles humiliations qu'il a survécu, lui, à ce massacre? Que fait-il, ici, à endurer tout cela? À revivre tout cela?

Le rire niais en entraîne quelques-uns de nervosité qui, à leur tour, en déclenchent d'autres d'un bout à l'autre du véhicule. Pourquoi rester ici, sous l'assaut de ces rires dirigés contre lui?

— Vous êtes tous une bande de bébés gâtés, riposte-t-il pour sa défense. Mais cela ne sert qu'à amplifier les rires. À les rendre plus forts, plus unis et plus méchants.

— Une bande de bébés gâtés...

Il panique, s'accroche désespérément à cette phrase comme il s'accrochait à sa carabine dans la péniche. Il est seul contre tous ces jeunes, tous ces rires. Seul, comme il était seul contre les Forces de l'Axe quand Jean est tombé sur ses genoux, les tachant de son sang et de ce qui lui restait de matière grise. Seul, avec sa carabine dans la péniche enlisée. Seul, avec cette phrase dans l'autobus arrêté.

— Des bébés gâtés, bredouille-t-il, les yeux hagards, les nerfs à fleur de peau.

— Envoye, pépère: on veut rentrer chez nous. C'est rien qu'une pomme. Tu peux pas dire que ça t'a fait mal.

Rien qu'une pomme. Il la regarde par terre. Légèrement flétrie mais encore bonne à manger. Jean et lui l'auraient volontiers partagée quand ils attendaient en rang pour s'enrôler. «T'imagines, disait Jean les yeux rêveurs, on va pouvoir manger trois fois par jour, en plus d'être habillé, chaussé.» Et il se sortait l'orteil des souliers en riant. Rien qu'une pomme les aurait contentés: aujourd'hui, rien qu'une pomme le blesse autant qu'une balle. Là, en dedans. Où rien ne saigne, où rien ne se fracture. Là, en dedans où tout se pulvérise sans le support d'aucune matière. Là, où tout s'émiette et se réduit en cendre. Pourquoi rester ici? Endurer cette autre guerre et se laisser infliger d'autres blessures?

Hervé quitte l'autobus. Dehors, c'est froid, humide, déplaisant, mais il s'y fait, au fur et à mesure qu'il s'éloigne du véhicule. Il ne sait où il va, mais il marche d'un bon pas, s'obligeant à penser à l'enfant blond et doux, dessinant des fleurs sur le coin de la table. À l'enfant sans malice et sans défense qui de son silence peut effacer la dureté de la parole humaine.

Route de plus en plus dangereuse, glissante, verglacée. Léopold Potvin monologue au volant de la camionnette de son fils.

— Temps de merde! T'aurais pas dû, Léopold. T'aurais pas dû faire tes commissions aujourd'hui. Un plan pour avoir un accident... de toute façon, t'étais obligé... Maudite cigarette!

Il tâte d'une main nerveuse un petit sac de papier près de lui et se rassure au contact des flacons de calmants et de somnifères. Enfin! Il va pouvoir dormir et se calmer. Du moins, il l'espère.

— Maudite cigarette! Maudite vache! Sale putain, j't'haïs. J'haïs la cigarette! Ouach! C'est mauvais... Écœurant... Respire-moé ça, c'te cendrier-là... Ça lève le cœur. Qu'ossé ça? Qu'est-ce que l'autobus fait là?

Il se gare devant le véhicule scolaire, se sentant concerné. Après tout, c'est son fils Gustave qui en est le propriétaire et si le chauffeur a des ennuis mécaniques, il peut lui venir en aide, étant garagiste de son métier.

Mais voilà, il ne trouve pas de chauffeur. Seulement des adolescents, l'air penaud et éberlué.

— C'est qui votre chauffeur?

— Le vieux Taillefer.

— Ousqu'y est?

— Y s'est sauvé, le vieux c...

— Pourquoi qu'y s'est sauvé?

— On l'sais-tu nous autres?

— Oui, vous l'savez... mais vous l'direz pas. Y a-t-y quelqu'un icitte qui peut m'vendre une cigarette? J'vais la payer vingt sous: c'est plus que ça vaut.

John Falardeau lui en offre deux et refuse d'être payé. Il a sûrement quelque chose à se reprocher.

— J'vais avertir Gustave au garage. Ça s'ra pas long. Grouillez pas.

Sans prendre garde de glisser, Léopold se précipite dans la camionnette et pousse fébrilement le bouton du briquet. Il va céder, il le sait. Mais seulement pour ces deux cigarettes. Après il ne fumera plus et considérera cette faiblesse comme un accident de parcours. Oui, c'est ça. Il ne fumera plus par après. Plus jamais. Maintenant qu'il a ses pilules, il va venir à bout de cette empoisonneuse, de cette séductrice qu'il porte avec besoin et passion à ses

472

lèvres. Il aspire avec volupté et, bien qu'elle soit moins savoureuse qu'il ne l'escomptait, il jouit de cette présence en lui, de cette euphorie qui l'envahit et le soumet jusqu'au bout des doigts. Après, il ne fumera plus, il le faut. Il tâte ses pilules, démarre, pressé d'avertir Gustave du geste imprudent d'Hervé Taillefer. Geste qui cependant le disculpe d'avoir succombé à la cigarette et lui octroie une certaine suprématie sur cet ancien ennemi politique. Car enfin, à part d'être libéral, le vieil Hervé n'a pratiquement pas de défaut contrairement à lui qui possède tous les vices de la terre ou presque. Hervé ne fume pas, ne boit pas, ne chôme pas. Un bel exemple à citer, quoi? Mais là, il vient de commettre une faute. Vient de baisser d'un cran et c'est lui, Léopold Potvin, qui va sauver la situation. Cela lui fait un tel velours qu'il grille sa cigarette jusqu'au filtre sans une once de culpabilité et reluque aussitôt la deuxième.

— Après elle, c'est fini, c'est fini. C'est ma dernière, tente-t-il de se convaincre à voix haute.

Soudain, il aperçoit un homme sur le bord de la route. Un homme qui court plus qu'il ne marche. C'est Hervé Taillefer. Il l'invite à bord.

Sans se faire prier, Hervé se laisse tomber sur le banc, les cheveux plaqués sur le front, les lèvres agitées de tremblements convulsifs.

— L'autobus est-y cassé?

Signe que non.

— Pourquoi? Pourquoi t'as fait ça d'abord, Hervé? On laisse pas un autobus de même. C'est dangereux…

Pour toute réponse, Hervé Taillefer serre les bras contre sa poitrine, tentant de réprimer ses frissons.

— Non, mais tu t'rends compte? C'est Gustave qui va avoir des misères avec ça. Tu connais pas le comité de parents, toé. Y va y avoir des plaintes jusqu'à la régionale pis j'donnerais pas cher de ta job…

— J'la veux plus.

La phrase tombe dru, aussi glaciale que cette pluie de mars.

— J'en peux plus… j'en peux plus… gang de bébés gâtés.

Ces derniers mots sont ravalés par les sanglots de l'homme. Léopold, momentanément désarçonné par cette réaction, allume sans tarder la seconde cigarette et, tout en conduisant, observe furtivement ce vieil ennemi politique, pleurant contre la portière. Il n'ose plus lui adresser des reproches et ne sait comment le consoler.

Cela l'affecte grandement de voir un homme de son âge accablé de la sorte. Surtout Hervé Taillefer, cet ancien soldat qui aurait mérité de connaître la paix sur ses vieux jours. Car on a beau dire, beau penser que c'est stupide d'avoir fait la guerre des autres, il n'en demeure pas moins qu'il lui a fallu du courage pour endosser l'uniforme militaire.

— Y m'ont lancé une pomme... par la tête... explique Hervé d'un ton saccadé.

— Gang de p'tits christs! Ça prends-tu des p'tits baveux, non? Encore chanceux que t'aies pas eu d'accident avec un temps d'même.

Léopold prend sa défense, tient responsable la génération des jeunes insouciants.

— ... rien qu'une pomme.

— Rien qu'une pomme mon œil! Ça dérange en maudit quand tu chauffes par un temps pareil. C'est qui qui a fait ça? J'vais en parler à Gustave. C'est pas juste que tu perdes ta job à cause d'eux autres. Dis-moé qui: j'vais t'arranger ça.

— J'la veux plus, la job... j'en peux plus.

Tant de découragement, de désespoir dans cette voix!

Léopold pose alors sa main sur l'épaule d'Hervé et frissonne à trouver l'étoffe du makina complètement trempée. Tout comme Hervé, il se voit rendu à l'âge où l'on a froid, où la fatigue de toute une vie nous fait trembler et de le savoir affublé de ce vêtement imbibé de pluie éveille chez lui la compassion voire la sympathie. Instinctivement, il tâte l'épaule, la trouvant aussi osseuse que la sienne. Aussi voutée. N'ont-ils pas, chacun d'eux, porté leur croix?

— Enlève ton manteau, tu vas prendre du mal. J'vais monter la chaufferette.

Sa voix est rassurante, amicale, réconfortante comme la chaleur de la laine. Il pense bêtement qu'ils ne sont pas à leur place sur cette route, par ce temps. L'un comme l'autre, ils mériteraient d'être près du poêle, les pieds dans leurs pantoufles.

Hervé enlève son makina et le tord machinalement. L'eau s'égoutte sur le plancher.

— Un plan pour attraper une grippe, gronde Léopold telle une mère poule.

Encore une fois, sa main vient rejoindre cette épaule si semblable à la sienne. Ce contact balaie toute rancune entre lui et ce vieil ennemi politique. Il a l'impression de se toucher, de communier à sa propre vieillesse. C'est la première fois de sa vie qu'il touche Hervé. Jamais, ils ne se sont donné ni la main, ni un coup de poing. Entre eux, ce fut un combat de paroles et de manigances. Mais là, il le touche et demeure tout surpris de constater leur similitude. Tout surpris et attendri. Devinant dans son for intérieur que seule leur mémoire leur interdit l'amitié.

— Prends sur toé, Hervé. De toute façon, on est plus d'âge à faire des jobs de même, hein?

— T'as raison: on est des pépères.

— Euh... oui. Oui, c'est vrai: faut ben l'admettre.

— Oui, t'as raison; faut l'admettre.

— T'as ben dit que j'avais raison? Ça fait deux fois que tu l'dis. J'rêve pas là? Toé, Hervé Taillefer, tu m'donnes raison? réplique Léopold en secouant gentiment l'épaule de son passager.

Hervé pose la main sur la sienne et, esquissant un vacillant sourire: «Seulement pour c'te fois-citte, Léopold.»

* * *

Samedi, 23 mars 1985.

Le métro file. L'emporte à une vitesse inouïe sous la terre. Le nez collé à la fenêtre, Alex scrute les parois du tunnel qui défilent rapidement. Une lumière, une pelle, une lumière. Il happe ces images au passage. Dire qu'au-dessus de sa tête, la ville grouille, la ville bruit, la ville éclaire! Dire qu'il voyage sous les rues et les maisons!

Les yeux fatigués de se voir arracher à tout bout de champ à cette lumière, cette pelle, cette lumière, il porte le regard sur le passager devant lui. C'est un homme de race noire, d'une vingtaine d'années. Ses cheveux décolorés, d'un roux bizarre et coiffés en tire-bouchon, font de lui un être intriguant, déroutant, légèrement inquiétant. Il s'attarde au collier de chien qu'il porte au cou et à l'immense boucle étirant le lobe de l'oreille gauche. Soudain, son regard bute sur les mains aux doigts effilés, coiffés d'ongles roses tout à fait insolites alors que les paumes de la même pâleur achèvent de le captiver complètement. Quelles drôles de mains! Sont-elles normales? Est-il un Blanc déguisé pour une fête quelconque, ayant oublié de foncer ses paumes et ses ongles? Il revient au visage, constate les traits négroïdes puis retourne aux paumes, aux ongles. Fasciné, candide, expressif.

Se sentant épié, l'homme plante sur lui deux pupilles noires, cernées d'un blanc immaculé. Alex ébauche un sourire puis baisse la tête au premier froncement de sourcils de l'inconnu. Une bouffée de chaleur rend sa tuque superflue. Il l'enlève. La tourne confusément entre les doigts. C'est mémère qui la lui a tricotée. Ici, dans le wagon, elle est chaude et elle pique mais là-bas, quand il patinait sur le lac, elle le protégeait du froid vorace. Après un certain temps, il risque un coup d'œil vers les mains étonnantes puis sur la chaîne reliant la ceinture au collier de chien puis sur les cheveux excentriques. L'homme ne se préoccupe plus de lui.

— J'avais des cheveux de même à l'Halloween, dit-il à Mike, soulagé de se voir ignoré à nouveau de cet étrange passager.

— T'as aimé ça, le Forum?

Pourquoi cette question en guise de réponse? Mike fait comme s'il n'avait pas entendu ou ne voulait pas entendre.

— Oh! Oui! J'ai aimé ça, Mike!

— Tu regrettes pas d'être venu?

— Ben non, voyons!

Il racontera tout à Marjolaine. Pour lui démontrer qu'elle a bien fait de le laisser partir et de lui faire confiance. Elle verra qu'il lui revient avec le même cœur, la même tendresse et, tout en cousant le linge de leurs marionnettes, il lui décrira comme c'est grand le Forum et comme on voit bien les joueurs même si on est éloignées de la patinoire. Il lui expliquera l'effet de cette vague humaine qui l'a emporté dans son courant. Tentera de lui faire comprendre la griserie de la foule, des cris, des applaudissements, de l'orgue, du pop-corn chaud, des encouragements scandés, du bruit de la rondelle contre la bande. Il lui dira que Chris Nilan s'est battu et qu'il a vu les Canadiens en chair et en os. Qu'il les a vus évoluer beaucoup plus vite qu'il ne l'imaginait ou que ne le laisse supposer le petit écran. Il lui dira tout... non pas tout. Ce qu'il ressent face à Mike ne doit pas faire partie de ce compte rendu. Elle doit ignorer jusqu'à quel point la présence de cet homme lui procure un bonheur nouveau, différent, explosif. Un bonheur complètement fou qu'il bouffe tout rond et tout chaud comme un Big Mac. Un bonheur qui n'a rien à voir avec l'attachement profond, troublant et puissant qu'il éprouve envers Marjolaine. Attachement qui n'a fait que se renforcer au fur et à mesure qu'ils ont réalisé leur projet commun. Non! Il ne dira pas tout. Elle pourrait croire qu'il l'a trompée alors qu'il n'en est rien.

Il ne veut pas se servir de Mike pour la punir d'avoir ouvert ses bras au député. Il lui a pardonné cet écart et, depuis que ce dernier ne la visite plus, il jouit littéralement de l'avoir pour lui tout seul.

— Viens! On est rendus.

Mike se lève, attend devant la porte. Qu'il aimerait lui ressembler quand il sera un homme! Avoir sa taille, ses épaules carrées, sa prestance.

— Viens!

Il suit. Calquant ses pas sur ceux de son père. La tête virant à gauche, à droite. Les narines frémissantes, les yeux émerveillés. Tant de choses sollicitent le petit garçon de campagne en lui: les panneaux publicitaires, les filles vêtues à la mode, les ethnies, le vieux monsieur jouant de l'accordéon pour quelques pièces de monnaie, les escaliers mobiles, le kiosque à journaux où des fleurs de tissu lui font penser à Marjolaine. Tant de choses bombardent son cerveau qu'il ne ressent pas sa fatigue. Il lui reste tant encore à assimiler, à digérer.

Voilà qu'ils débouchent à l'air libre. C'est la nuit mais ici, la nuit ne dort pas. La ville veille, parée de mille lumières. Des lumières de toutes formes, de toutes couleurs. Des lumières clignotantes, fluorescentes, dansantes. Des lumières qui vont et viennent dans les rues et même en haut dans le ciel. Les pneus chuintent doucement sur l'asphalte mouillée. Il suit toujours Mike.

— On va coucher chez une de mes amies.

— C'est ta blonde?

— Une de mes blondes, disons. Toé, t'en as pas plusieurs?

Un nuage sur son bonheur. Oh! si petit qu'il ombrage à peine le souvenir de sa mère que Mike remplace par d'autres femmes.

477

Un nuage vite chassé par la nécessité de donner une réponse convenable.

— Euh... Non. J'ai juste une blonde... mais c'est la plus belle de toute l'école.

— Elle s'appelle comment?

— Euh... Cindy... Cindy Potvin.

Ment-il en prétendant cela? Il n'en est pas certain. Le fait que Cindy ne le considère pas comme son chum n'empêche pas qu'il la considère, lui, comme sa blonde. Il n'exige pas la réciprocité de son sentiment pour faire d'elle sa dulcinée. Ce n'est donc pas tout à fait un mensonge. Ni tout à fait une vérité mais le fait d'avoir préféré la qualité à la quantité le met sur un pied d'égalité avec Mike.

— Cindy, c'est un joli nom. La mienne s'appelle Louise. Elle reste avec Suzon Patenaude. Tu la connais celle-là, c'est sûr.

— Oui, c'est la sœur de Patrick.

— C'est ça: elle étudie au cegep et partage l'appartement de Louise.

— Ouais... mais c'est à son frère que j'ai donné un coup de poing.

— C'est pas grave. Suzon s'occupe pas de ces affaires-là. Elle le sait même pas.

— Tant mieux!

— Y a beaucoup d'monde du village qui vont coucher là. Presque tous ceux d'la gang.

La gang! Ce mot l'éblouit, évoque l'amitié. Le «coude à coude», le «main dans la main», le «tous pour un, un pour tous». Solidarité, fraternité. Il aimerait faire partie d'une gang, lui aussi. Se sentir protégé, apprécié, intégré. Cela lui donnerait de l'assurance, de la confiance.

— C'est toé le chef de la gang?

— Bah! On a pas d'chef... mais c'est moé l'plus vieux. On est une gang qui veut avoir du fun, point.

— Ta blonde en fait partie?

— Si on veut.

— Et Suzon aussi?

— Non. Elle, c'est pas pareil. C'est une histoire d'appartement avec Louise.

— Y a des enfants?

— Non. Seulement des adultes. On organise des voyages, des soirées. On s'aide en mécanique.

— Le monde dit que vous êtes des bums.

— Le monde se trompe: on a rien à faire avec les Hells Angels, nous autres. Même qu'on s'est débarrassé de Spitter parce qu'y prenait trop de drogue. On est pas si terrible qu'on en a l'air. J'te dis que t'en poses des questions, toé.

Mike lui enfonce la tuque sur les oreilles. S'arrête au pied d'un escalier à pente raide.

— C'est en haut. Tu m'promets d'être sage pis de te coucher en arrivant?

— Promis.

— T'as tout ce qu'il te faut dans ton sac?

— Oui. Ma brosse à dents, mon pyjama.

— Parfait. J'veux être fier de toé.

Mike grimpe, enjambant trois marches à la fois. Pour venir à bout d'en faire autant, Alex s'empare de la rampe glacée. Aussitôt, il ressent une morsure glaciale au creux de la main. Ce contact déplaisant avec une chose de la ville le désenchante momentanément et, rendu sur le balcon, il enfouit la main dans sa poche pour la réchauffer, contemplant cette ville si différente. Si indifférente aussi à ce qu'il est. Et tandis que Mike actionne la sonnette, il s'ennuie tout à coup de son île solitaire. Il s'ennuie de son lit et du poids de Marjolaine creusant le matelas lorsqu'elle vient le border.

«J'me coucherai ici, près de toé», lui a assuré Mike avant de le laisser dans cette pièce où l'obscurité ne règne pas. Étendu sur un des quatre matelas couvrant le sol, Alex regarde autour de lui, cherchant à découvrir quelque chose d'agréable, d'accueillant. Une image, un objet, n'importe quoi qui lui rendrait cet endroit moins froid, moins anonyme. Mais, il ne voit que les matelas nus jonchés de coussins et son sac de voyage par terre, à hauteur de sa tête.

Dépaysé, il ferme les yeux, étend le bras sur le matelas voisin afin d'avoir connaissance de l'arrivée de Mike.

Se condamnant à l'immobilité, il attend patiemment que le sommeil le gagne. Que sa tête se vide de toutes ces nouveautés, de toutes ces images, tous ces bruits, toutes ces lumières. Peu à peu, sans s'en apercevoir, il s'éclipse de la réalité et pénètre le domaine des songes. Mais, son sommeil n'est finalement qu'une courtepointe de rêves cousus par le fil de la fatigue. Il passe du Forum aux matelas nus, de son île au métro, de grand-mère à l'homme excentrique, de Marjolaine à Louise, puis à Cindy, puis à Chris Nilan. Et de nouveau à la pièce froide aux matelas nus, à son bras tendu... puis aux paumes rose pâles et insolites et à la morsure du métal glacé de la rampe d'escalier.

À chaque éveil, il prend appui sur les voix qui lui parviennent de la cuisine avant de s'enfoncer dans la nuit mouvementée, le bras toujours tendu vers la place de Mike.

Dring! Des pas. Des voix qui viennent le chercher là où il est, entre le songe et la réalité. Des voix qui le forcent à ouvrir définitivement les yeux et à s'asseoir sur sa couche. Il écoute. Cherche à repérer la voix de Mike, lorgnant la place vide à ses côtés. Une crainte inexplicable et incontrôlable s'empare de lui. Les voix se rapprochent, deviennent de plus en plus fortes, de plus en plus distinctes et une vibration au sol lui indique qu'on se dirige vers sa chambre.

— J'ai ben l'droit de voir mon cousin.

Hirsute et sinistre, la silhouette de Spitter lui fait dresser la racine des cheveux.

— Tu dors pas, p'tit morveux? C'pas beau ça.

— J'attends Mike.

— Tu vas l'attendre longtemps; y est parti avec sa blonde.

— Bon, tu l'as vu. Astheure, laisse-le dormir, intervient Suzon en voulant entraîner Spitter.

— Lâche-moé toé, réplique celui-ci en se dégageant rudement d'elle. T'as eu ton stock; écrase astheure. J'ai des choses à dire à mon p'tit cousin, hein le morveux?

— ...

— T'sais pas de quoi j'parle?

— Non.

— Ben, de mon casque, voyons!

Spitter s'accroupit à ses côtés, un genou dans son sac de voyage.

— Quel casque?

— Mon casque de moto. C'est toé qui l'a. J'veux l'avoir. Envoye! Donne-moé le.

480

— ...

— Fais pas l'innocent... le casque que tu mets pour faire d'la moto avec Mike. C'est à moé, c'te casque-là. À moé. Mike avait pas le droit d'le prendre. T'sais le casque que tu mets là, sur ta tête.

L'homme cogne durement sur son crâne. Effrayé, Alex recule vers la place vide de son père. Spitter le rejoint, toquant maintenant contre son front comme on toque à la porte.

— Mais c'est vide dans c'te tête-là. Complètement vide. Tu comprends pas? J'veux mon casque.

— Laisse-le Spitter, insiste Suzon d'un ton alarmé.

— Pas avant d'avoir mon casque.

— Y est pas v'nu en moto, comprends donc. Y sont montés sur le pouce.

— Pis? C'est quand même lui qui l'a, hein le morveux? Envoye, donne... donne à ton cousin. Hi! Hi! Hi!

Ce rire le glace, coupe sa respiration. Pourquoi son père est-il sorti sans se préoccuper de lui? Spitter s'approche tellement qu'il distingue son regard détraqué, ses cheveux filasses et ses petites dents pointues que dévoile un rictus méchant. Hi! Hi! Hi! La main maigre de l'homme tord son pyjama et le force à s'étendre.

— J'ai trouvé un bon moyen pour que tu laisses mon casque tranquille: j'ai juste à t'couper la tête. Couic, dret icitte.

L'ongle qui se déplace sur sa gorge le métamorphose en statue de pierre. Il ne peut ni bouger, ni crier et entend son cœur battre violemment. Impuissant, immobile, muet et glacé, il guette le maniaque penché sur lui. Le maniaque qui l'empeste de son haleine pourrie.

— Hi! Hi! Hi! Couic! Partie la tête! Elle d'un bord, le corps de l'autre. Plus de tête pour mettre mon casque... J'l'enverrai à ta mère, ta tête.

Ces menaces atroces le clouent, le crucifient à la place vide de son père. Il ne peut ni s'enfuir, ni crier, ni bouger. Il pense à Marjolaine avec force. Pense à cette douleur qui la ferait mourir si Spitter lui expédiait sa tête. Cet homme est fou et dangereux. Il a déjà tué Fleurette en l'amputant de sa queue. Qu'est-ce qui l'empêchera de le décapiter? Qui l'empêchera? Son père parti s'amuser? Suzon?

— Lâche d'y faire peur, Spitter. Laisse-le dormir.

481

— Toé, la Suzon, fiche-moé la paix. Pour une fois que j'peux parler avec mon cousin sans que Mike soit là. Merci Mike: t'as ben fait d'sortir avec ta blonde.

— T'es même pas supposé d'être ici. Envoye, laisse-le.

— Toé, t'es même pas supposée de prendre d'la coke... C'est pour ça que j'suis icitte: pour t'en vendre... Si tu veux pas que j'le dise à Louise ou à Mike, t'es aussi ben de te taire.

— Ça donne quoi d'y faire peur de même?

— Ça m'donne qu'y m'écœure. Y a pris mon casque pis y a pris ma place. Pis c'est d'sa faute certain si Mike veut plus d'moé dans sa gang. P'tit christ de morveux... t'es mieux de m'donner mon casque, sinon, couic...

Macabre, menaçant, l'ongle passe et repasse. Quand sera-t-il remplacé par la lame d'un couteau? Alex tremble et suffoque. Une douleur intolérable irradie de son cœur jusqu'au bout de ses doigts et de ses orteils. Il aimerait fermer les yeux pour se soustraire à cette horreur mais s'en voit incapable. Désespérément, il tente de se convaincre qu'il fait un mauvais rêve, que ce corps de plomb qui ne lui répond plus se secouera tantôt de sa léthargie et que sa bouche réapprendra à crier mais c'est peine perdue. Trop de choses confirment la réalité. Si seulement son père pouvait arriver et le libérer de ce démon.

— Couic! Hi! Hi! Hi! J'vais couper ta tête... pis j'vais l'envoyer à ta mère, la christ de folle. A m'a fait perdre ben d'l'argent, t'savais pas? Vous êtes juste des voleurs. Ouais, des voleurs... pis les voleurs, ben, on leur coupe la tête. Couic!

— Laisse-le.

— Fiche-moé la paix, j'te dis.

— Va-t'en Spitter ou j'le dis à Mike.

— Tu diras rien à Mike.

Spitter l'abandonne pour se ruer sur la fille qu'il frappe de ses poings. Elle roule sur les matelas et se recroqueville sous l'avalanche des coups. Pétrifié, Alex assiste à cette scène violente. Il claque des dents et halète, incapable d'émettre le moindre son. D'ébaucher le moindre mouvement.

Après Suzon, ce sera son tour. Spitter sortira un couteau de sa poche et lui tranchera la gorge. Et son sang coulera partout sur le matelas, blâmant Mike de l'avoir abandonné et Marjolaine recevra sa tête dans une boîte de carton. Après ce sera son tour...

— T'es mieux d'la fermer parce que c'est à ta mère que j'vais l'dire. J'm'en vais... mais j'vais r'venir quand tu vas manquer de stock... T'es poignée avec moé, astheure, pis toé, l'morveux, t'es mieux de me remettre mon casque. Sinon, couic. Hi! Hi! Hi!

L'homme quitte la pièce, traîne ses pas dans le corridor, ouvre la porte donnant sur le balcon. Alex l'entend descendre nonchalamment l'escalier.

Un silence d'effroi lui enserre la poitrine, expulsant l'air par jets saccadés. Un mal sourd, un mal lourd, l'emplit tout entier.

— Maudit fou, gémit Suzon en rampant vers lui. T'as rien, Alex? Est-ce qu'il t'a fait mal?

La main de la fille le palpe anxieusement. Ce contact absorbe une partie de sa peur. De sa douleur...

— J'ai peur, parvient-il à articuler.

Elle le prend dans ses bras. Le berce contre elle.

— Y est parti... Y reviendra plus... Y a trop peur de Mike pour ça... Y est parti, Alex. J'te jure qu'y reviendra plus.

Elle l'étreint avec force comme pour lui montrer qu'il est indemne, lui caressant maintenant les cheveux. Il se laisse aller, retrouvant la sécurité de sa mère dans les gestes de Suzon. Un lien s'établit entre eux. Complice, solide.

— Personne le sait que j'prends d'la coke. Même pas Louise. Personne doit savoir que Spitter est v'nu ici. Personne. Tu l'diras pas, hein?

— J'le dirai pas.

— Pas même à Mike... à personne, personne.

— Pas même à Mike... à personne, personne.

— Tu m'le promets?

— Oui, j'le promets. Croix de bois, croix de fer, si j'meurs, j'vais en enfer.

— T'es fin.

Elle l'embrasse sur le front là où tantôt toquait le poing sadique de Spitter et le quitte précipitamment, incapable de retenir ses sanglots déchirants.

Il se retrouve seul, le cœur toujours battant. Les yeux grand ouverts, il guette la porte fermée et écoute pleurer Suzon dans sa chambre. Elle doit avoir mal: Spitter l'a frappée au visage.

Assis sur le matelas, les yeux toujours fixés à la porte, Alex s'essuie les paumes contre son pyjama fripé. Il aimerait se départir de cette peur immense qui gèle son cerveau, gèle ses pensées. Cette peur qui persiste à le pétrifier et qui lui assèche la gorge. Cette peur le long de cette ligne imaginaire sur son cou, cette ligne meurtrière, dessinée par l'ongle pointu de Spitter. Couic! Plus de tête... juste un cou saignant avec des boyaux coupés... Couic et sa tête dans une boîte pendant que son père s'amuse avec une de ses blondes. Et si Spitter était parti chercher son arme? S'il revenait furtivement et poussait à nouveau cette porte? S'il lui apparaissait, faisant luire dans la demi-obscurité ses dents pointues et la lame de son couteau? Que ferait-il pour se défendre?

L'enfant lorgne le matelas vide de son père et ressent une colère terrible l'envahir. Colère qui aussitôt s'accompagne d'une douleur profonde. Tout aussi intense que celle déclenchée par la peur. Et même plus. Elle voyage jusqu'au tréfonds de son être, lui coupant le souffle.

Que cela fait mal, mal d'avoir été ainsi trahi! Oui, trahi, abandonné pour cette Louise atrocement maquillée et parfumée qu'il ne trouve pas belle. Cette Louise qui plongeait ses ongles rouges dans sa chevelure de la même manière qu'elle les plongeait dans celle de Mike. Pourquoi tu n'es pas là? Pourquoi tu n'es pas là quand j'ai besoin de toi? interroge son être tout entier, rivé au matelas vide. Elle au moins, elle est là quand j'ai peur, quand j'ai mal. Toujours là mais toi, tu ne penses qu'à t'amuser, accuse son être tout entier rivé au matelas vide.

La douleur voyage en lui, épouse sa frayeur et s'unit à son désarroi. Elle bat à l'unisson avec son cœur. Lui martèle les côtes et d'inquiétude et de reproches. Comme il a honte, tout à coup, d'avoir trouvé Mike plus amusant. Honte d'avoir comparé la joie folle et facile qu'il lui procurait à cette mer d'amour intarissable où le plongeait Marjolaine. Comme il a honte d'avoir préféré les cadeaux de son père à ceux de sa mère. Honte aussi de s'être attaché si facilement à cet homme. Honte de s'être livré à lui en toute innocence. De lui avoir offert son amitié sans exiger de garantie. Honte de l'avoir aimé et même un temps préféré à sa mère. Sa mère qui jamais ne l'aurait trahi de cette façon. Il pense à elle, tente de s'imaginer dans son lit. Entre ses bras chauds, le souffle tiède de son haleine lui chatouillant l'oreille. Il se laisse tomber sur le côté dans la position du fœtus et ferme les yeux. Il pense à son île, à sa maison et surtout à sa mère.

Pourquoi Mike ne l'aime-t-il plus? Pourquoi se l'est-il attachée pour la laisser par la suite? La blesser? Agit-il avec lui comme il a agi avec elle? S'assurant que le cœur est bien conquis pour s'en désintéresser et en séduire aussitôt un autre. Celui de Louise par exemple. Et de tous ces autres cœurs sur la liste. Il comprend maintenant la douleur au fond des yeux de Marjolaine. Comprend cette souffrance qu'il décelait dans le regard qu'elle posait sur Mike. C'est la même qui l'envahit présentement. Doublée de la honte d'avoir succombé au charme de l'homme. Si facilement. Si naïvement. Mais qu'avait-il, finalement, pour lui résister? Comment la vie simple et tranquille auprès de Marjolaine pouvait-elle concurrencer les promenades en moto, les parties de baseball et de hockey? Comment les légumes du jardin pouvaient-ils concurrencer les poutines et les boissons gazeuses? Et la quiétude du foyer, rivaliser avec la joie folle, subite et insouciante que lui procurait Mike? Avec quoi pouvait-il résister à cet homme-enfant, capable de grimper tout en haut du pin pour installer une balançoire et capable, par la suite, de se balancer et de plonger avec lui? Comment pouvait-il refuser cet ami du monde adulte? Et voulait-il le refuser, cet ami? Non, non il en avait besoin, en avait envie. Sans méfiance, il s'est livré à lui et lui a donné la clé de son cœur. Et l'homme a emmagasiné toutes sortes de choses dans son cœur et maintenant qu'il est bien rempli, il est parti à la recherche d'un autre cœur. Et lui, il reste là, près du matelas vide, à communier à la douleur de sa mère. Il reste là, avec ce cœur lourd qui s'enfonce en lui, qui coule à pic comme une masse de plomb, rempli à craquer de tous les bons souvenirs qui, aujourd'hui, le font pleurer. Ceux de cette journée d'été où il est venu pour la première fois installer la balançoire. Ceux de ces longues promenades en moto. Ceux des joutes de hockey sur le lac quand le soir rosissait le ciel. Tout ça coule à pic au fond de lui, alourdi du poids de la colère et de la honte.

Il grelotte. Autour de lui, la ville bruit, la ville éclaire. Elle ne dort pas. Ne se soucie pas du petit garçon malheureux, roulé sur le matelas nu. Différente, indifférente, elle brille de tous ses artifices, ignorant les êtres roulés en boule dans son ventre.

485

Et l'enfant pense à son île avec force. Au chant du vent dans les pins et à celui de la neige fondant au soleil. Il pense que là-bas peut-être, il aurait moins mal. Moins peur. Moins honte. Surtout après s'être confié à Marjolaine.

Soudain, un sanglot provenant de la chambre voisine lui rappelle son serment et le démonte. Croix de bois, croix de fer, si j'meurs, j'vais en enfer. Il ne pourra donc jamais confier sa peur et sa douleur à sa mère. Ni ne pourra exprimer sa colère à son père. Croix de bois, croix de fer... Il a prononcé les paroles. Il a promis comme il a promis à Mike de ne jamais retourner au refuge des motards. Tout cela doit demeurer en lui. Sa bouche doit se sceller sur ce qui s'est passé cette nuit. Il a promis. C'est sacré. Un lien l'unit désormais à Suzon. Ce drame qu'ils ont vécu ensemble, cette peur qu'ils ont partagée les ont soudés l'un à l'autre. Il ne parlera pas. Ni à Marjolaine, ni à Mike. Ni l'un ni l'autre ne sauront ce qui se trame dans son cœur. Et ni l'un, ni l'autre ne pourront se douter de cette douleur et de cette colère capables d'assujettir un enfant. Capable de le marquer. Et de le dicter.

* * *

Dimanche, 31 mars 1985.

Il n'a pas le courage de rentrer chez lui. Pas le courage de rencontrer les yeux de sa femme. Il vient de perdre le torrent et les terrains au bord du lac. Vient tout juste de perdre tout cela, à l'instant.

Hervé demeure claustré entre les jardinières de ciment où bruissent sèchement les fleurs de l'été passé. Irène n'aurait qu'à écarter la tenture pour voir son dos voûté et ses longs bras ballants qui lui font penser à ceux de la poupée Kermit. Oui, ses longs bras maigres et inutiles qui pendent lamentablement de chaque côté de son corps.

Terrassé par sa propre signature au bas d'un contrat, le vieil homme accomplit un pas, deux pas. Des pas qui le mènent nulle part mais l'éloignent seulement de l'entretien qu'il vient d'avoir avec René Mantha. Il n'esquisse aucun mouvement dans la direction de la fenêtre panoramique où pourrait regarder Irène. Elle n'y est pas: il le sait. Déjà, à son arrivée, elle était ivre. Et rien qu'à voir son sourire compatissant et ses yeux rougis, il a compris qu'il n'avait aucune chance d'obtenir un arrangement avec son gendre. Avec ce chat impitoyable qui lui arrache ses humbles possessions de souris. Le voilà démuni, dépouillé, promenant ses pas de somnambule dans l'allée bordée de cèdres taillés, traînant ses longs bras inertes qui n'ont su préserver le bien qu'ils ont acquis par le travail de leurs muscles.

Arrivé à sa camionnette, il y grimpe avec des gestes lents. Des gestes d'homme défait. Des gestes d'automate. Fermer la portière, démarrer, mettre en vitesse, tout cela s'accomplit sans qu'il s'en rende compte tant son esprit est absorbé par les paroles et l'expression dures de Mantha, enfoncé dans son fauteuil. «Je ne peux me permettre de perdre de l'argent. J'ai déjà saisi la machine de vos fils et vos terrains garantissaient la dépréciation. Elle sera difficile à vendre maintenant qu'il y en a une autre dans la place. C'est trop p'tit ici pour deux pépines… Faudra aller ailleurs… ça peut prendre du temps… et le temps c'est de l'argent, c'est bien connu.» Tout dépend du temps de qui. Celui de Mantha, sûrement, mais celui d'un cultivateur comme lui, non. Oh! Non! Son temps à lui n'a jamais été pris en considération. Son temps à lui a grisonné ses cheveux et courbé son échine, il a abîmé ses mains et usé sa carcasse, il a éloigné puis brisé ses enfants, il a alourdi sa femme et a baissé le voile des rêves dans ses yeux. Son temps à lui n'a jamais été de l'argent. Son temps à lui n'a été que du temps. Quelquefois long à mourir, quelquefois l'espace d'un sourire. Son temps a été ponctué, rythmé, assujetti aux exigences de la terre; le temps des labours, des semences, des moissons. Le temps des foins, le temps des chemins à réparer. Le temps des clôtures, le temps des sucres. Le temps du bois de poêle. Le temps de la traite. Le temps du vêlage et le temps de la ponte. Son temps n'a été que du temps et, malgré l'énorme consommation qu'il en a faite, il en a toujours eu pour sa femme et ses enfants. En a toujours eu à donner, à prendre, à laisser. Hmm! Si son temps avait été de l'argent, il serait en mesure d'acheter son gendre aujourd'hui et cette usine qui souille le sol jusqu'à l'embranchement du village où il stoppe.

Il ne peut continuer sur la route qui le ramène chez lui, car il n'a pas le courage d'y rencontrer les yeux de sa femme. Alors, il emprunte celle qui mène au village et à ce lieu où il n'a jamais mis les pieds: le bar salon de l'hôtel du Lac Huard. La camionnette rongée de rouille de Léopold Potvin parmi les véhicules stationnés entre les flaques de boue le met à l'aise. Ce quelqu'un qu'il connaît parmi la clientèle lui fournit un prétexte pour ouvrir cette porte qu'il n'a jamais ouverte et pour pénétrer dans cette salle obscure et enfumée. La table de billard attire aussitôt son attention et particulièrement le bruit des boules qui s'entrechoquent. Il regrette tout à coup de ne rien savoir de ce jeu éclairé par une lumière suspendue. De ne rien savoir de ce temps que d'autres hommes écoulent ici quand ils n'ont pas le goût ou le courage de rentrer à la maison.

— Aie! Hervé. Qu'ossé que tu fais icitte?

La voix enrouée de Léopold provient d'une table tout au fond, près de l'estrade plongée dans le noir. Il s'y dirige rapidement, intimidé par les regards soudainement braqués sur lui.

— Assis-toé... à moins que t'attendes quelqu'un.

— Non... j'suis tout seul.

— Tu prends quoi? Une bière?

— Oui.

— Me semblait que tu prenais pas de ça, toé?

— Pis toé, me semblait que tu fumais plus.

L'un comme l'autre craignent d'extérioser la joie qu'ils ont à se rencontrer et préfèrent prolonger la relation d'ennemis jurés qu'ils ont toujours eue. Autant pour prévenir la curiosité de leurs voisins de table que pour s'apprivoiser eux-mêmes à l'idée d'une amitié possible.

La barmaid apparaît, pressée d'en finir avec eux afin d'aller offrir sa généreuse poitrine au regard convoiteur de clients plus jeunes.

— Apporte-moé une autre Cinquante, la belle. Toé Hervé, qu'est-ce que tu prends?

— Euh...

— Toujours ben pas la bleue de Labatt, hi! hi! hi! C'est d'valeur qui en ait pas d'la rouge. Ha! Ha! Ha!

La serveuse s'efforce de rire, imitant le groupe de joueurs amusés par la repartie de Léopold.

— Bah! Apporte-moé n'importe quoi qui a une étiquette rouge. J'suis sûr que ce s'ra pas flat*, rétorque Hervé.

C'est fait: tout le monde les a entendus se relancer à propos de politique. Officiellement, rien n'a changé entre eux. C'est du pareil au même, et ça n'effraie personne, ne dérange personne, ne surprend personne. Tous reprennent leur conversation, leur occupation, leur jeu sans plus se soucier d'eux.

— Veux-tu ben me dire c'que tu fais icitte?

— J'suis v'nu prendre d'la bière.

— C'est quoi qui va pas? Ça a t'y rapport à l'autobus scolaire? Tu voudrais ravoir ta place?

— Non! Oh! Non, j'en veux plus de c'te job-là. Un plan pour virer fou avec les jeunes d'aujourd'hui.

Léopold se roule une cigarette.

— Ça coûte moins cher que les toutes faites. Maudite cochonnerie! T'as jamais fumé, toé?

— Non.

— Commence pas. Moé aussi, j'ai failli virer fou à cause de c'te maudite cigarette. Suis mon conseil: commence pas ça.

Désolé de voir la conversation bifurquer, Hervé passe et repasse un doigt distrait sur le goulot de sa bouteille. Il voit double, non pas parce qu'il est ivre, mais parce qu'il est absent de cette table. Absent parce qu'ailleurs près du torrent où Flore rêvait de bâtir une toute petite maison sur l'emplacement de la vieille cabane. Une toute petite maison pour lui et elle. Pour leurs vieux jours qu'ils auraient recousus au fil de leur jeunesse et du ruisseau.

— C'est quoi qui va pas?

Qu'il a craint que cette question ne vienne plus jamais le délivrer de ce poids qui comprime son cœur et ses poumons!

— J'ai perdu le torrent et mes terrains au bord du lac.

C'est la première fois qu'il le dit. Que ses lèvres réussissent à articuler le motif de sa détresse. Sa bouche en est toute sèche et sa langue collée au palais.

— Quoi?

Il vide la moitié de son verre. Répète.

— J'ai perdu le torrent et mes terrains au bord du lac.

---

* Flat: éventé.

Il s'exerce à prononcer cette phrase. À l'entendre aussi. Pour l'atténuer, la ramollir. Pour s'immuniser contre elle. Sera-t-il capable de la dire à Flore? Pas encore. Il vide l'autre moitié de son verre.

— C'est pour ça que ton gendre est monté icitte?

— Oui.

— Tes gars ont perdu leur pépine aussi?

— Oui, ils l'ont perdue.

— C'est un beau sale, ton gendre. Y veut tout avoir. Tout contrôler. Ça paraît que c'est un Libéral.

Cette dernière escarmouche de leur hostilité politique lui conseille la prudence. Pas plus que Léopold, il ne se sent prêt à faire place nette pour l'amitié. Trop de choses ont été dites, pensées, accomplies pour être en mesure de les effacer d'un coup.

— Y a pas que les Libéraux qui veulent tout contrôler. J'me rappelle, moé, qu'en 1966, j'ai perdu le contrat d'la voirie au profit de Maurice Falardeau à cause que les Conservateurs étaient au pouvoir.

— C'pas à cause de ça.

— Ah! Non? À cause de quoi d'abord?

— À cause de tes gars-là qui renversaient toutes les boîtes à malle des Conservateurs quand ils déneigeaient.

— Jamais d'la vie. C'est vous autres qui avez inventé ça.

— Aie! Des plaintes, j'en ai eues de même.

Léopold mime d'avoir les mains pleines.

— Peut-être qu'y en ont renversé une couple par accident, confesse-t-il en se rappelant que Florient et Jean-Paul se relançaient constamment sur le nombre de boîtes aux lettres renversées.

— Par exprès… pas par accident.

— Par accident, j'te dis… Du même genre d'accident qui a mis le feu au vieux pont couvert.

Un à un. Cette discussion le stimule. Il se sent les bras moins mous, la bouche moins sèche, le cœur moins opprimé. C'est comme si un courant électrique circulait à nouveau dans ses membres et son cerveau. Comme s'il vomissait enfin toute la rancœur et l'impuissance que Mantha a fait naître en lui.

Interdit, Léopold garde sur lui ses petits yeux luisants tout en se roulant une cigarette.

490

— Ouais, finit-il par dire, le même genre d'accident. Mais en 70, Maurice Falardeau a pas renversé une seule boîte à malle pis y a perdu son contrat d'la voirie quand-même.

— C'est parce qu'y savait pas réparer les chemins au printemps. À part mettre des drapeaux rouges, y faisait pas grand-chose.

— J'te d'mande ben pardon, Hervé Taillefer.

Léopold s'emporte à son tour. Et, de bière en réplique, en passant par les sacs de croustilles et les coups de poing sur la table, Hervé réussit à se débarrasser de ce poids et de cette inertie qui le paralysaient entre les jardinières de ciment où bruissaient les fleurs de l'été passé.

Curieusement, il préfère que Léopold demeure son ennemi. Cela le fouette, l'oblige à réagir, à rétorquer, tout en lui procurant une vitalité nouvelle. Il est reconnaissant envers ce vieux saoulon de le considérer encore comme un homme debout. De l'attaquer et de le provoquer sans arrêt au lieu de le plaindre et de le réconforter. Oui, cette vendetta est de loin préférable aux jérémiades que pourrait lui offrir l'amitié. Elle est saine et salutaire. Il lève un verre à cela.

— À nos chicanes!

— À nos chicanes… C'était l'bon temps quand même, admet Léopold buvant maintenant à même la bouteille.

— Ouais… on savait où on allait… aujourd'hui…

— C'est plus le même genre de politique. Nous autres, on est d'la vieille école.

— Pas toé. Toé, t'as viré ton capot de bord. T'es péquiste.

— J'ai pas viré mon capot de bord, Hervé Taillefer. En seulement, mon parti est mort… pis j'serai jamais un Libéral… Pis j'y ai cru à cette histoire d'un pays pour nous autres. J'y ai cru pour le vrai. Ç'aurait été beau, Hervé, un parti propre au pouvoir avec un pays à bâtir, à définir. Y aurait eu tant à faire pour se bâtir un chez-nous, tu penses pas?

— On aurait été trop faibles sous le Canada.

— Non… c'est ce que le Canada a voulu nous faire accroire. J'vais te dire quelque chose, Hervé: le Québec, c'est un géant qui s'ignore pis qui va toujours s'ignorer parce qu'y a pas confiance en lui. C'est un géant qui s'prend pour un nain pis qui se laisse piler sur les pieds en braillant comme un p'tit chien.

491

— Penses-tu qu'un jour, ton géant va s'réveiller?

— Non... Y est trop tard... y a dit non astheure. Y dort pour de bon.

Léopold semble vraiment affligé, attristé par ce géant débonnaire dont on abuse. Il aurait dû lui parler ainsi lors de la campagne référendaire. Peut-être qu'alors, il n'aurait pas fait campagne pour le non sans pour autant voter oui.

— C'est drôle, tout ce qu'on dit là, ça m'fait penser à ta fille.

— Irène?

— Non. Ta plus jeune. C'est quelqu'un, elle. A le veut beau, a le veut propre son pays.

— Oui, c'est vrai.

— Dis-y de faire attention. Y a des gros enjeux en place... J'peux pas t'en dire plus.

Léopold marque une pause. Tout dans son attitude démontre la gravité de ses propos.

— J'vais y dire.

— Oublie pas d'y dire itou que c'est de ma part.

— J'oublierai pas.

Un petit malaise flotte comme si cette preuve d'estime tentait de mettre un terme à leur inimitié. L'un et l'autre regardent autour, pris en flagrant délit de cessez-le-feu. Heureusement, la salle est presque vide, à l'exception des jeunes se disputant la partie de billard.

— Ousqu'y est passé tout l'monde?

— Sont partis souper, c't'affaire.

— Y est pas si tard que ça?

— Ben. Y est six heures et demie.

— Hein! Quoi! Misère! Mon train! Maudit, j'pensais pas qu'y était si tard.

Hervé déguerpit en coup de vent et, malgré son état d'ébriété, réussit à se rendre chez lui en toute sécurité.

Sans même changer d'habit, il court à l'étable et là, à mi-chemin, il la rencontre sortant de la laiterie. Elle porte sa vieille salopette et ses cheveux sont ramassés sous un foulard comme au temps de sa jeunesse quand elle l'aidait à traire les vaches. Elle s'arrête; lui aussi. Elle le regarde; lui aussi.

492

Aussitôt, il sent ses bras redevenir mous et inutiles comme ceux de la grenouille de chiffon. Ses bras qui n'ont su préserver le bien qu'ils ont acquis par le travail de leurs muscles. Il n'a rien à lui dire: elle sait.

Il aimerait lire des reproches dans les yeux de sa femme. Lire des bêtises, des accusations, tout, sauf cette immense tristesse qu'aucun mot ne saurait contenir. Elle vient de perdre une partie vitale d'elle-même, il le sent. Elle vient de perdre l'espoir d'écouler une vieillesse heureuse en cet endroit merveilleux qui a vu naître leur amour. Elle vient de perdre leur douce folie, leur miel de réserve. Oui, le miel de réserve et tout ce qui appelait son regard vers la bordure verte des pins au bout de la terre. La bordure verte abritant le ruisseau, le torrent et la cabane. La bordure verte, sentant bon le tapis d'aiguilles rousses. La bordure verte invitant au repos et à la paix. La bordure verte comme une récompense au bout de leur terre de labeur. Un récompense entrevue et espérée par la fenêtre de la salle de bain quand la fatigue lui alourdissait les jambes et minait ses reins. Quand les grossesses se façonnaient à même son corps. Quand la misère régnait dans ses chaudrons et casseroles.

Oui, elle vient de perdre leur miel de réserve dans cette bordure verte d'espérance au bout de leur terre de labeur.

Et lui, dégrisé et fautif, reste là, devant elle, les bras ballants.

* * *

Lundi, 8 avril 1985.

Supposément, il est en conférence. Telle une sentinelle, sa secrétaire monte la garde, interceptant les appels téléphoniques et retardant les rendez-vous. Rien ne doit le déranger. Rien ne doit troubler ce sentiment d'exaltation qui l'électrise des pieds à la tête. Rien. Ni personne. Surtout pas l'ingénieur qui a dessiné les plans.

De ses mains tremblantes d'émotion, René Mantha déroule le schéma d'aménagement du torrent, évitant d'y jeter le moindre coup d'œil avant d'immobiliser les coins au moyen d'objets tels briquet, boîte à cigares, porte-plumes et cendrier. Puis, il s'assoit conforta-

493

blement, s'efforçant toujours de résister le plus longtemps possible à la tentation de regarder. Cette excitation le fait rajeunir. En fait, il n'a plus d'âge précis. Il pourrait avoir dix ans et caresser le nouveau panier de sa bicyclette pour les livraisons d'épicerie comme il pourrait en avoir trente-cinq et signer un contrat de transport à la Baie James. Il n'a plus d'âge, plus de lourdeur. C'est comme s'il flottait, lui pourtant si gros. Enfin, n'y tenant plus, son regard plonge dans le magnifique dessin. D'abord, il ne voit que du bleu: celui de l'eau avec la mousse blanche et des éclaboussures puis son regard coule dans le turquoise des glissades aménagées dans le torrent. C'est ça! C'est exactement ça qu'il voulait. Son ingénieur l'a très bien compris. Oui, exactement ces glissades de fibres de verre moulées à même le lit du torrent. Exactement la bonne intervention de l'homme sur cette nature sauvage. Quel trait de génie! Qui d'autre que lui aurait pu penser exploiter ces cascades à des fins récréatives? Qui d'autre que lui aurait imaginé intégrer des glissades d'eau dans un décor naturel et enchanteur? On viendra de partout se laisser emporter par le courant, chuter, tournoyer et aboutir dans les eaux claires du lac. Oui, de partout. Ce projet unique au monde attirera des foules. Il le pressent.

Enthousiaste, l'homme promène un doigt toujours tremblant sur le dessin. Zip! Le doigt glisse dans la chute de fibre de verre. Zoup! Il tourne dans un frou-frou de vagues. Zoup! Ploush! Il aboutit dans un bassin rigolo. Zip! Zoup! Ploush! Et zip encore... Et zoup et finalement ploush dans l'eau du lac.

Quel trajet amusant! Excitant! De quoi faire rajeunir n'importe qui. Même un homme préoccupé comme lui.

Et que d'activités offertes de surcroît aux vacanciers. Cours de ski nautique, de plongée sous-marine, de nage, de plongeon. Promenade en forêt sur des sentiers entretenus longeant le ruisseau. Pique-nique. Commodités d'un restaurant et d'une marina. Régates. Le Centre de récréation nautique conviendra à tous les rêves, à toutes les bourses.

«Parfait! C'est parfait», monologue René Mantha, incapable de détacher son regard de cette eau impétueuse enfin disciplinée par la main de l'homme. Sa main. Encore une fois, son doigt suit le parcours le long des glissades. Zip! Zoup! Ploush!

Oui, il maîtrisera cette eau insoumise, ordonnant son débit, redistribuant ses bassins, perfectionnant ses chutes. Oui, il canalisera sa force aveugle. Ralentira sa course folle vers le lac. Exploitera sa turbulence et sa vivacité. Oui, il la domptera. La mettra à sa main. Elle, si belle, si propre. Elle, si indépendante. Aucun autre que lui n'a eu cette idée, cette audace. Aucun autre que lui ne s'est épris d'elle de cette façon. Si on peut parler ainsi de cette eau vive qui se tortille sur son lit de gravier, loin de tout regard. Cette eau mouvementée qui bondit d'un bassin à l'autre et plonge finalement dans le lac pour s'y perdre. S'y noyer. Ne laissant flotter à la surface que son jupon de dentelle blanche. Cette eau qu'il rêvait de posséder depuis des années et qui enfin lui appartient. Enfin lui appartient.

Il effleure le plan tout doucement, l'air pensif. Cette eau lui fait l'effet d'une femme jeune et vierge. Lui fait l'effet d'être le premier à vouloir l'amadouer. Libre et sauvage, elle court encore entre les pins et les érables, jouant à cache-cache et à saute-mouton comme une gamine espiègle. Ignorant qu'elle a changé de mains et que le vieil Hervé n'a plus aucun droit sur elle. Qu'elle s'amuse! Bientôt, il en fera une grande dame. Et on viendra de partout l'admirer et profiter de ses charmes. Oui, qu'elle s'amuse avant qu'on ne détourne son cours, avant qu'on ne dynamite ses rochers et qu'on ne cimente ses pierres. Qu'elle s'amuse avant la chirurgie qu'il lui fera subir. Avant qu'il ne l'embellisse pour l'offrir aux citadins assoiffés de sa fraîcheur.

Oui, cette eau lui fait l'effet d'une femme jeune et vierge devant laquelle trac et bonheur se chevauchent et où le désir oscille entre la prise de possession et la mise en liberté. Est-ce donc ce qu'il aurait vécu si Irène avait été vierge le soir de ses noces? Si Bobby, le fils du patron, ne l'avait pas prise avant lui, la lui laissant comme il lui avait laissé son auto usagée, ses disques usagés, son transistor usagé. Pourquoi cette guenille grise, tout à coup, lui cachant le magnifique dessin? Car c'est bien une guenille grise que cette partie de sa vie. Grise et usagée comme toutes les choses qu'il a eues dès sa naissance. Le linge gris et usagé du cousin, le sac d'école recousu de son père, le manteau de bonne étoffe de l'oncle décédé, la bicyclette d'occasion, les patins archaïques avec des tuyaux rouillés. «Usagés mais propres», disait sa mère en sortant les vêtements usés de la boîte. Et lui, il avait horreur de ces choses ayant appartenu à d'autres. Horreur d'enfiler ce linge qui avait touché une autre peau que la sienne. Horreur d'en rencontrer l'ancien propriétaire: «Tiens, mon ancien coupe-vent. Comment tu l'aimes?» Horreur de rencontrer Bobby après son voyage de noces, imaginant sa pensée: «Alors, comment tu l'as trouvée? Pas pire, hein pour une habitante?» Horreur de passer en deuxième, derrière cet homme qu'il exécrait. Cet homme plus riche que lui, plus jeune que lui, qu'il avait enduré pour demeurer dans les bonnes grâces du patron. «Emmène donc Bobby avec toi», demandait le père Lalonde, ne prévoyant aucun refus. Alors, pour avoir la chance de conduire les gros camions, il s'embarrassait d'un adolescent gâté et insouciant qui lui rebattait les oreilles avec sa musique d'Elvis. À dix-huit ans, Bobby avait eu sa première voiture neuve. Deux ans plus tard, après de sérieux accrochages dus à l'ivresse au volant, il la lui revendait avec moult éraflures et vices cachés. Cela avait été le lot de toute sa vie que de subir cette peste de Bobby, étrennant tout avant lui. Touchant à tout. Salissant tout de ses mains d'oisif bien nanti. Tout: même sa femme. Ça, il ne l'acceptait pas. Non pas qu'il y ait eu entre lui et Irène un grand amour. Non, leur mariage avait été un acte raisonnable, bien pensé et calculé de part et d'autre. Il avait trente-cinq ans, de l'ambition plein les poches, une capacité de travail immense, de l'embonpoint et une calvitie précoce. De son côté, quoique fort jolie, elle avait déjà vingt-cinq ans, l'âge des Catherine, et pas assez d'instruction pour faire autre chose que du travail de bonne ou de manufacture. Elle lui convenait donc. Il palliait les dix années qui les séparaient et son physique assez moche par la garantie d'un avenir confortable. Ce n'était donc pas le grand amour qui les unissait, mais cette espèce de bon sens qui croît avec l'âge. Hélas, le soir des noces, lorsqu'il s'est vu, encore une fois, devancé par ce Bobby de malheur, il s'est rebattu sur le mot amour, le mot infidélité, le mot pureté. Enfin, sur tout ce que son orgueil offensé trouvait à se mettre sous la dent. Cette peste avait réussi à le pré-cocufier. C'était intolérable et surtout inadmissible qu'Irène ait collaboré à marquer si cruellement sa vie sous le signe des choses usagées. Sa vie de couple s'en voyait dès lors irrémédiablement gâchée. Et depuis, il a beau s'offrir des maîtresses à gauche et à droite, pas une fois encore il n'a ressenti ce qu'il ressent présentement face à cette eau vierge qu'il soumettra.

L'homme contemple à nouveau le plan. Enfin à lui! Cette belle eau dormait inutilement dans les mains d'Hervé. Jamais ce vieil homme n'aurait osé agir sur elle comme lui le fait. Il l'aurait laissée roucouler au bout de sa terre et se jeter spectaculairement dans le lac sans que personne n'en soit témoin. Mais lui, il va la présenter au monde. Lui, il va l'offrir, sachant d'avance qu'elle plaira. Lui, il va l'exploiter et tirer profit de sa beauté unique. Et qui plus est, il va devenir le sauveur de cette région économiquement faible, procurant de l'emploi, attirant les touristes et secourant les petits commerces.

De par l'usine et de par ce projet, presque tout le village sera à sa merci. Dans tous les foyers on le considérera comme un bienfaiteur. Non, pas tous, mais presque tous, car il est évident que chez les Taillefer on parlera de lui en des termes moins élogieux. Ou pas élogieux du tout. Sauf Gaby, qui ne parle pas.

L'homme reporte son doigt en haut de la chute. Il imagine cet enfant blond, assis dans la glissade turquoise. Zip! Il sourit. Zoup! Il tourne dans le bassin rigolo. Zip! Zoup! Il rit. Ploush! Il rit et crie de joie.

Pourquoi penser soudain à ce petit bonhomme déconcertant? Et s'il était son fils comme le jure Irène? Si vraiment il avait pu engendrer un être si différent de lui? Si diamétralement opposé. Ces questions le laissent perplexe. Encore une fois, son doigt refait le parcours des glissades et encore une fois, c'est Gaby qu'il associe à cette eau. C'est donc avec lui qu'il inaugurera les glissades du torrent. Il le tiendra entre ses jambes et ensemble, ils étrenneront cet immense jouet aussi neuf que ce premier contact entre eux.

* * *

Mercredi, 10 avril 1985.

Le pluvier kildir, le merle, la mouette, le carouge à épaulettes, le geai bleu et tant d'autres sont revenus.

Accoudée au parapet du pont, Marjolaine les écoute avec respect et ravissement, laissant fondre l'hiver dans son cœur. L'hiver de toute cette solitude tapie dans la neige. Blanche et froide solitude cousue solidement aux milliards de cristaux. Elle regarde la forêt, le tapis terne des feuilles délavées et les branches nues des arbres. Il en est ainsi de son âme que l'hiver a laissée sans attrait. Que la solitude a brûlée de sa main glaciale. Il en est ainsi de son âme de femme après que Benoît l'eut pertubée. A-t-il, à l'instar de Mike, cueilli en elle ce qu'il désirait pour la délaisser par la suite? Pourquoi ne lui a-t-il plus jamais écrit? Qu'espérait-il d'elle?

Elle soupire avec mélancolie. Pense à cette phrase bête, vieille comme le monde dans la bouche des vieilles: «Les hommes sont tous pareils. Tout ce qu'ils veulent c'est ton...» Et Benoît leur donne raison par son comportement. À son désavantage, il se range dans la même catégorie que Mike.

Prendre. Abuser. Leurrer. Prendre et partir. Abuser et tricher. Leurrer et profiter. Voilà ce qu'elle a connu des hommes. Voilà ce qu'elle sait d'eux et voilà ce qui la remplit de nostalgie. Souvent, elle rêve à ces animaux nobles, tel le loup et l'outarde, qui demeurent fidèles tout au long d'une vie. Qui, saisons après saisons, construisent ensemble leur nid ou leur tanière et nourrissent leur progéniture. Elle aimerait dénicher un homme-outarde ou un homme-loup. Aimerait être aimée pour elle, au-delà de sa beauté et de sa jeunesse. Comme son père aime encore sa Flore malgré son corps lourd et ses jambes gonflées de varices. Elle aimerait trouver ce compagnon de vie et traverser avec lui les tempêtes et les hivers. Ces longs hivers de ciel gris où la méchanceté fermente dans la neige. Ces longs hivers de silence où la parole lève machinalement le couperet de sa guillotine. Ces longs hivers de froidure que nulle amitié ne réchauffe. Oh! Oui, elle aimerait trouver ce compagnon fiable et fort, capable de braver avec elle les hivers et les tempêtes. Mais elle n'a pas trouvé. Encore une fois, elle s'est trompée. Là où l'amour n'a pu trouver une certitude, l'amitié n'a pas été en mesure de survivre. Benoît cherchait donc en elle ce que tout mâle cherche en une femme c'est-à-dire une femelle. Pourtant, il donnait l'impression de chercher autre chose. Mais cela n'était qu'une impression puisqu'il a pris la femelle et s'est détourné de la femme.

Un vent léger, avec un restant d'hiver à ses trousses, pousse une plaque de glace. Aussitôt, un doux tintement de verrerie se fait entendre. C'est comme si on plongeait à pleines mains dans un coffre de diamants. Elle observe les amas de glaçons le long des berges. Le bouclier du lac s'effrite. Rongé par le soleil, brisé par le vent, usé par les obstacles, il se rend à l'ennemi et participe à l'assaut silencieux de la fonte des neiges acides. Quel choc subira l'eau cette année? Quelle est la teneur en acide du torrent gonflé par la fonte? Quel travail ont pu accomplir les décomposeurs pendant la trêve de l'hiver? L'eau est-elle en mesure de subir ce stress? Comment réagit-elle derrière cet écran transparent et cristallin? Marjolaine se penche vers l'eau pour sonder son mystère. Curieusement, elle a l'impression de regarder dans un miroir. Pourtant, elle ne voit que de l'eau noire à travers la croûte rongée que le vent promène et émiette maintenant autour des piliers du pont. Mais c'est l'âme de l'eau qui répond à son âme de femme. L'âme délaissée, ignorée, gênante. L'âme que l'homme évite de rencontrer après avoir bu. Que l'homme évite de reconnaître après s'être rafraîchi. L'âme à qui l'homme renonce pour ne bénéficier que de l'enveloppe. À cette âme qui attend d'être reconnue, respectée et aimée. Oui, aimée jusqu'à sa moelle et pour sa moelle.

Et longtemps, longtemps, tandis que le chant des oiseaux revenus s'espacent, la femme plonge son âme dans celle de l'eau. Compatissant à sa détresse, à sa souffrance muette. Et à ce don d'elle-même qui se retourne contre elle.

* * *

Éthiopie, Mekele, jeudi, 11 avril 1985.

C e soir, Miss n'en peut plus. Tout simplement plus. C'est trop. La coupe déborde. Pourtant, à son départ de Calgary, elle croyait être en mesure d'affronter le spectre de la famine. Mais ce soir, elle ne sait pourquoi, elle s'écroule sous le fardeau de l'humanité qu'elle a tenté d'alléger.

Le fardeau de tous ces affamés qui déambulent dans le camp, le fardeau de toutes ces petites mains d'enfant agrippées désespéré-ment à elle, le fardeau de ces mères aux seins taris, le fardeau des vivres et médicaments qui leur parviennent de façon irrégulière, le fardeau de tous ces morts gisant dans leurs excréments, le fardeau de la guerre omniprésente, le fardeau des déportés qui renouent avec la faim sur des terres insalubres où sévit la malaria et où claque le fouet des travaux forcés. Le fardeau des déportés qui crèvent loin des caméras et des secours internationaux. Le fardeau total de son impuissance à soulager ces misères effroyables... inimaginables.

Ce soir, Miss n'en peut plus. Elle suffoque. Assise sur une boîte, dans un coin de l'hôpital rudimentaire, elle vacille, sujette à des étourdissements.

Est-ce physique? Pourquoi, ce soir, l'odeur de ce camp lui lève-t-il le cœur à ce point? Une odeur collante, prenante, d'urine et de matières fécales. Une odeur de charogne et de mort.

Ce soir, les cavaliers de l'Apocalypse l'assaillent. Ils sont là, sur leurs chevaux. Là, à accomplir leur terrible mission «D'occire le quart de l'humanité par le glaive, la famine et la peste*». Là, dans un bourdonnement de mouches infernales et dans des tourbillons de poussière. Là, à faire piaffer leur monture dans les cendres de ce pays et dans les entrailles des hommes.

Oui, ce soir Miss est assaillie. L'Apocalypse qu'elle avait lue au campus, plus par curiosité que par foi, s'accomplit devant ses yeux fatigués. Hallucine-t-elle? N'est-ce pas là le cavalier de la guerre sur son cheval roux? Son cheval de feu et de sang? N'est-ce pas lui qui doit «Ôter la paix sur la terre de façon à ce qu'on s'entretuât*»? N'a-t-il pas troqué sa grande épée pour une mitraillette Kalachnikov et des chasseurs Migs? Et à ses côtés, n'est-ce pas le cheval noir de la famine, avec son cavalier et sa balance, répétant sans arrêt: «Un denier la mesure de blé, un denier les trois mesures d'orge. Quant à l'huile et au vin, épargnez-les*.» Et combien de birrs pour la mesure de teff? Combien pour le blé de l'aide canadienne vendu au marché noir du Soudan? Combien pour celui qui pourrit dans les cales des bateaux à Djibouti? Combien pour celui des soldats? Quant à l'huile et au vin, les a-t-on épargnés à Addis-Abeba pour fêter le dixième anniversaire de la Révolution qui a détrôné le Roi des Rois, Haïlé Sélassié?

Suit, sur son cheval verdâtre, le cavalier de la Peste. Celui des maladies contagieuses. Des parasites qui propagent une forme de typhus et des fièvres récurrentes. Celui qui torture le ventre des affamés, les vidant, les enflant, les brûlant, les glaçant, les tordant et les déchirant dans sa main cadavérique d'où coulent le sang et la merde.

---

*   Apocalypse, versets 4 à 10.

Que fait-elle ici, à assister à tout cela au lieu d'être chez elle à applaudir Wayne Gretzky aux éliminatoires du hockey?

À quoi lui sert de sauver ces vies aussitôt cueillies par un des cavaliers à la porte du camp? À quoi lui sert de retarder de quelques semaines la mort de ces réfugiés? De surseoir à l'échéance de la déchéance? À quoi lui sert son éphémère triomphe dans ce camp assiégé par les trois cavaliers?

Aucune réponse. Elle vacille, en proie au doute et à la fatigue. Ses oreilles bourdonnent. Elle ferme les yeux. Voit les chevaux de son grand-père gambader dans les prairies. Des chevaux magnifiques, avec des nez de velours, venant chercher un carré de sucre dans la main. Des chevaux sans cavalier ayant pour mission «D'occire par le glaive, la famine et la peste». Que fait-elle ici? Dans ce pays désertique que martèlent inlassablement les sabots impitoyables du cheval roux, du cheval noir et du cheval verdâtre? Ce pays dont la terre est morte et dont l'eau est rare et souvent corrompue?

Elle a peine à croire qu'avant la Seconde Guerre mondiale, ce pays exportait des céréales. Qu'avant cette guerre, la moitié de ce pays était recouverte de forêts. Qu'avant cette guerre, il y avait des sources et des pluies. Des champs et des récoltes.

Elle a peine à croire qu'en si peu de temps, le sol ait pu mourir. Pourtant, c'est ce qui est arrivé. Un de ses amis travaillant pour l'ACDI lui a expliqué que la déforestation massive a provoqué l'accélération des phénomènes d'érosion, de latérisation et de désertification. Il reste moins de quatre pour cent de forêts en Éthiopie. Alors, que fait-elle ici, dans ce camp qui empeste? Pourquoi ne fait-on pas la guerre au désert en replantant des arbres? Pourquoi ne chasse-t-on pas ces cavaliers qui piétinent et massacrent ce pays à l'agonie? Que fait-elle ici?

Elle avale avec difficulté. Son gosier est sec, sa gorge brûlante. Elle a l'impression de s'évaporer dans son coin. De se déshydrater comme tous les êtres vivant dans cet enfer avec, pour dernière vision, celle des rivières turquoises au pied des Rocheuses.

Soudain, un chant la rejoint, faisant naître le visage de deux enfants dans son esprit: celui d'un petit garçon et de sa sœur. De Nigusse et de Zaouditou. Elle sourit à ces images qui la consolent. À ces deux enfants qui conservent le rêve immense du lac Tana dans leurs yeux agrandis par la faim et la peur. Ces enfants qui l'aident en enseignant aux nouveaux venus à se servir des latrines. Ces enfants qui ont échappé aux cavaliers de l'Apocalypse et qui, malgré leur présence hors des limites du camp, conservent l'espoir de rejoindre les rives du lac fabuleux. Elle sourit à ce petit garçon qui chante presque toujours et à sa sœur qui aide tant que le lui permettent ses maigres forces.

Le chant s'amplifie. Miss ouvre les yeux sur les corps décharnés gisant par trois ou quatre sur des couvertures en plastique. Sur cette horreur. Sur cette misère. Sur ces déshérités qui n'ont plus un seul denier pour acheter une mesure de blé. Sur ces regards perdus, traqués, fiévreux. Sur ces ventres gonflés, ces membres squelettiques. Sur ces mouches morbides recouvrant les visages et les corps. Sur cette population pourchassée par les trois cavaliers.

Ce soir, Miss aimerait ne plus voir tout cela. Elle aimerait se reposer la vue, se reposer le cœur, se reposer les mains. Elle aimerait ne plus sentir cette odeur de mort. Trop c'est trop. Trop de merde, trop de maladies, trop de souffrances l'ont épuisée. Que fait-elle ici, à soigner des malades sans identité? Ces gens broyés par la faim, la soif et la guerre. Ils ne sont plus que des ventres gonflés de diarrhée d'où s'échappent les dernières selles ensanglantées. Ne sont plus que des estomacs rongés par la faim. Ne sont plus que des fronts brûlants. Ne sont plus que des bouches grandes ouvertes sur des dents déchaussées. Ne sont plus que des mains décharnées accrochées à son blouson d'infirmière. Que fait-elle ici?

Apparaissent alors Zaouditou et Nigusse dans l'encadrement de la porte. Visiblement, ils la cherchent. Un sourire timide naît dans leur visage émacié lorsqu'ils l'aperçoivent. Les yeux débordant d'affection et d'admiration, Zaouditou s'avance vers elle, suivie de son petit frère pendu à ses haillons.

— Lac Tana, Miss…

Les enfants s'accroupissent près d'elle. Déposent en toute confiance ce rêve grandiose à ses pieds.

Miss les regarde. Pose doucement les mains sur les crânes où repousse la chevelure. Il y a six mois à peine, ces enfants n'étaient que des ventres et des estomacs malades. Comme tous ceux de cet hôpital, ils gisaient sans aucune dignité. Sans rien qui aurait pu faire croire qu'ils étaient des êtres humains et non des animaux agonisants. Et puis, ils ont guéri. Lentement, ils se sont remis. Et voilà que brillent dans leurs grands yeux noirs l'espoir tenace et le rêve grandiose. Voilà qu'ils redonnent un sens à tous les gestes qu'elle a posés. Un sens à sa présence dans ce camp.

Voilà qu'ils lui prouvent que ces malheureux ne sont pas que des ventres à soigner ou des bouches à nourrir. Qu'ils sont, comme elle, d'essence humaine. Qu'ils ont des rêves, qu'ils ont un passé, une histoire, qu'ils ont des liens entre eux, qu'ils ont des chansons, des poèmes, des religions.

Miss caresse maintenant ces jeunes têtes blotties contre ses genoux. Ces jeunes têtes où s'est enraciné l'espoir de contourner les cavaliers de l'Apocalypse pour rejoindre leur rêve d'eau.

* * *

Samedi, 13 avril 1985.

Rien, jusqu'à maintenant, n'a pu détacher Yvon Sansouci du petit écran pendant les éliminatoires du hockey. Aucun client, aucun parent; aucune urgence, aucun problème. Rien, sauf cette invitation de René Mantha qui le fait quitter en douceur par la porte arrière.

Le maire s'éclipse, traverse le village désert, épiant aux fenêtres la lumière bleue des téléviseurs. Chanceux! pense-t-il, contrarié. Il accélère pour s'esquiver au plus vite de cette petite communauté rivée aux joutes enlevantes des éliminatoires. Bientôt, il emprunte l'allée bordée de cèdres et se ressaisit à la vue de la résidence d'été de René Mantha qui atteint sur le rôle d'évaluation la fabuleuse somme de cent cinquante mille dollars, de quoi le flatter

507

dans son amour propre. Le sacrifice de sa partie d'hockey s'estompe considérablement. Le fait que cet homme si riche soit venu expressément de Montréal pour le consulter (c'est bien ce qu'il a dit au téléphone) le distingue du menu peuple. C'est comme s'il avait été choisi, de si loin et par un homme si riche. Comme s'il avait été la crème recueillie sur le lait. Du moins, il se sent privilégié. Au-dessus de la moyenne. À la hauteur des attentes d'un homme de cette envergure.

Ding! Dong! Il se tient droit devant la porte, feignant d'ignorer les jardinières, la rocaille et la piscine creusée. Il fait comme s'il en avait vu d'autres, bien d'autres, et s'interdit formellement de laisser paraître sa surprise, encore moins son émerveillement.

Mantha en personne lui répond et l'invite à pénétrer dans sa luxueuse demeure.

— Prenez la peine d'entrer. Donnez-moi votre coupe-vent. J'espère que ça ne vous a pas trop dérangé.

— Mais non. Y avait seulement du hockey à soir.

— Vous n'aimez pas ça?

— Bof!

— Chacun ses goûts; moi, j'aime bien. Mais y a des choses plus importantes. Assoyez-vous. Scotch? Whisky? Cognac? Bière? Qu'est-ce que vous prenez?

Après avoir menti sur le hockey, Yvon Sansouci se trouve en mauvaise posture pour admettre qu'il aimerait une bière, habituellement associée aux amateurs de hockey. Rusé, il trouve vite la solution.

— N'importe quoi, j'prendrai ce que vous prendrez.

— Alors, ce sera une bonne bière fraîche.

Fier de sa tactique, le maire Sansouci accorde alors un regard de convenance autour de lui.

— Ont-ils finalement trouvé les vandales qui...

— Non. Les policiers n'ont pas de preuve.

— Avaient-ils des soupçons?

— Oui, mais... ça ne concordait pas avec les dires du témoin oculaire. Comme vous voyez, tout a été remis en état mais ce n'est pas pour cela que je vous ai fait venir.

— Je m'en doute bien.

Sûr de lui, le maire se refuse à admettre le décalage de leur position sociale et s'organise pour traiter d'égal à égal avec ce citoyen fortuné.

— J'aime beaucoup cette région, débute Mantha, et je sais que l'ouvrage y est rare. Malheureusement, l'usine, encore une fois, a été fermée cette année et je suis conscient que cela doit affecter plusieurs familles. Cet hiver, j'ai mûri un plan qui pourra procurer de l'ouvrage à de nombreux citoyens et attirer le tourisme ici.

— Ah oui?

— Oui. Regardez.

René Mantha déroule un plan sur la table de marqueterie. Un vrai plan d'ingénieur, pas un croquis artisanal. Ébloui par le sérieux de l'affaire, Yvon Sansouci tente vainement de comprendre ces taches turquoises et bleues bordées d'écume. Devant son embarras, Mantha explique.

— Ce sont des glissades d'eau.

— Ah! Oui! Oui, là, j'comprends. On en voit comme ça le long de l'autoroute. C'est toujours plein de monde.

— Non, pas des comme ça. Ces glissades-là seront uniques au monde.

— Ah oui?

— Oui.

— Pourquoi?

— Elles seront aménagées dans le torrent du lac Huard.

— Pas le torrent d'Hervé Taillefer?

— L'ancien torrent d'Hervé Taillefer.

— Ah? Y vous l'a vendu?

— Non... C'était une garantie pour la pépine. Que voulez-vous, les affaires sont les affaires.

Cet aperçu de l'intransigeance de René Mantha le glace momentanément et lui conseille la plus grande prudence.

— Y aura pas seulement des glissades d'eau, poursuit son hôte, y aura possibilité de cours de ski nautique, de plongée sous-marine, de nage, de plongeon. Regardez ici, le tremplin, là, le quai de la marina et, pour la plongée, j'ai pensé aux grottes sous-marines de ce côté-ci du lac.

— Oui, oui, je connais.

— Imaginez tout le monde que ces activités vont attirer?

— Vous croyez?

— Si je n'y croyais pas, je n'investirais pas un sou là-dedans. Vous m'connaissez: je ne m'occupe pas d'affaires déficitaires. Avec moi, ça va marcher. Et en plus, ça va donner de l'ouvrage à bien des gens... pour la construction, l'entretien... sans oublier les retombées économiques. Ça va redonner vie au village, croyez-moi.

Yvon Sansouci visualise le projet. Il imagine des centaines de gens venant jour après jour chercher des victuailles et des souvenirs à son magasin. Ce serait drôlement plus rentable que vendre les accessoires de pêche que presque plus personne ne pratique, le lac n'ayant presque plus de poisson.

— Et qu'est-ce que vous attendez d'la municipalité?

— D'la municipalité, côté investissement, j'attends rien. J'en fais mon affaire. Par contre, je dois avoir son appui et sa collaboration.

— Oui, vous l'aurez. Vous pouvez considérer comme chose faite que le conseil adoptera une résolution qui va seconder votre projet.

— Et pour les permis? Allez-vous être obligé de soumettre ça à la MRC?

— Bah, non. Nous avons notre inspecteur et pis y a la loi 6 astheure, vous connaissez?

— Oui, mon avocat m'en a parlé: elle permet aux municipalités de changer certains règlements pour améliorer le milieu aquatique.

— En plein ça. On peut pas dire que vos glissades d'eau amélioreront pas le lac Huard.

— Non... on peut pas dire ça. C'est une belle amélioration.

— J'trouve ça beau de même. Ben plus beau qu'au naturel, affirme Yvon Sansouci en contemplant le schéma et en calculant à une vitesse phénoménale tout ce que l'implantation de ce Centre de récréation nautique pourra lui rapporter en argent et aussi en popularité. À n'en pas douter, cela doit absolument se réaliser sous son mandat.

— Attendez-vous autre chose d'la municipalité?

— D'la municipalité, non. De vous, oui.

René Mantha roule le plan, lui soustrait ce rêve magnifique. Il lui a fait entrevoir le paradis. Maintenant il le ramène sur terre.

Ne reste de tout ce beau mirage qu'un rouleau sur la table de marqueterie et les sourcils froncés de l'homme d'affaires qui finit par dire.

— Tout ça ne pourra pas se faire...

Voilà qu'il le précipite aux enfers où le souvenir des glissades d'eau torturera sans cesse son être assoiffé d'argent et de puissance. Yvon Sansouci reluque le plan avec envie et dépit. Pourquoi lui avoir montré ce qui aurait pu se faire et ne se fera pas? Ce qui aurait été si beau et qui ne sera pas? À quel jeu se livre René Mantha? Où veut-il en venir?

— J'vous suis plus.

— Tout ça ne pourra pas se faire tant... qu'il... y aura... les Riverains... pour nous mettre des bâtons dans les roues. Mon avocat m'a mis en garde contre ces mouvements qui alertent l'opinion publique et se dépêchent d'aller chercher l'appui des écologistes et des environnementalistes. Vous les connaissez mieux que moi: c'est une vraie plaie publique.

— Là-d'sus vous avez raison. Y vous laisseront pas faire.

— Ces gens-là passent leur temps à déposer des plaintes et à voir d'la pollution partout. On va les avoir sur le dos, pis ça risque de tout compromettre.

— J'comprends. Qu'est-ce que vous voulez que j'fasse?

— Me débarrasser des Riverains, c'est tout.

— Ça s'ra pas facile.

— C'est pour ça que j'vous ai choisi. Vous êtes rusé et pesant. Vous connaissez tout le monde ici. Vous trouverez bien un moyen, j'en suis convaincu et s'il y a des choses à payer, venez me voir. Tout homme a son prix, ne l'oubliez pas.

— Oui... pis moé, mon prix?

Pour toute réponse, René Mantha déroule à nouveau le plan, lui entrouvrant le paradis.

* * *

Lundi, 15 avril 1985.

Le chemin terne où rien ne surgit. Fixé dans l'immobilité et le silence de cette fin d'après-midi. Un chemin de rien où rien ne se passe. Où rien ne passe. Pas même un vent pour éveiller l'herbe maladive couchée dans les fossés. Pas même un oiseau pour percer le silence stagnant. Pas même une couleur pour relever le gris des clôtures et du ciel, le brun glaiseux des labours et le sable de la route. Le chemin terne, tant de fois épié par Gaby, avec la douloureuse espérance d'une apparition. Tant de fois épié par sa mère lorsqu'elle était enfant, attendant que l'horizon lui amène quelque chose de nouveau, quelque chose de gai, quelque chose de brillant. Oui, de brillant comme une breloque qui fait riche. De brillant comme les catalogues de la ville avec des rêves de couleur à chaque page.

Le chemin terne, longé de barbelés rouillés, rattachés mollement à des piquets gris où se posent les corneilles. Le chemin terne chargé de tant de regards d'espoir et responsable de tant de déceptions. De tant de désillusions. Coupable et impuissant de n'avoir rien apporté de nouveau, de gai, de brillant. Coupable de n'avoir apporté rien d'autre que la poudrerie d'hiver, les flaques de boue et la poussière. Oui, la poussière qui retombe partout. Jusque dans les maisons. Jusque sur le téléviseur. Jusque sur les jouets de l'enfant solitaire. Jusque dans le cœur de ceux qui guettent le chemin. En attente de…

Et soudain sur ce chemin,

Soudain sous un nuage de sable,

Un vrombissement qui ébranle la torpeur de cette fin d'après-midi.

Un vrombissement inquiétant et attirant tout à la fois qui vient chercher le regard d'Hervé et fige le pas de Marjolaine à la porte de l'étable.

Un vrombissement qui arrête les jeux d'Alex et de Gaby dans la cour.

Un vrombissement puissant et rageur qui écartèle le silence pour laisser poindre l'engin fou furieux au bout du chemin terne. Fou furieux sous son panache de poussière. Fou furieux qui grossit à vue d'œil et se précise. Fou furieux et brillant de toutes ses parties chromées. Fou, oui fou comme un cheval qui a le mors aux dents et furieux comme un taureau dans son carcan. Fou furieux avec la vitesse du cheval et la puissance du taureau.

Le voilà l'engin, dépassant la boîte aux lettres. Grise et terne, elle aussi. Rouillée par endroits. Le moteur gronde de plus belle, fait voler les cailloux sous les pneus et capte le regard dans les rayons étincelants des roues.

— Y va ben trop vite: y va finir par se tuer...

Hervé hoche la tête, le regard toujours attaché à la motocyclette de Mike.

— J'espère qu'y est plus prudent que ça quand y conduit l'autobus scolaire, répond Marjolaine, une ride d'inquiétude barrant son front.

Alex se tait, pressant contre sa poitrine le jouet Tonka. Il regarde flotter la poussière au-dessus du chemin. La poussière qui, lentement, se redépose. Et il écoute s'amenuiser le vrombissement au loin qui, à son tour, retourne au silence. Tout redevient comme avant autour de lui. Tout se cicatrise. Se referme. Se rendort. Tout, sauf son cœur où le passage fulgurant de cet homme cuirassé, botté et casqué lui tient un langage que nul ne peut soupçonner. Un langage qu'il ne vient pas à bout de définir mais qui, incontestablement, s'adresse à lui. Et maintenant que poussière et silence ont repris leur place habituelle, il promène son jouet sur le sol, profondément marqué et troublé par le passage de son père.

Le paysage devant lui,
De chaque côté de lui.
Fade et ennuyeux
Dans toute sa grisaille,
    toute sa somnolence.
Dame Nature n'est guère à son avantage.
Les feuilles qu'elle prépare dans les corsets serrés de ses
    bourgeons
N'ont rien pour le séduire,
Pas plus que cette paille enchevêtrée le long des fossés
Et ces amas de neige sale.
Dame Nature porte encore les marques de l'hiver.
Engourdie, négligée, paresseuse,
Elle somnole dans sa jaquette flétrie.
Et lui, il a envie de percer ce paysage.
De défoncer cette toile délavée.
Envie de s'enfuir par la déchirure qu'il ferait avec son engin.

513

Envie de percuter dans une autre dimension,
    un autre monde.
Envie de s'arracher à ce chemin monotone,
    de découvrir un horizon fascinant drapé de soleil pourpre
    et or,
Envie de se libérer, de s'enfuir, de s'évader.
Oui, s'évader du Mike, chauffeur d'autobus scolaire,
    du Mike mécanicien de garage enfin soumis à un horaire
    fixe,
    du Mike quêtant le sourire de son fils,
    du Mike qui s'est noué le cœur à la branche résineuse du
    pin,
    du Mike outragé par le mot viol.

Envie de sortir de cet homme rongé de remords.
Et pourquoi pas envie de lui faire éclater la cervelle contre
    un véhicule?
Et pourquoi pas sortir de lui par la mort?
Par la pulvérisation de sa matière sur le chemin
Et l'écoulement de son sang dans le fossé jonché de détritus?

Mais qu'a-t-il dit?
Qu'a-t-il fait pour mériter l'indifférence d'Alex?
Pourquoi cette froide réserve et ce menton indépendant qu'il
    lève sur lui?
Pourquoi ce dos tourné vers lui à chaque tentative de réconci-
    liation?
Et pourquoi une réconciliation?

Il pousse l'engin au bout, sent vibrer la machine entre ses cuisses. Elle lui procure une sensation de puissance et de liberté. De virilité également. Elle est là, entre ses cuisses, et obéit. Là, entre ses cuisses, et se donne jusqu'à la limite. Là, entre ses cuisses, et lui procure une jouissance enivrante de liberté. C'est comme s'il laissait ses entraves dans un bruit de fer derrière lui. Comme s'il se dégageait du sable mouvant de la culpabilité. Comme s'il criait, prouvait à la face du monde qu'il est libre. Libre de risquer sa vie. Libre de Marjolaine et de son fils. Libre du mot viol. Libre de cette souffrance dans sa cage thoracique. Dans sa gorge. Dans sa tête. Libre de cette souffrance inhérente à l'amour... Libre de l'amour de qui que ce soit... Surtout de celui d'un enfant...

Qu'a-t-il à faire, lui, l'homme libre des yeux confiants d'un
  enfant?
Qu'a-t-il à faire, lui, l'homme libre, de sa main candide pour
  enchaîner les siennes?
Qu'a-t-il à faire, lui, l'homme libre, de son sourire sincère?
Rien. Moins que rien.
Il ne se reconnaît plus.
Ne s'accepte plus ainsi.
Avec ses remises en question
Et sa volonté de se ranger,
        de s'amender.
Mais s'amender de quoi, bon Dieu?
D'être un homme libre?

La moto traverse le village
Sans même ralentir.
Qu'elles se plaignent les commères!
Qu'elles jacassent pour lui faire perdre son emploi!
Il n'en a cure!
Sa vie lui appartient et il en fera ce qu'il veut.
Et il veut la risquer présentement.
L'exposer au danger de la route et des mauvaises langues.
Leur montrer que même la vie ne peut l'attacher.
Que rien ni personne ne peut l'attacher.
Et qu'elle écarte les rideaux aussi,
La vieille Écossaise enracinée à son domaine!
Et qu'il sorte sur sa galerie,
Le frère Andrew avec ses bras croisés sur son torse bombé!
Personne ne peut le ralentir,
Le raisonner,
Le consoler.
Qu'elle sache, Marjolaine, qu'il se fout carrément d'elle.
Et qu'il apprenne, lui, l'enfant, que son manège l'excède.
Que sa mine boudeuse et ses reproches muets le révoltent.

515

Qu'il apprenne qu'il est un homme libre et qu'il ne tombera
    pas dans son piège.
Pas plus qu'il n'est tombé dans le piège du mot viol.

La moto file dans le champ valonneux
Jusqu'à la retraite des motards,
Aujourd'hui déserte.
Mike met pied à terre,
Fait quelques pas,
Botte rageusement une cannette vide.

Cling! Clang! Elle bondit, roule, s'arrête dans l'herbe d'un
jaune souffreteux. Le silence cerne impitoyablement les bâtisses
grises et vieilles. C'est ici que vivait son père avant qu'il ne s'unisse
à l'Écossaise. Ici que vivait Conrad Falardeau le bambocheur,
l'homme libre. Ici, sur ce perron, qu'il sortait le matin pour voir le
soleil se lever. Ici, par ces fenêtres, qu'il guettait l'horizon où rien
n'apparaissait. Ici, qu'il s'est masturbé et ennuyé. Qu'il a vieilli et
bu jusqu'à l'âge de cinquante ans.

Et c'est ici que lui, Mike, a prolongé la complicité. Ici, qu'à
l'âge de douze ans, il a perpétré la tradition libertine de son père.
Ici qu'il s'est réfugié pour écouter comme il l'entendait la musique
des Beatles et de Moody Blues que sa mère exécrait.

Ici qu'il a donné libre cours aux fantasmes et aux excentrici-
tés qui auraient scandalisé le clan Falardeau dressé sous la férule
d'Andrew. Ici qu'il se promenait nu ou déguisé en cow-boy. Ici
qu'il s'inventait des scénarios de film où il était le héros. Ici qu'il
imaginait la belle Irène l'initier aux jeux de l'amour. Ici, où il a été
gangster, shérif, chanteur underground, vedette, don juan, champion
de base-ball, maître d'un harem. Ici où il a bu et fumé en cachette
et perdu son pucelage avec une maladresse hâtive qui le fait encore
rougir de honte.

Et c'est ici que son vieillard de père, ce vieux complice, ce
sénile camarade, le met en garde contre les sortilèges de la liberté.
Oui, c'est ici qu'il voit tout à coup le vrai visage de celle-ci sous le
fard. Ici qu'il démasque son implacable solitude. Solitude qu'il redoutait d'ailleurs et avec laquelle il craignait l'intimité car, après
s'être saoulé de liberté, il a tôt fait d'inviter ses amis à partager son

516

refuge, de peur de voir l'ennui suinter des murs. De peur de l'entendre craquer dans les planches. De peur de communier au désarroi soudain de Conrad Falardeau après qu'il eut rencontré son Écossaise fraîchement immigrée, dans un restaurant de la ville où il dilapidait régulièrement sa fortune amassée par les coupes de bois d'hiver. De peur de refaire les pas décousus et inutiles entre la maison et les bâtiments. De répéter ses soupirs et de regretter sa jeunesse. De se languir d'un ventre de femme où il déposerait un peu de lui-même.

Oui, c'est ici qu'a vieilli et grisonné Conrad Falardeau, le bambocheur. Et c'est ici qu'aujourd'hui, il lui parle dans la grisaille et l'abandon des bâtisses.

Mike se recueille. Son sénile compagnon est là. Tout autour de lui. Là, avec un rare moment de sagesse, à le mettre en garde contre la solitude qui se cache sous les jupes frivoles de la liberté. Cette solitude qui leurre et entraîne, jour après jour, bouteille après bouteille, femme après femme vers un grand vide stérile.

Mike se rend à l'évidence que l'homme libre en lui n'est finalement qu'un homme seul. Que cette souffrance qu'il se répugne à admettre lui a été infligée par son enfant sans qu'il sache pourquoi. Alors de nouveau, la colère noie son âme et, pour se soulager, il enfourche sa moto et file à vive allure... Pour sortir de lui. S'enfuir de l'homme seul... Se libérer de l'homme libre.

* * *

Vendredi, 10 mai 1985.

— Comment ça t'as lâché pour de bon!?! hurle sa mère en échappant une tasse dans l'eau savonneuse de l'évier.

À la manière d'une tortue effrayée, Suzon Patenaude se rentre la tête dans les épaules.

— Oh! Non, ma fille. Tu vas r'tourner au cegep et pas plus tard que lundi. Y est pas question que tu restes icitte. C'est tout un cadeau que tu m'fais là pour la fête des Mères. Attends que ton père apprenne ça. Ti-Ouard! Ti-Ouard! Viens icitte tout d'suite!

— Pas besoin de crier d'même... on t'entend jusque dehors, répond placidement Édouard Patenaude, lui recommandant d'un geste de la main à baisser le ton.

517

— Qu'ossé qu'y a? Qu'ossé qu'y a? s'enquiert Patrick en accourant.

— Y s'passe rien. R'tourne jouer dehors.

— Non, Ti-Ouard. Qu'y reste. Ça r'garde toute la famille. Suzon vient de m'apprendre qu'a retourne plus au cegep.

Cette nouvelle terrasse son père qui lève vers elle un regard incrédule. Quant à son frère, un sourire détestable relève ses lèvres minces et il s'appuie sans vergogne au comptoir, heureux d'assister à une scène où encore une fois, elle sera démolie par sa mère.

Suzon tortille son torchon de vaisselle sans trouver le courage de regarder cette femme autoritaire qui attend des explications. Cette femme qui la traumatise et l'écrase. Qui la domine depuis sa plus tendre enfance. À l'instar de son père, elle n'est plus qu'une ombre, qu'une chiffe molle devant la grosse Berthe.

— Y est pas question que tu m'fasses ça, ma fille. Qu'est-ce que l'monde va dire?

— ...

Elle se fout pas mal de ce que les gens diront. C'est sa vie qui est en danger. Pas la leur.

— Pour quelle raison? Hein! Réponds! Pour quelle raison?

— Parce que... ça m'tente plus. C'est tout.

— Aussi simple que ça. Ça te tente plus. On n'a rien qu'à lâcher. Te rends-tu compte qu'on s'est fendu en quatre pour payer tes études? T'en rends-tu compte?

— Oui, maman.

Ce dont elle se rend compte surtout, c'est qu'elle risque gros à habiter la ville où Spitter la harcèle de plus en plus. Qu'elle risque gros à priser de la cocaïne. Et encore plus à la vendre au cegep.

— J'savais que t'étais gnochonne, ma fille, mais pas à ce point-là. Pis t'es paresseuse en plus. Oui! Paresseuse comme ça s'peut pas. Hé! Que tu m'fais honte! Que tu m'fais honte!

Sa mère l'aplatit aussi sûrement et facilement qu'un rouleau compresseur. Elle se sent moindre que le torchon dans ses mains. Moindre que le p'tit frère avec son sourire sarcastique. Moindre que son pauvre père qui s'écrase sur un tabouret avec un soupir d'impuissance qui en dit long. Elle lui glisse un regard à la dérobée, et, le voyant si découragé, éprouve d'immenses remords face à lui tandis que simultanément une haine farouche et désespérée brûle les faibles liens qui la rattachaient à sa mère.

Elle hait cette femme. Et de plus, elle la craint, sentant déjà son estomac se contracter.

— Ça s'passera pas d'même, ma fille. Pas plus tard que lundi, tu r'tournes au cegep.

Oh non! Elle craint encore plus Spitter avec ses yeux pâles de détraqué. Spitter qui la violente, la menace et l'oblige à vendre de la cocaïne. Spitter qui, au début, la faisait chanter avec la dénonciation qu'il ferait à sa mère et qui, par la suite, a employé des menaces beaucoup plus sérieuses pour obtenir sa collaboration soutenue. Elle n'a qu'à se rappeler son regard dément et la description détaillée qu'il lui faisait de son cadavre... si jamais elle refusait.

— Non! Non! J'y r'tourne pas. Compris? réplique soudain Suzon.

Elle a hurlé, elle aussi. Maintenant, un silence terrible l'assomme. La bouche entrouverte, Berthe ne sait que répondre à ce refus d'obéissance, tandis que Ti-Ouard se ronge les ongles.

Suzon tremble tellement des genoux qu'elle se demande comment elle parvient à tenir debout.

— A l'a dix-neuf ans. Tu peux pas l'obliger, intervient son père, usant d'un ton modéré et persuasif.

Berthe virevolte vers lui, le submergeant de sa hargne et de son dépit.

— Maudit môlasse! C'est ça, laisse-la faire! Pour prendre notre argent, par exemple, a la prenait ben, même si elle avait dix-neuf ans. Si a veut rester icitte, a l'a juste à obéir. C'est clair?

— Ça veut dire quoi ça?

— Ça veut dire qu'a l'a rien qu'à faire ses bagages si ça fait pas son affaire. Des gnochonnes pis des paresseuses de même, j'en ai pas de besoin. Pis j'ai pas besoin d'avoir une grosse niaiseuse de dix-neuf ans qui vive à mes crochets. A l'a assez ri de nous autres de même.

— Non! J'ai pas ri de vous autres.

— Si c'est pas rire de nous autres, j'me demande c'est quoi c'que tu fais. «Ça m'tente plus, ça fait que j'y r'tourne plus.» Mais moé, j'encouragerai pas le vice, ma fille. Tu sais c'qui t'reste à faire.

Le bras rose et gras de Berthe pointe la porte. Le geste est cruel. Évident. Presque inévitable. Mais il est de trop et à lui seul, il les déchire tous. Suzon éclate en sanglots.

— Non. Tu chasseras pas ma fille.

Ti-Ouard s'est levé. Blanc et tremblant lui aussi, mais ferme et décidé. Sa femme lui a toujours ravi ce qu'il aimait, jusqu'à ses cabanes d'oiseaux qu'elle jetait aux ordures. Mais cette fois-ci, elle va trop loin. Il ne la laissera pas lui ravir cette enfant de dix-neuf ans qu'il affectionne de tout son cœur. Il ne la laissera pas lui fermer la porte de cette maison qu'il a payée de peine et de misère par un travail qu'il n'aime pas. Il ne la laissera pas faire de lui un dictateur offensé par la désobéissance.

— Tu prends son parti? C'est correct. Mais tu vas l'regretter, Ti-Ouard. Oui, c'est elle qui va t'le faire regretter. Prends-en ma parole. T'as toujours pris son parti: r'garde le résultat aujourd'hui. Viens pas me dire que t'en es fier.

Cette dernière phrase blesse davantage Suzon et, n'en pouvant plus, elle lance son torchon à la figure de sa mère et se réfugie dans sa chambre. Quelques minutes plus tard, elle entend le pas timide de son père et son éternel soupir qui en dit long. Il ferme la porte derrière lui et attend.

Quand elle était enfant et se faisait gronder injustement, il venait toujours la rejoindre dans sa chambre pour la consoler. Elle pleurait sur son épaule pendant qu'il caressait ses cheveux. La plupart du temps, il ne disait rien parce qu'il n'y avait rien à dire. La persécussion qu'ils subissaient ensemble suffisait à les rapprocher, et elle lui confessait ses véritables écarts. Mais aujourd'hui, elle ne peut pas lui avouer qu'elle a pris de la drogue. Il en serait tellement déçu, d'autant plus que cela donnerait raison à Berthe. Pour éviter toute effusion, elle demeure couchée à plat ventre. Mais il rôde autour d'elle. Malheureux, avec ses soupirs et ses pas timides. Elle devine ses mouvements: là, il est arrêté devant le gros ourson qu'elle a gagné à la Ronde avec lui... et là, il passe doucement sa main sur la vanité qu'il lui a offerte pour ses quinze ans, et là, il regarde la photo où il la porte sur ses épaules. Les larmes de Suzon redoublent et mouillent bientôt le couvre-lit rose. Oh! elle aimerait lui dire, lui expliquer surtout comment tout cela a commencé. Il y avait ce garçon qu'elle trouvait de son goût. Il faisait partie d'un groupe d'étudiants issus de familles aisées. Elle n'espérait même pas qu'il puisse jeter les yeux sur elle, la grosse venue de St-Glin-Glin. Quelle ne fut pas sa surprise, lorsqu'il l'a abordée. Et sa joie lorsqu'il s'est mis à la fréquenter. Un jour, dans son appartement, il lui a offert de la cocaïne. Ce n'est pas à cela qu'elle s'attendait mais elle a accepté de peur de le perdre, de peur de paraître straight et pas à la mode. Elle avait hâte d'être comme les autres. Hâte d'être acceptée de son groupe. Comme tout allait bien à cette époque: elle avait confiance en elle et tout lui semblait facile. Elle maigrissait sans effort, était dotée d'une énergie incroyable et se savait complètement intégrée au groupe. L'apparition de Spitter a tout gâché. Il était fournisseur. Elle en avait besoin et n'avait plus les moyens de s'en procurer. Ne restait qu'une solution: en distribuer au cegep au risque de se faire prendre. C'est alors que le cauchemar a commencé. Elle n'était qu'une infime partie du réseau, mais déjà c'était trop. Déjà, elle vivait dans la terreur continuelle tandis que les fils à papa se gardaient bien de se salir les mains. Elle, pour maintenir le standing, elle avait dû côtoyer la racaille et le débris d'homme qu'est Spitter.

Le lit se creuse près d'elle. Tout doucement, une main se pose sur sa tête.

— T'as ben maigri, là-bas... C'était sans doute trop dur.

— Oui... c'était dur... j'veux plus y r'tourner.

— Ben non. Ben non. Tu restes icitte avec moé. Inquiète-toé pas. T'as rien à m'dire?

— Non... Oui, mais pas tout d'suite, papa, j't'en supplie.

Ces derniers mots s'étranglent dans un sanglot.

— Quand tu s'ras prête.

Une légère caresse dans sa chevelure. Un nouveau soupir et les pas timides qui s'éloignent.

La porte se ferme. Aussitôt, elle regrette le départ de son père. Cela l'aurait tellement soulagée de tout lui avouer. De faire de lui son confident. Mais, il n'est pas prêt à apprendre cette nouvelle. Pas plus qu'elle ne l'est à la lui communiquer. Mieux vaut laisser le temps cicatriser leurs blessures fraîches.

* * *

Dimanche, 12 mai 1985.

Fête des Mères

Assise sur la galerie, Flore se berce inlassablement, distraitement, comme si elle recherchait le roulis sécurisant du fœtus dans le ventre de sa mère.

— Sens, mémée.

Gaby lui passe sous le nez une branche de peuplier faux-tremble aux feuilles odorantes. Elle le remercie pour le présent et pour les paroles dont il vient de lui faire don.

— Où t'as pris ça?

D'un geste, il indique derrière la grange et déguerpit. De peur d'être harcelé, forcé à traduire par des mots ce qu'il ressent et ce qu'il sait. Flore le regarde aller et arrête le mouvement de sa berceuse. Il lui fait penser à un oiseau craintif, fuyant la cage des mots et, depuis quelque temps, tout comme lui, elle s'enveloppe d'un silence rassurant. Un silence réconfortant qui panse les blessures infligées par la parole de l'homme.

Le parfum l'arrache à ces pensées. L'oblige à humer de plus près. On dirait de l'encens d'église. L'arôme insiste, persiste à pénétrer en elle jusqu'aux confins de son cerveau, jusque dans les replis et les rides de son âme, jusqu'à cet âge de grande pureté où elle demeurait à genoux, vibrant et communiant au monde surnaturel, avec des larmes d'émotion tremblant à ses paupières. Oui, enfant, elle entrouvrait avec facilité et confiance la porte des mystères et sans les comprendre, elle les contemplait, heureuse, presque bienheureuse. Oui, enfant, la messe et la communion lui procuraient une félicité, une extase que l'âge adulte a peu à peu terni et tiédi pour finalement l'anéantir complètement. Elle ne va même plus à la messe, car les paroles de l'homme sur le perron d'église lui font plus de mal que la parole de Dieu ne lui fait de bien. Mais ce parfum d'encens entrouvre à nouveau la porte des mystères et, tremblante, elle s'en approche. Les yeux clos, elle hume cette odeur de sève mi-sucrée, mi-épicée, sensuelle, exquise et pénétrante. Tout comme elle, madame la Terre s'est parfumée. D'un geste gauchement coquet, Flore effleure le lobe d'oreille où Irène a déposé une goutte de *L'Air du temps,* de Nina Ricci, qu'elle lui a offert ce matin. Le lien s'opère. La porte s'entrouvre davantage et Flore ouvre les yeux sur cette vieille dame parée de jeunes feuilles, de bourgeons et d'herbe tendre. Le paysage qui s'offre à elle lui est familier. Et pourtant, il lui apparaît tout nouveau. Ces tons d'ocre pâle, de vert délicat et de gris contrastant avec le blanc neigeux des merisiers en fleurs et les traits noirs et élégants des branches pénètrent son âme avec la même intensité que le parfum. Elle se sent remuée, comme une terre de jardin, et tout cela la force à s'enfoncer au cœur du mystère. Dans le ventre chaud de la vie. Prenant, du bout de son âme, le pouls vigoureux de madame la Terre qui, fidèle et généreuse, offre aux hommes un autre printemps.

Partout, dans l'air et dans l'eau, dans la mousse et le limon, partout dans le sol et les terriers, les bourgeons et les semences, partout dans l'albumine et le liquide amniotique, la vie germe patiemment. Docilement. La vie adopte des formes multiples, explose, bourgeonne, s'étend et se répand. Tout n'est que promesse et gestation. Obéissance du monde femelle à la continuation des espèces. Partout, des matrices remplies de fœtus, de la souris à la louve, de l'écureuil au chevreuil. Partout, des nids qui se tissent et des œufs que l'on couve. Partout dans les étangs, des amas gélatineux, genre de condominiums pour batraciens. Partout, des étables jusqu'aux fossés, la vie triomphe encore une fois. La vie s'assure un avenir par l'intermédiaire du monde femelle. La magie du monde femelle.

Jamais Flore n'était descendue si profondément au cœur du printemps. Jamais elle ne l'avait entrevu de l'intérieur tant ses charmes extérieurs la distrayaient. Et puis, ne disait-on pas LE printemps? Comment alors soupçonner l'omniprésence de l'univers féminin dans ses fibres?

Elle regarde tout en respirant l'encens des jeunes feuilles et son âme flaire la présence d'une âme de femme. Une âme qui, comme elle, s'est donnée sans restriction. Une âme simple, docile, généreuse que nulle révolte n'a bouleversée. Une âme solide et saine, aujourd'hui fatiguée de l'ingratitude. Fatiguée de tant de maternités et de si peu de reconnaissance. C'est l'âme de madame la Terre. Oui, cette vieille madame la Terre que l'homme néglige, que l'homme exploite. Que l'homme ignore la plupart du temps. Préoccupé par le pouvoir, détaché de la réalité par les paradis artificiels, il passe à côté de la vie, à côté du printemps, à côté de madame la Terre sans même la voir. Parce que riche et gâté, année après année, d'un printemps fabuleux et fécond, il n'apprécie plus le don de cette vieille mère de Terre. Il faudrait pour cela qu'elle ne soit pas au rendez-vous. Qu'elle tombe stérile ou égoïste. Faudrait, pour qu'il l'apprécie, qu'elle meurt et s'assèche comme la terre d'Éthiopie. Là, là seulement, il pleurerait ses os.

Cette présence de madame la Terre autour d'elle lui fait du bien tout comme si elle sympathisait avec une vieille compagne. Comme si elles se racontaient leurs accouchements et l'inconscience de leurs petits qui ne pensent qu'à ci ou qu'à ça. Comme si elle communiait à ce grand ensemble maternel qui assure la continuité.

Elle ne sent plus sa fatigue. Ni cette rancœur qui lui barricadait l'âme. La colère de la femme du torrent qu'Hervé a trahie tombe et la libère de ses obligations. Elle n'a plus envie de revendiquer ses droits de femme confondus à ceux de la mère. Plus envie de s'attarder à cette perte. Plus envie de gaspiller ce trésor inouï qu'est la vie: la sienne et celle de tous ses petits.

Elle revoit en pensée les scènes atroces des reportages sur la sécheresse en Éthiopie et s'apitoie sur ces mères offrant à des enfants moribonds leurs seins vides. Là-bas, la terre n'est plus que poussière. Cendre et poussière de la mort. Oui, madame la Terre est morte là-bas et déjà momifiée. Elle n'est plus qu'un souvenir de paradis qui fait mal. Qu'un mirage du passé. Qu'une légende de plus au palmarès des déserts.

Là-bas, nulle mère ne peut communier au grand ensemble maternel qui assure la continuité, car ce grand ensemble n'est plus. Là-bas, la mère est seule avec ses petits. Seule contre le désert.

Et elle, elle veille au coin de sa galerie avec madame la Terre. Elle se berce, mêlant le parfum déposé sur le lobe de son oreille à celui des feuilles du peuplier faux-tremble. Et une prière sans mot lui ballonne l'âme et amène des larmes d'émotion au bord de ses paupières en ce jour de la fête des Mères.

Et Gaby qui s'approche avec un bouquet de pissenlits reste soudain saisi. Grand-mère pose sur lui ses yeux noisette où brille une tendresse infinie. Il regarde cette peau fanée où chaque pore transpire la paix intérieure et où chaque ride exprime l'indulgence et la bonté. Grand-mère sourit et revient habiter ce visage qu'elle avait délaissé durant l'hiver.

Il lui offre ses fleurs et, silencieusement, s'accroupit à ses genoux, s'imbriquant dans le grand ensemble harmonieux de la vie.

* * *

Lundi, 13 mai 1985.

Mandé de toute urgence à la maison privée du maire, Martial Bourgeon y est accueilli avec beaucoup d'égards et d'obséquiosité. Yvon Sansouci n'épargne rien pour flatter sa vanité et va jusqu'à le couvrir de pompeux éloges qu'il ne mérite pas. «Y a que vous pour nous sortir du pétrin. Avec votre instruction, votre expérience et surtout votre profession. Un huissier, c'est ben plus pesant qu'un maire», etc... sans oublier le «vous, vous savez y faire» et le «vous êtes notre homme tout désigné». Rusé, Yvon Sansouci travaille son invité avant de le mettre au courant de ses projets. Il le réchauffe, l'amadoue, le flatte, le gâte, le glorifie, sachant très bien qu'on n'attire pas les mouches avec du vinaigre. En un mot, il est on ne peut plus miel. Mais pas n'importe quel miel. Non. Un miel de qualité, délicat et tiède qu'on sert dans de petites cuillères d'argent. Et ce n'est que lorsqu'il sent son interlocuteur bien gagné qu'il aborde les confidences. Alors là, immanquablement, c'est la reddition: l'huissier n'est plus qu'une pâte pétrissable qu'il façonne à sa guise.

— Astheure que j'vous ai mis au courant des projets de monsieur Mantha, j'dois vous dire que sans vous, tout cela tombe à l'eau.

— Sans moi? Mais qu'est-ce que j'ai affaire là-dedans moi? Vous exagérez.

— Non! Oh! Non, parce qu'y a les Riverains...

— Oui, et après?

— Personne est capable d'les neutraliser.

— En tant que huissier, j'peux rien si...

— Oh! Non. Pas en tant que huissier... mais en temps qu'homme. Vous m'suivez?

— Non.

— En introduisant un loup dans la bergerie.

— Ah! Oui? Oui, je comprends: je serais le loup.

— Exactement. Vous êtes le seul du conseil en qui j'ai confiance. Les autres... bah!... ils n'ont pas votre importance... et puis ce sont des gens de la terre... Comprenez que je ne les dénigre pas mais j'suis quand même capable de voir la différence entre vous pis Hervé Taillefer, hein?

— Oui, c'est sûr.

— Alors voici: demain, à la réunion du conseil, y faudra faire voter une proposition secondant et approuvant le projet de monsieur Mantha.

— Pas de problème, je suis pour.

— Justement, vous serez contre.

— Mais je suis pour. Pourquoi voter contre?

— Parce que vous allez prendre la défense de l'environnement et en fin de semaine, vous allez devenir membre de l'Association des riverains. Que pensera Hervé en vous voyant prendre la défense de l'environnement?

— Oui, j'comprends. Il va penser que j'suis de son bord.

— En plein ça. Y va le dire à sa fille pis quand vous allez assister à la première réunion des Riverains, y vont vous accueillir les bras ouverts. Y sont naïfs, vous savez.

— Ah! Je comprends: officiellement, je serai contre le projet, mais officieusement, je travaillerai pour.

— Non seulement vous travaillerez pour, mais c'est grâce à vous que le projet se réalisera. En devenant membre des Riverains, cela vous donne le droit de vous présenter à leurs élections. Ce que vous ferez et gagnerez, j'en suis sûr. Et, à partir du moment où vous serez membre de leur conseil, ce sera très facile de nous aider.

— C'est astucieux... très astucieux.

— Mais c'est demain qui m'embête. J'aimerais pas avoir à trancher pour cette proposition. C'est Andrew qui va faire pencher la balance: les trois autres seront en faveur.

— Vous en êtes sûr?

— Oui. Jérôme Dubuc peut pas être contre, ni Odette Ladouceur, ma sœur y en a touché mot, ni Claude Boyer.

— J'suis pas sûr de Claude Boyer, moi.

— Moé, oui. C'est un organisateur péquiste pis c'est justement son parti qui a déposé la loi 6. Logiquement, y pourra pas
voter contre. Y peut pas dire que le ministre des Affaires municipales a proposé quelque chose qu'y a pas d'allure.

— Juste. Pour ce qui est d'Andrew, j'ai l'impression qu'il va
voter contre Taillefer donc pour le projet.

— Andrew...?

Yvon Sansouci laisse planer un silence suivi d'un soupir de
découragement.

— J'ai ben d'la misère avec lui. On sait jamais de quel bord y
va se ranger.

Le maire parle de lui comme d'un enfant récalcitrant et tur-
bulent dont il ne vient pas à bout.

— Y m'fait faire du sang d'cochon... celui-là... et pas seulement à cause de ses porcheries.

— Ha! Ha! Elle est bien bonne. Ça serait peut-être mieux
que j'vote pour dans ce cas-là.

— Non, faut prendre le risque. Y faut gagner la confiance
des Riverains quitte à ce que je tranche au conseil.

— Oui, j'comprends. Vous pouvez compter sur moi.

— Ah! Y a rien que vous d'assez malin pour jongler à des
plans de même.

— Bof!

— Le monde de la place vont vous devoir une fière chandelle.

— Faut bien se dévouer.

Et subtilement, Yvon Sansouci insuffle la conviction de son
autonomie à cette pâte fraîchement façonnée.

* * *

Mardi, 14 mai 1985.

L'assemblée est levée. Il est tard. Les quelques citoyens présents quittent la salle après avoir rangé leur chaise. Ils ont
l'expression béate de ceux qui croient en de meilleurs lendemains.

Solitaire, farouche, fermé, Andrew Falardeau ramasse ses papiers avec des gestes brusques et saccadés. Il a voté impulsivement

527

pour la proposition parce que le huissier a voté contre. Depuis quelque temps, il se rend compte qu'il aime contredire ce prétentieux personnage et que son aversion pour cet homme motive souvent ses décisions. Cette attitude le tracasse. Ou du moins, il n'en est pas fier. Mais pour se déculpabiliser, il conserve l'espoir que les siens dénicheront un emploi au projet de Centre de récréation nautique et qu'ainsi, il aura travaillé pour le clan des Falardeau.

Pour sa part, Yvon Sansouci s'entretient quelque temps encore avec Claude Boyer sur le bon sens de la loi 6, surveillant d'un œil la coalition d'Hervé et du huissier. Satisfait, il sourit: le loup est maintenant dans la bergerie.

* * *

Vendredi, 17 mai 1985.

Mai, mois de l'environnement. Dernière journée d'école. Une heure de l'après-midi, dans la grande salle. Il fait chaud. Un brouhaha assourdissant règne. L'énergie de tous ces jeunes corps prend du temps à se dissiper d'autant plus que l'après-midi est consacrée à la représentation d'un théâtre de marionnettes suivi d'un film. Les enfants s'agitent sur leur chaise et s'interpellent de leur voix claire. Des rigoles de sueur glissent encore sur leur front, leurs tempes. Un ballon indiscipliné roule, invitant les pieds à le botter. Des rires fusent suivis d'exclamations.

«Ça suffit.» De l'estrade, Normande impose le silence. Le ballon s'immobilise entre les mains de Marc Potvin. Les professeurs baissent les stores. La pénombre achève de plonger la salle dans une atmosphère détendue.

— Cette semaine, vous avez vu l'importance de votre environnement et ce midi, tous ensemble, nous avons nettoyé la cour d'école. Je suis sûre que vous êtes très fiers d'avoir maintenant une cour propre et qu'à l'avenir, vous jetterez vos déchets dans les poubelles et non par terre.

— Oui! Oui! crient les jeunes tandis que les plus vieux approuvent d'un vague hochement de tête.

— Maintenant, nous allons voir une pièce de théâtre de marionnettes qui a été écrite et montée par un de vos petits camarades et sa maman.

Un projecteur éclaire le minuscule théâtre. Tous les regards convergent maintenant vers lui tandis que Normande récite l'introduction.

— Nous sommes en l'an 2065, sur la Terre, par une belle journée d'été...

Trois coups et le rideau s'ouvre sur une grand-mère et sa petite-fille. La grand-mère porte une toque blanche et des lunettes. Quant à la petite Nadine, elle a de longs cheveux blonds laineux et des yeux en boutons bleus.

— Oh! Grand-maman, fait chaud dehors.

— Oui. Une chance qu'on a l'air climatisé.

— Mais j'aimerais tellement ça jouer dehors. C'est plate en d'dans. Y a rien à faire.

— Mais y a des tas de choses à faire... euh... euh...

— Moi, ce que j'aimerais, ce s'rait de me baigner comme en ancien temps. Raconte-moi comment c'était dans ton temps. Est-ce que c'est vrai qu'y avait des lacs et qu'on pouvait se baigner dedans?

Tous les regards intrigués se rivent à la grand-mère qui secoue tristement la tête de gauche à droite.

— Oui, oui c'est vrai. Quand y faisait chaud, on enfilait nos costumes et hop, on plongeait dans le lac.

— Y avait assez d'eau pour ça?

— Ben sûr. On pouvait plonger, nager, même faire du ski sur l'eau.

— Du ski sur l'eau? Comment ça?

— En se faisant tirer par un bateau.

— Wow! Y avait tant d'eau que ça?

— Oh! Oui. Tu vois ce grand marais?

— Oui.

— Eh bien, c'était tout ça le lac.

— Tout ça?

— Oui.

— Et les poissons étaient dedans?

— Oui. Ça, c'était amusant. J'me rappelle: j'pêchais des barbottes avec mon p'tit frère.

Un court murmure parmi les spectateurs, le temps de se dire: «Moé aussi, j'pêche la barbotte.»

— Comment vous faisiez ça?

— D'abord on prenait un ver.

— Ouach!

Nadine porte ses petites mains sur la bouche et tremble de dédain. Un rire l'encourage.

— Et puis on l'enfilait sur un hameçon.

— Ouach! Ouach!

— L'hameçon était bien attaché à une corde et la corde à une canne. On lançait l'hameçon et le ver à l'eau et là, on attendait.

— Vous attendiez quoi?

— Qu'un poisson vienne mordre.

— Mordre quoi?

— Le ver.

— Ouach de ouach! Pourquoi il aurait mordu le ver?

— Pour le manger.

— Gulp!

Nadine fait mine de perdre connaissance.

— Quand le poisson mordait, ça donnait un p'tit coup à la ligne. C'était excitant. On sortait le poisson de l'eau.

— Pis là?

— Ben, quand on en avait assez, on préparait les poissons et puis on les mangeait.

— C'était bon?

— Délicieux.

Nadine en aparté.

— J'suis pas sûre que j'en aurais mangé, moé. Est-ce que c'est bon, les amis?

Un méli-mélo de réponses lui parvient.

— Oui. Non. Ouach! Hmm!

— Et... à quoi vous jouiez à part la pêche?

— Oh! Y avait tellement de jeux. Tiens, on faisait des châteaux de sable sur la plage et on creusait des lacs qu'on remplissait d'eau avec nos chaudières.

— Oh! Que ça devait être le fun!

— On s'amusait aussi avec les grenouilles.

— Les quoi? interroge Nadine en regardant l'auditoire.

— Des grenouilles! lui répond-on en chœur.

— C'est quoi grand-mère des grenouilles?

— C'était des p'tites bêtes vertes et sautillantes qui vivaient au bord du lac. Souvent, elles se laissaient flotter sur des feuilles de nénuphar.

— Pourquoi y en a plus aujourd'hui?

— Elles sont disparues. Les pluies acides les ont tuées.

Le cœur de Gaby se recroqueville. Une larme roule aussitôt sur sa joue.

— Et le lac? Il est mort à cause des pluies acides, lui aussi?

Un temps. Grand-mère penche la tête, soupire.

— Oui... à cause des pluies acides... pis de nous autres aussi.

— Comment ça?

— Parce qu'on n'a pas fait attention à lui. On s'est pas occupé de lui quand y était malade.

— Pourquoi?

— Parce qu'on était trop occupé. Fallait gagner des sous, fallait travailler. On n'avait pas le temps. Y en a qui nous disait qu'un lac pouvait mourir, mais on les croyait pas. On les prenait pour des fous.

— Des fous?

— Oui, on croyait pas ça qu'un lac était vivant.

— C'était vraiment vivant?

— Oui... mais pas comme nous autres. Y pouvait pas parler, y pouvait pas marcher, mais y mangeait, y respirait. Y était vivant comme les fleurs, les arbres... tu comprends?

— Oui. Comment y est mort?

— Oh. Tellement doucement. On s'en est même pas aperçu.

— Mais vous pouvez pas le faire revivre?

— Non. C'est comme une feuille d'automne, tu peux rien faire pour elle quand elle est toute sèche par terre.

— Mais vous pouvez pas en faire un?

— Non... un homme n'est pas capable de faire un lac. La nature a pris des milliers d'années pour les faire.

— Et il n'y en a pas sur les autres planètes? Sur la Lune?

— Non. Il y en avait juste sur la Terre.

— Vous êtes pas fins! Vous êtes pas gentils. J'aurais aimé ça, moé, me baigner dans un lac. Me promener en chaloupe et jouer avec les grenouilles. Vous avez pas pensé à moé. Y reste rien pour nous autres. C'est pas fin. C'est pas gentil.

Nadine s'éloigne de sa grand-mère.

— T'as raison d'être choquée. On n'a pas fait attention. On était riche pis on le savait pas. On savait pas que l'eau est une richesse. Avoir su.

— Avoir su, qu'est-ce que vous auriez fait?

— On aurait écouté ceux qui nous disaient d'en prendre soin.

— C'est vraiment pas juste. C'était pas seulement à vous autres, les lacs. On y avait droit nous autres aussi.

— Oui, mais y est trop tard. Quand on s'est réveillé, y était trop tard.

Nadine pleure.

— Bouhou. J'aurais mieux aimé naître en ancien temps.

— Dans mon temps, on ne pouvait pas aller sur la Lune comme aujourd'hui.

— Ça me fait rien. Sur la Lune, y a pas de lac. C'est juste ici qu'y en avait, pis vous êtes même plus capables d'en faire.

— On aurait dû écouter ces fous qui nous disaient qu'un lac est vivant et qu'il faut le protéger. Moi, je jetais des cochonneries à l'eau et je faisais pipi dedans.

Un rire nerveux parcourt la salle.

— Mon père aussi faisait ça et mon grand-père aussi. J'voyais pas d'mal à ça. Tout l'monde faisait ça. Tout l'monde jetait des saletés dans les lacs pis tout le monde coupait les arbres autour.

— Qu'est-ce que ça fait de couper les arbres autour?

— Ben, la ceinture d'arbres et d'arbustes autour d'un lac, c'est comme sa ceinture de sécurité. Les racines retiennent tous les petits déchets et l'ombrage des arbres conserve l'eau du littoral à une température fraîche. Plus l'eau se réchauffe, plus elle se pollue. Y a aussi eu les pluies acides. Elles, elles en ont tué des lacs pis des forêts pis des animaux. Oui, plus j'y pense, plus j'crois qu'on aurait dû faire attention, hein les p'tits amis?

— Oui! Oui! répond la salle unanime.

— On aurait pu aussi, hein les p'tits amis?

— Oui! Oui!

Nadine pleure toujours, la tête enfouie dans ses bras trop courts. Grand-mère se tourne vers les enfants.

— Pauvre Nadine! Elle a raison. C'était pas seulement à nous autres les lacs. On aurait dû les conserver pour tous les enfants de tous les temps. Vous, les p'tits amis, est-ce que vous allez faire attention à vos lacs?

532

— Oui! Oui!

— N'oubliez pas, même s'ils ne parlent pas et ne bougent pas, ils sont vivants. Et s'ils sont vivants, ils peuvent mourir. Prenez-en soin. Nulle part ailleurs, dans les étoiles et les planètes, il n'y a de lacs. Vous êtes riches. Très riches. Restez-le.

Grand-mère se penche vers sa petite-fille pour la consoler.

— Viens Nadine, on va aller jouer avec ton robot.

— Non. C'est un lac que j'veux. J'veux m'baigner, j'veux plonger, j'veux faire des châteaux. C'est pas juste... pas juste... pas juste.

Le rideau se ferme.

Applaudissements et sifflements surprennent les acteurs serrés l'un contre l'autre. Marjolaine presse Alex contre elle en le félicitant et ensemble, se tenant la main, ils se dévoilent au public qu'ils ont captivé, renseigné, amusé. Ce même public qui, hier, leur lançait des pierres et des bêtises. Ce même public qui les a calomniés, rejetés, bannis et qui, aujourd'hui, les applaudit.

Alex se tourne vers Marjolaine. Elle sourit. C'est la plus belle maman du monde et ensemble, ils se sont rachetés aux yeux de cette société d'enfants. Ensemble, ils ont plaidé la cause de l'environnement devant eux qui possèdent l'avenir.

Ensemble, parce qu'ils sont forts et parce qu'ils s'aiment.

Et le bonheur d'Alex n'a plus de borne lorsque Cindy l'invite à s'asseoir près d'elle pour visionner le film.

* * *

Samedi, 18 mai 1985.

— Moi, j'pense plutôt que c'est Marjolaine qui est méfiante sans raison, affirme Ti-Jean en préparant deux chocolats chauds. Pour toute réponse, Diane relit la lettre qu'ils ont rédigée à la réunion de l'Association des riverains. Lettre qu'ils enverront au député, exigeant son intervention dans le dossier des glissades d'eau aménagées dans le torrent.

— Ils m'ont l'air ben correct, le huissier et sa femme. Tu trouves pas?

533

— Hmm. J'crois qu'on devrait insister davantage pour qu'on adopte un règlement-cadre sur la protection des rives et du littoral.

— J'te parlais pas de ça!

Ti-Jean pose rudement les tasses sur la table et s'écrase sur sa chaise, tapotant impatiemment des doigts contre l'anse jusqu'à ce que sa femme abandonne son brouillon.

— Excuse-moi. Qu'est-ce que tu disais?

Elle incline légèrement la tête avec un sourire repentant. Il flanche, pardonne aussitôt.

— J'trouve que Marjolaine a pas raison d'être méfiante envers les Bourgeon.

— Pourquoi?

— C'est évident qu'ils sont de notre bord. Monsieur Bourgeon s'est opposé au projet à la table du conseil. Lui et Hervé Taillefer. Dans l'fond, quand on y pense, le père de Marjolaine pouvait avoir d'autres raisons que la protection de l'environnement pour s'opposer. Mais pas monsieur Bourgeon... C'est pas sur son terrain qu'il va y avoir des travaux, c'est pas au bout de sa terre que ça va s'faire.

— Si on le considère sous cet angle, t'as raison. Mais Marjolaine vit ici. Elle connaît les gens mieux que nous.

— Ouais, mais nul n'est prophète en son pays. Le fait que Martial Bourgeon ne soit pas de la place pèse beaucoup dans la balance. Le vieux Potvin m'en a parlé... paraît qu'il y a toutes sortes de guerres de clans, que si tu parles à quelqu'un d'un clan, tu peux pas être ami avec quelqu'un de l'autre clan. Qui nous dit que le huissier a pas fait des gaffes par rapport à ça?

— En tout cas, l'été dernier il était bien dans le clan de Mantha lorsqu'il a brisé ta planche à voile.

— Bah! Il était sans doute invité.

— C'était pas une raison pour applaudir. Tu t'rappelles? J'entends encore rire sa femme.

— Oui, oui, ils ont applaudi. Pis? Tout l'monde peut faire une erreur. Ça n'empêche pas qu'il s'est opposé au projet de Mantha par exemple.

— Non, mais, moi aussi, j'trouve qu'il y a anguille sous roche.

534

— Voyons donc! Sur quoi tu te bases pour dire ça?

— Sur mon intuition féminine.

Que répondre à ce faible argument de l'intuition féminine? Et pourquoi sa femme utilise-t-elle toujours cette arme réservée à son sexe en dernier recours? Cela l'agace qu'elle réfute ainsi ce que sa logique démontre si clairement.

Il se tait, ingurgitant sa boisson brûlante par petites gorgées. Toute réplique de sa part entraînerait inévitablement le chapelet d'exemples où l'intuition féminine de Diane s'est révélée juste. Et ce soir, il a besoin d'avoir raison contre elle. Besoin de croire en l'intégrité des deux nouveaux membres de l'Association. Il est si las, si épuisé. Comme vidé de toutes ses ressources. Siphonné de toute son énergie.

Elle le regarde avec compassion.

— T'es fatigué, Jean. Quand tu seras reposé, tu verras les choses autrement.

— Fatigué? C'est pas l'mot. Tu peux pas savoir jusqu'à quel point.

— Oui, je sais. Je sais comment c'est dur dans une polyvalente.

— Non, tu sais pas. Ton intuition féminine t'as pas appris que les choses avaient bien changé depuis ton secondaire cinq. Tu peux pas savoir.

D'ailleurs, qui peut savoir à part d'autres comme lui. D'autres qui n'arrivent plus à dormir ou à digérer, d'autres qui boivent, d'autres qui ont des infarctus ou font des dépressions nerveuses, d'autres qui démissionnent, prennent des années sabbatiques ou abandonnent carrément l'espoir d'enseigner quoi que ce soit. Qui peut vraiment savoir ce que c'est que d'exiger sans cesse le silence afin d'être entendu par une poignée d'intéressés? Ce que c'est que d'essuyer des affronts et des humiliations? Ce que c'est que d'avoir des petits rires continuellement piqués dans le dos comme d'éternels poissons d'avril. Ce que c'est que de subir des menaces et d'avoir peur de trouver sa voiture vandalisée? Ce que c'est que de se faire bâiller au visage. Ce que c'est que de recevoir des copies dignes de la corbeille à papier. Ce que c'est que de n'être ni respecté, ni écouté, ni aimé. Ce que c'est que la démotivation totale, le travail aveugle et ingrat en vue de la paye, en vue des vacances. Ce que c'est que d'avoir perdu la flamme et perdu le contrôle. Ce que c'est que d'être seul devant tant d'élèves. Seul, sans appui des parents ni de la direction. Seul, à se noyer dans le marasme. Non, elle ne peut pas savoir que tout est brisé en lui. Que tout n'est que cendre froide. Est-il au seuil d'une dépression nerveuse? Ses insomnies, son manque de concentration, son état de faiblesse latent ne sont-ils pas des signes précurseurs?

— Y a bien des choses que ton intuition féminine ne sait pas.

Il devient ironique. Emploie le sarcasme pour se défendre. Pour s'expliquer.

— Si c'est de même...

Elle retourne à la lettre des Riverains. L'abandonne sur le bord de la table avec toutes les choses méchantes qu'il s'apprêtait à dire.

Il l'observe, si facilement détachée de lui. Si visiblement désintéressée. Incontestablement, elle lui préfère ce brouillon à propos duquel Marjolaine ne semblait pas enthousiaste. Cette foi qu'il jalouse chez sa femme l'accable et le complexe. Diane diffère tellement de lui, elle qui rêve l'impossible rêve. Car lui, il n'a plus de rêve, plus d'ambition, plus de conscience professionnelle. Il n'a plus rien de tout ce que possède encore sa femme. Lui, il s'accroche à son salaire. S'accroche à ses vacances pour ne pas sombrer. Ses vacances qu'il veut passer ici, en paix. Sans se faire d'ennemi. Sans se faire de souci. Sans se faire du mal à charger les moulins imprenables de la puissance.

Et ce soir quand il a entendu parler le huissier, il a vu en lui son successeur. Celui qui le relayera au sein du conseil. Et en sa femme qui riait nerveusement comme une chèvre, il a essayé de voir Diane. Alors, les plus belles vacances qu'il aurait pu imaginer se sont offertes à lui. Mais Diane les a refusées au nom de son intuition féminine.

— J'vois pas pourquoi tu te démènes à propos de cette lettre-là. T'as pas remarqué que Marjolaine semblait réticente à contacter le député.

— Paraît qu'y a eu une histoire entre eux.

— Qui t'a dit ça?

— Le vieux Léopold quand y m'a averti de faire attention. Ben attention. Pauvre vieux!

— Comment pauvre vieux?

— Y était saoul.

— Y peut avoir raison quand même. Y en sait pas mal plus long que toi sur le village. Toi, t'es une vraie fille de la ville. Tu comprends rien à ces affaires-là.

— C'est quand même pas une histoire de pègre. À l'entendre parler, nos vies étaient en danger.

— En tout cas, fais comme tu veux mais moi, ça me fait réfléchir tout ça. J'trouve que j'ai donné assez de mon temps à l'Association.

— Tu veux abandonner?

— Le conseil, oui. J'pense que le huissier pourra me remplacer. Il parle avec beaucoup de bon sens. J'me représenterai pas aux élections cet été.

— Bon.

— Tu devrais en faire autant. On n'a jamais eu de vacances ensemble. De vraies vacances. Juste notre petite famille. Me semble qu'on est dû pour ça, tu penses pas?

— Oui, c'est vrai que ça fait longtemps qu'on travaille pour l'Association.

— Imagine comme on serait bien. Pas de cabale à faire, pas d'ennemi, pas d'ennui. Finies les tournées pour convaincre les gens, recruter de nouveaux membres, sensibiliser la population. Rappelle-toi comment c'était: on crevait dans l'auto et les enfants chialaient en arrière pour aller se baigner pendant qu'on sensibilisait des gens bien étendus au soleil. On n'a jamais profité de nos étés, sais-tu cela?

— Oui, c'est vrai. Mais cette fois-ci, c'est différent, Jean. Cette histoire de glissades à même le torrent va tuer le lac. Tu sais autant que moi comment le torrent régénère l'eau du lac.

— Oui, j'sais. Mais là, y a du sang neuf qui pourrait régénérer notre Association. Pourquoi pas laisser notre place au huissier et à sa femme? Ils ont déjà commencé le combat et bien commencé à part ça, pourquoi pas les laisser faire? Hein? Tu peux me le dire sans t'appuyer sur ton intuition féminine?

— Non.

— Bon. Toi non plus, tu ne devrais pas te représenter aux élections.

— L'année prochaine. C'est mon dernier été, je t'le promets.

— C'est pourtant cette année que j'ai tellement besoin de vraies vacances.

— J'sais Jean. Pour que tu songes à céder ta place à Martial Bourgeon, faut que tu sois vraiment rendu à bout.

Elle effleure de sa main son avant-bras. Il cède encore. Se rend à ce sourire, à ce regard qui en devine plus qu'il ne l'imagine. Et malgré qu'il jalouse ces yeux qui croient encore à l'impossible rêve, il se prend à les admirer et à les aimer de plus belle.

* * *

Samedi, 25 mai 1985.

Bien enfoncé dans le fauteuil de velours, un verre de bière à la main, Yvon Sansouci exhulte de joie sans que rien n'y paraisse. Il sent, posé sur lui, le regard expectant de René Mantha et prolonge le moment en s'égarant intentionnellement sur des sujets insignifiants.

— Beau temps, n'est-ce pas? Beaucoup de mouches. Pas une bonne saison de pêche jusqu'à aujourd'hui. Votre femme est avec vous?

— Venons-en au vif du sujet.

Un sourire victorieux, tel un éclair de chaleur, traverse un instant le visage plat du maire et, satisfait de l'importance que René Mantha lui accorde à bon escient, il consent à lui fournir les données demandées.

— C'est fait. La municipalité a voté une résolution secondant et approuvant le projet.

— Parfait!

— Pour ce qui est des Riverains, on a mis pas un mais deux loups dans la bergerie.

— Ah! Qui donc?

— Bourgeon et sa femme. Y m'tient au courant de tout ce qui s'passe à leur réunion. Y pense pas avoir trop de misère à être élu au conseil. Pour l'instant, y ont envoyé une lettre au député lui demandant d'interdire les glissades d'eau.

— J'm'en doutais.

538

— Y ont envoyé une copie d'la lettre à la FAPEL.

— Ensuite?

— Ben, au sujet des Riverains, c'est tout. Allez-vous envoyer une lettre au député?

— Jamais d'la vie: j'vais lui payer une visite. Faut jamais oublier que les écrits restent.

— Ouais pis y est ben mal placé dans cette histoire-là. Y a sorti avec Marjolaine une partie de l'hiver.

— C'est un point à ne pas négliger... ouais, un bon point. Comment peut-il être intègre dans cette affaire? C'est elle qui lui lie les mains finalement. Ouais... Y peut pas bien manœuvrer avec cette histoire-là.

— Y est pris. Pis pour la FAPEL?

— Bah! Eux autres, j'm'en sacre. Y font pas force de loi. Même le gouvernement se sacre d'eux autres.

— Y reste le cas de mon inspecteur municipal. Ti-Ouard est ben strict: faut d'abord lui présenter un plan détaillé des constructions pis des installations septiques. Y faut garder soixante pour cent du terrain en boisé pis installer des quais sur pilotis tel qu'approuvé par l'Environnement. Y a été ben clair là-dessus: y va s'en tenir à la loi pour vous comme pour les autres.

— Ouais. Y est moins souple que j'pensais.

— Faut dire que lui aussi, y est pris. Y a les Riverains qui l'surveillent toujours. Au moindre petit passe-droit, y vont porter plainte à l'inspecteur régional. Y peut pas faire autrement.

— Garder soixante pour cent en boisé, ça s'ra pas facile à faire. J'pourrais pas avoir de stationnement.

— Non. Faudra le faire ailleurs.

— J'peux toujours acheter du terrain à Hervé Taillefer.

— Faudrait changer le zonage agricole à ce moment-là.

— Ou on pourrait le faire au village et organiser des traversées de croisière.

— Les touristes aimeraient ben ça. De toute façon j'pense pas qu'Hervé...

Mantha se renfrogne. La simple évocation de son beau-père le rembrunit. Il reste un instant songeur, roulant son gros cigare entre les doigts.

— Soixante pour cent du territoire. C'est une loi de fou.

— L'important, c'est que ce soit sur votre plan. Y peut arriver des malentendus par après... eh... j'sais pas moé, votre bûcheux peut mal comprendre pis couper trop d'arbres... un coup que c'est faite, on peut pas les recoller. Vous aurez qu'à semer du beau gazon qui fait ben propre jusqu'au bord de l'eau pis Ti-Ouard va fermer les yeux. Pis, si les Riverains chialent, on vous f'ra payer une p'tite amende pis on a toujours le projet de loi 6 pour nous aider si ça force un peu trop. La municipalité pourra s'en servir.

— Bonne idée. Et pour les glissades?

— Ben là, ça s'complique. Ti-Ouard peut pas vous accorder de permis pour ça. Dès qu'on touche à un cours d'eau, faut s'adresser à l'Environnement. Y a justement demandé qu'un inspecteur vienne visiter le torrent pis les plans. Y a seulement l'Environnement qui peut vous accorder ce permis-là.

— Ça peut prendre combien de temps?

— Bof! Un bon mois.

— Un mois!! Qu'est-ce que votre Ti-Ouard en pense? Est-ce que j'ai des chances de l'avoir?

— D'après lui, non... Tout dépend de l'inspecteur. Des fois, sont ben stricts.

— Mais lui, y a pas son mot à dire?

Yvon Sansouci soupire. Cette question met fin à la félicité dont il jouissait. Depuis quelque temps, son beau-frère lui file entre les doigts. Depuis le retour de Suzon plus précisément. Oh! Il ne résiste pas ouvertement et n'ose même pas encore le contredire mais il devine chez lui une intention bien arrêtée d'en faire à sa tête un jour ou l'autre. Et il craint ce moment. Pour l'instant, Ti-Ouard semble plus soumis que jamais. Plus servile et bonasse qu'il ne l'a jamais été, se plaignant d'être coincé entre les Riverains et l'inspecteur régional. Mais le fait qu'il n'oppose aucune résistance à ce projet démontre qu'il ne l'approuve pas. À force de côtoyer les Riverains, se serait-il fait endoctriner par eux?

— Des problèmes avec votre inspecteur?

— Oh. Y a ben changé depuis le retour de sa fille du cégep. J'sais pas: on dirait qu'y est plus le même. Je r'doute toujours qu'y m'fasse une gaffe. Y pourrait ben arriver à l'inspecteur en écologie pis lui dire carrément que ça va polluer. Non... y est pas convaincu. On peut pas dire qu'y est de notre bord.

— Ça s'arrange ces choses-là. Tout homme a son prix.

— Si on y offre de l'argent, ça va être pire. J'le connais: y est mou mais y a la tête dure.

— Faut être plus subtil que ça. Faut jamais arriver comme ça avec un montant d'argent. Faut jamais mettre un chiffre sur la valeur d'un homme parce tu lui donnes la chance de s'dire: «J'vaux juste ça.» Ça le fait réfléchir et là, il écoute la voix de sa conscience. Non. Faut acheter les gens sans qu'ils s'en aperçoivent. C'est depuis le retour de sa fille qu'il a changé?

— Oui.

— Et pourquoi elle a lâché le cégep?

— Trop dur, paraît...

— Une fille de quel âge?

— Dix-neuf ans.

— C'est simple. On va s'occuper de sa fille. Il va y avoir une patate frite sur le terrain; ça va être bien payant. Bien payant. En quatre mois, elle pourra gagner pour toute une année et se payer un voyage en Floride en plus. Ça serait une bonne chose que sa fille obtienne la concession, non?

— Oui, une ben bonne chose.

— Comme ça, il va vouloir que les glissades attirent beaucoup de touristes pour partir sa fille dans la vie. Comme ça il va être de notre bord, conclut Mantha d'un air supérieur qui cingle Yvon Sansouci dans son fauteuil.

* * *

Lundi, 27 mai 1985.

Huit heures du matin.

Toujours aussi beige, aussi fade, aussi neutre, sa secrétaire dépose le courrier devant lui, ainsi que l'exemplaire du journal local. Ni lente, ni rapide, elle retourne dans la pièce voisine et fait entendre après quelques minutes le tic-tac de sa dactylo. Ainsi débute, comme à tous les lundis, son bureau de comté.

Benoît jette un regard désolé à ce qui l'entoure. Le voilà rendu aussi terne que sa secrétaire. Aussi désabusé.

541

Complètement décoloré, il se sent mourir à mesure qu'il vit. Plus rien et surtout plus personne ne vient réchauffer, éclairer, captiver son âme. C'est le grand vide en lui. Non pas celui qui est plein de vertige, mais le grand vide qui n'a l'air de rien, compartimenté en journées, en heures, en secondes. Le grand vide que personne ne soupçonne avec son air de rien, mais qui le râpe méthodiquement, efficacement et lentement. Ce grand vide des paroles et des gestes qui ne mènent à rien, qui ne mènent nulle part et vers personne.

Bon. Il lui faut éplucher tout ce courrier et parcourir l'hebdo local afin d'être en mesure de rencontrer ses électeurs. Il sourit amèrement en se remémorant l'enthousiasme de ses débuts. Avec quelle hâte il plongeait alors dans la lecture de son courrier! Aujourd'hui, il avance, petit à petit, comme un vieillard frileux trouvant l'eau de la plage trop froide.

Son regard tombe sur le gros titre du journal. L'ESPOIR EN DE BEAUX LENDEMAINS POUR LA POPULATION DU LAC HUARD. Quelque chose en lui s'éveille douloureusement. Il n'est donc pas mort puisqu'il souffre à la simple évocation du lac Huard. C'est elle, le lac Huard. Elle qui avait sorti Superman de la garde-robe psychologique et qui, probablement (sûrement pense sa femme), s'en était servi pour arriver à ses fins. Cette pensée le meurtrit et instinctivement, il porte les doigts à la sévère monture d'écaille de ses lunettes. Finis les verres de contact! De toute façon, ils lui irritaient la cornée. Du moins, il aime le croire. Cependant, tout en admettant qu'ils étaient inconfortables, cela n'explique pas qu'il ait massacré si impitoyablement son image comme si seul le Clark Kent devait survivre à cette aventure. Devait primer sur tout ce qu'il a tenté d'être. Devait effacer à jamais ce Superman qu'il croyait vivre en lui.

Pourquoi ce gros titre vient-il meubler ce grand vide de cette douleur? Il tourne le journal contre son bureau, laissant errer sans danger son regard sur les annonces des spéciaux d'épicerie et s'attaque dès lors à la lecture de son courrier que sa secrétaire est censée classer en ordre d'importance et qu'il soupçonne toujours de laisser le hasard faire ce travail à sa place. Une lettre de l'Association des riverains du lac Huard emplit alors ce grand vide jusqu'à ce qu'il déborde avec la simple signature de Marjolaine Taillefer au bas de la page. Il flanche, résiste à la tentation ridicule d'embrasser ce bout de papier où elle a posé la main. Une tornade dévaste son âme. Il enlève précipitamment ses verres comme si elle était là, devant lui. Comme s'il tenait à lui montrer que Superman n'est pas tout à fait mort. Comme s'il voulait tout à coup y croire. Comme s'il était vital, viscéral qu'il y croie encore.

Il ne voit plus que cette signature. Ne voit plus qu'elle, sur son île. Si belle, si différente, si mystérieuse. Elle et l'enfant jaloux. Elle qui se donne à lui ou plutôt, elle qui lui livre son corps. Qui l'utilise en échange dirait sa femme. Car elle sait tout. On a tôt fait de tout lui apprendre. Oui, ses propres collègues se sont empressés de la renseigner sur sa liaison avec Marjolaine après une mise en garde qu'il ne prenait pas au sérieux. Chantage serait plus adéquat que mise en garde. «Tu dis comme nous au sujet du projet de loi 6 ou on dévoile tout à ta femme.» C'était le prix qu'il avait payé pour la cohésion du parti car finalement c'était une maison de verre que cette Chambre, que ce Parlement. Tout le monde connaissait les lacunes de chacun, que ce soit de son propre parti ou de celui de l'opposition. L'alcoolisme, le divorce, la drogue, les liaisons adultères, homosexuelles ou pédérastes et les petits larcins se répandaient telle une traînée de poudre et fournissaient des armes d'un côté comme de l'autre, ce qui fait qu'habituellement, les membres des partis opposés n'osaient employer ce couteau à double tranchant. C'est plutôt au sein du même parti qu'on en faisait usage, comme moyen de persuasion, disons.

Lui, on l'avait persuadé de rompre avec cette Marjolaine Taillefer. Ce n'est pas la moralité qui motivait cette exigence, mais le danger que représentait l'influence de cette femme. Unissant leurs efforts, le parti et sa femme l'ont finalement convaincu que la présidente de l'Association des riverains abusait de lui et de son intégrité. Jusqu'à quel point y a-t-il cru puisqu'il fallait qu'il y croie? Jusqu'à quel point aussi a-t-il souffert, autant dans son orgueil que dans son amour? Souffert d'avoir été trompé, d'avoir été un instrument, souffert d'être tombé follement amoureux, souffert de l'échec cuisant entre les draps tièdes de Marjolaine. Cet échec de mâle qui l'humilie et que sa femme brandit sans cesse comme le drapeau d'une patrie vaincue. «Elle t'a bien eu. C'est une putain comme une autre: au lieu de se faire payer en argent, c'était ta lutte

en Chambre qu'elle exigeait, ton appui pour son Association.»
Était-ce bien cela? Sa première et dernière nuit d'amour avec Marjolaine le confirme hélas.

Benoît rougit, tourne sèchement la lettre pour ne plus laisser
cette signature le déchirer. Trop tard. L'accroc file, s'élargit. Il sent
encore Marjolaine tout contre lui, avec cette retenue, cette réserve,
cette pudeur. Tout comme si elle ne l'aimait pas ou n'était pas certaine de l'aimer. À sa passion, elle répondait par la tendresse et à
l'orgasme, elle avait répondu par une caresse presque maternelle sur
sa nuque. Il avait raté l'acte puisqu'elle n'était pas à bord du même
avion que lui. Tout seul, il s'était envolé vers les nues, tandis
qu'elle l'avait reconduit et attendu à l'aéroport. Alors, il s'est cru
malhabile et même un temps indécent. «J'ai plus envie de dormir
contre toi», avait-elle dit pour expliquer tout. En fait cette phrase
remettait tout en question sans rien expliquer, et il la tournait et
retournait dans tous les sens comme un objet moderne dont on
ignore l'utilisation. Puis, sa femme avait surgi dans le décor, avait
pris l'objet et, sans l'ombre d'un doute, avait déterminé sa fonction.
«Au lieu de l'argent, pauvre naïf, elle a demandé ton appui pour son
association.» L'objet devenait une ancre. Si lourde, avec une corde si
longue pour rejoindre le fond de son âme. Et depuis, il flotte sans
naviguer. Immobilisé, rattaché à cette partie sensible de son être qui
souffre dès que l'objet bouge dans sa chair. Depuis, il flotte. Sans
naviguer. Sans périr sur les vagues hypocrites capables de le broyer.
Depuis, il flotte, toujours à la même place. Dans le même lit. Avec
la même femme qu'il n'aime plus. Les mêmes enfants qu'il ne comprend plus. Le même parti auquel il ne croit plus.

Depuis, il flotte, incapable de traîner, quel que soit le vent
ou la marée, cette ancre si lourde lestant le cadavre de Superman.

Benoît remet ses verres. Il s'abrite derrière le déguisement
d'un homme politique. S'en sert comme d'un bouclier pour parvenir
à lire ce message adressé justement à l'homme politique. Mais ses
mains tremblent et sa gorge s'assèche. Tantôt, il ingurgitera un des
cafés fades que prépare sa secrétaire. Sa pensée s'attarde à ce détail,
reculant l'instant fatal où il aura à souffrir à chacun des mots
s'adressant à un autre que lui. Il tourne la page. Monsieur le député. (Déjà, cela fait mal. C'est comme s'il venait d'intercepter le
courrier de Marjolaine adressé à un autre.)

544

Grâce à l'adoption de la loi 6 qui autorise une municipalité à amender ou à abroger certains règlements pour améliorer la qualité du milieu aquatique (aucune allusion à la lutte qu'il a menée contre son propre parti), un promoteur désire bâtir des glissades d'eau à même le torrent du lac Huard (si magnifique, près duquel il hésitait à espérer qu'un sentiment puisse naître entre lui et cette femme merveilleuse, sortie d'un tableau de Monet).

L'Association des riverains du lac Huard, Inc. s'oppose vivement à ce projet qui, pour soi-disant améliorer la qualité du milieu aquatique, détruirait le lac Huard en déboisant la dernière parcelle de forêt naturelle du lac et en exploitant l'apport d'une eau oxygénée et de grande pureté qui permet au lac Huard de se régénérer et de combattre les différentes sources de pollution, notamment celle de l'usine de panneaux d'aggloméré. (Tel un monstre tapi dans la nature. Avec l'écheveau de ses entrailles grises et poussiéreuses, vu d'avion. À l'époque où *La Vache jaune,* de Franz Marc, exprimait la vigueur et l'audace de ce sentiment qui avait subitement éclos.)

Dire OUI à ce projet, c'est dire NON au Lac. L'Association souhaite ardemment, monsieur le député (encore cet autre) que vous fassiez pression auprès du ministre de l'Environnement afin que ce projet soit stoppé immédiatement. De plus, il importe d'agir rapidement afin de ne pas illusionner vainement la population de la municipalité du lac Huard qui voit déjà dans ce projet des possibilités sur le marché du travail.

L'Association sait jusqu'à quel point vous êtes conscient de l'importance de la protection des rives et du littoral pour la survie d'un lac (Marjolaine surtout le sait) particulièrement pour le lac Huard, qui a été déboisé à l'excès.

Nous attendons que vous preniez *officiellement* position afin de prévenir tous les torts relatifs à cette loi que votre gouvernement a adoptée. (Ça, c'est un coup de poignard, non pas dans le dos du député, mais dans celui de l'homme qui contemplait *Les Chasseurs dans la neige,* de Bruegel. Celui qui s'était levé en Chambre et avait tourné dos au spectre de la défaite. Celui qui était beau, et propre, et fort. Tchac! En plein dans le dos de cet innocent qui voulait faire triompher la vérité. Tchac! Tout comme s'il n'avait rien fait. Rien tenté contre l'adoption de cette loi.)

En espérant que votre entière collaboration épaulera solidement toutes les démarches de l'Association, veuillez croire, monsieur le député, à l'expression de mes sentiments les plus distingués.

Marjolaine Taillefer

c.c. la FAPEL

Ainsi s'achève la torture. Sur une formule de politesse qui l'offense et le glace avec, pour couronner le tout, cette contrainte qu'entraîne inévitablement la copie conforme adressée à la Fédération des associations pour la protection de l'environnement des lacs. Aucune intimité dans cette affaire. On ne lui demande pas son aide, mais on le force à agir en usant de la menace que représente la FAPEL.

Benoît s'appuie le front dans la main. Sa femme aurait-elle raison de prétendre que Marjolaine s'est servie de lui? Cette lettre sans aucune mention de ses interventions en Chambre fait de lui un banal député tout au plus sensibilisé au problème. Pourquoi Marjolaine le traite-t-elle de la sorte? Pourquoi passe-t-elle sous silence les efforts qu'il a consentis pour s'opposer à cette loi? Veut-elle punir l'homme qui s'est donné naïvement et malhabilement à elle? Veut-elle lui signifier qu'il n'a laissé aucune trace dans son cœur? Pas même une ride, pas même une ligne ni une ombre. Oh! Que ça fait mal! Mal d'avoir été un jouet! Mal d'avoir aimé à sens unique! La tentation lui vient de chiffonner la lettre et de la jeter au panier, mais il se ressaisit. Ou du moins, l'homme politique en lui raisonne l'amant malmené. Il ouvre alors le journal. Trouve le titre qui tantôt l'écorchait mais qui ne peut le blesser davantage que cette lettre. L'ESPOIR EN DE BEAUX LENDEMAINS POUR LA POPULATION DU LAC HUARD.

«Un projet de grande envergure pourrait fort bien se réaliser, cet été, à l'embouchure du lac Huard. Rejoint à son bureau de l'usine de panneaux d'aggloméré, rouverte pour la saison (quelle habileté de la part de Mantha: une manière subtile de rappeler qui est la main donatrice), le promoteur du projet, monsieur René Mantha, estime que les retombées de l'implantation de glissades à même le torrent, ainsi que la création d'un Centre de récréation nautique seront multiples et profitables, tout en permettant la création de nouveaux emplois. (En plein dans le mille. Mantha mise au cœur de la cible.) Il est grand temps, a-t-il dit, que la population du lac Huard, habitant une région économiquement faible, puisse enfin profiter de cette région en y créant un attrait touristique unique au monde.

«En effet, le Centre de récréation nautique offrira des cours de plongeon, de natation, de ski nautique et de plongée, tout en permettant aux jeunes et aux moins jeunes de dévaler les glissades d'eau encastrées dans un décor enchanteur. Supérieures en tout point aux glissades artificielles, les futures glissades du lac Huard vous donneront l'impression de sauter des chutes et des cascades sans aucun danger. (C'est pire que ne le laissent supposer les Riverains. Toute cette belle nature, à jamais vouée au loisir tapageur de l'homme moderne.) De plus, des compétitions, telles régates, courses d'embarcations motorisées et compétitions de ski nautique seront régulièrement inscrites au calendrier des activités, attirant ainsi des vacanciers de tous les coins de la Province. (Avec une pollution par le bruit en prime.)

«Retombées multiples, création d'emplois saisonniers et permanents, attractions uniques au monde permettront aux gens de la région de rehausser leur niveau de vie et de parvenir ainsi à l'autonomie. (Ah! Le bon samaritain qu'est René Mantha!)

«Des hommes comme René Mantha sont rares. (Heureusement pour dame nature). Mais heureusement pour nous, ils ont une capacité de travail incroyable. Pressé, il s'est excusé de ne pouvoir m'en dire davantage. Des affaires urgentes nécessitaient son intervention pour la bonne marche de l'exploitation de l'usine. (Encore un rappel de la main donatrice.) J'ai fermé la ligne, rêveur. Entendant encore sa voix de bâtisseur et de créateur (destructeur et profiteur serait plus juste) permettre l'espoir en de meilleurs lendemains pour une région défavorisée.

«Oui, des hommes comme lui sont rares. Je dirais même qu'il est unique. Tout comme son projet d'ailleurs. Unique et précieux.

«Comme il prévoit d'entreprendre les travaux en juin (les Riverains ont raison de s'alarmer et d'exiger une prise de position immédiate), je me suis permis de m'acheter un maillot de bain (mille fois raison: ça presse d'agir ou plutôt de réagir). Vous me

547

trouvez optimiste? J'ai raison de l'être puisque René Mantha réussit tout ce qu'il entreprend. À suivre.»

Benoît échappe un soupir. Dire NON à ce projet, c'est dire OUI au suicide politique. Le voilà coincé. Incapable d'agir dans un sens comme dans l'autre. Prendre officiellement position contre ou laisser libre cours à l'esprit créatif de René Mantha. Dire oui au lac ou oui à cet espoir en de beaux lendemains. Un choix s'impose. Un choix qu'il n'est pas en mesure de faire depuis que Superman gît au fond de lui, lesté par cette ancre qui le blesse à chaque mouvement. Alors, il ne fait rien, n'écrit rien malgré le temps qui presse. Malgré la copie conforme adressée à la FAPEL. Consciemment, il se cache la tête dans un trou pour ne pas voir l'île de Marjolaine baignant dans les eaux claires et froides du torrent et ne pas entendre les coups de dynamite à même son lit rocailleux.

* * *

Mardi, 28 mai 1985.

Ce qu'elle peut être à l'étroit dans sa paire de jeans! Le fait qu'elle soit obligée de la déboutonner et d'ouvrir la fermeture éclair d'un pouce pour être à son aise la préoccupe énormément. Constamment pour être plus exact. Ce vêtement trop serré qui freine ses mouvements et l'empêche de digérer lui confirme jusqu'à quel point elle a repris du poids en un peu plus de deux semaines. Et cela la démoralise tout en la complexant. Malheureuse, Suzon Patenaude tord sa guenille dans l'eau savonneuse et frotte énergiquement la porte de la chambre de son frère. La rage et le dépit alimentent ses mouvements, car elle conçoit ce labeur imposé par sa mère comme un châtiment. Berthe lui fait expier son abandon du cégep par ce grand ménage du printemps entrepris au lendemain de son retour. Elle se fait penser à Cendrillon qui frotte, lave et éclaircit tout, de la cave au grenier.

— Tasse-toé, patate.

Sauf que Cendrillon était jolie. Pas grosse comme elle. Patrick la bouscule, lance son sac d'école sur le lit et s'apprête à changer de vêtement.

— Aie! R'garde ailleurs, maudite cochonne!

548

Elle a envie de lui enfoncer sa guenille dans la bouche.

— C'est plutôt toi, l'cochon! T'avais la chambre la plus sale.

De peur d'en venir aux faits, Suzon en profite pour aller prendre l'air sur la galerie. Le soleil y est bon. Elle sourit à la voisine étendue dans une chaise longue puis contemple les fleurs de son père dans la rocaille. Hélas, aucun parfum ne vient dilater ses narines où semble s'être installée en permanence l'odeur forte et prenante du nettoyant. Est-elle punie par où elle a péché? L'euphorie qu'elle a goûtée en prisant de la cocaïne voit-elle sa sentence dans l'abattement relié à l'odeur du savon et du récurent? Paye-t-elle la félicité de sa vie de cégepienne par cet enfer sous les ordres de Berthe?

— C'est correct, patate: tu peux continuer ton ouvrage.

Patrick saute par-dessus le garde-fou, met le pied dans la plate-bande et piétine la pelouse bien entretenue de Ti-Ouard.

— Aie! Fais attention aux fleurs.

Sans rien entendre, il court vers le dépanneur. Suzon le regarde aller, se rongeant nerveusement l'intérieur de la joue.

Un coup d'œil aux muguets enfoncés sous l'empreinte du soulier lui fait découvrir jusqu'à quel point elle déteste ce garçon façonné par Berthe. Elle le compare à Alex, et tout l'amour qu'elle devrait ressentir envers son frère se transfère sur ce petit bonhomme qui lui inspire confiance. Comment croire qu'il puisse mentir? Qu'il puisse trahir? Comment croire qu'il puisse être aussi mesquin et perfide que Patrick? Non, c'est inconcevable. Tout comme il est inconcevable que Mike agisse un jour comme Spitter. Pour la millième fois peut-être, Suzon se répète cette certitude et repousse toute possibilité d'être dénoncée à sa mère. Il est possible qu'Alex le dise à Mike, mais Mike ne viendra jamais le dire à Berthe, se répète-t-elle intérieurement, appréhendant le pire advenant une fuite. Elle s'assoit sur les marches. Anéantie à l'avance par le courroux de sa mère et voit se profiler l'horreur de sa situation. Si Berthe venait à apprendre tout ce qu'Alex sait, elle la démolirait sans pitié aucune. Si au moins elle pouvait se sauver. Fuir cette maison où on l'écrabouille, jour après jour. Où on la foule aux pieds d'une mère autoritaire et d'un frère méprisant et méprisable.

Elle regarde à nouveau les muguets écrasés dans la terre noire et se penche vers la rocaille pour les relever. Les clochettes blanches, toutes souillées et piétinées lui font peine à voir.

— Qu'est-ce qu'y a?

C'est la voix douce de son père près d'elle.

— Patrick a sauté dans la rocaille.

— Ah, fait-il résigné, en glissant sa main courte sous les fleurs endommagées comme s'il avait l'habitude d'être brisé dans ces petites choses qui lui tiennent tellement à cœur.

— Les tiges sont cassées. Aussi ben les enlever: elles vont mourir de toute façon.

Il les secoue pour les nettoyer et les lui offre.

— Sont encore belles.

Il s'assoit près d'elle. Sourit gentiment pour combattre la tristesse de son regard et la fatalité de son attitude entière. Lui aussi est prisonnier de Berthe et de son fils. Lui aussi est écrasé, bafoué, brimé. Considéré comme un minable. Un moins que rien. Une guenille.

— J'ai quelque chose pour toé, princesse.

Ce vocable lui chavire le cœur: il y a une éternité qu'il ne l'a appelée ainsi. Elle retrouve son âme de fillette et se colle contre lui, cherchant la chaleur de son bras. Avec une vive émotion, elle goûte au délice d'être aimée. Les fleurs s'embrouillent et malgré elle, une larme file. Ti-Ouard lui passe alors le bras autour du cou. Elle se laisse aller, à ses larmes et à cet homme.

— Ça va pas, hein?

— J'suis tannée… m'man chiale toujours après moi. C'est jamais correct c'que j'fais. Pis Patrick passe son temps à m'traiter de patate.

— C'est juste pour t'agacer.

— J'aime pas ça m'faire agacer. J'le sais que j'suis grosse pis laide.

— Ben non.

— Oui, j'suis grosse. Pareil comme elle.

— T'es toujours ben plus belle qu'Odette l'épinglette. Pis plus belle que ta mère. T'as juste quelques livres à perdre. Faudrait que tu travailles pour ça.

— J'arrête pas d'travailler.

— Faudrait que tu travailles pour toé.

— Y est trop tard pour le terrain de jeux.

550

— Y a pas seulement le terrain de jeux. J'te l'ai dit tantôt; j'ai quelque chose pour toé. Quelque chose de ben payant. Ben plus payant que le terrain de jeux.

— Vrai? C'est quoi? C'est quoi, p'pa? Vite dis-moi-le.

Cet espoir qui brille à nouveau dans les yeux de sa fille raffermit Ti-Ouard dans sa décision. Il se sent comme un complice apprenant au détenu qu'il a glissé une scie à fer sous le nez du gardien.

— T'as entendu parler des glissades d'eau?

— Comme tout l'monde, mais j'vois pas l'rapport.

— Ça va être une place ben fréquentée.

— Supposé, oui.

— Qu'est-ce que tu dirais de te partir une patate frite dret là?

— Une patate frite!?

Quel écart avec son rêve de devenir travailleuse sociale!

— Oui, une patate frite. C'est ben payant. J'peux t'avoir la concession.

— Moi? Me partir une patate frite? Une patate frite!

Elle tente de s'apprivoiser à l'idée mais l'image qu'elle se forge contraste grandement avec celle de la travailleuse sociale projetée depuis son secondaire un. Le grésillement des frites, les paniers graisseux, les cernes de sueur sous les aisselles, les hamburgers sur les plaques chaudes ne parviennent pas à atténuer l'attrait des feuilles de rapport, des enquêtes et des visites à domicile. Pourtant, son père semble voir là la clé du succès et de l'autonomie.

— En une couple de mois, tu peux te ramasser assez d'argent pour faire un voyage en Floride.

— Tant que ça?

— Oh! Oui. Tu pourrais... tu pourrais te trouver un p'tit appartement.

Ti-Ouard observe un merle cherchant sa pitance sous la haie de cèdres. Condamné à perpétuité, il offre la liberté à sa fille. Mieux, il la désire et la prépare pour elle.

— T'es majeure... faut que tu vives ta vie.

Et non que tu la subisses, pense-t-il avec un serrement de cœur. Une solitude implacable s'annonce pour lui. Suzon partie, il sera livré seul à la merci de Berthe. Sur lui seul, elle déchargera sa

551

hargne. Il n'aura plus sa fille pour l'approuver et le seconder. Il ne la verra plus partager ses goûts et ses opinions à table, mais l'essentiel est qu'il ne la voit plus complètement annihilée sur les marches de la galerie avec la mort dans l'âme et un avenir si rebutant qu'il donne envie d'arrêter de vivre pour ne pas aller à sa rencontre.

Suzon se presse davantage contre lui.

— Tu... tu vas pas t'ennuyer?

— Oui... j'vais m'ennuyer d'ma princesse, mais on s'visitera. Reste pas pour moé: ma vie est faite.

Mal faite mais faite quand même. Contrefaite et défaite. Avec le sceau de la défaite sur son front.

Ti-Ouard avale difficilement. Il voit toute sa vie devant lui. Sa vie qu'il ne peut vivre qu'une fois et qu'il ne vit pas à son goût. Qu'il ne vit pas du tout. Sa vie que Berthe dévore à belles dents. Que Berthe siphonne. Sa vie qui meurt au jour le jour. Qui s'évapore subtilement de son être et le laisse sans sève, avec des yeux de chien battu et des ongles rongés.

Sa vie, qu'il a eue en cadeau le jour de sa naissance et qu'on lui a ravie le jour de ses noces.

Sa vie déjà faite le remplit d'effroi et de désarroi. Il est trop tard pour la refaire et difficile de la parfaire. Mais cette autre vie près de lui, contre lui. Cette vie de sa fille, il ne veut pas la voir défaire comme la sienne. La voir détruire. La voir moisir au fond des chaudières de Berthe. La voir rouiller sous les chaînes de l'asservissement.

Il ne peut accepter que cette compagne de cellule partage son sort plus longtemps. Il lui a trouvé un moyen d'évasion. Il lui suffit pour cela de troquer le rêve qui brille au fond du cachot contre la liberté sans éclat. Il lui suffit pour cela d'accepter qu'une humble vendeuse de frites la mène à l'autonomie et à l'indépendance. Qu'une humble vendeuse de frites la mette sur la piste de la liberté.

— Pis... si t'as encore envie d'étudier, tu peux t'amasser ton argent pour ça au lieu d'aller en Floride.

Un coup sur la piste, rien ne pourra l'empêcher de trouver la voie. L'important, c'est de sortir ce rêve du cachot.

— Merci, p'pa. J'vais la prendre la patate frite.

552

La porte est entrouverte. Une vendeuse de frites, avec des cernes de sueur sous les aiselles a forcé la serrure et déjoué le gardien.

Avec des yeux débordant de chagrin et d'espoir, Ti-Ouard regarde cette compagne qui s'apprête à le quitter. Va-t'en, presse-t-il. Ne reste pas pour moi. Ma vie est faite. Enchaînée à l'alliance de Berthe. Va... Vois dehors comme le monde est vaste... Comme le monde est beau... Va dehors où chantent les oiseaux... Sauve-toi.

Elle partira... la jolie princesse de son cœur... la jolie princesse captive de l'acariâtre marâtre.

Aucun prince charmant ne la délivrera. Déguisée en marchande, elle passera la grille avec son rêve lumineux caché sous un tablier graisseux.

Et puis, un jour, il le pressent, elle le réalisera ce rêve et en fera son bonheur.

Un jour, derrière ses barreaux, il regardera s'épanouir la plus belle de toutes les fleurs qu'il a semées. L'espèce unique et rare à laquelle il a voué sa vie et noué ses espérances.

* * *

Dimanche, 2 juin 1985.

Calme plat. Pas un vent. Pas une ride sur le lac. Des nuages saumonés s'y mirent sans coquetterie et sans emphase. Ce sont les nuages du matin. Beaux, doux et chiffonnés comme des pyjamas d'enfant aux tons pastels.

À l'est, derrière l'immense chou-fleur gazeux accroché à la cheminée de l'usine, un soleil pâle se lève timidement. Humblement. Rien à voir avec le faste du soleil couchant dans son attitude.

Un goéland glisse sur le ciel. De ce vol facile et élégant que le huard suit des yeux. À le voir évoluer avec tant de grâce et d'habileté, celui-ci ne s'en sent que plus lourd et plus aquatique. Indubitablement, le goéland appartient à l'air comme lui appartient à l'eau.

L'oiseau gracieux le survole maintenant. Son reflet empiète sur l'eau miroitante, l'exhortant à défendre son territoire avec âpreté. Et son territoire, c'est celui de cette baie où tout a le goût acide de la civilisation. Cette baie où il est né. Avant, il n'y avait pas tant d'habitations sur la berge et pas tant d'embarcations. Avant, c'était moins dur, moins inquiétant.

Un trémolo s'échappe de sa gorge. Un trémolo qu'il répète à l'intention du reflet du goéland. À l'intention de ces bateaux et de ces chalets, à l'intention du voisin huard dont le hurlement lui parvient. À l'intention de ces intrus qui n'ont pas à empiéter sur son territoire et qui pourtant le font.

La plainte du huard grandit dans sa gorge et traduit son angoisse. Inlassablement, il la répète pour convaincre les envahisseurs de sa vigilance et il fait finalement retentir le *yodel* victorieux de sa souveraineté territoriale. Si cela ne suffit pas, il ira se battre à coups d'ailes et de bec avec son voisin. Mais que fera-t-il contre ce gros bateau amarré au quai de cette grosse habitation? À nouveau le trémolo de l'angoisse exprime et sa détresse et son impuissance. Oui, que fera-t-il contre cet intrus? Ces intrus? Que fera-t-il pour se protéger des hommes? Pour protéger ses petits tout neufs?

Il amplifie son trémolo, clame puissamment son *yodel* puis revient à son trémolo inquiet tout en s'approchant prudemment du yacht de René Mantha. Un instant, il se hisse hors de l'eau et bat des ailes vigoureusement. Puis, il se laisse couler en chassant l'air de son système respiratoire et pénètre ce royaume où, à son tour, il évolue avec aisance. Voilà une écrevisse. En un rien de temps, il la poursuit, l'attrape, l'avale. Et voilà une perchaude qui subit le même sort. Ah! Ce monde d'algues et de bulles le séduit. Il tourne, plonge, nage, contourne bientôt la coque blanche du bateau, émerge à la surface puis lance à nouveau son *yodel* victorieux, le mêlant à tous les chants de tous les oiseaux défendant leur territoire.

Ces chants d'oiseaux l'exaspèrent. Depuis cinq heures ce matin qu'ils l'empêchent de dormir.

Faisant intentionnellement du bruit pour éveiller Irène à ses côtés, René Mantha rejette rageusement ses couvertures imbibées de sa nuit d'insomnie, s'assoit sur le rebord du lit et regarde l'heure à sa montre-bracelet. Six heures. «Ça a pas d'bon sens», grogne-t-il.

Cette nuit, à trois heures, il ne dormait pas encore, ressassant la discussion qu'il avait eue avec Irène et toutes les difficultés entourant son projet. Tous ces bâtons que tout un chacun lui met dans les roues l'exaspèrent. Tantôt, c'est l'inspecteur municipal qui, tout en acceptant de fermer les yeux sur certaines illégalités, lui définit clairement ses limites et lui explique le rôle important et de la FAPEL et de l'inspecteur régional. Tantôt, c'est ce gros Bourgeon qui en fait moins qu'il ne le prétend, sous prétexte qu'il n'est pas encore élu au conseil des Riverains et, pour couronner le tout, sa femme lui fait une scène en l'accusant de vouloir la séparer de sa famille. Une vraie folle! Et cet oiseau stupide qui n'arrête pas de chanter.

Accoudé sur les genoux, l'homme s'appuie le front dans les paumes de ses mains. Qu'il aimerait dormir! Récupérer de cet affrontement avec sa femme! Oublier jusqu'à quel point elle était ivre et hargneuse! Jamais, il ne l'a vue dans cet état. Jamais, elle ne lui a tant tenu tête et jamais, il doit l'admettre, elle ne l'a tant ébranlé. Est-ce la boisson qui avait délivré une nouvelle femme en elle ou l'outrage qu'elle ressentait? Avec quelle fougue, quelle ténacité, elle défendait les terrains de son père. Ce n'était plus l'Irène aplatie et démolie par l'alcool qu'il avait devant lui, mais une femme révoltée et combative. Allant jusqu'à la méchanceté pour faire valoir son point de vue. À ses yeux à elle, il n'était qu'un bourreau s'appropriant le bien d'autrui pour en tirer profit, et il ressentait tout le dégoût qu'il lui inspirait.

La tigresse déchaînée le surprenait et l'irritait. Il avait envie de se mesurer avec elle et de lui répliquer avec la même cruauté. Ne l'accusait-elle pas d'avoir volé un bien familial? Presque une terre sacrée des ancêtres? Oui, voler: le mot était fort. Il avait été habile, c'est tout. Contrairement à son beau-père qui ne l'était pas. Il n'avait rien volé dans ce *business is business*.

«Ta gueule», menace-t-il entre ses dents à l'intention du huard.

Mais il a gagné. Ou plutôt, il a eu le dernier mot quand Irène lui a demandé pourquoi il tenait tant à son projet. «Parce qu'il est vierge, lui» qu'il a répondu. Ce n'était pas une réponse cohérente mais à tout le moins, il voulait la blesser et lui montrer comme il était facile de le faire. Elle a battu en retraite et s'est saoulée jusqu'à ce qu'elle tombe endormie.

René Mantha frotte ses joues râpeuses. Si au moins il en avait tiré une satisfaction. Mais non. Il s'est senti comme un chat ayant tué la souris avec laquelle il voulait jouer. Comme un gros chat bêta, tout seul à ruminer des questions et des répliques avec sa femme ivre morte à ses côtés.

Le *yodel* du huard vient aviver sa colère. Furieux, il se lève, marmonnant toujours: «Stupide oiseau.» Ses pas sont rapides, menaçants. En fait, il ne marche pas, il foule le tapis jusqu'au foyer au-dessus duquel est accroché un fusil. Un douze à deux coups. Il s'en empare et se met à chercher frénétiquement les cartouches. Où sont-elles? Ah! Voilà dans le tiroir fourre-tout. Oui, les voilà. Il charge l'arme, sort sur la galerie. Rien. Il ne voit plus rien sur la surface calme de l'eau, mais les chants des oiseaux cachés dans les feuillages l'agacent et le mettent hors de lui. «Vos gueules!»

Une tête noire émerge de l'eau. René Mantha tire les chiens, vise et, dans sa rage, appuie simultanément sur les deux gachettes. Boum! Une terrible poussée au creux de son épaule suivie d'une pluie de projectiles sur la tête noire.

Cette brûlure, cette douleur. Sa tête lestée de plombs tombe. Il entend des bruits de bulles dans l'onde et, dans l'air, le chant des autres oiseaux ayant encore la capacité de défendre leur territoire. Lui, il vient de la perdre. Il le sent. Par réflexe, il remue faiblement ses pattes palmées et tournoie lentement, décrivant des spirales de sang vite diluée dans l'eau. Ses petits tout neufs, son nid installé sur l'abri d'un rat musqué, la coque blanche de l'intrus, le huard d'à côté et sa femelle tourbillonnent dans sa tête. Et jusqu'au bout de sa vie, le huard accomplit son ballet lugubre, sa tête pendant lamentablement vers les profondeurs de son royaume.

Un coup de feu formidable l'a tiré hors du lit... Puis, plus rien.

Alarmé, Ti-Jean tend l'oreille. Il manque quelque chose à ces chants d'oiseaux. Quelque chose qu'il ne parvient pas à définir et cette absence dans la symphonie matinale le tracasse. Bâillant et se frottant les yeux, il enfile ses bottes de caoutchouc, pousse douce-ment la porte et se retrouve dehors. Aussitôt la tiédeur du soleil dans la flanelle de son pyjama et la fraîcheur de l'air qu'il aspire à grands poumons chassent l'inquiétude provoquée par ce coup de feu. Peut-être a-t-il rêvé après tout. Il reluque la résidence de son voisin Mantha, n'y trouve rien d'anormal. Mais qui sait, s'il n'a pas tué sa femme ou vice versa? Ce sont des choses qui arrivent et hier, on les entendait se quereller. Non. Il a trop d'imagination. Preuve qu'il a besoin d'un repos total s'il ne veut pas se réveiller avec un infarctus ou une dépression nerveuse. Satisfait de la décision qu'il a prise de ne pas se représenter lors des élections de l'Association des riverains, il arpente son terrain d'un pas léger, amusé par l'abondante rosée mouillant ses bottes. Il n'a plus d'âge ou plutôt oui, il a l'âge d'un petit garçon déchargé du fardeau de trop lourdes responsabilités. L'âge d'un petit garçon se promenant en pyjama avec des bottes de pluie. Un petit garçon que la nature touche et émerveille facilement. Il va, toujours de ce pas léger, de ses saules arbustifs à sa haie de cèdres, de ses rosiers à sa plage.

Une chaloupe de pêcheurs passe. Elle se dirige vers la baie du torrent, seul endroit où survivent les touladis. Il l'observe dessiner un V de vagues paresseuses sur la surface plate du lac. Soudain, une forme insolite, soulevée par la vague, attire son attention et il décide d'attendre patiemment sur son quai que les vagues la lui rapportent. Plus la masse sombre s'approche, plus un malaise l'envahit. Il croit distinguer des plumes et l'absence dans la symphonie matinale commence à le troubler de nouveau. Qu'est-ce qui manque? Car il manque quelque chose. Quelque chose d'important. Quelque chose qu'il aime et que son âme attend. Que son âme recherche. Et tout à coup, il a peur que ce manque soit associé à cette chose inerte que la vague pousse vers lui avec dédain. Il a peur de découvrir d'où provient ce vide, cette perte qu'il flaire dans la nature. Ce trou quelque part dans le tableau, dans la musique, dans cet éveil. Il se détourne, concentre son regard sur la plage. La petite chaudière bleu vif de Nadia ainsi que la pelle de plastique jaune le distraient dans son attente. Désespérément, il s'accroche à ces jouets, pressentant une vive déception. Le petit garçon en pyjama dans ses bottes de pluie ne veut pas voir ce que lui rapporte le lac mais une vague lente dépose un oiseau mort tout près de la chaudière et le cœur de Ti-Jean se brise.

557

À pas lents et tout à coup très lourds, il s'avance vers le cadavre échoué. Il sait maintenant à quoi associer ce manque dans la symphonie matinale. Il sait quel cri déchirant et mystérieux manque aux gazouillis des autres oiseaux. C'est celui du huard. Celui qui a bercé, fasciné, peuplé son enfance. Celui qui, à lui seul, lui parlait des étendues sauvages. Celui qu'il écoutait, le soir, avec ferveur comme une prière arrachée de l'âme du monde animal.

Ti-Jean s'agenouille et des larmes mouillent ses yeux. Il ne le pensait pas si beau cet oiseau. Si semblable à son chant. Avec ce blanc immaculé du ventre et ce noir profond du dos. Avec, sur ses ailes, cet alignement régulier de carrés et de pois blancs et à son cou, un collier de zébrures. Tant de raffinement, de symétrie, de noblesse aggravent le chagrin qu'il a déjà. Il soulève doucement la tête déchiquetée et sans s'en rendre compte, caresse le dessous de la gorge: ce tuyau d'orgue céleste d'où s'échappait le cri dont son âme avait tant soif.

Le petit garçon en pyjama, avec ses bottes de pluie, pleure, accroupi près du huard. Il hait les grands capables de tenir des fusils et, tout en caressant la gorge à jamais muette, il pense à défendre ce qui est sans défense devant les hommes.

Ti-Jean s'empare de l'oiseau. Si lourd, lui aussi. Son regard se porte vers la résidence de son voisin et il serre les mâchoires. Non, il n'abandonnera pas le conseil des Riverains. Non, il ne laissera pas René Mantha tuer le torrent et le lac. Cet oiseau, qui avait une voix et une vie bien concrète, vient de lui démontrer l'inconscience de cet homme. Mais le lac n'a ni voix, ni vie bien concrète. Et lorsque Mantha le tuera, personne ne s'en apercevra.

Et tout en creusant une fosse au pied de ses rosiers, Ti-Jean fait serment à l'oiseau qu'il ne laissera plus faire René Mantha.

* * *

Lundi, 3 juin 1985.

Un brouillard épais, laiteux, stagnant qu'aucun vent n'a réussi à déloger depuis ce matin. Une toile de Turner. Floue, vague, vaporeuse. Une toile de Turner, où des images fugitives se précisent, frappent son cerveau et se refondent en un tout indécis. Des images subliminales: le dos voûté d'Hervé Taillefer lui donnant accès à sa terre, ce rien d'espoir et de confiance dans son attitude... puis sa main démesurée qui détruit involontairement une toile d'araignée dans un carreau de broche. Présage de la main de l'homme détruisant la nature. Présage, image et symbole.

Benoît recueille et conserve ces images. Il en a besoin pour justifier sa présence sur ce chemin menant à l'île. En a besoin pour alimenter le prétexte qui motive son déplacement. Il doit rencontrer Marjolaine. Doit faire le point. Et de leur liaison, et de sa position dans l'affaire des glissades d'eau. Et plus il approche, plus il tente de se convaincre que le projet de René Mantha vient en priorité. Mais plus il approche, plus il constate qu'il n'en est rien. Il a beau maintenant fouiller le paysage à la recherche d'autres images étoffant son prétexte, il ne voit que cette toile imprécise, ultime image subliminale de son être entier. Cette toile effacée, délavée, estompée où les «Je t'aime» ont été dilués par le temps. Par cet hiver difficile.

Trop vite, il est rendu à la lisière du bois, lieu de leur premier baiser. C'était le temps du tableau criant de Franz Marc, *La Vache jaune*.

Puis, c'est le petit pont lancé de l'île à la terre ferme. Il pousse la barrière: Max ne viendra plus le terrifier. Il est mort et cette nuit-là, il a dormi avec elle. Et cette nuit-là, une tache incompatible et disgracieuse est venue rompre l'harmonie du tableau. L'homme s'arrête. Pense à rebrousser chemin, mais d'ici il entend le torrent qui motive sa présence.

Un feulement agressif l'arrache à ses pensées. Deux oies blanches s'avancent, cou baissé au ras du sol. La cruauté du serpent qu'il dénote dans ces cous braqués vers lui le fait reculer. Tout à coup, elles l'assaillent, criaillant et cacardant à tue-tête. Il fuit. Des becs impitoyables pincent ses mollets, ses cuisses. Le voilà qui appelle au secours tandis que des ailes puissantes le frappent aux jambes. Marjolaine accourt, le délivre des oiseaux en colère.

Un silence pesant échoue sur lui, sur elle, sur l'enfant à la mine contrariée. Il s'en veut d'être venu. S'en veut d'être là, ridiculisé une fois de plus par les animaux gardiens de l'île. S'en veut d'avoir pris la peine de remettre ses lentilles cornéennes. S'en veut d'avoir emprunté le pont. Il ne sait plus quoi penser, quoi dire, quoi faire et remarque bêtement un accroc à son pantalon. Il n'a pas encore mal tout en sachant qu'il a été blessé et que le mal viendra plus tard, quand il sera calmé. Enfin, dans ce silence accablant, il entend bruire le torrent.

— Je suis venu pour le torrent, réussit-il à dire.

— Oui, allons-y.

Elle se dirige vers la chaloupe, suivie de son enfant et des oies. Benoît retient la tentation de botter les croupes blanches qui se dandinent de façon cocasse devant lui puis, la voyant pousser l'embarcation montée sur la plage, il lui prête main forte.

«Non. Pas toi, Alex; tu restes ici», ordonne Marjolaine en lui barrant la route. L'enfant regarde avec un désespoir absolu cette main qui l'exclut, se détourne et disparaît vitement.

Le bruit de l'eau troublée et des rames glissant dans les tolets meublent le silence entre eux. Il ne sait pas encore quoi dire, pense un instant à lui offrir de ramer à sa place, mais n'en fait rien et se concentre sur l'accroc à son pantalon. Il y fourre le doigt et réagit au contact d'une matière humide et chaude: du sang.

— Elles t'ont blessé?

— Non, non. C'est rien.

Il essuie son doigt contre sa peau, le retire, souriant timidement.

— J'pensais pas que des oies...

Il n'achève pas sa phrase parce qu'elle le regarde et qu'il n'en a plus la force. Vêtue d'un simple jean et d'une chemise de coton, elle produit sur lui l'effet d'une reine parée de diamants. La femme du tableau de Monet renaît, avec cette lumière, cette chaleur irradiant de sa peau et de ses cheveux. Est-ce la chaleur humide qui lui donne la sensation de manquer d'air ou la proximité de cette femme qu'il a tenté de ne plus aimer? Benoît défait sa cravate et détache le premier bouton de sa chemise. Il étouffe et sent ses vêtements collés à sa peau. Pour se rafraîchir, il laisse traîner sa main à l'eau et, tout en observant les légers sillons au bout de ses doigts, il conçoit avec anxiété qu'il s'enfonce, seul avec elle, dans ce paysage indécis. Que seul avec elle au cœur du blanc brouillard, il devra définir des sentiments et expliquer des comportements. Que seul avec elle, il devra restaurer ce tableau entre eux.

— J'ai reçu ta lettre.

— Des Riverains, ajoute-t-elle.

Elle a raison de préciser cela puisque c'est pour le torrent qu'il est supposé être venu.

— Oui, la lettre des Riverains.

Ils parlent d'eux comme des étrangers qui n'ont pas affaire à leur conversation. C'est fou. Complètement aberrant comme situation. Il regarde derrière, ne voit plus l'île. Regarde devant, n'aperçoit pas encore le torrent. Ils ne sont nulle part.

— Comment tu fais pour te guider?

— Au son... tu l'entends pas?

— Ah. Oui... oui, je l'entends au fond là-bas.

Il aimerait avoir quelque chose pour le guider, le diriger vers elle. Vers ce qu'elle pense, ce qu'elle ressent, mais il ne trouve rien d'autre que cette fichue lettre des Riverains.

— Le projet de loi 6 ne vous aidera pas, c'est sûr.

— T'as pas l'intention de nous appuyer?

— Qu'est-ce que tu vas chercher là? Certain que j'vais vous appuyer.

— Officiellement?

— Oui... j'imagine.

Jusqu'à maintenant, il n'a rien fait en ce sens et sa présente visite n'a rien d'officiel mais sans trop savoir comment, il compte bien les aider. Il ressent tout à coup la nécessité de se défendre, d'expliquer ce qui a mis fin à son opposition en Chambre.

— Notre histoire s'est sue, là-bas.

— À Québec?

— Oui... Y a un organisateur ici: tout se sait. Mes... mes collègues m'ont menacé de le dire à ma femme si je ne me rangeais pas à leur idée.

— C'est pour ça que tu t'es rangé?

— Non, justement. J'les croyais pas capables de ça... mais elle l'a su. On a parlé de divorce un temps.

Un temps aussi, il a espéré être libéré de sa femme, de sa famille, de son poste. Être libéré de tout ce qui lui pèse pour enfin vivre auprès d'elle. Puis, il s'est mis à douter d'elle, à douter d'eux.

— Vous vous êtes réconciliés?

Cette question le charcute. Surtout le ton d'indifférence qu'emploie Marjolaine comme si elle n'avait aucun égard pour ce qu'il a enduré.

561

— C'est important pour toi? Pour les Riverains? C'est tout ce qui compte pour toi, hein? Moi, j'étais rien qu'un instrument, rien qu'un moyen de donner du poids à ton Association. J'comptais pas, moi, là-dedans.

Voilà. C'est dit. Lancé avec douleur et soulagement. Arraché de son âme comme une dent malade. Il la regarde maintenant au fond des yeux, revendiquant des justifications à la souffrance qu'elle lui a infligée. La femme du tableau de Monet n'est plus. Le rêve s'est soudainement dissous par la magie des paroles qu'il vient de prononcer.

Elle abandonne ses rames, une expression d'épouvante grandissant sur son visage.

— J'me suis pas servie de toi, Benoît. J't'ai jamais menti, jamais fait semblant de...

Elle rougit.

— Bien des femmes font semblant. La tienne peut-être plus souvent que tu l'penses. Si t'avais été rien qu'un moyen, j'aurais fait semblant comme tout l'monde. Mais c'est curieux que tu m'aies laissée tomber à cause de ça. J'faisais pas l'affaire comme maîtresse, hein? Comme passe-temps dans ta vie d'homme politique.

Voilà. C'est répondu. Relancé avec cette même douleur et ce même soulagement. Elle a donc souffert, elle aussi. S'est donc imaginé des vilenies à son sujet.

— Ah... Je croyais... on m'a rentré ça dans la tête. À force de se l'faire répéter... on finit par y croire.

— À force d'être toute seule, on finit aussi par croire à toutes sortes de choses.

Elle reprend les rames et tire dessus avec acharnement comme si elle pouvait ainsi s'éloigner de lui. Il pose les mains sur les siennes. Très doucement pour ne pas ramener la souffrance en eux.

— N'en parlons plus, demande-t-il.

Maintenant que c'est dit, ils ont besoin d'une trêve pour récupérer. D'une convalescence pour guérir leur blessure. Il est prématuré de parler d'amour, inconvenant même après ce que ce mot leur a infligé de tortures. Il faut laisser le temps cicatriser leur âme mise à vif.

Après un grand soupir, elle hoche la tête.

— Oui, n'en parlons plus pour l'instant.

Ils reviennent au silence meublé par le grincement des rames. À ce flou. À ce rideau de gaze qui les protège des laideurs tout en leur voilant les beautés. À cet immense cocon au cœur duquel ils se sont agités un instant pour s'y faire une place et permettre à leurs sentiments de se préciser.

Une masse sombre se distingue peu à peu. Avec ravissement, Benoît observe les pins esquisser leur ramure asymétrique et sur la berge, les feuilles et les branches effleurer le paysage de leurs touches délicates. Intentionnellement, il écoute l'eau avant de la regarder, se réservant comme dessert ce tumulte de bouillons blancs coiffés de vapeur. Comment ne pas comparer ce qu'il voit aux toiles évanescentes de Turner? À cette précision qu'elles traduisent imprécisément? À la poésie qui s'en dégage? Au réel rendu irréel, impalpable, fugitif? À la précarité de la beauté et de l'harmonie? À la fragilité de l'équilibre qu'un seul trait trop accentué suffit à rompre? À la fragilité de l'équilibre de cet endroit qu'un rien d'ambition de la part de l'homme peut détruire?

Benoît imagine des glissades de fibre de verre définir le parcours des chutes et une foule avide d'émotions fortes envahir ce petit coin de paradis. Il imagine le centre nautique, les quais, les plongeoirs, les bouées, les cris, les rires et le bruit des moteurs. Alors, les mots littoral, berge, rive prennent toute leur signification. Ce ne sont plus des termes abstraits ou juridiques, mais des êtres vivants et vulnérables. Des êtres magnifiquement harmonieux et divinement équilibrés, rendus par le subtil coup de pinceau du Maître absolu. Littoral, berge, rive, des mots qu'il a prononcés tant de fois en Chambre en oubliant d'en boire la sève. Littoral, berge, rive, des mots qui ne seront plus jamais que des mots pour lui.

— Ce sera difficile, dit-il en contemplant toujours le paysage, ils ont déjà demandé la visite d'un inspecteur... je vais essayer de retarder cela. Qu'en pense la FAPEL?

— La FAPEL pense que ça ne doit pas se faire. On touche directement à la rive.

— Hélas, y'a pas de règlements cadre.

— Peuvent-ils employer la loi 6?

— Oui, bien sûr: elle est là pour l'amélioration du milieu aquatique, soulève-t-il avec ironie. Si l'inspecteur de l'Environnement approuve le projet, nous n'aurons que la protection des rives et du littoral comme argument. C'est là qu'ils nous opposeront la loi 6. Pour l'instant, je crois qu'il est préférable de retarder le plus possible la visite de l'inspecteur.

— Et ton opposition officielle au projet?

— On verra. Il faut être prudent.

Est-il habile de lui répondre avec franchise? Probablement que non puisque la déception se lit dans les yeux de Marjolaine.

— Cet hiver, j'ai été trop radical. Ça été facile de me faire taire.

Il veut qu'elle sache qu'elle a été responsable en partie de cet échec. Que leur liaison clandestine a compromis leur cause et que son comportement a semé le doute en lui.

— Si je montre mes couleurs tout de suite, ce sera facile encore une fois de me faire taire.

Il faut qu'elle sache aussi que Superman a besoin, encore une fois, d'être sorti de la garde-robe psychologique où il s'apprête à l'enfermer.

— Je suivrai le dossier de près. Je sais tout ce qui est en jeu pour les gens d'ici.

— Oui. Ils y croient beaucoup. L'espoir d'avoir des jobs est plus fort que tout. T'as vu les plans?

— Oui.

Des plans qui écorchent, défigurent et massacrent cette nature sauvage. Oui, il les a vus. Et oui, ils lui font mal, ces plans. Et oui, surtout, il espère que renaissent en lui l'enthousiasme et le courage qu'il avait cet automne.

Et, sans plus rien ajouter, Benoît s'imprègne de cette grandiose toile que lui offre notre mère la Terre, espérant y trouver ce qui, en dehors de Marjolaine, pourrait ressusciter Superman en lui.

«Non, pas toi, Alex.» Il voit encore la main de sa mère le repoussant. Cette main qui l'a toujours caressé, consolé, accueilli. Cette main d'où vient tout le bien, tout l'amour. Si chaude, si douce, si ferme. Cette main habile, patiente, travaillante. Cette main qui, aujourd'hui, le repousse.

«Non, pas toi, Alex.» C'est clair. D'une évidence qui fait mal et ne laisse aucune place au doute. Elle lui préfère le député. Se dérobe avec lui dans le brouillard. Oh! C'est clair: elle l'aime. Elle doit l'embrasser à l'heure qu'il est, le caresser, le dorloter dans sa cachette vaporeuse. Si au moins, c'était un homme. Un vrai. Pas un peureux, toujours en train de crier au secours. Elles ont bien fait les oies, de l'attaquer: il n'a pas d'affaire ici. Pas le droit de venir lui voler sa mère.

Ainsi donc, tout ce bon temps qu'ils ont eu ensemble n'était qu'un désennui pour elle.

Avec tristesse, Alex enfile sa marionnette Nadine et lui fait bouger les bras.

— Bonjour Alex, t'as du chagrin? imagine-t-il.

— Oui, c'est pas juste. Est partie avec lui.

— Qui lui?

— Le loucheux. J'étais rien qu'un bouche-trou.

Il caresse les longs cheveux de laine.

— T'es comme Cindy: c'est ma blonde.

Au moins, ce désennui de sa mère lui aura permis de gagner le cœur de la fillette.

Un instant, il pense à jeter la marionnette à l'eau. Pense à la détruire pour démontrer à sa mère que ce n'était, pour lui également, qu'un passe-temps. Qu'un désennui. Qu'il n'a pas investi dans son amour autant qu'il le prétend. Mais il se ravise: il la donnera à Cindy. Ainsi, Marjolaine verra bien qu'il ne tient pas à garder un souvenir de ce désennui commun.

Alex prend place sur la balançoire. Quelques bonnes poussées et le voilà qui va et vient entre ciel et terre, amusé un bref instant par l'attitude comique de Nadine agrippée au cable. Mais il ne parvient pas à être heureux. À se sentir léger surtout. Trop de choses lui pèsent. Écrasent sa jeune âme d'un terrible tourment. Et il va et vient, entre ciel et terre. Entre la marionnette et la balançoire installée au grand pin. Entre sa mère et son père. Entre la main qui exclut et le matelas vide près de lui. Il va et vient, avec les gestes d'un enfant heureux. Camouflant les précoces blessures de l'amour.

* * *

Jeudi, 6 juin 1985.

Le voir courir, le voir lancer, frapper, attraper la balle provoque chez elle des réactions troublantes. Cet homme lui retourne le ventre aussi facilement qu'on retourne un bas et c'est sans réserve que Suzon Patenaude observe Mike Falardeau évoluer sur le terrain de base-ball. Tout chez lui la séduit: ses cheveux bouclés et abondants, ses épaules puissantes, son ventre plat, ses hanches minces, le renflement prometteur de son entre-cuisse et son allure de mauvais garçon où le mâle et l'enfant, chacun leur tour ou les deux à la fois, éveillent en elle des points sensibles. Elle sait en être amoureuse, silencieusement, secrètement. Lucidement. Elle sait qu'il le sait ou qu'il s'en doute et elle n'ambitionne pas de sentiment réciproque, se contentant seulement de le caresser du regard et de tremper le bout de son âme dans ce beau spécimen de virilité.

Ramassée comme un gros mollusque derrière le grillage de la clôture, elle recueille les émotions qu'il provoque, la taille et le moral étranglés par ses vêtements trop serrés. D'ailleurs, plusieurs femmes en font autant, Mike Falardeau servant d'amorce à leurs fantasmes inavoués. Il n'y a qu'à voir leur regard pour saisir tout cela et, entre femmes, tout cela se devine sans qu'il ne soit dit un seul mot.

La joute s'achève. Encore une fois, il a brillé dans l'équipe des Vétérans. C'est la vedette. Non pas seulement des femmes mais de tous ceux qui se massent le long de la clôture et se laissent dévorer par les moustiques pour assister à ces joutes amicales où l'un des leurs excelle. «Mike pourrait jouer dans les Expos», commente-t-on ici et là. «Assez habile pour cela... perd son temps ici... Trop vieux astheure pour faire une carrière.» Trop vieux. Pourtant, il n'a que trente, trente et un ans peut-être. Lorsqu'elle en avait sept, il en avait dix-neuf et ne suscitait alors que de l'admiration pour son habileté sportive. Puis, à sa puberté, alors que la langue de sa mère battait son plein pour consolider la réputation de violeur de Mike, il s'est mis à évoquer des désirs sexuels de plus en plus obsédants et inadmissibles. Pour elle et pour bien d'autres, Berthe exceptée, il symbolisait le mâle de la possession physique et son rêve le plus tenace et le plus refoulé était d'être violée par lui.

Pourquoi Berthe exceptée? Parce que Berthe n'a pas de cœur, pas de faille, pas de faiblesse. Sa seule raison de vivre, c'est d'écraser, d'étouffer, d'anéantir les autres, excluant de son imposant éventail de victimes, son fils chéri, bien entendu. Elle imagine mal cette femme ébranlée dans sa chair, dans son âme comme elle l'est présentement en portant son regard sur l'homme au monticule. Soudain, son cœur flanche: il l'a repérée. Elle le sait. L'a détectée dans ses yeux. Il l'a retenue. Jamais rendez-vous n'a été ni plus sûr, ni plus implicite que celui-ci et, tandis que les spectateurs s'en retournent par petits groupes à la fin de la partie, elle reste à sa place, la gorge sèche, les mains moites. Elle reste à sa place et le regarde venir vers elle de son pas souple et légèrement félin. Une bouffée de chaleur lui monte au visage alors qu'elle s'attarde au balancement des épaules solides. Nerveuse, elle se mordille la lèvre inférieure.

Alex a dû la trahir. Raconter la visite de Spitter et son histoire de drogue. Que lui veut-il? La faire chanter? La remercier? La tenir responsable? Tout son corps tremble et elle a l'impression de tenir debout par la magie de ses vêtements trop étroits.

— J'peux te parler une minute.

Il appuie front et mains contre le grillage. On dirait un prisonnier. Lui offre-t-elle la vision identique d'une fille incarcérée pour trafic de drogue? Où trouve-t-elle la force de rencontrer le regard troublant de Mike? Elle ne le sait et demeure suspendue aux pupilles grises qui la sondent.

— C'est à propos d'Alex.

Elle avale avec difficulté.

— Tu veux marcher un peu?

Avant même qu'elle ne réponde, il saute la clôture et se retrouve à ses côtés, marchant d'un pas lent d'amoureux.

— Depuis qu'on est allés à Montréal tous les deux, Alex a ben changé. C'est juste s'il me parle. Est-ce qu'y s'est passé quelque chose?

Ou il sait, ou Alex a tenu parole. Ou elle avoue, ou elle ment. La seule pensée de sa mère la force à opter pour la deuxième solution.

— Pas à ma connaissance. Y s'est couché.

— Y s'est pas réveillé?

— Oui... oui, il s'est réveillé. J'me rappelle maintenant, il avait soif... il a trouvé que l'eau était pas bonne... c'est tout. Ah oui, il voulait savoir où t'étais.

— Tu y as dit?

— Oui, je lui ai dit que t'étais sorti avec Louise... il avait pas l'air d'aimer ça.

— Ah oui? Qu'est-ce qu'y a dit?

Mike s'arrête. Elle fait de même.

— Ben... il a rien dit, j'pense... mais il a eu un drôle d'air... t'sais en voulant dire que c'était pas correct... que t'aurais pas dû le laisser tout seul.

— C'est tout?

— Oui, c'est tout.

Tout ce qu'elle peut dire. Le reste ne doit parvenir aux oreilles de personne.

Soulagée d'apprendre que l'enfant n'a pas parlé, elle se détend et accomplit quelques pas avec une légèreté qui la surprend. Un peu plus et elle se sentirait belle, désirée de lui. Mais il demeure derrière, les mains dans les poches, assailli d'interrogations qu'il ne parvient pas à comprendre.

Elle lui revient, à nouveau inquiète.

— Qu'est-ce qu'il y a, Mike?

Il soupire bruyamment.

— J'y comprends rien. Ça allait ben avec lui. On avait du fun pis... t'sais j'sentais qu'on était comme deux chums pis, là, y m'dit bonjour, y répond à mes questions, mais y a plus rien entre nous deux. J'le sens.

— Marjolaine en sait peut-être plus long.

— C'est à toé que je l'ai demandé parce c'est depuis notre voyage à Montréal. Y est peut-être jaloux de Louise. Ça s'peut-y ça? C'est pas là-dedans que t'étudiais?

Il attend beaucoup d'elle. Ça se voit dans son attitude. Flattée d'être considérée déjà comme une psychologue, Suzon cède à la tentation de tenir ce rôle combien plus valorisant que celui qu'elle tiendra près de la friteuse.

— Oui, c'est sûrement d'la jalousie. Aux yeux d'Alex, Louise vient lui voler son père. En plus, elle prend la place de sa mère. J'pense que c'est sa manière de te reprocher de sortir avec Louise.

568

— Tu penses?

— Oui... ça m'semble évident. C'est un processus normal dans l'fond.

Elle aime parler avec des mots un peu plus recherchés. Cela ne fait que donner plus de poids à ses paroles et, chose surprenante, Mike l'écoute sans dissimuler la confiance qu'il lui accorde. Ainsi, il a lui-même l'air d'un enfant qu'un adulte corrige. Elle ne doit pas négliger d'être directe pour démontrer avec quel sérieux elle considère la question.

— Faut que tu sois conscient, Mike, que t'as ben manqué à Alex: ça fait pas longtemps que tu t'occupes de lui.

L'homme baisse la tête d'un air coupable. Fière de défendre les intérêts de cet enfant, Suzon poursuit sans ménagement pour ce père insouciant.

— Tu le visitais jamais, tu faisais ta vie d'garçon comme s'il n'existait pas. Quel âge qu'il avait quand tu t'es mis à t'intéresser à lui?

— Huit ans... mais j'l'ai toujours aimé pis j'y envoyais des cadeaux.

— Ça vaut pas une présence, un cadeau.

Elle lui parle sur un ton de doux reproche. Piteux, le mauvais garçon roule un caillou sous sa semelle. Elle le sent à sa merci et en éprouve une satisfaction quasi sexuelle. Voilà donc cet homme de trente ans, ce beau mâle faucheur de cœurs, qui reconnaît ses fautes devant elle. Il a perdu sa belle assurance, sa belle insolence. Il est nu. Moralement nu. Dépouillé en quelques mots de cette façade qui séduit les femmes.

Elle se sent un pouvoir sur lui et en jouit sans en abuser.

— On peut pas dire que j'ai pas essayé d'me ranger, objecte-t-il faiblement. Si tu penses que ça m'plaît de conduire un autobus scolaire pis d'être mécanicien au garage de Gustave. Si au moins y... s'occupait de moé.

— Il fait juste te renvoyer la balle, Mike. Tu l'as fait souffrir, c'est à ton tour de souffrir astheure.

— J'sors même plus avec Louise.

— Vous avez cassé?

— Oui.

— Pourquoi?

Il hausse les épaules avec indifférence. Cela n'a pas d'importance.

— De toute façon, il va être jaloux de n'importe quelle autre femme. Attends, j'me rappelle maintenant qu'il a dit que c'était pas juste.

— Qu'est-ce qu'y était pas juste?

— Que tu sortes probablement.

— J'toujours ben pas pour devenir un moine parce que mon gars trouve que j'ai pas le droit de vivre ma vie. Marjolaine la vit ben, sa vie, elle. Pourquoi que moé j'aurais pas le droit d'la vivre?

Il s'indigne. Lève le ton. Refuse la punition comme un écolier récalcitrant.

Elle faiblit devant sa mine défaite et blessée. N'a plus qu'une tentation: le consoler. Son imagination élabore en un rien de temps une série de gestes qui la bouleversent: il laisse tomber sa belle tête contre son épaule, elle lui caresse les cheveux, lui tapote le dos tandis qu'il pleure. Mais il n'en est rien, et contrairement à ses attentes, il rompt subitement le charme.

— Bon, j'te remercie d'ta franchise. Est-ce que tu veux que j'te reconduise?

Ce serait bon d'enfourcher cet engin avec lui. De sentir le vent sur ses joues et de prétexter la peur pour se nouer à sa taille. Ce serait bon aussi, de parader en sa compagnie devant les femmes du village assises sur leur galerie. Sur leurs fantasmes et leurs rêves qu'elles couvent, sachant très bien qu'ils n'écloreront pas plus que des œufs de pierre. Ce serait bon de les faire baver d'envie. Mais soudain l'image de sa mère s'impose à elle.

— Non. J'vais… j'vais rentrer à pied.

Enjôleur, il lui cligne un œil tandis qu'un sourire retrousse ses lèvres.

— Sûre? Sûre? Sûre?

— Oui… c'est… c'est bon pour ma ligne.

Voilà les rôles intervertis. Elle est redevenue une grosse fille perclue de désirs, et c'est lui maintenant qui possède un pouvoir sur elle. Mais il n'en abuse pas lui non plus et se sépare d'elle sans plus insister.

Mi-satisfaite, mi-fautive, elle retourne chez elle, hantée par la droiture et la loyauté d'Alex. Elle craint de lui avoir porté préjudice. Finalement, tout dépend de l'interprétation que Mike donnera à cet entretien où elle sait avoir défendu et accusé l'enfant.

Plus elle réfléchit, plus elle se sent fautive et très petite à l'intérieur d'elle-même. Qu'a-t-elle fait? Qu'a-t-elle inventé pour éloigner d'elle tout soupçon?

Elle se rappelle Alex tremblant dans ses bras. Alex lui faisant serment malgré sa grande frayeur. «Croix de bois, croix de fer, si j'meurs... j'vais en enfer.»

Elle se rappelle ce lien entre eux, cette complicité qui les unissait. Cette promesse qu'il a tenue, sacrifiant pour cela la relation jusqu'ici amicale et facile avec son père. Cette promesse à laquelle elle vient de manquer par faiblesse. Par peur. Oui, peur de la grosse Berthe qui la crucifie, heure après heure, de son nouveau leitmotiv: «Y est temps que tu rapportes.» Oh! Oui, qu'elle va rapporter! Oui, qu'elle va foutre le camp de cette maison où guette sa mère, les bras croisés sur son opulente poitrine et les yeux piqués sur elle avec toute leur intransigeance et leur exigence. Oh! Oui, qu'elle va s'échapper de cet enfer quand elle gagnera de l'argent.

Entre temps, elle réintègre docilement sa coquille comme un colimaçon menacé et enfouit dans les replis de son âme la honte et les remords causés par sa trahison.

∗ ∗ ∗

Dimanche, 9 juin 1985.

Fête des Pères

«Poor kid», soupire Jane Falardeau derrière son rideau de dentelle. Incapable de se détacher de la fenêtre, elle fixe la motte de sable où s'est enlisée la roue de la bicyclette d'Alex et revoit le pauvre enfant passer par-dessus les poignées et tomber mains et genoux sur le chemin de gravier. «Poor kid», répète-t-elle. Il s'est relevé prestement, s'est frotté les mains l'une contre l'autre et, sans s'attarder à ses genoux éraflés, il a enfourché de nouveau sa bicyclette et a déguerpi.

Il s'est fait mal, songe-t-elle en hochant la tête. Et elle le revoit pédaler de toutes ses forces pour s'éloigner au plus vite, dans

571

l'espoir de laisser derrière lui son mal et son humiliation. Cette vaine tentative d'échapper à la douleur que lui avait causée l'absence de Mike en ce jour de fête l'attriste et la bouleverse. Des sentiments multiples éclatent en elle et la secouent de sa torpeur. Inaccoutumée à se voir ainsi remuée, elle s'alarme de voir sa quiétude troublée.

Pourquoi cet enfant est-il venu éveiller tout ce qui lui avait pris tant de patience et de ruse à endormir?

Pourquoi, tout à coup, la colère en elle? Pourquoi la honte? Pourquoi le sentiment de culpabilité? Pourquoi cette faute qui la rejoint à travers son fils? Qui l'accuse à travers lui et la tient responsable?

Elle aurait envie de punir Mike. De le semoncer vertement tout en implorant son pardon. Elle sait qu'il est parti en Abitibi pour fuir la fête des Pères. Pour s'évader de ce rôle qu'il ne sait pas bien tenir. S'évader à toute vitesse tout comme Alex, en faisant gronder le moteur de sa Harley Davidson. L'un et l'autre se blessent et se fuient. Qu'adviendra-t-il de ce déchiquetage d'âme? Orgueilleux tous deux, ils s'endurciront au lieu d'abdiquer, elle le sait. Il y a tant d'entêtement sous les boucles angéliques de leur chevelure. Tant d'intransigeante passion dans leur regard changeant. Mais il est encore temps pour Alex. Encore temps de le récupérer. De profiter de l'enfance qui conserve la souplesse de son âme. Tout comme une jeune branche pleine de sève, il est encore temps de le redresser. Mais pour Mike? Pour Mike, il est trop tard... Vraiment? Oui, sans doute: à trente ans, un homme est fait ou le mal est fait. On n'y peut rien ou presque. Cette pensée rend la vieille Écossaise fautive. Elle se détourne de la fenêtre avec des gestes las et se laisse tomber sur le premier fauteuil venu comme si elle ne parvenait plus à supporter le poids de sa faute. Son regard distrait s'embrouille sur la bonbonnière vide, tandis que l'enfance de Mike se précise avec une clarté impitoyable.

Il était là, babillant et se traînant à quatre pattes sous les meubles, trop jeune, inattendu et indésiré. Il était le cadeau surprise du retour d'âge, arrivait mal à propos et l'obligeait à partager son temps entre changer ses couches et celles de son mari, de vingt ans son aîné, atteint d'artériose cérébrale. Devenu sénile et gâteux, Conrad Falardeau exigeait autant, sinon plus de soins et de patience que le nouveau-né. Et de la patience, elle n'en avait pas. Elle se devait de consolider le domaine, d'établir ses fils et de gérer la petite fortune que son mari avait amassée en tant qu'entrepreneur en bois. Contrairement à leur père, ses enfants refusaient de gagner leur vie en forêt. Ils avaient vu le «vieux» se tuer à l'ouvrage et n'avaient d'autres intentions que de prospérer sur les terres qu'il avait acquises pour eux. Dans ce contexte, Mike n'avait pas sa place. Contrainte à s'occuper de lui, elle le faisait sans y mettre son cœur, par obligation. Des femmes qui la rencontraient avec Mike dans les bras prônaient qu'il était une consolation quand, en réalité, elle le considérait comme une malédiction. C'était Andrew, sa consolation. Oui, c'était Andrew. Très vite, il a remplacé son mari, toujours au loin dans les chantiers. Très vite, il est devenu un petit homme, tuant son premier loup à dix ans. Très vite, elle lui a accordé sa confiance et une certaine autorité sur la famille et le bien familial. Cette substitution avait quelque chose de déloyal face au père. Face aux autres, aussi. Andrew veillait à tout, décidait de tout et lorsque Conrad Falardeau ne fut plus qu'un vieillard sénile, Andrew devint l'autorité suprême. Et c'est sous sa férule que Mike avait grandi ou plutôt qu'il avait écoulé son enfance, pressé d'en finir avec cette autorité qui virait à la dictature. Continuellement en révolte, accumulant bêtise sur bêtise, bataille sur bataille, Mike secouait rageusement le carcan qu'Andrew maintenait sur tous les membres de la famille. Seul, il s'insurgeait; comme seul, il avait pleuré sur la tombe de son père.

La vieille femme s'attarde à cet épisode. À l'époque, elle avait eu honte des larmes de Mike au salon funéraire. Honte parce qu'elle n'en avait pas, elle. Pas plus que ses autres fils d'ailleurs, qui ne voyaient qu'un soulagement dans cette mort. Honte aussi parce que le sentiment qui l'avait unie naguère à cet homme s'était complètement dissous avec le temps et la maladie. Honte parce qu'elle était sèche, austère, fermée. Honte parce que Mike pleurait un compagnon, un ami, privé comme lui de tendresse et de marques d'affection. Elle se rappelle avoir grondé Mike et lui avoir serré le bras pour qu'il se contrôle en public. Et intérieurement, elle se rappelle avoir été jalouse de cet attachement. Si c'était moi dans la tombe, il ne pleurerait pas, avait-elle pensé. Et toutes les fois qu'elle l'avait repoussé, toutes les fois qu'elle avait éteint sa joie et

ses rêves, toutes les fois qu'elle avait refusé ses jeux et tapé ses petites mains pleines de confiture lui revenaient en mémoire et lui
certifiaient qu'il n'aurait pas pleuré sur sa tombe. Et toutes ces fois
lui reviennent encore en mémoire et l'accablent. Par sa faute, Mike
n'a pas eu d'enfance. N'a pas eu de confident, ni de guide. Il a grandi
en manque continuel d'amour et de tendresse. Cela se ressent aujourd'hui dans son comportement. Il n'est qu'un grand enfant de
trente ans qui protège férocement cette liberté qu'il a conquise en
dépit d'Andrew. Il la défend sans discernement et s'apprête à commettre la même erreur qu'elle a commise, celle d'éclipser son fils.
Quelque chose effraie Mike dans ses relations avec Alex. C'est
comme s'il avait peur d'être pris au piège. Peur que l'enfant
n'atteigne à sa liberté et n'exige plus de lui. Plus que des cadeaux et
des visites. Oui, il a peur de s'attacher. Peur d'un sentiment profond
entre eux. Mike ne se sent pas la capacité d'être plus qu'un chum.
Être un père le surpasse. C'est pourquoi il a fui le jour de la fête
des Pères. Cela la chagrine et la déçoit. Avec beaucoup de réticence,
elle parvient à qualifier de lâcheté les agissements de son fils. Ce
vocable lui porte un dur coup et pourtant, elle ne peut l'éviter à
moins d'être sénile. Mais elle ne l'est pas. À soixante-dix-huit ans,
elle conserve toute sa lucidité et considère que Mike a été lâche
d'abandonner Marjolaine enceinte, lâche de fuir à Schefferville et
d'ignorer cet enfant issu de lui. Ah! Si ç'avait été sa fille, les choses
ne se seraient pas passées comme cela. Elle aurait exigé que le mé-
créant l'épouse et la fasse vivre décemment. Mais voilà, ce n'était
pas sa fille, mais celle d'Hervé, cet homme à qui elle a toujours
voué admiration et respect. Cet homme qui avait vécu une autre réalité que celle de ce petit village qui s'était complètement fermé à
l'étrangère qu'elle était. Cet homme qui avait foulé l'Europe dans
l'intention de la sauver du nazisme. Cet homme à l'esprit ouvert
qu'elle revoit toujours beau et bien portant avant son départ, puis
détruit au retour. Cet homme qui avait sacrifié une part de lui-
même à la défense de la liberté et n'avait rien exigé pour sa fille et
son petit-fils. C'était un non-sens de sa part. Une lâcheté de celle
de Mike. Et entre les deux partis, Andrew parlementait et négo-
ciait ce viol. Quelque chose lui échappait, car quelqu'un avait menti
en cours de route. Qui? Mike? Andrew? Marjolaine? Ses soupçons
s'orientaient forcément vers cette dernière, non pas qu'elle tenait

574

absolument à disculper ses fils mais parce qu'elle les savait francs de nature.

Pourquoi a-t-elle inventé cela? Parce qu'elle n'aimait pas Mike ou parce qu'elle avait peur d'être mal jugée de se tenir en sa compagnie? Elle ne saura probablement jamais, mais cela demeurera toujours une injustice vis-à-vis de l'enfant.

La vieille femme fronce les sourcils, avance sa main osseuse et rousselée vers la bonbonnière qu'elle a toujours vue vide sur cette table. Si au moins elle avait eu quelques friandises tantôt, pour adoucir le chagrin d'Alex.

«Poor kid.» Il était là, timide et rougissant à l'entrée du salon avec une enveloppe à demi sortie de son sac d'école: une carte pour Mike sans doute. Elle ne savait comment lui annoncer la nouvelle et ses yeux s'étaient arrêtés à cette bonbonnière vide. Impossible de retarder l'échéance. De remettre à quelques bonbons plus tard l'annonce de l'absence de Mike. «He's gone for the week-end.» Dans sa nervosité, elle l'avait dit en anglais, puis voyant qu'il ne comprenait pas, elle avait traduit. «Est parti... viendra pas aujourd'hui.» En français, cela lui semblait cruel, d'autant plus que son ton était cassant tellement elle était mal à l'aise. Les yeux d'Alex étaient devenus embués, et elle l'a vu serrer les mâchoires alors qu'il remettait l'enveloppe dans son sac. Puis il est parti sur sa vieille bicyclette et la roue s'est enlisée dans une motte de sable et...

Elle hoche la tête à nouveau. Revoit le petit bonhomme passer par-dessus les poignées et se blesser aux mains et aux genoux, lui qui était déjà blessé dans l'âme. Et elle en veut à son fils d'avoir été absent en ce jour et elle s'en veut d'avoir négligé ce fils. L'enfance de Mike ressurgit inévitablement à la vue d'Alex, qui lui ressemble physiquement. Et cette enfance l'accuse et la tient responsable du chagrin de cet autre enfant en fuite sur sa bicyclette.

* * *

Lundi, 10 juin 1985.

Branle-bas dans le bureau de comté. À elle seule, la secrétaire déplace tout à coup autant d'air qu'une armée de journalistes.

Elle va, vient, répond au téléphone, dactylographie, prépare le café, trie le courrier, range la salle d'attente, époussette et met de l'ordre dans le classeur. Déjà bien en évidence sur son bureau impeccable trône le dossier du lac Huard. Visiblement, l'annonce de la visite de René Mantha a chassé son indifférence et sa nonchalance coutumières pour laisser place à cette vivacité et à cette efficacité soudaines tout comme l'arrivée d'un joli garçon secoue subitement la torpeur d'une adolescente.

Benoît s'irrite de cette réaction. Pour la xième fois, il relit la lettre d'un pourvoyeur, incapable d'en comprendre la teneur. Les mots glissent sous ses yeux, l'amènent jusqu'au «bien à vous» et à la signature sans rejoindre son cerveau. Il lit à vide, pense à vide, perturbé par cette électricité qui flotte dans l'air. Sa secrétaire le fatigue, lui met les nerfs en boule. Il aurait envie de l'enfermer quelque part, de la soustraire à ses yeux et à ses oreilles, car elle ne réussit qu'à lui communiquer sa nervosité.

Oui, il est nerveux, inquiet, puisqu'il se mord la lèvre inférieure sans arriver à se concentrer sur le moindre sujet. Puisque ses mains sont molles et son estomac dur comme une pierre. Puisqu'il se prend à désirer la venue de Mantha le plus tôt possible afin d'en avoir fini avec *ça* le plus tôt possible. Et *ça,* c'est lourd, c'est grave, c'est dramatique. *Ça,* c'est l'aboutissement, l'affrontement, le combat final pour lequel il s'est entraîné. Tantôt, il aura devant lui un adversaire en chair et en os. Pas un texte de loi ou un ministère, mais un être précis qui s'apprête à commettre un geste précis contre la nature. Rien d'abstrait là-dedans. Et sa mission, ce matin, consiste à convaincre cet homme des méfaits de son projet. À plaider brillamment la cause de l'environnement. Fait assez bizarre, il éprouve les mêmes sensations que lorsqu'il était avocat et attendait l'arrivée du juge. Tout à fait les mêmes jusqu'à ce goût d'œuf qui lui vient à la bouche et ne fait qu'empirer son trac. Il n'aurait pas dû attaquer sa journée avec un déjeuner digne d'un bûcheron, mais l'intention d'abattre ces choses lourdes de conséquences, graves et dramatiques l'a inspiré à se munir de protéines et de calories.

L'attente est longue, difficile, et il meuble le temps en lisant ces lettres qu'il aura à relire, se demandant si le retard de Mantha n'est tout simplement pas une tactique pour user ses nerfs. Enfin, avec un soulagement visible et l'expression d'une femme qui vient d'être demandée en mariage après de longues et persévérantes fréquentations, la secrétaire lui annonce l'arrivée du visiteur tant attendu.

— Faites entrer tout de suite.

Quelle maladresse! Il aurait pu au moins le faire patienter à son tour. Lui démontrer qu'il a d'autres chats à fouetter.

L'homme entre. Grand, pesant, imposant. Sa grosse tête ronde et chauve brille comme un obus de canon.

— Veuillez excuser mon retard: j'avais des choses importantes à régler.

Contrairement à lui qui l'a reçu immédiatement. Cela crève les yeux que cette entrevue monopolisait toute son attention.

René Mantha s'assoit, déboutonne sa veste, passe le doigt sous le col de sa chemise et desserre légèrement sa cravate.

— Vous n'avez pas l'air climatisé? demande-t-il le plus naturellement du monde.

— Non, pas encore.

Benoît se retient d'ajouter qu'il n'en a pas les moyens, lui, mais juge que cette repartie pourrait jouer en sa défaveur. Il s'attarde avec une légère condescendance aux genoux ronds, aux mains larges et aux souliers noirs démodés de son adversaire qui fait, à son avis, très homme du peuple. Très conservateur. Il ne lui manque qu'un cigare, ironise-t-il intérieurement, pour faire plus homme d'affaires.

— Je crois que vous devinez pourquoi un Libéral comme moi a tenu à vous rencontrer.

Mantha est direct. Son entrée en matière prouve qu'il n'a pas de temps à perdre en formules de politesse. Il s'affiche tel qu'il est: Libéral sans aucune possibilité de passer à un autre parti.

— Oui, c'est votre projet de glissades d'eau qui vous amène ici. Vous voulez que j'approuve votre projet ou du moins que je n'y mette pas d'opposition officielle.

Benoît exulte de voir René Mantha interdit devant cette réponse. Lui aussi, il peut être direct. Sans aucune équivoque.

— Permettez?

Mantha tire un cigare de sa poche, le développe puis le mouille méticuleusement. Ne manquait plus que ça, songe Benoît devant cet homme qu'il considère caricatural et mal dégrossi. Et,

577

tout en voyant l'autre tirer des bouffées de ces nauséeuses feuilles de tabac, il se convainc de sa supériorité intellectuelle et réalise qu'il s'est alarmé en vain. Cet homme sans grande instruction, parvenu à amasser une fortune à force de travail, ne pourra venir à bout de l'avocat et du député qu'il est. Rassuré, il se détend.

— Vous ne fumez pas?

— Non. Je n'ai jamais fumé.

Autre supériorité: il n'est esclave ni de la bouteille, ni du tabac.

— Revenons-en à nos moutons. Vous savez que les glissades d'eau donneront beaucoup d'ouvrage aux gens de la place. Il y va de notre intérêt commun de faire en sorte que le projet se réalise.

— Intérêt commun?

— Je n'ai pas à vous expliquer ça, je pense. Politiquement, c'est très rentable de donner des jobs et pour moi, c'est très payant. Ça fait notre affaire à tous les deux, non?

— Et le lac là-dedans?

— Quoi le lac?

— Vous ne croyez pas qu'il puisse souffrir de vos glissades d'eau?

— Pas le moins du monde. Nous avons fait la demande pour qu'un inspecteur vienne examiner le projet. Et, pour ce qui a rapport au reste, nous allons suivre à la lettre les lois existantes, comme des quais sur pilotis, pas trop de déboisement, tout ça.

— Et si l'inspecteur refuse le projet?

— Il ne refusera pas: ça ne pollue pas. Mais si jamais on en arrivait là, on pourrait toujours se servir de la loi 6.

— Oui, justement, c'est ce que je voulais vous entendre dire.

Benoît utilise le ton et l'expression d'un avocat prenant à défaut un témoin, mais le peu d'effet produit sur son interlocuteur le désarçonne momentanément. Il poursuit.

— Justement, il n'y a pas encore de règlement-cadre protégeant la rive et le littoral et votre projet nuira certainement au lac Huard par la dégradation des rives.

— Vous êtes convaincu de ça?

— Oui.

— Pas moi. Est-ce vraiment vous qui êtes convaincu ou Marjolaine Taillefer?

Le goût d'œuf remplit sa bouche. Benoît se redresse. Cette question l'indigne.

— Qu'est-ce que Marjolaine Taillefer a affaire là-dedans?

— Voyons, tout le monde sait que vous... que vous la consultez assez souvent. Et moi, j'sais qu'elle est contre mon projet. Et j'sais aussi que les Riverains sont contre, même que je ne serais pas surpris qu'ils vous aient écrit une lettre à ce sujet. J'la connais: c'est ma belle-sœur. Vous pouvez pas apprendre à un vieux singe à faire des grimaces.

Cette phrase dépeint fidèlement le prototype de l'homme d'affaires désuet qu'est René Mantha. L'emploi de ce vieux cliché renforce chez Benoît la certitude d'être en présence d'un homme du peuple sans grande ressource intellectuelle, et il se déçoit de s'être laissé emporter à la simple évocation du nom de Marjolaine. Se ressaisissant, il opte pour un sourire indulgent qui pardonne cette incursion dans sa vie privée.

— Voyez-vous, le lac Huard est passablement déboisé et l'usine de panneaux d'aggloméré contribue à le polluer davantage. Les glissades d'eau auront un effet désastreux sur son équilibre et il serait préférable de respecter tout de suite les lois du règlement-cadre.

— Du futur règlement-cadre, vous voulez dire.

— Oui.

— Vous voulez que j'observe d'éventuelles lois?

— Euh... oui, en fait, c'est exactement cela. C'est ce qu'il faudrait pour le bien du lac.

— Et si un inspecteur ne trouve pas que le lac est menacé, est-ce que, selon vous, je devrais encore observer d'éventuelles lois?

— Ce serait préférable.

— Vous n'avez donc pas confiance en vos inspecteurs.

— Ce n'est pas ce que j'ai dit.

— Ça revient au même. Si les inspecteurs disent le contraire de vous, ils sont dans l'erreur automatiquement. Les inspecteurs de votre gouvernement seraient-ils incompétents?

— Non. Non, pas le moins du monde: ils sont bien formés.

— Bon, pourquoi alors ne leur accordez-vous pas votre confiance? Moi qui suis Libéral, je leur fais confiance. Je ne devrais pas, selon vous? Mettez-vous dans ma situation: vous les connaissez mieux que moi.

— Des fois, vous savez... enfin... ils peuvent être influencés.

— Achetés, vous voulez dire. Vous avez peur que je les achète?

— Ça pourrait arriver... tout le monde est humain.

— Et donc corruptible. Vous pensez donc qu'il y a des gens comme ça dans votre ministère.

— Non, ce n'est pas c'que j'ai dit.

Et pourtant oui, il l'a dit en d'autres mots. Cet homme qu'il mésestimait, il y a un instant, le détourne habilement.

— Alors, si vous n'avez pas dit ça, vous êtes d'accord pour faire venir un inspecteur. D'ailleurs, c'est la loi.

— Oui, je suis d'accord.

— En autant qu'il soit d'accord avec vous.

— Croyez-moi bien que c'est pour la survie du lac. Je suis surpris de constater que vous n'avez pas l'air de croire en la pollution.

— Pas pour ici... À Montréal, oui, y a d'la pollution, mais ici... c'est grand, c'est loin. La nature récupère de tout, vous savez. Et puis, si votre gouvernement y croit tant que ça, à la pollution, il aurait juste à faire sa part pis à subventionner l'installation de filtres à mon usine ou même d'arrêter de polluer avec la Noranda Mines.

— Mon gouvernement n'a rien à voir avec la Noranda.

Benoît hausse le ton.

— Voyons, monsieur Larue. Faudrait pas me prendre pour un enfant d'école.

Autre phrase du même acabit qu'«apprendre à un vieux singe à faire des grimaces». Mais cette fois, elle l'attaque de front et perce son bouclier.

— Votre gouvernement n'est-il pas un partenaire silencieux de la Noranda via la Caisse de dépôt?

— Euh... mon gouvernement se doit de faire profiter au maximum l'argent des citoyens.

— C'est ce que vous conseillent les frères Bronfman, et j'approuve. Oui, j'approuve. Ça vous surprend?

— À moitié.

— Voyez-vous, moi aussi, je veux faire profiter mon argent au maximum. Je suis un homme d'affaires et je regarde agir nos hommes d'État qui, admettons-le, ne s'alarment pas au sujet de la pollution. Le règlement-cadre n'est même pas adopté et, entre vous et moi, ce que Noranda envoie en l'air en une seule journée, c'est plus que ce que laisse échapper mon usine en toute une année. Vous êtes assez mal placé pour me faire la morale.

Ce coup-là, il ne l'a pas vu venir et le goût d'œuf remplit à nouveau sa bouche. Il semble à Benoît que tout à coup la pièce aurait avantage à avoir l'air climatisé. Il repousse la tentation de desserrer sa cravate et, pour se donner contenance, feuillette hautainement le dossier du lac Huard.

— D'ailleurs votre gouvernement est bien mal placé. Je crois qu'il n'en a plus pour longtemps. À votre place, je sauverais les meubles, à moins que vous ne vouliez plus vous présenter. Ça, c'est une autre paire de manches.

Comment peut-il le défaire avec ces phrases surannées?

— En vous opposant catégoriquement au projet, vous vous mettez la population à dos. Ces gens veulent des emplois, rien de plus. La pollution, c'est pas politiquement rentable. La dépollution, oui. Faut pas être la tête à Papineau pour comprendre cela.

Un de plus à l'arsenal des clichés.

— Le meilleur médecin, c'est celui qui nous guérit, pas celui qui nous empêche d'être malade. Vous voulez faire un bon coup politique?

— Qu'est-ce que vous me suggérez?

— Travaillez pour que l'usine obtienne une subvention pour l'installation des filtres. Ça, ça va vous assurer des votes.

— ...

— Je ne devrais pas vous dire cela: je suis un Libéral. Mais vous m'avez l'air d'un bon garçon. Alors, est-ce qu'on s'entend pour laisser votre inspecteur faire son boulot?

— Je dois réfléchir à tout cela.

Benoît panique. Aucune réponse intelligente ne lui vient à l'idée.

— Comptez-vous vous présenter aux prochaines élections?

— Je ne sais pas encore. Là n'est pas la question.

— Oh! Oui, qu'elle l'est. Si vous vous présentez, vous aurez avantage à ne pas être perdant, car il est très difficile pour un perdant de se placer en temps qu'avocat par la suite.

C'est vrai qu'elle est là, la question qui lui trotte par la tête depuis que sa femme a demandé le divorce: se présenter ou tenter sa chance dans un cabinet quelconque? Oui, c'est là, la question qu'il tourne et retourne sans cesse.

Benoît observe le crâne de son adversaire, rond et luisant comme un obus de canon. Et, tel un obus de canon, il démolit le mur d'arguments qu'il lui oppose avec son arsenal de phrases plébéiennes et démodées. Quel traître lui a fourni cette question à laquelle se suspend son avenir du bout des dents?

— Vous êtes un homme politique, et un homme politique ne peut pas ne pas penser à l'avenir, surtout au sien. Si vous n'y pensez pas, eh bien vous n'êtes pas un vrai politicien.

À sa grande stupéfaction, Benoît se console à cette idée d'être au moins un vrai politicien.

— Il est normal que vous pensiez à assurer vos positions futures. ·

Légitime même. Surtout depuis que sa femme a exigé le divorce. La pension alimentaire, les enfants, l'appartement, tout cela exigera d'énormes dépenses.

— Je connais bien des gens. Un bon mot de moi et vous n'aurez plus à vous en faire pour le restant de vos jours. Vous continuez votre carrière mieux qu'avant.

Ces dernières paroles fouettent Benoît. Il veut bien être écrasé, vaincu, aplati s'il le faut, mais pas acheté. Il réagit aussitôt.

— Je ne mange pas de ce pain-là, monsieur Mantha. Vous voulez m'acheter: votre proposition pue carrément le pot-de-vin.

— Pas autant que celle des Riverains, croyez-moi. Du moins en apparence.

— Comment ça? Les Riverains ne m'ont offert aucun pot-de-vin. Je ne vois vraiment pas ce que vous voulez dire.

Il aurait envie de le chasser de son bureau. Avec un geste théâtral, magistral. Comme celui de Jésus chassant les vendeurs du temple. «Hors d'ici.» Un geste qui défend la veuve et l'orphelin, en l'occurrence cette dame Nature et ce lac vulnérable. «Hors d'ici», avec le doigt pointé sur la porte et l'expression de dégoût sur sa figure. Mais, il demeure immobile, les mains tremblantes et l'estomac tordu, attendant le coup de grâce.

— Mon pot-de-vin, comme vous dites…

Cet homme n'éprouve aucun scrupule à employer ce mot. Il en fait usage comme une péripatéticienne parle de son métier, le plus naturellement du monde.

— ... consiste en l'assurance de pouvoir exercer votre profession, mais celui des Riverains crève déjà les yeux de certains citoyens puisque c'est une femme. Comment pouvez-vous être intègre là-dedans? Comment pouvez-vous lui plaire sans adhérer à ses convictions?

— Parce que j'étais convaincu... j'ai toujours été convaincu... Ce n'est pas elle qui m'a convaincu, croyez-moi.

Sa réplique vire à la supplique.

— Je veux bien vous croire... mais elle s'offre tout de même en tant que pot-de-vin, et quand la nouvelle s'ébruitera que votre femme a demandé le divorce, votre chat sera mort, monsieur Larue, et j'ai bien peur qu'à ce moment-là, vous ne vous réveilliez dans la rue ou encore sur une petite île sans électricité... si elle voudra bien de vous sans l'épithète de député.

C'est l'effrondement total. Mantha esquisse un sourire victorieux, écrase son cigare dans le cendrier.

— Je ne vous retiendrez pas plus longtemps. Votre temps est précieux...

Légère ironie dans le ton de sa voix. Dans toute son attitude de vainqueur.

— ... le mien aussi. Pensez à tout cela.

Une poignée de main énergique pour l'adversaire terrassé et le voilà parti.

Benoît s'agite, tourne autour de son bureau, les mains dans le dos. Nerveusement, il se mordille l'intérieur des joues jusqu'à ce qu'un goût de sang se mêle à celui de l'œuf. Il vient d'être pulvérisé sans aucune possibilité de se reconstituer.

Finalement, il échoue dans son fauteuil, le regard perdu sur le dossier du lac Huard qui ne lui a été d'aucun secours. Ironiquement, c'est Marjolaine qui lui lie les mains et le mène tout droit au suicide politique. Tout droit à son anéantissement en tant qu'homme et député. Elle l'y conduit par le bout du cœur, avec son sourire mystérieux de Joconde et cette lumière irradiante de sa peau. Elle l'y conduit le plus sûrement du monde, sans l'ombre d'un remords ou d'un chagrin. Et lui, il s'est laissé docilement guider vers l'échafaud, sans l'ombre d'une résistance. A laissé les mains ajuster le nœud coulant à son cou, la tête pleine de tableaux et de gestes d'éclat de Superman. La femme du tableau de Monet l'a mené à *La Vache jaune,* de Franz Marc, criante de sa vérité puis aux *Chasseurs dans la neige,* de Brueghel, où le parfum et le confort des mitaines séchant près du poêle lui ont donné raison de s'opposer en Chambre. Et finalement, il a abouti à une toile évanescente de Turner où rien n'a été défini, précisé, avoué. Une toile où son âme s'est perdue dans la brume des arguments, sans parvenir à guérir sa blessure. Et aujourd'hui, cet homme du peuple, mal dégrossi, a cerné au gros crayon noir la vérité qu'il n'a pas le courage d'admettre et qu'elle n'a pas le courage de lui dire. Cette vérité qu'ils ont noyée tous les deux lors de leur dernière rencontre. Qu'ils ont fragmentée, détrempée, délavée et mêlée aux tons subtils et nuancés de la nature. Oui, cette vérité qu'ils ont dissimulée parce qu'elle faisait trop mal à l'un et était trop dure à dire pour l'autre. Cette vérité qui maintenant lui crève les yeux et le cœur: elle ne l'aime pas. Voilà. C'est dessiné, inscrit indubitablement sur cette toile à la Du Buffet que vient d'achever René Mantha par dessus celle de Turner, floue et insaisissable. C'est cerné avec des traits agressifs, mordants, inflexibles. Des traits crus, bruts, durs, noirs, précis et cruels. Des traits qui ne permettent aucune équivoque, aucune interprétation. Des traits qui l'emprisonnent avec cette vérité: elle ne l'aime pas. Des traits qui le blessent mais le soulagent. Le délivrent de cet épais cocon de brume que Marjolaine tissait autour de son cœur avec son sourire mystérieux de Joconde. Le libèrent de ces mains irradiantes de lumière qui enroulaient patiemment les voiles des ténèbres sur sa raison.

Benoît se sent tout à coup tellement soulagé qu'il ne peut freiner un sentiment de reconnaissance envers René Mantha. Cet homme ne lui a-t-il pas arraché une épine du cœur?

L'irruption de sa secrétaire le ramène brutalement sur terre.

— Avez-vous encore besoin du dossier du lac Huard?

— Non... reprenez-le.

Il ne lui a été d'ailleurs d'aucun secours si ce n'est d'avoir occupé ses mains et permis à son regard de se reposer de celui de son interlocuteur.

Elle s'exécute, attend et s'attend à ce qu'il lui fasse part des résultats de l'entrevue.

— C'est bien, vous pouvez disposer.

Elle ferme brusquement la porte; désappointée. Qu'aurait-il pu lui dire? Qu'il a été démoli, renversé, battu à plate couture? Que son plaidoyer n'a pu venir à bout des phrases simplistes de René Mantha? Qu'aucun argument ne lui est venu à l'esprit, si esprit il a eu en présence de cet homme? Comment a-t-il pu lui laisser dire que la nature récupérait de tout quand quatorze mille lacs sont déjà morts, acidifiés, et que quarante mille autres sont en voie de l'être? Est-ce cela récupérer de tout: mourir incognito en silence? Pourquoi ne s'est-il pas servi de ces victimes pour défendre les survivants? Quel piètre avocat il est, les arguments valables ne lui venant à l'idée qu'une fois le jugement rendu! Quel politicien malhabile, sans ruse, ni astuce! Quel homme minable ayant perdu femme et maîtresse! Il serait bien fou de ne pas profiter de l'offre de Mantha. Bien fou de persévérer dans sa lutte au détriment de son avenir. Bien fou de se sacrifier inutilement. Incognito et en silence. Bien fou de faire un fou de lui une fois de plus et de charger les moulins imprenables derrière cette femme Don Quichotte. Bien fou de demeurer le Sancho Pança de Marjolaine sur son âne miteux et poussiéreux.

Benoît enlève ses verres aux sévères montures d'écaille et se frotte les yeux. Il doit loucher à l'heure qu'il est. Il se sent las et faible, comme vidé de son sang, de sa matière grise. Comme si on venait de siphonner son essence propre pour la remplacer par une autre. Comme si on vidait Benoît de la substance de Benoît. Son enfance à lunettes, son adolescence boutonneuse, ses études gavées d'idéal, son mariage raisonnable, sa lutte passionnée pour le référendum, la rencontre de Marjolaine, tout ça gît à l'extérieur de lui. Et il porte un œil critique à tout cela et se juge bien insignifiant. Désespérément, il attend que surgisse l'argument avant que le verdict ne soit rendu et qu'il ne condamne lui-même Superman à la peine capitale.

* * *

Mardi, 11 juin 1985.

Séance du conseil

C'est dans l'air. Les regards. Les gestes. Comme une électricité statique qui réagit à qui s'y frotte.

Ça s'inspire aussi inévitablement que la fumée de cigarette dans un lieu public. Puis ça nous gagne, nous envahit et finalement nous habite tout entier. Rares sont ceux qui y échappent. Et différents sont-ils également. Léopold Potvin est de ceux-là qui ne communient pas à la haine. Pourtant mêlé aux citoyens en colère, il n'a pas son fagot pour alimenter le bûcher de la sorcière. Bien au contraire, il n'a pour elle qu'un regard tendre, protecteur, bienveillant. Un regard d'une grande tristesse. Il sait ou plutôt pressent que ce soir on allumera son bûcher. Mais, elle, le sait-elle? Devine-t-elle ce qui l'attend? Sait-elle jusqu'à quel point les esprits sont montés contre elle? Jusqu'à quel point le câble retenant la populace loin du bûcher est tendu à se rompre? Lui, il le sait. Lui, il a entendu salir le nom de Marjolaine au garage, puis à l'hôtel. Lui, il a prêté l'oreille à la colère qui gronde. Il a approché du volcan et tâté son pouls déchaîné. Il sait la quantité de fiel et de pus qui bouillonne dans l'abcès. Partout, l'on affirme qu'elle mettra fin au projet du Centre de récréation nautique, privant les gens d'un emploi et nuisant à Ti-Ouard-la-pelouse. Partout on la dénigre. On la juge. On la condamne.

Léopold observe la jeune femme dans la rangée devant lui. Il a envie de tirer doucement cette grande tresse d'un beau blond cendré pour qu'elle se retourne vers lui. Elle est si seule. Coincée entre Gilbert Ladouceur qui, les bras croisés, ne cesse de la lorgner avec méchanceté et Berthe Patenaude, qui a fourni à elle seule les trois quarts du bûcher. Oui, il a envie de la soustraire à ce lieu. À ces gens. À cette assemblée du conseil qu'il suit à grand peine. Son voisin de droite s'allume une cigarette qui le tente aussitôt. Il succombe. S'en roule une avec fébrilité, maudissant sa faiblesse. Qui est-il au juste pour penser pouvoir venir en aide à cette femme? Un vieil ivrogne sans volonté. Et comment peut-il lui venir en aide lorsqu'il a besoin de toute son attention pour comprendre les délibérations? Présentement, les conseillers s'enlisent dans le dédale des chemins à déverbaliser. En quoi cela peut-il l'intéresser, lui, Léopold Potvin? Son chemin ne risque pas d'être déverbalisé, mais il fait un effort pour comprendre propositions et amendements malgré que cela l'ennuie terriblement et que son attention soit continuellement détournée par cette jeune femme, en apparence calme, assise devant lui. On passe au vote. Il note de quel côté s'est rangé

Hervé et tente de se faire une opinion personnelle. Automatiquement, elle vient à l'encontre de ce vieil adversaire politique et s'allie à celle d'Andrew Falardeau. Léopold réprime un frisson: depuis qu'il a découvert le chiot décapité près des plantes de pot, Andrew lui inspire une de ces terreurs. Il observe cet homme coriace, austère, sec: on dirait un grand brochet dans un banc de crapets-soleils. Un homme de la pègre dans une bande de chapardeurs de pommes. Il n'ignore pas de quoi cet homme est capable pour arriver à ses fins et se réconforte à l'idée que le Centre de récréation nautique oblige les Riverains à concentrer leurs efforts sur les glissades d'eau au détriment du canal d'irrigation pollué qui traverse des cultures illégales.

On passe au point suivant. Un murmure dans l'auditoire confirme avec quelle impatience il était attendu. C'est pour cela qu'ils sont venus si nombreux, ce soir.

Marjolaine lance un regard inquiet vers son père, regard qu'il évite délibérément, de peur d'être accusé de conflit d'intérêts sans doute. Brièvement, le maire résume les faits.

— Tel que lu dans le procès verbal de l'assemblée du 14 mai 1985, la municipalité a voté une résolution approuvant et secondant le projet soumis à la MRC*.

Yvon Sansouci marque une pose et, ne voyant aucune opposition dans la salle, poursuit en expliquant qu'«une demande a été faite afin qu'un expert en écologie vienne inspecter le torrent et les plans de monsieur René Mantha relativement à l'implantation de glissades d'eau dans le torrent du lac Huard tel que stipulé à l'article 4.11 du règlement relatif au zonage, au lotissement et à la construction».

Présenté de cette façon, Léopold ne trouve rien à redire. Qu'est-il venu défendre au juste? Cela semble tout à fait logique, tout à fait conforme à la loi? Il a beau chercher, il ne trouve pas de faille dans l'exposé de la municipalité. Cette constatation le désarme: il aurait tant aimé y découvrir une faiblesse qui aurait fait sa force. Mais, rien. Il n'y trouve rien sur quoi il puisse s'appuyer pour se lever et s'opposer au projet. Rien que la masse de sentiments confus que lui inspire la jeune femme devant lui. Elle lève la

---

* MRC: municipalité régionale de comté.

main, la pauvre. Non, ne fais pas ça, lui conseille-t-il intérieurement. Les torches sont prêtes et le câble va céder. Mais, elle le fait. Se lève. Il voit comme elle est grande et mince. Et belle. Il penche la tête, se concentre sur ses bottes de travail, noires de graisse. La voix de Marjolaine porte dans le silence accablant. De toute évidence, on veut clairement entendre ce qu'elle a à dire, de façon à ce qu'aucun doute ne subsiste lors de la condamnation.

— Monsieur le maire, j'aimerais informer la population sur l'impact des glissades d'eau. Comme vous le savez, le lac Huard est passablement déboisé et cela contribue à le polluer. Je sais que ça peut vous paraître invraisemblable ce que je dis, mais le fait de déboiser les rives contribue à polluer un lac. D'abord, parce que les racines des arbustes retiennent toutes sortes de saletés lorsqu'il y a pluie et aident à stabiliser les rives. Ensuite, à cause de leur ombrage, les arbres maintiennent la température de l'eau fraîche. Vous êtes sans doute au courant que plus l'eau est chaude, plus elle se pollue rapidement. De plus, les frayères sont souvent détruites par des températures trop élevées.

— Nous v'la rendus dans les poissons, astheure. Aboutis! grogne Gilbert Ladouceur.

— Oui, j'aboutis, monsieur Ladouceur. Les glissades d'eau à même le torrent vont affecter le lac de plusieurs façons. D'abord, à cause de l'apport d'eau que nous fournit le torrent et qui aide à regénérer l'eau du lac.

— Qu'ossé que ça change que le monde glisse dans c't'eau-là? On est toujours ben pas des cochons. C'est pas pire que les vaches de ton père qui allaient boire dans l'lac, y a une couple d'années.

Marjolaine baisse le regard vers l'homme hargneux. Décontenancée un instant, elle plie et déplie le coin du dossier qu'elle tient sous le bras.

— Faut dire que quand c'est les Taillefer, c'est pas pareil, vous savez ben, monsieur Ladouceur, susurre la grosse Berthe en se penchant vers lui.

Un rire fuse. Encourage la mauvaise langue.

— On a pas tous la chance de se t'nir avec des députés, nous autres.

Nouveaux rires suivis d'approbations. Affectée, Marjolaine attend que le calme revienne puis ajoute:

— Ce n'est pas à cause que les gens vont se baigner dedans...
quoique cela dépende beaucoup du nombre, mais à cause qu'on va
toucher au lit du torrent pour installer les glissades. L'équilibre de
ces systèmes est très fragile.

— Ça change rien à l'eau qui nous vient du lac d'en-haut, ça.

— Oui, parce qu'elle va charrier du sable, des pierres, de la
terre.

— Y a rien de sale là-dedans. Dis-le donc que c'est parce que
ton père a perdu ses terrains.

— Non, c'est pas ça qui est en cause, mais la survie du lac,
réplique-t-elle en haussant le ton pour enterrer le tumulte qui va
grandissant. De plus, le déboisement que cela va occasionner va contribuer à dégrader les rives.

— Un instant, mademoiselle. Puis-je avoir la parole, monsieur le maire?

— Oui, monsieur Patenaude, vous pouvez parler.

— Voici. Tel qu'exigé par les règlements relatifs au zonage,
au lotissement et à la construction, monsieur Mantha nous a soumis les plans et devis des constructions projetées et, à notre grande
satisfaction, lesdits plans satisfont toutes les conditions stipulées
dans le règlement.

Ti-Ouard use d'une voix modérée, persuasive. Intimidé, il lit
ce qu'il a préparé d'avance. La feuille tremble entre ses doigts
courts aux ongles rongés et il n'ose envisager cette femme qu'il
traite avec respect, au grand désespoir de Berthe.

— En conséquence, en tant qu'inspecteur adjoint, je lui ai accordé le permis de construction.

Hourra! hurle l'assemblée. Un brouhaha s'ensuit. Ti-Ouard
esquisse un sourire de contentement.

— Je crois que nous procédons trop vite dans cette histoire,
rétorque le huissier.

Murmure de mécontement. Martial Bourgeon se lève pour
dominer la foule. Geste dérisoire qui le hausse de quelques pouces
seulement, étant bas de nature.

— Je partage l'opinion de mademoiselle Taillefer.

Mais d'où sort-il, celui-là, s'interroge Léopold Potvin.

— En tant que membre de l'Association des riverains, je suis
concerné par le lac Huard et j'ai des doutes à propos des glissades

589

d'eau. J'estime qu'on devrait avoir l'avis du gouvernement avant de prendre une décision. Faut pas oublier que le lac représente quand même une bonne partie de notre économie locale.

— Ouais, mais les glissades d'eau vont rapporter ben plus que les taxes des touristes, riposte quelqu'un.

— Oui, mais quand y aura plus de lac, y aura plus de glissades non plus.

Léopold examine attentivement ce gros petit homme qui se range au côté de Marjolaine. Jamais auparavant, il ne lui avait porté attention. C'était l'huissier, et il ne ressentait aucune sympathie envers lui, son métier incarnant à ses yeux la lâcheté des vautours. Présentement, malgré cette intervention en faveur de Marjolaine, il ne ressent guère plus d'attirance envers le personnage. Au contraire, il se méfie de lui. Quelque chose l'agace dans son comportement. Depuis quand s'est-il rangé du côté de la protection du lac?

— Vous savez tous que lors de la dernière assemblée, je me suis opposé, avec monsieur Taillefer, au projet des glissades d'eau.

Un murmure désapprobateur. L'huissier canalise maintenant la fureur de la foule, ce qui permet à Marjolaine de se rasseoir. Seul à être debout, il attire sur lui la foudre. Ainsi donc, sa prise de position date de la dernière assemblée. Que faisait-il donc lors de cette dernière assemblée? Oh! Il avait pris un coup sans doute. Il ne se souvient plus. Il n'est qu'un vieil ivrogne... pas un huissier. Et même avant d'être un vieil ivrogne, il n'était qu'un garagiste, pas un huissier. Ses mains ont toujours été tachées de cambouis et il n'a jamais porté d'habit... Sauf le dimanche... sauf avec elle... quand elle était là, à faire sa joie et sa fierté... quand il se lavait et s'endimanchait pour la sortir à son bras, elle qui savait bien des choses et corrigeait les cahiers sur la table de cuisine... elle qui ressemblait à cette femme devant lui... cette femme qu'il aimerait aider, seconder... mais il n'est pas huissier... rien qu'un vieil ivrogne que personne ne prend au sérieux. S'il se lève ici pour la seconder, il ne fera qu'empirer la situation. Il n'est pas huissier, et à voir celui-ci se débattre avec la fureur des citoyens, il sait d'avance le sort qu'on lui réserve. Léopold aimerait être quelqu'un d'autre, ce soir. Quelqu'un de bien, qui pourrait venir en aide à Marjolaine. Quelqu'un de respecté, qui pourrait ordonner qu'on éteigne les torches. Quelqu'un de fort, qui pourrait détruire ce bûcher et escorter la condamnée en lieu sûr. Quelqu'un de privilégié, qui serait récompensé d'un sourire d'elle. Il aimerait être l'huissier et prendre sa défense. Aimerait se ranger près d'elle. Près d'elle tout simplement.

Douloureusement, la jalousie germe dans le cœur de Léopold, et c'est avec satisfaction qu'il voit l'huissier se faire électrocuter.

— Tu peux ben parler, toé! T'es même pas d'la place pis ça fait ben ton affaire quand les affaires des autres vont mal. C'est toé qui l'dis. T'es pas ben intéressé à ce qu'on ayent des jobs, nous autres. Ça t'passe trois pieds par-dessus la tête du moment que tu fasses d'l'argent.

Gilbert Ladouceur s'est levé en brandissant le poing. Fait assez ironique pour un huissier, Martial Bourgeon demeure saisi.

— Ça vient d'ailleurs, pis ça veut faire la loi, icitte, glapit Berthe en martyrisant la poignée de sa sacoche.

— Tu peux ben t'en r'tourner d'où tu viens! lance une voix courroucée. Une clameur assourdissante règne dans la salle. Frappant de son poing contre la table, le maire réclame le silence.

Toujours saisi, l'huissier tombe lourdement sur sa chaise. Gilbert Ladouceur se tourne alors vers l'auditoire.

— Y nous prennent pour des caves ou quoi? On sait ben pourquoi Bourgeon est contre le projet, ça crève les yeux; pis Taillefer, y a perdu ses terrains. Y veut faire comme si c'était encore à lui. Mais y a pas personne, icitte, à part ces deux-là qui est de contre le projet. Personne!

Léopold se sent concerné. D'autant plus que Gilbert Ladouceur semble le prendre à témoin en arrêtant son regard sur lui. Instinctivement, le vieil homme se lève.

— Moé, j'suis contre le projet.

À sa grande surprise, un silence indulgent accueille ces paroles.

— Toé!?

L'étonnement se lit aisément sur le rude visage de Gilbert. En effet, ayant été de tout temps l'adversaire politique d'Hervé Taillefer, la prise de position de Léopold Potvin jette la consternation parmi ses concitoyens.

Léopold évalue jusqu'à quel point l'antagonisme qui l'a dressé contre Hervé Taillefer durant toutes ces années donne aujourd'hui du poids à ses paroles tout en les marquant du sceau de l'intégrité. Il remarque le mouvement de Marjolaine dans sa direction et se défend bien de lui accorder le moindre regard de peur de trahir le sentiment qui le lie à cette femme. Heureux de supplanter l'huissier et de lui ravir son rôle de sauveteur, il puise dans son expérience de politicard et prépare astucieusement sa répartie. D'abord, il lui faut gagner son auditoire après l'avoir ainsi dérouté.

— Bah! Vous m'connaissez... J'aime un peu la bouteille.

Cette confession lui attire aussitôt la sympathie.

— Un peu beaucoup, peut-être.

On rit. Les gens se détendent.

— Moé, ça fait longtemps que j'viens d'ailleurs.

— T'es d'la place, Léopold, voyons, depuis l'temps, rectifie-t-on d'emblée.

Non, pas depuis l'temps, mais depuis qu'il a couvert Mike Falardeau cet hiver lors de l'acte de vandalisme perpétré chez Mantha.

— Ça fait que j'ai le temps en masse de penser astheure, pis j'trouve que ça l'a du bon sens c'que la p'tite a dit tantôt. J'ai remarqué ça, moé, quand y mouille, que les cochonneries allaient tout dret au lac... pis... après un orage, l'eau est toute brune en face de chez nous, mais là où y a des arbustes, c'est pas brun. J'pense qu'y faut faire attention à notre lac pis être ben prudent là-dedans. Ben sûr que j'aimerais ça que nos enfants ayent des jobs... ça les garderait avec nous autres. Les rangs se vident, ça pas d'allure. Mais faut leur trouver des jobs sûres; pis pour ça, j'pense qu'y faut avoir toutes les chances de notre bord pis demander au gouvernement une étude complète, pas seulement sur le torrent mais sur tout le projet.

— Monsieur le maire, je demande la parole.

— Vas-y, Jérôme.

— Moé aussi, vous m'connaissez, débute le directeur de l'usine en clignotant des yeux. J'pense qu'on s'énerve pour rien. C'est vrai c'que Léopold dit à propos d'l'eau qui vient brune après les orages. J'ai remarqué ça, moé aussi, mais c'est pas si grave qu'on veut nous le faire accroire. La preuve de ça est écrite en noir sur blanc dans la loi 6. J'vais vous la lire. «La loi accorde à toute corporation locale le pouvoir de faire modifier ou abroger des règlements pour ordonner des travaux d'aménagement du lit, incluant les rives et des terrains en bordure des rives des lacs et des cours d'eau, municipaux ou autres, situés sur son territoire et des travaux de régularisation de leur niveau pour favoriser la mise en valeur du milieu aquatique.»

Une pause.

— Pensez-vous que si y avait le moindrement du danger, le gouvernement aurait voté une loi de même?

Les regards dévient sur Claude Boyer, l'organisateur péquiste, qui se voit dans l'obligation d'ajouter.

— D'autant plus que notre Corporation n'a rien changé au règlement relatif au zonage, au lotissement et à la construction. Tout ce que la municipalité a fait, c'est d'appuyer le projet et de demander la visite d'un expert en écologie. J'pense qu'on court aucun danger, termine-t-il sans oser lever les yeux sur l'assemblée, s'adressant plutôt au maire.

Mais qu'est-ce que cette loi? D'où sort-elle? Léopold est atterré. Il ne comprend pas, ne croit même pas qu'une telle loi puisse exister. Il veut s'en assurer auprès de Marjolaine mais la voyant complètement démontée, se résoud à y porter foi. Ainsi donc, le gouvernement a fourni lui-même l'arme par laquelle un de ses ministères doit périr. Une arme fatale, hors de proportion contre celles des Associations des riverains. C'est comme si, dans un jeu où tous les enfants ont des armes chargées à blanc, surgissait alors le père avec une arme chargée de vraies balles. Et comme s'il tirait lui-même sur les enfants qui défendent le bien national avec leurs pétards. C'est insensé et pourtant vrai. Et ce gouvernement, c'est lui qui l'a élu. Lui qui y a cru.

À l'instar de Marjolaine, Léopold se résoud au silence et à l'immobilité. Claude Boyer vient de leur tirer dans le dos. C'était pourtant hier que, côte à côte, ils se battaient pour la cause référendaire. Pourtant hier qu'ils pleuraient ensemble sur le drapeau du Québec. Que s'est-il passé? A-t-il été dupe tout ce temps? Quand s'est infiltré le germe de l'autodestruction du parti?

Interdit, désillusionné, désabusé, Léopold quitte l'assemblée. Il sait où aller. Sait où noyer son écœurement. Il n'est qu'un vieil ivrogne, c'est vrai, mais au moins, il est honnête. Il ne ment pas, ne trahit pas.

Ce soir, il a une bonne raison de boire. Ce gouvernement auquel il a cru vient de le vendre pour conserver le pouvoir. Du moins, c'est ainsi qu'il l'entend.

Ce soir, alors qu'il parvenait à faire éteindre les torches, Claude Boyer a abattu la sorcière sur le bûcher. Mais demain, si elle se relève et persiste à défendre sa cause avec son arme chargée à blanc, il sera là, à ses côtés. Oui, il sera là, à ses côtés parce qu'il croit en elle et croit en ce qu'elle défend.

* * *

Samedi, 15 juin 1985.

Vingt-trois heures trente, à l'usine

— Qu'ossé qu'on fait Jérôme? Les puisards débordent.

Les yeux ronds d'hébétude face à cette découverte, Gilbert Ladouceur attend les ordres.

Jérôme détecte chez lui le désir de le voir tomber dans une embûche et aussitôt, il se met à cligner des yeux, ce qui amène un sourire impertinent dans le rude visage de l'employé. «T'aurais dû voir le Flasher-à-Mantha quand j'y ai appris que les puisards débordaient», racontera le gros Gilbert à l'heure de la pause café en l'imitant et en le ridiculisant. Ah! Qu'il aimerait se montrer hautain et autoritaire envers cet homme! Qu'il aimerait lui faire sentir que c'est lui le directeur et que c'est de lui qu'il dépend. Mais il ne peut pas: le gros Ladouceur a trop d'influence. Se le mettre à dos, c'est se mettre à dos toute l'équipe qu'il fait rire à volonté. Presque tout le village. Et ça, il ne peut pas se le permettre.

Mielleux, il s'allie l'enfant terrible tout comme fait le professeur avec la tête forte devenue président de classe.

— Toé, qu'ossé que t'en penses?

— Ben... y faudrait faire vidanger, c't'affaire.

Un reste d'insolence dans cette réponse convainc Jérôme d'opter pour la confidence.

— Ouais... c'est que...

Il baisse le ton, expédie un regard circonspect autour de lui.

594

— C'est que, vois-tu, l'an dernier, à la même date, les puisards étaient seulement aux trois quarts. C't'année on produit plus, mais faut faire attention: c'est pas encore tout vendu. Si on pouvait éviter ça un peu... ça arrangerait ben des choses. Surtout au prix que nous reviennent les vidanges.

Désarmé, Gilbert emploie alors le même ton et use du même regard.

— C'est quand l'année passée qu'on a fait vidanger?

— À la fin de juillet.

— Ouais... ça fait long jusque-là.

— Pis?

— Ben, ça coule dans l'ruisseau. Y a pas d'danger de polluer?

— Ben non! Voyons! Faut pas virer fou comme Léopold avec cette histoire de pollution, hein?

Il faut gagner au plus tôt cet adepte du vieux Léopold. Agir sur sa conscience pendant qu'elle est encore indécise. La tripoter, la manier comme une terre de céramique encore molle avant qu'elle ne durcisse en une forme indésirée.

— Mais me semble que jeter des cochonneries dans l'ruisseau...

Gilbert ne demande qu'à être convaincu. Débarrassé des doutes que lui a inspirés la prise de position de Léopold lors de la dernière assemblée.

— Bah! Tu connais Léopold... y a pas toute sa tête. Y exagère dans tout.

Pas de doute là-dessus, Léopold est un ivrogne, pense Gilbert Ladouceur. Admettre qu'il ait pu l'influencer de quelque façon n'est certes pas à son honneur. Il se ravise, approuve d'un hochement sec qui secoue son casque.

— Y prend un coup en maudit, faut dire. Comme ça, toé, tu penses qu'y a pas de danger?

— Non. J'me rappelle que quand j'étais jeune, mon père mettait toutes ses vidanges sur le lac en hiver: dans c'temps-là, y avait pas le service des vidanges. Ça te faisait un méchant tas sur la glace. Au printemps, quand ça fondait, ça calait tout dans l'lac... pis c'était ben propre... on voyait plus rien. Pis, l'eau était pas polluée: pôpa a toujours bu l'eau du lac. Penses-tu que si y avait du danger, monsieur Mantha aurait fait ça par le passé?

595

Autant le mettre dans le coup. Le mouiller entièrement. Faire de lui un complice voué au silence. Jérôme se réjouit de l'attitude de son subalterne à jamais lié par le secret.

— Y a déjà fait ça?

— Ben oui: y a rien là.

— J'savais pas.

— Personne le savait, à part moé.

Accorder ce privilège exclusif à cet employé qui s'apprêtait à le prendre en défaut et réussir à en faire ainsi son allié, son confident, son complice, résulte d'un tour de force que Jérôme accomplit le plus naturellement du monde. Habitué à s'avilir, il use de la corruption avec doigté. De la séduction aussi. Lui-même gagné à la cause du patron par la familiarité de la main posée sur l'épaule, il gagne le récalcitrant par le même traitement de faveur. Ceci le remplit de satisfaction et il couve d'un regard quasi paternel cet espèce d'ours bien maté qu'est le gros Gilbert Ladouceur.

— De même les hommes pourront continuer à travailler à temps plein.

À la vue de ce bonbon au miel, la bête rentre ses griffes, lèche la main du directeur.

— T'as ben raison, faut pas virer fou avec ça. Y a pas de danger d'pollution. On n'a qu'à laisser déborder, c'est tout. J'me rappelle que mon grand-père aussi jetait ses déchets dans l'lac, pis on buvait de cette eau-là. On n'est pas mort.

— À part de ça que personne va s'en apercevoir: le ruisseau traverse le terrain de Mantha avant d'arriver au lac. Rendu là, ça paraîtra même plus. Ça va tout être filtré. Entre toé pis moé, l'important c'est de garder nos jobs, non?

N'oublie pas que j'ai un beau bonbon au miel pour toi, ours mal léché, rappelle Jérôme Dubuc en dissimulant son fouet.

Gilbert Ladouceur baisse jusqu'au respect, à la gratitude.

— J'suis ben content que t'aies pensé à nous autres de même. Vas-tu avertir Mantha?

— Pourquoi? Y a assez d'ennuis avec les Taillefer pis les glissades d'eau. J'te dis que c'est pas l'temps d'le déranger avec des niaiseries de même.

— T'as ben raison.

— Par contre, si lui, y est pas au courant, faudrait pas que les autres le soient: y prendrait ben mal ça, le patron.

Aussi bien laisser voir un bout de fouet pour s'assurer la soumission totale.

— J'en parlerai pas à personne. Ça va rester entre toé pis moé, Jérôme.

— Parfait.

Jérôme, malgré la répulsion que lui inspire ce geste, va jusqu'à presser l'épaule de son subalterne. Elle est massive, cette épaule et le tissu de la chemise, imbibé de sueur. C'est comme s'il renouait avec la misère. Avec le dur labeur du quatre à minuit. Avec les douleurs aux reins et à la nuque. Avec la chaleur, la soif, le bruit, la fatigue. Avec l'odeur du travail et les conditions insalubres. Il renouvelle la pression sur cette épaule qui le répugne. Sur cet état de vie qu'il redoute. Il doit s'abaisser jusque-là pour gagner l'ouvrier. C'est chose faite: celui-ci s'en va avec son expression de brute abrutie et sa lourde démarche d'ours docile et inoffensif.

Jérôme s'essuie la main le long de son pantalon. Il veut effacer le désagrément que lui a causé ce contact. Oublier jusqu'où il s'est abaissé pour éviter des ennuis au patron.

Pour se consoler d'avoir négocié avec le gros Gilbert Ladouceur, il pense à l'efficacité du comportement qu'il a eu ainsi qu'à la justesse de son initiative. René Mantha ne sera même pas dérangé par cette histoire de puisard et ainsi il pourra s'occuper en toute tranquillité d'implanter des glissades d'eau au lac Huard. Quel bon coup il vient de faire! Comme son patron sera fier de lui quand il apprendra tout ce qu'il a fait pour la Compagnie! Sûrement qu'il aura droit à une prime et droit à encore plus de considération de sa part.

Le directeur se voit déjà s'ébattant dans la piscine creusée par un beau dimanche ensoleillé, des petits poulets rôtissant sur le barbecue sophistiqué du patron. Mais d'ici là, d'ici à cette récompense bien méritée, il doit continuer à mener la barque, à commander aux hommes et à obtenir d'eux le plus de rendement possible.

Il doit les faire ramper comme il rampe devant Mantha. Doit les faire obéir comme il obéit. Doit les laisser lui lécher les pieds pour gravir les échelons comme il lèche ceux de son maître afin que personne ne le déloge de son poste.

597

Et surtout, il doit veiller à ce qu'aucun meneur n'émerge de la masse laborieuse pour le prendre en défaut et rompre l'équilibre précaire de sa situation, quitte à aller jusqu'à lui poser la main sur l'épaule.

Grand parmi les petits et petit parmi les grands, vil et servile, dissimulant maladroitement une moue de dédain et clignant des yeux, le directeur traverse la salle des machines où peinent les ouvriers et s'en va renifler à la porte du bureau l'odeur de son maître à qui il a évité des ennuis.

* * *

Éthiopie, dimanche, 16 juin 1985.

P artis tôt ce matin avec le camion de la Croix-Rouge, ils ont traversé les camps de Korem et d'Alamata.

À peine le temps de sympathiser et d'échanger avec les Médecins sans frontières, les sœurs de la Charité de la Corne d'Afrique et les infirmières du World Vision International que les revoilà sur cette route jugée peu sûre. Seront-ils attaqués par les rebelles? Coincés dans un combat? Le F.P.L.T.* n'était-il pas maître du territoire à cinq kilomètres de Korem au début de l'année? Comment savoir? Comment prévoir dans ce pays?

---

* F.P.L.T.: Front populaire de libération du Tigré.

Un convoi militaire les croise, rempli à craquer de jeunes soldats. De très jeunes soldats. C'est le cavalier du cheval roux, du feu et du sang qui les entraîne vers les déserts du Nord, où piaffent d'impatience le cheval noir de la famine et le cheval verdâtre des maladies contagieuses.

Tendue, inquiète, Miss tente d'admirer le paysage qui s'offre à sa vue. Ces plateaux, ces monts escarpés, ces gorges profondes, ces rochers impressionnants où s'accrochent des touffes de végétation glissent sur son cerveau fatigué sans parvenir à s'y fixer. Plus tard, peut-être, elle s'émerveillera. Plus tard quand elle aura déposé Zaouditou et Nigusse à Weldiya, plus tard quand elle sera de retour chez elle, plus tard quand elle aura récupéré. Plus tard, peut-être, elle se rappellera le paysage si elle parvient à en effacer cette présence militaire qui l'accable.

Tassés sur la banquette, entre elle et le conducteur, Zaouditou et Nigusse dévorent de leurs grands yeux avides et inquiets cette route qui les mène vers le Sud. Elle devine ce qu'ils craignent et, pour les rassurer, les rappelle au lac Tana. Les enfants sourient sans toutefois chasser de leur regard cette crainte qui attise la lueur d'espoir au fond de leurs prunelles. Ils ont peur d'être livrés au Sud, transférés contre leur gré dans les provinces de relocalisation. Ils ont peur que leurs paroles aient été mal interprétées par le bénévole éthiopien. Mal comprises par elle, l'étrangère. Peur de se retrouver là où ils ne veulent pas. À des lieues de leur rêve.

Kobo. Une halte afin de faire le plein d'essence.

Après plus de quatre heures de route, les enfants n'osent descendre du camion et demeurent sagement à leur place, toujours serrés l'un sur l'autre, tripotant nerveusement leur sac de vivres. Est-ce loin ou près du rêve que ce chemin les conduit? Ils ne savent, craignant et espérant tout à la fois.

Miss tapote gentiment leurs mains osseuses. Elle aimerait connaître davantage leur langue. Pouvoir leur dire qu'elle les aime et qu'elle a pensé à les adopter. Elle aimerait leur faire comprendre qu'elle a renoncé à les emmener avec elle parce qu'elle croit qu'ils doivent réaliser ce rêve audacieux. Oui, quelqu'un dans ce pays doit réaliser ce rêve fou. Et ce sont eux qui le réaliseront.

C'est risqué, elle le sait. Comme elle sait que sa décision la tourmentera longtemps. Comme elle sait qu'elle s'interrogera en regardant courir les chevaux de son grand-père.

Ils repartent. Traversent les villes de Robit, de Gobiye, d'Alewina avec la même tension régnant à bord. Puis ils s'arrêtent à Weldiya, le point de rencontre de la route menant à Addis-Abeba et de celle menant à Werota, près du lac Tana.

C'est ici que les enfants descendent avec leurs vivres et leur chandail de laine. C'est ici qu'ils se quittent.

Miss leur indique le chemin à suivre. «Par là, à l'ouest, sur cette route.» Elle leur montre sa carte, fait le trajet avec eux de son doigt, énumérant les villes qu'ils rencontreront; Delb, Kon Abo, Bete Hor, Filakit, Debre Zebit, Nefas Mewcha, Debre Tabor, Werota, lac Tana. Lac Tana. Elle s'empare de l'index de Zaouditou et le noie dans la tache bleue en forme de cœur.

«Lac Tana», répète la fillette en proie à une vive excitation, laissant Nigusse plonger littéralement dans la carte routière.

«Oui, lac Tana... par là.» Miss pointe encore une fois dans la bonne direction. Les enfants la considèrent maintenant avec gravité. L'heure de la séparation est arrivée. La tristesse voile soudain leur regard fébrile. Il est temps de se quitter. Immobiles et silencieux, ses protégés la considèrent toujours gravement. Renonceront-ils à leur projet? Si oui, elle les emmènera avec elle contempler les rivières turquoises au pied des Rocheuses. Miss souhaite tout à coup qu'ils abandonnent la poursuite de ce rêve. Elle leur ouvre ses bras. Aussitôt, les enfants s'y blottissent, pressant leur visage contre ses flancs et l'étreignant affectueusement de leurs bras frêles.

Oui, elle va les emmener avec elle. Ils n'auront plus jamais soif. Plus jamais faim. Plus jamais peur. Elle les éduquera, les instruira. Ils pourront jouer, pratiquer un sport, écouter de la musique sur leur baladeur et avoir une bicyclette. Ils pourront s'épanouir. Pourquoi les laisserait-elle ici, dans ce pays qui tue, puisqu'elle les aime et puisqu'ils l'aiment? Pourquoi se séparer? Se déchirer?

Zaouditou se détache d'elle tout comme si elle avait entendu ces pensées qui mettent son rêve en péril. Nigusse fait de même.

— Lac Tana, Miss.

La fillette la rappelle à l'ordre. Lui rappelle l'espoir insensé qui les a maintenus en vie.

Miss se ressaisit. Leur donne la carte routière. Zaouditou en profite alors pour lui prendre les mains et les baiser avec vénération avant de se retourner en direction du lac Tana, Nigusse l'imitant fidèlement.

Miss les regarde aller, le cœur gros, les bénissant intérieurement. Tant de dangers les guettent. Ont-ils suffisamment de vivres pour cette marche d'un mois? Leur a-t-elle donné suffisamment de birrs? Rencontreront-ils des soldats qui leur feront des misères? Les chandails de laine suffiront-ils à les protéger des nuits glaciales? Boiront-ils une eau corrompue? Atteindront-ils un jour les rives tant espérées?

Les enfants vont droit devant. Sans se retourner. Longtemps, Miss accompagne leur silhouette chétive guidée par la force du rêve. Longtemps, elle s'abreuve de cette fillette et de son frère pendu à sa jupe en haillons qui ont donné une identité aux déshérités de la terre qui n'ont plus un denier pour acheter une mesure de blé.

— Venez, Miss.

Le chauffeur s'impatiente. Il faut rentrer à Addis-Abeba avant la fin de la journée. Demain, elle prendra l'avion pour aller se reposer chez elle... mais elle reviendra. S'accrochera comme ces enfants au rêve fou, audacieux de combattre les chevaliers de l'Apocalypse.

Elle reviendra aider les gens de ce pays à se prendre en mains. À creuser des puits et à installer des latrines. Elle reviendra aider les femmes en leur apprenant les méthodes de contraception. Aider les mères à pratiquer la réhydratation orale sans dépendre des sachets distribués par l'UNICEF. Elle reviendra combattre les tabous, les mythes, les légendes. Elle reviendra prôner la reforestation et faire la guerre au désert.

Oui, elle reviendra après avoir repris des forces. Oui, elle reviendra suivre la route tracée pour elle par le seul courage de ces enfants.

* * *

Lundi, 17 juin 1985.

I l n'est qu'un enfant, il le sait, mais peut-être pourra-t-il aider.

Accoudé à la fenêtre de sa chambre, Gaby observe Marjolaine, grand-père et Léopold qui se hâtent à dresser un barrage devant le chemin menant au lac. Depuis que Léopold est survenu pour annoncer l'approche de Bizou Gagnon, c'est un va-et-vient incessant dans la cour. Il a bien fait de prétexter un mal de cœur pour s'absenter de l'école. Sa place est ici. Hier, au téléphone, grand-père assurait à monsieur Potvin qu'il ne se laisserait pas faire et qu'il défendrait le lac. Lui aussi, il veut le défendre, le lac. Même s'il n'est qu'un enfant. Il veut défendre toutes ces petites vies invisibles, tous ces poissons, toutes ces grenouilles. Gaby presse contre son

603

cœur son Kermit de peluche et, du bout des doigts, caresse ses gros yeux de plastique, se remémorant la pièce de théâtre de marionnettes où la grand-mère disait qu'un lac était vivant même s'il ne parlait pas. Cela lui semblait une évidence puisqu'il ne parlait pas lui non plus et qu'il était bien vivant. Elle expliquait aussi que si le lac était vivant, il pouvait mourir. Incapable de s'imaginer concrètement la mort d'un lac, il visionnait cependant des centaines de grenouilles, flottant sur le dos, ventres blancs et pattes écartées, offertes en pâture aux mouettes.

L'enfant étreint sa poupée. Une tristesse infinie voyage en lui, car il lui semble entendre pleurer toutes ces grenouilles. Entendre pleurer le lac, là-bas. Et tous les enfants qui ne pourront jamais se baigner.

Il glisse un regard désolé vers Kermit et lui chuchote: «J'suis juste un enfant.»

Un gros soupir gonfle sa poitrine. Gros comme toute son impuissance face à ce monde adulte qui exploite la planète. Gros comme cette injustice envers ces enfants de l'avenir de qui il se sent solidaire. La notion du temps s'effrite devant la gravité de l'enjeu. Il se sent uni à ces enfants et rêve de s'allier à eux pour sauvegarder cette planète unique: sa petite mère la Terre qui tourne parmi des milliers d'étoiles inhabitables avec ses cheveux de blé et ses yeux d'eau bleue. Qui roule dans l'espace avec toutes ces vies sur son dos et toutes ces bouches pendues à ses tétines. Oui, il rêve de s'allier aux enfants de demain pour défendre aujourd'hui sa petite mère la Terre, défendre le lac, défendre les grenouilles. Il regarde Kermit dont les poignets de velcro se sont accrochés dans la ratine de son pull-over. Il semble implorer son aide. Il lui sourit, cajole un à un ses petits doigts laineux pour le rassurer.

— Grand-père se laissera pas faire. R'garde.

Il se penche de nouveau à la fenêtre et fait voir à la poupée tante Marjolaine et grand-père appuyés contre le pneu du tracteur ainsi que monsieur Potvin qui se promène de long en large en fumant. Voilà le bataillon qui interdira l'accès au lac à la grosse machinerie destructrice de Bizou Gagnon. Bien sûr que tante Marjolaine, avec sa voix douce, ne pourra se faire entendre, pas plus que les bras maigres et veineux en accent circonflexe de monsieur Potvin ne pourront retenir quoi que ce soit, mais grand-père a placé son tracteur devant la barrière, empêchant ainsi l'excavatrice de passer.

— Y peut l'pousser ton tracteur, Hervé.

— Ouais, y a toujours moyen d'le tasser.

— Le gros Mantha le suivait. Pour moé, y ont écorniflé sur l'téléphone hier au soir.

— Ça doit.

— On pourra pas faire grand-chose, t'sais, si y ont envie de pousser l'tracteur.

— On aura toujours ben fait notre possible.

Cette perspective d'échec alarme Gaby. Ainsi que cette mince consolation d'avoir fait leur possible.

— C'est ben simple, moé, j'vais m'placer devant l'tracteur, s'exclame Léopold Potvin en pivotant rapidement sur son talon. Y pourront pas me passer sur le corps.

— J'voudrais pas qu'y arrive d'accident. Faut être prudent quand même.

Cette prudence de son grand-père le tracasse. Il craint qu'elle ne vire en capitulation tout comme la crème trop fouettée tourne au beurre. Visiblement, Hervé montre beaucoup moins de fougue que ce petit homme nerveux, maintenant juché en observateur sur le banc du tracteur.

— Les v'là. Y s'en viennent.

Gaby abandonne aussitôt son poste et dégringole les escaliers. Étonnée de le voir sitôt rétabli, grand-mère le semonce. «Ah! Mon p'tit snoro! T'étais pas malade, hein? Tu m'as ben eue... Pépère va te reconduire à l'école, tu vas voir. Y va te reconduire tantôt. T'es pas fin, là, Gaby. Tu fais d'la peine à mémère.»

Gaby baisse la tête. Pour rien au monde, il n'aurait voulu faire de peine à grand-mère. Il s'en veut, se condamne et considère l'énormité de sa faute. Accablé, désespéré, il cherche à s'amender, à réparer, à consoler, mais il n'est qu'un enfant et ne comprend pas le mécanisme de son erreur. Ne comprend pas comment son geste mensonger a pu atteindre le cœur de cette femme. Au bord des larmes, il glisse un regard vers Flore. L'air fâché, elle agite sa tapette à mouches, partageant son attention entre lui et la cour jusqu'à ce qu'elle capte sa détresse. Alors le bon visage s'adoucit, pardonne et l'invite auprès d'elle. Sous son gros bras mou et chaud qui enrobe ses épaules. Il s'y creuse une nid, appuie la tête contre le ventre moelleux et hume avec délice le tablier au parfum de farine.

Libéré de l'intransigeante autopunition, il observe les mouches qui se promènent sur la moustiquaire. Comparées à l'agitation qui règne dans la cour, elles sont calmes. Inconscientes du danger qui les menace dans la main de mémère. Celle-ci n'aurait qu'à lever le bras pour en tuer trois ou quatre d'un coup, mais elle ne réagit pas. Se laisse narguer par les insectes qui osent se poser sur elle. Gaby capte soudain la tension qui raidit le bras de la vieille femme et se propage dans tout son corps.

— Tss! Tss! Tss! fait-elle lui pressant spasmodiquement l'épaule.

Insouciantes, les mouches se promènent toujours sur l'écran quadrillé de la moustiquaire à hauteur de ses yeux, alors qu'apparaît en arrière-plan la monstrueuse mandibule de l'excavatrice. Cette pelle énorme, telle une gueule gourmande et bête, se dirige droit sur le tracteur. Droit sur grand-père, Léopold et Marjolaine pour les happer d'un seul coup. Gaby ne voit maintenant que l'arrière de la machine, mille fois plus inquiétant avec sa grande queue repliée, armée à son extrémité d'une mâchoire féroce où luisent les dents d'acier entre les mottes de terre séchée.

Tendue, grand-mère se hisse sur la pointe des pieds. L'engin avance toujours, tel un robot télécommandé par la luxueuse limousine qui suit derrière. Il avance toujours, menaçant de sa gueule béante et exhibant dans son dos son redoutable appendice.

— Mais y sont fous! s'exclame grand-mère en poussant vivement la porte. Bzz! Les mouches s'envolent, laissent filer la vieille femme avec sa tapette à bout de bras.

— T'es fou, René Mantha. Fais-moé arrêter c'te machine-là.

Flore rejoint la limousine, la frappe partout avec frénésie puis, voyant son geste inutile, s'en prend à l'insecte géant.

— Arrête-toé, Bizou Gagnon!

L'excavatrice obéit, s'immobilise tout près du tracteur. Furieux, René Mantha bondit hors de sa voiture.

— Mêlez-vous pas de ça, madame Taillefer.

— Pourquoi pas m'en mêler?

— C'est des affaires d'homme.

— Justement non! J'ai trimé aussi dur que mon mari.

— Si c'est comme ça, ouvrez bien vos deux oreilles. J'ai un droit de passage avec mes terrains, pis si vous voulez vous faire écraser avec les autres, vous n'avez qu'à vous mettre en ligne, compris? Envoye Bizou, avance! Y vont s'tasser.

— J'peux pas, monsieur Mantha.

— Débarque d'abord. J'vais t'montrer, moi, qu'y vont s'tasser.

Bizou Gagnon n'a rien de terrifiant hors de son excavatrice. Les mains dans les poches, il regarde par terre, l'air honteux devant grand-mère.

Le moteur de l'insecte géant gronde à nouveau, menace, impressionne. Les roues imposantes reculent un instant puis avancent lentement avec détermination.

Gaby pense comme ce doit être atroce d'être écrasé par elles. D'ici, il ne voit ni grand-père, ni Marjolaine, ni Léopold, ni même le tracteur. Seule grand-mère subsiste dans son champ de vision, avec sa tapette à mouches qui fouette les flancs de l'excavatrice. Effrayé, il étreint Kermit contre lui et ne peut s'empêcher de lui jeter un regard. Les poignets de velcro toujours accrochés à son pull-over, la poupée le supplie de faire quelque chose. Ce doit être atroce aussi d'être une grenouille et d'avoir à mourir empoisonnée. Atroce d'être un enfant près d'un lac mort.

«J'suis juste un enfant», se justifie-t-il devant Kermit pendu à ses vêtements. «Pis?! Ça t'empêche pas d'aller rejoindre grand-père», lui répond la poupée dans son imagination.

C'est vrai. Bien qu'il ne soit qu'un enfant, il peut prêter main-forte à ces adultes. Aussitôt, Gaby se précipite vers le tracteur. Il court, terrifié par le bruit du moteur et les cris de grand-mère. L'engin lui souffle son haleine de diesel chaude et puante au visage. Quelques pas encore et il sera entre les jambes de grand-père. Effrayé, étranglant sa grenouille de peluche dans sa main nerveuse, il double cette roue gigantesque puis la mandibule affamée, grande ouverte, prête à dévorer. Il voit maintenant le regard horrifié de grand-père, de Marjolaine et de Léopold. Tout dans leur attitude dénote qu'ils s'apprêtent à céder le passage. Non, il ne faut pas. Forçant l'allure, l'enfant les rejoint et se place devant eux.

«Gaby!» crient-ils tous ensemble.

Devant cette gueule prête à l'avaler tout rond, il ferme les yeux et se replie sur Kermit. Vitement, dans sa tête, se déroule le dessin animé de la baleine gobant Pinocchio. Mais, au lieu du gouffre noir où aboutissait le pantin, c'est un grand silence qui l'accueille. Un silence d'éternité qui échappe au temps. Tout, absolument tout, s'arrête: l'excavatrice, les cris de mémère et des autres. Tout s'arrête et tout se tait, devant lui, l'enfant.

— P'tit innocent! rugit alors la voix de Mantha.

Le charme se rompt. Gaby ouvre les yeux, aperçoit la pelle à quelques pouces de lui.

— Comment ça s'fait qu'il est pas à l'école, celui-là?

René Mantha s'en prend à grand-mère. Exige des explications.

— Y était malade à matin.

— Y est pas plus malade que moi. C'est comme ça que vous prenez soin de mon fils?

Pour la première fois de sa vie, il insiste sur le MON fils.

— J'le pensais en sécurité avec vous autres. Mais vous êtes une gang de fous pour vous livrer à des enfantillages de même. Un bel exemple, ça! Un bien bel exemple. Une chance que je l'ai vu... un peu plus pis j'l'écrasais... parce que lui, y est bien trop innocent pour se tasser. Vous êtes bien assez mabouls pour lui avoir dit d'faire ça!

Mantha descend de l'excavatrice, vient constater la situation.

— C'est une question de pouces!! J'ai juste vu une tête blonde. Vous êtes plus malades que j'pensais de vous servir d'un innocent pour barrer le chemin.

— On y a pas dit de faire ça... pis y était malade à matin, certifie Hervé.

Grand-père lui pose la main sur l'épaule, espérant son témoignage. Les mots se bousculent devant ses lèvres. Pris de panique, ils voudraient sortir tous en même temps pour disculper ses grands-parents et inculper son père. Mais, pris de panique, les mots luttent, se piétinent, s'écrabouillent et s'entassent devant la porte close. Ils sont tous là, morts sur sa langue. Enterrés vivants dans le cachot de sa bouche. Et, à la place des mots, les larmes coulent nombreuses et tombent sur la tête de Kermit.

— Si c'est comme ça!

René Mantha l'empoigne rudement par le bras et le secoue.

— Dis-le, envoye, dis-le qu'ils t'ont forcé à faire ça.

Cet homme l'effraie plus que l'excavatrice et son intervention ne fait que redoubler ses larmes.

— Vous voyez bien que c'est ça. Tu t'en viens avec moi. Envoye, monte dans l'auto.

Cloué sur place, Gaby pleure à chaudes larmes, serrant contre lui sa poupée préférée. Il sent la main de son père qui intensifie sa prise sur son bras et l'entraîne malgré lui jusqu'à la voiture. Il n'est qu'un enfant. Ne peut pas résister à cette force.

Malgré lui, il se retrouve sur la banquette près de son père qui menace.

— Vous allez entendre parler de moi, l'beau-père. J'laisserai pas passer ça. C'est grave. Vous venez d'faire une bêtise qui va vous coûter cher. J'ai mon témoin, à part ça. Viens-t'en, Bizou, on va aller chercher une injonction.

— J'te jure qu'on y a pas dit d'faire ça, défend grand-père.

— Dis'y... dis'y donc Gaby, supplie grand-mère pendue à la poignée.

Les mots se bousculent de plus en plus, trébuchent sur les cadavres, s'asphyxient à leur tour sans parvenir à s'évader. Eux seuls peuvent sauver ses grands-parents. L'enfant nie de la tête, sanglotant sur son impuissance.

— Il ne veut pas... vous voyez bien, il ne veut pas mentir. J'le laisserai pas une minute de plus ici.

La Cadillac recule. Gaby tente d'ouvrir la portière. Clic. La voilà barrée. À travers le voile de ses larmes, il aperçoit grand-mère éplorée, avec son ventre rond si confortable et son tablier qui sent bon la farine. Il ne veut pas la quitter. Ne veut pas perdre ces bras mous et chauds qui le sécurisent. Ne veut pas être privé du poids de ces bras qui le soulagent des fardeaux de son âme. Il ne veut pas la quitter. Surtout pas dans ces conditions. Surtout pas en la condamnant par son silence. Mais il n'est qu'un enfant et la voiture s'éloigne d'elle.

Grand-père court vers eux.

— J'te jure René qu'on y a pas dit... c'est vrai, y était malade à matin. Fais pas ça, René.

Il ne veut pas perdre grand-père non plus, lui qui communie si souvent à son silence et devine ses moindres désirs. Il ne veut pas être séparé de lui. Surtout pas depuis le geste défait de son bras qui retombe fatalement le long de son corps et l'expression du juste accusé d'un méfait qu'il n'a pas commis. Mais il n'est qu'un enfant et les vitres électriques se lèvent, le privant de cette voix qui se défend.

Il ne veut pas perdre tante Marjolaine, cette bonne fée qui veille sur les choses invisibles, ni ce monsieur Léopold qui l'a conquis avec son gros nez rouge et spongieux de clown. Ni cette cour de terre où il s'amuse avec sa bicyclette, ni cette étable, ni cette grange, ni ces vaches et ce chemin menant chez Alex. Mais il n'est qu'un enfant et on l'arrache à tout cela.

— Maudite gang de fous! J'ai failli t'écraser. Ça prend des malades pour faire ça. Une chance dans l'fond. C'est fini. Tu resteras plus avec eux autres.

Il ne veut pas les quitter. Ne veut pas faire partie du clan qui s'apprête à détruire le lac, mais il n'est qu'un enfant et on le force, malgré lui, à en faire partie.

Il ne veut pas entendre les bêtises, les accusations, les médisances et les calomnies, mais il n'est qu'un enfant, et l'homme à ses côtés déverse toutes ces insanités dans ses oreilles. Il se vide, se débarrasse de toute sa rancœur, de toute sa haine dans son cœur fragile où dorment encore les fées.

Il ne veut pas participer au carnage, à la destruction, mais il n'est qu'un enfant et habitera dorénavant avec le cerveau machiavélique qui va blesser impunément sa petite mère la Terre.

Écrabouillé par son impuissance, la bouche encore pleine de ces mots qui ne parviennent pas à sortir, l'enfant émet un son indistinct.

— Lâche de brailler d'même. Tu vas être bien mieux chez nous, ordonne son père avec mécontentement.

Gaby ravale ce cri de son âme. Ce cri de révolte. Ce cri des êtres sans voix qu'on exécute sans scrupule. Ce cri des enfants de demain près des lacs morts. Il n'est lui même qu'un enfant. Qu'un enfant. Et cette impuissance sans borne qui ne connaît pas les frontières du temps le réduit au silence total.

Elle le plie, le moule, l'enroule dans sa position de fœtus démuni de ses droits. Elle l'enferme puis le cloître et l'isole avec sa poupée, telle l'huître sur sa perle. Implacable, elle le façonne: il n'est qu'un enfant.

* * *

Mardi, 18 juin 1985.

Sa faute grossit à chaque repas de silence qu'il partage avec son père. Il devrait parler. Aurait dû parler quand grand-mère se pendait à la poignée en suppliant: «Dis-y, dis-y donc.» Il devrait parler. Aurait dû parler quand la faute était toute petite, toute fragile, à peine ébauchée.

Maintenant elle est grosse, puissante, rigide. Nourrie de tous ses silences et solidement implantée dans l'esprit de son père, elle l'écrase de tout son poids et l'accuse sans relâche. C'est de sa faute... il aurait dû parler. Pourtant, les mots étaient tous là, pêle-mêle sur sa langue. Ils étaient tous là, à s'entretuer devant la porte close de sa bouche. Tous là, à vouloir sortir en même temps. Tous là, à se piétiner et à se bousculer. Tous là, dans ce son indistinct qu'il a finalement émis et que son père a interprété comme du «braillage». Il aurait dû réussir. Que faire maintenant? Où trouver le courage de redresser cette faute qui atteint la démesure? S'il en a été incapable alors qu'elle était toute petite, toute fragile et à peine ébauchée, qu'en sera-t-il maintenant? Comment pourra-t-il déraciner, dans l'esprit de son père, la conviction que ses grands-parents l'ont poussé à se jeter devant l'excavatrice? Il aurait dû agir avant. Du temps que cette conviction n'était qu'une semence incertaine. Du temps qu'elle n'était qu'une supposition, une déduction sans preuve. Mais la preuve, il l'a fournie par son silence. Il aurait dû parler... Il devrait parler.

Le cœur gros, si gros qu'il presse sur sa luette et lui donne envie de vomir, Gaby se promène dans le ruisseau. C'est là sa seule consolation. Son seul refuge. Il se promène et promène sa peine et son tourment à pas lents. Écoutant pleurer l'eau entre les quenouilles, le regard fixé aux grains de sable que le courant amasse sur ses ongles d'orteils. Il aurait dû parler. Tout comme sa faute, sa détresse atteint la démesure, et il rêve que quelqu'un l'aperçoive. Que quelqu'un s'arrête. Que quelqu'un l'aide et le console. Ce pourrait être monsieur Potvin ou tante Marjolaine ou Normande. Oh! Qu'il aimerait qu'elle l'aperçoive! Qu'elle s'arrête et le remarque, seul, dans le ruisseau. Seul avec sa poupée Kermit, témoin oculaire de sa faute. L'enfant lève le regard vers la route déserte. Imagine son institutrice l'apercevant. Oh! Elle n'aurait pas à descendre jusqu'ici. Non. Il n'en demande pas tant. Seulement qu'elle capte sa détresse et s'en afflige. Ce serait amplement suffisant. Quelqu'un au moins saurait combien il est seul et désespéré. Quelqu'un comprendrait. Mais... il n'y a personne. Personne. Et il est seul au monde, avec cette faute grosse comme le monde qui l'écrabouille.

Seul au monde, face à sa faute grosse comme le monde fichée solidement dans la tête chauve et luisante de son père. Seul au monde avec le manque d'appétit et l'oreiller mouillé de pleurs. Seul au monde à se laisser écorcher, charcuter, mutiler par les intentions malveillantes qu'engendre sa faute.

— Ils vont y goûter. J'vais les traîner en cour. C'est fini: t'iras plus avec ces fous-là. C'est eux autres qui t'ont rendu comme ça.

Comme quoi? C'est quoi, ça? C'est quoi, lui? C'est qui, lui? Vraisemblablement un échec humain. Une pièce défectueuse de l'infaillible mécanique sociale. Quelqu'un dont on ne peut pas être fier...

— T'as compris? J'vais les traîner en cour: j'ai mon témoin... Ils vont y goûter... T'es content? C'est fini... T'auras plus à vivre dans un milieu de fous. C'est pas pour rien que t'es pas normal.

Normal, il devrait se réjouir à l'idée de savoir ses grands-parents traînés en cour. Normal, il devrait s'abreuver de fiel, mais voilà, il préfère le miel des yeux de grand-mère, le miel de la main de grand-père qui lui caresse les cheveux, le miel de cette maison qui sent le lait et la saucisse. Mais voilà, l'expression «traîner en cour» déchire son cœur de bord en bord. Il les imagine traînés dans la poussière, pieds et mains liés. Traînés par l'implacable Cadillac, avec toute l'horreur de l'impuissance rattachée à ce terme. Traînés contre leur volonté dans une cour où ils seront déclarés perdants: la cour de Mantha. Et c'est de sa faute: il aurait dû parler. De sa faute, tout ce fiel que bave son père à chaque repas. Il devrait parler.

Désemparé, l'enfant remonte distraitement le courant. Sa mère le lui défend bien parce que c'est dangereux. Si elle était là, il ne serait pas ici. Mais, elle n'y est pas, et son père ne se soucie guère d'où il va et de ce qu'il fait. Sa mère, oui.

Le souvenir de cette femme éveille une souffrance. L'aimerait-elle, ne fut-ce qu'un tout petit peu? Pas autant que Dominique avec qui elle est restée jusqu'à la fin des classes, mais un tout petit peu? Ça lui fait mal de penser à elle. Mal de se rappeler sa main sur son épaule. De se rappeler sa voix et l'expression de son visage. Mal de réentendre ces paroles: «Ça fait de la peine à maman quand tu vas dans le ruisseau; elle ne voudrait pas perdre son p'tit garçon.» L'aimerait-elle un peu? Pas autant que lui l'aime mais un peu? La possibilité de ce peu d'amour le bouleverse tant qu'il préfère se contenter de l'inébranlable indifférence de son père. Ça au moins, c'est sûr et ça ne risque pas de lui faire grand mal. C'est l'amour qui fait mal: celui qu'on a tout seul et qu'on ne peut pas dire. Celui qui mouille ses yeux et embrouille le chemin d'eau qu'il suit. Ça fait de la peine à maman qu'il soit ici. Eh! bien, qu'elle en ait de la peine! Oh! qu'il aimerait qu'elle le voit faire! Qu'il aimerait être sûr qu'elle souffre autant qu'il a souffert! Être sûr qu'elle l'aime, ne fut-ce qu'un tout petit peu.

L'enfant avance avec douleur et rage. Déterminé, il marche de plus en plus vite, stimulé par la résistance de l'eau pendue à ses pieds. L'eau qui le freine, le retient, le ralentit. L'eau qui lui rappelle que cela fait de la peine à maman. Eh! bien qu'elle en ait de la peine. Il le veut. Il veut se rappeler à elle. Veut lui crier qu'il existe. Qu'il l'aime et souffre.

Les yeux embrouillés, rassemblant son énergie pour vaincre la force du courant et la lourde inertie de l'eau, il progresse rapidement. Le lit de sable se transforme en lit de cailloux et blesse la plante de ses pieds. Qu'importe! Cela fait de la peine à maman. Le bruit de l'eau dérangée et des éclaboussures le pousse à désobéir davantage. À aller le plus loin possible, le plus longtemps possible dans ce ruisseau dangereux qui fait de la peine à maman. Et il va, avec des gestes d'élan freiné par les pieds, son Kermit gigotant au bout de son bras levé. Il va et soudain... Ploush... Ses pieds perdent le fond... Perdent le monde... Perdent contact avec la base solide... Avec le lit du ruisseau. Il vient de glisser hors du monde... Vient de s'échapper de tout ce qui le meurtrit. Vient de fausser compagnie aux adultes trop durs pour lui. Vient de s'éclipser de leur lutte où on le force à collaborer. C'était facile, pas trop douloureux. Maintenant, il roule dans l'onde. Dans ce royaume aquatique qui chante à ses oreilles. Instinctivement, il étrangle Kermit dans sa main. Pense comme sa poupée doit être heureuse de renouer avec son monde. Il est bien ici, dans ce royaume des sans-parole. Soulagé de cette obligation de parler et libéré de cette culpabilité de n'avoir pas parlé. Tout s'accomplit avec facilité, ici, jusqu'à ce cri ultime que les adultes entendront demain, en le découvrant couché dans les roseaux. Il est bien ici et fait de la peine à maman. Demain, elle pleurera sur lui. Il est bien, ici, et pourtant il se débat. Pourtant, il nage, émerge à l'air. Quelle est cette force qui le ramène à ce monde? D'où vient ce commandement de nager, de s'arracher des mains possessives et persuasives de l'onde? Pourquoi lui obéit-il? Cette fuite ne résolvait-elle pas tous ses problèmes? Pourquoi nage-t-il? Il ne le sait pas, mais c'est plus fort que lui. Il nage parce qu'il sait nager et que cela vient tout seul. Comme vient tout seul sa peur de mourir et son désir d'atteindre la berge. C'est plus fort que lui. Au-dessus de sa compréhension. La main toute-puissante de la vie est allée le chercher dans les bras de la mort où il se blottissait et l'a déposé sain et sauf entre les roseaux. Voilà, il a failli se noyer. A failli obtenir la certitude d'être aimé. A failli réussir à leur dire. Mais la vie n'a pas voulu de cette solution simple et facile. La vie n'a pas voulu et personne n'a su ou ne saura jamais ce qui vient de lui arriver.

Gaby regarde la fosse où il est tombé. L'air frais du soir le fait grelotter et il serre son Kermit dans ses bras. Imbibé d'eau, celui-ci se vide avec un bruit d'éponge et lui donne l'impression de saigner. Les yeux rivés aux îlots d'écume blanche tournoyant sur l'eau sombre de la fosse, il écoute le concert des batraciens. Cette symphonie de l'inlassable perpétuité de la vie. Ce chant triomphal de la fécondation qui vainc, œuf par œuf, dans les nids gélatineux. C'est pour lui qu'elles chantent, les grenouilles. Pour lui souhaiter la bienvenue et lui adoucir le monde.

Il sourit à Kermit. S'en veut de l'avoir entraîné dans ces tourbillons rusés et enjôleurs. Un peu plus et... Un frisson le fait claquer des dents. Au même instant, le passage d'un véhicule lui fait remarquer l'énorme tuyau qui permet au ruisseau de traverser sous la route. Aussitôt, il s'y réfugie, croyant être à l'abri de quelque chose. De quoi? Il n'en a pas la moindre idée, mais de quelque chose de trouble et désagréable.

D'emblée, il aime cet endroit. S'y sent en sécurité. Sa main tâtonne les boulons jointant ce long cylindre de métal tandis qu'il inspecte les lieux. Le roucoulement de l'eau, amplifié par l'écho, lui plaît ainsi que l'ombre permanente et enveloppante de ce passage dans le ventre de la terre. Aux deux extrémités, les grands yeux ronds ouverts sur la lumière le rassurent.

Ses pieds butent sur un pneu: il le traîne alors sur un amoncellement de sable et s'assoit dessus. Regardant à gauche. À droite. Soupirant. Souriant. S'apprivoisant à la joie fragile de cette découverte.

D'ici, il entend les grenouilles et la mélodie de l'eau. D'ici, il entend l'usine de son père et les autos qui passent. C'est comme s'il était témoin du monde sans en faire vraiment partie. Comme s'il regardait en toute sécurité de l'intérieur de la terre. Comme s'il n'était pas encore tout à fait né ou tout à fait mort. Il aime cet endroit qui lui fait oublier la nécessité d'intervenir. L'obligation d'agir. Cet endroit qui lui pardonne son handicap et l'accepte sans condition tout comme il a accepté le pneu-rebut devenu pneu-chaise.

Il se repose en cet endroit.

— Beau, hein Kermit?

L'écho amplifie ces mots mal articulés. Gaby demeure saisi d'entendre sa voix. C'est comme s'il y avait maintenant une caisse de résonance pour les cordes de son âme.

— Hein, échappe-t-il à nouveau pour tester l'écho fidèle.

— HEIN, entend-il avec ravissement.

— Ha.

— HA.

— Hou-hou.

— HOU-HOU.

— Kermit. Kermit.

— KERMIT. KERMIT.

— Caca.

— CACA.

— Hi, hi, hi.

— HI, HI, HI.

Et pendant que les grenouilles vocalisent sur les nénuphars et que gronde l'usine de son père, l'enfant éprouve cet instrument merveilleux qui lui fait découvrir le son de sa voix.

* * *

615

Mercredi, 19 juin 1985.

Enfin la solution! Comment se fait-il qu'elle n'y ait pas pensé? La chloration de l'eau, quoi de plus simple?

Marjolaine jubile en relisant la lettre de Réjeanne Robichaud, conseillère auprès des associations, qui lui suggère d'utiliser l'obligation de chlorer l'eau d'un lieu public comme argument en faisant intervenir le ministère de la Santé dans le dossier des glissades. C'est simple et tout à fait génial.

Cette lettre, tant de fois lue, tremble entre ses doigts. Enfin la solution! Enfin l'arme pour engager le combat! C'est Benoît qui sera fier de cet atout. Lui, il pourra l'employer avec beaucoup d'efficacité, se servant d'un ministère pour raisonner l'autre.

Oh! Oui! Lui, il pourra se rallier l'opinion publique en amenant le dossier sur une plus vaste échelle. Finis les complots et manigances de petit village! La santé des citoyens est en jeu. Et pas seulement celle des habitants de la municipalité, mais celle de tous les villégiateurs qui viendront s'amuser dans les glissades d'eau. C'est génial!

Marjolaine ne se possède plus tant elle a hâte de lui communiquer cette nouvelle. Elle regarde l'horloge en forme de coq au mur jauni de la cuisine. Dans cinq minutes, il sera neuf heures. Dans cinq minutes, elle pourra lui parler. Établir un plan avec lui. Que c'est long, cinq minutes!

La jeune femme va jusqu'à la fenêtre donnant sur le jardin. Ses parents y travaillent avec les gestes lents de leur âge. Des gestes posés, pleins de signification et de profondeur. Des gestes qui donnent soudain un sens à la vie, un sens à la mort. Un sens à la semence mise en terre et un sens à la mauvaise herbe extirpée. L'économie de ces gestes contraste tant avec le gaspillage des siens qu'elle se fait violence pour prendre de grandes respirations et se calmer. Voilà. Elle croit y être parvenue, se retourne lentement vers l'horloge. À peine neuf heures. Il faut attendre encore un peu, le temps de laisser s'installer la secrétaire.

N'y tenant plus, elle revient vers l'appareil téléphonique au mur et, par désœuvrement, elle lit les numéros collés sur la poignée du combiné: hôpital, vétérinaire, feu, école. Puis, elle compte jusqu'à trois cent huit de peur d'avoir compté trop vite ou d'avoir sauté des chiffres. Enfin, elle décroche, signale. Dring! Dring! Elle imagine le bureau et l'air indifférent de la secrétaire. Dring! Dring! Elle décrochera, dira de sa voix monocorde: «Bureau du député Benoît Larue.» Et là... Dring!

«Vous êtes bien au bureau du député Benoît Larue, présentement en vacances jusqu'au lundi 8 juillet. Au signal sonore, veuillez laisser votre message, votre nom et votre numéro de téléphone.»

Bang! C'est comme si elle venait d'entrer dans un mur à toute vitesse. Bang! C'est pas possible. Figée au bout de la ligne, la bouche ouverte comme un poisson suspendu à l'hameçon, elle écoute le signal sonore. Voilà... Il faut lui dire... Mais comment lui dire? Avec quels mots? Pourquoi est-il parti comme ça? Qu'est-ce que c'est que cette histoire? Elle a dû se tromper. C'est impensable qu'il parte comme ça, juste au moment où elle avait la solution. Qu'il parte en vacances, même pas en congé de maladie. C'est impensable, impossible: elle s'est trompée.

Le répondeur attend. La glace. Et puis, zut! Ce n'est qu'une machine: aussi bien ne pas s'identifier. Ne pas bredouiller. Elle a dû faire erreur, confondre avec le numéro du vétérinaire. Oui, c'est sûrement ce qui est arrivé. Benoît ne lui ferait pas ce coup-là.

Marjolaine raccroche. Désemparée, elle s'appuie le front contre l'appareil. Éprouve soudain la nausée. Non! C'est impossible. Benoît ne peut pas lui faire ce coup-là... Jusqu'au lundi 8 juillet disait la voix flegmatique. Comme c'est bête! Aujourd'hui, c'est mercredi, et il ne fait jamais de bureau le mercredi. Sa grande excitation lui a fait oublier cela comme elle a dû lui faire mal entendre. Sûrement qu'il sera de retour lundi prochain le... Quelle date sera-t-on lundi prochain? Il faut que cela corresponde au chiffre huit... Anxieusement, elle fouille sur le calendrier et son regard est aussitôt attiré par un bonhomme souriant dessiné par Gaby en date du 21 pour marquer la fin des classes. La mise en demeure, l'injonction, l'accusation de négligence criminelle lui traversent l'esprit à la vitesse de l'éclair. Eh bien, quoi? Son père et sa mère subiraient toutes ces misères occasionnées par la protection du lac tandis que monsieur le député serait en vacances? C'est impossible... Elle cherche le 28. Vérifie par deux fois. Ça tombe un vendredi. C'est impossible: il faut que ça tombe un lundi.

617

Elle se résigne, reprend le combiné, compose très attentivement. Dring! Ce son familier la soulage. Ça sonne. Quelqu'un va répondre. Dring! C'est comme appeler chez le voisin ou chez son frère. Quelqu'un va répondre. Clic! Ça répond. «Vous êtes bien au bureau du député Benoît Larue...»

Mon Dieu! C'est vrai. C'est un répondeur. Une machine. Des bobines qui tournent à l'autre bout tandis qu'elle défaille de son côté. «Présentement en vacances», à se reposer, à voyager. Avec sa femme. Pour éviter le pire. L'irréparable. Le divorce. Pour coller la potiche brisée, prétextant le bien des enfants et la réputation. Verres fumés sur son œil qui louche, pantalons blancs et chemise légère, il joue peut-être au golf... Joue peut-être au puissant, à l'homme d'affaires pendant qu'ici, ses parents sont pris à la gorge. «Jusqu'au lundi, 8 juillet.» C'est bien ça. Lundi 8 juillet. Tant de choses vont se passer d'ici là. À son retour, tout sera réglé. «Au signal sonore, veuillez laisser votre message, votre nom et votre numéro de téléphone.»

Quel message? Comment résumer tout ce qu'elle a maintenant à lui dire? Passe l'idée de le compromettre, de faire éclater la potiche qu'il tente de recoller tandis qu'elle se démène. Ce serait facile. Bas, mais facile. Tout comme cette fuite.

Quels mots employer? Comment réussir à être confidentiel? N'importe qui peut écouter cette bobine. Et puis, ça peut se retourner contre elle. Bip! Le répondeur attend. Enregistre à nouveau son long silence.

Elle ne peut pas. Ne peut pas parler à ce robot. Ne peut même plus tenir debout après ce choc brutal. Elle se laisse tomber sur la chaise de son père, au bout de la longue table. Comment lui annoncera-t-elle que le député les a laissés tomber? Pauvre Hervé! Il était si confiant lorsqu'elle lui a lu la lettre. Si confiant que les choses se tasseraient, que le gouvernement empêcherait Mantha, et qu'il n'aurait plus à passer en cour au sujet de Gaby. «Tu vois, Flore, ça va s'arranger», a-t-il dit en invitant cette dernière au jardin.

Comment lui annoncer maintenant que ça ne s'arrangera pas? Qu'ils ne pourront pas obtenir un bon rendement de cette nouvelle arme? Que celui qui guerroyait cet hiver, en brandissant l'épée de son intégrité, s'est esquivé en douce à l'approche du combat? Qu'il a capitulé à la première escarmouche et les a livrés. Laissés tomber. Laissés seuls sur le champ de bataille. Abandonnés avec leurs armes rudimentaires et primitives. Leur barrage de chemin et leur riposte à l'assaut des commérages. Qu'il les a lâchés en cours de route. Dans sa déroute. Par lâcheté. Faiblesse. Et peut-être par intérêts. Que cette croisade qu'il a menée avec toute la fougue de sa foi arrive à son terme avant même qu'elle ne commence. Voilà. Il descend de cheval. Laisse l'armure de métal à sa place et s'en va en vacances. Il n'y a plus de bras dans l'armure pour actionner la nouvelle arme. Plus d'œil sous l'heaume pour viser l'adversaire. Il n'y a qu'une voix monocorde et froide qui répète sans arrêt: «Au signal sonore, veuillez laisser votre message.»

Il sera trop tard pour le message. Le combat est déjà engagé. Et déjà rendu le général en fuite. Déjà déposé le drapeau. Déjà signé l'acte de reddition.

Comment annoncer tout cela à son père? Comment rendre compte de cette lâcheté? De cette saleté?

Un goût amer lui emplit la bouche: c'est celui de la défaite. De la trahison. Celui qu'a connu Montcalm, Chénier. Et René Lévesque, lors du référendum. Celui qu'ont connu tous ces Québécois qui pleuraient sur ce pays qu'ils avaient failli avoir. Sur cette victoire qu'ils avaient failli remporter sans verser une goutte de sang. Le goût de la défaite qui, depuis les plaines d'Abraham, a étendu son réseau de racines dans le jardin de chaque Québécois en faisant d'eux des vaincus d'avance ou des «je ferme les yeux» pour quelques dollars de plus, quelques éloges de plus. Pour la deuxième voiture, la piscine creusée ou la confortable retraite. Chacun pour soi: on n'a plus de pays. Ne sert à rien de se battre: on n'a plus de pays. Seulement des avantages à retirer. Autant en profiter. Ceux qui se battent, les fidèles, les loyaux, les convaincus, on les écarte: ils sont gênants. Elle fait partie de ceux-là.

Cela lui donne envie de pleurer, de crier, de saccager des vitrines. Envie de gueuler au téléphone et de menacer qu'elle va tout laisser tomber. Mais ses parents œuvrent patiemment dans leur petit jardin. Patiemment... dans leur petit jardin de Québécois, avec cette racine entêtée de la défaite qui ressurgit à tout bout de champ. Elle ne peut pas les abandonner et rédige un message.

«Nouveau développement dans le dossier des glissades d'eau au lac Huard. Je viendrai vous donner les informations en matinée du 8 juillet.»

D'une voix froide, anonyme, impersonnelle, elle transmet son message au répondeur qui, comme trop de gens de nos jours, répond sans donner de réponse.

* * *

Jeudi, 20 juin 1985.

Elle écrit. Rature. Soupire. Déchire des feuilles. Puis recommence avec une pointe de rage camouflée.

Près d'elle, sur la chaise qu'il a l'habitude d'occuper pour faire ses devoirs, trône le dossier accordéon de l'Association des riverains. Un dossier bourré de lettres, de fascicules et de dépliants sur lequel il promène un doigt désœuvré. Il n'a plus de devoir, plus de leçon. L'école est finie. Demain, ce sera la remise officielle des bulletins, mais déjà, il sait être promu en troisième année. Au souper, Marjolaine a fêté l'événement avec du gâteau au chocolat.

C'était bon le gâteau au chocolat. Très bon, mais il aurait préféré, à l'instar des autres, recevoir un cadeau spécial pour cette promotion. Gaby n'allait-il pas recevoir de son père un équipement de plongée et Marc Potvin, un buggy patenté avec un moteur de Renault 4? Lui, il aurait aimé... il avait pensé à... L'enfant n'ose s'avouer ce désir et chasse l'image d'une bicyclette neuve, se remémorant combien délicieux était le gâteau au chocolat.

Il soupire, ouvre et ferme machinalement l'accordéon muet.

— Laisse-ça, Alex... dit Marjolaine sans lever les yeux. Sans arrêter le crayon sur la feuille. Cette phrase, échappée de côté, comme un cœur de pomme lancé dehors en conduisant, le froisse et le contrarie. Aussitôt, il abandonne le dossier malgré la tentation qu'il a de désobéir sciemment et d'arracher coûte que coûte sa mère à ses papiers. Ce soir, il a envie d'elle. Envie d'attirer son attention. Envie de son regard, de ses mains, de ses caresses. Envie qu'elle découvre en lui cette bicyclette qui sentirait bon le caoutchouc neuf. Mais elle travaille. Elle prépare la réunion du conseil qui aura lieu dans deux jours.

— Va jouer avec les oies... faut que j'prépare tout ça. Benoît a bien mal choisi son temps pour prendre des vacances.

Cette dernière phrase, échappée de côté comme l'autre, trahit cependant la déception, la colère. L'enfant devine que sa mère consentirait à l'élaborer davantage, mais à son tour, il joue l'indifférent et se dirige vers la fenêtre donnant sur le lac. Vers les oies blanches glissant sur l'eau tranquille.

Non, il ne lui laissera pas la chance de parler de Benoît. Ne lui laissera pas la chance de se vider le cœur. Ni de s'expliquer pour ce geste qui l'a si catégoriquement exclu. «Non, pas toi, Alex.» Elle a voulu rompre avec lui. Soit. Mais qu'elle ne vienne pas se plaindre maintenant parce que l'autre l'a laissée tomber. Qu'elle n'espère pas reprendre leur relation comme si rien ne s'était passé. Comme si elle n'avait pas levé cette main, ni prononcé ces paroles qui l'excluaient. «Non, pas toi, Alex.» Oh! Non! Il ne lui laissera pas la chance d'écouler toute cette amertume en elle. Ne lui laissera pas la chance de s'expliquer, de s'amender, de se repentir. Pour cela, il faut clairement lui faire comprendre que tout propos concernant le député ne l'intéresse en aucune façon.

— Ça prendrait-y moins de temps d'y aller en bateau? interroge-t-il à brûle-pourpoint.

— Aller où?

— Chez les Potvin.

— Non... pas avec les rames, tu sais bien, Alex.

— Si pépère me prête son moteur?

— Pas question.

— J'ferais ben attention avec ma bicyclette.

— ...

Elle ne répond plus. Se réfugie dans son travail puisqu'elle ne peut pas se soulager de ce qui la rend irritable.

— J'serais ben, ben, ben prudent.

— Hmm? Quoi?

Elle ne sait plus de quoi il parle. Ne se souvient même plus qu'il a demandé la permission d'aller jouer avec Cindy Potvin et ses frères durant l'été. Alex regarde dans leur direction. C'est par là. Par là qu'ils habitent. Là, derrière cet amas d'îles que le soleil couchant rosit. En chaloupe ou à bicyclette, peu lui importe le temps

621

que cela prendra, du moment qu'il puisse s'amuser avec eux et vivre des moments magiques auprès de Cindy.

— C'est pas si loin que ça... L'année passée, Gaby est revenu de chez son père avec sa bicyclette.

— ...

— J'suis capable d'en faire autant. J'resterais sur le bord du chemin. Pourquoi tu veux pas, maman?

— Hein?

Cette réponse à retardement l'encourage. Il revient vers elle. Derrière la chaise où trône le dossier.

— Pourquoi tu veux pas?

— Hein? Parce que c'est loin, Alex. Je te l'ai dit. Laisse-moi y penser, veux-tu?

Oh! Non! C'est trop risqué présentement d'abandonner cette demande dans le fouillis des pensées de sa mère. C'est comme perdre un chien sans collier dans la foule.

— J'vais les voir demain: faut que j'sache quoi leur dire.

— Tu leur diras que c'est possible qu'au cours de l'été...

— Non. C'est à tous les jours que j'veux aller jouer.

— Voyons Alex. C'est loin pour un p'tit garçon de huit ans de faire ce trajet tous les jours, aller retour.

— Neuf ans... presque.

— T'auras pas grand temps pour jouer.

— Ça fait rien. Tous mes amis sont là. Même Gaby.

— Pauvre Gaby! Comment va-t-il?

Elle arrête d'écrire. Dépose son crayon et le regarde enfin.

— Parle-moi de Gaby. S'ennuie-t-il beaucoup? Le vois-tu souvent pleurer? Tu t'occupes de lui, j'espère.

C'est pour Gaby qu'elle abandonne son travail. Pour avoir de ses nouvelles. Comment ne pas avoir mal? Comment ne pas haïr Gaby? Comment ne pas penser qu'il aura en surplus de cette attention, un équipement de plongée pour sa promotion de justesse? Blessé, jaloux, Alex répond en ouvrant et en refermant machinalement le dossier des Riverains.

— Y va bien. Y passe enfin en deuxième. Paraît que son père va lui acheter un masque de plongée et des palmes d'homme-grenouille pour le récompenser.

(Et moi, pour ma récompense, maman, demande-moi ce que j'aimerais avoir.)

622

Marjolaine pose doucement la main sur les siennes pour l'empêcher de jouer avec le dossier-accordéon.

— Pauvre Gaby!

Cette exclamation l'écorche. Elle est sur toutes les lèvres. Avec la même expression d'apitoiement et d'attachement. Omniprésente, elle lui rappelle à tout bout de champ de qui l'on se soucie le plus.

— Est-ce qu'Irène arrive en fin de semaine?

— Ouais... Y pense qu'a va être fâchée parce qu'y est plein de boutons.

— Des boutons?

— Oui... Y en a partout. C'est laid! Y a l'air d'un crapaud galeux. Y passe son temps à s'gratter. Son père l'a chicané.

— Pauvre Gaby! Il s'est toujours gratté. Ce doit être pire quand il s'ennuie. Est-ce que les p'tits Potvin jouent avec lui?

— Heu... non... j'pense que non, mais Marc l'a défendu à l'école.

— Comment ça?

— Ben, Patrick Patenaude voulait y péter la gueule parce qu'y s'était mis devant la pépine. Y dit que c'est de sa faute si on n'a pas de glissades d'eau.

— Et Marc Potvin l'a défendu?

— Ouais.

— Qu'est-ce qu'il a fait?

— Y a pris Patrick par le collet, pis y l'a accoté contre le mur pis là, y a dit: «Si tu y touches, tu vas avoir affaire à moé. Mon grand-père itou s'est mis d'vant la pépine, O.K. là?»

— Toi, qu'est-ce que t'as fait?

— Rien... J'étais avec Marc... J'suis dans sa gang astheure.

Ça dit tout d'être dans sa gang. Tout ce que ça comporte de fierté et d'obligations. Être dans sa gang, ça dit qu'il endosse tout ce que fait et dit le chef.

— Depuis quand t'es dans sa gang?

— Depuis... depuis... euh... depuis les marionnettes. Y ont ben aimé ça.

— Ah, oui?

— Oui.

— Comme ça, ils auraient compris le message.

623

L'espoir s'ébauche. Efface le scepticisme et le découragement qui, peu à peu, s'étaient emparés de Marjolaine. Quoi donc? Les semences mises en terre auraient donc porté des fruits? Elle n'ose y croire et, le prenant par les bras:

— C'est vrai c'que tu me dis là? Ils t'ont accepté depuis qu'on a donné notre pièce de marionnettes?

Maintenant, elle s'intéresse à lui à cause des Riverains. De la même manière que lui s'intéresse au facteur à cause des bonnes nouvelles qu'il peut lui apporter. Comment ne pas avoir mal? Comment ne pas haïr ces Riverains?

— Oui, même que plus personne parle contre toé dans la cour. Marc le défend.

— Oh! Alex, c'est merveilleux, ça! Pourquoi tu ne le disais pas avant?

Parce qu'avant tu ne t'occupais pas de moi, pense-t-il. Parce qu'avant je n'avais pas la clé de Gaby pour t'atteindre et faire en sorte que tu lèves les yeux sur moi.

— Ils ont compris le message, répète-t-elle ravie. Rêveuse.

Non, pas tout à fait. Ce n'est pas tellement le message qui a poussé Marc Potvin à joindre la lutte de Marjolaine que l'attrait de cette polémique où les adultes sont pris en défaut. Où les adultes sont enfin reconnus coupables par d'autres adultes d'un crime commis envers les enfants d'aujourd'hui et de demain. C'est plus vraisemblablement cela qui a attiré Marc Potvin. Plus vraisemblablement l'occasion d'entasser dans le box des accusés ces parents et professeurs qui se sont tant de fois arrogé le droit de le régir et de le punir. C'est plus vraisemblablement la chance de condamner les adultes qui leur a permis de se réhabiliter. Mais ça, il ne l'expliquera pas à sa mère. Elle n'a pas à savoir ce qui motive réellement la prise de position de Marc Potvin. Mieux vaut qu'elle croie qu'il a capté son message. Autant pour elle que pour lui puisqu'ainsi, elle sera plus disposée à le laisser jouer avec lui.

— T'sais Marc a passé en sixième, ajoute-t-il pour dorer davantage le blason de son héros.

— Il doit en être fier.

Dans un sens, oui, puisqu'il devient ainsi le chef incontesté de l'école, mais pas dans le sens où l'entend sa mère. Ça aussi, elle n'a pas à le savoir.

— Son grand-père lui a promis de patenter un buggy avec un vieux moteur de Renault 4 si y passait. Y est chanceux, hein?

(Et moi, maman, demande-moi ce que je veux.)

— Oui, y est chanceux d'avoir un grand-père habile en mécanique, répond-elle en retournant à son travail. Visiblement, la conversation ne l'intéresse plus. Ayant épuisé le sujet de Gaby puis celui de son message capté, elle reprend son crayon, ses feuilles et le pli soucieux entre ses sourcils. Ce qu'il peut dire, penser ou désirer ne l'intéresse pas. Visiblement pas. Penchée sur sa paperasse, elle lui présente le dessus de sa tête. Longtemps, il observe la raie de séparation des cheveux, se sentant d'un côté d'une raie imaginaire et elle de l'autre. Comment ne pas avoir mal? À bien y penser, il préfère sa colère à son indifférence et risque de la déranger.

— Ça veut-tu dire que j'peux y aller?

— Hmm... on verra.

— J'pourrai jouer avec Gaby.

Le voilà réduit à utiliser ce nom pour avoir droit à l'attention de sa mère et bénéficier de son indulgence.

Pour une deuxième fois, elle s'arrête d'écrire, dépose son crayon. Comment ne pas avoir mal? Comment ne pas haïr Gaby qui l'occupe toute entière?

— Oui, ça lui ferait du bien. Il doit s'ennuyer de toi, pauvre Gaby!

«Pauvre Gaby» encore une fois qui l'écorche. Si elle savait de quoi elle parlait! Jamais Gaby n'a été tant à l'honneur. Tout le monde ne parle que de lui. Que de ce pauvre Gaby. En se jetant devant les roues de l'excavatrice, il est devenu un héros national, un martyr. Grand-père n'a que lui à la bouche, grand-mère n'a que lui dans ses larmes. À l'école, depuis l'intervention de Marc Potvin, les écoliers n'ont que respect et admiration envers celui qu'ils ont ridiculisé tout au long de l'année. Jamais, le silence de Gaby n'a fait autant de bruit. Jamais, sa grande timidité n'a attiré tant d'attention, tant de sympathie. Jamais, son désir d'être à l'ombre n'a demandé tant d'éclairage.

— Comme ça, je peux y aller?

— Oui, ça lui ferait du bien de jouer avec vous autres.

Ce n'est pas pour son bien à lui qu'elle consent. Pas pour sa joie à lui, mais pour celle de Gaby. Comment ne pas avoir mal dans

625

ces conditions? Comment ne pas l'haïr, ce célèbre cousin qui l'éclipse partout, jusque dans le cœur de cette femme.

— Ça va prendre du temps avec ma bicyclette... a va mal.

Il argumente en sens contraire, maintenant, pour voir jusqu'où elle tient à faire plaisir à Gaby. Il ne devrait pas, il le sait, car il s'avance vers une douleur plus profonde, plus grande. Il ne devrait pas, non, il ne devrait pas s'avancer vers cette certitude qui risque de le blesser. Mais, il le fait, conscient de son obligation à se servir de Gaby pour conserver l'attention de sa mère.

— Qu'est-ce qu'elle a ta bicyclette?

Il n'aurait pas dû. Ça fait plus mal qu'il ne l'imaginait. Voilà qu'elle s'informe des défectuosités de sa bicyclette.

— A va mal. La roue d'en avant est toute croche. Pis, j'ai perdu un bout de pédale, pis mon banc est déchiré... à part de ça qu'est toute rouillée sur les poignées... j'l'haïs assez.

Oh! Oui, il la hait cette bicyclette! En fait, il l'a prise sérieusement en grippe depuis qu'il a chuté sous la fenêtre de grand-mère Falardeau à la fête des Pères. Il la hait pour ça et pour tout ce qu'elle représente. Tout ce qu'elle symbolise avec tant de justesse. C'est une bécane de pauvre. Une bécane usagée et démodée que l'oncle Florient a abandonnée dans leur cour plutôt qu'au dépotoir. Une bécane de pauvre qu'il a cependant aimée tant qu'il se sentait riche de l'amour de sa mère. Mais à la seconde présente, il la déteste de toute son âme, de toute son enfance marginale, de toute cette île, de tout ce mode de vie différent. À la seconde présente, il la déteste parce qu'elle lui rappelle la perte de cet amour exclusif qui lui faisait tout accepter, tout pardonner. Parce qu'elle lui rappelle qu'il n'est riche de rien.

— Mike pourrait te la réparer. Demande-lui.

Non: il y a une limite à l'humiliation. Du bout des doigts, Alex frotte ses paumes cicatrisées. Non: il y a une limite à tomber, à s'écorcher et à se relever comme si ce n'était que des éraflures.

— Ça lui ferait plaisir de te la réparer.

Le mal s'intensifie. Voilà qu'elle le pousse dans les bras de son père pour le bien de Gaby. Elle ne sait pas de quoi elle parle. Mike ne se soucie pas de lui. Il n'était même pas là à la fête des Pères. Faudrait peut-être lui dire. Et puis, non, il a prétendu le contraire pour la rendre jalouse.

— J'suis sûre que Mike va te réparer ça. Demande-lui, demain, hmm?

C'est une bicyclette neuve que je veux, maman. En guise de consolation, de compensation pour tout ce que j'ai perdu, réclame une voix en lui. Mais, il se tait. Acquiesce. Demain, il ne le demandera pas à Mike. Il y a une limite à l'humiliation. Une limite à la souffrance. Aujourd'hui, Mike lui a donné cinq dollars pour sa promotion et deux à Gaby. Pourquoi deux à Gaby avec le même geste amical, le même sourire? Pourquoi a-t-il également promis un tour de moto à Marc Potvin? Pour lui montrer, démontrer qu'il n'a bénéficié d'aucun traitement de faveur, d'aucune largesse parce qu'il est son fils? Eh, bien! Il a vu. Il a compris. Il les a entendus s'entretenir de mécanique tout au long du trajet. A entendu Marc décrire le buggy qu'il construira avec le vieux Léopold. A vu Marc descendre de l'autobus et marcher avec assurance comme si le monde était au pied de l'homme qui se formait en lui. Il a compris qu'il ne bénéficiera jamais de ces conversations avec son père qui le feront grandir et s'affermir, mais qu'au contraire, chacune de leurs rencontres le charcutera et le mortifiera de plus en plus. Il a vu, entendu et compris tout cela, aujourd'hui.

Elle, elle ne sait pas. Elle pense au bien de Gaby, pense aux Riverains. Le renvoie comme une balle vers son père sans se renseigner si ce dernier a le temps ou le goût de s'occuper de lui. Elle, elle ne sait pas qu'il est tombé à la fête des Pères et qu'il s'est fait mal. Très mal. Elle ne sait pas. Le renvoie comme une balle sans se soucier s'il sera reçu. Si une main l'accueillera. Lui, la balle, il sait qu'il tombera par terre encore une fois. Qu'il roulera dans la poussière et restera là, jusqu'à ce que Gaby ou Marc Potvin ou les Riverains intercèdent en sa faveur. Lui, il sait tout cela. Confusément.

— Comme ça, j'peux dire à Marc que j'irai chez lui? résume-t-il de peur de perdre cette permission si difficilement acquise.

— Si tu t'en sens capable avec ta bicyclette.

— Oui, oui, ça va aller... est pas si mal que ça dans l'fond... C'tait juste pour voir.

— Voir quoi?

— Voir c'que tu dirais... Pour le fun.

Voir jusqu'où tu irais... Voir où j'en suis dans ton cœur... Bien loin derrière Gaby... Derrière les Riverains et derrière le dépu-

627

té qui te rend de mauvaise humeur... Bien loin derrière, sur ma bécane... loin derrière, à quatre pattes dans la poussière, genoux et mains écorchés sous la fenêtre de mon père absent... Loin derrière, avec les cinq dollars pliés dans ma poche... Les cinq dollars pour acheter des sucreries à Cindy.

Loin, loin derrière, dans la bande de polissons que mène Marc Potvin. Loin derrière, à imiter sa démarche nonchalante et ses répliques arrogantes. Loin derrière, à défier comme lui ce monde adulte enfin reconnu coupable d'un crime... Loin derrière, à endosser ses actions... À approuver ses paroles. Loin derrière, dans le clan des enfants en rébellion où tu seras tolérée, maman, tant que tu lanceras des pierres aux grandes personnes... Loin derrière... dans la poussière... sur ma vieille bécane... avec mon bulletin reluisant qui attire moins de récompenses que les promotions de justesse des autres. Loin derrière avec mon bulletin reluisant rangé, classé, serré, déjà oublié. Loin derrière... À penser qu'il serait avantageux d'échouer l'année prochaine... penser désobéir... penser revendiquer ton amour... ou à défaut, à exiger une bicyclette neuve en guise de compensation.

Je suis loin derrière, maman... Loin derrière et tu me penses encore tout près... Je suis loin derrière, maman... Avec Cindy sous la galerie qui me tient les doigts... Loin derrière sous les ordres de Marc qui nous accorde sa bénédiction... Loin... Loin de toi... Dans le clan des mauvais enfants... Le clan des garnements. Loin derrière... À envier Marc Potvin qui jase avec Mike... Loin derrière à l'envier et à lui obéir aveuglément. Je suis loin derrière, maman... Loin derrière Mike qui frotte les cheveux de Gaby et promet des tours de moto à tout l'monde. Loin... très loin, avec Cindy qui me tient les doigts sous la galerie. Cindy qui écoute, qui sourit. Qui me dit que j'ai de beaux cheveux et fait de moi le père de sa Bout-de-chou. Avec Cindy qui joue... et fait chanter la marionnette Nadine... Loin derrière, maman... derrière toi, derrière Gaby... derrière les Riverains... derrière le député... loin dans la poussière... prêt à me perdre dans la bande des mauvais garçons... prêt à renier l'enfant sage et docile que j'étais, prêt à déchirer mon bulletin comme j'ai déchiré ma carte de la fête des Pères et mon Valentin pour toi... Je suis loin de toi... maman... Si loin derrière et je m'accroche aux doigts de Cindy, sous la galerie...

— Pour le fun. Quelle idée! conclut Marjolaine en haussant les épaules.

Elle reprend son crayon. Se dissout complètement dans son travail et l'abandonne loin derrière...

* * *

Samedi, 22 juin 1985.

Malgré la différence d'âge, il lui serait assez facile de séduire Irène Taillefer, la femme de ce gros pourri de Mantha. Même qu'il en retirerait beaucoup de satisfaction. D'abord, parce qu'il a souvent eu le fantasme qu'elle l'initiait aux plaisirs de l'amour quand il était adolescent et ensuite, mais en second lieu, parce qu'elle appartient à ce serpent qui régit le village. Mais, il ne sait pourquoi il se limite à réparer la crevaison.

— Ça fait longtemps que tu travailles ici, Mike?

Elle cache mal son étonnement de le voir contraint à cet emploi monotone, lui qui, jusqu'à maintenant, a préféré l'indigence à la perte de sa liberté. De son côté, il cache mal son malaise de s'être ainsi laissé enchaîner par l'odieux quotidien.

— Depuis qu'votre père a lâché les autobus c'printemps...

À son tour maintenant de ne pas cacher ce qu'il pense d'elle. De sa faiblesse face à son mari qui s'apprête à anéantir son père.

La femme s'éloigne. Va faire un tour dehors, près de la moto. Puis, revient lentement, les bras croisés, avec l'air de quelqu'un qui vient de porter ses ordures sur le bord du chemin. Ses petits talons claquent sur le plancher sale du garage et attirent l'attention. Tout en vissant les écrous, Mike reluque les pieds bronzés que rehaussent adorablement les fines et blanches courroies des sandales.

Ces pieds mignons lui tiennent un langage qu'il comprend. Ils lui font savoir qu'il serait bon de les prendre tout entier dans sa main, qu'il serait bon de glisser le pouce sur le vernis rouge de chaque ongle d'orteil et de s'amuser avec la chaînette d'or liant la fine cheville. Ils lui font savoir qu'il serait assez facile de séduire cette femme. Suffirait de presque rien, d'un peu d'attention ou d'une mine éprise d'adolescent devant les charmes de la maturité. Suffirait

629

vraiment de presque rien avec le mari qu'elle a. Simplement de lui faire savoir qu'elle existe et produit un certain effet sur lui. Mais voilà, il ne sait pourquoi il détache son regard de ces pieds tout en pensant comme il serait bon de les prendre tout entier dans sa main.

— Vous êtes montée pour l'été?

Il aime employer ce «vous» qui dresse une difficulté.

— Oui, pour l'été.

— Vous d'vez vous ennuyer des fois... toute seule là-bas.

Et après avoir dressé la difficulté, il aime à la surmonter pour mesurer ses capacités. Irène faiblit. Rougit. Évite le regard attentionné qu'il pose sur elle.

Il se prend à son propre jeu. Se voit déjà lui enlever doucement son verre de boisson et lui offrir sa bouche en échange. La voit déjà qui se blottit contre lui, sans rien exiger d'autre que ce qu'il veut bien lui donner.

— Oui, répond-elle évasiment, maladroite à cacher le trouble qui la gagne.

L'euphorie de la conquête est de courte durée. C'est trop facile. Il en veut maintenant à cette femme de ne pas lui résister. Elle aurait pu au moins faire valoir la différence d'âge pour le mettre à l'épreuve. Mais non, elle se rend tout de suite. Trop vite et trop facilement. Et en lui, le désir se change en pitié. Maintenant, il la prendrait dans ses bras parce qu'elle fait peine à voir. Il lui offrirait sa bouche parce qu'elle a soif d'une présence et cherche le bonheur au fond de son verre d'alcool.

Déçu d'avoir si vite gagné, Mike se concentre sur son travail, cherchant des motifs autres que la pitié pour motiver une liaison avec Irène. Mais il ne trouve pas et une colère sourde grandit en lui. Une colère qui lui donne envie de lancer son outil et de fuir sur sa moto. Loin, très loin, jusqu'à ce qu'il n'ait plus d'argent et se retrouve dans le lit d'une fille ou dans un refuge de motards. Une colère qui lui donne envie de tout balancer par-dessus bord et de s'arracher les pieds du ciment avant qu'il ne durcisse. Oui, s'arracher les pieds de ce ciment qui a soudé Hervé à sa terre, Gustave à son garage, Irène à sa belle résidence, Ti-Ouard à sa pelouse, Ladouceur à l'usine, Marjolaine à son île. Tous, autant qu'ils sont, prisonniers de ce quotidien qui s'est durci sur eux. Moulé sur eux. Ce quotidien inéluctable qui les a réduits aux mêmes gestes et aux mêmes paroles, qui a restreint leur horizon, transformé l'avenir en demain, brisé l'élan du rêve et le bienfait d'une folie. Ce quotidien logique et ponctuel. Plus mortel qu'un poison. Ce quotidien qui tisse les cheveux gris, cisèle patiemment les rides. Pire, qui ankylose l'âme et la pensée.

Oui, il a envie de fuir. Envie d'arracher sa salopette de mécanicien et de partir. Comme ça. Peut-être en emmenant cette femme de force. Peut-être en la prenant dans un lieu hors du quotidien. Sur une plage ou dans un fossé. L'arracher, elle aussi, à ses draps de soie et ses banquettes de velours. Que fait-il ici, à tolérer que le désir se mue en pitié? Pourquoi reste-t-il à terminer l'ouvrage démotivant, actionnant l'hydraulique et guidant la voiture pendant qu'elle descend?

Pourquoi écoute-t-il le langage de ces pieds mignons qui ont désir de sa main chaude sur eux? Pourquoi n'appartiennent-ils pas à Marjolaine, ces pieds? Pourquoi ne vient-elle jamais le troubler avec des petites sandales blanches sur le plancher sale du garage? Pourquoi ne se contente-t-elle pas de ce que les autres femmes apprécient? Qu'attend-t-elle de lui, au juste? Qu'il se laisse cimenter par le quotidien? Qu'il transforme l'amour en habitude? Cette fille le déroute et le frustre. Il échoue auprès d'elle chaque fois qu'il rencontre ces yeux qui n'ont pas désir apparent de le séduire. Si au moins elle lui résistait. Si au moins elle jouait le jeu de l'orgueil qui maquille le désir en indifférence. Mais il n'en est rien et en sa présence, il sent tout le poids de son impuissance à lui plaire. Pourtant, avec les autres, c'est si facile. Si simple.

— Si t'as envie de t'baigner des fois le jour... quand il fait trop chaud.

Irène Taillefer l'habille audacieusement d'un regard qui le déshabille. C'est si simple. Si facile avec la grande sœur. Pourquoi est-ce impossible avec Marjolaine?

Mike lui cligne un œil. Succombe à la tentation de se perdre ou de se sacrifier, à défaut de rencontrer les exigences de Marjolaine et de son fils. Il se cabre, se dresse, s'insurge. Refuse la main de cette femme qui demande autre chose que les folles chevauchées qu'il a l'habitude d'offrir. Il fuit aussi à toutes jambes l'enfant tenant un lasso pour l'apprivoiser, le dompter et finalement l'enfermer dans un enclos.

Irène le paie en lui offrant un généreux pourboire. D'une simple pression dans le creux de la main, elle lui fait comprendre qu'il saura la satisfaire.

C'est trop simple. Trop facile. Il n'a pas de quoi être fier et la pitié, à nouveau, s'englue à son âme. Au point où il en est, pourquoi ne se sacrifierait-il pas à toutes ces femmes qui rêvent de lui en secret? À ces Irène Taillefer et ces Suzon Patenaude qui se servent de lui dans l'élaboration de leurs fantasmes sexuels. À elles, au moins, il saurait apporter quelque chose tandis qu'avec cette Marjolaine... cette fille pas comme les autres.

— Mike! J'ai à te parler.

Le vieux Léopold fait irruption dans le garage. Suit par derrière, son petit-fils Marc, traînant des souliers de course détachés.

— J'ai r'gardé la compression, pépère.

— Quoi? Quelle compression? Qu'ossé qu'tu fais là, toé? T'es pas couché?

— Ben non. C'est à mon tour de servir le gaz.

— Ton père est au garage de l'usine?

— Oui.

— Bon, c'est beau. Va-t-en dans l'bureau, j'ai affaire à Mike.

— J'voulais t'dire, pour la compression, c'est 91 partout.

— C'est beau ça, 91... J'vais r'garder. Envoye, débarrasse.

Léopold chasse le petit-fils d'un geste impatient. Traînant toujours ses talons avec un bruit de parfaite indifférence et répliquant d'une voix paresseusement insolente «les nerfs, les nerfs», celui-ci disparaît sans se hâter. Ce n'est qu'à ce moment que Léopold aperçoit Irène.

— Ah! mandame Mantha. Excusez... j'vous ai pas r'connue... euh... J'vais vérifier la compression en attendant.

Après maintes courbettes et sourires confus, Léopold s'installe dans un coin.

Mike ouvre galamment la portière à Irène. S'attarde une dernière fois à l'éclat de la chaîne d'or sur la cheville, souhaitant désespérément que cette femme lui résiste et attise son désir. Mais, il n'en est rien, et il referme la portière avec l'expression d'un enfant désenchanté qui a cru voir surgir l'inattendu à l'horizon immuable.

— S'tie d'enfant d'chienne! s'exclame Léopold.

Mike en profite pour se soustraire au regard invitant et pitoyable de la femme et s'approche du vieux d'un air amusé. Cet homme lui rappelle son père. Surtout depuis qu'il est devenu son complice lors de l'acte de vandalisme perpétré chez Mantha. Oui, moralement autant que physiquement, il lui rappelle son père. Avec ses bras veineux, ses coudes pointus où s'enroulent les manches à motifs de palmier et son cou crevassé. Avec sa folie douce, son langage grossier, ses jurons et son enfance à fleur de sa peau de vieillard, il lui rappelle cet homme qui lui a appris à s'évader du domaine Falardeau.

— Bon, qu'ossé qu'y a Léopold? Qu'est-ce que t'as à m'dire? T'es pas à ta réunion des Riverains?

— J'suis parti avant la fin. J'en pouvais plus.

— Quoi? Qu'est-ce qui s'est passé?

— Pauvre p'tite fille! Pauvre p'tite fille! A mérite pas ça.

— Quoi!? Qu'est-ce qu'ils lui ont fait? Y ont fait mal à Marjolaine, c'est ça?

Mike sent les muscles de son corps se bander. Il ne demanderait pas mieux que de la défendre. Ça au moins, il est en mesure de le faire.

— Non. Y ont pas sauté dessus... mais si t'avais entendu les bêtises. Pauvre p'tite fille. J'aurais pas aimé ça être à sa place.

— Elle a couru après, faut dire.

Ne s'est-elle pas mise les pieds dans les plats au lieu que de chausser des petites sandales blanches qui font clic clac sur le plancher sale du garage?

— Tu penses ça, toé? Tu penses qu'elle a couru après, juste pour le fun? Juste pour s'faire crier des bêtises par la tête. C'est même pas pour elle qu'a fait tout ça! J'aurais honte à ta place, Mike. Parler d'elle de même pendant que toé, tu t'amuses à flirter avec sa sœur. Tu m'déçois ben gros, mon jeune.

Léopold vrille son regard sur lui. Vainement, Mike tente de dénigrer ces pupilles d'alcoolique cerclées de violet. Il tente de se convaincre que Léopold n'est qu'un vieux fou. Un vieil ivrogne. Un vieux débris de la société. Mais ça ne réussit pas, et malgré lui, la honte lui fait baisser les paupières.

Un long moment. Un long silence. Un malaise presque solennel pendant que s'établit une relation père-fils.

633

— C'est grave, Mike.

Léopold lui pose la main sur l'épaule. Ce geste lui rappelle les rares fois où son sénile de père le grondait. Ces moments inoubliables où le compagnon de jeu se transformait en guide lucide et indulgent.

— C'est plus grave que tu l'penses, Mike. Marjolaine est en danger... pis ton gars aussi.

— Comment ça?

— Faut que j'te raconte. D'abord, la réunion c'était à propos du chlore que l'ministère d'la Santé exige qu'on mette dans l'eau d'une place publique. Ça fait que selon la loi, on est censé mettre du chlore dans les glissades.

— Ça va tout couler dans l'lac.

— En plein ça. C'est pas ben bon pour les poissons, hein? Les Riverains vont écrire une lettre au ministère.

— Bon. J'vois pas c'qu'y a de dangereux là-dedans.

— Laisse-moé t'expliquer. Vu que l'chlore peut mettre fin au projet des glissades, y a une bonne partie d'la population qui est en beau maudit. Tu comprends ben qu'y s'voyaient tous avoir des jobs avec ça. Ça fait que les Riverains, y les ont pas mal de travers. Mais dans les Riverains, t'as tous ceux du lac à la Tortue, itou. Eux autres, les histoires des glissades, ça les touche pas directement.

— Aboutis Léopold. J'comprends pas c'qu'y a de dangereux là-dedans.

— Là-dedans, rien encore. J'veux t'faire comprendre. Écoute donc. Là où c'est devenu dangereux, c'est quand le gros Bourgeon a apporté sur la table la pollution du lac à la Tortue par le cric Cochon. Tu comprends ben qu'y passe son temps à dire qu'y est contre les glissades parce que contre la pollution, ça fait qu'à soir, y a trouvé comment contenter tout le monde en accusant Andrew de polluer... tu saisis?

— Oui... je commence.

— Le monde s'est garroché sur ça... on aurait dit des Éthiopiens sur une croûte de pain. Le monde d'la place, ça faisait ben leur affaire, rapport qui sont jaloux d'la réussite pis les riverains du lac à la Tortue aussi, ça faisait leur affaire. On parlait rien que des cochons d'Andrew qui empestent le village pis d'son purin qui coule dans l'lac par le cric. Samedi prochain, y a une réunion spéciale à propos du cric. Marjolaine a pas pu faire autrement. C'était l'unanimité dans la salle pis dans le conseil. À la réunion spéciale, y vont faire la demande pour qu'un inspecteur vienne examiner le cric sur les terres d'Andrew... Là, est-ce que tu comprends le danger?

Le regard de Léopold le fouille. Cherche à savoir s'il juge le danger à sa juste mesure.

— C'est pas du foin ni d'l'avoine qui pousse l'long du cric, marmonne le vieux en jetant un regard prudent autour de lui.

— Comment tu sais, ça, toé?

— J'ai remonté le cric, l'année passée.

— Bon. Tu l'as dit à personne?

— T'es l'premier.

— C'est l'idée de Spitter, ça.

— Y va-t'y semer cette année?

— Probable.

— J'ai vu autre chose...

— Quoi?

— C'est p't'être ben niaiseux, mais ça m'a fait peur. C'est p't'être aussi parce que j'suis rendu vieux. J'peux pas t'expliquer l'effet que ça m'a fait. J'ai vu un p'tit chien coupé en morceaux...

— Ça aussi, c'est Spitter... y est viré comme fou avec la drogue.

— J'sais qu'y aime pas Marjolaine: tu t'rappelles d'la queue d'vache?

— Oui. Andrew a payé la vache.

— Mais si la prochaine fois, c'est elle ou ton gars qui y goûte, Andrew pourra pas payer. Ça m'fait peur, Mike. Faut pas qu'un inspecteur vienne examiner l'cric.

— Non, faut pas. T'as raison: t'as ben fait de m'le dire. T'as une idée pour empêcher ça?

— Non, c'est ça l'pire... j'en ai pas. Qu'est-ce qu'y avait d'affaire le gros Bourgeon à amener ça sur la table?

— Si j'y parlais, à lui... en utilisant un peu d'menace.

— Y est trop tard: c'est rendu dans l'esprit du monde. Y en a tellement qu'y veulent qu'Andrew morde la poussière. Pour eux autres, tous les moyens sont bons.

— J'vais y aller à la réunion spéciale.

Et là, que fera-t-il? Que dira-t-il pour la défendre? Les défendre? Son instinct lui dicte qu'il doit protéger et cette femme et cet enfant. Mais, il ne sait comment. Ce n'est ni simple, ni facile et tout à fait hors de sa portée.

Il serre les poings. Des poings inutiles. Des poings impuissants à combattre les idées dans la tête des gens. C'est comme s'il n'avait que ses mains pour arracher, un à un, les plants de la haine semés et couvés tout au long de l'hiver. Comme s'il n'avait qu'une semaine pour déraciner, une à une, les pousses d'un immense champ. C'est impossible: il n'en viendra jamais à bout.

Cette femme et cet enfant le confrontent sans cesse à son impuissance. Sans cesse, ils le projettent dans un espace où ses moyens échouent. Sans cesse lui donnent l'impression d'être un primitif dans un monde civilisé, car primitifs sont ses poings contre ce danger abstrait mais réel. Et primitifs sont ses moyens de séduction. Que veut-elle de lui? Comment parviendra-t-il à les épargner?

Un froid intense se saisit de lui. Encore une fois, tout le pôle Nord se glisse dans ses os. Il se souvient de la tête du chiot que lançait Spitter dans le creux de sa main, se souvient de la petite queue blanche dans la marre de sang… et des gouttelettes sur le visage du maniaque… Encore une fois, tout son être se durcit, prêt à défendre. Prêt à se sacrifier. Car qu'est-ce que sa vie au juste? N'est-elle pas l'ultime arme primitive qu'il possède? L'irréfutable et primitive preuve de la profondeur de ses sentiments? Avec sa vie pour dire qu'il aime et sa vie pour défendre ceux qu'il aime, se fera-t-il enfin comprendre d'elle? Et de lui, avec son petit lasso qui veut l'enfermer dans l'enclos?

— J'irai avec toé, mon jeune. J'vais essayer de jongler à un plan.

Léopold lui ramène les pieds sur terre. Le replace devant cette difficulté que le sacrifice de sa vie ne saurait résoudre. Le remet face à cette femme pas comme les autres, face à l'enfant au lasso et face à la populace hargneuse.

Face à face avec ce qu'il fuit constamment sous prétexte de préserver sa liberté. Face à face avec ce qui le dépasse, avec ce qui exige plus de lui. Avec ce qui n'est ni simple, ni facile.

Face à face, en un défi inévitable.

Stimulé, enhardi, Mike sent un guerrier s'éveiller dans le vagabond qu'il était. Un guerrier dont le territoire à défendre s'étend sous le regard bleu d'une femme et la main d'un enfant. Un guerrier encore primitif, encore malhabile mais un guerrier loyal et combatif.

Et tandis que le vagabond se replie dans les flancs voluptueux de sa chère liberté, le guerrier cherche obstinément à perfectionner son arme.

* * *

Dimanche, 23 juin 1985.

Elle flotte la grenouille morte. Ventre blanc à l'air, pattes écartées, elle flotte mollement près du rivage.

— Est à nous autres! réclame Youri en raflant le batracien sous les yeux attristés de Gaby.

— Ouach! Est morte! commente Marc prenant dédaigneusement l'animal par une patte. «Qu'est-ce qu'on fait?»

— Nous autres, on voulaient l'enterrer, explique Alex en avançant dans l'eau vers la chaloupe.

Youri toise avec mécontentement ce garçon qui vient vers eux sans manifester la moindre hésitation. Il n'aime pas sa tête bouclée, ni son regard frondeur, ni son torse nu tout bronzé et la manière qu'il a de lever son menton. Et il aime encore moins la façon dont Cindy le regarde. Ce doit être lui, le fameux Alex. Lui qui a donné une marionnette à Cindy.

— C'est toé qui l'a tuée. T'avais pas d'affaire. C'est nous autres qui pêchent les grenouilles dans l'coin.

— J'l'ai pas tuée. C'est Gaby qui l'a trouvée d'même.

— C'est lui qui l'a tuée d'abord.

— Non... lui y tue pas les grenouilles... est morte tout seul.

— Va faire accroire ça à un autre!

Youri saute à l'eau, droit devant Alex dans l'intention de se mesurer à lui. Il sait se battre maintenant: il l'a appris dans la cour d'école malgré les interdictions de son père. Il sait évaluer

637

l'adversaire et reconnaître ce courant d'énergie animale qui électrise son corps et lui garantit la victoire. Comme il sait aussi déceler la peur dans les yeux de l'autre et cette peur, il ne la trouve pas dans le regard direct d'Alex. Ni dans son menton qu'il lève avec arrogance. Ce geste le provoque et, brusquement, il assène un coup de poing sur l'épaule d'Alex, le forçant ainsi à reculer. Que pense Cindy de sa bravoure? De sa force? De ce fameux Alex qui a reculé d'un pas?

— Arrête Youri! C'est vrai... Gaby est pas capable de tuer des garnouilles, commande Marc Potvin d'une voix traînarde qui n'accepte cependant aucune discussion.

Youri se retient. Se contient. Le chef a parlé. L'important, c'est qu'il ait vu qu'il n'a pas peur de se battre et qu'il est digne de faire partie du groupe. L'important, c'est que Cindy aussi ait vu.

«Envoyez, les filles, poussez-nous au bord», ordonne à nouveau la voix indifférente et autoritaire. Ravies de démontrer leur savoir-faire et leur appartenance au groupe, Cindy et Nadia manœuvrent les rames en vue d'accoster. Bientôt, le déplacement fluide de la chaloupe fait place au son rapeux du bois sur le sable. Marc saute à terre, aussitôt imité par son frère Michel et par les fillettes. Il tient toujours la grenouille morte avec dédain, tout au bout de son bras, tout au bout de ses doigts.

— Nous autres, on leur coupe les pattes pour vendre aux touristes, affirme-t-il.

Automatiquement, Michel et Youri se rangent derrière lui.

— A commence déjà à puer, argumente Alex.

— Pis?

— Ben... T'en mangerais-t'y toé?

— Moé, non... J'mange pas de ça, ces cochonneries là. Toé, ton père y en mangerais-tu, Youri?

— Mon père? Y est pas ici... y va venir juste dans cinq jours. Ma mère est allée le reconduire à l'autobus.

Une chose est certaine: lui Youri, il n'en mangerait pas.

— J'te demande pas si y est icitte. J'te demande si y en mangerait.

— Ouach! A pue, s'exclame Cindy après avoir reniflé la bête de plus près. Ouach! Ton père mange de ça!?

La répugnance qui se lit sur les traits de Cindy l'influence. Pour rien au monde, il ne voudrait lui inspirer le moindre dégoût. Avouer qu'il est le fils d'un consommateur de cadavres en décomposition n'aura aucun effet positif sur la charmante enfant. Pourtant, il aurait envie de dire oui pour s'opposer à Alex. Mais dire oui, c'est lever le cœur de la fillette à coup sûr plutôt que de le gagner.

— Ben non! Y mange pas ça quand c'est mort depuis longtemps, voyons!

— Comme ça, on peut l'avoir pour l'enterrer, conclut Alex.

— Minute! Pourquoi on te la donnerait? On peut s'en servir pour la pêche, rétorque Marc.

— Est trop grosse.

— Pas pour des gros poissons. On l'a ramassée avant vous autres. Est à nous autres.

Youri seconde d'un hochement de tête et lance un regard victorieux vers Cindy. À sa grande stupéfaction, celle-ci s'élance vers Gaby avec compassion.

— Pauvre Gaby! Y pleure. Pourquoi vous y laissez pas sa garnouille? Vous allez la jeter parce qu'est trop grosse pour la pêche.

Oh! Horreur, elle pose la main sur le bras du garçon.

— Touches-y pas, Cindy, tu vas attraper ses boutons. T'sais que m'man veut pas.

— Y est pas contagieux. Moé, j'y touche pis j'en attrape pas, défend Alex.

Sceptique, Youri le met au défi.

— J'te crois pas. Touches-y donc pour voir. Envoye, touches-y... là où c'est plein de bobos.

Alex hésite. Et s'il en attrapait à son tour de ces vilaines gales? Mais il ne peut reculer, ne peut se désister devant ce prétentieux qui vient de la ville.

— Tiens. Tiens. J'y touche. Là? Tiens. C'est là qu'y a le plus de boutons.

Gaby se ramasse sur lui-même en regardant tomber ses larmes dans le sable. Il se sent comme un crapaud galeux que nulle charmante princesse n'a envie d'embrasser et qui sert plutôt d'épreuve aux autres chevaliers.

— Y est-tu toujours braillard de même?

Youri veut clairement démontrer son aversion pour les pleurnichards. Clairement leur faire comprendre qu'il désavoue ceux qui pleurent pour des riens. En les condamnant, il tente de faire oublier la faiblesse de son propre père, l'an dernier, quand il a éclaté en sanglots dans les bras de sa mère après que René Mantha eut endommagé sa planche à voile. Si ce n'est la faire oublier, du moins faire en sorte d'en être complètement dissocié.

— Lui, c'est pas pareil. Pleure pas, Gaby, y vont t'la donner ta garnouille, console Cindy.

Qu'elle est gentille, douce, maternelle avec ce bébé-lala qui n'a pas la décence de cacher ses larmes! Et quel regard froid, intransigeant, scandalisé, elle lui destine comme s'il était un monstre s'amusant à martyriser un innocent. Youri se ravise, lorgne la dépouille lamentable qui suscite la querelle. Elle ne vaut vraiment pas la peine que Cindy s'éloigne de lui. Elle n'est pas comestible et puis, elle est trop grosse pour la pêche. Non, elle ne vaut vraiment pas la peine que Cindy le considère comme un bourreau et se range du côté d'Alex.

— On devrait leur laisser, Marc. Nous autres, on est capable d'en pêcher des centaines.

Il sent qu'il a acquis ce droit, ce privilège de prendre part à la décision finale. Intuitivement, il se hisse au niveau de conseiller et devient en quelque sorte le cerveau de Marc, physiquement plus développé que lui. Habile, rusé, il suggère d'user de la clémence des vainqueurs pour établir leur suprématie.

— C'est en plein c'que j'pense.

Le chef laisse choir le cadavre. Ploc! mollement sur le sable. Gaby s'agenouille, le recueille presque tendrement et s'éloigne du groupe, ses larmes baignant maintenant le petit ventre blanc et gonflé.

— Où qu'y va? demande Nadia d'une voix émue.

— Y va la porter dans le cimetière des garnouilles.

— J'peux y aller?

— Oui... viens.

— Moé aussi, Alex, j'veux voir.

— Oui, viens... on leur a fait des p'tites croix.

— Y en a beaucoup?

— Oui, beaucoup. Gaby en trouve à tous les matins.

Consterné, Youri regarde s'éloigner Cindy en compagnie d'Alex. Le comportement de la fillette l'insulte. Il se sent trompé. Trahi. Presque cocufié. Il fait des pieds et des mains pour mériter son admiration et voilà qu'elle s'en va avec cet entrepreneur de pompes funèbres pour grenouilles. Il ne s'attendait pas à cela. Passe encore pour sa sœur Nadia, mais pas pour Cindy.

— C'est ben les filles, laisse tomber Marc en poussant l'embarcation. V'nez-vous-en les gars! On a mieux à faire, nous autres que d'enterrer des garnouilles. Faut-y être bébé!

— J'le pensais pas bébé de même, Alex.

— Bah! C'est à cause de son cousin. Y faut qu'y joue un peu avec. Y fait toujours partie d'ma gang. Mais les filles, par exemple, j'pense que c'est la dernière fois qu'a viennent avec nous autres.

— Pourquoi?

— Ben, t'as vu. A l'aiment mieux aller pleurnicher sur la tombe d'une garnouille.

Youri regarder aller Cindy avec un empressement et un enthousiasme qu'il comprend. Tantôt, elle aidera à creuser une petite fosse. Et puis, ils diront comme une prière et se recueilleront en plantant une croix de roseau. Tel qu'il connaît Cindy, elle aménagera un beau terrain du plat de sa main et le clôturera de cailloux blancs. Ce sera sûrement amusant. Dire que c'est Alex qui bénéficiera de tout cela.

— Veux-tu aller avec eux autres? demande Marc en poussant sur les rames pour s'éloigner de la berge.

— Ben non! Voyons! J'suis pas une femmelette.

À regret, Youri rejoint les garçons, son cœur restant accroché au reflet doré des cheveux de Cindy sous le soleil matinal. Il se sent tout drôle, tout remué. C'est comme s'il avait perdu quelque chose d'unique. Comme si c'étaient ses rêves qu'on enterrait au lieu de la grenouille. Comme si tout ce qu'il a prétendu, cet hiver, devant les copains de sa classe au sujet de cette blonde qui s'ennuyait de lui à la campagne, avait fondu sous le soleil qui fait luire si joliment les boucles de Cindy. Et comme s'il n'y avait que lui, finalement, pour croire à cette idylle. Que lui, pour s'ennuyer d'elle en ville. C'est idiot: à force de vouloir faire accroire aux autres qu'elle était amoureuse de lui, c'est lui qui s'est entiché d'elle. C'est vraiment idiot. Ah! Les filles, on ne l'y reprendra plus.

— On pourrait quand même les prendre pour ramer, suggère-t-il, mortifié à l'idée de Cindy passant son temps à jouer avec Alex.

— Ouais... on pourrait.

— C'est commode pour nous autres; ça nous donne la chance de pêcher tous les trois.

Il doit démontrer que c'est avant tout une question d'utilité. Le chef fait mine de réfléchir en habillant son hameçon d'un morceau d'étoffe rouge. Youri l'observe à la dérobée, prenant bien soin de camoufler son désir de voir les filles de nouveau acceptées parmi eux. Il va même jusqu'à changer le sujet de la conversation pour prouver jusqu'à quel point la présence de Cindy l'indiffère.

— À combien la douzaine on va les vendre, cette année?

— Trois piastres pour les grosses, deux pour les p'tites. Sont plus rares cette année... j'sais pas pourquoi. Ouais... c'est plus difficile à pêcher cette année... on serait mieux d'avoir les filles pour ramer.

* * *

Lundi, 24 juin 1985.

Irène regarde son mari se mêler à la foule à l'occasion du feu d'artifice annuel qu'il offre. Il a le comportement d'un roi descendu dans la rue. D'un roi, frôlant le peuple, riant avec lui, distribuant des poignées de main amicales. Tout ça n'est que de la frime. Tout ça n'est qu'une manœuvre pour s'assurer les faveurs des villageois et des ouvriers. En fait, René Mantha fait mine de s'abaisser jusqu'à eux pour mieux les dominer. Telle une putain sans scrupule, il charme ces gens défavorisés pour mieux les dresser contre les récalcitrants. Et les récalcitrants, ce sont les Riverains. C'est Marjolaine, c'est son père. Oh! Elle le connaît. Sait par cœur le mécanisme de sa pensée.

Avec répugnance, la femme remarque l'obséquieux et fourbe maire feindre une première rencontre avec son mari alors que ce matin même, aux petites heures, ils s'entretenaient ensemble au salon. Quel hypocrite! Comme on la croyait endormie, elle a pu saisir des bribes de conversation. Il y était question de chloration de l'eau, des Riverains et de Martial Bourgeon. Ce dernier semblait être un des leurs quoique officiellement il se prétend être des Riverains.

Elle devrait avertir sa sœur Marjolaine. La mettre en garde contre le complot qui se trame. Mais comment? C'est la rupture complète entre elle et sa famille depuis l'accusation portée par son mari. Depuis la condamnation qui menace de foudroyer son père et sa mère. Pourtant, elle devrait. Elle le sent intérieurement sans avoir le courage de l'accomplir. Elle devrait faire les premiers pas, visiter ses parents, renouer avec Florient et Jean-Paul, prévenir Marjolaine malgré qu'elle l'ait traitée de tête de linotte. Elle devrait leur témoigner sa sympathie, mais elle a peur. Oui, peur de son mari. Peur des scènes de ménage qui s'ensuivront. Peur d'être à nouveau accusée, et du présent, et du passé. Peur d'être traquée par les paroles de René Mantha. Peur de se noyer encore et encore en écoutant tinter les glaçons dans sa coupe de boisson tel un glas annonçant la mort de son âme. Oui, elle a peur de René Mantha qui jette la panique dans son âme.

Une fusée monte au ciel, éclate et fait naître une magnifique cascade d'étoiles sur le manteau noir de la nuit.

Oh! s'exclame-t-on avec ravissement. Irène observe maintenant les visages impressionnés des gens sous les lueurs de l'immense feu de joie. Ils semblent si émerveillés. Une autre fusée, une autre gerbe d'étoiles artificielles, et toujours ces exclamations de ravissement, ces bouches entrouvertes, ces têtes renversées vers le ciel, ces petits enfants qu'on hisse sur les épaules afin de mieux voir. Elle les envie tout en ayant pitié d'eux. Il faut si peu pour les contenter, si peu pour les acheter. Valent-ils aussi peu que les apparences le laissent croire? Et elle qui ne s'exclame plus, ne s'émerveille plus, vaut-elle beaucoup plus? Non. C'est pourquoi elle les envie. À cause de cette petite joie qu'ils retirent de l'avilissement. Elle, elle n'a qu'un profond dégoût d'elle-même et plus rien, ni personne n'est en mesure d'apporter une mince lueur d'espoir. L'autre soir, pourtant, elle a cru... quand Mike a dit: «Vous d'vez vous ennuyer des fois, toute seule là-bas.» Elle a cru qu'il se souciait d'elle. De cette solitude surtout qui la précipitait au fond de son verre d'alcool... et parce qu'elle a cru... c'est fou... elle a d'abord eu envie de pleurer... parce que quelqu'un en ce monde

643

avait flairé son désespoir... puis aussitôt... elle s'est ressaisie et comme offerte en compensation. En dédommagement d'avoir pensé à elle... C'est fou... elle l'a invité à venir se baigner et lui a laissé croire que la monnaie d'échange se trouvait entre ses jambes. Pourquoi cette fausse impression qu'elle donne? Est-ce vraiment une fausse impression? Jusqu'à quel point veut-elle se retrouver dans les bras de Mike pour faire l'amour avec lui? Et surtout, jusqu'à quel point désire-t-elle encore cet acte? Il lui semble que son corps est mort. Que son ventre est vide de désir. Que son clitoris a rendu l'âme, il y a longtemps. Il lui semble que la jouissance n'a été finalement que de courte, très courte durée et qu'elle a créé un personnage de femme avec les restes de la femme morte en elle. Oui, c'est cela: au fur et à mesure que la femme déclinait en elle, elle forgeait l'image qui parviendrait à tromper tout le monde. L'image qui finalement la tromperait elle-même et finirait par la perdre en l'isolant. Et en faisant peser sur elle le poids de la culpabilité. Car elle se sent fautive. Se sent putain. N'a-t-elle pas fait semblant de jouir pour accéder à ces richesses? N'a-t-elle pas satisfait aux plaisirs charnels de René Mantha chaque fois qu'il en a fait la demande? N'a-t-elle pas dorloté, entretenu, préservé son corps comme un simple objet de luxe? Oui, elle a fait tout cela et parce qu'elle a fait tout cela, elle éprouve un profond dégoût d'elle-même et de la vie.

Une petite main froide se glisse dans la sienne: c'est celle de Gaby. Il a dû trouver un étang quelque part. Convulsivement, elle serre les doigts transis. Se sentant deux fois plus malheureuse, deux fois plus indigne. Pauvre enfant! Pauvre enfant! Elle ne sait même pas comment le consoler.

— C'est beau, hein?

Elle ne sait pas quoi lui dire non plus. Il appuie la tête contre sa hanche et regarde exploser les étoiles multicolores. Aucune joie sur son visage. Et toujours cette expression d'animal effarouché. D'animal encagé qui l'ébranle. Il lève sur elle un regard plein de détresse. Pauvre enfant! Pauvre enfant! Elle ne sait même pas comment l'aider et peigne machinalement les mèches blondes de ses doigts. Malencontreusement, une bague s'accroche aux cheveux. Gaby grimace puis sourit aussitôt en pressant affectueusement sa joue contre elle. Pauvre enfant! Pauvre enfant! Elle ne sait même pas comment lui rendre son amour. Car il l'aime, c'est évident. D'un amour pur et irraisonnable. D'un amour total et aveugle. Avant, cela l'agaçait: ces yeux agrippés à elle avec toute leur passion l'énervaient. Elle n'avait pas de monnaie d'échange pour cet amour-là. Et pas envie que Gaby s'entête à trouver une mère en elle, de peur que la mère n'efface la femme qu'elle avait pris tant de soin à forger. Mais, aujourd'hui, elle ne sait pas ce qui se passe entre elle et son fils. Ne sait pas ce qui passe entre eux. Mais cela passe. Aller retour sans problème. Cela passe depuis qu'elle est arrivée de Montréal et qu'elle a capté son regard. Cela passe, bien qu'elle ne sache pas encore quoi lui dire, comment le consoler, l'aider et lui rendre tout son amour. Cela passe, bien qu'elle se sente deux fois plus malheureuse et indigne en sa présence. Cela passe et les unit. C'est quoi? Elle ne sait pas. Peut-être le fait qu'ils sont tous deux victimes de René Mantha. Qu'ils ont été détruits, anéantis facilement par lui. C'est possible.

Elle le regarde. Pauvre enfant! Il dort debout, sous les gerbes d'étoiles qui éblouissent les autres.

— Viens, on va rentrer.

Il suit. Si léger dans sa main.

— Aie! C'est crapaud galeux. Crapaud galeux! Crapaud galeux! taquinent des voix d'enfants.

Gaby presse le pas. Tire sur son bras. Risque de lui faire perdre l'équilibre avec ses sandales à talons. «Crapaud galeux! Crapaud galeux!», entend-on encore. Elle hait ces garnements. Pourquoi ne regardent-ils plus le feu d'artifice? La méchanceté a-t-elle donc meilleur goût que l'émerveillement? Ne savent-ils pas tout le mal qu'ils causent à Gaby? Ne savent-ils pas qu'ils parachèvent l'œuvre de destruction si bien entamée par son mari?

Crapaud galeux. Hélas, le surnom lui sied. Dans quel état lamentable, elle l'a trouvé! On aurait dit un lépreux en quarantaine. Malgré toute la compassion qu'il lui inspirait, elle a eu un mouvement de répulsion en l'apercevant. Il s'en est rendu compte. A baissé les yeux sur ses gales. Sur les croûtes et les plaques qui menacent de couvrir son corps entier. Il a baissé les yeux, s'est replié sur lui-même et s'est condamné à l'immobilité. «Y passe son temps à se gratter» résumait l'explication que donnait René de cette grave irruption cutanée.

Que de délicatesse, que de douceur il lui a fallu pour approcher l'enfant sans qu'il ne se recroqueville davantage! Il voulait se faire si petit, si inexistant et tout, dans ses gestes, dans son silence et son regard trahissait qu'il se savait répugnant.

— Vos gueules, les morveux!

C'est la voix de Gustave Potvin, sortie de la nuit comme une consolation. Elle n'entend plus maintenant que les fusées et les battements précipités de son cœur. L'envie de pleurer la reprend... suivie de cette réaction déplorable de s'offrir en échange sous le couvert d'un sourire engageant. Mais elle n'en fait rien et court derrière Gaby, les pieds endoloris par les petits grains de sable qui se glissent sous les courroies des sandales.

Gaby s'arrête près de la voiture. Il attend.

— Vas-y, tu peux t'asseoir.

Il obéit. S'assoit sur le bout des fesses.

Elle voudrait tant qu'il se détende, qu'il se laisse enfoncer dans la banquette. Mais, il se tient raide, le nez collé au tableau de bord, de peur de faire un dégât. C'est elle qui a déclenché ce comportement, l'été dernier, en lui interdisant l'accès à sa voiture à cause de son incontinence. Sa belle voiture neuve, pensez donc!

Qu'a-t-elle fait? Avec quelle inconsciente et insouciante cruauté elle a contribué à l'œuvre d'anéantissement! Qu'est-ce qui l'autorise à blâmer son mari aujourd'hui? À le tenir seul responsable d'avoir traumatisé l'enfant en lui recouvrant la tête de ses draps mouillés? Au moins, cela se voulait une punition, une méthode de traitement archaïque et révolue. Mais elle, elle l'a rejeté à cause de ce handicap. Elle l'a rejeté... et voilà qu'il se tient perché sur la banquette dans une attitude fort inconfortable, la tête déjà basse et les doigts nerveux.

— Demain, ça ira mieux. Nous irons voir un médecin... il va guérir tes bobos.

À qui veut-elle faire accroire que ce n'est qu'une question de boutons sur la peau? À lui, évidemment. À son âge, les adultes ont tant de crédibilité qu'ils peuvent faire accroire presque n'importe quoi. Gaby ne traite-t-il pas encore sa grenouille de chiffon comme un être vivant?

Elle allume pour s'assurer qu'il s'est contenté de cette promesse et là, pour la première fois de sa vie, elle écoute parler le regard de Gaby. Un regard intense, d'une riche et profonde lucidité. Un regard qui lui dit qu'il n'est ni dupe, ni rancunier. Un regard qui l'accuse et lui pardonne. Un regard qui la sonde et se dévoile. Un regard qui aime et qui espère.

Un regard qui dit tout, explique tout. Un regard comme un miroir posé devant son âme. Comme un miroir où la honte rencontre le dégoût, où la détresse se marie au désespoir, où la douleur épouse la douleur, où le traumatisme se mue en peur.

Un regard, comme un miroir posé devant son âme. Qui reflète tout. Oui, tout ce que les mots, comme des vêtements trop petits, ne suffisent pas à habiller.

Un regard posé comme un miroir devant son âme. Un miroir d'eau bleue qui ne risque point de se briser et de porter malheur pour les sept ans à venir. Un regard fluide, vivant, qui passe entre eux et reflète fidèlement et strictement l'image comme ces casse-tête compliqués où le paysage reflété par l'eau se confond à celui de la terre. Où le ciel d'en bas ressemble au ciel d'en haut. Qui est en haut? Qui est en bas, entre elle et Gaby? Qu'importe? Il suffirait de renverser l'image pour tout brouiller.

Cet enfant voit tout en elle. Cet enfant entend tout dans ce regard qui passe entre eux.

Et pendant longtemps, la femme écoute ce regard, posé comme un miroir devant son âme. Puis, elle éteint, démarre pendant que l'enfant se cale confortablement dans la banquette de velours et amène une grande paix chez elle.

* * *

Mardi, 25 juin 1985.

— Mission accomplie! trinque René Mantha.

En face de lui, accoudé à la table de résine de synthèse au centre de laquelle est fiché un parasol, le blême journaliste lève un verre de pastis. D'un geste machinal, il ramène derrière son oreille une couette de cheveux gras et sourit, quelque part dans sa barbe miteuse.

Confortablement étendu au soleil tel un jeune dieu, Dominique se laisse bronzer, satisfait d'avoir épaté par ses prouesses en ski nautique.

647

Irène surprend ce trio. Elle n'a d'abord de regard que pour son mari. Ce rocher de chair et d'os que rien ne peut faire bouger et sur lequel elle s'use les ongles dans son désespoir. Mais elle a beau griffer, elle a beau pousser, hurler, chercher un levier pour se dégager de ce poids qui l'écrase, elle ne parvient qu'à s'enfoncer un peu plus chaque jour. Qu'à lancer un peu plus de coupes contre la paroi lisse, dure et redoutable de l'homme. Qu'à changer un peu plus de sang en alcool. Oui, elle ne voit d'abord que cet homme, avec son verre dans sa main levée, avec son sourire d'affaires et l'immense touffe de poils gris qui orne sa poitrine et qui, somme toute, siérait davantage sur son crâne dégarni. Elle ne voit que lui et elle rage contre lui. Une haine féroce s'empare d'elle et provoque un tremblement dans son corps. Un tremblement incontrôlable et puissant qui lui assure la force nécessaire pour dégager ce roc qui menace d'écraser complètement Gaby. Eczéma, maladie psychosomatique, traitement par un psychiatre alimentent sa fureur et renforcent sa détermination à lui lancer tout cela par la tête.

Mais, la présence de l'invité la contraint au silence. À la bienséance plutôt. Et tout en notant chez lui un mouvement de répulsion à l'égard de Gaby, elle approche l'enfant devant elle, posant volontairement les mains sur les plaies.

— Je vous présente ma femme, Irène.

Elle lui offre la main. Se délecte de la mine hésitante de l'homme ainsi que du toucher prudent et craintif qui lui effleure les doigts. C'est psychosomatique, pense-t-elle. Pas contagieux. C'est son père qui l'a écrasé. Oui, ce gros rocher en face de vous, sous le parasol.

— Et celui-là, c'est Gaby, le plus jeune de nos fils, précise-t-elle.

Dominique a sourcillé. Il n'aime pas qu'on mette Gaby au même rang que lui. René Mantha non plus d'ailleurs.

— Pis, qu'est-ce que le médecin a dit? C'est de l'herbe à puce ou quoi? demande ce dernier afin de rassurer le journaliste qui se frotte nerveusement les doigts contre le tissu de son bermuda.

— C'est de l'eczéma. C'est pas contagieux. Il a prescrit une crème à base de cortisone pour l'instant.

— Bon. C'est parfait. Tu veux que je te prépare un bon Cinzano, ma chérie?

648

Il sait comment la déposséder de cette fureur qui lui donne force et courage. Il suffit d'une goutte d'alcool pour dompter tout cet océan des justes aspirations et revendications en elle.

— Le p'tit crotté est venu écornifler: va donc jouer avec lui pis sa gang. Sont assez fatigants, débite Dominique.

Gaby s'envole, reconnaissant qu'on lui ait fourni ce prétexte pour s'éclipser. Tout le monde s'en trouve soulagé, particulièrement René Mantha, qui d'un geste léger et enjoué laisse tomber un glaçon dans la coupe.

Démunie devant la tentation et privée du corps meurtri de son enfant qu'elle considérait comme une preuve irréfutable de la puissance destructrice de son mari, Irène s'installe sous le parasol, ravalant sa honte et sa faiblesse et désirant au plus vite le goût du Cinzano sur sa langue. Le goût qui masque le dégoût et lui fait oublier toutes les promesses qu'elle avait prises à la sortie du cabinet de consultation. Toute cette défense qu'elle avait élaborée. Toutes les accusations qu'elle s'était juré de porter contre ce gros rocher de chair et d'os qui prend place près d'elle et achète son silence pour quelques onces de liquide rouge où tintent des glaçons.

— Il faudra bien spécifier que vous avez été témoin.

— Cela va de soi, répond le journaliste avec suffisance en jetant un regard laconique sur ses notes. J'ai assisté vraiment à tout. Ce matin, nous sommes allés prélever des échantillons d'eau au torrent et vous les avez expédiés par avion à un laboratoire privé d'analyses demandant que les résultats soient communiqués à notre journal pour impression... Vous n'avez vraiment aucun doute sur les résultats de cette analyse?

— Aucun. L'eau du torrent est potable. Les Riverains font vraiment preuve de mauvaise volonté d'exiger que le gouvernement ajoute du chlore à cette eau-là. Quand on pense à toutes les plages polluées du Québec où les gens se baignent, on trouve assez... assez... comment dire? Niaiseux... vous trouverez un meilleur mot... que le ministère de la Santé vienne foutre du chlore dans une eau pure et courante. Il ne faut pas oublier que cette eau est continuellement renouvelée.

— Oui, j'ai tout noté. Est-ce que vous irez jusqu'à dire que le mouvement des Riverains est plutôt dirigé contre vous?

649

Une lueur de satisfaction dans les yeux de René Mantha. Il a bien fait d'exiger le doyen des journalistes, bien fait de le vouvoyer et de le traiter aux p'tits oignons. Cet automne, avec le jeune, il suffisait de l'impressionner. Mais avec lui, il faut changer de tactique, le mettre dans le secret des dieux, l'impliquer afin qu'il ponde l'article fracassant dont il a besoin. Une pause. Un hochement pour montrer jusqu'à quel point il trouve la situation navrante.

— Hélas! J'ai bien peur que oui... Voyez-vous... J'comprends mal. Peut-être que vous, vous pouvez m'expliquer cela?

— Expliquer quoi, monsieur Mantha?

— Bien... qu'une association, telle l'Association des riverains qui a pour mandat de protéger le lac de la pollution exige du ministère de la Santé d'empoisonner l'eau pure du torrent avec du chlore sous prétexte que ce sera un lieu public. Qu'est-ce que ça change qu'il y ait du monde dans l'eau quand elle passe? Ça n'affectera pas plus le monde que l'eau... Les gens n'sont pas si sales que ça... à moins que ça ne soient des Italiens, hi, hi, hi... Écrivez-la pas, celle-là: c'est une farce.

— Elle est bien bonne, rit jaune, le doyen des journalistes, né d'une mère sicilienne. Jaune comme ses dents et presque comme le type de journal dont il écrit l'éditorial.

— Vous comprenez ça, vous?

— Non. Ça n'a aucun sens. Donc, le mouvement serait bel et bien dirigé contre vous. Pourquoi, selon vous?

Encore une pause. Plus longue. Marquée finalement d'un profond soupir.

— La jalousie, sans doute, mon ami. Vous savez, quand on réussit au Québec, ça provoque bien des envieux. On est un pays de coupe-gorge. Pour couper l'herbe sous le pied du voisin, on est parfait. Surtout, si l'voisin réussit. On n'a qu'à voir; partout, c'est pareil. Un se part un atelier de soudure, un autre fait la même chose en face. Un se part une patate frite et hop! il en pousse une autre au coin d'la rue. Alors, vous pouvez imaginer, quand on voit un gars comme moi qui réussit et qui en plus a des idées pour faire travailler les gens...

— Et faire de l'argent.

Sortie toute seule, instinctivement et naturellement la phrase clic-clic des envieux, prouvant sans l'ombre d'un doute les origines québécoises, côté paternel, de notre journaliste, qui, conscient de sa bévue, esquisse un sourire jaune et embarrassé.

— Naturellement que je veux faire de l'argent. Je suis un homme d'affaires... pas une œuvre de charité quoique des fois... avec cette usine... oui, oui, je l'admets: je ferai de l'argent avec les glissades d'eau parce que c'est un projet unique. Mais si j'en fais, beaucoup en feront avec moi. Ce village-là est en train de mourir à côté d'une attraction incomparable. C'est criminel, ça. C'est comme mourir de faim à côté d'un bœuf de deux mille livres.

— Donc, ceux qui sont contre n'ont rien à retirer de ce projet-là.

— C'est évident. S'ils ne font pas d'argent, faut que personne en fasse. Pas question de crever tout seul. Tout le monde ensemble sur le B.S. C'est ça la mentalité aujourd'hui. Ça se promène avec des grandes jupes, ça vit comme en ancien temps pis faudrait que tout l'monde fasse pareil.

Irène renverse sa coupe. Deux glaçons gisent dans un petit rond de liquide rosâtre.

— Une chance qu'elle était vide, souligne René Mantha en examinant l'objet de cristal entre ses doigts gras. «Ah! Elle est craquée. Aussi bien la jeter.»

— Oui, excusez-moi.

N'en pouvant plus de voir René Mantha tenir le rôle de persécuté, Irène saisit l'occasion de fausser compagnie au trio et se terre dans la cuisine où lui parvient clairement la suite de la conversation.

— Faites-vous allusion à quelqu'un en particulier, monsieur Mantha?

— Non... non... je ne veux nommer personne, vous comprenez? Je ne veux accuser personne, vous savez ce que je veux dire par là. J'ai assez d'ennuis comme cela. Imaginez qu'on a même risqué la vie de mon... de Gaby, le jeune de tantôt avec les bobos. Non, tout ce que j'veux, c'est que les choses soient claires. Qu'on sache jusqu'à quel point l'Association des riverains est hypocrite. D'après ses dires, il faut permettre à l'homme de renouer avec la nature. J'suis bien d'accord avec ça. Mais renouer avec la nature, est-ce que ça veux dire de mettre du chlore dans l'eau comme en ville? C'est eux autres qui veulent polluer. Pas moi. Moi, j'veux seulement que l'monde vienne s'amuser, glisser, s'baigner dans d'la bonne eau et faire d'l'argent, bien entendu.

Voilà la riposte concise et acérée pour la phrase de tantôt, sortie toute seule de la bouche du journaliste qui accuse le coup d'un vague sourire, encore une fois perdu dans sa barbe miteuse.

— J'aimerais avoir des détails sur ce que vous me disiez tantôt à propos du jeune.

— Écoutez: présentement, toute cette affaire est entre les mains de mon avocat. Il m'est impossible de vous dévoiler quoi que ce soit, sauf que pour l'instant, les travaux sont retardés.

— Et quand croyez-vous que les travaux reprendront?

— Oh! Assez tôt. J'ai la couenne épaisse, rassurez-vous. De toute façon, je dois attendre l'approbation du gouvernement. Au point où en sont les choses, les glissades elles-même ne seront pas prêtes avant la saison prochaine... c'est un projet à long terme... Par contre, par contre... et ça, c'est très important de le mentionner, je prépare une belle surprise à la population pour leur donner un avant-goût des plaisirs qu'offrira le Centre de récréation nautique.

— Est-ce que je pourrais avoir plus de détails à ce sujet? N'est-ce pas en rapport avec le ski nautique? Peut-être votre fils donnera-t-il une démonstration?

— Pas du tout. Vous n'y êtes pas. C'est une surprise. Vous le saurez en temps et lieu.

— Bon... J'ai toutes les données. Je vous lance un coup de fil lorsque j'aurai les résultats d'analyse... avant de publier.

— Pourquoi?

— Au cas où les résultats ne seraient pas ce que vous escomptiez.

— Ils le seront, ils le seront. Je n'aurais jamais pris le risque de vous faire venir, surtout vous, si je n'avais pas été certain des résultats. Vous verrez, vous n'aurez pas à me téléphoner.

— Parfait. C'est comme vous l'entendez. Je vous aurai prévenu.

La menace est sans effet. Le journaliste, sans contenance, tandis qu'il se lève et ramasse ses papiers. Pressé, il traverse le patio, ramenant sa couette grasse derrière l'oreille et laissant le flic flac de ses sandales de bohème ponctuer son passage.

Irène l'observe avec une moue de dédain. La médiocrité de cet homme ressemble à celle de son journal qui n'est ni plus, ni moins qu'un torchon. Alors, cet homme ressemble ni plus, ni moins à un torchon ambulant.

Et l'homme sous le parasol, pesant, inébranlable et insensible n'est ni plus, ni moins qu'un rocher sur sa vie et sur celle de Gaby.

Et le garçon près de la piscine, riant insolemment du journaliste et de la situation. Le garçon au corps de jeune dieu qui établit la valeur des êtres sur la marque des vêtements. Le garçon profiteur, égoïste et hautain qu'est devenu Dominique lui fait tristement penser à un œuf pourri, plaqué or, et elle voit soudainement en lui l'œuvre de René Mantha.

* * *

Jeudi, 27 juin 1985.

Assis sur une banquette d'autobus scolaire poignardée à maintes reprises, Gaby attend dans la cour débraillée des Potvin. À l'instar de tant d'autres, il insère l'index dans un trou et tourne et fouille à la recherche de rembourrure. Son doigt est trop court pour en atteindre. Alors, il essaie un autre trou puis un autre et un autre. Rien à faire. Des doigts plus longs sont passés avant le sien.

Il soupire, ne sait comment écouler le temps. Tout à coup, ça lui pique énormément. Intensément. Follement. Il ne doit pas se gratter: le docteur l'a interdit. Il ne doit pas se gratter... Mais ça pique... Terriblement. Il n'y a que cela maintenant qui existe. Que cela dans tout ce bazar d'objets hétéroclites qui occupent le terrain broussailleux des Potvin et qui devraient normalement captiver son esprit. Ça pique et ça chauffe. Affolé, il se rabat sur les clapiers. Se concentre sur les nez des lapins gras qui reniflent sans arrêt puis sur les montagnes de petites crottes, rondes comme des billes, le long du mur. Rien n'y fait. Ça pique de plus belle. Et de partout tout à la fois. Ça pique comme une obsession. Il n'y a plus que cela dans son cerveau... Que cela qui compte et cette interdiction formelle: il ne doit pas se gratter.

653

Instinctivement, ses doigts remontent sur ses avant-bras et il se désespère au contact des croûtes raides et sèches qui s'unissent en plaques et menacent de le couvrir tout entier. Afin de se soulager, il frotte doucement, mais les démangeaisons s'accentuent et l'obligent à se gratter. Ce qu'il fait. D'abord raisonnablement. Puis énergiquement. Et enfin, rageusement. Ses ongles déchirent la peau, infligent des blessures, font couler un peu de sang avec la matière qui suinte des croûtes. Le mal que cela engendre le délivre de ces démangeaisons qui le rendent fou.

Quand donc la porte de ce hangar s'ouvrira-t-elle pour lui apporter une distraction? C'est le tour de Nadia. Elle est là, derrière cette porte découpée dans un ancien panneau publicitaire. Là, derrière cette portion de bouteille de 7 Up givrée qui lui donne soif. Là, dans le hangar décrépit, avec son frère Youri, les Potvin et Alex. Là, à subir l'initiation du Club secret des grenouilles. Échouera-t-elle? Sera-t-elle acceptée? Échappera-t-elle un cri comme Cindy, tantôt? Prêtera-t-elle serment? Que fait-elle? Que lui font-ils?

Nerveux, inquiet, fébrile, Gaby attend. Il attend son tour. Attend de voir si Nadia sera acceptée. La fondation de ce club remplit son cœur d'espoir et il veut en faire partie pour venir en aide à ses amies les grenouilles. Il y a trop de décès dans la population des batraciens. Trop de morts inexplicables. Trop de petites fosses et trop de petites croix. Son cimetière est rendu tellement occupé, qu'avec Nadia, il consacre tout son temps à l'entretien du site funéraire. Car il ne reste que Nadia maintenant pour l'aider, les autres s'étant découragés lorsqu'un animal nocturne est venu tout saccager. Mais Nadia, à elle seule, vaut bien tous les autres. Avec quel soin, quelle douceur elle égalise le terrain du plat de sa main! Avec quelle patience, elle transplante les marguerites le matin! Avec quel charmant silence aussi, elle s'entoure, ne posant que les questions essentielles auxquelles il répond, à sa grande surprise. Oui, à elle, il répond. Les mots viennent tout naturellement sur sa langue et tout naturellement, les mots traversent la frontière de ses lèvres. À elle, il parle. Peu. Mais il parle. Emploie juste les mots qu'il faut, ni plus, ni moins. Elle comprend.

Il ne sait pourquoi, il lui parle à elle. La première fois qu'elle lui a posé une question, elle s'attendait tellement à une ré-

654

ponse qu'il a répondu. C'est comme cela que tout a commencé; avec le premier mot. Les autres ont suivi sans problème. Sans reculer, ni rebrousser chemin. Qu'il est bien avec elle! Bien quand il entend sa propre voix lui répondre et satisfaire ses attentes. Bien quand elle s'informe si ça pique beaucoup, si le docteur lui a donné une piqûre ou si les remèdes le soulagent. Bien, quand elle pleure avec lui devant la fosse commune des cadavres démembrés que les chasseurs abandonnent sur la grève. Bien quand elle ne dit rien et arrose les fleurs avec sa petite chaudière de plastique. Bien quand elle assure que les grenouilles iront voir Jésus et s'amuser avec lui pour une grande, grande fête. Bien quand elle sourit, quand elle rit et court. Bien quand elle le défend et le blanchit de tout blâme. Quand elle assure son plaidoyer et le lave des fausses accusations portées contre lui. Bien? Non, c'était plus que bien ce qu'il a ressenti lorsqu'elle s'est levée devant son frère pour prendre sa défense. C'était comme de la chaleur et de la lumière qui pénétraient dans son âme sombre et humide. C'était sucré et doux. Bon et précieux. Ça allait le rejoindre, l'éclairer et le réchauffer au fond de ce trou très noir où il croupissait. C'était gratuit. Invisible. Abstrait et pourtant si vrai. Si solide. C'était le commencement d'un monde merveilleux. Les premiers pas du bonheur. C'était beau et bon et doux et sucré et ça le faisait pleurer. Et ça le faisait trembler de l'entendre dire: «Jamais, Gaby ne tuerait des grenouilles pour le fun d'les enterrer parce que ça nous fait trop de peine quand on les enterre.»

Comment Youri en était-il venu à croire que, pour justifier l'existence du cimetière, ils avaient tué toutes ces grenouilles qu'on retrouvait le matin, ventre à l'air? Et pourquoi Alex, qui, à cette époque, se partageait entre le groupe des chasseurs de grenouilles et celui des fossoyeurs, pourquoi Alex n'avait-il assuré que sa propre défense, alléguant qu'il ne pouvait faire cela puisqu'il retournait chez lui tous les soirs avec sa bicyclette. S'étant ainsi disculpé, les soupçons se concentraient sur lui et la fureur du groupe des chasseurs allait croissant au fur et à mesure que périclitait leur commerce de pattes de grenouille. Mais Nadia était intervenue et le «nous» de «ça nous fait trop de peine» était descendu au fond de ce grand trou où il croupissait. Descendu tout droit comme un rayon de soleil. Tout lumineux et chaud comme lui. Et le «nous» de «ça nous fait trop de peine» avait compensé pour l'attitude d'Alex.

655

Pour le changement qui s'était opéré en lui. Ce «nous» l'avait consolé de cette indifférence qui détériorait imperceptiblement leurs relations. Mais, plus que tout, ce «nous» l'aidait à supporter le poids de tous ces deuils. La main chaude et potelée de Nadia avait remplacé la poupée de chiffon sur son cœur. Et il lui suffisait de la presser devant les nombreux petits cadavres pour que son chagrin soit partagé.

Un petit cri. Des murmures derrière la grosse bouteille de 7 Up. Que lui font-ils? Cindy aussi a crié, tantôt. Que se passe-t-il?

Les yeux rivés à la porte du hangar, Gaby attend son tour. Dans sa grande fébrilité, il se gratte partout, convertissant pour un court laps de temps ses démangeaisons en douleur. Le répit que lui ont accordé les médicaments à base de cortisone n'est plus que souvenir et, nuit et jour, sa peau l'irrite et le torture. Nuit et jour, elle pique, chauffe et agace. Nuit et jour, elle s'encroûte, se fendille et suinte, le métarphosant impitoyablement en un être hideux. Un être repoussant qui ne rebute pas la fillette dont il vient de reconnaître le cri derrière la porte mystérieuse. Que se passe-t-il?

«Les filles ont le droit de crier», rappelle Youri, le président fondateur du Club. Évidemment. Il ne peut pas être plus exigeant envers sa sœur qu'envers Cindy. Le favoritisme paraîtrait trop. Alors, étant donné qu'il a toléré que Cindy ait échappé un cri lors de l'initiation par la sangsue, il ne peut faire autrement que de rappeler cette légère entorse aux normes d'admission du Club secret des grenouilles.

Alex observe Nadia qui, horrifiée, ne peut détacher son regard de la sangsue collée à sa paume. Elle tremble. Pâlit. Se mordille la lèvre inférieure. De sa main libre, elle maintient l'autre dans la chaudière d'eau. Visiblement, elle a plus peur que Cindy. Sans doute parce qu'elle est une fille de la ville et qu'elle n'a pas l'habitude de ces bestioles. Par contre, elle fait preuve de plus de courage, de plus de volonté dans ce combat que livre la moitié de sa personne contre l'autre. Dans cette main qui force l'autre malgré l'horreur et la répulsion. Dans ces yeux grands ouverts qui fixent l'objet de tant de dégoût. Sera-t-elle acceptée? Réussira-t-elle à surmonter sa peur tout au long de l'assermentation?

— Répète après moi. Je jure de ne jamais tuer les petits animaux pour rien, surtout les grenouilles, récite Youri avec pompe et sérieux.

Alex enrage. Se mutine intérieurement contre ce chef. C'est lui qui devrait être président du Club secret des grenouilles. Il en sait plus que Youri sur l'environnement. Et puis, il a joué dans une pièce de marionnettes et sa mère est présidente alors que le père de Youri n'est que conseiller. C'est également lui qui a fabriqué la mascotte du club: la marionnette Nadine. Ce n'est pas juste. Pas juste! Mais il doit se plier. Doit accepter le résultat du vote des membres qui ont élu Youri au poste de président, sous prétexte qu'il avait eu l'idée du club.

— Je jure de ne jamais tuer les p'tits animaux pour rien... J'ai jamais tué de p'tits animaux, ni Gaby. Surtout pas des grenouilles... on fait juste les enterrer, défend encore Nadia.

Excédé, Youri fronce les sourcils.

— T'as juste à répéter après moi, Nadia. Compris? Je jure de protéger le lac contre les grandes personnes qui ne font pas attention.

— Je jure de protéger le lac... contre les grandes personnes...

La fillette s'arrête, les yeux rivés à sa main, et deux larmes perlent à ses yeux.

— On a le droit de crier mais pas de brailler, menace Youri.

La petite sœur se ressaisit et détourne la tête de cette limace sanguinaire implantée dans sa peau.

— Contre les grandes personnes qui ne font pas attention. C'est important, Nadia.

— Contre les grandes personnes qui ne font pas attention.

— Et je jure d'obéir au président fondateur en tout temps.

— Et je jure d'obéir au président fondateur en tout temps.

— Tu peux sortir ta main de l'eau. Enlevez-lui la sangsue.

Alex, en temps que vice-président, verse un reste de bière mélangé à du sel à l'extrémité de l'animal qui lâche prise. Un peu de sang se dilue aussitôt sur la paume mouillée et alarme Nadia.

— J'saigne, gémit-elle.

— Mets-toi à genoux, maintenant, ordonne Youri.

Plus morte que vive, elle s'écrase devant son frère, retenant ses sanglots. Toujours avec des gestes pompeux et solennels, celui-ci l'asperge et par trois fois lui passe un pinceau formé de feuilles de quenouille sur les épaules et la tête.

Cette scène humilie Alex en lui rappelant que c'était lui, tantôt, à genoux devant Youri. À genoux. Lui, à genoux. Comment a-t-il fait pour rester à genoux devant Youri? Devant ce rival qui, telle une sangsue, lui siphonne le cœur de sa dulcinée? Ce rival qui lui ravit habilement celle qui lui tenait les doigts sous la galerie. Oh! Si habilement. Si sournoisement. Avec des atouts qu'il n'est pas en mesure de concurrencer. Toutes ces belles phrases, ces beaux rêves, ces belles promesses. Il n'est pas de taille contre Youri. Contre cette grande roue de la Ronde qui vient cueillir Cindy alors qu'il n'a qu'un bouquet de marguerites à lui offrir. Il n'est pas de taille contre la cité fabuleuse avec sa petite île, ses oies et le pont où l'on pêche des crapets-soleils. Pas de taille contre les Dairy Queen et les MacDonald, avec les galettes à la mélasse que réussit si bien Marjolaine. Pas de taille contre le «Je t'emmènerai au Jardin des Merveilles» avec son offre d'aller écouter gronder le torrent. Pas de taille pour conserver cette admiration dont il bénéficiait depuis la représentation de la pièce de théâtre. Pas de taille pour rivaliser avec ce gars de la ville qui ne se contente pas seulement de lui voler sa blonde mais qui, du même coup, s'emploie à miner la confiance que Marc Potvin et sa bande ont en lui, l'accusant à tort et à travers de tuer les grenouilles pour justifier le cimetière de son cousin Gaby. Pas de taille à ne pas se mettre à genoux. À s'insurger. Se révolter. Se démarquer du groupe. Pas de taille à répondre au soufflet symbolique que le président inflige avant de dévoiler le code secret.

— Grenouille, quenouille, grand bien, batracien.

— Grenouille, quenouille, grand bien, ba... ba... sratien... euh... non.

— BA-TRA-CIEN. Ça veut dire grenouille en langage scientifique.

L'air de supériorité que s'accorde Youri nourrit la sourde colère d'Alex. Tout comme Nadia qui, tantôt, maintenait sa main dans l'eau, il force une partie de son être à obéir à l'autre et condamne au silence et à l'obéissance l'Alex qui peut lui faire perdre ce qui lui reste de l'estime des autres. L'Alex dangereux qui peut le ramener à cette solitude et à cet ennui inhérents au rejet. Qui peut

d'une seule parole ou d'un seul geste néfaste le restreindre à nouveau à la seule compagnie de Gaby.

— Grenouille, quenouille, grand bien ba... tra... cien, formule avec application la fillette reprenant peu à peu ses couleurs.

— Promets de ne dire à personne le code secret.

— Pas même à Gaby?

— Non, pas même à Gaby. Jure-le.

— J'le jure.

— Parfait. T'es acceptée. Félicitations.

Un baiser du président sur la joue consacre la nouvelle adepte.
Cindy a rougi quand Youri s'est approché. Ce n'est pas juste. C'est lui
qui aurait dû être à sa place... Lui, qui aurait dû goûter la chaleur de la
joue rose et le chatouillement de cette boucle échappée des lulus.
Mais, au lieu de cela, il a ravalé sa rancœur et goûté l'amertume. Au
lieu de cela, il a contenu sa colère.

— C'est l'tour à Gaby, astheure. J'vais le chercher.

Fière d'avoir subi l'initiation avec succès, Nadia se précipite
vers la sortie.

— Non. Attends.

Elle s'arrête. La main paralysée sur la clenche rouillée.

— C'est pas décidé encore. J'trouve pas que «crapaud galeux»
a sa place dans notre club. Faut en discuter.

— C'est Gaby son nom! défend Nadia.

Honteux, Alex évite d'intervenir. Pourquoi est-ce encore
cette petite fille qui défend son cousin? Pourquoi agit-il si lâchement? Il ne se reconnaît plus. Ne s'aime plus. Ne sait plus
comment sauvegarder le peu d'intérêt qu'il suscite au sein du
groupe. Tout a changé si vite. C'est comme si du jour au lendemain, il était passé de désiré à toléré, comme si du jour au lendemain, Marc encourageait sa liaison avec sa sœur Cindy, puis la
désapprouvait au profit de Youri. Il ne sait plus comment demeurer solidaire des garçons et plaire en même temps à Cindy.
Ce qu'hélas Youri est en mesure de faire: et plaire à Cindy, et se
distinguer dans le groupe des garçons, se hissant adroitement
presque au rang de chef.

— C'est le père de «crapaud galeux» qui pollue le lac. C'est
son père qui fait mourir les grenouilles. J'trouve que c'est risqué de
l'accepter dans l'club. Y pourrait tout dire à son père.

659

— Gaby parle pas, objecte Alex d'un ton plat et sans conviction.

— Y parle à ma sœur.

— Ta sœur, c'est pas pareil. Y parle pas à son père.

Personne n'appuie Alex dans cette déclaration. Pas même Nadia qui, étonnée d'apprendre que Gaby ne parlerait qu'à elle, demeure sidérée, la main soudée à la clenche.

— Admettons qu'on discute d'un plan pour arrêter les glissades ou fermer l'usine, «Crapaud galeux» peut tout dire à son père pis on pourra rien faire.

— Mais... y aime les grenouilles, lui. Y les tue même pas... Vous autres... vous leur coupez les pattes, pis vous les jetez sur l'bord de l'eau... pis y en a des vivantes qui grouillent encore. Lui, y les tue même pas... C'est pas juste. Y l'dira pas à son père, j'suis sûre.

Nadia s'emporte. Subitement consciente de l'enjeu de la situation.

— Nous autres, c'est pas pareil... On tue pas les grenouilles pour rien. C'est pour les vendre.

— Ça fait rien... vous leur faites mal quand même. Y grouillaient encore.

— Ça, c'est les nerfs, Nadia. J'te l'ai expliqué au moins cent fois: y souffrent pas.

— Pourquoi qu'y grouillaient d'abord?

— À cause des nerfs, nounoune.

— J'te crois pas... Y avaient plus de pattes. T'aimerais ça, toi, qu'on t'coupe les pattes?

— On est pas fait comme des grenouilles, compris?

— Y grouillaient.

— C'est assez! C'est pas de ça qu'on parle. «Crapaud galeux» peut pas faire partie du club.

— Oui, y peut.

— Aie! Nadia! Tais-toi.

— Pourquoi?

— Parce que j'te l'ordonne. C'est moi le président fondateur. T'as fait serment de m'obéir.

— T'es rien qu'mon frère.

— Si tu veux parler d'même, j'te sors du Club secret.

— Ça m'fait rien... j'vais dire le code à tout l'monde si tu m'sors.

— Non, tu l'diras pas, affirme alors Marc en s'appuyant nonchalamment contre la porte. Furieuse, Nadia pince les lèvres et plante ses poings fermés sur ses hanches d'un air de défi. Nullement impressionné, Marc verse sur elle un regard d'une tranquille et sûre autorité. Intimidée, et par l'ordre et par l'intervention de l'incontestable chef de la bande qui, après avoir laissé Youri déguster certains privilèges du pouvoir, profite de l'occasion pour signaler et sa présence et l'étendue de son autorité.

— C'est trop dangereux pour le club. Gaby peut pas en faire partie, sanctionne-t-il de sa voix traînarde.

Bon gré, mal gré, Nadia accepte la décision. Laisse tomber les bras le long du corps et dénoue les poings. Marc approuve d'un hochement de tête, satisfait d'avoir rétabli l'ordre et mâté quelque peu le président du Club secret des grenouilles en lui rappelant qu'il règne au-dessus de lui.

— Pis son nom, c'est Gaby... Pas «Crapaud galeux». Y s'est jeté d'vant la pépine avec mon grand-père. J'veux pas qu'y fasse partie du club, mais j'veux pas qu'on l'appelle «Crapaud galeux», c'est compris?

Avec beaucoup de réticence, Youri finit pas montrer des signes de soumission.

— C'est toé, Nadia, qui vas lui dire.

Marc ouvre la porte.

Squick! Il cesse de se gratter. Fixe la bouteille de 7 Up qui bâille lentement en gémissant sur ses gonds. Nadia apparaît. Le regarde avec tristesse jusqu'au fond de l'âme et fait quelques pas dans sa direction. Il comprend, se replie sur lui-même et recommence à se gratter avec furie et désespoir. On ne veut pas de lui dans le Club secret des grenouilles. Pas de lui qui les aime tant. Les connaît tant.

Pas de lui qui est prêt à tout faire pour leur venir en aide. Pas de lui, qui entend leurs cris de détresse meubler ses nuits blanches. Pas de lui, qui recueille avec respect leurs petits cadavres mous à la surface de l'eau chaque matin, les ravissant ainsi à la gourmandise des mouettes.

Pas de lui, qui s'est déjà sacrifié pour les sauver en se jetant devant l'excavatrice. Pas de lui qui, avant eux, a expérimenté l'impuissance des enfants face au monde adulte et a vu dans la fondation de ce club le moyen de contourner cette impuissance et de parvenir ainsi à protéger le monde aquatique.

— Oh! Gaby, arrête d'te gratter. Tu saignes.

Avec consternation, il aperçoit le sang sur ses bras et ses jambes.

— T'sais qu'le docteur veut pas Gaby. Oh! T'es tout égratigné.

Nadia le touche avec compassion. Le console de cette grande déception.

— Y ont pas voulu, dit-elle simplement en prenant place près de lui. C'est elle, maintenant, qui insère le doigt dans un trou et fouille à la recherche de rembourrure. Il l'observe, remarque le bout de langue au coin des lèvres qui trahit la concentration et les belles joues rondes parsemées de minuscules taches de rousseur. Tout l'enchante chez elle. Tout, de ses grands yeux noirs qui le pénètrent si facilement à ses cheveux souples et chatoyants. Du rire facile qui creuse des fossettes jusqu'aux doigts grassouillets qui persévèrent dans les trous.

— Y disent que tu peux l'dire à ton père... que c'est trop dangereux... parce que c'est lui qui pollue l'lac.

Oui, c'est son père qui pollue le lac. Il le sait. Son père qui est ce gros méchant contre qui se liguent les enfants et les Riverains. Ce gros méchant devant qui se sont dressés grand-père, Marjolaine, Léopold et lui-même. Il ne comprend pas, n'admet pas qu'on les associe. L'explication de Nadia sous-entend qu'il pourrait trahir le Club secret et œuvrer à détruire aux côtés de son père. Cela le désole. Le déprime.

— Ça fait rien, Gaby... j'vais tout te dire quand même. Sais-tu c'est quoi grenouille en scientifique?

Cette complicité atténue son chagrin.

— C'est... ba... euh... basratien.

Elle baisse le ton.

— Ça fait partie du code... les quenouilles aussi. J'peux pas tout te dire, par exemple, mais j'ai été obligée d'me laisser mordre par une sangsue. Ouach!

— Ça m'aurait rien fait, moé. J'suis habitué.

— Nadia! Nadia! Viens-t'en. C'est la réunion.

— Faut que j'y aille.

Elle se lève. L'enveloppe comme il faut de son regard loyal.

— Ça m'fait d'la peine... C'est pas juste... J'sais que tu dirais rien à ton père... C'est moins l'fun quand t'es pas là.

Nadia! Nadia! Avec un peu d'impatience dans le ton.

— Ah! Sont fatigants... faut que j'y aille... on va se r'joindre au cimetière après. Tu d'vrais t'baigner pour effacer l'sang: ta mère va t'chicaner.

Nadia! Nadia! Avec beaucoup d'impatience et d'autorité.

Elle le quitte. À regret et à pas lents. Trois fois, elle se retourne pour lui sourire et le saluer de ses doigts grassouillets. Trois fois, il lui répond, ses yeux s'emplissant de larmes. La porte grince, lui ravit sa précieuse amie et le laisse seul. Cerné d'un grand vide et d'une grande tristesse. Implacable, la solitude s'abat sur ses jeunes épaules, tel un oiseau de proie. Il ne peut rien contre elle. Contre cette décision qui l'exclut. Contre cette réunion qui le prive de la présence de Nadia.

Il n'est qu'un enfant seul. Qu'un enfant mis à part.

À part des grandes personnes

Qui l'écartent

D'un geste de la main.

Et à part des enfants

Qui se méfient de lui.

Il n'est qu'un enfant seul. Un enfant sans arme contre le mal, contre la mort, contre l'injustice. Sans arme et sans parole contre tout ce qui s'attaque à ce qu'il aime profondément.

Il n'est qu'un enfant seul... depuis que Nadia...

Il regarde la place vide à ses côtés. Si vide qu'elle l'étourdit. Elle partie, il tombe brutalement dans ce trou très noir et très profond, tout comme si elle venait de s'enlever au bout d'une balançoire à deux. Boum! Il chute jusqu'au fond du trou.

Elle partie, il pleure... ses espoirs gisant tout autour de lui. Elle partie, il n'est qu'un enfant seul, anéanti par le poids de son impuissance.

Le vieux Léopold passe. Le remarque. Comble la place de Nadia sur la banquette.

— Qu'ossé que tu fais là, tout seul, hmm?

Il se penche. Lui souffle son haleine de bière au visage. Ça devrait être désagréable, pense Gaby, mais ce ne l'est pas. Cet homme lui plaît presque autant que grand-père. Il retrouve en lui des traces d'enfance très visibles. Très marquées. Oui, il y a un enfant dans ces petits yeux bleus et ce gros nez raviné. Un enfant dans ce doigt tremblant qui fouille systématiquement les trous à la recherche de rembourrure. Un enfant dans la question et dans la manière d'accueillir l'absence de réponse.

— C'est-y parce que t'as des bobos?

— ...

— Ça pique beaucoup, hein? Pas supposé de te gratter de même. Ça va empirer. Mais, ça doit être dur... j'comprends ça. Moé, j'ai pas été capable d'arrêter d'fumer. Ousqu'y sont les autres? Ah! Dans la cabane. Y t'ont laissé tout seul... À cause de quoi? Ton père? Tes bobos? Tu l'sais pas? Oui, tu l'sais... mais tu peux pas l'dire... Pleure pas d'même. Tu devrais t'laver dans l'lac: ta mère va t'chicaner.

Léopold le laisse sur cette phrase où triomphe l'enfance. Gaby le regarde aller et son fardeau, tout à coup, lui apparaît moins lourd, tout comme si Léopold en avait chargé une partie sur ses épaules étroites et voûtées. Et sa solitude lui apparaît moins invincible comme si ce vieillard en avait canonné la muraille.

Et le trou où il vient de tomber, un peu moins profond et moins noir depuis que l'enfant, présent dans cet ivrogne, lui a tendu une corde.

* * *

Vendredi, 28 juin 1985.

Cet inspecteur-là ne veut pas faire de vague. Âgé d'une cinquantaine d'années, il n'aspire qu'à la retraite et considère visiblement l'ouvrage qu'il accomplit comme une préretraite ou plutôt comme une période d'adaptation où tout doit s'attiédir et où le repos, peu à peu, doit empiéter sur le travail. Il ne veut pas d'histoire, pas de scandale, pas d'opposition. Il veut faire sa job, point. Le dit à tout le monde. Ni plus, ni moins que sa job... Et sa job, Ti-Ouard le devine, sa job sera dictée par la facilité. Il prendra la décision qui fera le moins de vague possible, le moins de bruit possible. Celle qui passera comme dans du beurre et protégera son parfait anonymat, qui le mène lentement et sûrement à la retraite tant espérée.

C'est pourquoi, au lieu de l'emmener visiter le torrent par la terre d'Hervé où l'inspecteur aurait immanquablement flairé l'opposition, il l'a emmené par voie d'eau dans le gros yacht de René Mantha. C'est pourquoi, également, il ne lui a fait rencontrer que les gens en faveur du projet des glissades d'eau. Et c'est pourquoi, finalement, il guette avec inquiétude l'île de Marjolaine, craignant de voir poindre tout à coup sa chaloupe et du même coup, les ennuis.

— Suivez-moé.

Il le guide le long du ruisseau, dans le tracé du futur sentier qui sera aménagé selon les exigences du ministère de l'Environnement.

— Soixante pour cent du territoire demeurera boisé... les plans et devis sont conformes aux règlements relatifs au zonage, au lotissement et à la construction.

Il faut plus pour convaincre l'homme qui ne veut pas faire de vague.

— Je veillerai personnellement à ce que ces plans et devis soient respectés. Vous pouvez compter sur moé.

Voilà ce qu'il faut. L'inspecteur dodeline de la tête, tout en se donnant des airs réticents, histoire de calmer sa conscience ou plutôt de permettre à celle-ci de se rendormir sous ses draps tièdes. Il va même jusqu'à froncer les sourcils. Il exige plus de garanties.

— Toutes les installations septiques sur ce lac sont conformes aux lois, et vous pouvez constater qu'ici la berge est intacte.

— Ici, oui... mais ailleurs.

— Ailleurs, c'était avant moé.

Ti-Ouard se surprend de l'assurance avec laquelle il prône son efficacité. C'est sa fille, sans doute, qui lui donne cette audace. Sa fille qui l'inspire dans ses répliques. Il doit lui procurer la concession de la patate frite afin qu'elle se libère de l'emprise de Berthe et pour cela, il doit réussir à présenter le projet du Centre de récréation nautique sous un angle favorable.

— L'eau qui alimentera les glissades vient d'un lac de tête situé en haut d'la montagne.

— Un lac inaccessible?

— Oui. J'vois pas l'jour où du monde va s'installer là: ça grimpe comme dans la face d'un singe. Monsieur Mantha a justement fait analyser l'eau. Voici les résultats.

L'inspecteur ne pourra résister à cet argument de taille qui certifie que l'eau du torrent est potable.

À sa grande surprise, Ti-Ouard le voit s'agenouiller et boire à même le ruisseau en se servant de sa main comme d'une écuelle.

— C'est un trésor de l'eau comme ça, monsieur Patenaude. Qu'elle est bonne! Ça, c'est de l'eau! Avoir su, j'aurais emmené une cruche.

— J'vous en donnerai une tantôt.

Ti-Ouard écarquille les yeux, éberlué: c'est ici même que l'an passé, il avait vérifié un déversement de boues de fosses septiques. Ici même... Il reconnaît le bassin, la grosse roche, les racines d'un cèdre formant des cascades. Oui, c'est ici qu'il se sentait grandir près de Marjolaine. Ici, qu'il entendait pleurer l'eau souillée. Mon Dieu! Si cet homme avait vu la... qui tournoyait. S'il l'avait sentie au bout de ses doigts.

— Vous n'en buvez pas? demande l'inspecteur en levant vers lui un visage ruisselant.

— J'ai pas tellement soif. J'suis pas un gros buveur d'eau.

— C'est si bon pour la santé. Allez, buvez-en un peu... c'est si rare de l'eau comme ça.

Afin de n'éveiller aucun soupçon, Ti-Ouard se plie à cette demande. La limpidité de l'eau contraste tellement avec la vision qu'il en avait qu'il se met à douter de l'emplacement. Pourtant, c'est bien ici... oui... c'est bien cette roche et ces racines. L'eau est si claire, si fraîche. Avec précaution, il la respire puis la boit sous le regard insistant de l'inspecteur.

— Elle est bonne, hein?

— A goûte rien.

— C'est ça, monsieur Patenaude, de la vraie eau. Insipide, incolore, inodore. Nous en ville, notre eau est pleine de chlore.

— Justement, y en a qui ont parlé d'en mettre dans cette eau-là.

— Quoi!? Mettre du chlore là-dedans! Ça s'rait un vrai crime.

— Nous autres aussi, on trouve ça, mais paraît que c'est obligatoire.

— Voyons donc! Obligatoire! Pas pour de l'eau potable. De toute façon, ça ne relève pas de mon ministère. C'est la Santé qui s'occupe de ça. Moi, je m'occupe des cours d'eau, point.

Cette brillante leçon sur l'art de ne pas faire de vague inspire à Ti-Ouard une tactique qui consistera à confondre les ministères et à influencer les décisions de l'un par les prises de position de l'autre. Ainsi, s'il parvient à obtenir l'autorisation du ministère de l'Environnement, il en enverra une photocopie au ministère de la Santé, réutilisant d'instinct les procédés de son enfance qui lui permettaient d'obtenir la permission de son père en faisant valoir l'autorisation de sa mère.

Pas fou, Ti-Ouard. Pas fou, mais surpris devant cette eau qui s'est nettoyée. Purifiée. Cette eau qui a complètement récupéré. Se serait-il alarmé pour rien l'été passé? Se serait-il opposé en vain contre son beau-frère? Aurait-il, durant un bref instant, succombé aux charmes de Marjolaine et versé comme elle dans l'exagération? Qui a raison? Il ne veut pas le savoir et étouffe la voix qui lui rappelle qu'il ne se sent pas grandir aujourd'hui.

— Vous croyez qu'les gens d'la ville aimeront ça?

— Oui.

— Pour eux, ça va être comme un paradis. Y vont pouvoir se baigner, s'amuser pis boire de la bonne eau.

— À condition de conserver les berges intactes. Défense d'y toucher.

— Vous pouvez compter sur moé. On est ben conscient que cette eau-là, c'est un trésor... pis on veut la partager. Mais comme on dit, on veut pas tuer la poule aux œufs d'or.

— En effet, monsieur Patenaude. Retournons au torrent, maintenant... j'vais examiner ça de plus près.

C'est au tour de Ti-Ouard à suivre l'inspecteur, ses plans et devis sous le bras. L'admiration béate sur le visage du fonctionnaire lui permet d'espérer en un rapport positif et, tout en l'aidant à prendre des mesures, il partage son regard entre l'île et l'emplacement de la future marina. Appréhendant l'apparition de Marjolaine et rêvant d'une roulotte à patate frite pour sa fille.

Et vainement, il cherche à se sentir grandir et ne parvient qu'à se sentir l'égal de cet homme qui ne veut pas faire de vague.

* * *

Samedi, 29 juin 1985.

À la veille d'éclater, les nuages. À la veille de se rompre et de se vider sur le village. Gonflés à l'extrême et violacés comme des membres gangrenés, ils pèsent lourd sur les toits. Sur les champs ensemencés et sur les arbres aux feuilles retournées par le vent.

Ils pèsent lourd et étendent leur ombre menaçante.

Ils pèsent lourd et descendent bas, risquant d'être éventrés par le clocher d'église.

Chargés un peu plus chaque jour par l'évaporation des lacs, des arbres et des plantes, ils ont accumulé la sueur de la terre dans leurs flancs et en même temps son inconfort, sa tension et sa fatigue. Tout cela se trouve aujourd'hui pêle-mêle dans le ventre des nuages et menace d'éclater d'une minute à l'autre.

Toute la chaleur suffocante dont s'est débarrassé le sol durant ces derniers jours revient à la charge dans ces masses sombres où grêlons et éclairs s'entrechoquent.

— Va y avoir de l'orage.

Interdit devant la porte de la salle municipale, Léopold parcourt le ciel à la recherche d'une excuse pour rebrousser chemin. Tantôt si déterminé au sortir de l'hôtel, le voilà qui hésite.

— Y a pas coutume d'avoir tant de monde, Mike.

Le voilà qui explique.

— Ça barde là-dedans.

Qui précise.

Une rumeur sourde et hargneuse traverse les murs. Empoisonne l'air instantanément comme du cyanure et fait serrer les poings. Déjà. Avant même d'ouvrir la porte.

— Faut y aller.

Léopold se résout. Pénètre dans cette fosse où s'entredéchireront concitoyens et riverains.

Mike le suit. Heurté par les cris, tailladé par les regards. Il suit, durcissant ses muscles au contact de cette haine palpable. C'est comme s'il était dans le ventre de ces nuages où s'entrechoquent grêlons et éclairs. Comme s'il entendait crépiter la foudre, la sentait se frotter à lui et provoquer des flammèches. Il n'aime pas cela. Cherche à son tour un motif de se dérober. Si au moins Léopold et lui avaient trouvé un argument de taille pour contrer la demande d'inspection du cric Cochon. Mais rien. Ils n'ont rien trouvé. Rien d'autre que l'urgence d'agir depuis que Spitter a de nouveau ensemencé ses plants de cannabis.

Léopold déniche deux chaises dans la pile réservée à l'Âge d'or et prend place au bout de la première rangée.

— Faut qu'y aille du monde pour que la rangée d'en avant soit pleine de même, lui glisse-t-il en fouillant dans son paquet de tabac. En habitué, le vieil homme jauge l'assemblée d'un rapide regard circulaire.

— Ça va barder. Y a du monde d'la place pis des riverains. Ti-Ouard est là... j'sais pas quel bord y va prendre. Y a le gros Bourgeon, ben entendu, pis y a madame Latour itou, l'ancienne présidente. Andrew viendra pas?

— Non. Y viendra pas. Y a assez de troubles de même avec Spitter.

— Faudrait pas qu'y vienne celui-là.

— J'suis là pour y fermer la gueule, crains pas.

Mike regarde ses poings qu'il ouvre et ferme nerveusement. C'est là sa seule arme, son seul argument, et il ne pourra s'en servir que si Spitter vient faire du grabuge. Alors, il la souhaite, lui, la venue de son neveu afin de faire dévier par un combat, la rancœur du public. Il la souhaite puisqu'il n'a trouvé que cela. Que cette arme primitive et dérisoire qui lui fait sentir tout le poids de son impuissance face à l'agressivité des bonnes gens combien plus cruelle et aveugle que celle des mauvais garçons aux vestes de cuir dont il fait partie.

Oui, il n'a trouvé que cela, lui, le mauvais garçon. Que ce qui semble très brutal et draconien, mais qui fait moins de mal que toutes les phrases méchantes qui alimentent le bûcher de Marjolaine.

Il n'a trouvé que cela. Que cela qui l'amoindrit et l'enrage. Que cela qui le laisse démuni, avec son sang qui lui bat les tempes et son corps entier qui se tend au fur et à mesure qu'il écoute mugir cette foule.

Léopold, à ses côtés, fume voracement, démonté, lui aussi de n'avoir rien trouvé d'autre dans sa longue expérience de politicard. Tantôt, à l'hôtel, il a bu pour accepter ce fait, croyant bien naïvement qu'il finirait par trouver un argument génial au fond de son verre. Mais après être passé plusieurs fois de la broue jusqu'au fond, il s'est rendu à l'évidence du grand vide que seule la bière emplissait. Passablement grisé, il s'est alors accommodé du courage artificiel qui l'accompagne normalement jusqu'au pas de la porte d'hôtel et depuis, il s'agite, fume et se mordille les lèvres, compressé au maximum comme un cylindre avant l'explosion.

— A nous a vus.

Léopold s'énerve. Se tortille sur la chaise. Croise et décroise les jambes sous le regard calme de Marjolaine.

— Elle te fait de l'effet, chuchote Mike pour le dérider.

— C'est pas ça... c'est pas ça. Qu'ossé qu'on va faire? Faut pas que ça passe. Quand j'les entends, ces maudits niaiseux, y savent même pas de quoi y parlent. Nous autres, on sait, hein? On sait de quoi il s'agit, nous autres.

C'est vrai: eux, ils savent. Ils connaissent le danger. Eux seuls possèdent toutes les données concernant le ruisseau Falardeau dit cric Cochon. Eux seuls, dans cette salle, craignent que la demande d'une visite d'inspecteur ne signe l'arrêt de mort de Marjolaine ou d'Alex. Cela semble invraisemblable. Tiré tout droit d'un film de gangster. Même le mot meurtre semble beaucoup trop gros pour un si petit village. C'est ce qu'il se répète sans cesse dans le but de se rassurer. Mais l'image du chiot décapité est trop grosse, elle aussi, pour être digérée, et souvent il revoit la tête que Spitter lançait dans sa main en soliloquant: «Tu l'as perdue, ta tête, ma chienne.» Et souvent les gouttelettes de sang éclaboussant le visage dément de cet homme, les membres épars et les intestins répandus autour de lui, la queue coupée de la vache, la bûche lancée sur Andrew, et cette silhouette décharnée dans la chaloupe qui le frappait sans discernement, souvent tout cela s'additionne et corrobore ses craintes, le glaçant des pieds à la tête sans que sa raison ne puisse lui venir en aide. Et il a beau se dire que tout cela ressemble trop à un film, qu'il exagère et que ça n'arrive qu'aux autres, il a beau lutter contre tous ces détails macabres qui s'emboîtent tel un casse-tête, il a beau se convaincre que l'ennui le pousse au-delà du quotidien, la peur est toujours là. Omniprésente et glacée. Liée intimement à cette femme siégeant au bout de la table. Cette femme qu'il trouve belle et propre. Cette femme qu'il aurait envie d'emmener loin, sur sa moto. En un lieu sauvage où son arme primitive réussirait à la défendre. En un lieu, en un temps où les luttes seraient saines et les combats loyaux et où l'amour ne s'empêtrerait pas des convenances. Existent-t-ils ce lieu, ce temps où il pourrait la prendre et la défendre? Où il ne serait qu'un homme et elle, qu'une femme? Où leur nom, leur passé, leur famille n'existeraient plus?

Existent-t-ils ce lieu, ce temps où ils n'auraient pas à jouer leur rôle respectif? Où il n'aurait pas à être Mike Falardeau, le tombeur de femmes, l'insouciant, le bagarreur et où elle n'aurait pas à être Marjolaine Taillefer, la bonne petite fille violée et délaissée s'occupant de la survie d'un lac?

Le regard de Marjolaine lui donne soudain l'impression d'être à la recherche de ce lieu, de ce temps pour eux. Aussitôt, il l'évite, étend ses grandes jambes devant lui et croise les bras comme il faisait à l'école pour bien montrer que les cours ne l'intéressaient pas. Conscient que son attitude insolente n'est qu'une forme d'intimidation pour masquer ses sentiments réels, il s'engage résolument dans ce mensonge irréversible, redevenant Mike Falardeau, le tombeur de femmes, l'insouciant et le bagarreur.

Il porte peu d'attention à l'ouverture de l'assemblée, à la lecture du procès-verbal et de l'ordre du jour, s'ingéniant à bâiller, les yeux rivés à ses bottes de cow-boy. D'ailleurs, qui s'intéresse à ce blabla ennuyeux? Qui écoute? Ne sont-ils tous pas venus ici pour vider leur sac? Ce prologue ne fait que retarder l'échéance et emplir un peu plus chaque «sac» d'impatience.

— Je propose que l'Association écrive une lettre au ministère de l'Environnement afin qu'il envoie un inspecteur pour vérifier le ruisseau Falardeau.

L'huissier s'est emparé de la parole dès qu'il en a eu l'occasion. Mike l'observe, à trois chaises de lui, dans la première rangée. C'est la première fois qu'il le voit de si près et un dégoût inexplicable se greffe à l'angoisse qu'attise cette proposition.

Debout, mais n'étant guère plus haut qu'assis, Martial Bourgeon savoure, l'air satisfait et béat, l'effet de son intervention. Telle une masse inébranlable, bien d'aplomb sur les petits socles de ses jambes, il se donne des allures de conquérant prêt à toute riposte. Mais quelle riposte est possible? Ils ne l'ont pas trouvée, ni lui, ni Léopold. Enragé par le triomphe facile que le huissier déguste sous leur nez et par le sourire de supériorité qu'il se permet, Mike se lève... très lentement... en jouant des épaules... Le T-shirt collé à ses pectoraux par la chaleur humide, lui rappelle qu'il n'a que ses muscles comme argument. Ses muscles, sa stature, sa carrure d'épaules et sa gueule de mauvais garçon. Bien que rien ne lui ferait plus plaisir que de pulvériser de son poing ce sourire arrogant, il se contente de toiser cet ancien citadin qui fait de si bonnes affaires avec leur misère. Il ne dit rien, ne fait rien, mais déverse sur lui un regard plein de mépris.

Un silence chargé de rancœur alourdit l'atmosphère et le vent tourne subitement comme à l'approche de l'orage. Le phénomène de solidarité des gens de la place joue contre le huissier et sa proposition. Tout ce qui s'est emmagasiné d'humiliation et d'animosité en chaque chômeur, chaque ouvrier, chaque cultivateur, commerçant ou ménagère que ce prétentieux a fait ramper s'échappe finalement de ces cœurs rancuniers. La peur de la profession, la fierté froissée, piétinée sous le soulier luisant, le cri de révolte barré dans la gorge, les mâchoires serrées, les sanglots retenus, tout ça s'agglomère et se soude à la provocation de Mike.

— Pour qui tu te prends, toé?

Quelques rires de nervosité. Un début d'applaudissement. Raclement nerveux des chaises sur le plancher. Dehors, les nuages se bousculent. Malgré tout, on entendrait une mouche voler.

Mike sent la hargne refoulée de ces petites gens passer dans tout son corps comme un courant électrique. Il l'adopte, cette hargne. La fait sienne ou plutôt devient son instrument de vengeance. Ce n'est pas seulement lui qui parle ainsi mais tous ceux-là qui se sont tus devant l'insulte. Ce n'est pas seulement lui qui crache ce regard de mépris mais tous ceux-là qui ont baissé les yeux dans leur indigence.

Martial Bourgeon cherche des alliés mais ne trouve que sa femme indignée mais muette.

672

— J'me prends... j'me prends pour quelqu'un qui veut protéger l'environnement pis le ruisseau Falardeau pollue le lac à la Tortue.

— Qu'est-ce que t'en sais?

Le tonnerre éclate en même temps que l'objection véhémente des riverains du lac à la Tortue.

— C'est un Falardeau! dénonce Boisclair, surgissant du public comme un clown d'une boîte à surprise, pressé de renseigner les touristes sur l'identité de l'effronté qui, armé de cette rancœur canalisée, s'apprêtait à terrasser l'huissier.

Encore une fois, le vent change de bord. Le débat s'enligne autrement. Martial Bourgeon se rassoit. N'étant guère plus bas assis que debout, il se rentre la tête dans les épaules en espérant se dissoudre dans ce peuple qu'il dédaigne.

À regret, Mike lui accorde un dernier regard, conscient qu'il vient de perdre en lui son principal atout.

— Pis toé, Boisclair, t'es v'nu icitte parce que t'as pas été indemnisé quand on a fait les travaux d'irrigation. Tu t'en sacres pas mal du lac à la Tortue.

Mike ne voit plus qu'une seule issue: créer un esclandre. Laver le linge sale devant tout le monde. Brasser la boue et la merde jusqu'à ce que ça pue. Jusqu'à la nausée et l'oubli du pourquoi de cette réunion. Jambes écartées, le front légèrement baissé comme un animal prêt au combat, il attend la réplique.

— Tu peux ben en parler des travaux d'irrigation. Les terres d'Andrew en avaient même pas de besoin. C'était juste un prétexte pour se remplir les poches... lui pis ses amis bleus.

— T'es jaloux, hein Boisclair? C'pas d'ma faute si t'étais pas dans l'bon parti.

— Parti pourri! Y ont détourné l'ancien ruisseau pour rien. Des voleurs! Des vrais voleurs! J'suis pas un voleur, moé.

— Tu peux ben parler, toé, ton parti a installé l'usine sur l'bord du lac pis a pollue ben plus que l'cric.

— C'est Mantha qui a construit l'usine, pas l'parti.

— Mantha pis l'parti c'est pareil, tout l'monde sait ça.

— Y a pas eu d'subvention, lui, au moins. Si c'est pas écœurant: ça été payé avec notre argent c'te cric-là... pis ça tout détruit la plage à mes camps.

673

— Oui, parlons-en de la plage, enchaîne madame Latour de sa voix aiguë. C'est plein d'algues maintenant.

— Andrew s'est rempli les poches avec ça, on a l'droit aujourd'hui d'envoyer un inspecteur pour vérifier l'cric. Y a rien qui nous dit qu'y envoye pas son purin dedans. Y est assez croche pour ça. Croche comme l'cric qui fait des grands détours sur ses terres.

Un rire général, vulgaire, railleur. C'est la tête d'Andrew qu'on veut ce soir. Mike sent l'opinion du public faire volte-face. Autant elle était pour lui quand il s'en prenait à l'huissier, autant elle se tourne maintenant contre lui, sa complicité se muant en férocité. Les gens crient. Rient méchamment. Parlent tous en même temps. Les uns se lèvent, les autres brandissent leur poing. On discute à deux, à trois, à quatre. On s'emporte. On virevolte sur les chaises. On grogne, on ferme le poing.

Un coup de tonnerre formidable ébranle les murs de la salle. Moment de répit. Un éclair mauve, et soudain, la pluie s'abat avec violence, martelant les grandes vitres et le toit de tôle.

— Est-ce que j'peux avoir la parole, madame la présidente?

Léopold en profite pour rappeler dans quel ordre doit se dérouler la réunion.

Avec consternation, Mike observe le vieil homme se lever dignement en lui chuchotant: «Reste tranquille, laisse-moé faire.»

— Vous avez la parole, monsieur Potvin.

Léopold couve l'assemblée d'un regard désapprobateur.

— Ça sert à rien d'envoyer une lettre au ministère de l'Environnement. Ce cric-là a été creusé grâce à une subvention du ministère de l'Agriculture, en 69.

— T'es ben placé pour le savoir, hein, Léopold? C'est tes machines qui l'ont creusé.

— Ouais! Tu t'es rempli les poches, toé aussi. C'pas d'notre faute si tu l'as tout bu.

Coup de tonnerre. Les fenêtres vibrent. Léopold hausse le ton.

— J'vais vous l'dire, moé, ce qu'y va arriver si on écrit à l'Environnement: y voudront jamais admettre que l'ministère de l'Agriculture a fait une erreur.

— Une erreur! Enfin y l'admettent.

674

Coup de tonnerre. Des rafales de pluie collent des feuilles sur les vitres panoramiques. Les éclairs illuminent la salle, mettant en relief les visages saisis d'admiration et de crainte.

— Les gouvernements, c'est comme des docteurs: ça l'admet jamais ses erreurs et jamais, y vont admettre cette erreur-là. Alors, on est aussi ben d'le réparer nous autres mêmes l'cric. Suffit de planter des arbustes tout l'long... pour empêcher la terre de débouler... on pourrait faire ça cet automne.

— Pis la senteur sur le village, suffit-y de planter des arbustes aussi? Le rire des villageois indique clairement leur intention d'envoyer un inspecteur fouiller de fond en comble l'établissement de production animale d'Andrew qui les rend verts de jalousie et de nausée par vent d'ouest.

— J'propose que les riverains transplantent des arbustes le long du cric, madame la présidente.

— J'seconde, appuie aussitôt Mike avec soulagement.

— J'suis désolée, Mike. Seul un membre peut proposer et seconder.

Il se laisse tomber brusquement sur la chaise, croisant les bras avec fureur.

Une série d'éclairs roses, blancs, bleus ont l'effet d'un stroboscope dans une discothèque. Quelle danse infernale! Dangereuse! Agressive! La danse des mots, des insultes, des calomnies, rythmée par la foudre et le tonnerre. La danse de la haine qui explose et se vide comme les nuages. De la haine qu'on vomit de bouche à oreille.

Il observe Marjolaine, si vulnérable et impuissante malgré son titre de présidente. Seule la proposition de Léopold peut la sauver: planter des arbustes à l'automne. C'est génial. Planter des arbustes à l'automne quand la culture illégale de Spitter sera disparue. C'est génial! Il n'aurait pas dû montrer son enthousiasme. Sa réaction a semé le doute. Pourquoi? Pourquoi personne ne seconde-t-il pas cette proposition? Il attend. Nerveux. Impatient. Choqué.

— Moi, je seconde la proposition de monsieur Bourgeon, prononce madame Latour en détachant ses mots.

Mike se renfrogne, furieux.

On passe au vote. Qui est pour? Contre? Abstention?

— La proposition de monsieur Martial Bourgeon, exigeant que l'Association des riverains du lac Huard écrive au ministère de l'Environnement afin qu'il envoie un spécialiste inspecter le ruisseau Falardeau est donc adoptée, résume Marjolaine.

C'est comme si elle venait de prononcer elle-même sa propre sentence. Éclatement du tonnerre. Soubresaut de la lumière puis panne d'électricité. Des petits cris, des bruits, des chuchotements. Ti-Ouard cherche des chandelles quelque part dans son bureau. La tension diminue. L'abcès est crevé. Le mal fait. L'irrémédiable posé.

Le cœur battant, le dos et les mains glacés, les tempes serrées, Mike profite de la pénombre pour regarder la présidente des Riverains que les éclairs illuminent par intervalles. Elle aussi, elle profite de cette pénombre pour le regarder. Existe-t-il ce lieu ou ce temps où il pourrait la prendre et la défendre? Où, tout primitif qu'il est, il pourrait l'aimer... tout simplement... Est-ce un adieu qu'il lui fait ce soir? Une dernière déclaration? Et elle?

L'électricité revient. L'arrache à sa contemplation. Le précipite dans la lumière crue de la réalité. Il n'en peut plus... Il n'est qu'un primitif qui n'a su la défendre.

Il se lève, traverse la pièce, les mains dans les poches.

— Oh! Y va s'faire chicaner par son grand frère. Ça pas marché, hein, l'truc du vieux Léopold? nargue Boisclair.

Pour toute réponse, Mike claque la porte avec violence et s'en retourne chez lui, laissant la pluie mouler son T-shirt sur l'arme dérisoire de ses muscles et le tonnerre lui emplir le crâne de sa malédiction.

* * *

Dimanche, 30 juin 1985.

Hier, la pluie. Aujourd'hui, le beau temps. Hier, l'orage qui cloutait l'asphalte de grêlons. Aujourd'hui, un soleil qui l'a ramolli. Hier, le tumulte des nuages. Aujourd'hui, de grands drapés roses se mirant paisiblement dans le lac.

Assise à une table de pique-nique de la plage municipale, Suzon Patenaude observe à la dérobée un groupe de skieurs s'activant au quai public. Ils sont quatre. Ils sont jeunes, beaux et bronzés. Et puis, ils sont évidemment riches. Probablement des universitaires ou des cégépiens. Ils viennent de la ville. S'amusent ferme, ici, dans les chalets de leurs parents. Pour eux, la vie est facile. Ça se voit. Elle ne pèse rien sur leurs épaules. Ils vont et viennent d'un pas insouciant, paradant leur corps harmonieux. Quel âge ont-ils? Le sien, probablement.

Un soupir. Elle paraît beaucoup plus âgée. Tellement en fait qu'ils ne la remarquent pas quand ils passent près d'elle. C'est normal. Elle est laide, grosse et insignifiante.

Depuis une semaine, régulièrement, elle vient les voir. C'est devenu une habitude, une manie. Un substitut à la cocaïne. Oh! L'effet n'est pas le même. Du tout. L'effet diffère considérablement. L'euphorie qui la gagnait quand elle prisait n'est pas comparable au trouble léger que ces garçons lui procurent. Mais avec eux, elle s'évade. Non pas d'elle-même mais des journées subies auprès de sa mère. Elle s'évade de l'emprise de Berthe, de sa bêtise aussi. Elle n'a qu'à admirer leurs cuisses bien galbées, leur poitrine, leurs bras et leur maillot provocant pour se consoler de toutes les laideurs que débite cette femme. Ils sont beaux à voir et elle aime le trouble qu'ils engendrent. Elle le recherche ce trouble. S'en abreuve comme une assoiffée dans le désert de sa grosse personne insignifiante.

Bien sûr, cela lui fait mal chaque fois parce qu'ils sont inaccessibles, mais le temps qu'elle rêve la soulage de cette vie qui l'étrangle comme un corset trop serré. Le temps qu'elle rêve la lave de tout son passé. L'absout de toutes ses faiblesses. Et le temps qu'elle rêve ainsi, elle oublie sa vie de cégépienne finalement gâchée par la drogue et se dépêtre lentement du cauchemar. Très lentement et à tâtons, elle se réadapte à la vie courante, normale, qu'aucun plaisir artificiel ne gonfle, ni ne dore. Car c'était artificiel, illusoire que cette énergie qui l'habitait. Artificiel que cette assurance et cette vigilance. Artificiel et tellement éphémère. Artificielles aussi la perte de poids et l'impression de plaire aux garçons. L'impression d'être vive, alerte, dynamique. Oui, c'était artificiel tout cela. Trompeur et mensonger. Pourtant, la douleur qui a résulté de ce sevrage a été tellement réelle. Tellement profonde et bouleversante... Mais, c'est fini, tout ça. C'est du passé. Elle ne veut plus y penser.

Les jeunes hommes s'ébattent dans l'eau. S'amusent à s'arroser comme des gamins. Ils rient. Se poursuivent sur la plage

677

en levant le sable de leurs pieds nus. Elle se délecte des muscles, des formes dans le maillot humide, des peaux dorées sous les rayons du couchant. C'est beau à voir même si ça lui fait un peu mal. C'est bon de sentir sa chair retournée. Cela lui confirme qu'elle est vivante. Et puis, un jour, quand elle atteindra l'indépendance financière avec la concession de la patate frite, elle maigrira et rendra le rêve accessible. Un jour, un homme s'approchera d'elle et...

Elle sursaute au contact froid d'une longue main blanche sur la sienne et tente de la retirer. Impossible. Les doigts cadavériques la tiennent bien serré.

Avec effroi, son regard longe le bras veineux où se distinguent nettement des marques de piqûres puis rencontre des cheveux d'un blond filasse éparpillés sur l'épaule décharnée et aboutit finalement à la figure détraquée de Spitter. Elle retient un cri. S'arrête de respirer. On dirait que son cœur est dans cette main-là qui augmente graduellement sa prise au fur et à mesure qu'un sourire dévoile des dents pointues.

— Salut Suzon.

Une voix dure, mal enrobée de miel. Une voix fausse qui laisse filtrer la menace. Elle n'a pas la force de répondre. Ni celle de s'en aller. L'estomac noué, la main prisonnière, le souffle coupé, elle écoute le bruit du moteur hors-bord et les voix des jeunes hommes enfilant leur veste de sauvetage. C'est comme s'ils étaient très, très loin d'elle. Dans un autre monde. Une autre dimension, où elle n'aurait plus la possibilité de les regarder et de les écouter vivre. C'est comme si cette main de mort l'arrachait à leurs beaux corps, leurs cris joyeux et leurs prouesses pour la ramener de force dans son passé.

— T'as pas l'air contente de m'voir. J'peux m'asseoir?

Il s'installe près d'elle, une jambe repliée sous les fesses.

— Moé, ça m'fait mal aux fesses des bancs d'bois. Pas toé? Oh! C'est vrai, avec les fesses que t'as astheure. T'sais que t'as pas mal engraissé... Tu dois pas t'aimer ben gros, grosse de même. C'est pour ça que tu r'gardes les garçons? C'est tout c'que tu peux faire, hein? Hi! Hi! Hi! Ah! La grosse Suzon... La grosse Suzon Patenaude. Tu pensais m'échapper, hein?

Il intensifie la prise. Pétrifiée, muette, elle suit d'un œil fixe les deux skieurs qui s'éloignent à la remorque du yacht, façonnant des vagues sur la surface plane du lac. Des vagues qui lui vont jusqu'au cœur et le font ballotter tel un bouchon de liège.

— J'ai plus d'affaire à toi, Spitter. Fiche-moi la paix.

— Oh! Oh! Tu fais la méchante. Penses-tu que ça me fait peur?

Ce regard pâle. Presque blanc. Échoué sur elle comme un bois d'épave sur la grève.

— C'est ben plus à moé d'être méchant... Tu m'dois encore d'l'argent.

— Moi? Jamais d'la vie. J'te dois pas une cenne.

— Non... pas une cenne mais cinq cents piastres.

— Quoi!? T'es malade!

Le regard pâle dérive un instant vers le village. Suzon se lève, furieuse. Tente de se dégager la main. Se voyant prise au piège, elle panique, tire de toutes ses forces et regarde, affolée, autour d'elle. Personne. Il n'y a personne pour lui venir en aide, sauf trois enfants s'amusant à construire un château de sable. Au loin, les skieurs évoluent avec grâce, dessinant d'élégantes arabesques sur le miroir du lac.

— Assis-toé, ordonne Spitter en lui broyant les doigts.

— J'te dois rien pis tu l'sais.

— Non. J'le sais pas. Tu m'as vendu d'la coke, non? C'est drôle; y manque d'l'argent. Cinq cents piastres.

— Ça s'peut pas, proteste-t-elle, effrayée par le regard malade qui la transperce. J't'ai tout remis. J'en prends même plus, d'la coke. J'veux plus en prendre.

— J'veux pas t'en vendre, non plus. J'veux juste mes cinq cents piastres. Assis-toé.

— Lâche-moi: tu m'fais mal, gémit-elle en prenant place près de lui.

Il se tourne vers elle, enfonce froidement son regard de dément jusqu'au fond de son être et sourit malicieusement. Un frisson le parcourt. Il ressemble à un loup mordillant sa proie avec sadisme. Et la proie, c'est elle. C'est son existence qu'elle rééquilibre lentement et difficilement.

— J'sais pas c'que ta mère dirait si a savait pourquoi t'as lâché le cégep?

679

Horrifiée par les conséquences de cette dénonciation, Suzon s'immobilise. Elle ne se débat plus, ne parle plus. Suspend sa respiration sous les crocs du prédateur. Il la tient. Elle ne peut pas s'échapper. Ne peut pas s'enfuir. Ni oublier ou nier. Oui, il la tient fermement et elle, elle sent sa main devenir toute molle. Sans force et sans résistance.

— Ah! Là, tu commences à comprendre, hein, ma grosse? Ta môman s'ra pas ben contente... pis ton pôpa, non plus.

Il lâche prise. Terrorisée, Suzon regarde sa main inerte sur la table. Une grosse main molle et vide. Une grosse main morte... affalée sur le bois comme un phoque sur la glace.

— Fais pas ça, Spitter. Dis-le pas à ma mère.

— T'as juste à m'payer.

— Comment veux-tu que j'te paye... j'ai pas d'job.

— Ah! Ça, c'est pas mon affaire.

— Pourquoi tu fais ça? Tu l'sais que j'te dois pas une cenne.

— Veux-tu dire que j'suis un menteur, hein? C'est ça que tu veux dire, ma grosse torche?

Il lui pince un bras. Tord sa chair entre ses doigts maigres.

— Est-ce que j'suis un menteur, moé? Hein? Réponds grosse torche.

— Tu m'fais mal. Non... non, t'es pas un menteur... mais comprends que j'peux pas te payer. J'ai pas de job.

Il abandonne son bras.

— Ça fait rien. Un jour, tu vas en avoir une. J'attendrai: ça f'ra monter les intérêts.

— Les intérêts!!!

— Oui, les intérêts. J'te la prête, cet argent-là, non?

Elle hésite, oh! si peu, de peur qu'il ne la pince à nouveau.

— Oui, oui.

— J'te lâcherai jamais... pis si tu fais ta niaiseuse, j'vais aller voir ta mère. Compris?

— Oui. Compris.

Anéantie, elle aperçoit alors le bateau dans son champ de vision et les skieurs habiles qui s'entrecroisent derrière. Comment peuvent-ils s'amuser quand son monde à elle s'écroule?

Cette image du bonheur et de l'insouciance qui tantôt la faisait rêver lui apparaît maintenant comme un outrage à sa douleur.

À sa terreur. Qu'ont-ils à rire et à jouer devant elle qui vient d'être enchaînée aux faiblesses de son passé? Devant elle, à jamais esclave des divagations de ce dépravé impassible et cruel. Ce dépravé qui rit d'elle et exploite sa peur. Ce dépravé qui la tient, immobile et muette sous ses crocs. Ce dépravé qui crache avec morgue sur sa grosse main morte sur la table.

— Un dernier conseil, ma grosse.

Le yacht accoste. Les deux skieurs s'en reviennent à la nage, échangeant des propos joyeux.

— Tu f'rais mieux de dire à ton père de s'mêler de ses af-faires, rapport au cric... Paraît qu'les Riverains ont envoyé une lettre hier, pour avoir un inspecteur.

Les nageurs atteignent le quai, poussant leur ski devant et tendant la main pour se faire hisser. Serviables, leurs camarades se penchent pour leur venir en aide et se voient aussitôt attirer vers eux. Ploush! Ploush! Éclat de rire général.

— J'vais m'en charger moé, des Riverains. C'te maudite folle-là va y goûter... pis ton père est mieux de se t'nir tranquille; on sait jamais, un accident est si vite arrivé.

«Tiens, la grosse s'est fait un chum!» s'exclame un des jeunes hommes. Voilà ce qu'il voit. Ce qu'il croit. La grosse a finalement racolé un mâle. Oh! Pas beau, ni propre, du genre déchet de la so-ciété, mais elle n'a pas à être trop exigeante après tout. Cette phrase convainc Suzon d'appartenir désormais à une autre dimension. À un autre monde complètement débranché de celui de ces jeunes hommes. De celui de ces enfants arrosant leur château de sable. De celui de ce village sans histoire. Un monde d'horreur et de terreur. Un monde d'angoisse et de nuits blanches. De palpitations et de frissons.

Elle entend rire et cela l'enfonce davantage dans ce gouffre où l'ont jetée les menaces de Spitter. Elle entend également les mo-teurs hors-bord, voit les chaloupes sillonner le lac et les enfants remplir leur chaudière de plastique, mais tout cela se déroule de-vant ses yeux comme un film auquel elle ne peut participer. Tout ça est hors de sa portée et devient irréel... Tout ça fait maintenant partie de cette dimension avec laquelle elle ne peut entrer en con-tact. Cette dimension qui ignore le danger. Mais elle, elle le con-naît. Elle, elle sait que le monstre existe. Que le monstre rôde dans le village sous les apparences trompeuses d'un enfant gâté. Que le monstre traque ses victimes; Marjolaine, Alex, elle et maintenant son père. Elle, elle sait que le monstre est libre d'agir à sa guise. Que le monstre peut.

Étourdie, elle ferme les yeux. Souhaite intensément que tout cela ne soit qu'un mauvais rêve. Elle se sent comme un vaisseau perdu dans l'espace, incapable de réintégrer l'atmosphère terrestre. Et elle gravite dans ce vide immense et froid, émettant des signaux de détresse interprétés comme des signes d'allégresse.

Une légère tape sur sa main morte la fait sursauter.

— J'pense que t'as compris, ma grosse.

Et le regard bleu, presque blanc, le regard du tueur seul avec sa proie dans cette dimension, en aparté, échoue à nouveau sur elle avec toute sa glu, sa pourriture et sa cruauté.

* * *

Lundi, 1ᵉʳ juillet 1985.

Bien qu'il soit tenu d'applaudir aux prouesses du fils gâté pourri de René Mantha, Jérôme Dubuc n'en demeure pas moins convaincu que cette journée symbolise l'apogée de sa réussite. Vêtu d'une chemise légère et d'un bermuda d'où s'échappent tant bien que mal, et plutôt mal que bien, ses jambes torses et poilues, il partage son regard entre son patron aux commandes du bateau et Dominique accomplissant des figures acrobatiques sur un ski. Et son expression passe de la soumission fidèle et totale au désir, inavoué mais manifeste, de voir chuter le skieur, car rien ne lui ferait plus plaisir, pour couronner magnifiquement cette journée, que d'assister à la déconfiture du suffisant adolescent. Hélas, celui-ci évolue avec habileté, l'obligeant ainsi aux louanges.

— Y s'débrouille ben.

— Plus que bien... J'vais l'inscrire aux compétitions de ski nautique. C'est un vrai champion. R'garde. R'garde-le faire.

Pirouette. Saut. Hélas, oui: il excelle. Jérôme ne peut faire autrement que de s'extasier.

— Vous avez raison. C'est un vrai champion.

Ne peut faire autrement que d'applaudir, maintenant difficilement, un sourire artificiel à la surface des lèvres.

— C'est quand les compétitions, déjà?

— Samedi le vingt. Le vingt et un ce sera les régates.

— Comme ça, c'est tout arrangé: on va avoir des régates icitte.

— Oui, mon Jérôme. Les régates de Valleyfield. Ça va attirer du tourisme en masse. R'garde-le, r'garde-le faire, c'est pas beau ça?

— Un vrai champion.

Le regard de son patron le sonde. Jérôme s'inquiète. Fait un suprême effort pour paraître admiratif, mais il a l'impression que son sourire est de travers sur son visage, risquant à tout instant de virer en grimace. Alarmé de perdre les bonnes faveurs de son maître, il se met à cligner des yeux.

— Quelque chose qui ne va pas, Jérôme?

Trahi par son tic nerveux de plus en plus critique, Jérôme entreprend aussitôt des fouilles intensives pour trouver ce quelque chose qui est censé ne pas aller. Il passe en revue toute la direction de l'usine, rejetant d'emblée le déversement des surplus de déchets dans le ruisseau. Non. Il ne faut pas ternir la bonne humeur de monsieur Mantha avec des bagatelles de la sorte. Encore moins avec l'opposition probable des riverains aux régates. Non! La journée est trop belle pour cela et c'est la première fois qu'il est invité de la sorte. Comme un grand de ce monde. Un riche de ce monde. Tantôt, il sera près de la piscine, à siroter un whisky. Il y aura la belle Irène toute bronzée sur sa chaise longue, et le barbecue au propane, et ils jaseront de tout et de rien. De gros chiffres et de projets. D'affaires et de politique et lui, il se sentira comme un héros de *Dallas*. Lui, il vivra ce train de vie qui le fait rêver devant le petit écran.

— J'ai assez peur qu'y s'fasse mal.

Ce gros mensonge qu'il découvre enfoui dans la boue de sa conscience vient à sa rescousse et le dépêtre de cette fâcheuse situation avec adresse, métamorphosant son sourire qui ne tient plus en place en une expression inquiète.

— Relaxe! Relaxe, Jérôme. Y s'fera pas mal. Y est habitué.

La main pesante, la main puissante du patron se pose sur son épaule dans un geste rassurant.

683

— Tiens, c'est fini. R'garde-le bien. Il va s'arrêter sur la plage.

Jérôme laisse s'échapper un gros soupir de soulagement. Enfin, c'est fini. Ça devenait intolérable de simuler l'admiration et l'inquiétude. Épuisé par l'effort soutenu et continu de cette épreuve, il prend une bonne respiration et se calme peu à peu. Ses clignements d'yeux s'espacent puis cessent tout à fait.

— Cré Jérôme, va!

Une tape amicale. Un rire jovial et Mantha exécute un virage serré. Des gerbes d'eau fusent dans leur sillage, retombant en gouttelettes sur les gros rouleaux de vagues qui s'écartent l'un de l'autre et engendrent des sillons mouvants.

— Et ça, ça te fait peur?

— Un peu, oui.

Le directeur tâte instinctivement sa veste de sécurité et recommence à cligner des yeux. Il ne sait pas nager. Son patron le regarde avec malice avant de couper l'énorme vague qui fait tanguer l'embarcation. Jérôme s'accroche des deux mains au banc. Son estomac ballotte en lui. Il va vomir, c'est sûr. Mourir, encore plus sûr. Il ne sait pas nager. N'a jamais appris. S'est toujours contenté de se laisser flotter dans sa chambre à air. René Mantha s'amuse de sa peur. Tourne de plus en plus serré. Ils vont finir par verser. Par se noyer. Il n'a pas confiance en cette ceinture de sécurité. Elle ne pourra pas le supporter, c'est certain. Il va caler jusqu'au fond. Comme une pierre. René Mantha rit maintenant. À pleins poumons.

— Ah! C'est drôle! C'est drôle de t'voir. Ha! Ha! Ha!

Il rit. Il s'amuse, le patron. Faut pas le contrarier. S'il sort vivant de cette seconde épreuve, il aura droit à plus de considération de sa part. Plus de whisky dans son verre et plus de tapes amicales sur l'épaule. Plus de confidences peut-être et sans doute une augmentation de salaire. Il est trop tard, maintenant, pour faire marche arrière: il a mordu à l'appât de la sécurité et de l'aisance matérielle et s'est accroché à cet hameçon qui ne peut qu'aller de l'avant. Qui ne peut que s'enfoncer davantage dans sa fierté, sa dignité, son intégrité. Il est trop tard. Il ne peut faire autrement que d'être ce directeur rampant. Ne peut faire autrement que de servir de jouet au patron et de rire jaune quand ce dernier rit de lui, de sa peur, de ses boyaux qui se tordent.

S'extirper cet hameçon, c'est renoncer au confort, au luxe. Au micro-ondes, aux armoires en mélamine, au vidéo, au quadrimoteur. Aux tapis, aux rideaux, aux tuiles dont rêve sa femme. C'est retourner à la misère. Aux meubles usagés et à la corde à linge. Il est trop tard, maintenant, pour demander d'être respecté.

— Ha! Ha! Ha! J'te pensais pas peureux de même.

— C'est que... j'sais pas nager.

— Moi non plus. C'est pas une raison.

— J'pense que j'vais vomir, monsieur Mantha.

— Bon. Bon. On rentre. Pas de dégâts dans mon bateau.

La tête pendue dehors au cas où il aurait à vomir, Jérôme regarde vers la berge comme un naufragé vers une terre de salut. Le spectacle des choses stables soulage ses malaises et il s'attarde aux rochers, à l'imposante résidence d'été, à l'allée d'asphalte bordée de cèdres, à l'usine, à la Cadillac. Tout à coup, il aperçoit une immense chambre à air dansant doucement sur les flots et un enfant blond couché à l'intérieur. Cette image s'introduit en lui avec la rapidité et la force de l'éclair. Elle lui renverse l'estomac et s'implante quelque part en lui. Quelque part en son enfance, quand il se laissait bercer par les vagues. Il vomit. Et de nausée et de dégoût pour ce qu'il est devenu.

Le yacht accoste. Dominique attache les amarres avec un sourire narquois.

Blême, frissonnant, honteux, Jérôme monte sur le quai. Son regard revient aussitôt à cette chambre à air et à l'enfant blond couché dedans. Quelque chose, quelque part en lui vibre et fait mal et pourtant ce quelque chose, quelque part en lui a besoin de cette image et s'y attache. L'innocence, la candeur, l'insouciance de ce gamin lui rappelle qu'il n'a pas toujours été un directeur rampant. Qu'il n'a pas toujours été le Flasher-à-Mantha. Fut un temps où il n'avait pour toute richesse qu'une chambre à air et une âme propre, libre, honnête. Fut un temps où il communiait aisément avec la nature, complètement détaché des choses matérielles. Fut un temps, avant qu'il ne morde à l'appât.

— Lâchez d'le regarder: y va vous donner encore mal au cœur. Y est plein de boutons, conseille Dominique.

— Ah! C'est ton p'tit frère, hein?

— Ouang.

685

— Y fait pas de ski, lui?

— Lui? Ben non! Y passe son temps à s'laisser flotter dans sa trip* pis à jouer avec les grenouilles, ajoute l'adolescent d'un ton railleur tout en jetant un regard dédaigneux à son frère.

Jérôme ressent alors une vive antipathie mêlée de pitié à son égard. Ce garçon qui a mordu bien avant lui à l'appât des choses matérielles n'a rien des charmes de l'enfance. Trop tôt, il a troqué son âme, vendu son âme. À treize ans, le voilà vieux, sans intérêt. À treize ans, tout lui est acquis et tout lui est dû.

Mantha s'approche d'eux, observe un instant Gaby.

— Oh! Oui, lui... c'est pas un skieur. Il nage bien, par exemple... Une vraie grenouille. C'est avec lui que j'vais inaugurer les glissades d'eau.

– Hein?! Pourquoi avec lui? C'est moi qui veut les essayer en premier.

— Non. C'est Gaby qui va les essayer. C'est pas toujours au même à essayer les choses neuves, sanctionne Mantha d'un ton qui n'exige aucune réplique. Frustré, Dominique lance par terre le ski qu'il tenait et les quitte d'un pas rageur.

Jérôme risque alors un regard vers le visage cramoisi de son patron et remarque que sa lèvre inférieure tremble légèrement. Il se tait près de l'homme furieux, de peur d'attiser sa colère d'une seule parole malencontreuse. Résigné, il attend qu'elle passe. Qu'elle s'éteigne.

— Gaby! Viens manger, ordonne alors René Mantha de sa voix puissante, autoritaire qui fait sursauter Jérôme.

Et avec tristesse, nostalgie, le directeur rampant voit l'enfant quitter à regret ce nid de caoutchouc que les ondes balançaient doucement au soleil. Il le voit mettre pied à terre et devenir lamentable tel un huard au sol. Il le voit baisser la tête et gratter ses boutons. Le voit arraché de ce royaume où il était prince pour devenir ce prisonnier sans statut dans cette contrée des adultes accrochés à l'hameçon du gain.

* * *

---

* Trip: chambre à air.

Mardi, 2 juillet 1985.

Tenant Gaby par la main, Irène traverse la salle d'attente. Les patients qu'aucune lecture ne distrait ne peuvent retenir un geste instinctif de répulsion en les voyant.

Elle presse le pas. Remarque le crucifix de céramique au-dessus du bureau de la réceptionniste. Pense aux lépreux que le Christ guérissait. À sa mansuétude. Puis à la compassion du médecin devant les plaies de Gaby. Ce regard tendre qu'il avait. Cette voix et ces gestes doux qui la faisaient se sentir indigne. Et finalement ce diagnostic lourd de conséquences qu'il a prononcé: «d'origine purement psychosomatique». Presque une sentence. Qu'elle aurait aimé disparaître! S'évader de ce cabinet par miracle, fuir les questions du praticien et le silence symptomatique de Gaby. Qu'elle aurait aimé être ailleurs! Être quelqu'un d'autre que cette mère étrangère à son enfant. Avoir d'autres réponses à donner. Depuis quand l'enfant souffre-t-il de cela?

— Depuis qu'il vit avec nous.

— Un événement a-t-il perturbé la vie de l'enfant?

— Oui...

Elle se sentait dans le box des accusés et n'avait aucun argument pour se défendre. N'était-ce pas injuste puisque René, le grand responsable dans cette affaire, se voyait épargné du blâme et lavé de tout soupçon?

C'est sur elle que pesait le regard scandalisé du médecin. Sur ses épaules que retombait le manteau de la honte.

C'est elle qui éveillait le scepticisme de l'omnipraticien puisqu'il n'avait consenti à augmenter la dose de cortisone qu'à condition qu'un rendez-vous avec le psychiatre soit pris dans les plus brefs délais. Ce qu'elle avait dû faire.

Coups de coude et chuchotements marquent son passage. Elle lève la tête haute, malgré une bouffée de chaleur qui lui réchauffe les joues et les oreilles. Pour sa part, Gaby marche la tête si basse qu'il doit connaître par cœur tous les motifs du tapis.

Elle passe à la pharmacie, obtient l'onguent à plus forte teneur de cortisone et s'empresse de filer hors de la ville.

Sans s'en rendre compte, elle roule vite. Trop vite. Les pensées se bousculent dans sa tête. Bondissent partout dans son cerveau comme du maïs soufflé. L'article de journal qui imputait aux Riverains l'intention de chlorer inutilement l'eau du torrent et qui faisait allusion à une négligence criminelle sur la personne du fils de monsieur Mantha, la satisfaction de ce dernier devant le déroulement des événements, l'ambition des avocats dans l'accusation portée contre ses parents, la scission d'avec sa famille et la réaction de Gaby à toutes ces méchancetés, tour à tour, retiennent son attention et la distraient. Elle conduit en automate. Vite et bien.

Et tel un automate, elle s'exprime par le truchement de sa voiture. Cet engin qui file et fuit, c'est elle. C'est ce qu'elle ressent. Ce qu'elle désire. Laisser loin derrière elle tous ces tracas, tous ces remords. Elle pèse sur l'accélérateur, croyant ainsi échapper aux tentacules de la culpabilité. Mais, elles la rejoignent toujours, ces tentacules, et se nouent à sa gorge. Pourquoi pas à la gorge de René? C'est lui le coupable, après tout. C'est de sa faute. Elle, elle n'a été qu'une victime. Avant d'écraser Gaby, ne l'a-t-il pas écrasée elle? Avant de s'en prendre à sa famille, ne l'a-t-il pas séparée d'elle? Pourquoi cette faute lui court-elle après comme une chienne enragée? Ce n'est pas elle qui a pris le chiot dans la portée: c'est René. C'est sa main qu'elle devrait mordre. Sa main pesante et toute-puissante qui presse les gens dans les moules.

Elle va vite. Pressée d'arriver. Pressée d'accuser. De décharger sur l'homme toute sa rancœur et son mépris. Elle va vite. Ne pense plus maintenant qu'à René et se délecte à le haïr. Elle s'est tue depuis tant d'années. Maintenant, c'est fini. Il va payer pour le mal qu'il a fait. Pour cet enfant qui attire la pitié du médecin et nécessite les soins d'un psychiatre. Il va payer, enfin. Elle va tout lui lancer cela à la figure. D'un bloc. Sans ménagement et sans prudence. Tout. Elle va tout lui lancer à la figure. Elle va même lui dire qu'elle a toujours fait semblant de jouir avec lui. Oui, même cela. Ça lui fera mal. Ça le blessera dans son orgueil. Surtout cela, à bien y penser. Pour lui démontrer qu'il ne l'a jamais réellement possédée, lui qui croyait tout avoir.

Soudain, une charrette de foin apparaît droit devant. Elle applique les freins. Dérape légèrement et calcule en une fraction de seconde qu'elle ne ralentira pas assez pour éviter la collision. Apercevant la mine horrifiée des deux garçons assis sur les ballots, elle double. Une voiture fonce vers elle en sens inverse. Elle écrase l'accélérateur, dépasse la charrette et revient dans sa voie, passant de justesse entre le véhicule et le tracteur. Instantanément, elle a mal partout et parvient à s'immobiliser sur l'accotement.

Presque aussitôt, elle entend les occupants de la charrette l'invectiver. Elle ne porte pas attention à leurs paroles mais capte leur fureur. Ils ont raison. Par sa faute, ils ont failli avoir un accident. Elle a mis leur vie en danger outre la sienne et celle de Gaby, outre celle des occupants de l'autre véhicule.

Ils ont raison. Cent fois. Mille fois, de la blâmer. De l'accuser. Que pleuvent sur elle les menaces! Elle le mérite.

Elle a failli blesser, mutiler, tuer, clouer en fauteuil roulant des innocents qui n'avaient rien à voir avec sa colère. Rien à voir avec sa vie ratée. Avec sa faiblesse. Avec sa honte. Elle souhaite que les occupants de l'autre véhicule viennent à leur tour décharger sur elle leur condamnation, cristallisant ainsi cet immense et imprécis sentiment de culpabilité qui l'habite. Mais, par le rétroviseur, elle les voit poursuivre leur route. Puis, plus rien. Plus personne. Elle se retrouve seule dans sa voiture qui a failli être son tombeau. Seule avec Gaby pelotonné dans un coin, qui l'observe craintivement.

Elle arrête le moteur. S'approche de lui tout doucement.

— Moi aussi, j'ai eu peur... on n'a pas eu d'accident... Je n'irai plus si vite... On n'a pas eu d'accident. C'est fini, Gaby.

Elle lui pose la main sur les cheveux et les caresse légèrement, répétant sans cesse: «On n'a pas eu d'accident, c'est fini, on n'a pas eu d'accident.»

Elle voit trembler sa main dans la tignasse dorée. «C'est fini Gaby... on n'a pas eu d'accident. Viens, on va marcher dehors un peu... Ça va nous faire du bien.»

Dehors, c'est le soleil. C'est la vie. Toute belle, toute chaude et lumineuse qui se déverse dans les champs. Dehors, ça sent l'asphalte ramolli, le foin et le parfum sucré des trèfles et des épervières. Dehors, les criquets stridulent et le sable grince sous la semelle des chaussures.

Ils font quelques pas en bordure de la route. Irène reluque le fossé. Une fraction de seconde de plus ou de moins, et leurs deux cadavres y giseraient pêle-mêle dans la ferraille ensanglantée. Un frisson la saisit et à nouveau, un mal intense s'irradie dans tout son être.

«On a passé proche», s'entend-elle dire évasivement. Proche de mourir. Proche de partir. Proche de verser dans l'autre monde. La pellicule est si mince entre la vie et la mort. Si mince et si fragile. Mince d'un millième de seconde entre notre temps et l'éternité. Et cette pellicule, elle a failli la traverser. Ce millième de seconde, elle a failli le vivre et chavirer dans l'au-delà. Cette perspective l'effraie et, pour échapper à la hantise du gouffre immortel, elle offre son visage au soleil et goûte le baiser de la vie sur ses joues.

C'est si bon. Si simple. Si doux. Et il y a si longtemps qu'elle n'a eu conscience de son privilège d'être de ce monde des vivants. Si longtemps. Ça remonte à son enfance, alors que le jus des framboises tachait ses doigts et qu'elle courait avec ses frères. Ça remonte aussi à ce soir de printemps où elle croyait en l'amour et savourait les mains de Bobby sur ses hanches. Et puis, plus rien. Rien qu'un grand désert auprès de René Mantha. Rien que des limbes informes, inodores et incolores. Rien qui ressemble à cette vie précieuse et unique qu'elle recueille sur sa peau.

C'est comme si elle s'éveillait d'un long sommeil. D'une profonde léthargie. Comme si elle recouvrait la vue, l'ouie, l'odorat, le toucher et le goût. Comme si son être avait été privé du bleu du ciel et du parfum délectable du vent dans les fleurs sauvages. Comme si son être réintégrait la vie au même titre que l'abeille respirant ces parfums, au même titre que la marmotte observant hors de son terrier, au même titre que cet enfant près d'elle. Elle se penche vers lui. Vers le ciel de ses yeux et le blé de sa chevelure. Ses doigts lourds de bagues glissent à travers les mèches soyeuses, évaluant cette richesse inestimable qu'est la vie de son enfant. Il la regarde jusqu'au fond de l'âme. Avec cette pureté et cet amour démesuré qui l'habitent. Il la regarde sans méfiance, ni arrière-pensée. Sans mensonge et sans rancœur. Il la regarde comme elle, elle vient de regarder la vie après son long sommeil. Et doucement, divinement, un sourire naît dans ce regard et se dessine délicatement sur les lèvres. Ineffable, divin, exquis, le sourire de ce petit d'homme qui n'a été souillé ni par la méchanceté, ni par l'argent, descend en elle et l'abreuve telle la source limpide d'une oasis après le désert meurtrier de ce long bout de vie artificielle avec René Mantha. Et elle boit. Avide et confiante. Elle boit, sans crainte de retrouver le désespoir au fond de son verre. Sans risque de se détruire. Son âme s'abreuve de ce regard, de ce sourire, tout comme la plante prolongeant ses racines dans les puits souterrains, tout comme l'animal s'abreuvant au point d'eau. Son âme a soif de s'être traînée si longtemps dans ce désert aride. Moribonde, elle se gave de ce regard d'eau qui lui garantit la vie.

Qui, d'elle ou de lui, a ouvert les bras en premier? Les voilà l'un contre l'autre, enlacés, serrés, réunis. Voilà leur joue, l'une sur l'autre, mêlant leurs larmes et leur douceur. Voilà leurs yeux clos sur leur bonheur vulnérable et leurs mains qui se palpent et se caressent. Tant de passion, tant de souffrances aussi dans ce petit homme qui n'a été souillé ni par l'argent, ni par la méchanceté. Tant de besoin, tant de remords en elle qui s'est perdue dans le désert, loin de l'oasis.

— C'est fini... c'est fini... on n'a pas eu d'accident. Maman a eu peur de perdre son p'tit garçon. C'est fini... Maman, a l'aime beaucoup son p'tit garçon.

Il se presse sur elle avec frénésie et l'étreint si fort qu'il lui fait mal. Il a tant besoin d'elle. Tant besoin d'être abreuvé à son tour. Mais, elle, elle n'a pas de réserve. Pas de puits. Pas de point d'eau. Elle, elle est vide. Sans source et sans ressource. Elle, elle craint que demain ou après-demain, le désert ne s'empare à nouveau d'elle et ne l'assèche impitoyablement. Il lui faut de l'aide. Des provisions. Il lui faut remplir ses outres à ras bord.

L'image de sa mère s'impose à elle avec tout ce qu'elle comporte de sécurité et de générosité. Avec son gros ventre déformé par l'œuvre de la vie, avec ses jambes endommagées par le don de soi. Avec ses seins tombants, tant de fois offerts au nourrisson, et ses mains ridées, usées, dévouées. L'image de sa mère s'impose à elle et la rappelle à l'ordre immuable et secret du monde femelle. Du monde maternel.

— Viens, on va aller faire un tour chez mémère.

Et elle obéit à cette image qui l'appelle. Elle obéit. Avec crainte, respect et besoin.

Mais la crainte grossit au fur et à mesure qu'elle approche de la maison familiale. Alimentée par l'action en cour contre ses parents et l'article de journal faisant allusion à une négligence criminelle de leur part, cette crainte se fait de plus en plus légitime. De plus en plus fondée. Comment sera-t-elle accueillie? La considérera-t-on comme une traîtresse à la famille? Une sans-cœur? Ne serait-il pas plus sensé de passer outre cette maison où elle a grandi?

Sans doute, mais elle s'y arrête. S'engage dans l'entrée de cour. La boîte aux lettres, toute grise et rouillée avec le nom de son père écrit en blanc, accroche son regard. Déclenche des pensées-pièges qui claquent instantanément sur son âme. N'est-ce pas cette boîte qui a livré les lettres d'avocat et le journal diffamant? Qui, de son père, de sa mère ou de Marjolaine a fait la triste découverte de la mesquinerie de l'homme dans son statut légal?

Il est encore temps de rebrousser chemin. De retourner à ce désert qui la détruit mais n'exige rien d'elle. Il suffirait de mettre le véhicule en marche arrière plutôt que de couper le contact. Mais elle n'en fait rien et retire vivement la clé de peur de changer d'idée. De peur de faiblir.

Elle descend de voiture. Ébauche le geste de retenir Gaby qui s'élance vers la maison. Trop tard. Il grimpe déjà les trois marches de la galerie. Ces trois marches qu'elle connaît par cœur.

L'odeur de l'écurie mariée à celle de la moisson engrangée pille impudemment les souvenirs qu'elle avait soigneusement rangés dans un coffre judicieusement caché dans le grenier de sa mémoire. Le temps des foins revit en elle par des séquences courtes et rapides jetées à l'aveuglette hors du gros coffre. Les plantes drues fraîchement fauchées qui lui piquent les chevilles, les volées de sauterelles, les gants de travail imbibés de sueur, le goût du sel sur ses lèvres, la fraîcheur de la brise sur son visage humide, la vaillance de ses frères lançant les ballots, la satisfaction de son père évaluant la récolte, la contribution de Marjolaine, enfant, qui venait leur porter l'eau froide à boire, le rire et le bonheur autour de la grande table, le sentiment d'avoir accompli de la bonne ouvrage tous ensemble, la fierté d'avoir collaboré au bien-être familial et la conscience d'avoir répondu à la générosité de la terre, d'avoir obéi à cette exigence des temps immémoriaux, d'avoir posé le geste de l'homme qui se penche pour cueillir les fruits. Le geste de la moisson qui, le soir venu, donne mal aux reins. Le geste de la moisson qui, devant les granges remplies, donne le courage de voir venir l'hiver. Le geste de la moisson qu'ils posaient tous ensemble comme une prière qui unit. Tous ensemble à s'éreinter. Elle comme les autres. Avec les autres. Avec son père. Hors de la cuisine pour cette période de l'année. Elle, libérée de ses fonctions d'aînée. Elle, tout à coup considérée comme une paire de bras. Elle, couchée en haut de la charrette dans le foin odorant qui la chatouillait, riant et chantant avec ses frères au voyage de retour et observant son père, sur le tracteur, qui dodelinait de la tête pour battre la mesure.

— Y sont en train de faire le carré sud.

Sa mère est là, comme une masse informe derrière la moustiquaire.

— Rentre.

La porte s'ouvre, fait voler les mouches qui reviennent se poser aussitôt la porte fermée avec un bourdonnement paresseux.

Fautive, indigne, honteuse, Irène se sent comme dans un confessionnal. Surtout avec cette moustiquaire à proximité, qui rappelle le grillage la séparant du confesseur.

— Y rentreront pas avant une bonne heure, dit encore sa mère en flattant la tête de Gaby appuyée contre son ventre.

Une heure! Sera-t-elle en mesure de supporter un face à face d'une heure avec sa mère après tout le mal que René Mantha lui a fait? Non. Elle n'a même pas la force de rencontrer son regard et utilise Gaby pour éviter l'affrontement.

— Y s'ennuyait de vous.

— Moé aussi, j'me suis ennuyé de lui.

Voilà de quoi dévier amplement le but de sa visite. But qu'elle renie soudain par faiblesse, par peur et par orgueil. Qu'a-t-elle à avoir l'air si penaude devant cette grosse femme? Quel délire, tantôt, lui a fait croire qu'elle avait besoin d'elle?

Elle regarde son fils, blotti affectueusement contre sa grand-mère. La jalousie lui mord le cœur. Éveille sa colère. Dire qu'il a fallu qu'ils risquent tous deux de se tuer pour qu'il se retrouve dans ses bras.

— Qu'ossé qu'y arrive avec lui? Y est plein de boutons.

— C'est de l'eczéma.

— Y en a jamais fait avant. Gaby a toujours eu une belle peau. Ça doit te piquer, ça, mon homme?

Gaby acquiesce d'un hochement de tête.

— Y a les yeux tout cernés.

— Y a d'la misère à dormir.

693

— Ça pas de bon sens. Y était pas comme ça quand... quand vous l'avez pris.

— C'est René, môman. C'est René qui l'a repris, pas moi.

Un silence qui sous-entend la complicité du couple.

— Mais peux-tu m'expliquer comment ça se fait qu'y soye plein de boutons?

— C'est psychosomatique.

— Ça veut dire quoi, ça?

Qu'elle aimerait que sa mère connaisse la signification de ce mot, car l'expliquer, c'est se confesser. C'est expliquer l'échec de son mariage et sa négligence envers Gaby.

— Ça veut dire... ça veut dire que c'est dans sa tête que ça se passe.

— J'comprends pas.

— C'est parce qu'y a quelque chose qui marche pas dans sa tête. Le docteur pense que c'est peut-être parce qu'y parle pas.

— Y a jamais parlé avant, pis y avait pas de boutons.

— C'est René... C'est de sa faute... Tout est d'sa faute, vous savez ben, môman, déclare-t-elle en se laissant tomber dans la berceuse chromée.

— L'article de journal aussi, pis l'action en cour contre vous... Pensez-vous que ça vient de moi, ça? J'peux rien contre lui. Y a même jamais considéré Gaby comme légitime... C'est lui qui voulait que j'le place ici... C'est d'sa faute.

Elle éclate en sanglots malgré elle. Pense bêtement à sauvegarder son maquillage au moyen d'un mouchoir de papier sorti en hâte de son sac à main.

Gaby s'éclipse. Les laisse à leur conversation d'adultes et va attendre dehors. Elle aimerait le retenir. Se servir de lui pour ne pas en dire davantage. Mais, il la laisse seule avec sa mère. Seule, avec ses aveux à demi-accouchés.

Flore s'assoit au bout de la table et du plat de sa main grasse l'essuie distraitement. Irène l'observe à la dérobée, tout en épongeant les larmes grises à ses paupières. Elle s'en veut d'avoir pleuré devant cette femme. S'en veut d'avoir laissé tomber son masque et fait un suprême effort pour se ressaisir. Mais elle se bute au silence de sa mère et au tic tac de l'horloge qui, tel un métronome, marque le temps qui passe entre elles. Le temps qui pèse surtout et la pousse aux aveux comme on pousse un pois hors de la gousse.

Dans une dernière tentative pour reprendre le dessus, Irène s'arrête aux formes plantureuses de sa mère. Qu'elle est grosse, pense-t-elle, elle mange trop. Ce n'est pas bon pour elle. Ce n'est pas beau. Elle se laisse aller. Elle devrait suivre un régime. J'espère que je ne deviendrai jamais grosse de même. Elle est presque aussi grosse que René. Oui, presque aussi grosse que René... Elle n'aurait pas dû se rendre à cette comparaison. La simple évocation de son mari lui rappelle cette masse pesante et dure comme un rocher qui l'écrase tandis que la masse de sa mère lui apparaît chaude et confortable comme la fale d'une poule dodue sur ses œufs.

— Y a toujours pensé que Gaby était pas de lui. Y l'a jamais accepté.

— Toé, tu l'sais si y est de lui. C'était à toé d'le défendre.

S'attendant à une consolation plutôt qu'à une accusation, Irène broie le mouchoir de papier dans sa main.

— C'est facile à dire, ça, môman. On voit bien que vous connaissez pas René. Y vous a bien enlevé le p'tit, pis vous avez rien fait, vous non plus.

— C'était pas MON p'tit ni mon mari. C'est pas pareil.

— J'pouvais pas faire autrement.

— Tu voulais pas faire autrement. T'as pas vraiment essayé.

Irène déplie maintenant le tissu de papier qui se rompt entre ses doigts nerveux. Traquée systématiquement par sa mère, elle se réfugie dans ses malheurs et s'en recouvre comme le fait la perdrix des feuilles mortes, pour se camoufler.

— Si vous aviez eu à vivre ma vie. C'est pas facile de vivre avec un homme comme René. C'est correct, on a ben d'l'argent, mais ça fait pas le bonheur. Si c'était à recommencer, j'pense que j'marierais Gustave Potvin. On serait pas riches, mais...

— Les six enfants de Gustave, t'en aurais pas voulu. Pas plus que t'aurais voulu c'te genre de vie-là. Quand t'es partie d'icitte, tu voulais être riche. T'as tout fait pour le devenir. Pis t'as tout fait c'que René t'a dit de faire. Aujourd'hui, tu t'en mords les doigts.

— C'est vrai que j'aurais pas voulu des six enfants de Gustave... J'étais tannée, écœurée de torcher les p'tits... J'ai passé mon enfance pis ma jeunesse à jouer à mère avec vos p'tits. J'avais envie d'être une femme... de vivre ma vie de femme, mais ça, vous pouvez pas le comprendre.

— Pourquoi? Parce que j'suis pas une femme? À tes yeux, j'suis juste une mère, hein? T'as jamais vu d'femme en moé. Mais y en a eu une femme, ma fille. A restait aura le torrent avec l'homme qu'elle aimait.

— J'avais envie, moi aussi, d'trouver un homme. C'est pas d'ma faute si j'me suis trompée.

— Non, c'est pas d'ta faute. Dans l'fond, on sait jamais sur quel genre d'homme on va tomber. T'aurais pu tomber sur un mari qui boit ou qui bat sa femme. C'est un coup d'dés, c't'histoire-là. Mais te laisser détruire comme tu t'es laissé détruire, ça, c'est de ta faute. Te laisser acheter aussi. Au lieu de t'nir tête à René, tu t'es mise à boire. Penses-tu que j'le sais pas que t'es rendue alcoolique?

— Qui vous a dit ça?

— Tout l'monde le sait au village.

— C'est pas vrai. C'est juste des racontars. Depuis quand vous écoutez les commères?

— J'ai pas eu besoin de commères pour comprendre ça. Ton père non plus.

— P'pa l'sait?!

— Oui.

Irène triture maintenant les lambeaux de son mouchoir qui se déchiquettent en de tristes confettis. Un grand vide se creuse en elle. Que se passe-t-il? Que répondre à ces vérités qui la blessent? Qui la décapent? La blâment? Elle venait pour se justifier et voilà qu'on l'accuse. Elle n'aurait jamais dû remettre les pieds ici.

— René Mantha t'a écrasée, mais tu t'es laissé faire. Y a pas eu à te tordre un bras ben fort pour que t'amènes Gaby icitte. Des fois, tu v'nais à ton chalet pis tu y téléphonais même pas. Est-ce que c'est parce qu'y a des boutons, astheure, pis que le mal que vous y faites paraît que tu t'dépêches à t'nir René coupable de ça? C'est pas rien que d'sa faute. T'as la tienne aussi là-d'dans. Tu jouais à la grande dame pis c'est juste si tu laissais le p'tit t'embrasser de peur qu'y te dépeigne. T'as ta faute aussi là-d'dans.

— Mais l'action en cour pis l'article de journal, ça, c'est pas d'ma faute.

696

— C'est possible. Tout c'que j'sais à propos de ça, c'est que ça nous vieillit beaucoup. Autant ton père que moé... mais c'est pas ça l'pire. C'est pas ça.

— C'est quoi?

— C'est toé... Y est temps que tu prennes tes responsabilités pis que tu vois la vérité en face. Commence donc par arrêter de boire pis à t'occuper d'ton enfant.

— J'm'en occupe... je l'aime.

— Depuis quand?

— Depuis... depuis... j'sais pas... on a failli avoir un accident tantôt. C'était pas prévu que j'vienne ici... j'sais pas pourquoi j'suis venue. Avoir su, j'aurais passé tout droit... C'est une idée qui m'est venue.

Irène réussit à se lever. Laisse tomber la pluie des tristes confettis accumulés dans le creux de sa jupe. Ce dialogue avec sa mère l'a ébranlée. Épuisée. Elle ne sait plus très bien où elle en est ni ce qu'elle fait ici. Elle ne s'attendait vraiment pas à ce que Flore démonte si facilement le mécanisme de la défense qu'elle avait préparée.

— J'ferais mieux d'partir avant que les autres reviennent des foins... Y doivent pas m'aimer ben gros. J'ai plus de famille, plus de mari avec c'te maudite histoire de terrains, conclut-elle, en se dirigeant vers la porte.

Flore la rejoint, l'arrête, la retourne vers elle et lui relève le menton pour la regarder dans les yeux. Ce geste, que sa mère posait après chaque punition, la ramène dans son enfance et elle s'émeut des yeux noisette qui la pénètrent avec douceur et chaleur.

— T'auras toujours ta mère... pis ton père. Oublie jamais ça. Des chicanes entre vous autres, y en a toujours eues... Y en aura toujours. Ça t'a fait mal c'que j't'ai dit, mais c'est pour ton bien. J'sais pas comment j'ai réussi à tout te dire ça, Irène, mais j'suis contente de l'avoir fait. Moé non plus, j'ai pas toujours été correcte avec toé. J'm'en suis rendu compte aux Fêtes. J'ai jamais pris l'temps d'te dire que j'appréciais tout c'que tu faisais. Me semblait que c'était comme ça que ça devait être. Que la fille aînée devait devenir une deuxième mère automatiquement. Tu m'as ben manquée aux Fêtes... t'as ben manquée à tes frères pis à ton père. T'es partie ben jeune d'icitte. T'avais hâte d'être une femme. J'comprends ça, au-

697

jourd'hui. Avant, j'voyais même pas que t'avais envie d'être une femme, mais dernièrement j'ai compris que t'avais peur de devenir rien qu'une mère comme moé je l'ai été. C'est ça, hein?

Cette lucidité. Cette clairvoyance de sa mère dévoile brutalement un pan de cette vérité qu'elle évite d'envisager. Oui, c'est vrai, elle a eu peur que la femme en elle ne soit définitivement avalée, engloutie par la mère. Et plus la femme en elle agonisait entre les bras rapaces de René Mantha, plus elle s'est ingéniée à parfaire son image au détriment de celle de la mère.

Une larme perle dans l'œil rieur de Flore. L'œil noisette de la mère poule qui l'a couvée de sa fale chaude et généreuse. L'œil de la femme du torrent que tous ont oubliée.

«Môman.» Irène se réfugie contre sa mère et sent les bras sécurisants l'envelopper. Il lui semble qu'ainsi cachée dans les bras de Flore, personne au monde ne pourra lui faire mal et peur. Que personne d'autre ne pourra l'accuser de n'avoir été ni une vraie mère ni une vraie femme. Que personne ne pourra la blesser ou la lapider, car sa mère est là, présente et protectrice. Car sa mère sait et pardonne. Car sa mère devine et console. Car sa mère accepte et l'accepte.

C'est ça qu'elle était venue chercher: ce réconfort, cette force, cette indulgence. Cette base solide, inébranlable, inattaquable que représente l'amour de sa mère. Cette base de sa vie. Et elle pleure dans la robe de coton bon marché. Là, sur l'épaule ronde. Là où ont coulé ses premières larmes et sa première salive.

Et la main maternelle lui cajole la tête dans le geste sublime de l'absolution, lui permettant d'échapper momentanément à ces rôles de mère et de femme qu'elle ne parvient pas à tenir. Lui permettant d'être à nouveau une petite fille.

* * *

Mercredi, 3 juillet 1985.

Dix heures du matin. Andrew revient de la porcherie. Comme à l'accoutumée, il jette un coup d'oeil à la boîte aux lettres. Le drapeau rouge levé lui indique qu'il a du courrier.

Le front sourcilleux, c'est d'un pas énergique qu'il va le quérir. Machinalement, il baisse le drapeau et se glisse la main à l'intérieur. Mais au lieu du contact familier des enveloppes et des journaux, ses doigts tombent sur quelque chose de gluant et poilu. Aussitôt, il regarde et, apercevant la tête du chat, il échappe un cri tout en jetant rapidement cette horreur par-dessus son épaule.

Un rire dément dans son dos le glace et le cloue sur place. Consterné, il s'attarde à la petite flaque rouge qui coagule lentement en fonçant le métal galvanisé.

— Pourquoi t'as fait ça? C'est l'chat de ta mère.

— Pour le fun. Tu t'es pas vu, répond Spitter en s'accoudant sur la boîte aux lettres. C'était drôle.

— J'trouve pas moé. Y t'a rien fait c'te chat-là.

— Y était vieux. Y servait plus à rien. Juste à réchauffer les genoux d'la bonne femme.

— C'est pas une raison.

— Wow, le père! Prends pas les nerfs. C'tait une joke* pis c'tait ben drôle. Si y a plus moyen d'rire, asteure.

Les mâchoires serrées par la rage et l'humiliation, Andrew ferme sèchement la petite porte de sa boîte aux lettres. Il n'accepte pas de se faire parler de la sorte. Il n'accepte pas de se faire déloger par la terreur. Il n'accepte pas que cet enfant, qu'il a choyé, plus que tout autre, s'accapare ainsi des rênes du domaine Falardeau.

Il pense à le terrasser immédiatement d'un bon coup de poing à la figure. Ce serait facile. Malgré ses cinquante et un ans, il sait être plus fort et plus agile que son fils. Il a l'habitude des corps à corps, des coups reçus et des coups donnés. Toute sa jeunesse et même son enfance, il les a passées à se battre parce qu'il avait des cheveux roux et des taches de rousseur, parce que sa mère était écossaise et qu'il portait un prénom anglais. Toute sa vie, il s'est battu pour se faire respecter et pour ériger ce domaine. Et voilà que cette loque, appuyée nonchalamment sur la boîte aux lettres, travaille à lui arracher tout cela: le respect, le bien-être et la sécurité de ses vieux jours. Il n'accepte pas et ferme instinctivement les poings. Un courant d'énergie traverse son corps comme une décharge

---

* Joke: farce.

électrique et lui engourdit les bras. Il va frapper. Il va pulvériser ce sourire sadique et casser ces petites dents de scie.

Clic! Une lame surgit, luit soudain au soleil.

— T'as vu mon beau couteau? C'est avec ça que j'ai coupé la tête du chat.

Écœuré, Andrew fixe la lame du couteau à cran d'arrêt. S'il était seul au monde, il engagerait le combat. D'un coup de pied rapide et bien placé, il désarmerait Spitter et le terrasserait de ses poings. Il sait se battre. L'autre pas. Il s'est toujours battu. L'autre jamais. Mais, il n'est pas seul. Il y a sa femme. Là, dans la maison. Sa femme qui ne dort plus la nuit, qui ne mange plus le jour. Sa femme qui se barricade dans sa chambre et fait des cauchemars où toujours, ce fils se vautre dans le sang. Sa femme qu'il pourrait trouver égorgée, étripée, poignardée. Sa femme sans défense contre la folie et la méchanceté.

— C'est un *switch knife*. J'ai trouvé ça à Montréal. C'est pas tout l'monde qui peut avoir ça.

Non, seulement les bandits, les tueurs, les criminels, pense Andrew, incapable de détacher son regard du couteau dans la main de son fils. Du couteau dirigé contre lui. Contre sa femme. Du couteau qui les tient en otage. Que peut-il faire pour se protéger, se défendre? Comment peut-il empêcher l'irrémédiable? En avertissant la police? Mais l'avertir de quoi? Que son fils est fou et qu'il faut l'enfermer parce qu'il représente un danger? Il faut des preuves pour ça. Qu'il ait tranché la tête du chat et démembré un chiot ne réussira jamais à l'incriminer. Il aurait dû laisser Hervé porter des accusations à propos de la vache tuée cet automne. Et puis non, cela n'aurait fait qu'envenimer la haine de Spitter envers cette famille. Un instant, il pense à dénoncer la culture illégale le long du ruisseau mais se ravise. Combien d'années d'emprisonnement risque Spitter pour cela? Deux, trois ans, cinq peut-être. Sûrement pas plus. Et après, quand il sortira de prison? Quand le fauve sera libéré avec sa soif de vengeance, qu'adviendra-t-il d'eux?

Une peur viscérale remplace peu à peu la colère d'Andrew. Une peur qu'il n'a jamais connue et qui l'humilie grandement. Il ne peut rien. Rien. Lui, le batailleur, il ne peut rien contre cet avorton. Lui, l'homme droit, il ne peut rien contre ce dément. Lui, le père, il ne peut rien contre ce fils déchu. Comment a-t-il pu engendrer un être de la sorte? Pourquoi a-t-il fallu que ce soit lui qui permette à ce monstre d'exister aujourd'hui? Pourquoi sa femme a-t-elle porté dans son sein ce germe de destruction?

Ses poings tantôt serrés tremblent au bout de ses bras mous. Vaincu avant même d'engager le combat, Andrew sent la honte l'envahir. Il n'accepte pas d'être battu par un de ses fils. Surtout pas par celui-là qu'il a préféré aux autres et à qui il a tout donné. Il a eu la vie si facile, Spitter. Jamais, il ne lui a refusé quoi que ce soit. Jamais, il ne l'a obligé à travailler dur. Enfant, il faisait sa joie et prouvait indubitablement sa réussite. Il avait tout. Tout ce qu'il voulait. Tant de cadeaux pour lui, sous l'arbre de Noël! De plus en plus gros. De sa part. Et de celle de ses frères et sœurs. Tant de lapins en chocolat à Pâques! Tant d'invités à ses anniversaires! Qu'est-il arrivé? Où est sa part de responsabilité? De quelle manière a-t-il contribué à former ce danger pour la société?

Andrew éprouve un violent dégoût envers son ravisseur et détourne la tête.

— C'aurait pu être une vraie mauvaise nouvelle dans la boîte à malle. Une lettre, par exemple, qui t'avertirait qu'on vient visiter le cric.

— ...

— T'sais que ça ferait pas mon affaire. T'es mieux de pas détruire ma culture c't'année, compris?

— Si j'peux pas faire autrement, plaide Andrew sans conviction.

— Tu vas pouvoir faire autrement. Toé qui est si smatt*, tu dois être capable de t'faire écouter par c'te folle-là, hein?

— Est pas toute seule à décider.

— Prends pas sa défense au moins. Sans elle, y aurait même plus d'Association des riverains.

— J'vois pas c'que j'peux faire par rapport à ça. D'après Mike...

— Fiche-moé la paix avec Mike. Lui, avec son p'tit christ de morveux, y commence à m'tomber sur les nerfs. Dans pas grand temps, j'te gage qu'y va s'marier. Y est rendu qu'y travaille au garage comme un bon p'tit gars. Y m'fait chier. J'me fiche pas mal de

---

* Smatt: fin.

c'qu'y pense. T'as intérêt à pas v'nir faucher avant l'temps c't'année. Trouve un moyen. Pis, si t'es pas capable d'y parler à c'te femme-là, tu vas voir que moé, j'suis capable. Compris?

Pour toute réponse, Andrew baisse la tête. Soudain, un cri épouvantable provenant de sa maison le fait tressaillir et déclenche le rire sadique de Spitter.

— Qu'est-ce qu'y s'passe? s'enquiert-il, se dirigeant en toute hâte vers la cuisine.

— Hi! Hi! Hi! C'est rien. Énerve-toé pas avec ça. C'est juste le restant du chat que j'ai mis dans l'frigidaire.

* * *

Samedi, 6 juillet 1985.

Salle municipale. Il fait chaud, humide. Les vêtements collent au corps et l'air respiré ne suffit pas à oxygéner vraiment. C'est comme s'il n'y en avait pas assez pour tout ce monde réuni pour l'élection du conseil de l'Association des riverains.

Avec appréhension, Marjolaine constate que plusieurs des anciens membres ont préféré demeurer à leur chalet, bénéficiant ainsi de la fraîcheur du lac après une journée de canicule. C'est risqué de leur part d'endormir ainsi leur méfiance. Il y a trop, vraiment trop de nouveaux membres, particulièrement du lac à la Tortue. Les élections risquent de mal tourner. Advenant le cas où madame Latour serait élue présidente et où Martial Bourgeon et sa femme accéderaient aux postes de conseillers à la place de Ti-Jean et de Diane, le conseil de l'Association serait radicalement transformé.

— Mesdames, messieurs, silence s'il vous plaît, demande le président d'élections.

Et le silence se fait. Pesant, collant, inconfortable. Tout comme l'air, il n'y en a pas assez pour calmer l'assemblée et réduire la tension.

— Nous avons compilé les résultats du vote, et ces personnes sont ici pour témoigner de la véracité du décompte et blablabla...

Claude Boyer, l'organisateur péquiste, profite de l'occasion pour pratiquer l'art oratoire. Son discours de président d'élections

702

tourne à la torture pour les candidats et à l'impatience pour les électeurs. Vraisemblablement, ce petit poste lui a monté à la tête et, à l'entendre, on se croirait au Centre Paul-Sauvé pour les résultats référendaires.

— Élue au poste de présidente.

Une pause. Il se prend maintenant pour un animateur lors de la remise des trophées Félix et laisse durer le suspense.

— Marjolaine Taillefer!

Elle laisse échapper un soupir de soulagement. Ti-Jean et Diane s'empressent de la féliciter pendant qu'elle s'avance vers la table des délibérations. La suivent à cette même table les deux anciens membres du lac à la Tortue. Il ne manque maintenant que les représentants du lac Huard. Qui seront-ils? Il lui semble que Claude Boyer prolonge intentionnellement le suspense. Vite! Elle veut savoir si Jean et Diane feront à nouveau partie de son équipe. Il le faut. Sans eux, ce conseil n'est qu'un conseil de fantoches. Elle n'a pas confiance en Martial Bourgeon et en sa femme et flaire la fourberie dans cette cabale qu'ils ont menée à son insu. Ils ont trop, vraiment trop de supporteurs parmi les nouveaux membres.

— Ah! Il y a un changement ici.

Bon! Qui de Jean ou de Diane ne pourra plus siéger à ses côtés? C'est injuste. Ils se sont tant dépensés pour l'Association.

— Élue au poste de conseillère, représentante du lac Huard, madame Jeannette Bourgeon.

Un rire de chèvre est vite enterré par les applaudissements.

— Et ici, encore un changement. Monsieur Martial Bourgeon est élu conseiller représentant du lac Huard.

C'est l'euphorie. La démesure des acclamations. Le couple élu progresse difficilement vers la table tant ils ont d'éloges et de félicitations à recueillir en chemin. Sourires et poignées de mains suffisent à peine à satisfaire tout le monde.

C'est injuste, pense Marjolaine. Ces gens-là n'ont rien fait encore pour le lac. Pourquoi les applaudir? Elle ne ressent aucune joie. Ni aucune sympathie envers eux et n'a qu'une envie: celle de consoler Jean et Diane, visiblement défaits. Jean surtout, qui avait présenté des signes de lassitude la saison dernière et qui, depuis le début de ses vacances, était plus déterminé que jamais.

— Nous allons maintenant céder notre place à la première réunion du nouveau conseil.

Ta Dam! Le voilà le nouveau conseil de fantoches ou plutôt non, voyez la présidente dans son rôle de fantoche. Avec ahurissement, Marjolaine observe Martial Bourgeon sortir papier et crayons de l'attaché-case qu'il a trimbalé toute la soirée avec un air suffisant. Le plus sérieusement du monde, il équipe son épouse d'un nécessaire de conseillère, excluant l'esprit, qu'il ne peut hélas acheter en librairie. Son comportement démontre sans le moindre doute qu'il savait que sa femme et lui seraient élus.

Marjolaine ouvre l'assemblée par un mot de bienvenue aux nouveaux conseillers et par des remerciements aux anciens. Troublée, elle expérimente la curieuse sensation de se dédoubler. Elle s'entend parler et se voit au bout de la table comme si elle faisait partie de l'auditoire. Elle est à la fois présidente et membre et parvient à dire des choses en les commentant intérieurement. Tout d'abord, cela la déroute d'être à la fois actrice et spectatrice. D'agir et de se voir agir. De parler et de s'entendre parler. Ça ne lui est jamais arrivé, mais peu à peu, elle se rend compte que cela atténue le choc du changement et la soulage de ce rôle de présidente qu'elle ne se sent ni la force ni le goût de tenir. Instinctivement, elle en profite pour reprendre son souffle et ses forces après la tension de l'élection et la perte des aides précieuses que représentaient Ti-Jean et Diane. Mais elle ne s'habitue pas à leur absence à la table du conseil et considère l'huissier et sa femme comme des intrus. Aussitôt la lecture de l'ordre du jour terminée, celui-ci propose un nouveau point: l'inspection du ruisseau Falardeau communément appelé cric Cochon. L'unanimité se forme rapidement sur cette question avec tant de véhémence qu'elle éclipse l'importance du Centre de récréation nautique. Des discussions s'ensuivent, des échanges avec la salle se multiplient. Fusent propositions et accusations. Interdite, elle constate soudain qu'elle s'est fait rouler. Que Ti-Jean et Diane se sont fait berner par les prétendues bonnes intentions de Martial Bourgeon. Tout a été calculé et organisé de manière à neutraliser le conseil. Cette unanimité flagrante le prouve indubitablement. Martial Bourgeon s'est acoquiné avec les nouveaux membres et ceux du lac à la Tortue. Il a œuvré dans son dos pour que la pollution par les établissements de production animale atteigne des proportions telles, que le projet de René Mantha ait l'air inoffensif. C'est terrible! Terrible de présider des délibérations qui ne la concernent pas. Terrible d'être étrangère à leur enthousiasme et de se voir ligotée par ce titre ronflant, car que peut-elle? Rien. Ti-Jean et Diane ont plus de possibilités qu'elle pour modifier l'ordre des choses.

Oui, la voilà réduite au silence. À l'inaction. La voilà condamnée à tenir un rôle. Pire: à endosser les décisions de ce conseil ligué en bloc et irréductiblement engagé dans une voie parallèle à la sienne. La voilà privée de tous ses moyens, forcée d'être en continuelle opposition et poussée radicalement vers la démission. Elle y songe. Qu'elle aimerait démissionner avec grand fracas tout en dénonçant le maître d'œuvre de cette supercherie: René Mantha. Oui, démissionner tout de suite. Leur faire savoir qu'elle n'est pas dupe. Qu'elle voit clair dans leur jeu et qu'elle a conscience qu'on vient de saboter l'Association des riverains. Elle y songe de plus en plus jusqu'à en devenir distraite. Détachée des discussions. Elle pense au grand soulagement que cela apporterait à sa famille. À cette poursuite en cour que René Mantha laisserait peut-être tomber, à ses frères qui se verraient réengager et à Alex qui pourrait bénéficier de l'exclusivité de son amour. Quel beau cadeau elle leur offrirait avec cette démission! Mais parviendra-t-elle à connaître la paix quand, de son île, elle entendra la dynamite saccager le lit du torrent? Quand, de son île, elle verra les grands pins tomber l'un derrière l'autre et que la nuit, elle écoutera pleurer l'eau sauvage capturée dans des cages de fibres de verre? Pourra-t-elle devenir le témoin muet de cette destruction? Ou la lâche complice du pillage d'une des plus grandes richesses de l'humanité: l'eau? Pourra-t-elle vraiment laisser commettre ce crime sans rien tenter pour le prévenir? Pourra-t-elle encore se mirer dans l'eau après l'avoir laissé tuer ignominieusement?

Quelque chose la distrait. L'oblige à réintégrer cette réalité qu'elle rejette. Tous les regards sont concentrés sur elle. Que se passe-t-il? Elle remarque madame Latour, debout dans la salle.

— Pardon?

— Je vous ai posé une question, madame la présidente.

L'ironie triomphe dans le ton, dans l'expression du regard glissé à la dérobée, dans la moue dédaigneuse des lèvres.

— Pouvez-vous répéter, s'il vous plaît?

— Je voudrais savoir si la lettre exigeant l'inspection du ruisseau Falardeau a été envoyée?

— Oui.

— Bon. Alors je propose qu'on fasse circuler une pétition pour appuyer cette demande.

Trois personnes secondent en même temps. Adopté. Il n'y a rien à faire contre cette division et subdivision de leurs forces. Toute la bonne volonté des Riverains est dorénavant canalisée par un autre objectif. Oh! René Mantha a manœuvré habilement, par le truchement de Martial Bourgeon. Très habilement. En la faisant élire tout en la maintenant à son poste de présidente, il a réussi à conserver la confiance des Riverains et s'est lavé de tout soupçon. Rien n'a l'air suspect dans ces élections et, mis à part certains membres plus avisés, personne ne se doute de l'insidieux complot qu'il a tramé. Et personne ne la croirait si elle se levait en cet instant pour dénoncer ces bassesses avant de donner sa démission. On verrait dans son agissement le résultat de conflits familiaux et madame Latour accéderait facilement à la présidence.

Son regard tombe dru dans les yeux de cette femme. Des yeux durs, faux, teintés artificiellement par les lentilles cornéennes. Des yeux qui ne disent rien, ne donnent rien, ne comprennent rien. Des yeux de bille. De vieille poupée fanée et bronzée à l'excès. Mantha serait comblé de la savoir présidente. Il pourrait à loisir lui dicter l'ordre du jour. Rien alors ne pourrait faire opposition à ses projets. Rien. L'Association des riverains ne servirait qu'à détourner l'attention des membres vers les autres pollueurs, lui laissant ainsi le champ libre. Voilà ce à quoi il veut en venir. Ce vers quoi il la pousse: sa démission. Sachant très bien sa réaction face à ce conseil qui bifurque vers d'autres objectifs et démontre toute l'impuissance de son poste honorifique, il ne lui laisse d'autres solutions que de démissionner. Ce qu'elle ne fera pas. D'abord parce qu'une voix en elle le lui interdit. Est-ce celle de l'eau menacée ou de sa conscience? Peu importe. Cette voix parle avec justesse. Elle sait qu'elle doit lui obéir. Que son passage sur cette terre se paie de cette obéissance. Elle ne démissionnera pas parce que c'est ce qu'il veut. Et s'il veut cela, c'est parce qu'elle peut encore agir pour le bien-être du lac, ne fut-ce que par l'élaboration de l'ordre du jour. Elle ne démissionnera pas et restera à son poste, obéissant à cette voix plus forte que la raison, plus forte que l'orgueil, plus forte que la lassitude.

Cette voix qu'elle entend la nuit. Qu'elle entend le jour. De l'eau ou de sa conscience. Peu importe. La voix exige. Réclame que justice soit faite.

Surgie de son cerveau, de ses entrailles ou de celles de la terre, peu importe, la voix demande, la voix supplie. Et elle y obéit.

∗ ∗ ∗

Dimanche, 7 juillet 1985.

Il l'a l'affaire. Ti-Jean vient enfin de saisir le principe de la planche à voile. Comme c'est facile quand le corps comprend, quand les muscles, les nerfs et les os collaborent instinctivement sans que la raison n'intervienne. Une sensation de victoire animale l'enivre. Avec adresse, avec cran, il dompte le vent et chevauche les vagues. Rien ne lui fait peur, rien ne l'arrête. Il file droit vers l'île de Marjolaine, à une vitesse qui, auparavant, l'effrayait.

Le claquement du vent dans sa voile et le clapotis des vagues qui jaillissent à son passage stimulent cette énergie qu'il canalise magnifiquement. Cette énergie qui le parcourt des pieds à la tête et qui, nulle part, ne se perd ni ne s'égare. Cette énergie qui fait de lui un autre homme. Ou plutôt qui lui dévoile qu'un autre homme habitait en lui. Oui, un conquérant habitait ce petit professeur d'une quelconque apparence. Un homme adroit, agile, audacieux.

Fugitive, la pensée d'épater certains de ses élèves avec ce nouvel homme lui traverse l'esprit. Mais il ne s'y attarde pas. Le vaincu, le ridiculisé, le bafoué n'a rien à voir avec lui sur la planche. Qu'il reste dans ses corridors empestés d'agressivité. Et l'homme d'hier, qui a perdu ses élections, n'a rien à voir non plus avec lui. Il l'a laissé dans la salle, devant la mine déconfite de la présidente.

Il approche d'une grappe d'îles rocheuses où s'entassent des mouettes de plus en plus nombreuses, année après année. Il y en a tellement, et ces îles sont tellement petites qu'on les croirait recouvertes de neige. C'est beau à voir se découper sur la masse sombre et mouvante de l'eau. Moins beau quand on pense à la pollution que cela suppose et signifie.

À son approche, les oiseaux s'envolent, lâchant des cris d'épouvante et laissant nus les rochers rongés par les saisons. Une pruche chétive, tordue par les tempêtes, accueille bon nombre des volatiles. Les autres tournoient habilement, portés par le vent. Ti-Jean pense à la mer, à la Gaspésie. Il n'y est jamais allé, mais ce doit être ainsi, avec le bleu de l'eau et du ciel. Avec le soleil étincelant partout sur les vagues et les cris pointus, hystériques, incessants des mouettes.

Il longe maintenant les îles, défiant les hauts-fonds sournois qui s'étendent à fleur d'eau. Rien ne peut lui arriver aujourd'hui. Il le sent. Déjà, se profile l'île de Marjolaine au loin, avec ses pins centenaires qui balaient le ciel de leurs grands bras. Déjà, derrière lui, les mouettes, tels de gros flocons blancs, neigent sur les îles et se taisent. Cela crée un vide que ni le clapotis des vagues, ni le claquement du vent ne peut combler. Un vide qui le déséquilibre mentalement. Il manque un cri hystérique pour alimenter sa fougue et ce cri, il le trouve aussitôt dans le flash publicitaire de ce matin à la radio. «Venez nombreux au lac Huard les vingt et vingt et un juillet prochain, pour y voir évoluer les meilleurs athlètes de ski nautique et pour assister aux célèbres régates de Valleyfield! Oui! Vous avez bien entendu, les célèbres régates de Valleyfield auront lieu au lac Huard, le dimanche vingt et un juillet. Venez nombreux admirer ces bolides de course et leurs audacieux pilotes.»

Incroyable mais vrai. C'est ce qu'il a entendu à son réveil. La première fois, il se croyait endormi, mais on l'a tellement répété par la suite qu'il connaît l'annonce par cœur ainsi que les intonations et le timbre de cette voix qui faisait vendeur de foire et de parc d'attractions. «Venez nombreux, assister à la destruction d'un lac et de sa faune aquatique!» C'est impensable! Il faut faire quelque chose pour empêcher cela. Quoi? Il ne sait pas encore, mais contrairement à son habitude, il croit en la réussite. En la victoire.

Ce matin, rien ne peut s'opposer à sa détermination. À son audace.

Malgré sa défaite d'hier, il a hâte de rencontrer Marjolaine. Hâte de lui faire savoir qu'il n'est défait qu'en apparence et qu'au contraire, il se sent plus décidé, plus fonceur, plus engagé que jamais. Il a hâte de lui rappeler également son appui. Hier, elle avait l'air tellement désespérée à son poste de présidente. Il doit lui faire savoir que Diane et lui sont toujours à ses côtés, ainsi que la majorité des anciens membres qui n'ont pas cru bon se présenter aux élections. Rien n'est perdu. Tout est à gagner. Il n'y aura pas de régates le vingt et un juillet parce qu'il le veut. Parce que lui, ce petit homme qui n'a l'air de rien, lui, ce petit professeur de chimie qui ne sait pas planter un clou, en a décidé ainsi.

Oui, lui, ce petit propriétaire, voisin du richissime Mantha à qui tout appartient, empêchera les régates d'avoir lieu. Oui, lui, le petit David, terrassera Goliath. Quelque part dans les lois ou dans sa tête, il trouvera une pierre. Une seule pierre, et il terrassera ce Goliath qui s'en prend aux êtres sans défense de cette planète.

✳ ✳ ✳

Lundi, 8 juillet 1985.

Marjolaine attend. Expérimente jusqu'à quel point les chaises sont inconfortables. Tout comme le silence d'ailleurs, que perfore systématiquement le cliquetis de la dactylo.

La secrétaire, autrefois indifférente, lui décoche à l'occasion un regard froid, impérieux. Un regard qui la somme de quitter les lieux et de laisser le député tranquille. Ce qu'elle a envie de faire, elle se l'avoue. Seules la détermination de Ti-Jean et la survie du lac l'encouragent à demeurer en place et à attendre. Comme une dinde, avec sa revue qu'elle ne lit pas, ses papiers et son chapeau que tous reluquent chaque fois qu'ils sortent du bureau. Si au moins elle avait confiance dans le geste qu'elle pose. Mais, il n'en est rien. Elle est venue ici parce qu'elle avait pris rendez-vous sur le répondeur. À l'origine, elle voulait utiliser l'argumentation de la chloration de l'eau d'un lieu public, mais cela s'est tourné contre eux avec l'article de journal et l'analyse révélant que l'eau du torrent est potable. Alors, il ne lui reste qu'à profiter de l'occasion pour tenter d'empêcher les régates.

Depuis ce matin, un poids l'oppresse. Gêne sa respiration. Comme si un géant invisible la serrait dans sa main. C'est ce que doivent ressentir les grenouilles quand Alex les capture. Elle prend une bonne respiration. Rien n'y fait: elle étouffe.

— Vous serez la prochaine, rappelle la secrétaire à qui son malaise n'échappe pas.

Marjolaine appréhende le moment de le voir. De se retrouver seule avec lui. Depuis l'affaire du répondeur, elle devine que quelque chose s'est brisé entre eux. Plus d'une fois, elle pense à s'en aller. Tout bonnement, après s'être excusée. S'en aller d'ici au plus vite. Retrouver la ferme, le lac, son île. Retourner aux bras câlins d'Alex. Effacer cet épisode de leur vie et recommencer à neuf avec tout l'amour qu'ils ont à se donner.

— C'est votre tour.

Trop tard. Elle se lève. Dégage sa jupe collée à ses cuisses et, du plat de la main, en défroisse le tissu. La secrétaire l'observe avec hauteur, la détaillant des pieds à la tête. Puis, elle retourne à sa dactylo avec l'expression soulagée de quelqu'un qui se lave d'une vision déplaisante.

Un homme sort du cabinet, réitérant dans l'entrebâillement de la porte une invitation pour un dix-huit trous. Pressé, préoccupé, il la croise sans lui prêter attention, marquant son passage d'une forte odeur de parfum.

C'est son tour. Elle entre. L'aperçoit. Éprouve un choc: ce n'est plus le même.

Penché sur son bureau dans cette pose qu'il avait la première fois qu'elle est venue le rencontrer, il se concentre sur un document. Ses cheveux sont frisés, crépus presque. Il porte un habit coquille d'œuf et une chemise rose pâle au col dégagé. Son visage et ses mains sont bronzés. Figée en présence de cet inconnu, elle ferme doucement la porte de peur de le déranger.

— Assis-toi, Marjolaine. Ça n'sera pas long.

D'un geste vague, il lui indique un fauteuil. Elle s'y laisse choir comme s'il venait tout à coup de lui faucher les jambes. Même sa voix a changé. Il adopte le ton d'un directeur fautif amadouant l'enfant sage qui se révolte d'être injustement puni. Dans sa panique, elle ne peut plus évaluer si le temps est long ou court avant qu'il ne lève les yeux sur elle. Chose certaine, ce temps est atroce et la marque profondément.

— Tu as passé de bonnes vacances? s'entend-elle demander d'une voix chancelante.

— Oui. Très bonne. Nous sommes allés en croisière aux îles Saint-Pierre et Miquelon. Fantastique! J'ai bu du vin. Hmm! Exquis. Et toi, ça va?

— Oui.

On répond toujours oui à ce genre de question même si ça ne va pas, pense Marjolaine.

— Que me vaut l'honneur de ta visite?

Comme s'il ne savait pas, le traître! Il joue au confesseur ou quoi? Elle s'indigne. Une bouffée de chaleur lui monte au visage.

— Bien, le Centre de récréation nautique. J'avais un bon argument, l'autre fois, mais t'étais parti en vacances.

— Ah! Pas celui de la chloration de l'eau, j'espère.

— Oui, celui-là.

— Non. Ça vaut rien comme argument. T'as vu ce qu'en a fait René Mantha?

Elle décèle l'abdication. La reconnaissance des forces supérieures de l'adversaire relevée d'un soupçon d'admiration pour ledit adversaire. Elle n'en revient pas: ce n'est pas Benoît qui discute avec elle mais un simple politicien. Il a perdu ce qui le différenciait des autres et qui le rendait attachant. Crédible aussi.

— Maintenant, le plus important, c'est d'empêcher les régates.

— Oui. J'ai entendu ça à la radio. Voulez-vous empêcher aussi les compétitions de ski nautique?

— Si possible.

— Ça ne sera pas facile. Il n'y a pas de loi qui l'interdise. Le ministère de l'Environnement a essayé, dans les années précédentes, de laisser aux municipalités le droit de réglementer l'utilisation des embarcations motorisées. Il y a un jugement là-dessus et, si ma mémoire est bonne, la cause est en appel. C'est une juridiction qui ne peut pas relever d'une municipalité. J'vois vraiment pas comment on pourrait contourner la question. Surtout que votre municipalité appuie le promoteur à cent pour cent. Non, j'vois pas comment.

— Mais on peut pas laisser faire ça.

— Les gens ne verront pas comment des régates peuvent polluer. Tu sais autant que moi qu'il n'y a pas grand monde qui croit à la pollution par le bruit.

711

— Mais y a pas seulement le bruit... Y a le rejet des combustibles aussi et l'érosion des rives. Puis, tout ce monde-là qui va venir assister, ça fait d'la pollution. As-tu pensé à toutes les canettes de bière qui vont s'réveiller au fond du lac? Les papiers d'chips pis les mégots de cigarettes? Les riverains qui ont acheté un chalet pour avoir la paix ne sont pas intéressés à ce qu'on monopolise leur lac à des fins récréatives de ce genre. Ça, c'est sans parler de la population faunique.

— Il n'y a plus tellement de poissons dans ton lac.

— Raison de plus pour les protéger!

Elle lève le ton. Scandalisée. Insultée. Compare l'attitude de ce politicien à celle d'un médecin qui renoncerait à soigner un patient sous prétexte qu'il est gravement malade. C'est absurde! Elle ne croyait pas avoir à plaider cette cause devant Benoît. Il l'a déçoit. Oh! Tellement.

Il sourit. Métamorphose sa maladresse en taquinerie.

— J'voulais juste voir si tu prenais toujours ça à cœur.

— Moi, oui.

Un sérieux malaise gonflé de silence succède à cette réplique. D'un geste machinal, Benoît porte la main là où jadis reposait la monture de ses lunettes et se rappelant ses lentilles cornéennes, il glisse les doigts dans sa chevelure pour s'appuyer finalement le front dans la paume de sa main. Embarrassé, il se racle la gorge.

— Tu as l'air de croire que je ne veux pas vous aider. C'est faux. Je ne peux pas... Il n'y a rien dans la loi qui me permette de vous aider. Rien. J'ai fouillé dans le code municipal. Il y a l'article 412 qui dit que toute municipalité a le droit de réglementer ou de prohiber un cirque ou toute représentation publique... Mais voilà: ta municipalité ne voudra jamais prohiber. Pas vrai?

— Oui, c'est vrai.

Se serait-elle choquée pour rien? Trompée sur les intentions de Benoît? Le changement physique et vestimentaire l'aurait-il induite en erreur? Maintenant elle doute d'elle. S'en veut d'avoir levé le ton.

— J'vois juste une chose, poursuit Benoît.

Il s'amuse distraitement à rouler un stylo sans la regarder. Jamais, il n'aurait fait cela auparavant. Il a changé. C'est certain. Mais jusqu'à quel point?

— Tantôt, tu parlais des attroupements. C'est un devoir de la municipalité, lors de manifestations publiques — et là, «manifestations publiques» ça peut être n'importe quoi; sur l'eau, la glace, la neige, un terrain de camping, n'importe quoi — c'est un devoir de la municipalité de voir à ce qu'il y ait l'équipement sanitaire et les installations nécessaires pour accueillir les gens. Ça comprend les toilettes, le service des vidanges, etc. Il y a seulement ça que vous puissiez utiliser pour contourner la question.

— C'est vrai. J'y avais pas pensé. C'est une bonne idée. Oh! Benoît, j'm'excuse pour tantôt... mais l'moment était vraiment pas choisi pour faire des farces.

— J'sais.

Il abandonne son stylo. Lui sourit succinctement avant de s'adosser dans son fauteuil et de s'étirer.

— Ah! Les retours de vacances! C'est pas drôle. L'ouvrage s'accumule.

— J'vais t'laisser. J'te remercie beaucoup.

— Y a pas de quoi. J'aurais aimé t'accorder plus de temps mais...

Il reluque des paperasses empilées sur son bureau.

— J'comprends.

Il l'accompagne jusqu'à la porte. Cela la déroute: elle aurait préféré qu'il demeure assis.

La main sur la poignée, il hésite à ouvrir. Veut-il l'embrasser? La serrer contre lui? Lui dire qu'il l'aime toujours? Ou veut-il mettre un point final à leur liaison bizarre, quasiment informe? Le charme est rompu entre eux. Ce qu'il y avait auparavant de subtil mais réel n'existe plus. Ils le savent tous les deux. Le Benoît qu'elle a pensé aimer ou qu'elle a failli aimer est disparu en vacances. C'est lui qui l'a fait disparaître. Elle lui en veut tout en se sentant soulagée et espère qu'il tourne cette poignée au plus vite et la libère des sentiments contradictoires qui la déchirent. Mais il attend. Semblant réfléchir. Puis, il la regarde longuement. Tristement. Comme on regarde l'inaccessible étoile dont on fait son deuil. Il la regarde avec l'air résigné d'un galérien qui aurait cru en la possibilité d'une voile, immense et immaculée, qui les aurait menés à bon port. Un galérien qui se voit condamné à enchaîner ses mains aux rames du pouvoir.

Il la regarde. Sans un mot, lui dit adieu. Sans un mot, ouvre la porte et laisse s'envoler l'impossible rêve.

C'est fait. Elle vient de sortir de sa vie.

De lui-même, il a décroché le fabuleux tableau de Monet. La femme à la peau irradiante de lumière ne nourrira plus son âme. La femme au sourire mystérieux de la *Joconde* n'habitera plus ses rêves. Elle vient de sortir de sa vie, le gratifiant de son regard d'eau.

Il devrait se sentir soulagé. Libéré. Mais, il n'en est rien. Il se sent seulement fautif. Sale. Faible. Désemparé. Il ne s'aime pas et ne s'aimera plus jamais. C'est fini. Superman est mort en lui. Bel et bien mort et son cadavre l'encombre. Il a beau le jeter à la mer, l'enfouir dix pieds sous terre, l'incinérer, le cacher dans un placard, il revient toujours à la charge avec cet enfant à lunettes qui voulait défendre la veuve et l'orphelin. Quand donc ce cadavre cessera-t-il de le persécuter? Connaîtra-t-il un jour la paix? Parviendra-t-il à jouer paisiblement au golf en oubliant ses bassesses? En oubliant par exemple que l'homme qui a précédé Marjolaine dans ce bureau n'était nul autre que le représentant de la brasserie commanditaire des régates et qu'il est déjà convenu qu'elle aidera la municipalité à fournir l'équipement sanitaire adéquat? S'habituera-t-il, un jour, à ce dégoût qu'il a de lui?

Lunatique, Benoît caresse la poignée. Ce rêve était beaucoup trop beau pour lui. Beaucoup trop grand. Il a flanché sous le poids. Avant même qu'il ne le porte à maturité, il l'a abandonné par peur des conséquences. Qu'aurait-il récolté s'il l'avait mené à bon terme? Rien. Ou moins. Des blessures, c'est sûr. De la misère, c'est clair.

Il revoit en pensée une toile de Van Gogh qui l'a hanté tout au long de sa croisière aux îles Saint-Pierre et Miquelon, lors de ce fameux voyage où lui et sa femme se sont employés à recoller la potiche brisée de leur union: *Les Mangeurs de pommes de terre*. Et elle le hante encore, cette toile. Et il s'en sert encore pour se donner raison et se ramener à l'ordre. C'est cette toile, il en est certain, qui aurait illustré ce qui serait advenu de lui s'il avait persévéré aux côtés de Marjolaine. Oui, cette toile imprégnée de misère l'a mis en garde contre l'avenir incertain qu'il se préparait. Le divorce, la perte possible de son siège, la mise à dos de son beau-père qui est juge et l'impossibilité d'obtenir un poste rentable dans le rouage juridique ont été tour à tour, personnifiés par ces paysans au visage terne et aux mains noueuses, réduits à manger des pommes de terre bouillies sous l'éclairage insuffisant de la lampe. Et il a peur de ce que représente cette toile. Il a peur de la pauvreté, de la misère. Peur de perdre ce qu'il a. Peur de se retrouver pour de bon sur cette petite île sans électricité. D'avoir à se lever la nuit pour mettre du bois dans le poêle et de veiller sous la lueur insuffisante d'une lampe à pétrole. Oui, il a peur que cela lui arrive pour de vrai. Et pour de bon. Peur de perdre ses possessions, son train de vie, sa réputation.

Alors sur le mur vide et blanc, là où jadis triomphait la merveilleuse reproduction de cette femme de Monet, il accroche solidement celle des *Mangeurs de pommes de terre,* qui dorénavant inspirera ses décisions.

* * *

Mardi, 9 juillet 1985.

C'est par réflexe qu'elle répond à la place de Gaby. Comme elle le fait toujours. À son avis, c'est la moindre des politesses qu'un enfant réponde à un adulte qui lui adresse la parole. Mais, un léger plissement sur le front lisse de la psychiatre lui conseille de se taire et elle se promet de ne plus répondre pour Gaby. Échec. Elle répond une seconde fois tant le silence l'embarrasse. Puis une troisième fois, parce qu'il faut que quelqu'un dévoile enfin la vérité. Et voilà que le regard de la thérapeute se pose sur elle avec toute son attention et sa compréhension, et qu'elle devient patiente à la place de Gaby. Voilà qu'elle décolle cette croûte de son âme et laisse couler le pus qui l'empoisonnait. Oh! Ce n'est pas bien beau à entendre, mais la femme devant elle ne s'offusque de rien. Elle écoute, c'est tout. Sans juger, sans condamner. Irène se sent en confiance avec elle, d'autant plus que Gaby dessine dans la pièce d'à côté. Elle se vide de toute sa rage, de toute sa haine, de toute sa honte. Elle accuse, elle confesse. Avoue sa peur, raconte ses fantasmes. Tout y passe. Elle vomit lucidement tout ce trop plein qu'elle a sur le cœur. Trop plein de culpabilité face à sa négligence envers Gaby, face à sa destruction par la boisson, face à sa faiblesse devant Mantha. Trop plein de rage face à Flore qui s'est distinguée dans son rôle grandiose de MÈRE clémente et généreuse après lui avoir démontré combien elle était, elle, une mauvaise mère. Trop plein de honte d'avoir pleuré sur son épaule, de l'avoir détesté pour cela par la suite et d'avoir bu pour endormir cette brûlure de l'orgueil. Trop plein de haine envers René Mantha qui la fait encore chanter avec sa «cerise» perdue et démantèle froidement sa famille pour grossir ses profits.

Elle crache toutes ces insanités, toutes ces laideurs sans que la femme devant elle ne bronche ou n'exprime le moindre dégoût. Le moindre rejet. Rien ne semble la surprendre. La dérouter. Même pas le fait qu'elle fasse semblant d'atteindre l'orgasme avec son mari. Pourtant, c'est un mensonge si grossier. Si odieux. Si dangereux. Un mensonge qui disloque la femme en elle et la désarticule à un point tel qu'elle ne peut plus fonctionner normalement. Un mensonge qui l'isole du troupeau pour lui sauter au cou et la saigner. Elle parle, elle parle, elle parle. Avec sa bouche, avec ses yeux, avec ses mains. Rapidement. Sans aucune cohésion entre les sujets. Elle se vide pêle-même comme un sac d'ordures renversé sur la table. Ici, un mot, là, une expression, là, son poing serré. Ça sent mauvais, mais la femme devant elle ne lève pas le nez et patiemment fait le tri de ces obscénités. Elle, de temps à autre, elle a la nausée et vomit deux fois pire. Des choses qu'elle n'a jamais osé s'avouer. Des vérités qu'elle n'a jamais voulu envisager tellement elles faisaient d'elle un être méchant, abject, décadent.

Elle tourne la tête mais la puanteur de ces vérités lui lève le cœur. Et elle vomit malgré elle, dénonce qu'elle a déjà imaginé faire l'amour avec son père quand elle avait douze ans et admet qu'elle haïssait sa mère pour cette nombreuse progéniture qui l'enchaînait à la maison. Qu'elle la trouvait «cochonne» de faire si souvent cet acte répugnant. Qu'elle se collait l'oreille au plancher pour entendre les gémissements dans la chambre de ses parents et en être troublée pendant des jours pour ensuite les condamner et gratifier de bestialité cette union de la chair. Que l'accouplement chez les vaches éveillait en elle de si bas instincts...

Elle sort tout du sac d'ordures. Empile ces monstruosités qui infestaient son âme, couronnant cet amas d'immondices de la plus récente vérité. De la plus dangereuse et venimeuse. Elle en veut à Flore de si bien tenir ce rôle de mère dont elle n'est pas à la hauteur et se demande si elle ne la déteste pas pour cela. Elle la jalouse, lui reproche d'avoir offert son épaule pour ses pleurs et ne lui pardonne pas cet immense besoin qu'elle a d'elle. C'est méchant, tellement méchant de sa part, mais elle pense que les choses seraient plus simples si sa mère la haïssait et si elle aussi, elle haïssait tout simplement sa mère.

La femme écoute. Patiente. Sans une ride sur son beau front lisse. Sans un pli sur ses lèvres.

Éberluée, Irène se pend maintenant à son regard calme et serein comme une enfant perdue dans un centre d'achats.

— Si vous voulez aider Gaby... vous devez m'aider... J'ai besoin de vous... Je crois que je suis alcoolique...

— C'est toi qui dois t'aider. Moi, je te guiderai. Mais le gros de l'ouvrage, c'est toi qui dois le faire, Irène. Tu viens d'accomplir un premier pas, celui d'admettre que tu avais besoin d'aide. Maintenant, il s'agit d'en accomplir un autre et un autre jusqu'à ta guérison.

Cette femme ne la rejette pas. Ne la retourne pas chez elle comme un objet défectueux mais au contraire promet de l'aider.

L'espoir filtre. Pour elle et pour Gaby. Pour la femme et la mère en elle qui se sont laissé détruire. L'espoir filtre enfin, et Irène s'y accroche fermement.

* * *

Mercredi, 10 juillet 1985.

Craintive, Nadia lui presse légèrement la main devant la bouche grande ouverte du tuyau. Il sourit pour la rassurer, la devance de quelques pas et l'attire gentiment. Elle ne peut résister à l'invitation et se retrouve aussitôt collée sur lui.

— J'ai peur, chuchote-t-elle en regardant partout avec des yeux effrayés.

Un bonheur sans nom et sans limite gonfle la poitrine de Gaby. Le bras chaud de Nadia contre le sien, son souffle inquiet qu'il perçoit et le parfum de «yourtine» aux fraises qu'elle dégage font de lui le garçon le plus heureux de la terre. Le plus brave aussi. Il lui semble qu'il pourrait la protéger contre tout. Contre un chien méchant, un ours, un bandit. Rien ne pourra lui faire mal tant qu'il sera là.

— Viens, dit-il avec assurance.

— VIENS! répète l'écho.

Émerveillée, Nadia s'arrête.

— Ohé, crie-t-elle.

— OHÉ.

— T'as entendu?

— ENTENDU?

La fillette, oubliant sa peur, ébauche un sourire qui creuse de charmantes fossettes dans ses joues rondes. Gaby les contemple.

— Caca, lance-t-il dans l'intention d'épater son amie.

— CACA.

Nadia glousse un petit rire.

— CHUT!

Elle pose un doigt sur ses lèvres vermeilles.

— CHUT!

Cette réponse déclenche alors un rire en cascade qu'elle étouffe dans ses mains grassouillettes.

— Caca... caca... pipi.

— CACA... CACA... PIPI.

Les rires s'enchaînent aux audacieuses vocalises de Gaby.

— Arrête, j'ai mal au ventre, supplie-t-elle en se pliant en deux.

Il obéit. L'entraîne doucement par la main et la fait asseoir sur le vieux pneu. Elle lui fait une petite place auprès d'elle et paisiblement, le silence descend sur eux.

Silence qui leur permet d'entendre le roucoulement de l'eau baignant leurs pieds nus et le ronronnement des moteurs hors-bord au loin. Silence qui souligne la crécelle des insectes et le bruit lourd des véhicules qui roulent au-dessus de leur tête. Et à chaque passage, ils éprouvent, sans se le dire, la même sensation de vivre un bonheur en aparté du monde adulte. Un bonheur en cachette. Incompris des grandes personnes. Sans se le dire, ils ont l'impression de dérober cette joie d'être ensemble et de la déguster, loin de tout ce qui tend à les former ou déformer.

Le monde est là. Autour d'eux. Au-dessus d'eux. Là, collé aux grandes bouches de lumière. Et eux, ils s'en sont éclipsés. Eux, ils sont ici. Nichés dans un vieux pneu. Ravis d'être à l'étroit. D'être serrés. Collés. Eux, ils se sont sauvés de la machine qui fait vieillir. Qui fait durcir. Ils ont joué un tour au temps qui rend méchant et se sont retrouvés ici à ne rien faire d'autre que de se tenir les doigts.

Scritch! Scritch! Scritch! Nadia se gratte distraitement la cheville. Gaby regarde et aperçoit avec horreur des plaques rouges semblables aux siennes.

— T'as des boutons, toé aussi.

— BOUTONS, TOÉ AUSSI.

— C'est pas comme les tiens... c'est des piqûres de maringouins.

— PIQÛRES DE MARINGOUINS.

Il examine attentivement.

— Non. C'est comme les miens. C'est moé qui te les ai donnés.

Il s'éloigne d'elle.

— TE LES AI DONNÉS.

— Mais non, voyons! T'es pas contagieux.

— PAS CONTAGIEUX.

Elle l'approche. Il la fuit.

— Touche-moé pas, Nadia... J'te donne des boutons.

— DONNE DES BOUTONS.

— Mais non. Gaby, viens.

— GABY, VIENS.

Elle s'arrête. Pose avec mécontentement son poing sur la hanche et le somme de revenir. Il proteste de la tête en répétant:

— C'est pas des maringouins.

— PAS DES MARINGOUINS.

— Ça m'fait rien d'abord, si c'est pas des maringouins.

— PAS DES MARINGOUINS.

— J'veux pas que ça te pique, Nadia.

— TE PIQUE, NADIA.

— Mais ça m'fait rien.

— FAIT RIEN.

— Tu vas v'nir pleine de bobos comme moé.

719

— COMME MOÉ.

Sidéré, Gaby refuse d'être une cause de désagrément pour Nadia. Tantôt, il se sentait prêt à la protéger contre un chien méchant, un ours ou un bandit, mais il ne savait pas que ce serait contre lui-même qu'il devait la protéger. Elle a beau lui donner des ordres, taper du pied dans l'eau, il n'ira pas incendier sa peau de ces démangeaisons et la contraindre au rang des pestiférés. Non. Pas sa Nadia. Pas son amie. Il ne veut pas qu'elle souffre d'exclusion. Ne veut pas qu'elle pleure la nuit. Ne veut pas qu'elle se gratte sans trouver de soulagement. Non. Pas sa Nadia. Il l'aime trop pour cela. Sa peau est si jolie. Si douce. Si satinée. Non! Il ne veut pas en faire une lépreuse.

— Viens Gaby.

— VIENS GABY.

— Non.

— NON.

— Viens ou j'suis plus ton amie.

— PLUS TON AMIE.

La fillette se croise les bras et lui tourne dos.

— J'peux pas... c'est les mêmes boutons.

— MÊMES BOUTONS.

— J'm'en vais d'abord.

— VAIS D'ABORD.

Elle marche lentement vers la sortie du tunnel, marquant chacun de ses pas d'un soupir. Désespéré, il la suit du regard, suppliant d'une voix éteinte.

— Reste mon amie.

N'ayant pas capté cette dernière phrase, l'écho se tait et se contente d'amplifier le bruit de l'eau dérangée par les pieds de Nadia. Gaby s'attarde aux chevilles ceinturées d'une rougeur identique aux siennes et y trouve le courage nécessaire pour la laisser partir sans céder aux pressions qu'elle exerce par sa menace. De toute façon, lui, il sera toujours son ami et toujours, il la protégera contre tout ce qui pourrait lui nuire. Même contre lui-même.

Sa vue s'embrouille. Il pleure. Son amie n'est plus qu'une tache de lumière mobile sur un fond vert. Il n'accepte pas cette perte. Non! Pas celle-là! On n'a pas le droit de le priver de l'amitié de Nadia!

720

Une protestation jaillit alors de sa poitrine. Avec force et conviction.

— C'est pas juste!

Surpris, il écoute l'écho qui répète sa révolte. Sa colère. Sa défense.

— C'EST PAS JUSTE!

D'un geste rageur, il s'essuie les yeux et s'avance vers la sortie. Il s'arrête à la frontière de l'ombre et de la lumière et considère le monde devant lui. Une force étrange, inconnue se déploie en lui. Il la sent grandir et l'habiter partout, jusque dans ses poings qu'il serre pour la première fois de sa vie.

— C'est pas juste! crie-t-il, cette fois-ci, à la face de ce monde devant lui.

* * *

Jeudi, 11 juillet 1985.

En voulant parler contre Hervé Taillefer, Léopold Potvin se rend à l'évidence qu'il n'en a dit que du bien. Il se tait un long moment sous prétexte de se rouler une cigarette et s'applique à donner à son visage les traits du dénigrement. Mais il en a trop dit lorsqu'il a prétendu qu'Hervé était un fou de s'être enrôlé, un fou de s'être laissé glisser dans une tranchée qui ressemble à une fosse, un fou d'avoir embarqué sur un chaland pour tenter de mettre pied sur une plage où l'attendaient les mitrailleuses.

Il en a trop dit; le fou s'est mué en héros, en martyre dans l'esprit de Ti-Jean.

Dans une ultime tentative de diffamation, il ajoute: «C'est un Libéral.»

À ses yeux, cela résume tous les vices du monde. Ti-Jean sourit avant de boire à même le goulot d'une bouteille de bière. Pour un professeur, cela fait curieux. Il lui a bien offert un verre, mais... Léopold observe le petit homme avec curiosité et trouve qu'il a bien changé depuis l'année dernière, alors qu'il était tout démonté à la simple idée de faire un plan pour son installation septique. Il a plus d'assurance, plus de fierté dans son maintien, sa démarche. Rien qu'à voir la manière dont il est descendu de sa planche à voile, il a noté un changement chez lui. Est-ce la perte de son poste de conseiller de l'Association des riverains qui l'a rendu ainsi? C'est possible. Probable même. Mais pour l'instant, il cherche à en savoir plus sur ce voisin qui, d'emblée, lui plaît.

— Si y s'était contenté d'être Libéral au moins... Y a fallu qu'y fasse campagne pour le NON. Moé, j'étais pour le OUI à cent pour cent...

— Moi aussi, avoue Ti-Jean avec un rien de tristesse.

— Avoir un pays à nous autres... un gouvernement propre... c'aurait été beau, hein?

Ti-Jean approuve d'un hochement de tête et s'emploie à décoller l'étiquette de sa bouteille.

— C'était juste un rêve, hein? Un maudit beau rêve...

— Y a quand même beaucoup d'monde qui y ont cru.

— Pis d'autres qui ont eu peur: les vieux, les chômeurs, les immigrés. Le foin, ça vient du Fédéral dans leur tête. Y ont été manipulés. Ça sent pas bon, c't'histoire.

— Pas plus que celle des régates. En fait, c'est pour cela que j'suis venu vous voir. Faut qu'on fasse quelque chose. On peut pas toujours laisser gagner Mantha... Je suis en train de faire le tour des anciens membres et ils sont tous en complet désaccord avec la tenue de régates et de compétitions de ski nautique.

— Ouang? T'as fait le tour avec ta planche à voile?

— Oui.

— J'te r'gardais aller. Sais-tu que ça m'a l'air d'être le fun, c't'affaire-là.

— Pas mal quand on a l'tour.

— Tu m'as l'air de l'avoir.

— Enfin, oui. C'est pas trop tôt.

— T'en as t'y parlé à Marjolaine?

Ti-Jean se rembrunit. Cette dernière lui a paru tellement défaitiste et évasive suite à sa visite au député, qu'il a préféré agir sans son approbation. De toute façon, il n'en a pas de besoin: il ne fait plus partie du conseil.

— Non. J'pense qu'avec le gros Bourgeon et sa femme comme conseillers, elle ne peut pas faire grand chose. Le député lui a dit qu'elle pouvait utiliser l'argumentation de l'équipement sanitaire. Selon moi, Mantha y a déjà pensé. Faut trouver autre chose.

— Quoi?

— C'est à nous de trouver. Tous ceux qui sont contre. C'est notre lac: il faut le défendre. C'est pas parce qu'on a perdu le référendum que toutes nos luttes sont perdues d'avance quand même. Notre pays, c'est aussi notre lac. C'est notre lac. J'ai pas envie d'me laisser faire.

Ti-Jean se surprend. Est-ce bien lui qui vient de parler avec tant de fougue? Est-ce bien lui qui vient d'allumer cette lueur d'espoir et de détermination dans les yeux de Léopold? Il se sent l'âme d'un patriote. D'un résistant lors de la dernière guerre.

D'un trait, il cale sa bière et s'essuie les lèvres du revers de la main. Éberlué, Léopold le considère bouche bée puis:

— T'as raison, mon jeune. Faut faire quelque chose. Tu peux compter sur moé.

— Pensons-y tous ensemble: y a sûrement moyen d'empêcher ça. Cette campagne-là, on doit la gagner.

Que d'entrain! Que de crédibilité en ce petit homme énergique que Léopold conçoit comme un don du ciel.

— On va la gagner, rectifie-t-il en lui tendant la main. «J'sais pas comment encore mais avec toé, on va gagner.»

Nadia arrive sur ces entrefaites, s'appuie contre son père et, d'un ton plaintif:

— Ça pique, papa.

— Gratte-toi pas ma chatte; ça va faire des bobos.

— Qu'ossé qui pique?

— J'pense que ça peut être de l'herbe à puce ou une allergie. Elle a des plaques rouges.

— Montre donc ça à mon oncle Léopold, ma belle.

La fillette pose docilement un pied dans la main tremblante du vieil ivrogne accroupi devant elle.

— Non. C'est pas de l'herbe à puce, ça. De toute façon, y en a pas dans l'canton.

— Non?

— Non. C't'une pharmacienne qui m'a dit ça. Y a d'autres plantes, par exemple, qui donnent des boutons... Mais, c'est drôle, j'trouve que ça ressemble aux plaques du p'tit Mantha. T'sais le p'tit blond qui parle pas.

— Non, ça y ressemble pas! Pis à part de ça, y parle, proteste Nadia en retirant vivement son pied.

— Choque-toé pas, la belle.

— J'suis pas choquée, mais c'est pas lui qui m'les a donnés parce que j'suis plus son amie, bon.

Ceci dit, elle virevolte avec furie et les quitte en faisant claquer intentionnellement ses *gougounes*.

Amusé, Léopold la regarde aller vers le vieux banc d'autobus scolaire où elle finit par s'écraser.

— Trouvez-vous vraiment que ça ressemble aux bobos du p'tit Mantha?

— Ben, écoute... J'l'ai vu l'autre fois... Y était justement assis à la place de ta fille, pis y braillait à fendre l'âme. Y s'était tout gratté, c'te pauvre p'tit. Y avait des plaques rouges pis des croûtes. J'suis pas médecin. J'te dis juste que ça y ressemble. C'est p't'être pas la même chose pantoute.

— On m'a dit que le p'tit Mantha faisait de l'eczéma. C'est pas contagieux, ça.

— Ah.

— Est-ce que vos p'tits-enfants en ont des plaques rouges?

— Pas à ma connaissance. Mais j'vais r'garder; on sait jamais. Ça peut être quelque chose dans l'coin; une plante, un insecte, le banc d'autobus même, on sait jamais. J'vais vérifier ça, mon jeune.

— Très bien, on s'en reparle. J'vous quitte, j'ai d'autres riverains à visiter.

Ti-Jean monte sur sa planche à voile et file vers de nouvelles conquêtes. Avec lui, dans sa tête et dans son cœur, l'âme de Louis-Joseph Papineau, de Chénier et de Nelson, l'âme de tous les résistants dans leur lutte clandestine, l'âme de cet autre homme de petite taille, porté par un beau, un grand rêve: René Lévesque.

* * *

Lundi, 15 juillet 1985.

L'heure est mystérieuse. N'appartenant ni au jour, ni à la nuit. C'est avec peine qu'une lueur se faufile à l'est et presque avec regret que les étoiles perdent de leur éclat. La nuit n'est plus tout à fait la nuit, et le jour n'est pas encore le jour. Rien ne bruit. Rien ne bouge. Petite mère la Terre laisse dormir ses enfants dans leur nid, leur terrier, leur maison. Elle-même somnole et se repose avant l'arrivée de ce dynamique chef d'orchestre qui entamera aussitôt la symphonie matinale d'un coup de ses rayons magiques.

Et voilà qu'une ombre se glisse à cette heure mystérieuse. Une ombre longue, presque à fleur d'eau, ressemblant à un billot ou à un crocodile. Difficile à distinguer, presque impossible à entendre, on devine sa lente progression vers l'embouchure du ruisseau. De temps à autre, un clapotis ou une ride sur l'eau trahissent sa présence. Maintenant, elle s'engage dans le ruisseau, frôlant quenouilles et roseaux avec un bruit feutré. Hypocrite, elle s'infiltre bien en amont à la faveur de cette heure mystérieuse.

La gorge nouée, le cœur battant et les bras transis, Ti-Jean s'aide maintenant du fond rocailleux pour avancer. Couché à plat ventre sur sa planche à voile, il a l'impression de ramper en territoire ennemi. C'est enfantin, mais il ne peut chasser l'armée d'impressions militaires qui l'assaillent. Elles sont trop nombreuses et il doit convenir qu'elles le stimulent et rendent sa mission excitante. Loin de lui, maintenant, l'idée de se rappeler qu'il est un professeur de chimie et qu'il va prélever des échantillons de cette eau qu'il soupçonne être la cause des irruptions cutanées de Gaby, de Nadia, de Youri, de Marc, de Michel, de Cindy et tout récemment de lui-même. Mieux vaut s'imaginer qu'il est ce commando qui subtilisera sous peu l'arme capable d'attaquer de front René Mantha.

Sa planche s'enlise sur un îlot de sable. Il tâtonne autour de lui, plongeant ses mains dans l'eau froide et noire. Le contact quasi immédiat du lit du ruisseau le soulage, car il n'aime pas s'enfoncer les mains dans cette matière obscure, appréhendant toujours de toucher quelque chose de désagréable.

Malgré tout, un frisson parcourt son échine et un froid intense se niche dans son ventre. Que fait-il ici? pense-t-il soudainement. Ne serait-il pas mieux à rêver dans son lit tiède comme tout le monde? Pourquoi se donner tant de mal pour amorcer une bombe dont il ne connaît pas encore l'ampleur de la déflagration? Tout simplement parce qu'il le doit. Parce que sa conscience le lui commande. Oui, il doit aller chercher les échantillons de l'eau au sortir de l'usine parce qu'il est convaincu d'y déceler le poison responsable des problèmes de peau. Responsable également de la mort inexpliquée d'une trentaine de batraciens que Nadia et Gaby ont enterrés ensemble et responsable de combien de morts à l'échelle microscopique? Il doit agir. Et contourner les lenteurs administratives du système. Il n'a pas le temps d'attendre que les fonctionnaires remplissent des papiers en quatre exemplaires et empilent sa plainte par-dessus les autres. Pas le temps de respecter la propriété privée et de prendre des échantillons en compagnie d'un inspecteur avec l'autorisation de René Mantha. Pas le temps d'être dans la légalité. D'être conforme. D'être patient. Le poison agit vite, semble-t-il. Plus vite que les fonctionnaires dans leur bureau. Il ne prend pas de pause café, lui, ni de jour de congé, ni de fin de semaine, ni de vacances. Il ne négocie pas ses heures de travail et œuvre sans relâche à honorer le contrat qu'il a signé avec la mort. Non, il n'a vraiment pas le temps d'être légal et conforme. Sept personnes sont maintenant atteintes de ces démangeaisons et présentent, à divers degrés, les mêmes symptômes. Selon lui, plaques rouges, démangeaisons, insomnie n'ont qu'un seul dénominateur commun: le ruisseau.

Ti-Jean allume sa lampe de poche. Aussi cru et instantané qu'il soit, ce rayon de lumière le rassure et il s'y accroche, le temps de se ressaisir. De se convaincre qu'il ne se met pas les pieds dans les plats avec plus de brio que de coutume. Il pense à Diane qui le seconde et attend au chalet auprès des enfants au sommeil agité. Il pense à Gaby dont l'état lamentale attire la pitié et provoque la répulsion. Pense que sa Nadia et son Youri sont menacés de présenter dans quelque temps le même aspect. Oui, il doit aller prélever des échantillons et les faire analyser au laboratoire du département de Santé communautaire de Saint-Jérôme. Rien ne lui paraît plus clair maintenant que l'implication de cette eau dans l'épidémie des plaques rouges.

Il observe distraitement la marche lente et laborieuse d'une écrevisse sur le fond de sable tout en se remémorant les cours d'environnement et santé qu'il a suivis cet hiver à l'Université de Montréal, histoire de se perfectionner. Ayant abordé le thème de l'impact de l'industrie sur l'environnement, il se souvient nettement avoir demandé des précisions sur les déchets d'usine de panneaux d'aggloméré. On lui avait alors répondu que l'on pouvait retrouver du formaldéhyde et des résines phénoliques, susceptibles de causer des irritations cutanées et respiratoires. La présence de ces substances dans l'eau ne fait l'objet d'aucun doute dans son esprit et il les croit à l'origine du problème.

L'écrevisse sort du faisceau lumineux. Se perd aussitôt dans l'ombre. Il la poursuit et la retrouve près d'un cadavre de grenouille accroché aux aspérités d'un morceau de ferraille rouillée. Le crustacé lève ses pinces et, patiemment, se met en frais de déchiqueter son repas.

Ti-Jean grelotte de plus bel. Ce cadavre et cette eau qui le lèche de sa langue meurtrière l'arrachent subitement à sa planche. Il chavire. S'empresse de se retrouver sur ses pieds. Affolé par la fuite éperdue de l'écrevisse, il éclaire méthodiquement autour de lui et, ne l'apercevant pas, se calme peu à peu. Quel commando il fait! Il a eu peur d'une écrevisse.

Bon, maintenant, il lui faut immobiliser sa planche. Il la hisse sur un pneu traînant dans le tuyau et fait le reste à pied, serrant d'une main ses bouteilles d'échantillonnage et de l'autre, sa lampe de poche. C'est alors qu'il perçoit les bruits de l'usine qui se mêlent aux battements précipités de son cœur. Les gros camions martèlent le silence en déchargeant bruyamment leur montagne de copeaux. On dirait un tambour de guerre. Un tambour qui l'encourage au combat et mène ses pas. Un tambour qui fait naître la rage et le courage. Il va. Maintenant sans peur, sans remords. Enhardi par le limon nauséeux qui s'agglutine aux plantes le long de la rive. Il prélève ses échantillons à différentes profondeurs, prenant soin d'identifier chaque flacon. Il revient à la hâte, se sentant soudain démasqué et se réfugie dans le tuyau. Ouf! C'est fait. Il attend. Personne ne l'a vu ni entendu. Il a réussi. D'ici, il n'a plus besoin de lampe de poche et n'a qu'à s'étendre sur sa planche et dériver lentement vers le lac. Il a réussi! Il a réussi! Il ne lui reste plus qu'à mettre les bouteilles au frais et à filer vers Saint-Jérôme.

Diane l'attend. Le félicite. L'embrasse. Qu'il se sent un homme! Elle lui prépare un p'tit déjeuner avec ce qu'il faut d'admiration dans le regard pour l'encourager à poursuivre la lutte.

Il s'empare de la glacière de pique-nique où sont entreposées les preuves accablantes contre Mantha et s'arrête voir dormir ses enfants avant de partir.

Nadia, la petite princesse bien en chair qui n'a rien de l'athlète qui a inspiré son nom, dort, la tête appuyée sur le ventre de sa Bout-de-chou. Les draps rejetés laissent voir sur ses jambes bronzées l'apparition de croûtes sur les plaques rouges. Il étrangle la poignée de la glacière, lui faisant le serment secret qu'il la défendra contre ce mal qui ronge sa chair.

Puis, il s'arrête à Youri, étendu sur le dos, les poings fermés à hauteur du visage. Youri qui se bat maintenant et fait valoir ses droits à la force de ses bras. Youri qui a honte de lui, il le sait, depuis qu'il a pleuré quand Mantha a endommagé sa première planche à voile. Youri qui se dépêche d'être un homme plus fort que son père. Plus brave que son père. Youri qui l'évite. Qui le dénigre intérieurement. Youri qui cherche avidement une raison de l'admirer et n'en a pas encore trouvé. Youri qui n'est pas fier de son père et fait tout pour ne pas lui ressembler. Youri dont il s'ennuie terriblement et devant qui, aujourd'hui, il se sent un homme.

Je te dirai, mon fils, ce que c'est que d'être un homme.

Je t'aiderai... car maintenant, je sais.

C'est se lever dans la nuit,

S'arracher de ses rêves et partir seul quand tout dort et tout repose.

C'est aller chercher le venin

Dans la bouche du serpent

Sans que personne n'en soit témoin.

C'est faire la lutte au mal

Sans jamais recueillir de médailles.

C'est obéir à sa conscience

Sans jamais recevoir d'honneur.

C'est surmonter sa peur,

Si petite soit-elle.

Et avoir le courage de ses convictions,

Si exigeantes soient-elles.

Dors, mon fils.

Cette nuit, j'ai été un homme.

Dors, mon fils.

Demain, je te montrerai le chemin

Où tu dénoueras tes poings
Pour te battre.

* * *

Mardi, 16 juillet 1985.

Nadia rouspète à sa façon. L'interdiction de se baigner la rend impatiente avec sa Bout-de-chou, qu'elle gronde constamment. Pour l'instant, elle lui administre une bonne fessée et l'assoit rudement sur un tas de sable. Ti-Jean s'approche d'elle.
— Qu'est-ce qu'elle a fait?
— Est pas fine! A passe son temps à se tremper dans le lac.
— Ah! Tu fais bien d'la gronder; c'est pas bon pour ses bobos.
— Moi, ça m'pique plus, par exemple.
— Ça fait rien: j'veux pas que t'ailles dans l'eau. Ni toi, ni Youri.
— Mais ça m'pique plus. C'est vrai. R'garde, j'me gratte plus. Oh! Envoye donc, Papa! Juste me saucer une minute. Y fait chaud... envoye donc! Pourquoi tu veux pas?

D'un geste navré, il caresse les mèches soyeuses de sa petite princesse, faisant luire les reflets roux au soleil. Comment lui apprendre sans l'effrayer, qu'une substance nocive se déverse dans le lac par le biais du ruisseau? Comment lui apprendre les dangers que représentent le formaldéhyde et la résine phénolique dans l'eau?

Sa fille le regarde d'une drôle de manière. Comme si elle savait ce qu'il lui cache. Elle lui donne l'impression d'avoir posé cette question dans le simple but de l'éprouver.

— Gaby est chanceux, lui, d'avoir une piscine, poursuit-elle en observant ce dernier se débattre dans l'eau chlorée.

Ti-Jean regarde à son tour dans la cour voisine, s'attardant plutôt à Irène, étendue sur sa chaise longue. Il aimerait lui parler. La renseigner. Lui apprendre l'origine des problèmes de son enfant et la prévenir de la visite prochaine d'inspecteurs. Elle semble si seule, cette femme. Si pathétiquement seule dans cette grande et luxueuse cour qui respire l'ennui. Elle est sûrement plus abordable que son mari. C'est la sœur de Marjolaine, après tout. Mais, ils ne

729

se sont jamais adressé la parole et il y a toujours eu cette solide clôture grillagée entre eux.

Gaby sort de la piscine et se dirige tout ruisselant vers le lac.

— Chanceux! Y va se baigner dans l'lac, astheure.

— Non, non! Il ne faut pas. Madame! Madame Mantha! Il ne faut pas. Rappelez votre garçon.

En trois enjambées, Ti-Jean se retrouve à la limite de son terrain. Interdite, sa voisine promène un regard indécis entre lui et l'enfant s'apprêtant à plonger du quai.

— Rappelez-le. Vite!

Elle cède à ses instances. Rappelle immédiatement Gaby et s'avance vers lui, l'air interrogateur, légèrement amusé.

— Voulez-vous bien me dire pourquoi?

— À cause du bischloro-méthyléther... je sais que je vous semble farfelu mais... c'est dangereux.

— De quoi parlez-vous?

— De l'eau... des boutons de nos enfants. Oui, les miens aussi ont des bobos comme ceux de Gaby.

— Je regrette, monsieur, c'est l'eczéma: ce n'est pas contagieux.

Elle s'indigne. S'apprête à retourner à sa chaise et à chasser Gaby qui fraternise déjà avec Nadia.

— Non. Ce n'est pas de l'eczéma. Écoutez-moi, c'est très important. Très. Je sais que je ne peux pas parler avec votre mari... mais j'ai pensé qu'avec vous...

Elle revient et, à l'instar de son fils, s'approche du grillage qui les sépare. C'est la première fois qu'il la voit de si près et, à son grand étonnement, il ne se trouve pas devant une poupée de luxe telle qu'il l'a toujours perçue, mais devant une femme au regard mélancolique. Une femme belle pour son âge, avec de la peur et de la honte à fleur de peau. Il rougit. Bafouille.

— J'ai pensé qu'avec vous, ce serait différent.

Un sourire triste relève à peine les lèvres de sa voisine et il trouve la situation absurde, grotesque. Tout à coup, cela lui apparaît aberrant d'avoir vécu à côté de cette femme sans même connaître son visage. Où est la sagesse de l'homme sur cette terre? Quelle est l'étendue de son sentiment de fraternité quand il s'arrête à la première clôture venue? Il se sent fautif, coupable d'un vague crime envers l'humanité. Envers cette femme qui méritait mieux que le regard condescendant qu'il lui décernait chaque fois qu'il la voyait s'étendre au soleil.

— J'sais que j'dois vous paraître bizarre, mais...

Il baisse le ton. Lui fait signe de s'éloigner des enfants qui lient leurs doigts à travers cette maudite clôture dressée par les adultes.

— J'ai quelque chose de très important à vous apprendre. De très grave, aussi. Avant, je dois vous prévenir que j'ai prélevé des échantillons d'eau dans le ruisseau et que je les ai fait analyser, hier. Le ruisseau qui passe sur votre propriété.

Elle ne s'offusque pas de la violation de son droit de propriété privée et incline la tête, de plus en plus intriguée.

— L'eau contient du formaldéhyde et des résines phénoliques.

Elle ouvre grand les yeux. Vivement intéressée.

— Ces substances provoquent une irritation cutanée qui ressemble à de l'eczéma ainsi que des troubles respiratoires.

— Vous en êtes certain?

— Oui, les laboratoires l'ont confirmé, hier.

— C'est ce qui aurait donné des boutons à Gaby, si j'comprends bien.

— Oui. Et aux miens aussi. Et à ceux de monsieur Potvin. Même à moi.

Il lui indique les plaques rouges à ses chevilles et à ses poignets.

— Enfin, à tous ceux qui sont entrés en contact avec l'eau du ruisseau. De plus, si l'on combine le formaldéhyde à des chlorures, cela nous donne le bischloro-méthyléther qui lui, par contre, peut occasionner le cancer de la peau et des poumons.

— Mon Dieu! C'est terrible.

Elle appuie la tête contre le grillage, anéantie par cette nouvelle. Ti-Jean a le réflexe de la consoler mais n'en fait rien. Il ne s'attendait vraiment pas à cette réaction et demeure coi.

— J'vous remercie de m'avoir avertie, dit-elle, le gratifiant d'un regard reconnaissant. Il rougit encore une fois, hausse les épaules.

— C'est tout naturel.

Cette expression conventionnelle jure dans sa bouche. Il s'en aperçoit. Elle aussi. Pourtant, il aurait aimé que ce soit naturel et qu'il n'y ait pas eu ce monde d'incompréhension entre eux.

— Le cancer: c'est terrible. Il faut faire quelque chose.

— C'est déjà fait: votre mari va avoir des ennuis... je crois.

Il s'excuse d'avance. Elle hausse les épaules à son tour, démontrant qu'ils n'y peuvent rien et termine en pointant Gaby de son menton.

— Pourvu qu'il guérisse.

«Ti-Jean! Ti-Jean!» interpelle soudain Léopold Potvin qui arrive en trombe, nerveux comme un écureuil.

Irène retourne à sa chaise et lui, à sa balançoire, en compagnie d'un Léopold surexcité. Ne restent que les deux enfants, appuyant leur front dans un interstice.

— J'ai entendu mon père, hier soir... j'faisais semblant de dormir... C'est l'eau du ruisseau qui nous donne des boutons pis qui a tué toutes les grenouilles.

— Comment ça?

— Parce que... ton père... jette du poison dedans... Ça vient de l'usine. Ça s'appelle... ça s'appelle... attend... ça s'appelle du formalide pis du... du... zérine ténolique... oui, c'est ça, du zérine ténolique.

— Du poison?!

— Chut! Pas si fort. Oui. C'est un secret. T'es pas supposé le savoir tout d'suite parce que les grandes personnes vont faire d'la chicane à cause de ça. J'voulais juste te dire que j'suis encore ton amie.

Gaby presse les doigts de Nadia et s'enivre des fossettes qui se creusent dans les joues charnues de son amie.

— J'trouve ça plate de pas pouvoir jouer dans l'lac comme avant. Toi, t'es chanceux, t'as une piscine.

— Ça pue c't'eau-là... pis ça pique les yeux. C'est pas pareil.

Ils soupirent tous deux. Chacun prisonnier de sa cour. De sa famille. Chacun arrêté par l'absurdité des adultes qui dressent des clôtures et séparent les enfants de la terre. Ton côté. Mon côté. Ta cour, ma cour. Ton terrain, mon terrain. Propriété privée. Défense de passer. Tes bébelles, pis dans ta cour à t'amuser seul... comme si cela pouvait être amusant d'être seul avec des tas de jouets.

Ils soupirent tous deux. Chacun prisonnier. Chacun condamné à subir l'orage qui éclatera sous peu et donnera toute sa signification à la clôture.

Ils soupirent tous deux, tissant patiemment du bout de leurs doigts réunis, la carpette magique qui volera bien au-dessus de toutes les clôtures de la terre.

* * *

Mercredi, 17 juillet 1985.

Une heure du matin.

Pour la nième fois, Léopold s'accroche dans le moteur suspendu que Marc a lavé. Contrairement à ses habitudes, il ne jure pas et se frappe le front du plat de la main, disant simplement: «J'ai encore oublié.» Puis, il continue à fredonner tout en marquant les feuilles de métal de sa craie. C'est qu'il est heureux. Satisfait. Fier de lui, surtout. Il a trouvé. Oui, c'est lui qui a trouvé comment empêcher les régates. C'était si simple dans le fond. Suffisait d'y penser. Et lui, le vieil ivrogne, il y a pensé. Au début, il trouvait son idée saugrenue. Simpliste disons. Considérant le fait qu'elle était née des vapeurs de l'alcool. Mais elle lui collait tellement après, qu'il était incapable de voir autre chose qu'elle. N'en pouvant plus, il en a fait part à Ti-Jean. Et là... là... cela a été... incroyablement euphorique d'entendre cet homme sensé, ce professeur de chimie, dire que c'était une très bonne idée. Une vague de «il ne sait quoi au juste» lui avait déferlé dessus, le rajeunissant et l'assainissant d'un seul coup. Il se sentait comme un écolier récompensé par la belle étoile dorée dans la marge du cahier.

«Tam, di... delam.» Il tire les lignes d'un point à un autre puis évalue d'un œil expérimenté l'allure future du buggy de son petit-fils. C'est ça! C'est en plein ça qu'il veut, le monstre. Il sourit. Hoche la tête, convient que Marc n'est pas si monstrueux qu'il veut bien le laisser croire. Était-il ainsi à son âge, s'abritant derrière un écran d'indifférence? Le sourire persiste sur son visage raviné tandis qu'il inspecte le moteur. À entendre la nonchalance avec laquelle ce garçon a accepté de laver la pièce au pinceau, il n'aurait jamais cru à un ouvrage aussi méticuleux. C'est propre comme un

733

sou neuf. Marc excelle vraiment dans l'art de pratiquer le désinté-ressement. C'est sa manière de camoufler les attributs d'adulte qui empiètent sur son âme d'enfant. Sa manière de se leurrer et de leur-rer son entourage. Sa manière d'hésiter à faire le saut pour se re-trouver sur l'autre rive où le jeu de la vie n'est pas aussi amusant que le jeu tout court. Jamais, au grand jamais, il n'admettra avoir travaillé de son mieux, prétextant plutôt que le moteur n'était pas si sale que ça.

«C'est beau. C'est beau, ça, Ti-gars», marmonne Léopold en donnant une chiquenaude sur la mécanique. Tam, di delam! Ce soir, il est en harmonie avec tous ceux qui l'entourent. C'est comme s'il les surprenait derrière leur décor, derrière leur masque. Comme s'ils n'étaient pas aussi sordides et détestables qu'il le croyait. Faut dire qu'il a pris un peu de boisson. Un peu, beaucoup, paraît. De toute façon, il ne pouvait pas faire autrement: à chaque riverain qu'il visitait, il acceptait la ou les bières qu'on se plaisait à lui of-frir. Comment refuser? «That's the question», s'entend-il clamer dans le garage désert.

Un regard circulaire confirme qu'il est en harmonie également-ment avec ces boulons, ces vis, ces pneus, ces écrous, ces pinces, ces torches, ces clés, ce compresseur, cette soudeuse, enfin tout ce qui compose ce monde mécanique dans lequel il est intégré comme une vis, avec juste un peu de rouille dans ses fils. Ah! Son garage! C'est là, toute sa vie! Quel homme chanceux il est, d'avoir eu un fils par-tageant les mêmes goûts et les mêmes aptitudes! Et peut-être même un petit-fils. Pourquoi pas? Il reluque encore une fois le moteur bien nettoyé, suspendu au-dessus de la cuve remplie d'essence. À en juger par sa couleur sale, il peut voir que le moteur était effective-ment encrassé. Demain, il en est maintenant convaincu, Marc pré-tendra qu'il n'y avait rien là et que ce n'était presque pas sale, pre-nant soin de laisser à son intention cette preuve d'un travail bien fait. Et demain, il l'approuvera tout en lui clignant un œil pour lui faire savoir qu'il n'est pas dupe. Demain, il lui montrera les pièces qu'il s'apprête à tailler et dans l'après-midi, il l'emmènera avec lui visiter les riverains qu'il n'a pu rejoindre aujourd'hui. Il essaiera alors, le petit bougre, de jouer l'indifférent devant le plan qu'il a mis au point pour nuire aux régates. Il essaiera de faire comme s'il n'y a rien là quand il verra les touristes y adhérer avec enthousiasme. Il essaiera de ne pas se laisser gagner par cette solidarité qui se propage de chalet en chalet comme une traînée de poudre.

Léopold se frotte les mains l'une contre l'autre. Il exhulte. Tout ça, grâce à sa petite idée simpliste.

Simpliste mais géniale: il suffit de bénéficier du lac, tous ensemble, en même temps, à la même place c'est-à-dire à l'heure et à l'endroit prévus des régates. Il voit d'ici l'armada de pédalos, de chaloupes, de voiliers, de planches à voile, de bateaux, de matelas soufflés qui encombreront la baie où les régates devraient avoir lieu. Rien d'illégal là-dedans. Le lac est à tout le monde, non? À eux, autant qu'à Mantha.

Il voit ça d'ici: il y en aura tellement qu'on ne parviendra pas à les déloger. Lui, il ira tôt le matin rallier tous ceux de l'autre côté du lac, et Ti-Jean s'occupera de ce côté-ci. Jusqu'à maintenant, tout le monde adhère au mouvement. Il y en a même qui vont venir avec d'immenses chambres à air. Faut dire aussi que la nouvelle de la présence de formaldéhyde et de résine phénolique dans le lac a largement contribué à souder les riverains en un bloc homogène, ligué contre Mantha. Enfin! Des Québécois qui ne se laissent plus faire, ni impressionner! Ils vont gagner, c'est sûr.

D'un pas guilleret, Léopold s'approche des bonbonnes de gaz. Machinalement, il les ouvre et les ajuste. Puis, il s'empare des torches, les allume et descend les lunettes sur son nez spongieux. Demain, il montrera à Marc ce que c'est que des pièces de métal bien coupées.

Penché sur la plaque, la main droite bien appuyée, il observe le chalumeau rougir le métal. Il a toujours aimé tailler avec les torches. Toujours aimé attendre le moment propice pour ouvrir l'oxygène et le voir creuser dans le métal en fusion. Quelle belle coupe, il fait! Demain, mine de rien, il dira à Marc qu'il n'y a rien là et que c'est à la portée de tout le monde d'obtenir des stries aussi nettes et régulières, sans bavure, ni bulle. Oui, c'est ce qu'il lui dira.

Les étincelles volent partout sur le plancher. On dirait des étoiles. Enfant, Gustave admirait cette pluie d'étincelles qui ne brûlaient pas. Ah! L'envoûtement de la flamme! Du métal qu'on coupe! Qu'on tord! Qu'on soude! Il est vraiment privilégié d'avoir un fils qui partage ses goûts et ses aptitudes.

Soudain un bruit sourd, accompagné d'une forte lueur, force Léopold à se détourner. Il aperçoit alors une immense flamme alimentée par l'essence sous le moteur suspendu. Le feu! Vite! Il ferme le chalumeau et d'un geste instinctif et maladroit, il tire la cuve vers lui. Aussitôt, l'essence en feu éclabousse sa main, sa poitrine, son avant-bras et le bas de ses pantalons. Aussitôt, il hurle de douleur et de peur, cachant sa main enflammée sous son aisselle gauche pour l'éteindre, tentant de l'autre main de maîtriser le feu qui lui monte à la gorge et secouant frénétiquement les jambes pour se débarrasser des flammes qui lui mordent les mollets.

Le feu se propage sur le plancher, embrase un tas de guenilles sales et se nourrit voracement de tout ce qu'il rencontre en route. Vite, il faut l'éteindre! Activant les flammes à chacun de ses pas, Léopold court vers l'extincteur, s'en empare, l'échappe, le reprend. Comment ça marche, déjà? Il a du mal à arracher la cheville. Panique lorsque la douleur s'incruste violemment dans son cou et le long de ses jambes. Une odeur de tissu brûlé le saisit. Mon Dieu! Il est en train de se transformer en une torche vivante. «Au secours!» crie-t-il. Il ne veut pas brûler vivant comme tous les hérétiques du Moyen-Âge et les protestataires d'aujourd'hui. Non! Il ne veut pas servir de bûcher à ce garage qui représente tout son passé et tout l'avenir de son fils. Enfin, il réussit à arracher cette satanée cheville et serre le levier avec force sans égard pour la douleur intense dans sa main. Il dirige le jet sur ses jambes et parvient à les éteindre.

A-t-il mal? Aux jambes, non. Des flammes pointues lui transpercent le dessous du menton qu'il penche instinctivement. À quel degré est-il brûlé? Il n'ose pas regarder, inquiété par une odeur de chair grillée. N'ose pas constater la gravité de ses blessures. Le feu est là qui gronde à ses côtés. Une sensation de force l'envahit. Non, il ne laissera pas faire ce feu. Il ne le laissera pas lécher cette voiture en réparation. C'est assez! Cette bête féroce et destructrice n'a pas d'affaire dans son garage... dans le garage de Gustave. Dehors! Bête immonde et rapace. Il dirige le jet de neige carbonique à la base des flammes et les voit mourir, l'une après l'autre, donnant naissance à d'épais nuages de fumée. C'est fini: il a réussi à sauver le garage. Et il s'en sort indemne ou presque. Il ne sent plus rien sauf cette grande force qui l'ébranle fortement de l'intérieur. Il y a eu plus de peur que de mal. C'est tout. Le vieil homme risque alors un regard à sa main et frémit à la vue du bouillonnement d'un liquide dans la chair foncée et fondue.

Non! Il ne veut pas! Non! Il ne faut pas! Vite! Il doit avertir Gustave. Le réveiller pour qu'il l'emmène à l'hôpital.

Dans son énervement, Léopold bute sur le moteur suspendu et tombe par terre, sa tête heurtant violemment le plancher de ciment. Il voit des étoiles. Une pluie d'étincelles près d'un enfant fasciné puis glisse dans l'inconscience.

Dix-huit heures.

Découragé par l'énormité du steak que son père dépose dans son assiette, Gaby risque un regard vers sa mère.

— C'est trop gros pour lui, René.

— Trop gros. Trop gros. C'est lui qui est trop maigre. Ça va lui faire du bien.

Elle n'insiste pas et d'un signe de tête l'encourage à tout manger. C'est qu'il n'a pas faim. Mais pas du tout. Il ne pourra jamais rentrer cette viande, cette salade de patate et ce petit pain par-dessus la grosse boule qu'il a dans l'estomac depuis que l'ambulance est venue chercher le vieux Léopold. Résigné, il tranche le filet mignon et grimace en voyant couler un peu de sang.

— Y aime ça bien cuit, René.

Sa mère s'empare du steak à l'aide d'une grande fourchette et le pose sur le gril.

— S'il aime ça, de la semelle de botte, c'est son affaire, mais un bon steak, ça se mange saignant, pas vrai Dominique?

— J'comprends. Le mien est presque cru.

— Y a que les gens d'la campagne qui aiment ça un steak-oiseau.

— Un steak quoi?

— Un steak-oiseau: un steak cuit, cuit, cuit.

Dominique s'esclaffe, montrant la nourriture dans sa bouche. Gaby ne comprend pas ce qu'il y a de drôle et s'imagine qu'on rit de lui parce qu'il a apparemment un appétit d'oiseau. Il regarde sa mère. Elle rit, elle aussi, mais de la bouche seulement. Ses yeux sont aussi tristes qu'avant. Aussi apeurés.

Afin de se bâtir un appétit, il hume l'odeur du grillage qui s'amalgame à celle de l'eau et des conifères bordant l'allée. Rien n'y fait. Il pense toujours à monsieur Potvin qui a pris en feu et s'est cogné la tête. Que reste-t-il de lui? A-t-il l'allure de cette pièce carbonisée que sa mère remet dans son assiette?

Il ne peut réprimer une moue de dégoût et détourne la tête. Heureusement, son père ne l'a pas vu faire, préoccupé qu'il est à manger, à boire et à essuyer les perles de sueur sur son crâne et sur le dessus de sa lèvre. Comment le simple fait de se nourrir peut-il faire suer de la sorte? C'est à n'y rien comprendre puisqu'ils sont à l'extérieur, au frais. Il n'élabore pas la question et se contente de regarder vers la maison des Potvin dans l'espoir de voir les enfants s'amuser. Hélas, tout est anormalement calme dans la cour délabrée. Peut-être qu'il est mort. Ou qu'il va mourir. Peut-être qu'il a beaucoup de mal. Oh! Oui! Il doit avoir beaucoup de mal. Il s'est déjà brûlé, lui, sur le poêle de tante Marjolaine et la douleur a longtemps habité le bout de son doigt. Cela l'attriste de savoir que ce vieux bonhomme s'est fait mal, car il l'aime. Il est si comique, si près de lui. Et puis, il lit facilement dans son âme.

— Mange Gaby, ça va refroidir, suggère Irène en lui pressant le pied sous la table.

Comme elle a l'air craintive quand son père est là. Aussi craintive et désemparée qu'il l'est lui-même. Elle mange vite, arrosant chaque bouchée d'une bonne gorgée de vin rouge.

Cet homme qui sue à grosses gouttes au-dessus de son plat, sait-il qu'il le prive de sa mère? De celle qui le serrait affectueusement quand ils ont failli avoir un accident?

Pour gagner du temps, Gaby découpe alors sa viande en cubes menus, histoire d'en rendre l'aspect plus amusant et appétissant.

— Paraît qu'il était saoul comme d'habitude. Il a été chanceux de pas mettre le feu au garage, dit son père en nettoyant l'assiette d'un bout de pain.

— Est-ce que Gustave t'a dit ce qu'il avait au juste? s'enquiert la voix neutre d'Irène avant de se noyer dans la coupe de vin.

— Oh! Une commotion cérébrale... pis des brûlures au deuxième degré à la poitrine, au cou, aux jambes pis à une main, j'pense. Ben chanceux que son garage ait pas passé au feu. Des vieux fous de même, on devrait les enfermer.

Un rot sonore arrête cette sentence.

Cet homme qui chiffonne sa serviette de table dans sa main, sait-il de qui il parle? Sait-il que l'enfant présent dans ce vieil ivrogne lui a lancé une corde pour le sortir de son immense chagrin?

Gaby considère maintenant la pyramide de cubes avec désespoir. Il n'en viendra jamais à bout avec cette boule qui grossit à chaque parole de son père. Pourquoi enfermer le vieux Léopold? Ce n'est pas un fou. Il est si comique. Si près de lui. Et puis, il lit dans son âme. Pourquoi son frère Dominique rit-il à gorge déployée?

— Y peut bien se tenir avec notre tarlet de voisin, poursuit René Mantha, encouragé par l'hilarité de son fils aîné. Ce matin, imagine-toi donc qu'il est venu avec un inspecteur en environnement pour le ruisseau. Ça fait que j'ai laissé passer l'inspecteur, mais quand c'est v'nu son tour, j'lui ai dit: «Aie, Ti-boute, t'es mieux de pas mettre l'orteil sur mon terrain. C'est privé, ici.» Il était pas de bonne humeur.

Nouveau rire. Même sa mère se met de la partie. Pourtant, hier, quand le père de Nadia lui a parlé, son visage s'est ombragé. Pourquoi rit-elle aujourd'hui de ce poison qui se déverse dans le lac? C'est selon lui la chose la plus triste au monde.

Le rire et le regard de René Mantha s'arrêtent sur l'assiette comble.

— Tu sors pas de table tant que t'auras pas tout manger. Compris?

Cet homme qui l'oblige à manger sait-il que Nadia a des démangeaisons par sa faute? Sait-il que leur cimetière de grenouilles est bosselé de trop nombreuses petites tombes?

L'enfant se résout à introduire un cube dans sa bouche et le mastique longuement afin d'en avoir le moins possible à déposer sur cette boule qui s'enrobe de chagrin dans sa gorge comme une boule qu'on roule dans la neige collante.

— On n'est pas gâté en voisin. Le tarlet d'à côté me cause beaucoup d'ennuis. Mais il va entendre parler de moi. Il va savoir comment j'm'appelle, s'il le sait pas encore.

— Oh! Y doit l'savoir: Gaby passe son temps à faire des ma- mours à la p'tit grosse d'à côté à travers la clôture, dénonce Dominique, incapable de retenir un sourire malicieux.

Irène échappe sa coupe, s'empresse d'éponger le liquide sous le regard imperturbable de son mari.

— C'est vrai, ça, Irène, que Gaby fait des mamours à la p'tite bacaisse?

— Ben... Ce sont des enfants.

— J'veux plus qu'il joue avec elle. Compris?

— Bon... bon. Il jouera plus avec, c'est tout. Pas besoin de faire un drame avec ça.

Abasourdi, Gaby laisse bruyamment tomber sa fourchette. Il cherche à capter le regard de sa mère, qui elle, cherche à l'éviter. Pourquoi assure-t-elle qu'il ne jouera plus avec Nadia? Pourquoi le vend-elle ainsi à son père, ne faisant aucun cas de ses sentiments? Ne sait-elle pas tout ce que représente Nadia à ses yeux? Oui, elle le sait. Elle le sait aussi sûrement qu'elle savait qu'il n'avait pas faim et qu'il mangeait son steak bien cuit. Et c'est parce qu'elle le sait qu'elle fuit son regard. Oui, elle sait tout le mal que son père lui inflige. Pourquoi consent-elle à devenir le maître d'œuvre de cette décision méchante? Pourquoi fera-t-elle en sorte que la volon- té de son père s'accomplisse? Pourquoi veillera-t-elle à chasser Nadia lorsqu'elle viendra appuyer son front contre la clôture? Elle, sa mère qu'il aime tant? Où est passé la femme qui le serrait dans ses bras lorsqu'ils ont failli avoir un accident? Où est passé la femme qui l'aurait alors défendu contre la mort elle-même? Il ne sait pas. Constate amèrement qu'elle n'est plus, tout simplement, et que cette étrangère façonnée par son père n'est pas sa mère, mais un être mou et sans défense.

— T'as compris? J'veux plus que tu parles à la p'tite fille d'à côté, répète son père en ponctuant chacune des paroles de son index sur la table.

La petite fille d'à côté, c'est son amie. Sa seule amie. Elle est ce qu'il a de plus cher au monde. Mais son père ne sait pas cela. Non. Sa mère oui, mais elle ne dit rien en préparant nerveusement le café.

Le regard de Gaby longe la clôture et s'arrête à l'endroit pré- cis où ses doigts ont pris l'habitude de rencontrer ceux de Nadia. Il revoit aussitôt le visage rond, les yeux rieurs et les fossettes dans les joues poivrées de minuscules taches de rousseur. Et il réentend le rire et se rappelle comme c'est bon la vie avec elle. Comme c'est doux et beau avec elle. De quel droit son père lui raflerait-il ce trésor dont il n'a aucune idée de la valeur?

Il a beau n'être qu'un enfant, il sait qu'on s'apprête à le déposséder de ce qu'il y a de plus précieux sur cette terre: l'amitié. L'amitié qui n'est souvent viable que dans le monde de l'enfance. L'amitié qui n'a ni prix, ni limite et qui se fout des clôtures et des frontières. L'amitié que lui a offerte Nadia en le choisissant, lui, tel qu'il était. En l'aimant, lui, tel qu'il était, sans le vouloir autrement. Sans le critiquer. Sans l'emprisonner. Et ce choix, ce choix de Nadia qui s'est arrêté sur lui, le comble d'un bonheur indéfinissable et lui donne une confiance qu'il n'a jamais connue auparavant. Car elle l'a choisi, lui, parmi les autres garçons. Lui qui ne parle pas et fait encore pipi au lit. Lui qui a doublé sa première année et qui passe son temps avec les grenouilles. Personne ici ne peut imaginer ce que représente ce choix. Probablement personne au monde. Il sait bien que si sa mère avait eu le choix, elle n'aurait pas pris un petit garçon comme lui qui fait pipi au lit et rapporte de mauvais bulletins à la maison. Il sait bien que si Alex avait eu le choix, il n'aurait pas pris un cousin comme lui, silencieux et bon à rien aux sports. Il sait bien que si Dominique avait eu le choix, il n'aurait pas pris un frère comme lui qui traîne son Kermit partout. Mais Nadia a eu le choix, elle, et c'est lui qu'elle a choisi, tel qu'il était. Et c'est à lui qu'elle a donné son amitié.

Gaby observe son père, soufflant sur un café pour le refroidir. Il s'attarde aux épaisses lèvres arrondies d'où s'échappe le souffle provoquant des rides sur le liquide. Pour l'instant, cette bouche a l'air inoffensive et présente l'aspect d'un beigne dans cette grosse figure mais il sait, lui, tout le mal qu'elle a fait. Tout le mal qu'elle peut faire. Il sait qu'elle a détruit tout ceux qu'il aime. Tout ce qu'il aime.

Elle a détruit sa mère. Elle a détruit son grand-père, sa grand-mère. Sa tante Marjolaine, son cousin Alex. Tantôt, elle a détruit le vieux Léopold puis le père de Nadia. Tour à tour, il l'a laissé abattre ces êtres dans la forêt de son âme. Tour à tour, il s'est désespéré à les voir tomber. Elle a détruit aussi tant de grenouilles et combien de petits êtres microscopiques qu'il n'a pu enterrer? Et elle a même failli détruire l'amitié entre lui et Nadia. Et lui, il s'est caché dans son silence. Il s'est roulé en fœtus dans son silence pour se protéger des paroles qu'elle fusillait. Il a laissé bondir sur la muraille de son silence, les paroles méchantes, les paroles dures, les paroles menteuses et il les a laissées s'empiler, se gardant bien de s'en servir. Se gardant bien d'intégrer ce monde en utilisant ces armes meurtrières. C'était facile. Accommodant d'être hors du monde. D'être ce témoin qui ne s'implique pas. Ce témoin muet. Ce témoin passif qui se laisse charcuter sans réagir. Ce témoin résigné qui endosse le fardeau de la culpabilité.

Oui, les paroles gisent pêle-mêle devant la muraille de son silence, toutes aussi inutiles les unes que les autres. Lui, il se tait. Il laisse faire, écœuré de ce monde dont il ne veut pas faire partie. Il s'est toujours tu. A toujours laissé faire. A toujours ressenti une immense répulsion envers la cruauté des règles de ce jeu diabolique où les dés et les mots désignent les gagnants et écrasent les perdants.

Exclu du jeu. La faux des paroles a cependant réussi à raser les plantes précieuses que son âme a pris tant de soins à nourrir. Et voilà que cette faux aveugle s'apprête à abattre l'essence rare et précieuse que Nadia a choisi de semer en lui. Voilà qu'elle s'apprête à détruire son univers avec la facilité et l'inconscience de celui qui écrase un nid de fourmis. Car Nadia, c'est son univers. Il commence à vivre dès que les fossettes se creusent dans ses joues, dès que son regard noir et rieur plonge dans le sien, dès que la chaleur de ses doigts fait fondre sa gêne. Nadia est la fin et le commencement d'un monde nouveau. D'un monde invitant et propre où les paroles enferment la tendresse, la joie et la vérité. Où les paroles deviennent de magnifiques ballons d'allégresse. Nadia est la fin et le commencement de ce monde qu'il défendrait contre un chien méchant, contre un ours et contre lui-même. Un monde qu'il défendrait contre cette bouche arrondie comme une gueule de canon. La bouche de son père qui massacre, condamne, interdit, ordonne. Et celle de sa mère qui bafouille, qui boit et se plisse tristement.

— Non. C'est mon amie, s'entend-il dire avec fermeté.

Son père reste bouche bée, sa tasse à mi-chemin entre ses lèvres et la soucoupe. Puis:

— La p'tite grosse d'à côté, c'est ton amie?

— Oui.

— Pis tu veux continuer à jouer avec elle?

— Oui.

Le son de sa propre voix ne l'effraie plus. Auparavant, lorsqu'il s'entendait parler, il prenait conscience qu'il s'intégrait à ce monde traumatisant mais maintenant il y est habitué. Lentement et patiemment, l'écho du tuyau l'a familiarisé au son de cette arme.

— Écoute Gaby, les gens d'à côté sont pas gentils. Ils me causent bien des ennuis. Tu peux pas être ami avec eux autres.

— Nadia, c'est mon amie. Pis son papa y sait que tu mets du poison dans le lac. Moé aussi, j'le sais. C'est pour ça que j'ai des boutons. Pis Nadia aussi. C'est pour ça qu'on a plus le droit de se baigner pis que les grenouilles meurent. T'es en train de tuer le lac.

Il se lève.

— Assis-toi. Mange.

— J'ai pas faim.

Il reste debout. Tremblant de tous ses membres devant l'homme qui s'apprêtait à anéantir son univers. Il n'est qu'un enfant, qu'une fourmi défendant son nid. Qu'un enfant, qu'une fourmi armée de la même parole avec laquelle cet homme a détruit tous ceux qu'il aime. Qu'un enfant, qu'une fourmi qui a choisi de défendre le bien précieux de l'amitié.

— Pis personne m'a forcé à me mettre devant la pépine. J'ai décidé ça tout seul... pour défendre le lac. C'est pas la faute à pépère ni à mémère.

Qu'un enfant, qu'une fourmi qui rétablit la vérité et redresse ses torts.

Estomaqué, René Mantha dépose sa tasse de café. La surprise, la colère et quelque chose qui frise l'enchantement s'amalgament sur son visage.

— Niaiseux! Niaiseux! Tu vas t'faire chicaner, ricane méchamment Dominique.

— Niaiseux toi-même. Ferme-la donc, grogne le père sans même lui accorder un regard.

— O.K., tu pourras jouer avec elle. L'homme abdique, laisse tomber la faux de ses paroles. Le silence maintenant plane majestueusement. Un silence propre, blanchi par leurs paroles. Un silence ailé, affranchi du joug de la peur.

743

Un silence qui ne se dresse plus comme une muraille contre l'assaut des paroles mais se déploie et s'envole au-dessus d'elles.

Ému et toujours tremblant, Gaby écoute avec ravissement le cri de victoire de ce silence-là.

* * *

Jeudi, 18 juillet 1985.

Ce matin, Marjolaine ne reconnaît plus son fils. La métamorphose d'Alex lui saute aux yeux. Plus question de l'ignorer, de faire comme si... C'est devenu flagrant: il n'est qu'une désolante imitation de Marc Potvin. Même indifférence dans le regard, même monotonie dans la voix, même nonchalance dans les gestes. Non, il n'est plus question de faire comme si... Elle doit agir, sévir, punir. Lui interdire cette mauvaise fréquentation et l'obliger à rester avec elle sur l'île. Elle doit retrouver son fils dans cet enfant qui lui porte sur les nerfs. Mais, étant donné qu'il achève ses préparatifs de départ, elle décide de remettre son intervention au lendemain.

— As-tu demandé à Mike de réparer ta bicyclette?
— Pas eu le temps.
— Ça doit aller mal avec ta pédale brisée pis ta roue croche.
— Bof...

Alex hausse les épaules, tout en se brossant hâtivement les dents.

— Demain, j'ai besoin de toi.
— Pour quoi faire?

De multiples réponses affluent simultanément. Elle n'a que l'embarras du choix entre nettoyer le poulailler, biner le jardin, fendre du petit bois d'allumage, installer des tuteurs aux plants de tomate et vider la chaloupe. Mais, elle hésite à se servir d'un de ces prétextes pour retenir son fils auprès d'elle.

— Ensemble, on pourrait frotter tes poignées avec de la laine d'acier pour les dérouiller.
— Bof! J'suis habitué astheure.

L'attitude d'Alex l'irrite. Une bouffée de chaleur lui monte au visage. Aussitôt, elle attribue cette saute d'humeur au début de ses menstruations et s'efforce de pondérer sa voix.

744

— Me semble que ça s'rait l'fun de nettoyer ta bicyclette.

— Ça m'dérange pas qu'elle soit sale.

Un vrombissement de moteur arrête l'enfant sur le pas de la porte.

— Tiens, c'est Mike. On va justement lui demander s'il peut réparer ta roue.

— J'ai pas le temps.

Elle le retient par l'épaule, la serrant plus que nécessaire. Il se dégage brusquement. Un second mouvement d'impatience déferle en elle et lui donne envie d'administrer une bonne fessée à ce garçon qui lui ravit son affectueux et obéissant petit Alex. Elle lui en veut, tout en se demandant si elle n'est pas en partie responsable de ce changement. La culpabilité se greffe à sa colère et parvient à la calmer.

— Demain, tu restes ici. On va faire un pique-nique ensemble.

Une ébauche de sourire, d'espoir et de douleur se fondent sur le visage d'Alex. Il la regarde par-dessus l'épaule en enfourchant son vélo et lui offre durant un très bref instant l'image de son fils retrouvé. Une cacophonie de pétarades, de planches secouées et de cris d'oies rompt subitement le charme. Surgit alors la puissante motocyclette de Mike, poursuivie par les oies courroucées.

— T'as pas passé sur le pont!

Elle ne parvient pas à croire à un geste si irréfléchi.

— Ouais… tranquillement.

— C'est pas fait pour ça. C'est un pont pour piétons. Y aurait pu s'écraser.

— Ben non! Tu t'énerves pour rien.

Lui aussi, il lui porte sur les nerfs avec cette insouciance dont il se rengorge.

— Salut Alex. Tu t'en allais?

Mike enlève son casque et, après avoir fermement appuyé son engin sur sa béquille, se dirige nonchalamment vers son fils, ignorant les oies manifestement réfractaires à sa présence. Ce qu'elle aimerait être une oie pour avoir la chance de lui pincer un mollet! Hélas, à sa grande déception, les volatiles se désintéressent de lui et s'en retournent à la plage. Drôle de comportement: si cela avait été Benoît, il aurait été dès son apparition la proie de leurs becs.

— Ta bécane m'a l'air en mauvais état. J'ai vu l'autre fois que ta roue allait de travers. R'garde: ton pneu est tout usé de ce côté-là, il frotte sur la fourche. Tu vas finir par avoir un flat*.

Alex hausse à nouveau les épaules.

— J'aurai juste à l'réparer.

— Débarque une minute.

À contrecœur, l'enfant s'exécute. Observe son père qui passe en revue toutes les défectuosités de sa bicyclette pour finalement conclure: «Ça donne rien de réparer ça... Faudrait mettre tellement de nouveaux morceaux que ça coûterait aussi cher qu'une neuve.»

L'enfant s'inquiète. Voit dans la perte de ce moyen de transport la perte de son indépendance.

— Ça m'fait rien. J'suis habitué.

— Mais moi, j'm'habitue pas à voir mon gars se promener sur un tas de ferraille. T'sais c'qu'on va faire lundi, pendant mon jour de congé? On va aller t'en acheter une flambant neuve au magasin. J'pense que tu mérites ben ça pour ton beau bulletin.

Spontanée, excessive, la joie d'Alex blesse et choque Marjolaine. Il saute littéralement de joie. Une joie exubérante. Folle, folle, folle. Il applaudit, trépigne sur place, rit et s'excite. Envolé le garçon indifférent à qui rien ne fait rien. Mike a racheté au prix d'une bicyclette neuve l'intérêt de son fils. C'était donc cela, le prix. C'était donc matériel. Alex l'aurait talonnée de son indifférence dans le dessein de se faire acheter une bicyclette neuve? Serait-il rendu à l'âge des négociations? À l'âge où les trésors du cœur perdent de leur valeur au détriment de ceux de la consommation? À l'âge où elle n'a pas les moyens de financer ses sentiments? Déjà fini son trip de mère. Son rêve d'élever son enfant hors des sentiers de la société détraquée. Déjà fini! Combien de temps a-t-il duré? Huit ans, presque neuf. Jusqu'au jour où Mike est arrivé sur l'île avec ses gros cadeaux. Avoir su, elle aurait brûlé le pont. Elle souffre d'être privée de son enfant. D'être lésée dans ses droits de mère. Son âme s'indigne, se révolte. Le cœur à l'envers, elle regarde Alex pédaler avec fougue sur le pont et éprouve un malaise en le voyant disparaître dans le feuillage de la rive. Comme si déjà était venu le temps de le voir quitter l'île de plus en plus souvent. Son

---

* Flat: crevaison.

chagrin se mue alors en rage contre Mike. Contre l'homme venu exploiter sur d'autres bases les sentiments filiaux. Avec lui, cependant, elle ne masque pas sa colère. Sa voix comme ses gestes, comme son regard l'expriment ouvertement.

— C'est pour ça que t'es venu ici?

— Wow! T'es pas d'humeur à matin. Tu t'es levée du mauvais pied ou quoi?

— Rien. Ça t'regarde pas.

— Si c'est parce que j'ai offert un bicycle à Alex...

— T'aurais pu m'en parler au moins.

— Ben, j't'en parle là. T'es d'accord ou pas?

— C'est un peu tard pour décider. Compte pas sur moi pour y faire d'la peine astheure. J'suis tannée d'avoir le mauvais rôle.

— On peut l'acheter ensemble, si tu veux. Moitié-moitié.

— J'ai pas beaucoup d'argent... j'aide à mes parents pour les frais d'avocat.

D'un pas vif, elle se dirige vers la maison. Il se dresse devant elle, la retient par les épaules.

— Voyons Marjolaine.

Sa voix est douce. Ses mains chaudes sur ses épaules. Quelque chose en elle vibre et l'effraie tandis qu'une question saugrenue lui traverse l'esprit. De quelle couleur sont ses yeux ce matin? Gris ou verts? Ceux d'Alex étaient verts. Ce serait intéressant de comparer ce qui peut faire varier des yeux pers. Intéressant mais dangereux. Elle ne sait pas ce qui lui arrive ce matin et craint tout bonnement de rencontrer ce regard qui l'a séduite autrefois. Elle se sent faible dans sa chair, vulnérable dans sa solitude, désemparée par le comportement d'Alex. Et de plus, et surtout, elle a peur de l'attraction que cet homme exerce sur elle.

Mike presse gentiment ses paumes chaudes et fermes sur ses épaules. Elle combat la tentation de se laisser aller dans ces mains-là. Combat le pouvoir qu'elles ont de l'amadouer et d'éveiller ses fibres de femme.

— Lâche-moi, Mike.

Il obéit. Les nids tièdes des mains font place à une fraîcheur. À un vide qui la décontenance momentanément.

— Pourquoi t'es venu?

— Ben... j'suis venu pour savoir... euh...

Il se dandine d'un air embarrassé. On dirait un gamin pris à chaparder des confiseries au dépanneur.

— Pour voir... euh... pour savoir où en était la pétition.

— Ah! C'est donc ça qui t'amène: la pétition.

Un temps qu'elle emploie à mal camoufler sa déception. Ce n'est finalement ni pour elle ni pour Alex qu'il est venu, mais bien pour son frère Andrew. Dire qu'elle a cru... quand les mains chaudes couvaient ses épaules... Elle est vraiment faible, ce matin. Vraiment vulnérable. Ce doit être à cause de ses menstruations douloureuses. Elle est même allée jusqu'à se rappeler avec émotion le regard qu'ils ont échangé lors de la réunion spéciale à propos de ce fameux ruisseau. Un regard qui lui a permis d'entretenir l'illusion d'une paix possible entre eux. D'une trève. Il n'en est rien. Ce regard, tout comme cette visite, n'a qu'un seul but: protéger les intérêts d'Andrew.

La colère aidant, elle ose rencontrer les yeux de cet homme qu'elle voudrait moins beaux, moins verts, moins tendres.

— C'est drôle, t'as les yeux verts comme Alex, à matin, commente-t-elle d'un ton banal comme si elle faisait là une simple constatation scientifique. Hélas, l'évocation de cet être né de l'union de leur chair l'ébranle profondément. S'ouvrent et saignent à nouveau les blessures du désir. Elle se ressaisit.

— Y avait au-delà de deux cent cinquante noms sur la pétition la dernière fois que je l'ai vue.

— Quand?

— Dimanche. On prévoit avoir à peu près quatre cents noms. Tous ceux qui sont incommodés ont l'droit de signer: ça fait qu'au village...

— Quand pensez-vous l'envoyer?

— Y a une réunion samedi... si on atteint notre objectif, on l'enverra alors. T'as qu'à venir.

— Écoute Marjolaine, tu trouves pas que Léopold avait raison?

— Oui, bien sûr; il avait raison. Moi aussi, ça m'surprendrait qu'un ministère admette ses erreurs.

— Au fait, t'as appris pour Léopold? Son accident?

— Oui. Tu l'as visité?

— Pas encore. Toi?

— Mon père veut y aller ce soir.

— Ton père!? T'as bien dit ton père? Me semblait qu'y étaient ennemis ces deux-là.

— Moi aussi, me semblait... mais mon père arrête pas de tourner autour du pot pour que je l'emmène à l'hôpital... J'pense qu'ils s'apprécient dans le fond.

— C'est comique. J'suis sûr que Léopold va être content. Comme ça, tu trouves son idée bonne?

— Bien sûr.

— Pis les p'tits arbustes le long du ruisseau, ça aussi ça pourrait aider, non?

— Oui. Mais ça, y a rien qui nous empêche d'en planter en automne.

— J'aimerais ça vous aider.

Elle l'imagine d'ici, travailler à régénérer les rives du ruisseau. Ce serait formidable d'accomplir quelque chose de positif avec lui. Son cœur flanche. Se laisse mollement dériver vers le rêve d'une trêve entre eux.

— Tu s'ras le bienvenu, Mike. Autre chose?

Gauchement, elle cache son trouble sous des manières froides. S'ingénie à filtrer ses émotions.

— Ben non... c'est pas tout... vous devriez pas envoyer la pétition: ça donnera rien. Tu l'as dit toi-même que Léopold avait raison.

Son cœur s'écorche à l'écueil dissimulé sous l'offre de collaboration future. Mike n'est ici que pour défendre les intérêts d'Andrew. Elle le trouve ignoble de tout mettre en œuvre pour arriver à ses fins, utilisant jusqu'à la tendresse de son regard. Qui plus est, elle se trouve idiote d'avoir succombé, faibli, flanché devant lui. Indignée, outrée, elle contrôle mal le tremblement de sa voix.

— Léopold avait raison, mais c'est pas sa proposition qui a été adoptée.

— Tu pourrais pas r'mettre ça à plus tard? Ça va juste t'apporter des ennuis. Tu connais Andrew? Y est en maudit à cause de ça.

— Si y est en maudit, c'est parce qu'il cache quelque chose.

— Ben non. J'te jure qu'y pollue pas. À chaque fois que les inspecteurs viennent prendre leurs échantillons, y trouvent rien à redire. L'affaire, c'est qu'il y a beaucoup d'monde là-dedans qui vont signer pour des vengeances personnelles. Tu l'sais autant que moi.

— J'y peux rien. Ça toujours été comme ça... comme ça toujours été que les Falardeau s'tiennent ensemble. J'te dis que tu l'défends ton frère.

— C'est pas mon frère que j'défends. C'est toi. Toi pis Alex. Moi, j'le sais tout c'que ça va t'apporter d'ennuis. Tu pourrais t'arranger pour retarder ça.

— Non, j'peux pas. J'ai des comptes à rendre.

— Tant qu'à être bonne à rien de même comme présidente, t'es aussi bien de démissionner, tu penses pas?

Cette phrase la cingle. Démontre avec éloquence toute l'impuissance de son titre honorifique. Humiliée, blessée, insultée par cette vérité implacable, elle ne parvient pas à se contenir.

— Tant qu'à être insultant de même, t'es aussi ben de ficher ton camp, Mike FALARDEAU.

Elle remarque qu'il serre les mâchoires. Probablement les poings aussi. Dire qu'elle a failli être remuée par cet homme qui n'est qu'un gamin attardé. Tout compte fait, Mike est à peine plus vieux qu'Alex. Présentement, il ne pense qu'à protéger les intérêts du clan Falardeau au détriment de la survie du lac à la Tortue.

— Oui, j'vais sacrer mon camp. T'es pas du monde, Marjolaine Taillefer. Ça te fait rien, toi, qu'Alex se fasse crier des bêtises pis qu'il ait des misères à cause de tes maudits Riverains. Moi, ça s'adonne que ça m'fait de quoi. J'te laisserai pas gâcher l'enfance de mon fils.

— Ton fils! Ton fils! Tu peux ben en parler. Si t'es si bon que ça avec lui, comment ça se fait qu'il est r'venu de Montréal tout débiné*. T'es bon pour y donner des cadeaux, y promettre une bicyclette neuve, mais pour le reste, tu fais dur.

— Toi aussi, tu fais dur! J'commence à penser que l'monde a raison de dire que t'es folle. Tu t'en sacres pas mal, hein, que ton vieux père passe en cour pis que tes frères aient pas d'ouvrage par ta faute? Ton fichu lac passe avant tout l'monde. T'as pas de cœur, Marjolaine.

---

* Débiné: démonté.

— Oh! Toi! Ferme-la, t'en as jamais eu de cœur. Si c'est pour ça que t'es venu ici, tu peux bien sacrer ton camp.

— J'suis venu te d'mander de lâcher les Riverains. Mais ça sert à rien: t'es trop tête de cochon. Tu peux ben être toute seule sur ton île. Salut.

Il démarre, fait voler des cailloux derrière lui et ébranle toutes les planches du pont en le traversant à toute vitesse.

Furieuse, Marjolaine assène un violent coup de pied à une motte de terre. «Fiche-moi la paix, Mike Falardeau», crie-t-elle en direction du grondement qui s'amenuise. Rien, évidemment, ne lui répond sauf le tambourinement de son cœur. Elle se sent prête à exploser. Un volcan s'active en elle et ne demande qu'à cracher cette lave qui l'empoisonne.

Elle fulmine. Mike Falardeau l'a vue dans toute son impuissance. Toute son inutilité. Il a résumé crûment cette vérité qu'elle s'acharne à contourner: elle n'est bonne à rien en tant que présidente et ferait mieux de démissionner. Elle n'accepte pas que ce soit lui, Mike Falardeau, qui la confronte si durement à cette réalité. Surtout pas lui qui n'a aucun sens des responsabilités. Ah! Il en a du toupet pour venir lui faire la morale. Elle n'en revient pas.

D'un pas rageur, elle se dirige vers le pont afin de constater si cet inconscient ne l'aurait pas endommagé. À son grand étonnement, tout semble en ordre. C'est bête, elle aurait préféré qu'il brise une planche ou une poutre pour pouvoir l'accuser de négligence et le taxer de fou comme elle a été traitée de folle par lui. Par tous les gens du village. Par René Mantha. Par le député sans doute et peut-être par Alex.

Elle regarde le feuillage de la rive où ce dernier a disparu sur sa bicyclette et renoue avec ce chagrin intense que la colère a transformée pour lui permettre de tenir tête à Mike. Rage et chagrin prennent place maintenant dans son âme. Rage et chagrin accélèrent les battements de son cœur. L'égorgent et l'asphyxient. Oui, elle a été folle de reprendre la petite épée de bois pour attaquer le moulin. Folle de tout sacrifier à l'éducation de son fils. Folle d'avoir joué franc jeu avec cette société tricheuse et menteuse. Folle d'avoir fait confiance à Mike la première fois qu'il est venu sur l'île avec ses gros cadeaux. Folle d'avoir été franche avec Benoît. Folle d'avoir écouté la plainte du torrent. Folle d'avoir compromis

751

l'unité de sa famille. Elle s'en veut d'avoir été folle à ce point. S'en veut d'avoir échoué sur tous les plans et de se retrouver seule sur son île. Elle a perdu. Tout perdu. La paix familiale, l'attachement de Benoît, l'efficacité et l'intégrité de l'Association des riverains, le respect de ses concitoyens, l'estime de Mike et la vénération d'Alex. Et pourquoi cette perte totale? Pourquoi? Pour rien. Rien du tout. Pour se choquer pour rien, après un enfant que les petits riens ne contentent plus et s'apercevoir amèrement qu'elle n'est qu'une présidente bonne à rien incapable d'éviter la destruction du torrent. Voilà à quoi se résume son bilan. À rien. Voilà ce qui lui reste après avoir tout investi dans cette cause. Tout donné. Tout sacrifié. Tout misé. Il ne lui reste rien de rien. Rien de toute cette générosité, de tout ce dévouement, de toute cette honnêteté dont elle a fait preuve.

Est-ce pour boire à la coupe de cet échec qu'elle a décollé sa joue du flanc maternel? Il eût mieux valu qu'elle ne côtoie pas si intimement les rouages de la société. Qu'elle ne découvre pas le mensonge, la lâcheté, le pouvoir de l'argent et l'indifférence. Qu'elle ne joue pas avec ce jeu truqué, étant donné qu'elle ne sait pas tricher. Il eût mieux valu qu'elle n'encoure pas le risque d'être classée une honnête perdante plutôt qu'une malhonnête gagnante car aujourd'hui, les perdants tombent vite dans l'oubli, quelle que soit leur cause. Il n'y a de place que pour les gagnants quels que soient les moyens employés pour arriver à leurs fins. Les Don Quichotte et les autres du même acabit deviennent sujets de risée. Aujourd'hui, l'important, c'est de gagner et elle, elle a enseigné à Alex que l'important c'était d'obéir à sa conscience et d'agir selon ses convictions.

Mais elle a perdu, et elle constate avec amertume que son fils est indubitablement attiré par ce monde des gagnants. Qu'il déserte l'île de plus en plus souvent pour frayer avec des gamins qui bafouent les valeurs inculquées. Elle a peur qu'il se détache d'elle complètement à cause de cet échec des Riverains. Peur que son besoin d'admirer et de vénérer se cristallise dorénavant sur Mike, ce père à retardement, capable de déclencher le rire et les sauts de joie par la simple promesse d'une bicyclette neuve.

Une bicyclette neuve: bien sûr qu'il en veut une. Elle lui permettrait de s'intégrer plus facilement à son groupe d'amis, il en est convaincu. Le fait d'être toujours différent des autres lui nuit considérablement. Et puis Cindy le regarderait assurément d'un œil favorable. Sa mère ne semble pas comprendre cela. Elle l'a considéré comme un parfait petit égoïste quand il a applaudi. Il sent encore dans la chair de son âme, le regard désapprobateur qu'elle lui a dardé. Qu'a-t-il fait de mal? Pourquoi sa joie retombe-t-elle maintenant comme une boisson dégazéifiée? Pourquoi et de quoi se sent-il fautif?

Perplexe, décontenancé, Alex pédale avec de moins en moins d'ardeur. Il ne sait plus ce qui lui tente: aller jouer avec ses amis ou retourner dans les bras de sa mère. Tout au fond de lui, il sait qu'il préférerait se retrouver contre Marjolaine, mais il croit qu'elle est fâchée contre lui. Déçue de lui. Alors, il va de l'avant. Sans enthousiasme. Son cœur rebroussant chemin vers cette femme qui l'a délaissé au profit des Riverains. Cette femme qu'il rêve d'avoir pour lui tout seul, demain en pique-nique. Cette perspective le console d'abord puis, peu à peu, émet un doute suivi d'une crainte. Et si demain, pour une raison ou pour une autre, le beau rêve du pique-nique échouait? Quelle autre solution lui resterait-il que de se rabattre sur la joie d'une bicyclette neuve?

Le bruit de la moto de son père l'arrache à ses pensées. Il s'immobilise sur le bord de la chaussée pour le regarder passer. Qu'il va vite! La vision le saisit. Il décèle de l'agressivité, de la rage et de la révolte dans le grondement de cet engin. Dans l'allure de ce bolide lancé à toute vitesse sur la route de terre. La gorge serrée, il regarde foncer ce cavalier sur sa monture métallique. D'énormes nuages de poussière se lèvent derrière lui et les rayons du soleil ricochent partout sur les pièces chromées et sur la visière du heaume moderne. Le saluera-t-il au passage? Le verra-t-il près du fossé avec sa bécane?

Alex lève timidement la main pour saluer. Vroum! Un bruit d'enfer, des cailloux qui volent et la poussière... Mike ne l'a pas vu... ou du moins il ne l'a pas salué. Le cœur gros, l'enfant reprend la route, ne sachant plus quoi penser. Quoi espérer.

Put! Put! Un véhicule l'oblige à se ranger. La roue avant de son vélo s'enlise dans le sable mou. Pour pallier le ralentissement, il se lève sur ses pédales. Peine perdue: la résistance du sable l'oblige à s'arrêter. Put! Put! Il regarde avec une pointe d'irritation et rencontre le sourire de tante Irène. Un sourire gentil qui lui est justement destiné. Elle agite la main derrière le volant de sa belle voiture. Il répond à ces salutations spontanément et la regarde aller vers la ferme de grand-père. C'est bien la première fois que tante Irène lui prête une telle attention. Cela lui fait une petite douceur d'avoir été considéré de la sorte par elle et d'un trait, il oublie toute sa froideur d'antan à son égard. Désormais, tante Irène aura un sourire et un geste auxquels il pourra s'accrocher pour l'accepter.

Accepter qu'elle était alcoolique, c'est ce qui a été le plus difficile. Par la suite, le reste s'est fait tout seul. Les décisions se sont prises d'elles-mêmes.

Irène pénètre dans la cour de la maison paternelle sans le serrement de cœur habituel. Une femme neuve, une femme libre balaie d'un regard soulagé les bâtiments de bois gris.

Finie cette angoisse qui l'étreignait constamment. Depuis qu'elle a accepté le fait qu'elle était alcoolique et qu'elle gâchait sa propre vie et celle de Gaby, elle voit la réalité autrement que troublée par ses fonds de bouteilles. C'est Gaby qui lui a donné le courage de s'accepter quand il a parlé à son père. Il était si beau à voir. Si touchant. Si… exemplaire. Si Gaby était en mesure de se défendre et de défendre sa petite amie et le lac, pourquoi n'en faisait-elle pas autant elle-même? Pourquoi se terrait-elle dans son verre d'alcool retardant l'échéance de sa prise de conscience. Mais Gaby s'était levé et lui avait insufflé le courage d'accepter son alcoolisme. Depuis, elle entrevoit les chances d'une nouvelle vie.

Un homme voûté sort de l'étable. Il porte la tête basse comme si la guerre ployait encore son échine. Maigre dans son ample salopette de travail, il marche d'un pas désillusionné. C'est son père.

Son père à qui elle est venue se confesser. Son père à qui elle apprendra son intention de divorcer. Son père à qui elle demandera pardon et bénédiction.

Irène s'avance vers l'homme. Chaque pas la ramène un peu plus en arrière dans son enfance. Un peu plus vers celui qui lui a réchauffé les pieds de ses mains calleuses et un peu plus vers la fillette qui attendait son retour des champs. Un peu plus vers ce père qui l'a préférée aux autres enfants et un peu plus vers elle qui l'a toujours su.

Elle rejoint cet homme, reçoit en plein cœur son regard plein d'espérance et d'étonnement et se réfugie dans les bras qu'il lui tend. Plus rien, elle le sait maintenant, ne l'empêchera de se réhabiliter, car il sera là. Toujours là, derrière elle, à encourager ses pas dans cette nouvelle vie. Toujours là, à l'accepter et à l'aimer sans condition. À pardonner ses chutes et ses rechutes et à comprendre son combat.

Son combat pour la protection du lac n'est qu'une farce monumentale. Pour ses concitoyens, il n'a été qu'un sujet de distraction et de diversion à l'ennuyeux hiver. Qu'un mets épicé dans le menu fade de leurs commérages quotidiens. Pour les membres, il demeure une recette miracle de bonne conscience pour la modique somme de cinq dollars tandis que pour les politiciens, il sera toujours un conglomérat d'électeurs potentiels plus ou moins exploitables.

Oui, une vraie farce dont elle a été non pas le dindon, mais la dinde! Et quelle dinde. Même sa sœur Irène qui ne s'est pas le moindrement intéressée à la question environnementale en sait plus qu'elle. C'est le comble. Elle en sait plus qu'elle, la présidente! Bonne à rien, il est vrai, mais présidente tout de même. Comment parvenir à garder son calme dans ces conditions? À être de bonne humeur? C'est bien simple, elle aurait envie de fracasser quelque chose… de donner un coup de pied quelque part. Quelle journée! D'abord l'attitude d'Alex, puis le coup de la bicyclette neuve suivi de l'engueulade avec Mike. Enfin, pour couronner le tout, cette nouvelle qu'Irène a apprise à son père lors de la réconciliation: la présence de formaldéhyde et de résine phénolique dans l'eau du lac. C'est terrible! Terrible comme nouvelle. Gros comme ça, ça ne se peut pas, et elle n'était pas au courant. Irène oui, mais pas elle. C'est Ti-Jean qui a découvert cela. Ti-Jean qui a fait venir les inspecteurs. Ti-Jean qui, sans le vouloir, sape le peu de pouvoir qui lui reste. Elle se sent comme un général écarté du champ de bataille par ses plus proches et plus loyaux officiers. Ça goûte un peu la trahison et la désertion. Ça goûte mauvais et elle ne réussit pas à troquer sa rogne pour la joie qu'elle devrait partager avec ses parents, suite à la visite d'Irène. Ils étaient si heureux tous les deux du retour de cette enfant prodigue. Si soulagés d'apprendre l'abandon des poursuites. Elle, elle en est contente, car cela minimise les dégâts, mais elle ne parvient pas à communier à leur allégresse. Une douleur l'effleure, l'ombrage quand elle pense à l'euphorie de ses parents. Ils sont prêts à tuer le veau gras: Irène leur est revenue. Irène subira une cure de désintoxication, Irène s'affranchira de René Mantha. À les voir, à les entendre, on croirait que leur bonheur ne dépendait que d'Irène. Les autres, les fidèles et bons enfants, n'ayant jamais été en mesure de combler réellement le vide qu'elle avait créé. Oui, une douleur l'effleure, l'ombrage quand elle y pense et la jalousie teinte cette joie qu'elle devrait éprouver.

Avec des gestes brusques, Marjolaine prépare le repas d'Alex. Elle, elle n'a pas faim et puis elle a des crampes dans le ventre qui lui donnent envie de rester à la maison plutôt que d'aller visiter Léopold avec son père. Maudites menstruations! Fallait que ça tombe aujourd'hui.

Des caquètements d'oies l'avertissent qu'Alex est de retour. Elle a à peine le temps de savourer cette consolation qu'il entre en coup de vent.

— Marjolaine! Tu sais pas quoi? Ya du poison dans l'lac.

— Quoi?!

— Y a du poison dans l'lac… Ça vient de l'usine… C'est du… formalide, j'pense… pis de la zérine quelque chose. C'est ça qui donne des boutons… Pis tu sais pas quoi? Notre club…

— Depuis quand tu sais ça, toi?

— Depuis à matin.

— Comme ça, même les enfants le savaient avant moi. Ça vaut la peine d'être présidente. J'te gage que tout l'monde le sait pis que j'suis la dernière à l'apprendre.

— C'est Youri qui nous l'a dit

— Ça m'surprend pas. C'est Ti-Jean qui a découvert ça.

Ti-Jean qui est maintenant le nouveau héros de la lutte à la pollution. Ti-Jean qui l'éclipse, la supplante, la relaie aux oubliettes. Ti-Jean qui secoue la léthargie de son fils.

Et elle, là-dedans? Elle, elle n'est qu'une dinde.

— Tu sais c'que notre club a décidé de faire?

— Quel club?

— Ben celui des Grenouilles... T'sais, j't'en ai parlé l'autre jour?

— Oui, oui. Les Grenouilles... Bon, dépêche-toi à manger. Pépère va v'nir me chercher pour aller à l'hôpital.

— Tu veux que j'te dise c'que notre club a décidé de faire avant?

— Non. J'ai pas le temps, Alex. Tu me raconteras tout ça demain. Mange.

— On sait comment empêcher les régates.

— Demain, Alex... Tu me raconteras ça, demain.

Demain, elle a remis cela à demain. Elle n'a même pas voulu savoir ce que le Club secret des grenouilles a imaginé pour empêcher les régates. Dire qu'il s'était fait du mauvais sang à l'idée de trahir leur secret. Mais elle n'a même pas voulu savoir.

Demain, ce ne sera pas pareil. Peut-être qu'il n'aura plus envie de lui dire ou qu'il ne sera plus capable de lui dire. De toute façon, demain, ce ne sera pas pareil.

Déjà même, le besoin qu'il avait de parler à Marjolaine s'estompe. C'est tantôt qu'il aurait pu s'ouvrir l'âme. Se confier, se livrer tout entier à cette femme. Oui, tantôt, il était prêt à tout lui dire. Tous ses petits bonheurs et ses grands malheurs. Tantôt, il était en mesure de lui ouvrir les pages de ce livre qu'il a écrit sans qu'elle ne s'en rende compte. Les pages qui se languissent d'elle partout à chaque mot. Les pages qui se révoltent de son absence. Les pages vertes de jalousie où le député, Mike, Gaby et Youri ont écrit leur nom en trempant leur plume dans son sang. Les pages grises d'ennui de la paperasse de l'Association des riverains. Les pages noires comme l'asphalte mouillé de la ville où la peur et la douleur se sont accaparé son âme. Les pages blanches où s'est inscrit le bonheur rose et fugace des doigts de Cindy liés aux siens sous la galerie. Les pages salies par l'humiliation, les pages froissées par la rivalité et la suprématie de Youri, les pages déchirées par son impuissance. Les pages mouillées de ses larmes et couvertes de

757

poussière au passage de la motocyclette. Les pages incomplètes où les «je t'aime» à peine formulés se méfient soudain et se terminent en trois petits points de suspension. Les pages de ratures, de bavures, de taches où triomphe son imperfection. Les pages arrachées dont il se souvient par cœur tellement elles font mal. Oui, tantôt, il était prêt à lui ouvrir ce livre mais demain... ce ne sera pas pareil. Demain, il se sera apprivoisé à la douleur qui rôde en lui et sera en mesure de masquer son enthousiasme comme son chagrin. Demain, il revêtira cette carapace d'indifférence qui lui protège l'âme. Cette cotte de mailles dont il était prêt à se dévêtir, tantôt, pour s'offrir dans toute sa fragilité et sa vulnérabilité à Marjolaine. Demain, il s'entraînera à devenir un homme, à refouler ses larmes et à maîtriser sa joie. Demain, il jouera aux grands en se déguisant le cœur.

Assis sur sa balançoire, Alex creuse le sable de ses orteils. Obstinément, il se répète que demain sera un jour comme les autres et s'habille de cette indifférence qui camoufle si bien son tourment et son chagrin, mais, insidieusement, l'espoir s'infiltre sous la cotte de mailles. L'espoir éclaire ce lendemain et l'habille tout entier des yeux de Marjolaine pique-niquant avec lui. Des images de joie ébranlent les barricades de son âme. Non. Il ne doit pas laisser entrer l'espoir. C'est trop risqué. Avec force, il repousse ces images. Mais elles reviennent à la charge, armées de ce grand livre qu'il lirait enfin à Marjolaine. Ce grand livre couvert de «je t'aime» d'un bout à l'autre. Non. Il ne faut pas... c'est trop risqué... Mais il l'imagine nageant avec lui, courant avec lui, riant avec lui et faiblit sous l'assaut. Pour prêter main-forte aux résistances déjà ébranlées de son être, il évoque l'échec de ce rêve et se convainc que demain, il n'y aura pas de pique-nique. Demain, on va lui ravir cette joie... Marjolaine, pour une raison ou pour une autre, remettra ce rêve à plus tard. Et lui, il aura encore à écrire une page qui fait trop mal et qu'on finit par arracher. Il aura encore à porter cette lourde cotte de mailles qui l'étouffe. Il aura encore à se mordre les lèvres pour ne pas pleurer. Oui, demain sera un jour comme les autres.

L'enfant se donne une poussée. Doucement, il se balance entre l'espoir et la page arrachée de ce grand livre qu'il pourrait enfin lui lire, demain... si...

Si demain Hervé ne tient pas parole, il va s'enfuir de cet hôpital. Oui, il va se sauver aux petites heures et rentrer chez lui en faisant de l'auto-stop. Il en assez de ces infirmières et de ce médecin. Assez de cette chambre blanche, de ce rideau entre lui et son voisin ennuyeux; de ces pas, la nuit, dans le corridor; de ce réveil avec un thermomètre dans la bouche; de ces repas fades et tièdes; de cette interdiction de fumer et de cette privation d'alcool. Oui, il en a assez de faire honneur à Gustave en jouant le rôle du bon petit vieux qu'il devrait être.

Assez finalement de subir la comparaison désavantageuse avec son compagnon de chambre, qui, lui, est un petit vieux comme il faut. Un petit vieux distingué, posé, avec ce qui lui reste d'avenir assuré et deux sujets de conversation qu'il exploite à perpétuité: son diabète et ses voyages annuels en Floride.

C'est décidé: si Hervé ne vient pas demain avec une flasque de gin, il va s'enfuir de cet hôpital. Il s'ennuie trop, ici. Il dépérit, ici. L'odeur de la maison lui manque. Même les cris de ses petits-enfants lui manquent. Jamais, il n'aurait cru cela possible. Mais leurs cris font partie de sa vie. Tout comme les remontrances de sa bru et la sévérité de Gustave. Et tant qu'à souffrir comme il souffre présentement, il préférerait de loin, souffrir dans son lit.

Léopold geint. Bon Dieu! Que ça fait mal! La morphine, administrée il y a une éternité, n'a plus aucun effet. Il sonne l'infirmière. Attend une autre éternité. Enfin, elle arrive et machinalement, replace les draps en expliquant qu'elle n'a pas le droit d'augmenter la dose.

— Ça fait mal en christ!

Malgré le fait qu'il nuit à son image de bon petit vieux, cela lui fait un bien énorme de sacrer. L'infirmière ne s'offusque pas et lui parle comme à un enfant. Cela l'enrage. L'amoindrit. Élimine l'homme en lui. Il aurait envie de faire une grossière indécence pour lui montrer qu'il n'est pas un petit garçon. Pourquoi cette femme ne veut-elle pas soulager ses souffrances? Ah... Oui... il se souvient... elle n'a pas le droit d'augmenter la dose... le médecin seul... bon... Il la soupçonne d'inventer cette excuse. Elle croit qu'il feint pour obtenir de la drogue et propose plutôt du démérol pour l'aider à dormir. N'importe quoi. Il est prêt à prendre n'importe quoi pour ne plus souffrir.

— J'veux m'en aller chez nous.

— Vous avez pas mal plus de dix pour cent de brûlé, monsieur Potvin. C'est pour ça qu'on vous garde. Et des brûlures comme les vôtres, au cou et à la poitrine, c'est à surveiller.

— J'sais... j'sais... l'docteur m'l'a dit cent fois... au moins.

— C'est parce qu'on vous aime et qu'on veut vous guérir.

— J'imagine, oui.

Comment peut-elle l'aimer? Elle ne le connaît même pas. Si elle savait toutes les bêtises qu'il avait envie de lui dire, tantôt.

— Vous ne croyez pas qu'on vous aime?

— Vous dites ça... à tout l'monde... Ça fait partie d'votre job... Vous être obligée d'être fine.

– Et toutes les visites que vous avez? C'est pas parce qu'on vous aime, ça?

C'est vrai qu'il en a eu beaucoup, des visites. Beaucoup plus que le p'tit vieux modèle qui ronfle près de lui. Mais de toutes ces visites, celle qui l'a le plus aidé, c'est celle d'Hervé. C'est bien simple, quand il l'a vu apparaître derrière Marjolaine, il s'est senti revivre.

«Bonne nuit.» La garde s'en va. Le laisse avec le souvenir tout chaud de cet homme au dos voûté qui n'avait ni carte, ni fleur, ni boîte de chocolats à lui offrir et qui semblait simplement embarrassé d'être heureux de le voir vivant.

— J'dois être ben malade: j'vois rouge.

Hervé avait ri de cet accueil.

— Pis toé, tu m'as l'air dans les bleus. Comment ça va? Pas trop souffrant?

— Ça va... mais ça fait mal en christ... J'ai hâte de rentrer chez nous. Paraît que la fameuse usine, bâtie du temp des Libéraux... par un Libéral... jette du poison dans notre lac.

— C'est pas pire que le fameux cric d'irrigation, creusé du temps de l'Union nationale... par un conservateur, qui jette du purin dans l'lac.

Vivant! Il était bien vivant. Sans l'ombre d'un doute, Hervé venait de le lui démontrer. Ah! Que ça faisait du bien de se relancer, de se piquer sur de vieilles broutilles politiques, de jouer aux éternels ennemis tout en sachant qu'ils tenaient l'un à l'autre. Oui, cet ennemi lui était indispensable. Il en avait besoin pour répliquer à l'engourdissement de son être et de son âme. Besoin pour ne pas vieillir, ne pas stagner, ne pas dormir. Besoin pour vivre les jours qui lui restaient et non pas les écouler paresseusement. Confortablement. Besoin pour être catapulté loin de ses brûlures. Loin de ses souffrances. Ah! Que c'était bon!

Ti-Jean s'était isolé avec Marjolaine près de la fenêtre et Hervé s'était assis sur le lit pour se disputer plus à son aise. Le vieux d'à côté n'arrêtait pas de dire que c'était honteux de voir des hommes de leur âge se chamailler comme des enfants d'école, ce qui les stimulait.

Puis, avant de partir, Hervé lui avait demandé s'il lui manquait quelque chose. À lui, il pouvait bien le dire que la boisson lui manquait. Il en avait bien touché mot à Gustave, mais c'était peine perdue: jamais celui-ci n'aurait consenti à enfreindre les règlements de l'hôpital. Et puis, il voulait que son père se tienne comme il faut à cause du p'tit vieux qui n'arrêtait pas d'être parfait dans la même chambre que lui.

Léopold se sent tout à coup très, très fatigué. Il sourit, roule la tête sur l'oreiller et s'endort en imaginant des répliques pour Hervé.

* * *

Vendredi, 19 juillet 1985.

Marjolaine se presse. Elle roule plus vite qu'il ne faudrait sur la route de terre, ce qui soulève d'immenses nuages de poussière. Elle a beau se dire qu'elle ne prêche pas par le bon exemple en temps que présidente d'un mouvement anti-pollution, elle ne parvient pas à ralentir son allure et, à tout bout de champ, vérifie l'heure à sa montre-bracelet.

Son père doit s'impatienter. Il lui a prêté la camionnette à condition qu'elle la lui rapporte à temps pour l'aider à faire le train et lui permettre ainsi d'aller visiter Léopold à l'hôpital. À l'heure qu'il est, les vaches sont rentrées depuis longtemps. Comme la journée a passé vite! Il lui semble qu'elle vient à peine de s'éveiller avec des projets pleins la tête et des remords doublés de longues hésitations à annoncer à Alex l'annulation de leur pique-nique.

761

De prime abord, la réaction de son fils l'a grandement soulagée. Les larmes qu'elle redoutait tant de voir couler ne sont pas apparues et lui ont permis de croire au peu d'intérêt que suscitait cette activité. Mais, insidieusement, au cours de la journée, l'inquiétude s'est posée sur son âme, telle une mouche inopportune. Une mouche obsédante, agaçante, qui s'envole au moindre mouvement et revient aussitôt troubler la paix par son insistance. Une mouche qui la mettait en garde contre la résignation douce et silencieuse d'Alex.

Et plus elle y pensait, plus elle craignait qu'il n'y eut un piège dissimulé sous cette absence de larmes. L'attitude d'Alex n'était pas normale.

Avec le recul, elle aurait préféré qu'il pleure. Qu'il s'indigne. Qu'il se révolte. Mais voilà, il s'était tu, avait fait signe qu'il comprenait la situation d'un hochement de tête et lui avait souri. C'est tout.

Elle, elle n'avait cessé de s'enthousiasmer suite à la rencontre fortuite avec Ti-Jean à l'hôpital et lui avait maintes fois présenté des excuses pour son impatience de la veille. Malgré le fait qu'il lui ait pardonné, elle se sentait fautive à son égard. Des gestes et des paroles n'étaient pas complètement effacés entre eux. Traînaient dans son âme et sûrement dans celle de son fils, des vestiges de ce froid qui les avait distancés l'un de l'autre. Restait du frimas sur les parois de leur cœur.

Exagère-t-elle? Imagine-t-elle ces choses? Pourquoi cette satanée mouche ne lui fiche-t-elle pas la paix? Pourquoi, à elle seule, réussit-elle à gâcher cette journée formidable! Tant de choses ont été décidées! Tant de problèmes résolus et de situations éclaircies!

Enfin, leur combat commence à porter fruit. Déjà, les inspecteurs du Ministère ont ordonné la fermeture de l'usine et exigé une enquête sur les rejets industriels, incluant les rejets atmosphériques. De plus, cette intervention gouvernementale met les membres du conseil de l'Association des riverains sur la sellette et les oblige à prendre dorénavant des décisions qui excluent la partisanerie.

La découverte de formaldéhyde et de résine phénolique a pointé du doigt le pollueur et remis en question la fiabilité du projet du Centre de récréation nautique. Quant aux régates que Ti-Jean espère arrêter en appliquant la tactique «d'encombrement de la baie par tout ce qui flotte», elle hésite à adhérer à une solution aussi radicale qui risque de jeter de l'huile sur le feu que Mantha a déjà en un endroit peu recommandable; elle opte plutôt pour le compromis, troquant la journée de compétitions de ski nautique, moins dommageable, contre celle des régates. Ainsi, elle ménagerait l'amour-propre de son beau-frère tout en évitant de fâcheux incidents.

Oui. Leur combat commence à porter fruit et les Don Quichotte et autres peuvent enfin entrevoir la possibilité d'une victoire. Son pessimisme de la veille tourne à l'enthousiasme et se parfume d'un nouvel espoir. Elle voit avec un regard neuf le retour d'Irène et l'abandon des poursuites judiciaires, alors, pourquoi cette satanée mouche réussit-elle à la harceler de la sorte? Comment, avec son minuscule corps, parvient-elle à jeter une telle ombre sur toutes ces choses qui vont en s'améliorant? Bzz! Bzz! Ici et là, qui se pose et s'envole. Qui agace et rappelle. Bzz! La résignation silencieuse d'Alex. Bzz! Le pique-nique annulé. Bzz... ce n'est pas normal. Bzz... il aurait dû se fâcher ou pleurer. Maudite mouche! Qu'elle a hâte de la coincer, de l'écrapoutir dans quelque recoin de son cœur aux parois de frimas. Qu'elle a hâte de revoir Alex, de le serrer très fort contre elle, de lui demander pardon et de vivre avec lui des moments de grande tendresse. Hâte de l'entendre rire sur sa balançoire. Hâte d'aller avec Mike lui acheter une bicyclette neuve puisque l'abandon des poursuites lui permet de participer aux frais. Hâte de le sentir glisser dans l'eau à ses côtés. Hâte de le retrouver. De prendre le temps de l'écouter. Hâte de lui apprendre qu'ils vont enfin vaincre les moulins. Hâte de réchauffer les parois de leur cœur de ses mains, de son sourire, de sa présence.

C'est ce désir charnel et maternel de serrer son enfant contre elle bien plus que l'obligation de ramener la camionnette qui lui fait écraser l'accélérateur.

Enfin, la ferme apparaît. Elle arrive juste au moment où Flore et Hervé reviennent de l'étable, l'un contre l'autre. Elle s'excuse: ils rient. «À nous deux, ça été vite», explique Hervé en enveloppant Flore d'un regard d'une tendre complicité.

— Alex est ici?

— Non. Il doit être sur l'île. Y a dû passer quand on était en dedans. J'vais aller t'reconduire; après j'vais me changer pour aller à l'hôpital.

Détendu, serein, son père parle tout au long du trajet. Il raconte que les vaches donnent beaucoup de lait et que Flore vendra à nouveau de la crème aux touristes au lieu de jeter le surplus. Puis, il parle de ce vieux fou de Léopold qui n'a pas changé, avec un sourire qui trahit son attachement. Elle aime le voir ainsi. On dirait qu'il vient d'arrêter de vieillir et qu'un gamin s'est soudainement réveillé en lui au contact de Léopold.

— Merci, papa.

Elle descend au bout de la terre et longtemps le regarde aller dans le champ fauché, l'âme en paix avec lui-même. Elle comprend aujourd'hui qu'il ait tué le veau gras lorsque Irène est revenue. Elle comprend ce que c'est que de se sentir loin de son enfant, ce que c'est que d'être imparfaite et de porter une part de la responsabilité d'une désunion. D'une froidure. D'une distance qui s'établit au jour le jour.

Elle, elle ne tuera pas le veau gras, mais elle cuisinera les crêpes préférées d'Alex. Elle ne commandera pas une fête en son honneur mais elle nagera avec lui avant le repas et s'amusera à lire ses amours sur les pétales des marguerites.

Marjolaine se hâte. Les caquètements d'oies répondent au martèlement de sa course sur le pont. Enfin, elle met pied sur l'île. Enfin, chez elle. Enfin à portée de main la réconciliation et le pardon.

— Alex!

Silence dans le jardin.

— Alex?

Silence sur la plage. Silence dans la chaloupe.

— Alex?

Silence sur la galerie.

— Alex!

Silence dans la maison. Un étrange vide dans sa chambre d'enfant.

— Alex!?

Silence dans la cour. Silence sur le rocher. Silence tout au long des cordes immobiles de la balançoire. Elle met ses mains en porte-voix.

— Alex!!

Silence sur l'eau… «lex» répond l'écho avec un léger retard.

— Alex!!!

Silence dans les arbres. Dans le ciel. Dans le cri des mouettes et le chant du torrent. Silence dans le radotage de la vague sur le sable qui ne répond pas à son appel.

Elle retourne à la maison. Vérifie sous les lits, dans les garde-robes, le grenier.

— Ah! Ah! Tu t'caches, mon p'tit sacripant. Tu veux jouer à la cachette. Tu vas voir que je vais t'trouver.

Elle cherche dans la bécosse et dans le poulailler. Conjure sa peur en fouillant tous les buissons de l'île.

— O.K., Alex, t'as gagné.

Elle abdique. S'attend à le voir surgir en riant. Mais, rien. Silence. Toujours silence.

— J'joue plus Alex... Tu m'entends, Alex... C'est pas l'fun, ton jeu... Envoye, sors de ta cachette. On va dire que t'as gagné. Envoye, sors. On va aller s'baigner ensemble... après j'te ferai des crêpes aux framboises. Sors! C'est pas drôle! Sors, ordonne-t-elle d'une voix angoissée.

Rien. Encore silence. La peur soudainement claque sur son cœur comme un piège d'acier.

Alex! hurle-t-elle, cédant à la panique.

Une image surgit alors: celle de la vieille bicyclette appuyée contre la clôture du jardin. Elle n'a pas remarqué, tantôt, si elle était à sa place habituelle. Si oui, Alex est sur l'île et veut lui jouer un tour... C'est ça. Il s'est caché pour lui faire peur. Pour se venger du pique-nique annulé. C'est bien, dans le fond. Ce n'était pas le propre d'Alex de se résigner de la sorte. Bon! Elle a payé. Ils sont quittes maintenant.

Elle court sans prendre garde aux branches qui lui fouettent le visage. Pressée d'en finir avec cette peur irrationnelle qui l'affole. Pressée de retrouver l'image rassurante de la bicyclette contre la clôture. Pressée de rire d'elle-même. De gronder gentiment son fils et de lui faire promettre de ne plus recommencer des choses pareilles.

Elle débouche dans le jardin et...

— Alex!?!

Elle tombe à genoux, écrasée sous la peur. Terrassée par un pressentiment morbide. Alex n'est pas là... La bicyclette n'est pas

765

là. Avec ahurissement, elle palpe les barreaux de la clôture et se pique involontairement des échardes aux doigts. Non, elle ne rêve pas. Non, elle ne fait pas un cauchemar. Son fils n'est pas ici. Mais où? Où est-il?

Du calme. Du calme. Elle doit se calmer. Résister à cet effroi qui la glace. Ce n'est pas si grave que ça. Alex est sûrement avec son père. Oui, c'est ça. Ils sont allés acheter une bicyclette. Les magasins ferment à neuf heures, le vendredi. Elle aurait dû y penser plus tôt. Alex a tout simplement oublié de la prévenir. Quelle sotte elle a été de croire que... Non! Elle ne veut pas étiqueter d'un mot toute l'horreur de son angoisse qui, comme l'ombre de la mouche, est complètement démesurée. Elle n'a qu'à téléphoner à grand-mère Falardeau pour mesurer jusqu'à quel point elle a été ridicule de se tourmenter de la sorte.

D'un pas rapide qu'elle tente en vain de ralentir, elle retourne à la ferme. Le chemin lui paraît long. Si long ruban de sable, longeant la longue clôture de barbelés. Si courts, ses pas. Elle se fait violence, se taxe d'idiote, d'alarmiste. Décide de la punition qu'elle imposera à Alex pour cet oubli. Punition qui augmente au fur et à mesure que l'angoisse grandit en elle et qui, tout à coup, tombe à néant quand elle imagine le pire et ne demande qu'à le serrer dans ses bras.

Inutilement, elle appelle Alex en marchant et se surprend de la douleur et de la détresse qu'elle émet dans ce cri de mère animale découvrant l'absence du rejeton. Elle voit les champs nus, les vallons, l'orée de la forêt comme autant de témoins muets qu'elle implore. Elle a l'impression que tout se tait autour d'elle. Que tout se ferme. Que tout lui cache son enfant.

Enfin, la barrière puis l'arrière de l'étable envahie de chardons. À partir de là, tout se déroule à un rythme accéléré. La galerie. La moustiquaire, les mouches dérangées, Flore qui se lève de sa berceuse et abandonne son émission de télévision.

— Qu'est-ce qui s'passe?

— P'pa est parti?

— Oui... ça fait cinq minutes.

— Alex est pas à la maison... Il doit être parti avec Mike au magasin. J'vais appeler chez madame Falardeau. Il a dû oublier de m'avertir.

— Ou peut-être qu'il l'a fait quand on était dans l'étable.
Elle signale. Raccroche avec un mouvement d'impatience.

— C'est occupé.

— C'est sûrement pas elle qui passe son temps au téléphone.
Ça doit être la grosse Berthe qui commère: est sur la même ligne
qu'elle. Assis-toé. Calme-toé. Y a dû appeler quand on était à
l'étable pis Jane a pas pu nous rejoindre parce que la grosse Berthe
était sur la ligne.

— Vous avez raison, m'man, j'm'inquiète pour rien.

— On dirait que les p'tits gars nous font faire plus de cheveux blancs que les p'tites filles.

— Ah oui?

— Oui. Y sont toujours à imaginer des plans de nègre pis à
faire leur p'tit homme avant l'temps. Prends tes frères: j'sais pas
combien de nuits j'ai rêvé qu'un d'eux s'faisait faucher la jambe ou
écraser par le tracteur. Y étaient toujours autour d'la machinerie.

— Ils ont pas changé.

Elles rient. Puis se taisent, regardant le rayon oblique du soleil couchant dessiner un rectangle de lumière sur le plancher.

Marjolaine observe sa mère et imagine les nuits d'inquiétude
qui ont rendu sa chevelure toute grise. Elle se sent vraiment idiote
de s'être alarmée de la sorte et conçoit, par comparaison, que
l'absence de la bicyclette ne justifie pas la panique et l'angoisse qui
se sont emparées d'elle. Sa mère a vécu bien pire avec ses sept garçons qui risquaient de se faire blesser, mutiler ou tuer par le tracteur, la faucheuse, les haches, le bétail ou autres. Le calme de cette
dernière l'apaise.

— J'm'inquiète pour rien encore une fois. Une vraie mère
poule.

— Tu peux ben l'dire. Envoye, téléphone. Comme ça, tu vas
en avoir le cœur net pis j'pourrai rire de toé.

Elle s'exécute. Dring! Le hello à fort accent anglais de Jane
Falardeau lui répond.

— Alexander? Yes… no… pas ici. No, pas avec son père…
No… pas vu. Son père? À l'hôtel.

Elle renoue avec cette peur viscérale qu'elle a tenté
d'endormir et ressent maintenant un courant d'inquiétude entre elle
et sa mère qui s'interroge à haute voix.

— Où est c'qu'y peut ben être? J'l'ai vu à matin. Y est parti comme d'habitude pour aller jouer avec ses amis pis Gaby. J'vais téléphoner à Irène.

Flore lui prend l'appareil téléphonique des mains et lui indique, d'un mouvement du menton, de prendre place dans la berceuse encore toute tiède de sa présence comme si elle pressentait une nouvelle encore plus alarmante.

— Y est pas là. T'es sûre? Bon. Passe-moé Gaby. Gaby? C'est mémère. Écoute, on cherche Alex. L'as-tu vu aujourd'hui? Fais juste me répondre oui ou non. Non? Est-ce qu'y a joué avec les autres enfants? Non, t'es sûr, sûr, sûr? C'est ben important, Gaby. T'es sûr. Pis toé, t'as t'y joué avec les autres? Oui. Pis y était pas là? Non... Merci. Passe-moé ta mère. Allô, Irène. Viendrais-tu icitte? Ton père est parti à l'hôpital avec le camion... Ben là, on sait pas. Y est disparu. Bon. C'est fin, comme ça tu vas d'mander aux p'tits Potvin. C'est une bonne idée. On t'attend.

Disparu. Sa mère a prononcé le mot fatal. Le mot qu'elle évite, repousse et redoute. Le mot qui lui ouvre les veines et la laisse plus morte que vive sur la berceuse. Le mot qui, à lui seul, renferme l'épouvante, l'horreur, l'anxiété. Le mot qui la cloue, immobile, impuissante et affolée. Qui la vide de son bon sens et lui étreint le cœur dans sa main froide de cadavre. Le mot noir, tacheté de sang qui fait craindre le pire et espérer l'impossible. Le mot où l'incertitude se joue de l'espoir. Où l'incertitude torture. Où l'incertitude régit toutes les pensées.

Alex... disparu. Alex est disparu. Où puisera-t-elle la force de se dégager de l'avalanche de gros titres et d'idées noires qui déboule sur elle. ENFANT KIDNAPPÉ... BAMBIN TROUVÉ MORT DANS UN FOSSÉ... ABUSÉ SEXUELLEMENT PUIS ÉGORGÉ... GARÇON NOYÉ DANS LES EAUX DU LAC... DEMANDE DE RANÇON... BAMBIN SÉQUESTRÉ PUIS BATTU À MORT... VIOLÉ... VIOLENTÉ. Où trouvera-t-elle la force de vivre cela?

Sa peur se cristallise soudain sur Spitter et l'associe à la disparition d'Alex. C'est lui... C'est sûrement lui qui... Vite. Il faut faire vite. Rejoindre Mike au plus tôt.

— Signalez-moi l'hôtel, maman. J'suis pas capable.

Marjolaine se lève sur des jambes flageolantes et de ses mains moites s'empare de l'appareil.

768

— Mike?

Sa voix est blanche. Presque éteinte.

— Quoi? À qui voulez-vous parler?

Cette inconnue entre elle et Mike l'enrage et la décourage. Elle ne sait si elle va crier ou fondre en larmes.

— Mike, supplie-t-elle.

Un long moment où chaque seconde est une question de vie ou de mort pour son fils. Où chaque seconde est aussi précieuse qu'une goutte de son sang. La voix de Mike la délivre d'une incroyable tension.

— Mike, Alex a disparu.

De le dire à cet homme qui, comme elle, est atteint dans sa propre chair, la soulage d'un fardeau terrible. D'un fardeau en mesure de l'anéantir.

— Depuis quand?

— J'sais pas... Ce matin... J'ai peur de Spitter.

— Non. C'est pas Spitter. T'inquiète pas. Attends-moi; j't'expliquerai. Ça peut pas être lui.

Il arrive. La rassure immédiatement.

— Écoute, ça peut pas être Spitter parce qu'y a passé sa journée au garage avec moi. J'ai été obligé de réparer sa moto pis y a traîné autour parce qu'y était ben pressé d'aller à Montréal. À l'heure qu'il est, y doit être rendu. Bon, tu vois, faut pas trop s'en faire. Quand est-ce que tu l'as vu la dernière fois?

— Ma mère l'a vu à matin, à neuf heures. Y s'en allait jouer avec ses amis.

— En bicyclette?

— Oui.

— Par où y est passé?

— Par là... il passe toujours par là.

— Viens. On va aller le chercher. Vite! Y va faire noir dans pas grand temps. Y s'est p't'être fait frapper pis y attend du secours.

Mike l'arrache aux sables mouvants de la fatalité et du désespoir. Il la secoue, la réveille de l'affreux cauchemar en suggérant qu'Alex attend du secours. Elle s'accroche à cet espoir et grimpe derrière lui sur la motocyclette. Instinctivement, elle enserre la taille de l'homme. Elle a besoin de lui, tellement besoin de sa

769

force, de sa lucidité, de son sang-froid. Tellement besoin de sentir qu'il est là, fiable, solide, courageux

— R'garde pas juste dans le fossé... Ça peut r'voler loin dans le champ, un enfant.

Elle l'étreint. Doucement, il lui effleure la main.

— Y s'en sauvent souvent quand y r'volent loin.

Il roule lentement. S'arrête chaque fois qu'il croise une trace de pneu de bicyclette. Et chaque fois elle se dit: «Il s'est rendu vivant jusqu'ici.» Puis aussitôt que Mike perd cette trace de vie imprimée dans le sable, elle se rabat sur les champs, les broussailles et le fossé qu'elle fouille, qu'elle dissèque d'un regard tendu où l'espoir et la peur se relaient. Est-ce un blessé ou un cadavre qu'elle recherche? Elle aimerait, à l'instar de Mike, ne croire qu'en la découverte d'un blessé. Elle aimerait ne pas être tenaillée par cette peur viscérale et puissante qu'elle ne peut ni contrôler, ni expliquer. Cette peur animale que sa logique ne parvient plus à maîtriser. Cette peur que seul Mike peut mâter pour l'instant avec cet espoir et cette assurance dont il fait preuve. Avec ces traces de vie qui jalonnent leur parcours et prolongent l'existence de son fils. «Il s'est rendu vivant jusque-là... Jusqu'ici... Jusque-là.»

— Ça s'arrête ici. Y a dû rouler au milieu de chemin où c'est plus dur. On va vérifier.

Méthodiquement, Mike inspecte les abords de la route à partir du pont enjambant le cric Cochon où la piste disparaît. Il va, vient, revient. Stoppe à tous les cinquante pieds pour examiner le sol.

— J'lui avais bien interdit de rouler au milieu du chemin.

— C'est un enfant, Marjolaine. Le sable est ben mou sur le bord... C'est tirant. C'est pour ça qu'y a roulé au milieu. Faut vérifier dans le champ. R'garde comme il faut. Celui qui l'a frappé a pas laissé sa carte de visite.

Le cœur battant, le souffle précipité, elle inspecte le paysage à la recherche d'une bicyclette tordue, d'un corps, d'un morceau de vêtement. Rien ne lui échappe. Ni cette branche insolite pouvant être un guidon, ni cette ombre rappelant la forme d'un petit garçon inconscient, ni même cette écorce de bouleau ressemblant à une camisole. Elle se forge des images mentales auxquelles elle se cramponne avec autant de détresse qu'à la taille de Mike: Alex faisant signer ses

770

plâtres aux parents et amis, Alex comblé de cadeaux dans un lit d'hôpital, Alex blessé qui lui tend les bras quelque part dans ce décor. Oui, il est là, quelque part et l'appelle. Il a besoin d'elle.

L'auto d'Irène apparaît à la fourche du village. Aussitôt, Marjolaine tente de voir à l'intérieur du véhicule. Son cœur s'emballe soudain. Il lui semble avoir discerné une jeune tête près du conducteur. Oui, c'est ça.

— C'est Alex! s'exclame-t-elle en observant bouger une forme auprès d'Irène. Qu'elle est reconnaissante à sa sœur de lui avoir retrouvé son enfant! Dire qu'elle a été jalouse d'elle, hier! Qu'elle a été blessée par la joie de ses parents et outrée parce qu'Irène était au courant de la présence du poison dans le lac. Elle a honte et se promet de faire amende honorable à son aînée. Mike s'arrête vis-à-vis de l'auto.

— C'est pas Alex, c'est Gaby, rectifie-t-il pour éviter tout faux espoir.

Elle retombe dans l'enfer de l'incertitude. Pourquoi cela lui arrive-t-il à elle? Pourquoi sa sœur qui n'a jamais pris grand soin de son enfant l'a-t-elle encore avec elle? Pourquoi est-ce elle qui patrouille à la recherche d'un blessé ou d'un cadavre? Elle qui a tout donné... tout sacrifié à son fils? Ce n'est pas juste... Pas juste.

— Il n'est pas allé chez les Potvin, aujourd'hui. Personne ne l'a vu.

— C'est parce qu'y s'est pas rendu, conclut Mike. Merci, on va continuer à chercher avant qu'y fasse trop noir.

Ils se rendent bredouilles jusque chez les Potvin puis reviennent sur leurs pas, examinant l'autre côté du chemin, l'autre fossé. Autant à l'aller l'espoir était jalonné d'une trace de pneu à l'autre, autant au retour, le désespoir s'intensifie par l'absence d'indice. Rendu au pont, Mike roule un peu plus vite, scrutant toujours le paysage mais avec moins de foi, moins d'assurance.

Elle le serre très fort contre elle pour ne pas chuter dans le gouffre. Ne pas sombrer dans ce qui ressemble à de la folie. Elle attend de lui une certitude, une garantie que son fils est vivant. Si lui abandonne les recherches, en quoi lui serait-il possible d'espérer?

Avec ahurissement, elle aperçoit la maison paternelle et se rend à l'évidence qu'ils n'ont pas retrouvé leur fils. Mike lui a menti tantôt: elle n'aurait pas dû le croire quand il a dit: «On va aller le chercher.» Ça fait si mal maintenant. Et elle a si peur. Oh! Si peur.

Un souffle chargé de bonnes odeurs d'eau et de trèfle la fait frissonner. Le grondement de la Harley Davidson se tait et laisse entendre le chant de l'engoulevent bois-pourri.

— Faut avertir la police: y est disparu.

La voix de Mike est froide et dure comme une pierre tombale. Une pierre blanche et polie, encadrée d'angelots sur la tombe d'un enfant.

Elle chancelle et s'appuie la tête contre le dos de l'homme pour ne pas tomber. Les yeux fermés, elle écoute déferler en elle le raz-de-marée qui emporte sa logique tel un fétu de paille. Puissantes, aveugles, destructrices, les immenses vagues de la peur l'arrachent à sa raison et disséminent ses brins d'espoir aux quatre coins de son univers. Elle sent tout à coup qu'elle s'effondre comme si Alex était le ciment qui la tenait debout. Le mortier qui jointoyait son passé, son présent et son avenir. Sans lui, tout se disloque. Il est la maille de ce tricot imparfait qu'est sa vie de mère et de femme. Et la maille file à vive allure et le tricot se défait, régressant vers le néant et l'unique brin de laine.

— Viens... faut avertir la police.

Elle n'a plus la force de poser les gestes qu'il faut et s'en remet à Mike. Elle n'a plus la force de nager, de tenir sa tête hors de l'eau. Les puissantes vagues de la peur vont la submerger. Oh! Si elle pouvait mourir pour permettre à son fils de vivre. Si elle pouvait échanger sa vie contre la sienne, elle le ferait sans hésiter. Et c'est sans hésiter qu'elle attaquerait le monstre le plus féroce pour délivrer son enfant. Mais, elle ne sait même pas où il est. Ne sait même pas s'il est encore.

Mike l'aide à descendre et la soutient par le bras. Elle aimerait mieux mourir plutôt que d'apprendre la mort d'Alex.

Un souffle tiède et parfumé, à nouveau, lui frôle la joue. Elle s'arrête, prête l'oreille au chant de l'oiseau et rencontre le regard de Mike. Ses yeux sont gris, ce soir, constate-t-elle. Ceux d'Alex, comment sont-ils? Voient-ils encore, les yeux d'Alex? Pleurent-ils leur détresse quelque part, les yeux d'Alex? Se rivent-ils au ciel, telle une prière pleine d'espoir, les yeux d'Alex? Sont-ils crevés, les yeux d'Alex? Remplis d'horreur et de perversité, les yeux d'Alex? Fermés à tout jamais? Inondés d'eau et de boue? Se sont-ils fixés sur une couleur pour l'éternité? Les reverra-t-elle un jour, les yeux d'Alex? La reverront-ils, les yeux d'Alex?

— Y a dû s'sauver... T'as jamais rêvé, toi, de te sauver quand t'étais petite?

— Non.

— Moi, oui... J'ai essayé une fois... Andrew m'a rattrapé pis j'en ai mangé une maudite. Pour moi, y s'est caché en quelque part... C'est pas toujours facile d'être un enfant.

Mike la réchappe juste au moment où elle allait sombrer. Il lui tend une perche de la rive. Elle s'accroche à ce nouvel espoir: Alex s'est sauvé, s'est caché quelque part pour la punir. Pourquoi n'aurait-il pas le comportement de ce père dont il a les yeux changeants? Pourquoi ne se serait-il pas vengé de ce pique-nique annulé?

— Où tu t'étais caché, Mike?

— Dans l'clocher d'église.

— Tu parles d'une place.

— Viens, on va appeler la police.

La voix de Mike est douce, maintenant. Et chaud le bras qui enserre ses épaules. Elle se sent tout à coup pénétrée de lui, enveloppée par lui. Comme protégée momentanément du chaos. C'est toute l'âme de Mike qui fusionne à la sienne, épousant son angoisse et sa douleur. L'orgueil de l'homme vient de fondre comme glace au soleil dans le moule de cette grande peur. Ne reste auprès d'elle qu'un père inquiet qui s'acharne à faire luire l'espoir pour les préserver du naufrage.

— Là, j'comprends Andrew. J'comprends pourquoi y m'avait tant puni. Attends que j'le retrouve, dit-il encore de cette voix douce qu'elle ne lui connaît pas.

— T'as envie d'le punir?

— Oh! Oui. J'connais un p'tit garçon qui va savoir où sont situées ses fesses.

Elle s'accroche à ses paroles. S'efforce de retrouver les intentions punitives qu'elle avait avant qu'elle n'appréhende l'irrémédiable. L'irréparable. Peine perdue. Elle ne parvient qu'à envier Mike d'être rendu à ce stade de la peur qu'elle a déjà dépassé.

— Toé, tu l'chicaneras pas?

773

— J'sais pas. Tantôt, j'y pensais... mais astheure, j'ai rien qu'envie d'le serrer dans mes bras... le prendre dans mes bras.

Sa voix tremble. Elle retient un grand sanglot dans sa gorge. Mike la presse davantage contre lui.

— Tu l'prendras dans tes bras... quand j'aurai fini d'lui donner la fessée... pas avant, t'es d'accord?

— Oui.

— Pour une fois, c'est moi qui va avoir le mauvais rôle, termine-t-il d'un ton qui se veut taquin.

Le faible sourire qu'elle s'autorise en réponse lui apparaît comme un sacrilège face à son enfant qui peut-être n'est plus... qui peut-être est torturé par un maniaque à l'heure qu'il est... qui peut-être a peur et mal à l'heure où elle sourit... qui peut-être est caché quelque part pour se venger du pique-nique raté. Comment savoir? La nuit ne lui apportera pas de réponse. Au contraire, tous ces peut-être, elle le sait, l'entraîneront dans la danse infernale de l'incertitude.

* * *

Samedi, 20 juillet 1985.

La danse infernale de l'incertitude. La torture lancinante et répétitive des peut-être et des si. L'absence d'un Mike réconfortant, comblée par des parents troublés, attachés à ses pas. À ses soupirs. À ses regards. Et le tic tac de l'horloge de la cuisine qui marque l'écoulement du temps. Qui le rappelle surtout. Telle fut sa nuit.

Épuisée, vidée, brûlée, Marjolaine balaie le plancher de l'étable. C'est sa façon de se rattacher à la vie. De s'amarrer au quai et d'éviter la dérive. L'accomplissement de ces gestes quotidiens ramasse, en un tout plus ou moins cohérent, ce que cette nuit d'incertitude a disséminé en elle. Elle a l'impression d'avoir éclaté en mille morceaux durant la nuit et d'avoir été recollée hâtivement aux premières lueurs de l'aube. Elle tient debout par miracle dans les cadres rigides de la raison. Fragile, un rien peut la heurter. La briser. La pulvériser à nouveau en mille et un morceaux.

«Dehors, Mignonne!» son père administre une claque sur la fesse de la dernière vache sortant de l'étable. Lui aussi, il s'agrippe aux tâches journalières pour tenir debout dans les cadres rigides de la raison. Quel choc cela a été pour lui, hier, d'arriver en même temps que la Sûreté du Québec et d'apprendre avec les policiers la disparition d'Alex.

Oui, pour son père, cela a été un choc, mais pour elle, l'arrivée des policiers a été une délivrance. Jamais, elle n'aurait cru éprouver un tel sentiment de sécurité à la vue de leur uniforme et de l'arme à leur ceinture. Avant, ils étaient de simples gardiens de l'ordre affectés à la distribution des quarante-huit heures et des contraventions concernant le port de la ceinture de sécurité, mais hier, elle les a vus autrement. Elle les a perçus comme des sauveteurs plus en mesure qu'elle, que Mike ou n'importe qui d'autre de retrouver son fils puisqu'ils n'étaient pas émotivement impliqués. Leur lucidité, leur calme la déchargeaient d'un fardeau trop lourd pour elle, pour sa mère, son père et Mike. Ils ont posé des questions et pris beaucoup de notes puis ils ont demandé une photo récente et une description de l'habillement d'Alex. C'est à ce moment précis qu'elle a éclaté en sanglots. Le plus âgé des policiers l'a aussitôt réconfortée.

— Je sais, madame, que vous ne vous rappelez pas exactement comment il était habillé.

Elle avait honte. Elle, la mère, elle ne savait pas exactement comment son fils était habillé. Portait-il son T-shirt blanc avec le sigle des Expos ou celui avec un Bugs Bunny? Elle ne savait plus.

— Calmez-vous. Moi-même, je ne sais pas ce que mes enfants portaient ce matin. C'est normal. Allons vérifier dans sa garde-robe pour être certain. C'est très important.

Ils l'avaient accompagnée sur l'île et l'avaient aidée à faire l'inventaire des vêtements d'Alex pour en arriver à la conclusion qu'il portait le Bugs Bunny. Puis, elle leur avait donné la photo prise à l'école.

— C'est un beau p'tit bonhomme, avait commenté le plus âgé, mais il a une tête à faire une fugue. Oh! Oui, une vraie tête à faire une fugue... Ça arrive souvent, madame. Beaucoup de disparitions sont en réalité des fugues, mais nous les traitons toutes comme des disparitions... Il est possible que demain matin, votre p'tit bonhomme vous revienne affamé et repentant.

Cet homme tenait le même langage que Mike. Il aurait fallu qu'il passe la nuit avec elle à lui tenir ce langage et à certifier qu'Alex avait une tête à faire une fugue. Oui, il aurait fallu que quelqu'un souffle continuellement sur le tison de l'espoir qui s'est éteint cette nuit.

Marjolaine regarde le chemin à travers le carreau sali par les chiures de mouches. Il est vide, cruellement vide, et ne lui ramène pas son petit bonhomme affamé et repentant.

Elle chancelle. Sans lui, sans Alex, sa vie a-t-elle un sens?

Sans lui. Que de fois, ces mots l'ont fait trembler! Que de fois, elle a emmagasiné fébrilement son bonheur d'être avec lui en prévision du jour où il aurait eu à traverser définitivement le pont pour s'accomplir. Que de fois, elle a fait réserve de son affection en prévision du jour où une autre femme, aujourd'hui petite fille, lui aurait ravi son cœur.

Sans lui, son enfant. Sans lui, le torrent. Tous deux la tenaient éveillée la nuit. L'un avec ses secrets bien cachés derrière son front lisse, l'autre avec ses plaintes d'eau menacée. A-t-elle sacrifié l'un à l'autre? À trop vouloir le bien du torrent, a-t-elle causé du tort à Alex? Où a-t-elle failli pour se voir si brutalement confrontée à ce «sans lui» qui enlève tout sens à sa vie? Ce «sans lui» qui la déséquilibre et l'engloutit. Où a-t-elle failli? Elle aurait dû se contenter de son bonheur plutôt que de vouloir sauver le monde. Tranquille sur son île, à savourer le miel de son enfant, rien de cela ne leur serait arrivé. Mais elle a vu plus grand que ce que ses bras étaient en mesure d'englober. Elle a cru pouvoir tenir sur son cœur son fils et le torrent... Le torrent et les fils de son fils. Et elle les a perdus tous les deux.

«Sans lui», maintenant, sonne le glas. «Sans lui», l'étourdit et la vieillit. «Sans lui», déchire son cœur. Piétine sa raison.

Hervé s'approche d'elle.

— Les policiers vont arriver bientôt avec leurs chiens. Ils vont le retrouver.

Il veille à la maintenir dans les cadres rigides de la raison.

Oui, pense-t-elle, ils vont le retrouver mais dans quel état? Et, pour ne pas s'enliser dans ces pressentiments morbides, ne pas perdre pied avec la réalité, elle poursuit sa tâche avec acharnement.

— Tiens! La police, s'exclame Berthe en s'étirant le cou pour accompagner les véhicules de son regard inquisiteur.

— C'est ben c'que j'pensais: y s'en vont chez Hervé.

— Comment tu peux savoir que c'est chez Hervé qu'ils s'en vont? demande Ti-Ouard sans détacher les yeux de la rôtie qu'il tartine de beurre d'arachide.

— J'ai entendu sur la ligne de Jane...

— Écorniflé, tu veux dire.

— T'apprendras, Ti-Ouard Patenaude, que j'écornifle pas sur la ligne. Ça s'est adonné de même, c'est tout. J'ai pas pu faire autrement qu'entendre. Paraît que le p'tit de Marjolaine est disparu.

— Disparu?!

Ti-Ouard laisse tomber sa rôtie. Suzon, qui se contentait de bâiller, un coude appuyé sur le rebord de la table, ouvre subitement des yeux alarmés et impose le silence aux bruits de mastication de son frère.

— Comment ça, disparu?

— J'en sais pas plus: j'ai pas écorniflé assez longtemps.

Berthe joue l'offusquée. Elle s'impose le silence dans le but évident de forcer son époux à lui arracher, un par un, les mots de la bouche et faire ainsi de lui le receleur des renseignements qu'elle a volés sur la ligne téléphonique. D'habitude, il tarde à s'impliquer et résiste le plus longtemps qu'il peut avant de succomber à la curiosité. Mais, ce matin, la nouvelle est trop importante.

— Comment ça, disparu? Alex? Celui qui jouait au hockey?

— Oui, le p'tit sauvage qui a sauté sur ton garçon.

— Y est disparu?

— Oui.

— Depuis quand?

— Depuis hier... paraît que personne l'a vu depuis hier matin.

— Tu parles! Pauvre femme. A doit s'inquiéter.

— Bof! J'm'inquiéterais pas à sa place. Son p'tit monstre est ben capable d'se cacher. C'est pas un cadeau, celui-là.

Berthe coule un regard de tendre fierté sur sa progéniture se goinfrant de céréales, insinuant qu'elle a doté ce bas-monde d'un enfant idéal, quasi parfait. D'un présent, quoi, pour l'humanité.

— Moé, j'aurais appelé la police ben avant, commente Ti-Ouard avec trois plis d'inquiétude sur le front.

— La police est v'nue hier au soir. À matin, y vont emmener des chiens... Des vrais... pour suivre la piste. Oh! Y vont l'retrouver caché en quelque part, tu vas voir.

— On sait jamais de nos jours, y arrive tellement de crimes.

— Des crimes! Voyons Ti-Ouard, on n'est pas à Montréal icitte. Qu'ossé que tu veux qu'y arrive, icitte? À ma connaissance, y a pas de maniaque dans le bout. Pis, si tu veux savoir le fond de ma pensée à propos de cette histoire-là, ben moé, j'pense que c'est un coup monté par la Taillefer pour empêcher les régates. Y a rien à son épreuve, elle, surtout qu'a peut plus faire comme avant avec le conseil depuis que Martial Bourgeon pis sa femme sont là. C'est plus aussi facile pour elle de mener.

Silencieux, avec maintenant quatre plis sur le front, Ti-Ouard se résigne à mordre dans sa rôtie. Il n'aime pas répliquer à sa femme lorsqu'elle s'emporte de la sorte contre Marjolaine Taillefer, car cela lui donne l'impression de s'incriminer. De trahir le sentiment indéfinissable mais doux qui le rattache à celle-ci. Il se tait. Avale de travers comme chaque fois que Berthe vocifère des méchancetés à table. Toute cette rancœur qu'elle vomit lui amène un goût de bile à la bouche.

— C'est une folle. A f'rait n'importe quoi pour empêcher les régates... même cacher son garçon pis alerter la police. Écoute ben c'que j'te dis: la fermeture de l'usine y a monté à la tête. A veut gagner sur tous les points contre Mantha vu qu'y les traîne en cour. C'est à son avantage de prouver que son père a empêché Mantha de polluer l'lac en poussant le p'tit Gaby devant la pépine. Non. Moé j'm'inquiète pas. Qu'ossé que tu veux qu'y arrive? On n'est pas à Montréal, icitte.

— Non, on n'est pas à Montréal, ici, mais y a des fous dans place, par exemple, réplique Suzon.

— Qu'ossé que tu veux dire, toé?

— Y a des drogués dans place pis vous savez c'est qui. Vous savez bien que Spitter est fou: y a tué une vache l'automne dernier. J'pense pas que Marjolaine Taillefer a caché elle-même son p'tit gars pour arrêter les régates. Vous dites ça parce que vous êtes méchante.

— Oh! Oh! T'entends ça, Ti-Ouard?! T'as entendu ta fille!? J'accepterai pas des impolitesses de même. La porte est là, Suzon. Envoye, Ti-Ouard, fais quelque chose.

L'homme se lève lentement.

— La porte est là, Suzon, mais j'veux pas que tu la prennes. Puis, se tournant vers sa femme.

— C'est vrai que t'es méchante. Ça fait des années que tu passes ton temps à parler contre un pis contre l'autre. Celle qui trouble la paix, icitte, c'est pas Suzon, c'est toé. Oui, c'est toé qui m'empoisonnes l'existence.

— Oh! Oh!

Rouge d'indignation, Berthe décoche des regards furieux en direction de cet homme qui lui dit brutalement ce qu'il pense d'elle. Ce qu'il a toujours pensé d'elle sous son silence résigné.

C'est un choc. Elle en a le souffle coupé et ne parvient pas à se ressaisir. Elle le laisse quitter la pièce en compagnie de sa fille, incapable de proférer une seule parole. D'intimer un seul ordre.

Shlig, shlag, shlurr, fait Patrick en mangeant.

— Ferme ta bouche quand tu manges.

— J'ai plus faim, d'abord.

Le garçon lance sa cuillère sur la table et disparaît en maugréant pendant que Berthe, estomaquée, tente de comprendre ce qui lui arrive.

Les bergers allemands se sont arrêtés au pont enjambant le cric Cochon. Ils tournent en rond, reviennent sur leurs pas, s'arrêtent toujours au même endroit et jappent vers l'eau.

Marjolaine s'appuie au parapet. Elle n'est pas en mesure de tenir debout toute seule. Mike, à ses côtés, la soutient par le coude. La gorge nouée, elle observe les chiens japper vers l'eau. Vers la tombe fluide de son enfant.

Il est là. Là, dans cette eau polluée. Les chiens ne peuvent se tromper. Leur flair ne ment pas.

Pourtant, Alex savait si bien nager. On a dû l'assommer ou… le tuer, avant…

Les policiers s'activent maintenant à draguer le fond avec un grappin. Elle regarde ces doigts de métal qui grattent le lit du ruisseau. Quand accrocheront-ils le corps d'Alex? Par quoi l'accrocheront-ils? La tête? le visage? le ventre? Cette eau est si sale: on n'y voit que de la boue et de la vase. Ironiquement, c'est dans l'eau la plus polluée de la région qu'on cherche le fils de cette folle qui s'est dépensée pour sauvegarder et protéger le lac. S'est-on vengé sur lui? N'est-ce pas elle qui devrait être au fond du ruisseau? Pourquoi s'en prendre à cet être innocent? Est-ce elle que l'on voulait atteindre par le biais d'Alex? Est-ce elle qu'on voulait tuer à travers son fils? Pourquoi n'a-t-elle pas été une maman comme les autres? Une maman qui fait des douzaines de biscuits et range le linge fraîchement lavé dans les tiroirs sans se préoccuper de questions environnementales. Pourquoi? C'est injuste et méchant. La vie est injuste et méchante. La mort est injuste et méchante d'avoir pris ce gamin qui ne faisait de mal à personne.

Marjolaine s'appuie maintenant contre Mike. Elle sent qu'elle va mourir lorsque le cadavre d'Alex émergera de cette eau répugnante et souhaite que cette longue torture de l'incertitude s'achève sur ce coup de grâce. Sur cette défaillance cardiaque qui l'emportera là où sommeille son fils pour toujours.

«J'ai quelque chose», entend-elle. Elle regarde le policier qui, cambré vers l'arrière, tire de toutes ses forces. Non, laissez faire, pense-t-elle lui dire, je ne veux pas… je ne veux plus de cette certitude. Non, donnez-moi la chance d'espérer encore… laissez-moi espérer qu'il vit encore… que son cœur bat… que ses poumons respirent… que ses yeux voient. Il est si jeune pour mourir. Si jeune. Huit ans. «Presque neuf», disait-il pour obtenir la permission d'aller jouer avec ses amis. Ce n'est qu'un enfant… MON enfant… il a grandi dans mon ventre… je l'ai allaité, dorloté, soigné… ne me le montrez pas mort et livide… Je ne veux pas, je ne peux pas, je n'ai pas la force d'envisager la vie sans lui. Cette certitude est plus dure à vivre que la torture de l'incertitude. Affolée, elle fixe le policier et enregistre des détails sordides tel le mouvement sec de sa petite moustache rousse. Alex n'aura jamais de moustache. Il sera mort bien avant les premiers poils de la puberté. Non, ce n'est pas possible. Elle veut encore espérer même si ça fait mal. Encore l'imaginer vivant. Non! Il ne faut pas avoir de preuve de l'irrémédiable. Non! Non! Alex savait si bien nager… il ne peut pas s'être noyé… et qui, qui aurait pu lui faire du mal? Pourquoi lui faire du mal? Non, ce n'est pas Alex: c'est un billot ou un pneu. C'est plein d'ordures au fond de ce ruisseau. Elle ne veut pas que son fils gise parmi les déchets. Elle se souvient de Max qu'elle a dû jeter au dépotoir parce que la terre était gelée. Se rappelle son profil de brave bête se découpant sur les détritus.

Mon Dieu, faites que le policier arrête de faire bouger sa moustache... Il en a une, lui... Il a eu le temps d'en avoir une, lui. Qu'il laisse donc Alex en paix! Il n'en aura jamais, Alex... Non! Je ne veux pas le voir... Je ne veux pas que ce soit lui... Je n'accepte pas que ce soit lui.

— Ça y est!

Avec horreur, Marjolaine voit émerger la vieille bicyclette d'Alex enchevêtrée dans des branches.

— Non! Pas ça! hurle-t-elle avant de tomber à genoux et d'éclater en sanglots contre le parapet, à demi-consciente.

Comme il regrette de s'être enfui de chez lui! Il était tellement malheureux, hier au matin, quand Marjolaine a décommandé le pique-nique. Il s'est sauvé pour qu'elle ait de la peine, elle aussi. Beaucoup de peine.

Il n'aurait pas dû. Sa fugue ne lui a apporté que plus de chagrin avec, en prime, ce sentiment de culpabilité qui l'accable grandement. Il a mal fait. Bien mal fait. Cette nuit, il pensait à tous ceux à qui il causait du souci et il était écrasé sous l'énormité de sa faute. Grand-père, grand-mère, Gaby, Mike et Marjolaine. Sa chère Marjolaine. Sa maman adorée qu'il a fait pleurer. Il n'aurait pas dû. Comme il s'ennuie d'elle! Mais elle, peut-elle s'ennuyer d'un petit garçon méchant comme lui? Va-t-elle encore l'aimer lorsqu'elle va apprendre qu'il a jeté sa maudite vieille bécane dans le ruisseau? Va-t-elle lui pardonner d'avoir sciemment pollué parce qu'il était choqué et meurtri par elle?

Ce qu'il pouvait la haïr cette bicyclette! Elle était l'image, le symbole de sa vie marginale. De ce qui le différenciait des autres enfants. De l'aisance matérielle qu'il n'avait jamais eue. Et de l'exclusivité de l'amour de Marjolaine qu'il avait perdue. Et puis, en s'en débarrassant ainsi, il était assuré que Mike ne reviendrait pas sur sa décision de lui en acheter une neuve. Mais maintenant, il doute: cette bicyclette neuve pourrait très bien servir de punition pour son escapade et, à bien y penser, il le souhaite. Oui, il souhaite être sévèrement puni car il a mal agi. Très mal agi. Ce ne serait pas exagéré de le priver de cette bicyclette neuve, car sa faute est grave et il doit payer. Il veut payer. Il veut être quitte avec Marjolaine. Être quitte avec tout le monde. Oui, il va payer: c'est lui-même qui suggérera cette punition à Marjolaine.

Décidé, Alex s'assoit dans la paille et observe les raies de la lumière entre les planches de la vieille grange. Il sent que cette image s'imprime en lui et qu'elle lui servira de leçon à l'avenir: la prochaine fois qu'il pensera à s'enfuir, il se rappellera cette cachette qui n'a rien résolu de ses problèmes et qui, au contraire, les a empirés. Il se rappellera qu'il était malheureux et fautif, et qu'il ne s'est senti un peu mieux que lorsqu'il a décidé de revenir chez lui.

Chez lui. Ces mots si doux... Si chauds. Chez lui, sa petite île, petite maison, petite chambre... petit toit de tôle où tambourine la pluie... Chez lui... les bras chauds de Marjolaine, son sourire, ses yeux, ses cheveux qu'il brosse et peigne, ses repas, ses caresses. Chez lui... ses oies... sa balançoire... sa plage... son jardin... sa chaloupe... son lac. Qu'il s'ennuie de son chez-lui! Quelle folie, quel entêtement l'a conduit jusqu'ici, au refuge des motards? Si Mike savait ça! Jamais, il ne doit apprendre qu'il a manqué à sa promesse. «Croix de bois, croix de fer, si j'meurs, j'vais en enfer.» Il doit emprunter le même chemin pour revenir à la maison, c'est-à-dire en marchant dans le cric Cochon. Rendu au pont, il essaiera de récupérer sa bicylete afin qu'elle ne pollue pas trop. La tentation de ne pas confesser ce délit l'effleure. Il pourrait s'en revenir tout bonnement sur sa bécane: cela amoindrirait sa faute. Et puis, non. Non. Il veut payer. Être quitte. Être en paix. Il ne doit pas y avoir de mensonge entre lui et Marjolaine. Sauf celui qui concerne l'endroit de sa cachette. Ça, personne ne doit le savoir. Surtout pas Mike à qui il a promis de ne jamais venir ici. C'est bien assez qu'il ait manqué à sa parole. Il ne dit pas trahir le refuge des motards par-dessus le marché. Il dira qu'il a dormi dans la grange à Boisclair... au bout du champ. Oui... c'est ce qu'il dira. L'essentiel dans le fond, c'est qu'il se repente d'avoir découché. Peu importe l'endroit. Ce n'est pas un vrai mensonge. Non, vraiment pas un vrai mensonge.

Le bruit d'un moteur le détourne de ces pensées. Il prête l'oreille à ce son qui se rapproche de plus en plus et se couche à plat ventre afin d'être en mesure d'observer la cour par une fente. Quel motard peut bien venir ici? Quelle heure est-il au juste? Il ne sait pas. Est-ce le matin, le midi, l'après-midi? Il ne sait pas. Les insectes stridulent dans le foin sauvage. Cela ne lui indique rien. Tout ce qu'il sait, c'est qu'il s'est endormi très tard dans la nuit, roulé en boule sur son chagrin et sa faute. Qu'il a grelotté longtemps avant de s'assoupir et que c'est un rayon de soleil qui l'a réveillé.

Une moto apparaît. C'est Mike. Mike et Marjolaine. Elle le tient par la taille. On dirait qu'ils s'aiment.

— Alex! crie Mike avec une pointe d'autorité dans la voix.

Il ne faut pas que son père le découvre ici. Peut-être que plus tard, il pourra lui avouer son manquement à sa promesse, mais pas tout de suite: il doit d'abord s'acquitter de sa faute envers Marjolaine.

Alex se colle le front contre la planche rugueuse afin de mieux voir sa mère. Oh! Qu'elle a l'air triste. Si triste! C'est de sa faute.

Il se fait violence pour ne pas crier: «Ici, maman, j'suis ici.» Pour ne pas courir vers elle et se jeter dans ses bras en promettant de ne plus recommencer.

Mike pénètre dans la maison. Marjolaine reste dehors, près de la moto. Elle promène un regard suppliant autour d'elle.

«Maman», suffoque Alex lorsque le regard glisse avec désespoir sur le vieux bâtiment. «Maman, j'suis ici, chuchote-t-il très bas. J't'aime, maman… j'ai pas voulu te faire tant de peine… Pleure pas, maman. J'vais r'venir à la maison tout d'suite après que Mike va être parti. C'est promis, maman… j'vais r'venir à la maison… Tout d'suite après. Ça s'ra pas long.»

Il aimerait tant lui faire savoir qu'il est sain et sauf. Tant la délivrer de ce tourment inscrit sur son beau visage. Il pense à faire du bruit, mais se ravise en voyant Mike sortir de la maison et s'approcher de Marjolaine en répétant tristement un signe négatif de la tête. Il lui offre son épaule avec beaucoup de douceur. Beaucoup de tendresse.

Alex observe la main de Mike caressant la tête de sa mère. Cela l'émeut, le ravit, le fascine. Pour la première fois de sa vie, il voit son père et sa mère réunis. Il voit son père et sa mère formant un couple et non en éternelle opposition. Ce qu'il y avait d'hostilité entre eux n'est plus. On dirait qu'ils s'aiment... Oui... ils s'aiment. La main de Mike aime la tête de Marjolaine. Ça se voit. Ça se sent. Et la tête de Marjolaine aime l'épaule de Mike. Il le voit. Il le sent et pourtant il n'éprouve aucun sentiment de jalousie, aucune rivalité envers cet homme. Il ne retrouve pas ce qu'il ressentait face au député. Bien au contraire, l'image de ce couple est le plus beau cadeau que le ciel pouvait lui donner. Un père et une mère bien à lui. C'est lorsqu'ils étaient ainsi l'un envers l'autre qu'il a été conçu. C'est de cette fusion qu'il est né. Qu'importe ce qui a provoqué la scission, sa fugue n'a-t-elle pas réalisé à nouveau la fusion?

Médusé, fasciné, émerveillé, il regarde ses parents s'aimer et se soucier de lui. Il leur vole ce secret, cette intimité au cas où ils reprendraient leurs hostilités à son retour. Il s'abreuve de ce couple dont il a eu tant besoin. De cette union qu'il a tant de fois imaginée. À les voir ainsi, il se sent moins marginal. Son père réintègre la place qui lui revient. Il n'est plus cet accessoire surgi à un moment donné de son enfance. Cet accessoire qui lui apportait des cadeaux mais ne cadrait nulle part entre lui et Marjolaine. Il est son père. Il le comprend maintenant. Il le croit. Il le sent.

Jamais, la punition dont il écopera pour sa fugue ne pourra contrebalancer la valeur de ce présent que lui accordent ses parents sans le savoir. Il a hâte, maintenant, tellement hâte de retourner chez lui, de payer et de savourer cette image du couple justifiant ces mots: ses parents. Oui, il a tellement hâte que c'est presque sans regret qu'il voit Marjolaine reprendre sa place sur la moto. Mike, cependant, hésite en reluquant le bâtiment Va-t-il venir? Oui, il vient.

Alex se dissimule sous la paille qui lui a servi de matelas. Retenant son souffle, il écoute les pas de son père grimpant à l'échelle.

Découvrira-t-il? Ne découvrira-t-il pas? Un, deux, trois pour moi. C'est comme jouer à la cachette avec cependant un grain d'excitation contre une tonne d'appréhension devant l'enjeu exorbitant. Que pensera de lui ce père nouvellement acquis? Que pensera-t-il de ce manquement à la parole donnée? «Croix de bois, croix de fer», il avait promis.

— Alex!

Cette pointe d'autorité nouvelle dans la voix le fait frémir. Mike n'a jamais usé de ce ton avec lui. Il a toujours été amical, a toujours traité avec lui d'égal à égal. C'est habituellement Marjolaine qui emploie ce ton ferme à l'occasion. Pas Mike. Quelle réaction aura-t-il lorsqu'il s'apercevra que son fils ne tient pas ses promesses? Comment savoir? Il n'a pas l'habitude de ce père et ignore complètement jusqu'où ira son indulgence et sa clémence. Jusqu'où ira la limite de son amour.

— Alex!

L'enfant s'arrête de respirer. Son cœur bat tellement fort qu'il est persuadé de s'être dénoncé.

À son grand soulagement, il entend les pas s'éloigner: Mike ne l'a pas vu. Fiou! Ils s'en vont. Alex épie le son de la moto et constate qu'il prend du temps à s'amenuiser. Que font-ils? Il ne bouge pas, attend patiemment que le silence reprenne sa place pour pouvoir retourner chez lui.

Pas au refuge. Pas dans le ruisseau. Mais où, où peut-il bien être? s'interroge Mike. Appuyée contre ses omoplates, Marjolaine communie avec cet indécible chagrin, avec cette angoisse profonde qui l'habite maintenant. Sent-elle ce froid qui lui glace le cœur et le corps? Ce froid qui l'envahit partout et le fait frissonner sous le soleil? Autant, avant, il avait confiance de le retrouver vivant, autant maintenant, il redoute l'instant de le retrouver mort. C'est à la vue de la bicyclette qu'il a subitement abandonné l'hypothèse d'une fugue ou d'un accident. Elle était intacte, donc aucun véhicule ne l'avait heurtée. C'est volontairement qu'elle avait été jetée là. Quelqu'un avait enlevé son fils sur le pont et s'était débarrassé de la bicyclette pour effacer toute trace. Tout indice. Et ce quelqu'un, ce ne pouvait être que Spitter. Oui, car Spitter n'est arrivé au garage que vers les dix heures, hier. Il aurait très bien pu rencontrer Alex sur ce pont, l'assommer, se débarrasser de la bicyclette et emmener l'enfant au refuge des motards pour s'en prendre à lui. Oui, il aurait eu le temps. C'est ce qu'il est venu vérifier.

Mike claque des dents. Cette quête de sang sur le plancher, sur les murs, sur les marches l'a fortement ébranlé et l'image du chiot décapité ne cesse de le hanter, de le troubler. Elle est si déchaînée, la démence de Spitter, si inacceptable.

Tout à coup, une motocyclette surgit au sommet d'un vallon. C'est lui. C'est Spitter. Un courant d'énergie parcourt Mike jusqu'au bout des doigts. Ses muscles se bandent, ses poings se serrent sur les poignées. Il a envie de battre cet homme qui s'approche. Envie de le frapper, de faire couler son sang, d'entendre ses cris. Il lui fait signe d'arrêter. Spitter obéit.

— Qu'ossé que tu m'veux?

Le regard de haine féroce dédié à Marjolaine confirme tout le potentiel démoniaque de son neveu. Mike met pied à terre et empoigne Spitter par le col de sa veste.

— Où c'est que t'étais, hier matin, mon écœurant?

— Chez nous.

— Menteur! C'est toé qui a enlevé mon gars. Qu'est-ce que t'en as fait?

Il le secoue rudement.

— J'étais chez nous. Tu d'manderas à mon père. J'l'ai même pas vu, ton gars. J'ai d'autres choses à faire que de m'occuper de ton morveux. C'est pour ça que c'est plein de chiens partout?

— Oui, pour ça. Alex est disparu, hier.

— J'étais au garage, hier. Tu l'sais, c'est toé qui a réparé ma moto.

— T'étais là à dix heures.

— Avant, j'étais chez nous. D'mande à mon père, tu vas voir. J'arrive de Montréal, si tu veux savoir pis j'suis même pas arrêté à maison. Si tu m'crois pas, tu r'garderas les traces dans la cour. Astheure, lâche-moé.

— Si j'apprends que c'est toi, Spitter, j'te tue.

Avec répugnance, Mike enlève ses mains de la carcasse de Spitter. Celui-ci le darde d'un regard haineux, venimeux puis lance un jet de salive à ses pieds.

Avant de remonter en selle, Mike reluque un instant le crachat sur le bout de sa botte puis, sans perdre une seconde, il file chez Andrew entendre sa version des faits et vérifier les traces de pneu dans la cour.

Cet enfant de putain a attiré les policiers dans les parages juste au moment où il revient de la ville avec son butin caché dans la doublure de son sac de couchage. Il a choisi son moment, le morveux, pour faire une fugue. Ce qu'il peut le haïr, cet enfant-là! Mais tout ceci n'est peut-être qu'une mise en scène pour le capturer, lui. Qui lui dit que Mike ne collabore pas avec la Sûreté du Québec et fait semblant de chercher son fils pendant que ce fils est bien à l'abri quelque part avec sa p'tite face insignifiante et ses frisettes de Saint-Jean-Baptiste? Oui, tout ceci n'est peut-être qu'une frime pour le prendre sur le fait. Andrew s'est peut-être confié à Mike. Sa mère a peut-être alerté la police. Les Riverains ont peut-être découvert son champ de cannabis le long du ruisseau. Oui... c'est ça... ils sont en train de le coincer. Andrew l'a dénoncé... Ah! Le chien! Il va lui payer ça, un jour.

Nerveux, anxieux, Spitter arrive en trombe au refuge des motards et jette un regard méfiant aux alentours pour s'assurer que personne ne l'a suivi. Aucun bruit, aucun nuage de poussière. Vite! Il a le temps de cacher sa marchandise dans le double fond pratiqué dans le plancher de la grange.

Il se presse, regardant toujours au loin, et grimpe agilement l'échelle, son sac de couchage sous le bras. L'oreille aux aguets, il défait la couture à l'aide d'une lame de rasoir. Quantités d'hypothèses se heurtent dans son cerveau débile et gravitent autour de cette histoire d'enfant disparu qu'il croit de plus en plus être un coup monté pour le prendre en flagrant délit. Il se hâte. S'énerve. Échappe sa lame. Coupe la toile. Ses mains tremblent, son souffle est court, précipité. Il pense à la prison. À des barreaux de cellule. À tout l'argent qu'aurait rapporté son champ de cannabis. À la grosse Suzon Patenaude. À la coke qu'il a pour elle et pour combien d'autres. Aux Hells Angels dont il ambitionne de faire partie. À cet enfant de pute, à cette folle des Riverains à l'origine de tout, à Mike qui s'est rangé, qui s'est amendé... Oui, Mike qui est devenu un bon garçon maintenant. Il travaille au garage et promène sa blonde en moto. C'est un traître, Mike. Il collabore avec les chiens. Peut-être même qu'il en est un déguisé. Oui, Mike est un policier qui fait semblant d'être un motard pour démanteler le réseau.

— Tu m'auras pas, Mike... Hi! Hi! Hi! C'te planque-là, tu la connais pas.

Oui, Mike est un policier qui travaille avec Andrew. Ils se sont ligués pour le pincer et mettre fin à ses activités.

— Atchoum!

Cet éternuement insolite fige Spitter dans son mouvement. Hallucine-t-il ou vient-il d'entendre éternuer un enfant?

Il lève lentement les yeux et perçoit un mouvement dans la paille. Aussitôt, il abandonne son ouvrage et bondit sur la forme.

— Qu'ossé que tu fais, icitte, toé. Hein? T'es v'nu écornifler? C'est ton père qui t'a caché icitte, hein?

Il brasse violemment l'enfant apeuré qui garde sur lui des yeux hagards, pleins d'effroi.

— Réponds mon enfant de pute! C'est ton père qui t'a caché icitte?

— Non... non...

— Qu'ossé que tu fais icitte?

— Me suis caché... me suis... sau... sauvé. J'veux m'en... al... aller... chez nous.

— Pas vrai!? Tu t'es sauvé? Oh! Tut, tut, tut. C'est pas bien ça. Pis là, tu veux t'en aller chez vous. Ben, r'garde donc ça. Tu m'prends-tu pour un fou? Tu vas raconter aux policiers c'que tu m'as vu faire.

— Non... promis... le dirai à personne.

— J'te crois pas... tu m'as vu astheure, hein? Tu penses que j'vais t'laisser filer? Non! Oh! Non. Spitter est pas si fou que ça. T'sais c'que ça vaut c'te stock-là? Non, tu l'sais pas... T'es trop niai-seux. J'laisserai pas tomber ça.

— Lâche-moé... laisse-moé partir... promis, j'le dirai pas... J'veux m'en aller chez nous.

Alex se débat, assène un coup de genoux dans les parties de Spitter qui lâche aussitôt prise. Il s'enfuit à toutes jambes et dégrin-gole l'échelle en trois sauts. Il court, court, dans le champ sans perdre une seule seconde à vérifier s'il est poursuivi. Il court de toutes ses forces pour rejoindre Mike et Marjolaine. Il court plus vite qu'il n'a jamais couru de sa vie. La peur lui donne des ailes. C'est comme s'il ne pesait rien, comme si ses pieds touchaient à peine le sol. Comme si ses poumons ne s'essoufflaient pas. Il ne sent pas les gerbes de foin sau-vage se lier à ses chevilles. Il a peur. Jamais, il n'a eu si peur de sa vie. Pour sa vie. Car c'est sa vie que Spitter veut lui enlever. Il l'a vu dans les yeux pâles et glacés qu'il a posés sur lui. Dans les dents pointues qui dévoilait le rictus méchant. Dans la poigne brutale des maigres doigts sur ses bras. Il a détecté l'intention de tuer chez Spitter.

L'enfant court, court, emporté par une énergie incroyable. Il va s'en sauver, il en est certain. Spitter doit être loin derrière maintenant. Il tourne la tête afin de l'apercevoir et s'encourage. Oui, il est loin derrière. Il va s'en sauver. Va retrouver sa mère, son père, ses grands-parents. C'est vers eux qu'il court à travers champs. Vers la route où roule son père. Vers sa petite maison, son petit toit de tôle où tambourine la pluie, sa petite chambre. Jamais plus, il ne fera le mauvais garçon: c'est trop dangereux. Il sent déjà la chaleur des bras de Marjolaine. Elle va le prendre et... Une douleur dans sa jambe, un déséquilibre et pof! il rencontre le sol. Étourdi, Alex ouvre et ferme les yeux pour reprendre ses sens. Que lui est-il arrivé? Pourquoi sa cheville fait-elle si mal? Il tente de se relever mais retombe aussitôt tant la douleur est forte. Il longe sa jambe d'un regard éberlué et aperçoit alors son pied coincé dans un trou de marmotte. Oh! Non! Il tente de se dégager, faisant abstraction du mal que les tiraillements procurent. Soudain, une masse s'effondre sur lui.

— Mike! crie-t-il à se fendre la gorge.

Spitter lui met la main sur la bouche.

— Mon p'tit christ d'enfant de pute. Tu vas m'payer ça. Comme ça, tu t'es sauvé. P'tit christ de niaiseux!

Alex étouffe. La main de Spitter lui écrase le visage.

Terrorisé, il entend le souffle et les grognements de ce fou qui lui tord un bras derrière le dos.

— Ça pouvait pas mieux tomber... tu t'es sauvé pour le vrai... C'est pour toé qu'y sont là, les chiens... pas pour moé... Mike aussi, c'est pour toé qu'y était là... Tiens, tiens. T'es pas chanceux... J'ai mon alibi pour hier... pis Mike a ben vu que t'étais pas au refuge. Y a ben vu que t'étais pas avec moé... Y viendront plus chercher icitte. Y pourront pas m'soupçonner... T'es ben mal tombé, mon p'tit christ... Hi! Hi! Hi!

L'articulation de Spitter est molle, hésitante. Hâtivement, il dénoue le mouchoir à son cou pour bâillonner Alex. Puis, sans ménagement, il lui arrache le pied du trou de marmotte.

— C'était à toé de pas v'nir icitte, mon p'tit morveux. Hi! Hi! Hi! J'vais m'occuper de toé pis de ta folle de mère.

Le rire sadique de Spitter lui tord l'estomac.

— R'garde c'qui arrive aux p'tits christ qui s'sauvent de chez eux.

789

L'homme défait les lacets à ses espadrilles et lui lie solidement les mains derrière le dos. Puis, il s'empare de lui comme d'une poche de patates, le met de travers sur ses épaules et retourne à la vieille grange en ricanant.

Spitter n'a pas menti: il est allé directement au refuge des motards sans arrêter chez ses parents. Reste à savoir maintenant si Andrew ne mentira pas.

— Attends-moi. Ça s'ra pas long.

Cela lui répugne de laisser Marjolaine seule dans la cour devant ces pistes qui certifient que Spitter ne peut être le ravisseur d'Alex, mais il ne veut pas qu'elle assiste à cette conversation entre lui et son frère aîné. Il ne veut pas qu'elle soit mise au courant des activités de Spitter qui gangrènent les membres de la famille Falardeau. Ce qu'il a à dire à Andrew ne la concerne nullement, et sa présence ne ferait qu'obliger ce dernier à se dérober, à mentir, à excuser.

Sans frapper, Mike entre dans la cuisine. Son frère est là, debout près de la table. Son frère l'attend avec une mine compatissante. Une mine vraiment désolée. Il n'a pas l'habitude de le voir ainsi. Andrew a toujours représenté à ses yeux l'autorité qu'il fallait contester, le tuteur dictateur qui remplaçait un père sénile mais amusant. Il a toujours vu Andrew avec la mâchoire et le poing serrés, avec des yeux sévères et un torse gonflé d'orgueil qui le rendait impressionnant. Mais présentement, il semble démonté de l'intérieur. Quelque chose s'est déréglé dans le mécanisme du père à qui l'on obéit.

— Mike.

La voix aussi est brisée.

— J'ai appris pour ton garçon... j'suis vraiment... j'sais pas comment t'dire: ça doit être terrible pour un père.

La main d'Andrew, qui s'est toujours levée pour le punir et qui, dès son plus jeune âge, lui a fait prendre conscience qu'il avait des fesses, se pose sur son épaule. Elle est chaude, cette main, maladroite et touchante dans sa tentative de réconforter. Elle le désarçonne, cette main, et lui offre de laisser tomber le masque du récalcitrant pour dévoiler le visage du père éprouvé. Visage dont personne, jusqu'à ce jour, n'a soupçonné l'existence comme si toute la douleur de ce drame était uniquement destinée à Marjolaine, comme s'il n'avait pas droit, lui, à sa part légitime de souffrance et d'angoisse, comme s'il était hors-circuit, spectateur, et ne pouvait être impliqué jusqu'au plus profond de son être.

Ému par cette main qui rejoint le père en lui, Mike en oublie momentanément le but de sa visite. Il ne s'attendait vraiment pas à ce qu'Andrew reconnaisse sa douleur et tente d'y apporter un soulagement.

— J't'ai vu passer à matin. T'es allé voir au refuge des motards?

Mike se ressaisit et repousse la tentation de s'apitoyer davantage sur lui-même.

— T'as dû voir passer Spitter aussi.

— Oui, j'l'ai vu. Y v'nait de Montréal.

— J'sais.

Andrew enlève sa main de son épaule et la laisse pendre, inerte, au bout de son bras.

— Tu sais c'qu'il est allé faire à Montréal, Andrew?

— J'm'en doute.

— Spitter est dans le trafic de la drogue... c'est du stock qu'il est allé chercher, hier.

— C'est c'que j'pensais.

— Ça peut pas continuer comme ça, Andrew. Ça peut pas. C'est avec la pègre qu'il fraye... La vraie pègre. On a pas besoin de ça ici. Faut faire quelque chose... Y a peut-être un lien entre la disparition d'Alex pis les affaires de Spitter.

— Oui, j'y ai pensé... j'arrête pas d'y penser, Mike. Spitter est devenu fou. Je l'ai échappé... J'sais pas quand... j'sais pas comment mais je l'ai échappé à un moment donné... C'est un fou dangereux... j'ai peur de lui... peur de c'qu'y peut faire.

Andrew s'effondre sur la chaise. Mike, à son tour, vient poser la main sur l'épaule de son frère. Une main qui s'adresse au père désorienté par le monstre qu'il a engendré.

— Y est dangereux... fou dangereux... Y a décapité le chat de ma femme... a dort plus, la pauvre. Y a coupé son chien en morceaux... pis la queue d'la vache à Hervé aussi. C'est un maniaque. Comment ça s'fait? Comment ça s'fait?

791

Andrew a honte d'avoir généré la menace perpétuelle qu'est devenu Spitter. Il ne comprend pas ce qui lui arrive et comment cela lui est arrivé. Il l'aimait tellement, celui-là, le chérissait tellement.

— Y déteste ton gars. Depuis hier, j'essaye de me rappeler ses allées et venues.

— O.K. On va partir de là, Andrew. À quelle heure est-il parti d'ici, hier matin?

— Vers neuf heures, dix heures moins quart. Non dix heures moins quart, plutôt... juste après avoir appelé au garage.

— Pis avant ça, il était ici?

— Oui. Ma femme pis moé, on avait hâte qu'y s'en aille... C'est plus vivable avec lui.

— Ça peut pas être lui d'abord... Alex est parti vers neuf heures. Non, ça peut pas être lui.

Andrew hoche la tête, sceptique.

— Pourtant... y avait une bonne raison de s'en prendre à Marjolaine avec c'te maudite pétition sur le cric.

— Oui, le mobile est là... toi pis moi, on sait pourquoi il voulait pas qu'on aille jouer dans ce bout-là. J'ai essayé de convaincre Marjolaine de laisser tomber la pétition. Ça n'a rien donné: on s'est chicané. Spitter a p't'être fait faire sa sale ouvrage par un autre...

Andrew s'appuie les coudes sur la table et baisse la tête.

— Moé aussi, j'ai pensé à ça... C'est épouvantable... J'aurais pas dû le laisser semer, c't'année.

— Pourquoi tu l'as laissé faire?

— Parce que ... ça servait à rien d'y parler... De toute façon, y m'écoutait pas... y m'a jamais écouté... J'ai déjà pensé, quand y était jeune, qu'y irait loin celui-là parce qu'y faisait rien qu'à sa tête... parce qu'y était plus fort que moé.

— Y était pas plus fort que toi... c'est toi qui as été mou avec lui.

— C'est vrai. J'ai été mou avec lui. Mes autres enfants, je les ai élevés à la dure, comme j'vous ai élevés vous autres mais lui, j'l'ai laissé faire... J'ai manqué mon coup.

Cette erreur monumentale fait ployer de plus en plus la tête d'Andrew.

— Au moins, t'as pas manqué ton coup avec nous autres, lui dit Mike en guise de consolation.

— Oh! Oui, Mike, j'ai manqué mon coup... J'ai toujours voulu qu'on m'obéisse... J'ai toujours voulu mener ma famille... Papa était malade; y avait plus sa tête. Fallait un homme... J'ai commencé ben jeune à prendre sa place... pis j'me suis pris au sérieux. J'ai fait faire des bêtises à mes frères... j'leur ai fait brûler le pont pis jeter l'inspecteur dans le purin... J'étais l'boss, comprends-tu? Y ont même marié les filles que j'voulais qu'y marient: celles de notre bord, tu comprends?

— C'est passé, ça, Andrew... Ça donne rien d'en parler aujourd'hui. Ça ramènera pas Alex.

— Mike... faut que j'te dise.

Andrew s'appuie maintenant le front contre ses mains jointes. Mike s'assoit à la table, tout près de lui. Il ne reconnaît vraiment plus le frère sévère et autoritaire contre qui il s'est toujours révolté. Est-ce parce qu'il a vieilli? Ou parce que Spitter le tient, lui et sa femme, en otage depuis longtemps? Est-ce parce qu'Alex est disparu qu'Andrew abdique? Qu'Andrew reconnaît. Qu'Andrew confesse.

— J'ai toujours exigé... toujours commandé. Le domaine Falardeau, c'est moé qui l'a fait... à la sueur de mon front pis du vôtre. Toé... tu m'donnais du fil à r'tordre... Toé, t'avais été gâté par papa... y passait son temps à jouer avec toé... comme un enfant... Toé, t'écoutais pas. T'as jamais voulu accepter que j'remplace papa, pas vrai?

— C'est vrai.

— J'ai tout essayé avec toé. J'pensais que t'étais d'la mauvaise graine. J'ai voulu te casser... Te caser là où j'le voulais. Quand Marjolaine Taillefer est arrivée dans l'tableau, j'voulais pas d'elle. Son père était Libéral pis elle, elle était pas comme les autres filles: c'était pas faisable de l'intégrer dans notre famille. Elle avait trop d'idéal... comme son père. J'avais peur qu'elle te détache complètement du domaine. Si tu l'avais mariée, elle m'aurait tenu tête tout l'temps, à sa manière. J'voulais pas d'elle... j'voulais pas que tu la maries.

— T'en fais pas... Ça m'intéressait pas non plus après l'histoire quelle a inventée.

– Justement. C'est pas elle qui a inventé l'histoire du viol: c'est moé.

— Quoi!! Quoi!!

— J'pensais qu'elle voulait te jouer le tour classique et te forcer à la marier. J'voulais pas d'elle dans la famille. En inventant l'histoire du viol, j'savais que tu l'prendrais pas... que tu voudrais plus jamais d'elle.

Stupéfié, Mike se lève en renversant la chaise. Aucun mot ne peut traduire ce qu'il ressent. Il vient d'apprendre que sa vie aurait pu être tout autre. Oui, sa vie, qu'il a maintes fois risquée, maintes fois fait valser avec la mort le long des fossés, maintes fois vomie avec un trop plein d'alcool. Cette maudite vie, toute croche, toute de travers, à contre-courant. Avec plein d'épaves qui se pendent après. Plein de limon qui l'enrobe, de parasites dans ses chairs. Sa maudite vie qui force et qui bloque, toute de travers à contre-courant... aurait pu doucement filer sur les flots de l'amour. Et la vie de Marjolaine également aurait pu filer doucement sur les flots de l'amour ainsi que celle d'Alex et des autres enfants qu'ils auraient eus.

Il s'éloigne à reculons, incapable de détacher son regard d'Andrew.

— Va-t'en pas, Mike. Frappe-moé, maudit, frappe-moé! J'le mérite. Va-t'en pas de même. Dis-moé au moins que j'suis un écœurant, hein? Oui, j'ai été écœurant avec toé. Dis-le: j'ai été écœurant.

Andrew supplie et ordonne d'être insulté. Mike s'y refuse. Il ne veut pas lui accorder cette faveur de le soulager du poids de son crime. Le frapper et l'insulter donnerait à Andrew l'impression d'avoir payé sa dette. Et il ne veut pas l'absoudre. Encore moins l'acquitter.

— C'est d'ta faute, Andrew, c'qui arrive. C'est d'ta faute si Marjolaine reste toute seule sur son île pis c'est de ta faute si mon gars a jamais eu de père... J'l'aimais c'te fille-là pis tu me l'as fait haïr. Tu m'as séparé de mon gars. C'est d'ta faute si y est disparu aujourd'hui parce que rien de ça ne serait arrivé si t'avais pas inventé l'histoire du viol. T'as gâché ma vie, Andrew. Toute ma vie, à partir de mon enfance. Tu passais ton temps à nous chicaner, p'pa pis moi. Tu peux ben pleurer, astheure... Tu m'fais pas pitié... c'est d'ta faute. D'ta faute, tout ça.

Rendu près de la porte, Mike s'empresse de sortir, laissant son frère pleurer sur ses avant-bras.

Maman! Maman! au secours! viens m'chercher... j'suis icitte, maman... dans la vieille grange... j'suis attaché à un poteau, maman... viens m'chercher. J'peux plus grouiller... j'ai mal à ma jambe... j'ai peur... j'ai peur, maman. Y va me faire mal... Y me regarde en riant, maman... J'ai peur. Viens m'chercher.

J'ai d'la misère à respirer: y m'a rentré son foulard dans la bouche pis y a collé un gros ruban par-dessus... Mon cœur bat fort, maman... j'pense que j'vais mourir... y bat fort, fort... ça m'fait mal... Au secours, maman! Y a sorti son couteau... y va me faire mal... j'peux pas me sauver, j'suis attaché... j'peux pas crier non plus. Non, j'veux pas... Y s'approche en riant... y va m'couper la tête pis te l'envoyer dans une boîte... non! J'veux pas... C'est pas ça que j'voulais, maman, c'est pas ça que j'voulais... J'ai pas fait exprès... j'voulais juste te faire d'la peine un p'tit peu pour que tu t'occupes de moé. Au secours! J'ai peur... j'ai peur... j'tiens debout parce que j'suis attaché... les cordes m'font mal... elles sont en train d'me couper le ventre... Le bout pointu d'la lame frôle ma gorge... Couic! Spitter rit pis recommence. Couic! Je tremble, maman... je tremble de partout... j'vais mourir, maman. C'est pas ça que j'voulais. Couic! J'ai froid, froid, froid... c'est l'été... y fait beau... pis moé, j'ai froid... personne sait que j'suis icitte... personne va v'nir me chercher... j'me suis caché de Mike... J'aurais pas dû... lui, y m'aurait sauvé... lui, y a pas peur de Spitter. Couic! Maman, j'veux pas que tu reçoives ma tête dans une boîte... Ça va te faire mourir... Couic! j'ai fait dans mes culottes, maman... J'ai froid... j'ai peur... j'veux pas qu'y m'coupe la tête.

— T'as chié dans tes culottes, hein, mon p'tit morveux?

Y m'prend par les cheveux... y me secoue la tête comme mémère secoue son torchon à épousseter... Y me la renverse en arrière... approche son visage tout près du mien... Il est laid... ses yeux sont méchants... Y a presque pas de cils tout blonds... ses yeux veulent me faire mal... m'enlever ma vie... ma tête... Y a mauvaise haleine... y sent le lait sûr.

795

— Hi! Hi! Hi! T'as peur, hein, mon p'tit christ? Personne va v'nir te chercher, astheure... Personne... T'es tout seul avec moé, avec ton cousin Spitter... J'vais faire une affaire avec toé: donne-moé mon casque, pis j'te laisse filer. Hi! Hi! Hi! Pleure pas pour ça, voyons. T'es pas content d'voir ton cousin Spitter? Hein? Tu l'aimes pas ton cousin Spitter? T'es ben braillard. Hi! Hi! T'sais que ça m'énerve tes frisettes... Grouille pas, j'pourrais m'tromper.

Y me coupe les cheveux.

— Toé pis tes christ de frisettes naturelles. Un vrai p'tit saint Jean-Baptiste, gna, gna, gna. Tiens tes frisettes! Qu'est-ce que t'avais d'affaire à ressembler à Mike? Hein? Qu'est que t'avais d'affaire à y ressembler?

Ses cheveux à lui sont laids... on dirait du fil de nylon em-mêlé... ça lui pend sur les épaules... pis y a une p'tite tresse en ar-rière... c'est laid... Cindy avait des beaux cheveux blonds... oh! que c'était doux au bout de mes doigts... Qu'elle était belle... Elle ai-mait ça jouer dans mes cheveux, elle... elle disait que c'était le fun... Y coupe tous mes cheveux... Ouch!

— Excuse, j't'ai coupé la tête un p'tit peu; j'ai pas fait ex-près. Tiens? T'as l'air d'un bébé oiseau. Hi! hi! hi! mais tu res-sembles encore à Mike... Ouais, t'es Mike tout craché.

Y m'crache au visage. Ça me reste collé sur le nez. C'est gluant pis ça pue. Ça m'écœure. Couic! Y passe la lame sur ma gorge... J'ferme les yeux... j'veux plus le voir... j'veux plus rien voir... c'est pas ça que j'voulais, maman...

— A ben y penser... j'te couperai pas la tête tout d'suite. Non. Ça fait trop de sang. J'vais tout me salir... Non, j'ai une meilleure idée. T'sais c'que j'vais faire? J'vais t'laisser icitte... tout seul comme un grand... t'es capable de te garder. Hi! hi! Pis pen-dant c'temps-là, j'vais participer aux recherches pour te r'trouver... Oui... j'vais collaborer avec les chiens. Y s'douteront jamais de rien. J'suis génial, tu trouves pas? J'vais collaborer avec les chiens.

Y s'en va... les chiens... y a des chiens qui m'cherchent... Max m'aurait trouvé, lui... Pourquoi y est mort? J'l'aurais amené avec moé... y m'suivait partout. Pourquoi t'es mort, Max? Toé, tu m'aurais défendu... toé, tu l'aurais mordu Spitter... Tu m'suivais partout... Max... j'vais p't'être te r'trouver. Tout à coup que j'deviens un fantôme pis que toé aussi, t'es un fantôme... on jouerait ensemble... Si t'es un fantôme, Max, pis si tu m'entends, viens mordre les cordes qui m'attachent au poteau... viens mon chien. J'veux voir Marjolaine, j'veux voir ma mère... Au secours! Au secours!

J'peux pas crier... j'peux pas bouger... personne viendra m'chercher icitte... j'entends la moto qui s'en va. Quand Spitter va revenir, ça va être pour me tuer... Faut que j'me sauve... faut que j'me sauve. Au secours, maman! J'veux pas mourir.

Les compétitions de ski nautique ont eu lieu. Consternés, les enfants parcourent la plage publique d'un regard découragé. Tant de pas ont foulé le sable aujourd'hui! Tant de détritus jonchent le sol! Un vrai dépotoir. Canettes de bière, de boissons gazeuses; sacs de croustilles, de gâteaux; paquets de cigarettes, de gommes; multitude de mégots, dépliants publicitaires chiffonnés, caisses de bière, bouteilles vides, cassées ou intactes; verres en plastique, serviettes et mouchoirs en papier, vieilles couches... Un vrai dépotoir, orné à chaque extrémité du terrain par deux poubelles insuffisantes, débordantes d'ordures.

— Tu parles des cochons, commente Youri.

— Pourquoi ça serait à nous autres de ramasser ça? s'insurge Marc Potvin.

— Ouang! C'est vrai... pourquoi ça serait à nous autres? secondent Cindy, Nadia et Michel, découragés par l'ampleur des dégâts.

— Parce qu'on fait partie du Club secret des grenouilles. Est-ce qu'on en veut une plage de même, nous autres? s'informe le président.

— Non.

— Bon. Faut la nettoyer.

— C'est pas juste quand même, conclut Marc. Y s'en sacrent, eux autres, de notre plage.

— T'as raison, c'est pas juste.

Les enfants se taisent. Un sentiment commun qu'ils n'arrivent pas à traduire les soude devant cet outrage fait à la nature et à eux-mêmes. Ils se sentent piétinés, foulés par le monde des adultes. Lésés dans leur droit à un environnement propre. C'est leur enfance que l'on sème de déchets. L'enfance de leurs enfants que l'on investit sans leur consentement. Aveugles, pressés de consommer et avides d'amusements, les adultes leur laissent en héritage cette plage malpropre, ces restants de fête à laquelle ils n'ont même pas participé. Et ça, ce n'est rien, ils le savent. Ce qu'ils voient n'est rien à comparer à l'invisible poison dans l'eau et dans l'air. Quand ils seront grands, qu'auront-ils à laisser à leurs descendants de cet héritage qu'on dilapide, qu'on troque pour des billets de banque? Demain, quand ils auront soif, ils ne pourront s'abreuver aux comptoirs des banques. Demain, quand la terre réclamera de l'eau pour la croissance du blé et des forêts; demain, quand la biche, le renard et l'ours traîneront leur maigre carcasse à la recherche d'une lampée; demain, quand truites, brochets et saumons n'existeront que dans le souvenir; demain, quand les sources, les rivières et les lacs ne seront que des flaques; demain, quand le paradis ne sera qu'une légende; demain, quand l'eau deviendra une richesse, eux, ils seront pauvres de tous ces billets de banque et ne pourront se la procurer.

Eux et leurs descendants auront soif et regarderont mourir la terre. Sécher la terre. Se momifier la terre en un désert. Ils auront soif et sèmeront des graines que le sol brûlera. Ils auront soif et verront blanchir les os des animaux. Eux et leurs descendants auront à pleurer les os de la terre... De cette mère jadis si généreuse.

— Ça m'écœure. Y se sacrent ben de nous autres!

Marc Potvin se révolte.

— T'as raison... Y s'sacrent ben de nous autres. On a juste à penser à Alex.

Un moment de recueillement. Les enfants se groupent, se resserrent les uns contre les autres. Cindy éclate en sanglots. Youri lui offre son épaule pour pleurer à son aise.

— Sont méchantes, les grandes personnes, intervient Nadia. En ville, faut faire attention... on sait jamais. Y a des enfants qui ont été découpés en p'tits morceaux. Moé, j'ai peur. Tout à coup que le maniaque nous enlève nous autres aussi. C'est pas supposé d'avoir des maniaques en campagne, hein Youri?

— Pas supposé. De toute façon, en ville c'est bien pire.

Il sent Cindy se raidir contre lui. Jusqu'à maintenant, il ne lui a fait miroiter que les splendeurs de la ville.

— Si c'est pire, j'veux jamais y aller. Jamais!

La fillette se détache de lui et s'assoit carrément par terre, pleurant dans ses mains.

— Ben voyons. On s'habitue. Faut parler à personne, c'est tout. Jamais rien accepter de personne.

— Surtout les bonbons et les bonnes choses, précise Nadia.

Cindy pleure toujours, se soustrayant au moindre contact de Youri, comme si le simple toucher de sa main lui faisait mal.

— Faut même faire attention aux gens qu'on connaît. Des fois, y font juste semblant d'être fins pis d'aimer les enfants, hein Youri?

— Ouang.

— J'ai peur... Tout à coup que l'maniaque...

— Arrête ça, Nadia.

— Moé, y m'fait pas peur, clame Marc en serrant ses jeunes poings.

— Moé non plus, ajoute Youri en serrant les siens. Ayez pas peur, les filles, on va vous protéger... Y a pas d'danger ici. Si Alex était avec nous autres, il la nettoyerait, lui, la plage, pas vrai? J'suis sûr que quand y va apprendre c'qu'on a fait, il va être content.

— Tu penses qu'on va l'retrouver, s'enquiert Cindy, secouée par des spasmes.

— Ben... c'est pas sûr... De toute façon... si y est au ciel, y va nous voir faire pis demain, on va empêcher les régates. Ça aussi, ça va lui faire plaisir. Demain, on va mettre notre plan à exécution. On va leur montrer aux adultes qu'on se laisse pas faire. Ce lac-là, c'est à nous autres.

— Oui! Oui, on va leur montrer.

— Bon, ben en attendant, faut nettoyer. On va diviser ça; on va prendre chacun un coin, décide Youri en distribuant des sacs d'ordures. C'est la dernière fois qu'on nettoie. Demain, on va empê-cher les régates.

Demain, ce sera le grand jour. Demain, il vaincra une fois pour toutes cette saleté d'Association des riverains. La stratégie de Marjolaine a échoué: il ne lui a servi à rien d'inventer cette histoire de kidnapping pour nuire à cette fin de semaine. Au contraire, l'annonce de la disparition d'Alex à la radio locale n'a fait qu'attirer une foule curieuse et avide d'émotions; demain, ce sera encore pire ou plutôt mieux puisqu'on en a parlé au bulletin de nouvelles télévisées de Radio-Canada. Tout le Québec est maintenant alerté. Tout le Québec a les yeux fixés sur le lac Huard qui, hier encore, n'était qu'un lac anonyme parmi les milliers d'autres de ce pays. Tout le Québec suit les moindres développements de cet enlèvement. Marjolaine doit s'en vouloir d'avoir fait une si bonne publicité aux régates, car demain l'on viendra de Montréal et de partout visiter les lieux de ce crime et tenter d'entrevoir les malheureux parents du bambin disparu. Les gens se serviront du prétexte des régates pour avoir la chance d'être présents, d'être témoins lors de la macabre découverte.

Elle doit s'en mordre les doigts à l'heure qu'il est, d'autant plus que cette duperie a atteint des proportions considérables. Des proportions qu'elle n'avait sans doute pas prévues. Ce qui n'était qu'une combine au point de départ, qu'un subterfuge pour empêcher les régates, a pris une telle ampleur qu'elle ne peut plus reculer. Il est trop tard: tout le Québec est alerté. Le territoire fourmille d'autos-patrouilles, et les hommes-grenouilles de la Sûreté explorent systématiquement les profondeurs du bassin Est, pied par pied.

Il est trop tard pour avouer que tout ceci n'est qu'une odieuse supercherie. Elle est prise à son propre piège. S'est prise à son jeu. S'est prise au sérieux.

Tant pis pour elle! Il a bien tenté de la modérer en abandonnant toutes poursuites judiciaires contre Hervé. Évidemment, l'accusation de négligence criminelle tombait d'elle-même avec les aveux de Gaby, mais il aurait très bien pu conserver celle d'empêchement d'accès à la propriété privée. Il s'est montré bon prince. A tout laissé tomber. Et elle, qu'a-t-elle fait? Comment a-t-elle répondu à son geste magnanime? Elle s'est entêtée à vouloir empêcher les régates à tout prix et n'a trouvé d'autres moyens que d'inventer cette histoire de rapt. Elle déraille à fond de train et atteint la démesure. Pas surprenant. C'est une extrémiste. Pour vivre avec un siècle de retard comme elle le fait, il faut avoir des bobos en quelque part dans la tête. Elle se croit imbue de la mission de sauver le lac et s'ambitionne depuis la fermeture de l'usine. Cette victoire facile l'aiguille sur une voix dangereuse. Elle croit pouvoir le vaincre sur toute la ligne et vient de commettre une erreur fatale. Le geste qu'elle a posé se retournera contre elle.

Même qu'à l'heure actuelle, elle doit se faire tout un sang d'encre avec le beau Mike Falardeau, car ce voyou est sûrement son complice. Il a dû et l'influencer et collaborer avec elle. On les voit maintenant ensemble, eux qui s'évitaient auparavant. Ils donnent le spectacle du couple éprouvé par la disparition de leur enfant. Mais, ils ne pourront pas tenir ces rôles, ni tenir Alex caché indéfiniment. Un jour ou l'autre, tout se saura. Un jour ou l'autre, il l'espère, ce vaurien de Mike se retrouvera en prison. C'est lui qui a saccagé sa maison, il le sait. Lui qui a brisé ses objets de valeur et répandu des excréments jusque dans sa tasse. Les policiers aussi le savent, mais ils n'ont pas de preuves. Ils en auront des preuves contre lui quand on découvrira cette gigantesque supercherie.

D'ici là, il n'a qu'à profiter de cette publicité gratuite qui concentre l'attention du Québec sur le lac Huard.

René Mantha tire une longue bouffée de son cigare. Debout devant la fenêtre panoramique, il observe la mise en place des bouées servant à délimiter le parcours puis il porte un regard satisfait sur l'immense cadran chronométrant la course. Tout est prêt. Demain, ce sera une journée formidable. Merci Marjolaine pour cette belle publicité.

Il tire de son cigare une seconde bouffée remplie de délectation. Aujourd'hui, les compétitions de ski nautique se sont bien déroulées. Les spectateurs ont été charmés par la performance des skieurs sauf par celle de son fils qui est arrivé bon dernier. Cet échec est la seule ombre au tableau. Pour Dominique, c'est une humiliation; pour lui, un agacement. Sans plus. C'est déjà beau qu'il ait participé aux compétitions et puis, il aurait fait beaucoup mieux si Jérôme Dubuc, dans sa peur de l'eau, avait trouvé quelqu'un d'autre que son gendre pour conduire le bateau. C'est un vrai pied que cet homme. Serviable et même servile, mais limité. Tellement limité. Faudrait peut-être qu'il s'en débarrasse. Il ne lui occasionne que des ennuis. La preuve: cette histoire de formaldéhyde dans le lac. Pourquoi diable ne l'a-t-il pas averti que les puisards débordaient et qu'il avait déversé, comme par le passé, ces matières dans le ruisseau? Ce n'est pas ce fait qu'il lui reproche, mais bien de l'avoir tenu dans l'ignorance. Avoir su, jamais il n'aurait permis à Gaby de patauger dans cette eau.

C'est tellement bête la façon dont il s'est fait prendre. Tellement indigne de lui. Et d'autant plus insultant que c'est son voisin minable qui est à l'origine de tout cela. Ce petit avorton qui pleurnichait dans les bras de sa femme, l'an passé.

Oui, avoir su, jamais il n'aurait permis à Gaby de patauger dans le ruisseau. Gaby! Quel drôle de petit bonhomme!

René Mantha roule distraitement son cigare en regardant l'enfant qui observe les hommes travailler aux bouées. Il se sent lié à lui. Oui, quelque chose le rattache maintenant à Gaby. Il ne sait pas si c'est de l'amour car ce qu'il ressent lui est étranger. Ce qu'il ressent envers Gaby, il ne l'a jamais ressenti envers personne. C'est complètement neuf comme sentiment. Jamais encore, il n'a exploité ce filon rare et troublant qui le conduit vers ce gamin silencieux. Ce gamin insolite dans cette cacophonie de bruits et de cris.

Semblant venir d'un autre monde, il a échoué sur sa plage et s'amuse avec des riens. Le vol d'une mouette, les bonds d'une grenouille, les doigts de la petite fille d'à côté meublent ses heures et ses jours d'une paix sereine.

C'est depuis qu'il lui a parlé qu'il a découvert ce filon en lui. Oui, depuis que Gaby a parlé pour défendre sa cause, ses amitiés et son lac. Personne auparavant ne lui avait parlé avec son cœur, et Gaby n'avait jamais parlé ainsi à personne. Il était le premier à entendre ce langage du cœur. Le premier à qui Gaby destinait ce langage. Comment dire? Il n'a jamais rien eu de neuf: toute sa vie a été marquée par l'usagé, même sa femme, que Bobby avait essayée avant lui, mais là, avec Gaby, il était le premier à qui il parlait. C'est comme si lui seul était parvenu à approcher un oiseau farouche. Comme si, pour lui seul, cet oiseau avait chanté pour la première fois.

L'homme fronce soudain les sourcils à la vue d'Irène rejoignant l'enfant sur la plage. Elle va l'emmener avec elle, c'est sûr. Il va les perdre tous les deux. Cela devrait le réjouir ou, à tout le moins, le soulager. Mais il n'en est rien, et il a beau se répéter qu'ils ne pourraient faire un grand vide dans son cœur puisqu'ils n'y prenaient pas une grande place, il ne parvient pas à voir sous un angle favorable le divorce proposé par Irène même lorsqu'il projette de vivre avec sa jeune maîtresse. Non, il ne parvient réellement pas à considérer cette rupture comme le début d'une vie nouvelle.

Quelque chose le rattache à Irène. Quelque chose qu'il a déjà connu quand il l'a vue la première fois. Quelque chose qui ressemble à de l'amour mais qui est trop usé, trop fatigué pour en être... Quelque chose qu'il a maquillé, déguisé, transformé. Quelque chose qui a passablement vieilli mais qui ne parvient pas à s'éteindre en lui.

La laissera-t-il partir? Les laissera-t-il aller, ces deux-là, maintenant qu'ils commencent à se nicher dans son cœur? Les laissera-t-il créer un vide en lui?

Dérangé par ces questions, René Mantha écrase son cigare avant de téléphoner à sa maîtresse qu'il trouve toute bouleversée par la disparition d'Alex. «Voyons, c'est un coup monté, tu sais bien.» Il la rassure. «Bien oui, les régates vont avoir lieu quand même. Pourquoi pas? Déplacé? Non, c'est pas déplacé. J't'attends demain. Faut que tu sois là.»

Il raccroche, pensif. Oui, il faut qu'elle soit là demain pour le grand jour. Qu'elle le voit dans toute sa splendeur. Il faut que, perdue dans la foule en délire, elle l'acclame et se sente honorée d'être sa maîtresse. Elle est si jeune. Il faut qu'il lui montre quel homme puissant il est. Il faut qu'il compense pour ces années qui ont dégarni son crâne et son cœur.

Pauvre enfant! Elle était si inquiète pour Alex. Et si c'était vrai? «Voyons, on n'est pas à Montréal, ici», marmonne-t-il pour lui seul.

Il fait nuit. Le souffle tiède, chargé des parfums d'été, soulève toujours la même question. Alex est-il vivant? Ce souffle qui passe sur l'eau et les champs, ce souffle qui fait frissonner les trembles frileux et courber la tête des quenouilles, ce souffle peut-il atteindre Alex quelque part? Peut-il le charmer de ses parfums et déranger ses boucles de cheveux sur son front? Alex est-il encore vivant? Où est-il?

Les policiers, les chiens dépisteurs, les plongeurs et les volontaires ont ratissé la région, pouce par pouce, sans rien trouver.

Tant de gens ont participé aux recherches aujourd'hui! Venus de partout, avec la même sympathie et la même bonne volonté. Des pères, des mères, des adolescents. Des parents, des amis, au regard plein d'apitoiement et au geste prématuré de condoléances. Andrew, Maurice, Harold, Kenneth et même Spitter. Florient, Jean-Paul. Le clan des Taillefer et celui des Falardeau oubliant leurs querelles intestines, les membres du Club de motards, Gustave Potvin et son fils aîné, Ti-Ouard-la-pelouse et même le gros Gilbert Ladouceur sont venus offrir leur aide. Sont venus les soutenir dans l'épreuve. À la maison, les femmes ont préparé des centaines de sandwichs pour nourrir tous ces gens venus des villages voisins et de la ville. Mais ils n'ont rien trouvé. Même pas un indice. Ni dans l'eau. Ni sur le sol. Ils n'ont rien trouvé et s'en sont retournés quand la nuit est venue solder leur échec. Demain, ils reviendront, demain ils chercheront à nouveau soufflant chacun leur tour sur l'étincelle de l'espoir qui menace de s'éteindre en eux.

Trop accablés pour parler, Marjolaine et Mike descendent de moto et, sans accorder un seul regard à la lune décroissante, ils traversent le petit pont menant à l'île, s'astreignant tous deux à ne pas voir et à ne pas entendre cette vie triomphante qui les écorche. Cette vie qui les raille jusque dans les minuscules crapauds bondissant dans le rayon de la lampe de poche.

Avec remords et regret, Mike se remémore sa dernière visite sur l'île. Sa bravade d'avoir traversé ce pont avec sa grosse Harley Davidson pour faire choquer Marjolaine et s'inscrire ainsi dans sa pensée. Il a toujours aimé cette femme, finalement, toujours désiré prendre place dans son existence, même s'il fallait pour cela la voler, cette place. Quel imbécile il a été d'avoir succombé à son orgueil de mâle! Sa vie aurait pu être tout autre s'il ne s'était pas offusqué sans demander d'explications. S'il n'avait pas agi exactement comme Andrew l'avait prévu en se repliant sur son orgueil de mâle blessé. Quel imbécile!

Il sent la hanche de Marjolaine contre la sienne et son épaule dans le creux de son aisselle. Dire qu'ils auraient pu marcher ensemble tout ce temps qu'ils ont consacré à se dresser l'un contre l'autre. Dire qu'Alex aurait pu grandir entre eux. S'épanouir entre eux mais, au lieu de cela, il a été partagé, déchiré, tiraillé.

Rendue à la galerie, Marjolaine le précède. Avec une crainte mal dissimulée, elle pousse la porte et pénètre. Il sait ce qu'elle pense; il sait qu'elle redoute d'apercevoir le cadavre d'Alex caché dans l'obscurité. Il lui pose une main sur l'épaule pour la rassurer. S'aperçoit-elle qu'il est obsédé par la même peur qu'elle? S'aperçoit-elle que le rayon qu'elle promène dans la pièce lui noue la gorge et les tripes? Que chaque objet surgissant de l'ombre lui donne des sueurs froides?

— J'vais allumer les lampes.

Elle s'exécute. Une lumière douce baigne maintenant la petite cuisine.

— Installe-toi, j'vais aller nourrir les oies et les poules. Ce sera pas long.

Aussi bien mener à terme ce prétexte qui les a conduits tous deux ici. Ce prétexte qui les a délivrés des regards affligés pendus à eux. Qui les a délivrés des gestes d'une maladroite et impossible consolation. Qui les a délivrés de l'ambiance de salon funéraire qui augurait le pire. Qui les a délivrés de la trève entre les clans que seul un grand malheur peut unifier. Qui les a délivrés des messages de sympathie qui les incitaient à croire aux probabilités de survie et ne réussissaient qu'à les convaincre des probabilités du décès d'Alex. Qui les a délivrés des sanglots incontrôlables d'Hervé sur l'épaule de Flore.

Mike se tire une des deux chaises. Dire qu'il y aurait pu en avoir trois. C'est la sienne qui manque. Il s'assoit et adopte la posture d'Andrew, ce matin, posant son front sur ses mains jointes. Est-ce bien le moment d'avouer à Marjolaine cette tromperie qui a faussé le cours de leur existence? Pourquoi ajouter à son malheur ce bonheur qu'elle aurait pu avoir? Ce bonheur qui était là sur la route détournée par de perfides manigances. Est-ce bien le moment? Lui dira-t-il? Est-ce bien pour cela qu'il a tenu à l'accompagner sur l'île lorsqu'elle s'est rappelé les soins à donner aux animaux? Ne se ment-il pas encore une fois en déguisant son besoin d'être seul avec elle? N'est-ce pas de cela plutôt qu'il a envie: être seul avec elle? Être seul avec elle et ce chagrin immense qui leur appartient à tous deux. Être seuls à vivre leur souffrance sans être épiés par leurs proches. Oui, il a envie d'être avec elle, ce soir, cette nuit. Tout comme elle, d'ailleurs.

Mike lève la tête et prend une bonne respiration. L'air ne pénètre pas dans ses poumons. Il suffoque et aspire avidement ce souffle du soir dont Alex est peut-être privé à tout jamais. Son regard tombe sur une boîte de chocolats remplie de photographies. Marjolaine a visiblement fouillé en toute hâte sans prendre garde aux photos tombées sur la table. Il les ramasse. Les met en ordre, les replace soigneusement, prend le couvercle et hésite tout à coup à fermer ce tombeau de carton où reposent tant de souvenirs. Cette boîte l'attire, l'hypnotise. Elle le draine, le captive, le capte comme la lumière, avec le papillon de nuit. Sa volonté sans défense volette autour d'elle. Incapable de lui résister plus longtemps, il s'empare de la boîte et plonge, tête première, dans ces parcelles de vie immortalisées.

Alex à trois ans... il souffle un gâteau d'anniversaire. Il y a trois bougies sur le gâteau. Son grand-père, sa grand-mère, Marjoleine sont en arrière-plan... Lui, il n'est pas là. Alex avec des couches... il marche à quatre pattes. Qu'il est mignon avec ses deux petites dents! Alex qui montre fièrement une touladi. Qu'elle est grosse à comparer de ce petit bout d'homme! Hervé l'aide un peu. Lui, il n'est pas là. Alex à sept ans... il y a sept bougies sur le gâteau... il lui manque une dent et Gaby applaudit à ses côtés. Lui, il n'est pas là... Alex à quatre ans... quatre bougies sur le gâteau... Lui, il n'est pas là. Alex à sa naissance. Il se rappelle avoir reçu cette photo dans sa lointaine Schefferville. Sa blonde prétendait qu'il ne lui ressemblait pas... Lui, il la gardait dans son portefeuille, mais il n'était pas là pour le bercer, pour changer ses langes et le voir téter au sein de sa mère. Alex déguisé en cow-boy... Qu'il est drôle! Une photo d'Halloween. Il tient un panier en forme de tête de citrouille. Qu'il a l'air heureux! Marjolaine à côté de lui porte une tuque et des mitaines. Il devait faire froid. Elle a pris soin de bien l'emmitoufler, car il est tout empesé dans son linge. Alex qui pisse dans son petit pot. Quelle concentration! Lui, il n'est pas là.

Les photos défilent, toutes aussi belles les unes que les autres, et chacune d'elles dénonce son absence. Il n'était pas là. Pas là à ses premiers pas, ses premières peurs, ses premières peines. Pas là à son premier jour d'école, à son premier bulletin, à ses premières vacances. Pas là pour l'entendre pleurer, l'entendre rire, l'entendre chanter. Pas là pour écouter ses aventures pimentées de petites menteries. Pas là quand il a percé ses dents, quand il les a perdues, quand il a fallu mettre de la monnaie sous l'oreiller pour le passage de la fée des dents. Pas là pour perpétuer l'histoire du Père Noël, pas là pour couper le sapin dans la forêt. Pas là pour le gronder. Pas là pour le soigner. Lui apprendre à nager et à ramer. Pas là... il n'a jamais été là. Non pas parce qu'il n'a pas pu y être, mais bien parce que son orgueil n'a pas permis qu'il y soit.

Alex a grandi sans lui. Une dernière photo lui reste entre les doigts. On y voit Alex serrant Max contre son cœur quand il était petit chiot... et là, à côté de son fils... il se reconnaît. C'est la seule photo où il apparaît... Il se souvient maintenant que Marjolaine avait insisté pour qu'il consente à se faire photographier. Alex était si heureux d'avoir ce chiot. La photo s'embrouille puis tombe des doigts tremblants de Mike. Il est là, sur cette photo. Là, pris en flagrant délit de subversion. Là, en train d'acheter par des cadeaux cet enfant qu'il ne méritait pas. Là, pris sur le fait, figé dans un geste généreux qui n'était en réalité qu'un vil marchandage. Là, qui s'octroie le rôle du magicien et crucifie Marjolaine par l'odieux du quotidien. Oui, il est là, sur cette photo où il donne. Sur cette photo où il agrémente et comble les désirs... Il est là quand il donne le chiot à Alex... mais pas là quand il a fallu ramasser ses dégâts sur le tapis, pas là quand il a fallu le dresser à ne pas courir après les oies, pas là quand il est mort dans la neige en battant de la queue pour Alex.

Une larme tombe sur la photo. Mike l'essuie hâtivement, incapable de réprimer le tremblement de son menton. Les larmes roulent sur ses joues et il les avale. Comme elles sont salées! Tellement salées! La dernière fois qu'il y a goûté, c'est à la mort de son père. Par après, il a appris à serrer les mâchoires. Il a appris à faire mine de n'être pas affecté par les sévères punitions d'Andrew, appris à faire le dur. Il a appris à se battre et à devenir ce qu'il croyait être un homme. Il n'est devenu en réalité qu'un bum. Qu'un délinquant de trente ans en perpétuelle rébellion contre la société, contre Marjolaine et contre l'homme qu'il aurait dû et aurait pu être.

Mike se lève subitement. Marjolaine ne doit pas le surprendre ainsi. Elle pourrait croire qu'il pleure Alex quand en réali-

té il pleure de honte et de remords. Elle est déjà tellement atteinte.

Il sort dehors et, à tâtons, se dirige vers le grand pin, près
de l'eau. Ses yeux s'étant habitués à l'obscurité, il distingue la balançoire que la brise dérange à peine et s'y assoit, appuyant son
front contre le câble rugueux. C'est tout ce qu'il a su faire pour son
fils: une balançoire. Encore un moyen pour l'acheter, laissant à
Marjolaine le soin de l'éduquer.

Oui, lui, il était là pour amuser... Marjolaine pour faire apprendre. Lui, il avait la partie du plaisir; elle, la partie ennuyeuse.
Lui, les sorties; elle, l'enfilade des jours. Lui, les boissons gazeuses
et les croustilles; elle, la bonne alimentation. Lui, les patins; elle,
le chandail de laine tricoté avec amour.

Il se fait horreur. Tellement horreur. C'est de sa faute si
tout cela est arrivé. Il aurait dû, aurait pu être un père pour Alex.
Il aurait dû, aurait pu prendre ses responsabilités. Mais il ne les a
jamais prises. Il n'a jamais voulu renoncer à sa chère liberté. Il s'est
amusé autant qu'il a voulu, s'est acoquiné avec qui il a voulu et a
baisé comme il a voulu. Pas de permission à demander. Pas de
compte à rendre à personne. Ni à Andrew. Ni à sa mère... encore
moins à Marjolaine. À personne.

Libre comme l'air, le beau Mike à Schefferville. Libre comme
l'air avec un fils quelque part, élevé par une mère célibataire. Libre
comme l'air à s'acheter une coûteuse Harley Davidson Electra-Glyde
des années 72 pendant que Marjolaine retirait du Bien-être social.
Libre comme l'air à traverser le Canada et les États-Unis sur sa
moto pendant que Marjolaine allait et venait entre l'étable de son
père et l'île. Libre comme l'air après avoir laissé derrière la vie engendrée par lui. Rien de cela ne serait arrivé s'il n'avait pas succombé
à son monstrueux orgueil et cédé à la facilité. S'il n'avait pas employé
la liberté en guise de consolation à la fausse accusation qui pesait sur
lui. Un sanglot lui déchire la gorge et à nouveau, les larmes coulent
sur ses lèvres. Il étreint le câble de la balançoire dans sa main et
pense uniquement à se faire un nœud coulant pour se pendre à cet
arbre... C'est tout ce qu'il mérite.

Une main sur son épaule le fait sursauter et redouble ses
sanglots. Pauvre Marjolaine! Il ne veut pas qu'elle croie qu'il
pleure de désespoir et il bafouille la vérité.

— C'est d'ma faute.

— Non... c'est d'la mienne... je m'occupais plus des Riverains que de lui, dernièrement.

— Non, Marjolaine... c'est d'la mienne... j'ai jamais été là quand il avait besoin de moi... Jamais. J'me suis jamais occupé de lui. Vraiment occupé d'lui. Toi, t'as laissé tomber tes études pour lui... Moi, j'ai sacré l'camp à Schefferville. Moi, j'ai fait la belle vie. C'est à toi que j'voulais faire mal à travers tout ça... C'est de toi que j'voulais m'venger du mal que tu m'avais fait en inventant l'histoire du viol.

— C'est pas moi, Mike, c'est pas moi...

— J'sais, c'est pas toi; j'l'ai appris à matin. C'est Andrew qui a inventé ça... Pis moi, pas plus fin, j'y ai cru. Ça m'a tellement blessé.

Elle lui prend la tête et doucement l'appuie contre son ventre.

— Andrew... c'est donc Andrew, répète-t-elle en tournant une boucle de ses cheveux. Pourquoi?

— Parce qu'il savait que j'étais un imbécile. Que j'étais trop orgueilleux pour te d'mander des explications.

Les doigts de Marjolaine dans ses cheveux le calment. L'apprivoisent. L'amènent habilement à se livrer. Se dénuder. S'accuser.

— C'est comme si j'avais pris moi-même Alex en otage pour te faire payer. Ça m'a fait tellement mal quand j'ai appris ça à Schefferville. Pourquoi tu m'as pas écrit pour m'apprendre que t'étais enceinte?

— À cause d'la lettre que tu m'avais envoyée avant.

— C'était pour te faire mal. J'voulais te r'mettre la monnaie de ta pièce pour la fois où j'étais allé te voir à l'école. Tu voulais tellement rien savoir de moi. J'me sentais un moins que rien. J'étais juste un mécanicien-camionneur pis, toi, une future biologiste.

Il ne peut réprimer un soupçon de colère dans cette dernière phrase. Le goût amer du dépit lui remonte à la bouche et le fait souffrir. Il arrache sa tête des mains de Marjolaine et se frotte le front contre le câble rugueux pour se rappeler à l'ordre. Se rappeler qu'elle n'a pas voulu de lui. Que la fille sage qui tenait ses livres d'école contre sa poitrine de femme l'a rejeté, exclu de sa vie, considérant comme un faux pas ce qui était pour lui une révélation profonde.

— Le fait que t'étais mécanicien-camionneur n'a rien à voir là-dedans. J'étais rien qu'une parmi tant d'autres pour toi. C'que tu m'as dit, tu l'as dit à Fernande pis à toutes les autres avec qui t'as couché. J'm'en voulais d'avoir faibli comme toutes les autres devant toi. J'me pensais bien plus forte.

Les voilà qui se déchirent encore. Qui s'accusent mutuellement. Sa maudite vie tout croche est maintenant de travers dans sa gorge, dans tout son être. Elle le perfore, le charcute de l'intérieur. Il a horreur de lui. De ce qu'il est. De ce qu'il dit. De ce qu'il pense. Ce n'est pas cela qu'il était venu chercher en accompagnant Marjolaine jusqu'ici. Ce n'est pas cela qu'il avait besoin de lui dire.

Une brûlure s'intensifie à son front. Le câble râpe maintenant sa chair. Demain, après-demain, si on découvre le cadavre de son fils, le câble étranglera la chair de son cou et le privera du souffle de cette vie tout de travers dans sa gorge. Il nouera au pin où s'est balancé son enfant, le fiasco lamentable de sa relation avec Marjolaine. Mais avant... avant, il doit lui dire... il veut lui dire... ce que jamais son orgueil ne lui a permis de dire.

— Marjolaine?

Elle semble si loin. Il lui tend la main, rencontre sa hanche dans le noir et l'attire vers lui.

— Je t'aimais, Marjolaine.

— Moi aussi, Mike, je t'aimais.

Il l'étreint farouchement dans ses bras et sanglote à nouveau, le nez enfoui dans sa jupe comme un gamin.

— Maudit Andrew... maudit fou que j'étais.

À nouveau, les doigts plongent dans sa chevelure et l'hypnotisent. Il se sent comme un enfant contre cette mère affectueuse qu'il n'a jamais eue. C'est ce que devait ressentir Alex quand Marjolaine le consolait de ses chagrins. Alex? Où est-il. Où est-il?

— Reste pas ici, Mike, ça fait trop mal. Viens.

Il se lève. Se retrouve debout devant elle. Il aimerait lui dire qu'il l'aime encore mais n'ose le faire, sachant très bien que si l'inévitable se produit, ils ne pourront vivre ensemble dans le vide absolu que créera la mort d'Alex. De toute façon, pourront-ils vivre?

810

— Oh! Mike. Pourquoi est-ce que ça nous arrive? s'exclame-t-elle en se blottissant dans ses bras. Instinctivement, ils s'étreignent l'un contre l'autre comme deux enfants effrayés. Ils se serrent très fort. Se tiennent. Se retiennent. Se cramponnent l'un à l'autre. Se maintiennent à flot pour ne pas sombrer. Ne pas périr pendant cette longue nuit qui les attend.

* * *

Dimanche, 21 juillet 1985.

Jour des régates

Un brouillard épais. Immobile. Stationné là pour l'éternité, semble-t-il.

Six heures du matin. Ti-Ouard et Suzon, timides mais décidés, traversent le pont menant à l'île. Ils n'ont pas dormi de la nuit. Pas plus que ce couple qui les accueille.

Pauvre femme! Que j'aimerais pouvoir lui ramener son enfant, pense Ti-Ouard, étonné de la trouver belle malgré toute cette souffrance qui émane de sa personne. Sincèrement affligé, il se laisse grandir de l'intérieur en sa présence, conscient qu'il serait prêt à tout pour atténuer sa souffrance. Pour sa part, Suzon observe Mike à la dérobée, honteuse d'être remuée par sa barbe naissante, par l'expression douloureuse de son regard qui le vieillit et par cette curieuse éraflure au milieu de son front.

— Voilà. Suzon a quelque chose à vous dire.

Ti-Ouard se place derrière sa fille dans un geste symbolique signifiant qu'il l'épaule. Celle-ci se racle la gorge, rougissant déjà devant Mike. Il lui plaît tellement. Et puis, elle lui a menti. Que pensera-t-il d'elle? Lui en voudra-t-il?

— C'est à propos d'Alex.

Elle regrette d'avoir à employer ce nom qui réveille instantanément le tourment de ses parents.

— Euh... J'y ai pensé toute la nuit pis selon moi, c'est Spitter qui a fait le coup.

— Ça peut pas être lui: j'ai vérifié, rectifie Mike avec lassitude.

811

— T'sais, c'printemps, quand t'es v'nu à l'appartement avec Alex... (encore ce nom qui charcute. Comment faire autrement?) ben, Spitter l'a menacé.

— Quoi!? Quand? J'l'ai pas vu à l'appartement.

— Il est v'nu quand t'étais parti avec... (elle hésite devant Marjolaine) avec Louise.

— Qu'est-ce qu'il faisait là?

— Il me vendait du stock...

La grosse fille baisse la tête, penaude et confuse. Cette confession l'embarrasse. Son père l'encourage en lui pressant doucement l'épaule.

— Quand il a vu Alex, il est devenu comme fou... il faisait semblant d'y couper la tête... Moi, j'ai essayé d'l'empêcher. Il m'a battue. J'sais pas pourquoi il le haïssait tant que ça.

— C'est donc ça qui s'est passé à Montréal. C'est pour ça qu'Alex me fuyait. Il pensait que j'l'avais laissé tomber. Il m'en a jamais parlé.

— C'est d'ma faute... je lui ai fait promettre de rien dire parce que je voulais pas que personne sache que... que...

Suzon se couvre le visage. Elle a honte d'avoir tardé si longtemps à parler. Mike lui pose amicalement la main sur les cheveux.

— T'avais peur que ta mère l'apprenne, c'est ça?

Signe que oui.

— T'as bien fait de m'le dire... mais sens-toi pas coupable: ça peut pas être Spitter. J'suis allé voir hier avec Marjolaine, pis vendredi, Spitter était à Montréal.

— C'est lui, Mike.

— Pourquoi tu dis ça?

— J'ai vu Spitter, hier: il aidait aux recherches. Il passait son temps à dire qu'il aimait beaucoup son cousin et que les salauds allaient payer pour ça. À l'entendre parler, lui pis Alex étaient de grands amis. Pis, l'autre fois, y a trois semaines à peu près, il a parlé de Marjolaine. Il a dit qu'il était pour s'occuper des Riverains, que la maudite folle allait y goûter. C'est lui, Mike... Si t'avais vu ses yeux, hier, son sourire... ça jurait.

— Tu dis p't'être ça parce que t'as eu peur de lui.

— Non! Non, Mike. Parle-moi pas comme à une p'tite fille. J'suis sûre que c'est Spitter... C'est moi qui l'ai vu à Montréal. Il voulait vraiment l'tuer, Mike. Tu sais pas de quoi y est capable. J'ai pas arrêté d'y penser, cette nuit. Comment un homme sensé peut-il faire peur à un enfant comme il l'a fait avec Alex? Faut être maniaque. Les policiers pensent que c'est quelqu'un de proche qui a fait l'coup. Moi, j'suis sûre que c'est Spitter. Il l'a caché quelque part... j'suis sûre, Mike.

Ti-Ouard, qui s'est tu jusqu'alors, prend la parole à son tour, s'adressant plutôt à Marjolaine.

— Des fois... on a des intuitions, des pressentiments. Moé, j'y crois à ça. Ma grand-mère pouvait prédire... a s'trompait rarement. Une fois entre autres, y manquait une vache; on la cherchait partout pis elle, sans même bouger d'sa berceuse, a l'a dit à mon père d'aller voir dans l'étable du voisin. La vache était là: y s'apprêtait à la vendre au maquillon. Suzon, hier, a l'a eu un pressentiment en voyant Spitter se démener aux recherches. Un pressentiment fort de même, ça s'peut pas. Voyez-vous, y était tellement fort que ça l'a forcée à tout m'avouer. Retournez, retournez voir Spitter. Y doit savoir où s'trouve le p'tit.

— Oui, t'as raison Ti-Ouard. On n'a rien à perdre de toute façon. J'y retourne. Merci Suzon, merci.

Marjolaine grimpe en selle avec lui.

— On va vous suivre de loin... au cas où... on sait jamais, offre Ti-Ouard en lançant une œillade de fierté à sa fille.

Froid. Il a si froid. Soif. Il a si soif. Mal. Il a si mal. Les câbles lui sectionnent le ventre et ses poignets écorchés brûlent à force d'être tordus dans les liens. Cette nuit, il a entendu marcher des souris et s'est rappelé la fable du lion et de la souris. Il a espéré follement, naïvement, désespérément qu'une d'entre elles vienne gruger les cordes qui le ligotent. Mais aucune n'est venue.

Épuisé, il tient debout par ces cordes qu'aucune dent de souris n'a rongées. Cette longue nuit d'effroi l'a terriblement affaibli. Il va peut-être mourir tout seul, sans l'aide de Spitter.

Son esprit fatigué souhaite ardemment cette mort douce à l'autre, atroce, dont le menace ce sadique. Il veut bien, maintenant, mourir, mais pas souffrir. Il veut bien s'endormir pour toujours dans ces câbles, mais pas sentir le couteau lui ouvrir la gorge. Pas sentir l'haleine de lait sur de ce fou qui halètera au-dessus de lui. Il veut bien se laisser aller, se laisser prendre sans résister par la mort et partir avec les images qu'il veut sans être précipité dans l'au-delà avec, pour tout bagage, les yeux de glace de Spitter, son sourire méchant et son rire satanique. Il veut bien s'abandonner. S'abandonner à l'engourdissement qui le gagne.

Un bruit de moto le saisit et lui tord les entrailles. Il s'affole soudain et se débat vainement. Son cœur bat si fort qu'il a l'impression qu'il va lui rompre la poitrine. De toute son âme, il souhaite l'éclatement de cet organe qui le maintient en vie. La rupture de ces vaisseaux qui véhiculent son sang. Avec terreur, il entend la mort grimper à l'échelle. La mort atroce et brutale qu'il refuse.

— Hi! Hi! Hi! L'morveux. Encore vivant? T'as l'air d'un moineau avec c'te coupe-là.

Son bourreau dépose une chaudière rouillée par terre et s'agenouille devant lui. Il halète et tremble, en proie à une grande excitation.

— T'es pas chanceux, hi! hi!... faut qu'on r'trouve ton cadavre. Ça presse. Oui, les chiens ont parlé de r'monter l'ruisseau aujourd'hui. Faut qu'on te trouve ailleurs. Loin, ben loin du ruisseau... pis tout d'suite. T'aurais dû mourir, p'tit niaiseux. Tu vois la chaudière? C'est pour ta tête. Ouais, ta tête. J'vais la mettre dedans... Comme ça.

Spitter mime le geste puis crache au fond de la chaudière. Il respire bruyamment, par jets saccadés, et ses lèvres s'agitent.

Alex comprend qu'il a affaire à un fou. Un dément que rien ne pourra raisonner.

Spitter se parle à lui-même maintenant, le regard louchant vers l'arrière comme si quelqu'un tentait de l'attaquer de dos.

— Vous m'aurez pas, bande de chiens... vous la trouverez pas ma culture. Vous allez laisser tomber vos recherches quand vous allez trouver sa tête sur un piquet de clôture. Hi! Hi! Hi! Hi! Sur un piquet de clôture le long d'la route... autour d'la terre d'Hervé... C'est ça... c'est ça. Ça t'apprendra, Mike, à être contre moé. J'ai une moto plus belle que la tienne... ça m'fait rien de plus faire partie de votre club de tapettes. Astheure, j'vais faire partie des Hells Angels... J'vais faire partie d'un vrai club. Ça y apprendra à ta mère, hein?

Le regard glacial et inhumain de Spitter tombe sur lui.

— C'est une folle, hein, ta mère?

Alex fait signe que oui. L'homme s'emporte, le saisit par les épaules et le brasse rudement.

— T'as pas honte, p'tit morveux? T'as pas honte de parler de même de ta mère? Pis... ton père, lui, c'est-y un fou, hein?

Signe que non. Même traitement qui éveille la douleur dans tous ses membres.

— Oui, c'est un fou, ton père. C'est un traître. Y avait pas d'affaire à t'donner mon casque, tu comprends ça?

Alex ne sait plus que répondre. Tout ce qu'il dira, tout ce qu'il fera ne servira qu'à attiser la colère de Spitter. Il n'y a rien à faire, rien à dire à cet homme visiblement influencé par la drogue. Rien à faire, rien à dire pour éviter que sa tête ne se retrouve sur un piquet de clôture, près des vaches de son grand-père.

Clic! Une lame surgit dans la main du détraqué. Une lame qui, d'une minute à l'autre, va trancher sa chair et faire couler son sang. Une lame qui va lui faire mal et séparer sa tête de son corps.

Un froid intense glace l'enfant qui ferme les yeux pour ne pas voir le visage atroce de cette mort qui l'empeste de son haleine de lait sur.

En tempêtant contre le brouillard, son père se rend à la plage publique en compagnie de son frère Dominique. En un rien de temps, les lumières de signalisation du yacht s'estompent dans l'enveloppe grise et vaporeuse. Voilà. Ils sont bel et bien partis.

Rien ni personne ne peut l'empêcher maintenant de mettre son plan à exécution. Fébrile, Gaby se hâte vers la résidence où un silence paisible lui certifie que sa mère dort encore.

Avec mille précautions, il se rend dans la chambre de celle-ci et se glisse doucement à son chevet pour la regarder dormir un peu. Qu'elle est belle! Que son parfum est bon! On dirait qu'elle sourit. Comme il aime ses cheveux et les petits plis au coin de ses yeux! Comme ce serait bon de se coller contre elle et de sentir la chaleur de son corps.

Gaby embrasse le bout de ses doigts et souffle ce baiser en direction d'Irène puis, il la laisse, reculant sur la pointe des pieds.

S'abreuvant jusqu'à la dernière minute de cette image du parfait bonheur.

Il doit faire vite. Profiter du brouillard avant qu'il ne se lève.

Bien qu'il ne fasse pas partie du Club secret des grenouilles, il sait, lui, comment empêcher les régates. En un rien de temps, il enlève ses vêtements et enfile son maillot de bain. Puis, il se rend dans la chambre de son frère et fouille dans son bureau à la recherche de son couteau Rambo. L'ayant trouvé, il l'attache à sa taille, accroche Kermit au passage et court vers la plage.

— Salut!

Le père de Nadia le surprend. Gaby lui répond d'un sourire et s'assoit dans le sable avec sa poupée, faisant mine de creuser un tunnel et épiant la mine défaite et impatiente du voisin. Après maints hochements de tête et signes de découragement, celui-ci retourne à son chalet en maugréant à son tour contre le brouillard.

Lui, il l'aime bien le brouillard. Il est bien content qu'il soit là, ce matin. Il va l'aider. Devenir son complice.

Avec amour, l'enfant façonne un nid d'herbe pour sa grenouille de peluche et l'y installe confortablement.

— J'fais pas partie du Club des grenouilles, Kermit, mais j'vais arrêter les régates. J'sais comment. D'icitte, tu vas m'voir... Chut! C'est un secret... juste toé pis moé. R'garde-moé ben, j'vais arrêter les régates.

Après un prudent regard circulaire, Gaby rampe vers le lac. L'eau froide sur sa poitrine accélère sa respiration. Lentement, prenant garde de faire le moins de bruit possible, il s'enfonce dans l'eau et nage en direction des bouées. Après quelques brasses, il se retourne et constate qu'il ne voit ni sa maison, ni celle du voisin. Pas même son Kermit dans son nid d'herbe. Le voilà maintenant caché dans cet univers laiteux. Il pourra à son aise sectionner les câbles des bouées du parcours et empêcher ainsi les régates d'avoir lieu.

Nadia sera fière de lui. Il lui prouvera que même s'il ne fait pas partie du Club secret des grenouilles, il peut empêcher les régates. Oui, lui tout seul, il va empêcher les régates. Oui, lui tout seul, il va réaliser cet exploit et sauver tant de vies invisibles.

Avec aisance et confiance, l'enfant s'enfonce dans les flancs informes et trompeurs de cet immense nuage échoué sur terre. Il nage avec adresse, avec assurance, pénétrant de plus en plus profondément ce royaume flou sans prendre garde au danger que représente ce complice capable de l'égarer autant que de le dissimuler.

«Hostie!» Spitter l'abandonne soudainement pour aller regarder par une des fentes.

Vaguement, Alex perçoit un bruit de moteur.

— C'est Mike. Hostie d'christ. C'est Mike avec ta maudite folle de mère.

Spitter lui décoche un regard furieux en fermant la lame de son couteau.

— J'vais aller voir c'qu'y veulent.

Resté seul, Alex commande à son cœur de se taire: il n'entend rien de ce qui se passe à l'extérieur. Ses oreilles bourdonnent, et le bruit qu'il fait en respirant par les narines couvre le murmure des voix. Mais il sait, il sent que sa mère est là, tout près.

Rassemblant ce qui lui reste d'énergie, il crie: «Maman! Au secours maman!» Mais le bâillon transforme son cri, l'atténue en un son de gorge indistinct. Elle ne l'entendra jamais. Ne saura jamais qu'il est ici, ligoté à un poteau. Ici, à deux doigts de la mort. À deux pieds de cette chaudière qui contiendra sa tête. Il ne faut pas qu'elle parte. Non. «Maman! Maman, au secours!»

Le cri mort-né s'étouffe dans sa gorge. Elle ne l'entendra jamais. Il doit attirer son attention mais comment? Il est attaché, bâillonné. Comment attirer son attention? Alex regarde partout autour de lui puis, découragé, laisse tomber la tête. Alors, il voit ses pieds chaussés d'espadrilles sans lacet. Il a trouvé. Ses pieds sont libres; il peut les bouger.

Malgré la douleur que cela lui procure, il enlève un de ses souliers de course et l'enligne face à la chaudière. C'est simple: il n'a qu'à botter son soulier sur cette chaudière. Cela fera un bruit terrible, surtout si par chance la chaudière bascule dans la trappe à proximité. Alex se concentre. C'est sa seule chance. C'est pas plus dur qu'au kick-ball... j'suis bon au kick-ball... j'ai rien qu'à m'imaginer que c'est un ballon, se dit-il.

Prenant appui sur sa jambe endolorie par l'entorse, il botte son soulier de toutes ses forces. Clang! Cling! la chaudière roule par terre en décrivant une ellipse. Un instant, elle semble s'arrêter, puis, très lentement, presque au ralenti, elle roule vers la trappe et tombe dans le vide. Bing! Clang! Bing! sur les barreaux de l'échelle.

Des bruits de pas. Des bruits de course. «Mike! Aie! t'as pas d'affaire là!» commande la voix démentielle de Spitter.

Alex guette la trappe avec anxiété et voit apparaître la tête bouclée de son père. Aussitôt, les larmes affluent dans ses yeux et brouillent l'image de Mike se précipitant vers lui. «J'suis là, mon bonhomme. J'suis là. N'aie plus peur. J'suis là, Alex.» Mike commence à délier les liens, répétant: «J'suis là, mon bonhomme, j'suis là.» Lui, il pleure tant qu'il ne voit plus rien. «Attention Mike!» crie Marjolaine. Un bruit de lutte, des sons mats, des grognements. Il distingue deux formes floues qui se battent. Qui roulent dans la paille et se frappent. «Alex! Alex!» Marjolaine l'embrasse, s'évertue à dénouer les liens à son tour. Maintenant, elle arrache le bâillon sur sa bouche et le prend dans ses bras. Il tente de la serrer contre lui, mais ses membres ankylosés ne lui obéissent plus. Ils pendent lamentablement et lui semblent encore attachés. Cela l'effraie. Il a peur d'avoir perdu ses bras et se presse contre Marjolaine. «Maman!» Elle le cajole, l'embrasse partout sur la tête en le serrant très fort. «Maman! Maman!» Elle est là… Là… Enfin là. Mais elle est tendue… tellement tendue. Les bruits de lutte, les grognements et les sons mats emplissent maintenant le grenier de la vieille grange. Alex essuie ses larmes contre le chandail de Marjolaine et aperçoit alors Mike qui frappe et frappe et frappe sur Spitter devenu mou comme un chiffon.

Oui, il frappe. Plus jamais ce monstre ne s'attaquera à un enfant… À son fils. Plus jamais. Il va le mettre à mort. L'éliminer de cette planète. Se débarrasser de cette ordure. Le sang gicle sur ses poings, les dents s'émiettent. Par grosses touffes, les cheveux filasses s'entortillent dans ses doigts. Plus jamais ce monstre n'aura la chance de mutiler un enfant! Décapiter un enfant! Le faire souffrir et pleurer. Plus jamais.

Il est là… oui, il est là cette fois-ci. Là, pour défendre son fils, là, pour le venger, là, pour libérer la terre de cette engeance maudite… Là, pour frapper, pour exterminer, pour exécuter. Un courant puissant électrise son être entier, de la racine de ses cheveux à son poing dur comme roche.

— Arrête Mike! lui crie Marjolaine.

Non. Il n'arrêtera pas. Elle ne comprend pas. Il est là pour rendre justice, car il sait que justice ne sera pas rendue, ici-bas. Il sait que Spitter ne paiera jamais assez pour la souffrance qu'il a engendrée... la peur qu'il a provoquée... Jamais assez pour tout ce mal gratuit. Spitter est un fou dangereux. Le laisser en vie, c'est risquer la vie de tous ceux qui l'entourent. N'a-t-il pas tenté de lui planter son couteau dans le dos? Si Marjolaine n'avait pas crié, il serait mort à l'heure qu'il est. Elle aussi et Alex aussi. Si Marjolaine n'avait pas crié, il y aurait eu trois cadavres sur la paille rougie de sang. Et elle voudrait qu'il arrête. Qu'il laisse une chance à ce monstre. Oh! Non. Il n'arrêtera pas pour une fois que l'arme rudimentaire de ses poings peut les défendre. Les protéger. Pour une fois qu'elle peut leur prouver qu'il les aime.

— Arrête, Mike.

Ça ne lui fait rien de finir ses jours en prison pourvu qu'Alex et Marjolaine soient en sécurité. Pourvu qu'ils sachent qu'il les aimait assez pour perdre sa liberté à jamais.

— Arrête, Mike. Tu vas l'tuer. Y en vaut pas la peine.

Alex crie maintenant. Pourquoi crie-t-il?

— Mike! Arrête... Tu vas finir en prison.

— Pis!? Y touchera plus jamais un enfant, celui-là... Plus jamais. Christ de salaud, d'enfant d'chienne.

Il frappe d'une main et tient Spitter de l'autre.

— Arrête Mike, j'ai pas envie d'te perdre... on n'a pas envie d'te perdre.

Alex crie et ce cri est une supplique autant que celle de sa mère. Mike s'arrête. Le courant qui l'emportait, qui l'habitait, secoue maintenant tous ses muscles. Il s'entend respirer bruyamment, puis regarde au bout de son bras la loque humaine qu'est devenue Spitter. Avec dégoût, il la laisse tomber.

— On n'a pas envie d'te perdre, Mike, répète Marjolaine.

Alex sanglote.

Mike se tourne vers eux.

Ils sont blottis l'un contre l'autre. Presque soudés ensemble. Sa femme et son fils de nouveau ne font plus qu'un. Un même lien de sang les unit. Marjolaine lui tend la main, l'invite à joindre le lien de son sang au leur. Lui offre d'être là, avec eux. Enfin là, avec eux pour toujours, lui qui n'a encore jamais été là. Elle l'invite à prendre la place qu'il a laissée trop longtemps vacante et à redresser cette vie tout croche. Tout de travers dans le courant.

L'homme s'avance lentement vers sa famille. Vers cette place entre sa femme et son fils. Vers la chaise manquante à table. Il revient docilement au bercail comme un cheval qui, après s'être saoulé de toutes les libertés et s'être épuisé à parcourir tous les espaces, a choisi la main douce de cette femme pour lui passer la bride et le poids léger de cet enfant à porter.

Il revient et les enlace tous deux dans ses bras, bénissant le ciel de les avoir épargnés. «C'est fini, c'est fini, murmure-t-il pour les rassurer. C'est fini», répète-t-il en pensant que tout ne fait que commencer.

Ti-Jean s'énerve au bout de son quai. Ce brouillard qui noie tout, efface tout, compromet sérieusement le plan de nuisance aux régates. Pas un vent, pas même un souffle pour tendre les voiles des embarcations non motorisées. Rien pour lui permettre de rallier les opposants. Quelle malchance! Il faut qu'un vent se lève au plus vite pour leur permettre de se rassembler. Les régates commencent à dix heures: il ne leur reste qu'une heure. Une seule petite heure à espérer, à l'instar des anciens marins, que le vent daigne donner vie à leurs voiles.

Découragé, se mordillant les lèvres d'impatience, Ti-Jean regarde vers la plage publique. Il ne voit que du gris comme partout ailleurs, mais il sait, d'après les sons portés par l'eau, que les préparatifs vont bon train et que déjà, la foule s'amasse. Il sait aussi que ses enfants y sont. Cela le déconcerte, car il aurait aimé que Youri et Nadia tournent dos à cette foire. Mais ce sont des enfants. Il ne peut rien contre leur désir de s'amuser. Pas plus qu'il ne peut quelque chose contre ce calme plat.

— Avez-vous r'marqué comment les enfants s'tiennent ensemble? demande un touriste à un autre.

— J'les comprends après ce qui est arrivé au p'tit Alex. Ils l'ont pas retrouvé?

— Non. Selon moi, il est mort. C'est terrible. J'aurais jamais pensé que dans une p'tite place comme ici...

— Moi non plus. J'viens de Montréal... J'ai toujours pensé que c'était nous autres qui avions le monopole du crime.

— Les enfants agissent beaucoup par instinct. Ils se tiennent ensemble pour se protéger. Surtout avec ce brouillard. J'suis sûr que si on leur demandait pourquoi ils font ça, ils ne le sauraient pas. C'est instinctif.

Le grondement puissant d'un engin de course met fin à la conversation de ces deux spectateurs qui, d'un pas excité, contournent l'imposant attroupement d'enfants pour aller voir de près les bolides et leur pilote.

Où est-il au juste? Il ne sait pas. Il n'a pas encore rencontré de bouées. Pourtant, ça fait tellement longtemps qu'il nage.

Exténué, Gaby fait la planche pour se reposer un peu. Ça fait tellement longtemps qu'il nage. Si au moins il connaissait sa position par rapport aux bouées. Si au moins il pouvait avoir un indice, un tout petit indice pour lui faire savoir s'il est sur la bonne route. Tantôt, il a entendu le rugissement terrible d'un bateau de course, mais l'écho aidant, il n'a pu identifier sa provenance avec exactitude. D'où venait ce son? Là, où là? Tout se confond dans le brouillard. Tout se perd dans le brouillard. A-t-il passé outre les bouées ou est-il à mi-chemin? Il ne sait pas. Ne sait plus. Ce brouillard, qu'il croyait être son ami, l'a perfidement laissé tomber après l'avoir invité avec tant de conviction, tant de promesses. «Viens, personne ne te verra... je te couvrirai... Te cacherai... T'aiderai à sauver ces millions de petites vies invisibles. Viens, je suis avec toi... Viens.» Il est allé et après de nombreuses brasses, il s'est aperçu qu'il l'avait égaré. Qu'il l'avait englouti dans ses mirages. Qu'il l'avait noyé dans son mystère.

Fatigué, transi, Gaby ferme les yeux. Il doit se reposer et reprendre des forces. Cela ne sert à rien de continuer puisqu'il ne sait pas où il est.

Il pense à sa mère. Dort-elle encore dans son lit tiède? Ses bras nus et chauds enlacent-ils encore l'oreiller? La paix règne-t-elle encore sur son si beau visage? Comme il aime la regarder dormir! Elle ressemble tellement à une reine. Quelle chance il a quand il peut l'approcher dans son sommeil, surprenant ce rare moment où aucun souci d'adulte ne lui ferme ce visage tant aimé. La frontière des âges tombe lorsque sa mère dort. Sa bouche légèrement entrouverte, ses cheveux décoiffés, l'absence de maquillage et l'abandon de tout son être la lui rendent accessible. Pourquoi n'a-t-il pas profité plus longtemps de cet instant merveilleux, ce matin? Avoir su qu'il s'égarerait dans les flancs trompeurs du brouillard, il se serait glissé sous les draps avec sa mère.

Une mouette amerrit tout près et lui rappelle le but de sa mission.

L'enfant se ressaisit et imagine toutes ces petites vies en danger de mort. C'est pour elles qu'il est ici. Pour elles qu'il s'est arraché du chevet de sa mère endormie. Pour elles qu'il a nagé, nagé et nagé. Pour elles qu'il s'est perdu. Il se remémore le cours que tante Marjolaine avait donné. C'était si simple à comprendre la vie d'un lac. Ces petits êtres microscopiques agissaient exactement comme les humains. Ils se nourrissaient, ils grandissaient, ils se reproduisaient, ils mouraient.

Tout le long du littoral, il y avait les supermarchés, à l'angle des plantes vertes. Les petits êtres y faisaient leurs provisions de nourriture et d'oxygène; les ménés, leurs provisions de petits êtres et les brochets, leurs provisions de ménés. Rien de compliqué là-dedans. Et puis, étant donné que tous ces habitants produisaient des déchets, il y avait des vidangeurs qui travaillaient sans relâche à transformer les choses mortes en choses comestibles. Exactement comme fait le fumier que grand-père étend dans le jardin. Lui qui a doublé sa première année, il a tout compris cela. Comme il a compris que si l'on donne trop d'ouvrage aux vidangeurs, ils vont se décourager et n'arriveront jamais à tout transformer. Pas besoin d'être bien intelligent pour savoir que si personne ne ramasse les déchets, ils vont s'accumuler... Donc, si les décomposeurs ne parviennent plus à les recycler, les déchets vont s'accumuler au fond. Et s'accumuler... et s'accumuler. Et le fond va monter et monter et monter jusqu'à ce que le lac se ferme. Bien sûr, cela va prendre du temps pour que tous les cadavres des petits êtres parviennent à combler le lac, mais lorsque les décomposeurs mourront à leur tour, plus rien n'empêchera le lac de devenir une immense fosse commune.

L'imagination de Gaby le mène loin. Très loin. Il a l'impression maintenant que tous ces petits êtres l'appuient et l'encouragent. Il flotte, léger comme un ballon, porté par ce monde aquatique qu'il veut protéger, conscient que sous lui, autour de lui, la vie bat dans les moindres cellules. Conscient que sous lui, autour de lui, le monde de l'infiniment petit évolue selon des règles semblables à celles des hommes. Conscient qu'étant le dernier maillon de la chaîne alimentaire, il se doit d'en protéger le premier de qui il dépend en fin de compte.

Conscient et patient, il attend que le brouillard se lève.

— C'est pas de chance, un brouillard épais comme ça aujourd'hui, constate un des véliplanchistes, assis en face de lui dans la chaloupe.

Hervé sourit, un peu embarrassé. Contrairement à Léopold, il a perdu l'habitude de côtoyer les étrangers. Au fil des saisons, son cercle s'est limité, rétréci. Labours, semences et moissons l'ont cloîtré dans un univers sécurisant. Un univers stable, régi par la famille et la terre tandis que Léopold, dans son garage, s'est frotté à tous ces gens venus d'ailleurs.

— Ça fait mon affaire, c'te brume-là, réplique-t-il, préférant regarder les trois planches à la remorque plutôt que ce villégiateur aussi mal à l'aise que lui.

— Pourquoi?

— Parce qu'y nous voyent pas v'nir.

— C'est important, vous pensez?

— Ben sûr...

Ben sûr que c'est important. Comment expliquer cela à cet homme? Ce serait trop long. Il lui faudrait retourner trop loin en arrière. Jusqu'au 19 août 1942. Jusqu'en cette nuit étoilée où on a mis à la mer les péniches de débarquement. Jusqu'à cette peur entortillée dans leurs boyaux. Cette peur omniprésente dans tous les yeux des soldats se posant la même question: «Nous attendent-ils sur la plage de Dieppe?»

Il faudrait retourner jusqu'au sillage d'argent que traçaient les embarcations sur le velours noir de la mer et jusqu'au terrible pressentiment qui habitait chacun d'eux. Jusqu'à l'horrible certitude d'être attendu et facilement repéré. Il aurait fallu qu'un brouillard les dissimule et leur laisse le temps d'approcher de cette côte où guettait la mort. Il aurait fallu qu'un brouillard les protège. Qu'un brouillard les cache aux yeux de l'ennemi. Mais la nuit était claire, étoilée. On les voyait venir de loin, tous entassés dans les péniches comme d'obéissants condamnés à mort qu'on baptiserait héros après la guerre et qu'on se dépêcherait d'oublier par la suite. On les voyait venir de loin sur cette mer si belle et sous ce ciel croulant d'étoiles. L'œil de l'ennemi voyait venir de loin ces ombres humaines qui s'agrippaient aux derniers instants de leur vie. L'œil ennemi choisissait sa cible de loin... et eux, les cibles, ils priaient, pleuraient, tremblaient en se réfugiant dans l'image de leur mère ou de leur blonde pour conserver l'espoir de voir le jour se lever.

Expliquer tout cela à cet homme, ce serait trop long. Et puis, il ne comprendrait pas. Il est d'une autre génération. Jeune, il passe des heures à jouer avec le vent sur sa planche à voile. Comprendrait-il un vieux fou comme lui qui, à la dernière minute, a décidé de remplacer Léopold à la tête de cette équipée? Comprendrait-il pourquoi il s'est engagé dans ce combat où il n'y a ni héros, ni médaille? Pourquoi il a pris le flambeau des mains défaillantes de sa fille? Pourquoi la disparition de son petit-fils l'a poussé à poser ce geste?

— Êtes-vous sûr qu'on va au bon endroit?

— J'connais c'lac-là comme le fond de ma poche.

Cette réponse satisfait le touriste qui se tourne dès lors vers l'avant pour jaser avec ses compagnons.

Une île se profile à gauche. Hervé la reconnaît aussitôt et corrige légèrement sa position. D'un signe de la main, il indique la nouvelle direction à ceux qui le suivent. La vue de toutes ces embarcations remorquées et remorquant l'étonne. Comme il y en a! Léopold aimerait tant les voir. C'est son idée après tout, mais il ne peut venir, l'hôpital ne l'ayant pas autorisé à sortir. Alors, c'est lui, Hervé, qui l'a relayé à la tête de cette flotte disparate. C'est lui qui, de chalet en chalet, a communié à l'enthousiasme des gens et a vu grossir l'armada qui d'un pédalo, qui d'un voilier, qui d'un simple matelas pneumatique. C'est lui, maintenant, qui les guide. Lui, qui compte sur le brouillard pour manœuvrer et prendre par surprise l'organisation des régates. C'est lui maintenant qui concrétise l'idée de ce vieil ennemi politique, devenant son meilleur allié.

Marjolaine aussi aurait tellement aimé voir tous ces gens unis pour poursuivre ce combat qu'elle a mené seule, tout au long de l'hiver. Ce combat sans gloire ni trompette qui ne lui a apporté que désillusions et déceptions. Ce combat qui, croit-elle, l'a délogée du cœur de son enfant. Ce combat qui ne lui a attiré que foudre et vengeance. Mais, elle est terrassée par la douleur, alors c'est lui qui poursuit à sa place. Lui qui s'empare du drapeau tombé de ses mains défaillantes. Le drapeau blanc des choses propres et de l'environnement sain. Le drapeau blanc de la neige sans poison et de l'eau pure. Le drapeau que sa fille a tenu à protéger des saletés de ce monde pour le passer intact aux générations futures. Le drapeau blanc, peut-être taché du sang de celui qui garantissait ses lendemains. C'est lui, aujourd'hui, qui s'empare du drapeau. Lui qui gonfle les rangs de ces obscurs et têtus défenseurs. Lui, qui redevient un soldat, non pas pour défendre un pays mais pour protéger la goutte d'eau. Non pas pour libérer un peuple mais pour offrir à tous les enfants de demain, les richesses auxquelles ils ont droit.

C'est lui, maintenant, qui poursuit le combat de sa fille, lui offrant avec retard son assentiment et sa collaboration.

Alex aussi aurait tellement aimé participer à cette équipée. La vue d'Hervé s'embrouille. Il se mordille les lèvres pour ne pas pleurer devant les citadins, mais c'est peine perdue; une larme déborde de ses yeux et tombe dans le fond de la chaloupe, en entraînant d'autres à sa suite.

Qu'est-il arrivé à ce petit? Pourquoi le leur a-t-on arraché si brutalement? Qui les a privés de son rire? De son regard? De ses jeux? Qui a raflé sa jeune existence? Pourquoi? Pourquoi?

Comment comprendre la cruauté des hommes? Comment accepter la gratuité de cette cruauté?

Il ne s'y fera jamais. Fuira toujours la tolérance des crimes. Mais la haine, la violence, la vengeance seront-elles toujours tapies sur son chemin? C'était de mise qu'elles guettent l'ami assis près de lui à la guerre. Coup de chance ou de malchance, c'est sa cervelle qui aurait pu voler hors de son crâne. Mais que font-elles, tapies sur le chemin du gamin qui roule à bicyclette pour aller jouer avec ses amis? Que font-elles là, à bondir sur sa jeune vie et se la disputer? Jamais… jamais il ne pourra accepter que la haine, la violence et la vengeance s'en soient prises à Alex.

Il lui manque tellement, cet enfant! Elle lui manque tellement, sa tête bouclée sur laquelle il poserait sa main! «Envoye pépère, dirait-il, on y va, on va gagner.»

Et ils iraient et participeraient ensemble à ce combat sans gloire ni trompette pour offrir aux enfants de demain l'héritage qui leur est dû.

Du revers de ses mains démesurées, Hervé s'essuie les yeux et renifle à maintes reprises pour se ressaisir. Puis il regarde les places vides d'Alex et de Marjolaine qu'occupent les touristes. Il se sent terriblement seul. Terriblement atteint. Il doute de Dieu qui a supposément créé l'homme à son image et à sa ressemblance. Dieu tient-il un fusil? Un couteau? Un drapeau?

De toutes ses forces, il essaie de croire qu'Alex est témoin de son geste. Que quelque part, dans l'univers, il assiste à ce combat. De toutes ses forces, il tente de l'imaginer à ses côtés criant: «Envoye, pépère, on y va, on va gagner.»

Et il accomplit son geste comme un requiem pour cette jeune tête bouclée sur laquelle il poserait sa main de patriarche. «Envoye, pépère, on y va, on va gagner.» Soudain, venu du nord, un léger souffle l'alerte et le force à augmenter l'allure de cette imposante et hétéroclite armada afin d'arriver en place avant que le brouillard ne se dissipe.

Cela lui fait tout drôle de conduire la camionnette de Ti-Ouard. C'est comme si déjà, il avait changé de cap.

Mike regarde la place qu'Alex et Marjolaine viennent juste de quitter afin de se rendre à l'hôpital dans l'ambulance de la Sûreté. Et il songe, encore tout remué par les derniers événements, que désormais ils la combleront, cette place à ses côtés.

Mais, il ne s'attarde pas à son bonheur. Il doit avant tout informer Hervé qu'Alex a été retrouvé sain et sauf et, pour cela, il doit se rendre à la plage publique et annoncer cette nouvelle dans les haut-parleurs installés pour les régates. C'est la seule façon de le rejoindre.

De nombreuses pensées et images le bombardent. Il se sent le cerveau en ébullition. Il voudrait être partout à la fois et vivre toutes les facettes de sa paternité en même temps. Tantôt, lorsqu'il a annoncé la bonne nouvelle à sa mère, il s'est senti comme un homme annonçant la naissance d'un fils. Aussi fou, aussi excité, aussi reconnaissant envers la vie qui lui accordait une seconde chance. Avoir eu des cigares, il les aurait distribués pour fêter l'événement. Oui... c'est exactement comme si Alex lui était né pour une seconde fois et il se sent exactement comme si c'était la première fois sauf qu'au lieu d'avoir neuf mois, son fils a presque neuf ans. Et maintenant, il est partagé entre sa joie folle de crier sur tous les toits qu'il est encore papa et son désir d'être auprès d'Alex et de Marjolaine.

Et, tout en conduisant le véhicule emprunté à Ti-Ouard, il élabore des projets d'avenir. Vendre sa moto. Se ranger. Se libérer de sa liberté. Enfiler sa tête dans le licou et faire des beaux sillons de sa vie. Bâtir un toit pour elle... pour lui et les autres... Avoir des chaises toutes réunies autour de la même table.

Mais avant tout, il est urgent d'annoncer à Hervé qu'Alex a été retrouvé sain et sauf.

Cela lui fait tout drôle de conduire la moto de Mike. C'est comme s'il avait enfourché un cheval fougueux qui se cabre à tout instant. Suzon lui enserre fermement la taille et rit à gorge déployée à chaque soubresaut. C'est bon de l'entendre, bon d'être un peu fou sur cet engin de liberté.

Ti-Ouard s'amuse. Il s'imagine être un autre que lui et se donne des airs sous le casque protecteur. La caresse du vent sur ses joues le grise. Le dépoussière de ses ennuis. Au diable les yeux courroucés de sa femme! Au diable les commérages! Les «qu'est-ce que ça a l'air» et les «qu'en-dira-t'on»! Il s'amuse. Il vit, enfin.

Depuis le temps...

C'est bon d'entendre Suzon vivre aussi. Bon de la promener dans le champ odorant. D'entendre ses petits cris pointus au sommet de chaque vallon.

C'est fini. Plus jamais ils ne se laisseront mourir près de Berthe qui guette dans l'embrasure de la porte.

Grosse, avec ses poings vissés dans ses hanches et son sourire inversé, elle les attend. Voilà qu'elle amasse dans ses yeux tout le poison que sa personne peut accumuler pour le lui injecter d'un seul regard.

— Veux-tu ben me dire c'que tu fais là-d'sus, Ti-Ouard?

— J'l'ai… échangé avec Mike.

— Tu vas y r'mettre ça au plus sacrant.

— Jamais d'la vie: j'la garde.

Tant pis pour elle. Tant mieux pour lui et Suzon.

— Viens princesse, on va s'bâtir des cabanes d'oiseaux.

C'est fini. Plus jamais, ils ne se laisseront mourir près de Berthe.

Irène prend son café sur le patio.

Le grondement furieux des engins de course qui montrent leur impatience à ce brouillard qui les immobilise, lui fait apprécier le moment présent. Dire qu'auparavant elle se serait pomponnée pour servir d'accessoire à René Mantha sur la tribune d'honneur. Qu'elle aurait fait mine d'ignorer et sa maîtresse, et les commentaires des gens et qu'elle aurait même pesté contre ce brouillard pour faire comme tout le monde. Oui, avant, elle aurait tenu ce rôle que Mantha lui réservait. Ce rôle qui cimentait la façade derrière laquelle elle dépérissait.

Quel soulagement elle éprouve aujourd'hui d'être restée à la maison!

Elle s'étire longuement comme un chat, s'ébouriffe les cheveux de ses doigts et enserre sa robe de chambre en ratine sur son corps. Lentement, elle s'éveille à ce jour, s'éveille à la vie. Lentement, elle se retrouve, se rejoint. Lentement, elle apprend à se respecter. À s'aimer.

Elle aspire une bonne bouffée d'air frais qui sent bon l'eau avant d'avaler sa dernière gorgée de café. Puis, d'un pas lent et distrait, elle arpente la pelouse et se retrouve bientôt sur la grève, pieds nus sur le sable humide. Elle s'arrête, ferme les yeux, offre son visage au souffle léger qui fait glisser un voile frais et vaporeux sur sa peau. Son visage sans maquillage, sans artifice. Celui qu'elle apprivoise patiemment avec ses quarante ans et ses petites rides au coin des yeux. Celui qui n'a plus vingt ans, mais qui possède sa propre beauté, sa propre richesse.

Elle ouvre à nouveau les yeux dans le vague, le flou du paysage. Cela la repose. Il n'y a rien à voir. Rien à distinguer. Le cœur en convalescence, elle déambule dans les limbes qui n'offrent ni beauté, ni laideur à son regard, et tout son être se fond dans cet univers impalpable. Soudain, elle pose le pied sur un objet mou. Qu'est-ce que c'est? Elle regarde, aperçoit Kermit. Où est Gaby? Que fait sa poupée sans lui?

Elle panique. Pense à l'enlèvement. A-t-il subi le même sort qu'Alex? Le peu d'équilibre qu'elle avait réussi à acquérir s'écroule subitement. Oh! Non! On ne lui a pas enlevé cet enfant qui lui insuffle tant de courage! Oh! Non! Pas lui qui était si doux, si gentil. Elle tombe à genoux devant Kermit, remarque alors le nid d'herbe façonné avec amour. Quelle sotte elle est! Si Gaby avait été enlevé, il n'aurait pas eu le temps de confectionner ce nid. René a dû l'obliger à laisser sa poupée ici pour aller aux régates. Cela la déconcerte que Gaby ait consenti à cet abandon. Surtout pour une attraction à laquelle il semblait hostile. Ce petit bonhomme n'a pas fini de la dérouter.

Kermit la fixe de ses gros yeux de plastique tout usés. Quelle drôle de poupée, avec sa bedaine ronde et ses grands membres tout mous! Elle n'a rien d'orthodoxe, rien de réglementaire, cette poupée. Et puis, elle est nue comme un ver sauf pour une collerette déjà tout ourlée et salie. À force d'être trimbalée partout, elle montre des traces d'usure qui, en réalité, sont des marques d'affection et d'attachement profond. Que de fois elle s'est retrouvée sur le cœur de Gaby! Que de fois, sa grande bouche ouverte a avalé les larmes de Gaby! Que de fois, ces longs bras maigres se sont pendus par le velcro aux épaules de Gaby! Plus souvent qu'elle.

Irène se sent coupable. Vaguement jalouse. C'est idiot! Mais la place que prend cette poupée dans le cœur de Gaby l'inquiète et la blâme; c'est la place qu'elle a laissée. Et c'est la place qu'elle veut occuper dorénavant.

Comment envisager l'avenir, maintenant, sans Gaby? Comment partir d'ici sans lui? Comment s'affranchir sans son exemple? Et pour qui s'affranchir? La disparition d'Alex lui a révélé tant de choses qu'elle s'obstinait à ignorer. Elle lui a fait prendre conscience de sa chance de l'avoir avec elle et l'a fait communier à la douleur sans borne de Marjolaine.

Irène ramasse la poupée comme s'il s'agissait d'un être vivant. C'est la première fois qu'elle la prend dans ses mains, qu'elle tâte son petit ventre mou et amusant.

Ce geste lui procure une grande paix. Comme si cette poupée avait le pouvoir de lui pardonner sa conduite envers Gaby et le pouvoir de conjurer le mauvais sort en protégeant son enfant. Elle a l'impression de s'acquitter d'une dette. D'accepter intégralement Gaby en acceptant Kermit.

Le contact de la peluche la renoue avec le vieil ourson de son enfance. Celui qui était passé de l'un à l'autre avec, à chaque Noël, un habit différent cousu par Flore. Pourquoi n'en confectionnerait-elle pas un pour Kermit? Gaby sera tellement content. Et puis, il verrait qu'elle l'accepte, qu'elle l'aime.

Irène se lève vitement. Oui, c'est ce qu'elle fera. Elle se hâte vers la résidence. Un vent insiste maintenant dans sa chevelure et découd le brouillard par endroits. Elle entend hurler les engins ainsi que le murmure sourd et impatient de la foule. Ce spectacle ne l'intéresse pas. Elle entre chez elle prendre des mesures dans un vieux tissu, perpétuant le geste de Flore et acceptant ainsi la mère en elle.

L'impatience des bolides de course rugissant derrière l'écran du brouillard gagne Ti-Jean. Il ne peut plus rester inactif au bout de son quai. Il doit faire quelque chose.

Déjà, au loin, le vent s'amuse à pourchasser des morceaux de brume qui, tels de gros moutons effilochés et effarouchés, s'éparpillent sur l'eau.

L'homme fulmine. Ce vent frivole l'exaspère. Il le regarde courir de gauche à droite, bifurquer, s'arrêter et tourner en rond comme un jeune chien fou. Jamais ce vent ne pourra décemment gonfler sa voile. C'est fichu. Par le temps qu'il prendra à souffler régulièrement, les régates seront commencées.

Il ne lui reste qu'une solution: se rendre sur place en pagayant et espérer que d'autres en fassent autant.

— Sois prudent, conseille Diane en donnant une poussée à la planche.

— J'm'en vais pas à la guerre.

Pourtant, il a peur. Il ne le dit pas, ne le montre pas, mais il a peur.

Les cris furieux des bolides de course lui raidissent l'échine. On dirait des chiens enragés, retenus en laisse. Des chiens qui grognent, grondent et menacent de tout saccager sur leur passage. Lui, il se sent comme l'innocent lapereau venu leur barrer la route. De temps à autre, il jette un coup d'œil autour de lui et, chaque fois, il se sent bien seul et bien petit.

Peu à peu, le brouillard cède aux instances du vent et du soleil. Par grands pans, il s'évapore, abandonnant derrière lui des loques vaporeuses qui errent avant de s'évanouir ou de se réfugier sur la grève, s'accrochant à la tête des arbres.

Tout à coup, Ti-Jean perçoit un mouvement sur l'eau. Serait-ce une bouée? Il plisse les yeux, furieux de ne pas porter ses verres correcteurs. Sa myopie le leurre-t-elle? On dirait que la bouée se déplace. Il pagaie de toutes ses forces vers l'objet en question jusqu'à ce qu'il distingue avec consternation un enfant à la nage. Oui, c'est bel et bien un enfant au beau milieu du lac. Il s'approche encore. C'est Gaby. Que fait-il là? Il semble épuisé.

— Attends! Attends! J'vais t'chercher, crie Ti-Jean.

Mais l'enfant n'entend pas et progresse difficilement vers une bouée.

Des applaudissements saluent le lever du rideau sur la baie. Vaincu, le brouillard se replie, libérant les bateaux de course de leurs entraves vaporeuses.

— Bienvenue mesdames et messieurs, souhaite René Mantha, criant dans le micro pour surmonter le vacarme agressif des engins se défiant l'un l'autre.

Nouveaux applaudissements et sifflements. De sa tribune, l'homme promène un regard de satisfaction sur la foule. Aujourd'hui, ce sera son jour. Sa plus éclatante et décisive victoire sur les Riverains. Nul doute qu'à l'avenir, il pourra faire ce qu'il voudra de ce lac et l'exploiter à sa guise. Lui, vainqueur aujourd'hui, ce sera vainqueur pour toujours. Il suffit de gagner le public quitte à l'acheter. Suffit de donner un beau bonbon à tous ces gens pour qu'ils écartent dorénavant ceux qui voudront les en priver.

Après une œillade à sa maîtresse venue l'admirer dans toute sa gloire, René Mantha dirige son regard de maître sur le lac, mais ne tarde pas à froncer les sourcils.

— Que fait cet imbécile, là-bas?

Il scrute la surface légèrement hérissée de l'eau à l'aide de ses jumelles et risque de les échapper en reconnaissant son voisin. La vue de ce petit avorton déclenche sa colère. N'en a-t-il pas déjà assez fait en alertant les inspecteurs sur la présence de formaldéhyde, obligeant ainsi la fermeture temporaire de l'usine? À quoi veut-il en venir en embarrassant ainsi la baie où doivent avoir lieu les régates? Pense-t-il pouvoir les arrêter seul? Quel imbécile!

— Dégagez! Dégagez la baie! Aie! L'imbécile en planche à voile, dégage tout d'suite, ordonne René Mantha, s'alliant ainsi la sympathie des spectateurs.

Ti-Jean s'énerve. Il a clairement détecté la menace dans la voix du promoteur et le mécontentement dans la rumeur de la foule. Convaincu de l'inutilité de son geste, il décide de libérer la place aussitôt qu'il aura recueilli Gaby, maintenant accroché à une bouée.

— Ôte-toé de là! Dégage la baie! menacent les haut-parleurs.

— Minute! Ton gars est là-bas. Tu l'vois pas, gros con!

De sa tribune, René Mantha observe l'énergumène gesticulant sur sa planche.

— Quel imbécile!

— On dirait qu'y nous fait des signes, avance Jérôme Dubuc.

— Oui qu'il fait des signes! Il veut arrêter les régates. Regarde-le s'en aller en plein sur le parcours.

— R'gardez donc là-bas, m'sieur Mantha, on dirait qu'y en a d'autres qui s'en viennent.

— Maudit oui, y s'en viennent pour arrêter les régates. Vite! Faut commencer au plus sacrant. J'vais m'occuper de ce fou-là.

Avec des gestes d'autorité bafouée, René Mantha se rend à son yacht. La puissance de son moteur le réjouit. Ah! Qu'il va te le chasser cet imbécile! Il va lui faire une de ces peurs! À lui enlever une fois pour toutes l'envie de se mêler de ce qui ne le regarde pas.

Ti-Jean n'est plus qu'à une centaine de pieds de la bouée où Gaby s'affaire à couper la corde. Il se sent uni à cet enfant qui, seul, s'est élevé contre un géant. Cet enfant qui, comme lui, se retrouve en danger au beau milieu du lac. Cet enfant qui, comme lui, accomplit un geste dérisoire mais noble. Qui, comme lui, est bien petit et bien seul face à la populace avide et au promoteur rapace.

832

L'oreille collée à la planche, il pagaie avec ardeur. Il doit rejoindre Gaby au plus vite avant que les bateaux ne se disputent la course. Soudain, l'eau lui transmet le grondement d'un moteur. Il lève la tête et voit venir vers lui le yacht de René Mantha. Tout, dans son allure, le renseigne sur ses intentions malveillantes.

— Fais attention! Passe pas là! Ton gars est là, gros con!

Il ne sert à rien de s'égosiller: le yacht fonce délibérément sur lui, soulevant de grandes ailes d'eau de chaque côté. Il a déjà vécu une situation semblable l'été dernier, quand René Mantha était accidentellement entré en collision avec lui, mais la peur qu'il avait connue alors n'est rien à comparer à celle qui le cloue maintenant sur sa planche. L'été dernier, il voyait ce yacht foncer involontairement sur lui tandis qu'aujourd'hui, il fonce sur lui dans l'intention manifeste de lui faire mal. Aujourd'hui, il est agressé par ce yacht. Que faire? Il se sent de plomb. Si sa planche chavire, il va couler à pic, jusqu'au fond malgré sa veste de sécurité tellement il se sent lourd. Il ferme les yeux. Revoit le huard, échoué mort sur la grève. C'est peut-être ainsi qu'on va le retrouver demain.

Un bruit terrible, tout près de lui. Une vague énorme le soulève. Il s'agrippe fermement. Le bateau est passé entre lui et la bouée où s'activait Gaby. Pourvu qu'il ne soit pas passé dessus.

Ti-Jean inspecte l'eau, craignant de la voir rougie de sang. Les flots s'agitent autour de lui tout noirs avec de la bave blanche sur le dos. La bouée apparaît sur la crête d'une vague. Libérée de son ancre, elle se laisse emporter par l'eau. La force du choc a probablement fait lâcher prise à l'enfant. Une tête blonde émerge. Ti-Jean perçoit la peur dans les yeux de Gaby et la panique dans les gestes affolés qui le maintiennent difficilement à la surface.

— Attends! Bouge pas! J'te lance ma ceinture.

Fou furieux, le yacht revient à la charge.

Ti-Jean s'empresse de lancer sa veste de sécurité au nageur en détresse et pagaie de toutes ses forces en direction opposée pour éloigner de lui le danger.

Avec difficulté, Mike se fraie un passage au travers cette foule compacte. Elle semble tellement massée, tellement pressée le long de la grève qu'il a l'impression d'avoir à traverser une forêt touffue d'épinettes. Mais qu'est-ce qui la magnétise ainsi? Sûrement pas les régates puisqu'il n'entend que le bruit familier d'un yacht. «Excusez. Pardon.» C'est à peine si les gens ont conscience de son passage tant ils sont pris par l'événement qui se déroule sous leurs yeux. Cous tendus, bouches ouvertes, debout sur la pointe des pieds, ils regardent tous au même endroit. Mais quoi? Qu'est-ce qui peut bien les captiver de la sorte?

— Mon Dieu! Il va l'tuer! geint une dame.

Qui va tuer qui? Mike parvient enfin à voir un yacht assaillant une planche à voile. À quoi cela rime-t-il?

— Regardez là-bas! Il y en a d'autres qui s'en viennent. Aie! j'ai vu un nageur.

— Moi aussi. Y a un nageur à gauche, là. Le type de la planche lui a lancé sa ceinture.

— Hein? Pas vrai? C'est une bouée.

— Non. J'te dis, c'est un nageur. Regarde dans mes jumelles.

Cela doit faire partie du spectacle, pense Mike en grimpant l'escalier de la tribune. Ce sont des clowns qui parodient un combat naval.

La vue de Jérôme Dubuc, clignant des yeux à une vitesse inouïe, dénie cette hypothèse.

— Qu'est-ce qui s'passe, Jérôme?

— C'est m'sieur Mantha.

Mike lui arrache les jumelles des mains et repère l'imposant yacht qui effectue de dangereuses tentatives d'intimidation contre une fragile planche à voile.

— Y a-t'y passé d'sus... y a-t'y passé d'sus? s'informe Jérôme Dubuc, blanc d'inquiétude pour ce maître au comportement aberrant.

— Non. Juste à côté. C'est qui l'nageur?

— J'sais pas... on dirait un enfant.

Après un détour qui recueille autant de désapprobation que d'applaudissements, René Mantha revient à l'attaque et charge avec furie la frêle coquille de noix.

— Gros porc! T'as fini de t'attaquer à des plus faibles que toi, menace Mike en dégringolant l'escalier.

D'un bond, il se retrouve dans un yacht amarré au quai public, défait les amarres et met le moteur en marche, sans tenir compte du propriétaire alarmé.

— Viens donc t'mesurer à moi, gros porc! Grosse merde!

René Mantha exulte de joie à la vue de son voisin terrifié qui gesticule et s'affole. Ça lui apprendra de se mêler de ce qui ne le regarde pas. Croit-il que ce lac lui appartienne? Que lui seul peut en faire usage?

Croit-il que lui, René Mantha, va s'en laisser imposer par un avorton de la sorte? Lui, René Mantha, parti de rien pour arriver plus haut et plus loin que les bien nantis. Croit-il que lui, René Mantha, va se plier aux exigences d'une poignée d'écolos alarmistes? Croit-il que lui, René Mantha, va laisser tomber une petite mine d'or pour satisfaire les doléances des Riverains? Oh! Non! Pas lui et surtout pas aujourd'hui. Tous ces gens, là-bas, sont venus pour assister aux régates et constater quel homme puissant il est. Aujourd'hui, c'est SON jour de gloire. Aujourd'hui, il pose la pierre angulaire de SON projet grandiose en instaurant les régates. Un coup cette grosse pilule avalée, le reste ira tout seul, et l'an prochain des milliers de gens viendront bénéficier du Centre de récréation nautique et des glissades d'eau. Oui, des milliers de gens viendront parce qu'ils verront, aujourd'hui, que René Mantha réalise toujours ses projets, quels qu'ils soient. Et ce n'est pas cet individu qui va lui mettre des bâtons dans les roues.

Aveuglé par sa colère, René Mantha pousse à nouveau son moteur à plein régime et s'enligne sur le fétu de paille où s'agite un minus. Tel un requin, il fonce sur sa proie. Les flots mouvementés autour de lui, la rumeur de la foule, le grondement de son moteur, la présence de sa jeune maîtresse, les attentes des spectateurs, l'opinion de ses ouvriers et l'approbation de ses acolytes le poussent à atteindre la démesure.

Il se surpasse dans sa haine et sa violence et ne voit rien d'autre que ce petit homme terrorisé qui symbolise à lui seul l'opposition à ses projets. Soudain, un yacht lui coupe la route. Éberlué, René Mantha virevolte brusquement et le prend en chasse. Qui ose encore se mêler de ce qui ne le regarde pas? C'est Mike. C'est ce voyou de Mike qui a vandalisé sa maison. Il ne s'en tirera pas comme ça. Il va te le mettre en pièces, celui-là, depuis l'temps qu'il attend de lui faire payer son crime.

Il va te le faire chavirer et lui passer dessus. Son moteur est drôlement plus puissant que le sien. Déjà, il le rejoint. Déjà, il l'effleure. Il va te le faire chavirer. Te le faire sombrer avec son sourire polisson et son regard téméraire. Les embarcations se heurtent.

— Espèce de grosse merde, lui lance Mike avant de pirouetter habilement pour se retrouver aussitôt en position d'attaque, fonçant délibérément sur lui dans le but de l'éperonner.

— Maudit fou! hurle Mantha, incapable de distancer Mike. Oui, maudit fou. Cet homme qui fonce sur lui n'a rien à perdre. Sa vie est gâchée de toute façon. Il n'est qu'un voyou de trente ans, sans avenir et sans argent. Qu'un homme aux cent métiers et cent misères. Non, cet homme n'a rien à perdre, surtout si la disparition de son fils se confirme. Surtout si ce fils est décédé dans des conditions horribles. Surtout si, d'une manière ou d'une autre, il a contribué, lui, René Mantha, à ce meurtre d'enfant en attisant la haine contre Marjolaine. Non, cet homme n'a rien à perdre, peut, et va le tuer.

Tout se passe vite. Très vite. Quant à mourir, aussi bien incriminer ce voyou. Aussi bien lui faire accomplir son meurtre au vu et au su de tous. René Mantha enclenche au neutre et ferme les yeux.

Une vague puissante, un grondement d'hélice qui tourne momentanément dans le vide suivi d'un tas d'injures.

Mike tourne maintenant autour de lui, le cernant, l'enfermant dans un cercle d'insultes.

Il va te le faire payer cher ce sourire victorieux! Il va te les faire ravaler ces paroles!

— T'es pris, Mike Falardeau. Y a un paquet de témoins qui t'ont vu. Oui, ils t'ont vu essayer d'me tuer.

— C'est toi qu'y ont vu essayer de tuer le gars sur sa planche à voile.

— J'essayais pas d'le tuer... j'voulais juste y faire peur pour qu'y débarrasse la place. Tu vas m'payer ça, Mike Falardeau. T'es rien qu'un bum... Les policiers attendaient juste ça. Ils vont t'en faire un dossier. Moi, j'suis un homme respectable.

— T'es rien qu'une merde, Mantha. T'as toujours été rien qu'une merde. Tu trouvais ça drôle, hein, de voir Ti-Nom garder sa crotte dans sa bouche pour un Coke? Comment t'as aimé ça en avoir dans ta tasse à café?

— J'savais que c'était toi. Tu vas payer cher. Tu vas te retrouver en prison, tu vas voir. T'as attenté à ma vie. Débarrasse astheure. Laisse-moi passer.

— Toi, t'as attenté à deux vies.

— Comment ça?

— T'as jamais vu l'nageur à côté d'la planche?

— Nageur? Quel nageur?

— Lui, ton fils.

Son fils? Quel fils? Dominique? Non, pas Dominique mais l'autre, le moins doué, le moins habile, le moins reluisant. L'autre qu'il a toujours renié parce que totalement différent de lui. Qu'il a toujours refusé de reconnaître comme sien parce que sans agressivité ni ambition. L'autre qui a toutes les caractéristiques de l'agneau dans la tanière du loup. L'autre, avec sa douceur, sa candeur, sa pureté. L'autre qui exploite en lui un filon troublant, dérangeant. L'autre qui lui a offert son premier chant d'oiseau farouche. L'autre qui lui a parlé avec son cœur. L'autre, le moins doué, le moins habile, le moins reluisant de ses fils.

Il ne l'avait pas vu. Aveuglé par la colère, il a risqué à maintes reprises de lui charcuter la tête avec son hélice. Sa tête blonde sans malice et sans rancœur toute pleine d'un monde de fées.

René Mantha ne sait que penser, que faire et regarde cet enfant si différent de lui qui grelotte de tous ses membres sur la planche. Que fait-il là? Qui l'a formé ainsi? Qui l'a conditionné à défendre avec acharnement les êtres invisibles de la planète? Qui a formé cet adversaire tenace qui s'est dressé devant l'excavatrice, qui l'a accusé de tuer le lac et qui, aujourd'hui, a tenté de saboter les régates? D'où lui vient son courage et son audace? Il est si peu doué à vrai dire. Un dernier de classe, qui hier encore faisait pipi au lit. Si peu habile à se tenir debout sur les skis nautiques. Si peu reluisant sous son terne silence. Où puise-t-il sa force? Car il y a une force, une très grande force chez cet enfant en apparence si fragile.

René Mantha regarde ce fils et se laisse envahir par un sentiment d'étrange culpabilité. Un sentiment informe encore qui fait pendant à cet autre sentiment, aussi informe, qui le rattache à Gaby. Dire qu'il a failli le tuer... failli l'assommer... failli l'envoyer couler au fond du lac... Et dire que c'est ce minus qui lui a sauvé la vie.

Cette dernière constatation secoue René Mantha, ravive sa colère. Assez perdu de temps avec cette histoire.

Prudemment, lentement, il se dirige vers la planche, escorté par Mike.

Blanc et tremblant, le professeur le regarde venir avec un regard accusateur.

— Y a pas l'air à trouver que c'était juste pour y faire peur, hein? ironise Mike.

René Mantha l'ignore. Seul son fils maintenant capte son attention. Le moins doué, le moins habile, le moins reluisant de ses fils.

Il lui tend la main pour le faire monter à bord et se surprend à le trouver si léger. Puis, il lui couvre les épaules avec la grande serviette de Dominique et lui frotte énergiquement le dos.

Mike, pour sa part, recueille le professeur.

— T'as froid?

Signe que oui.

— Qu'est-ce que tu faisais là, pour l'amour?

— J'coupais les bouées.

— Tu penses vraiment que les régates vont tuer le lac?

— Oui.

— Bien non, voyons. C'est des histoires, ça. C'est pas plus vrai que l'histoire du père Noël.

Qu'il aimerait convaincre ce fils! Faire de lui un allié et acheter ainsi la paix.

— C'est pas comme le père Noël.

Mais hélas, cet adversaire est indéfectible.

— J'te promets que ça fera pas de mal à ton lac pis que toi et ta petite amie vous pourrez vous baigner tant que vous voudrez parce que l'usine versera plus jamais du poison dans le ruisseau.

— Y a du p'tit monde qui vit dans l'eau... C'est pas parce qu'on les voit pas qu'y existent pas... Y sont pareils comme les microbes du rhume. Pareils, pareils; aussi p'tits.

Indéfectible et incorruptible, l'enfant persiste à défendre cet univers invisible qui lui semble tout à fait plausible. À nouveau, René Mantha est décontenancé. Il n'éprouve aucune joie à vaincre cet adversaire et c'est d'un ton morne qu'il annonce:

— C'est d'valeur pour toi mais les régates vont avoir lieu quand même.

Il revient au quai, bouscule Mike dans l'escalier montant à la tribune et s'empare du micro.

— Mesdames, mesdemoiselles et messieurs, nous vous prions de nous excuser pour ce fâcheux contretemps. Tel que prévu, les régates auront lieu.

Un coup d'œil à l'armada d'embarcations hétéroclites se dirigeant vers le parcours de la course le pousse à donner le signal de départ.

À sa grande surprise, il voit des dizaines d'enfants se précipiter à l'eau avec leur maillot de bain, criant, riant et jouant du ballon autour des bolides.

— Dégagez la plage! Dégagez la plage!

Les baigneurs se multiplient. Les enfants des spectateurs s'ajoutent aux premiers, se précipitant à l'eau tout habillés.

— Sortez de l'eau! Sortez de l'eau! ordonne René Mantha.

Gaby plonge à son tour. Rejoint sa Nadia pendue à une immense chambre à air.

— Gaby! Viens ici! Maudit! Jérôme, fais quelque chose. Va me le sortir de l'eau... Nous demandons aux parents de bien vouloir rappeler leurs enfants. Toi, l'professeur, t'as l'habitude, fais-les sortir!

Gaffe. Le professeur plonge. Youri s'en approche sur un matelas pneumatique. Youri qui a eu honte parce qu'il a pleuré l'été dernier.

Youri qui s'est dissocié de lui. Youri qui a tenté de devenir un homme plus brave et plus courageux que son père.

Youri qui l'a fui. Qui l'a dénigré, l'a blâmé.

Youri qui l'a renié.

Youri est là, près de lui, avec lui. Avec le mot «papa» sur ses lèvres. Avec la fierté dans ses yeux d'enfant où s'impose déjà un adulte. Avec l'admiration. La vénération, l'amour dans l'accolade qu'il lui fait.

— T'as été formidable, papa.

Youri est là, près de lui, avec lui. Là, comme son fils. Là, à reconnaître sa valeur d'homme. Là, à l'adopter comme modèle. Là, à croire en lui. Là, à lui demander son assistance pour le guider vers la maturité.

Là. Enfin là. Auprès de lui, avec lui.

839

C'est l'anarchie complète. Les baigneurs envahissent la plage de leurs éclaboussures et de leurs rires.

L'obéissant et dévoué Jérôme Dubuc rame en direction de Gaby pour le sortir de l'eau comme l'a commandé Mantha. Des gamins abordent sa chaloupe, immobilisent ses rames, font tanguer l'embarcation.

Il s'accroche au banc, s'accroche au rebord et supplie qu'on le laisse tranquille. Rien à faire. On s'ingénie à le faire chavirer. Il ne sait pas nager et appelle Mantha à son secours. Ploush! Il s'agrippe à la première chose venue. C'est la chambre à air. Celle de son enfance quand il passait des heures à rêvasser dessus. Celle du temps où il ne clignait pas des yeux. Avant, bien avant qu'il ne morde à l'appât du gain. Celle de Gaby, ce garçon attendrissant, qui l'accueille d'un sourire timide et lui offre de se joindre à eux.

Se joindre à eux? Lui, le directeur d'usine? Lui qui a vendu son âme au diable, il y a de cela longtemps? Lui, le directeur rampant, le directeur servile, le directeur soumis? Lui, le bras droit du maître? Lui, reprendre son âme au diable? La reprendre à ce maître qui a failli éliminer de la Terre l'être consolant et pacifique qui l'invite à prendre place au milieu.

Il ne sait pas nager. Mantha le sait. Il ne peut pas rejoindre sa chaloupe maintenant livrée aux jeunes mutins.

Son maître le siffle. Son maître aboie des ordres. Il veut encore obéir. Encore donner satisfaction. Demeurer loyal et fidèle. Suivre partout celui qui dicte, le nez collé à ses mollets. Partout, dans les combats. Partout, dans la corruption. Partout... jusqu'au bout de la défaite.

Mais l'enfant le regarde sans proférer une seule parole. L'enfant le gagne par sa candeur. L'enfant l'accepte, l'accueille. Le prend tout de go, sans poser de questions. L'enfant le ramène loin en arrière. Lui fait réintégrer ce nid de caoutchouc où il n'avait pour toute richesse qu'une âme pure.

Jérôme Dubuc n'est plus maintenant qu'un gamin récalcitrant parmi les autres. Il vient de renouer avec la partie tendre et propre de son existence. Qu'un gamin couché dans sa chambre à air. Qu'un gamin qui a noyé, pour un temps du moins, le Flasher-à-Mantha.

— Partez! Partez vos bateaux! vocifère René Mantha.

Les pilotes refusent et d'un geste d'impuissance lui indiquent la flotte encombrant la baie. Pédalos, canots, voiliers, matelas pneumatiques, chaloupes, planches à voile, chambres à air s'en donnent à cœur joie autour des bouées.

Sidéré sur la tribune d'honneur, René Mantha ne semble pas se rendre compte que Mike lui enlève le micro des mains.

— Monsieur Taillefer? M'entendez-vous? Ici Mike.

Un signe de main dans une chaloupe.

— On a retrouvé Alex, sain et sauf... Je répète, on a retrouvé Alex, sain et sauf.

Une casquette vole en l'air, suivie d'un tonnerre d'applaudissements et d'exclamations joyeuses. Défait, René Mantha se dérobe, talonné par les pilotes réclamant leur dû.

Dans l'euphorie générale, personne ne remarque sa jeune maîtresse qui s'éclipse en douce.

— Pleurez pas, voyons. Ils l'ont retrouvé votre petit-fils, répète le touriste en lui serrant le bras, mais c'est plus fort que lui. Ça vient tout seul et tout l'émeut au point de le faire brailler comme un veau. Cette victoire représente pour lui bien plus que pour quiconque. Cette plage où fusent les cris de joie et de triomphe éclipse cette autre plage où crachait la mort. Et cette victoire pour sauver son lac fait oublier l'amère défaite dans un autre pays.

Si Léopold voyait ça, pense Hervé, réticent à le qualifier d'ami comme s'il portait ainsi atteinte à celui qui était mort à ses côtés lors du débarquement. Comme si ses mains pouvaient profaner le souvenir de cette cervelle chaude et visqueuse en serrant la main tremblante du vieil ivrogne. Et puis, non, jamais ce nouvel et dernier ami que la vie lui donne ne fera oublier celui que la mort a ravi.

Hervé sourit enfin et enregistre cette victoire dans ses moindres détails pour la relater plus tard à Alex.

— Y avait plein d'enfants à l'eau, racontera-t-il en caressant les boucles brunes de son petit-fils. Plein d'enfants qui riaient et nageaient, empêchant les bateaux de bouger. Partout, dans la baie, des embarcations de toutes sortes profitaient du lac. C'est moé qui les avait guidées dans la brume à la place de Léopold. Ton cousin, lui, avait décidé de couper les câbles des bouées et le petit professeur s'était rendu tout seul, bien avant nous, attirant sur lui la colère de René Mantha. C'est là que ton papa, oui, ton papa lui a probablement sauvé la vie et celle de Gaby aussi en pourchassant Mantha.

De partout, les gens criaient victoire. Même ceux qui étaient venus voir les régates. Finalement, ils en avaient eu pour leur argent.

Il faisait un beau soleil. J'pense que c'était un des plus beaux jours de ma vie avec celui où j'ai rencontré ta grand-mère. Je venais d'apprendre que le combat que j'avais gagné te servira un jour. J'venais d'apprendre que toi, mon enfant, tu pourras bénéficier de mes efforts, de ceux de ta mère et de tous ceux qui ont tenu à te préserver ton héritage. Puisses-tu en faire autant pour tes enfants, un jour.

* * *

Lundi, 22 juillet 1985.

C'est étrange. Il devrait se sentir heureux, soulagé: elle s'en va. Mais voilà, il ne l'est pas. Qu'est-ce qui lui arrive? Il ne se reconnaît plus.

Affalé dans son fauteuil de cuir, René Mantha écoute les préparatifs de départ d'Irène. Il l'entend trimbaler ses valises de la chambre au vestibule. Devrait-il l'aider? Non: Gaby suffit amplement à cette tâche. Lui aussi, il s'en va. Bon débarras, devrait-il dire, mais voilà, il ne peut pas. Il a sur le cœur un poids qui l'empêche de respirer normalement. Mais qu'est-ce qui lui arrive?

Tient-il à ce point à cette femme qu'il a toujours trompée et à cet enfant qu'il a longtemps renié? Pourquoi s'attache-t-il soudainement à eux à l'instant de leur départ? Il aimerait tant le savoir. Aimerait tant se retrouver comme autrefois, avec autant d'assurance que d'arrogance, autant de détermination que de domination. Mais, voilà, il n'est plus comme autrefois, et cela le déroute. La décision d'Irène le déroute et Irène tout entière le déroute. Il ne s'attendait pas à cela venant d'elle. Jamais, il n'aurait cru qu'elle puisse un jour le quitter. Il la considérait comme un bien acquis, lié à jamais à sa destinée par le truchement de l'aisance matérielle. Jamais il n'aurait

842

cru qu'elle puisse un jour s'envoler de cette cage dorée. Mais voilà, elle s'envole, abritant sous son aile l'oisillon farouche qui lui a fait don de son premier chant.

Et lui, il se sent... comment dire? Triste? René Mantha peut-il se sentir triste? Est-ce une faiblesse de sa part d'éprouver ce sentiment? N'est-ce pas plutôt son orgueil froissé qui le blesse? Sa maladresse qui le choque? Il ne sait pas, il ne sait plus. Les oiseaux étaient là, à portée de ses doigts. Il aurait pu les apprivoiser, petit à petit, et les laisser chanter leur chant d'amour, mais au lieu de cela il a construit une cage autour d'eux. Une cage avec des barreaux en or massif... Une cage où il les a gavés de nourriture et de luxe. Une cage avec des coussins de soie et des perchoirs ornés de diamants. Et les oiseaux se sont tus, les ailes repliées le long du corps. Ternes et immobiles sur leur perchoir orné de diamants, ils ont guetté la porte. Jamais, il n'aurait cru qu'ils puissent s'envoler un jour et faire fi de cette cage de grand prix. Jamais, il n'aurait cru que ces oiseaux ne puissent pas ne pas lui appartenir, étant donné qu'il possédait la cage. Mais les oiseaux ne lui appartenaient pas et, de leur bec, ils ont ouvert la porte et déplié leurs ailes dans l'espace. Et lui, il est là, affalé dans son fauteuil, démonté par son propre comportement. Il est là, à les trouver beaux hors de la cage. Là à s'émerveiller de leur vol malhabile de novice. Là, à espérer bêtement qu'ils reviennent se poser sur son doigt. Là, à les admirer et à les désirer. Là, à les remercier de lui avoir offert ce quelque chose de neuf dans son existence. Ce quelque chose d'inédit, d'imprévisible. Personne jusqu'à ce jour ne s'est échappé de ses cages dorées. Personne n'a voulu abandonner le perchoir orné de diamants. Nulle maîtresse n'a quitté d'elle-même les coussins de satin. Et voilà qu'Irène et Gaby s'en vont... Voilà qu'ils quittent la somptueuse résidence et le laissent seul avec sa cage inutile. Voilà qu'ils chargent leurs bagages dans la voiture.

L'homme tient pensivement une lettre dans ses mains puissantes. Ses mains de bâtisseur. Il en connaît le contenu par cœur. C'est l'autorisation du ministère à utiliser le torrent à des fins récréatives. Il devrait se sentir euphorique, mais voilà, il ne l'est pas. Au lieu de projeter les images futures de sa réussite, tel qu'il a l'habitude de le faire, il revoit toujours l'image de son fils le moins doué, grelottant sur la planche à voile du professeur. Son fils qui était devenu son plus ardent et tenace adversaire. Son fils qui avait finalement gagné.

L'homme relit encore la lettre pour se convaincre qu'il aurait pu remporter une autre victoire. Qu'il aurait pu extraire d'autres barreaux en or massif de ce trésor de la nature. Oui, il aurait pu mener à terme ce projet grandiose et devenir encore plus riche. Encore plus puissant, encore plus pesant. Il aurait pu exploiter cette richesse naturelle, l'enfermer, elle aussi, dans une immense cage dorée, mais pour cela, il aurait fallu qu'il ne regarde plus jamais voler les oiseaux. Qu'il n'écoute plus jamais leur chant nouveau.

— Gaby! appelle-t-il.

L'enfant est là, devant lui. Avec son regard qui parle plus que sa bouche. Il est là, sans rancune, sans amertume. Si différent de lui... C'est le moins doué, le moins habile, le moins reluisant de ses fils et pourtant, de tous ces gens qui se sont levés contre lui, il est celui qui a pratiqué la brèche dans la muraille. Celui qui s'est battu sans désir de gloire, de vengeance ou de popularité. Celui qui a toujours parlé et agi avec son cœur.

Cet être insolite, si différent de lui, le dérange et le gêne. René Mantha s'empresse de parler.

— Ça, mon p'tit gars, c'est la permission du ministère pour faire de belles glissades d'eau dans le torrent.

Silence et déception sur le visage de l'être insolite si différent de lui qui le dérange et le gêne de plus en plus.

— T'as gagné.

L'homme déchire la lettre en deux morceaux puis en quatre puis en huit puis en seize,... s'amusant de voir grandir le sourire de l'être insolite au fur et à mesure que les morceaux rapetissent.

— Va avec ta mère. Elle t'attend.

L'homme le regarde aller et se sent en paix envers lui. Oh! Il aurait pu le garder comme otage et fermer à nouveau la cage. S'en servir de monnaie d'échange pour épargner le torrent et faire ainsi d'une pierre deux coups en capturant sa mère. Oui, il aurait pu se servir encore de sa puissance à l'enfermer mais jamais il n'aurait pu l'obliger à chanter.

Les oiseaux quittent la cage. Par la fenêtre, l'homme regarde cette femme encore belle. À cet instant où elle le quitte, elle lui apparaît plus désirable que toutes les maîtresses qu'il a eues. À l'instant où il la perd, il prend conscience de sa valeur.

Elle tient l'enfant par la main et va, sans se retourner vers cette cage qui a failli lui briser les ailes.

Et lui, reste là, derrière ses barreaux en or massif. Tout seul, avec un perchoir orné de diamants qui se balance dans le vide de son cœur. Tout seul, à tendre les doigts dans l'espace et à espérer que les oiseaux reviennent se poser dessus.

* * *

Éthiopie, Bahir Daar, mardi, 23 juillet 1985.

U ne secousse. Une voix lointaine, à la lisière des songes. Et de nouveau le néant bienfaisant. Sans douleur, sans odeur, sans bruit. Le néant reposant dans lequel elle s'enlise. Puis encore la voix, encore la secousse qui insiste.

Zaouditou s'éveille. Met un temps à reconnaître la femme à ses côtés. Un temps à réintégrer la cabine du camion. Puis, d'un seul coup, les faits s'enchaînent dans son esprit.

Ce matin, à l'aube, alors que fourbus de fatigue, ils atteignaient Werato, elle a cru reconnaître Miss dans un véhicule de la Croix-Rouge. Aussitôt, elle s'est mise à agiter la main pour attirer son attention. Le véhicule s'est immobilisé, et cette infirmière lui a ouvert la portière, lui demandant ce qu'elle voulait. Ce n'était pas Miss... L'étrangère a alors demandé où elle allait.

— Au lac Tana, à Bahir Daar, a-t-elle répondu.

— Montez.

Ils ont pris place sur la banquette et se sont endormis pendant que l'infirmière examinait leurs pieds meurtris. Leurs pieds fendillés, crevassés, brûlés, usés et coupés.

— Bahir Daar, rappelle la femme.

Comment ont-ils pu dormir alors qu'ils étaient si près du but de leur voyage?

Zaouditou réveille son frère. Il geint. Refuse de quitter ce néant où il ne souffre pas et ne s'épuise pas. Ils ont tant marché depuis plus d'un mois. Tant marché pendant la nuit pour éviter les convois et se préserver de la chaleur. Ils ont tant espéré un puits d'un village à l'autre. Tant cherché un gîte pour se reposer. Tant grimacé à chaque pas qui éveillait la douleur dans la plante de leurs pieds. Elle comprend qu'il tarde à renouer avec tout cela.

— Lac Tana, verse-t-elle à son oreille. Lac Tana, lac Tana, lac Tana, répète-t-elle jusqu'à ce qu'il soulève ses paupières lourdes de sommeil. «Nous sommes arrivés, Nigusse... Viens.»

Il se frotte les yeux, les referme, se recroqueville sur la banquette. Elle le secoue.

— Je m'en vais, Nigusse... Viens.

Il s'éveille en sursaut et s'agrippe à elle, les yeux écarquillés.

L'infirmière les aide à descendre. Zaouditou redoute le premier contact de ses pieds avec le sol et constate avec stupéfaction qu'il est moins douloureux qu'elle escomptait. Elle regarde: ses pieds sont pansés ainsi que ceux de Nigusse.

Avant de repartir, le conducteur éthiopien leur recommande de se présenter au Centre de santé de Bahir Daar pour faire soigner leurs blessures.

— Regarde... Zaouditou, émet Nigusse dans un souffle admiratif.

C'est alors qu'apparaît un pays vert... tout vert, avec des champs cultivés et des tukuls* de paille. Rêve-t-elle encore dans la cabine du camion? Se réveillera-t-elle à l'ombre d'un rocher le long

---

* Tukul: hutte conique.

de la route? Nigusse tourne sur place, s'emplissant les yeux de cette vision. Sont-ils vraiment au paradis?

La fillette fait un pas. Recherche la souffrance pour confirmer la réalité. Oui, ils sont au paradis... Non, elle ne rêve pas... Et ce parfum dans l'air... ce parfum humide qu'elle détectait au fond de la cruche d'eau... Ce parfum qui lui dilate les narines lui certifie qu'ils sont près du lac Tana.

— Nigusse! Regarde! Il est là!

Là, derrière les denses feuillages et les silhouettes coniques des huttes. Là, tout bleu et immense comme un mirage colossal. Là, avec des diamants scintillant à la surface. Là, droit devant.

— Viens.

Les enfants courent sans ménager leurs blessures. Malgré les pierres, ils courent, tombant chacun leur tour. Malgré le sang et le pus qui souillent leurs pansements; ils courent, les mains tendues, le cœur battant à tout rompre dans leur poitrine rachitique, la gorge sèche et le souffle court d'avoir déployé tant d'efforts.

La berge est rocailleuse... Peu importe. Il est là, droit devant. À portée de leurs doigts osseux. De leur peau desséchée. C'est lui. Lui qu'ils recherchent et espèrent depuis les confins de l'enfer. Lui qui les a maintenus en vie. Lui qui a guidé leurs pas douloureux... Lui qui les a aspirés, aimantés, attirés. Lui qui était au bout de l'index du patriarche lorsqu'ils sont partis en exode.

Zaouditou et Nigusse s'arrêtent soudainement là où l'eau lèche les pierres. Là où commence le monde aquatique. Là où finit leur désert. Là où flottent des brindilles à proximité des cailloux. Là, à la ligne de démarcation entre le paradis et l'enfer. Précisément là où le cordon de l'eau délimite son royaume.

L'instant est solennel. Unique. Mystique. Tant de fois espéré. Tant de fois rêvé.

Un bateau de papyrus glisse au loin sur la surface miroitante. Silencieux. Rudimentaire. De conception millénaire. Ainsi glissait-il au temps des rois et de la construction des monastères. Là-bas, trois femmes lavent leur linge. Ainsi faisaient-elles jadis.

L'instant est solennel. Unique. Mystique. Tant de fois espéré. Tant de fois rêvé.

Combien d'écuelles pour remplir ce gigantesque bassin dans lequel pénètrent les femmes pour laver leur linge? Combien de cruches pour permettre au bateau d'y naviguer? Est-ce possible tant d'eau? Toutes les cruches de toute sa vie n'auraient été qu'une goutte dans cet océan.

Zaouditou se recueille, les yeux maintenant rivés à cette frontière du paradis et de l'enfer qu'elle s'apprête à franchir. Cette frontière sans douane, sans soldat. Sans carte de camarade-citoyen, sans autorisation et sans interdiction.

Son cœur bat tellement fort qu'elle pense défaillir. Sans savoir pourquoi, elle a peur maintenant de pénétrer ce royaume aquatique. Elle a peur du paradis inconnu.

Déçue de sa réaction, elle hésite à rompre avec l'enfer qui l'a pétrie. Elle se calme. S'apprivoise lentement à cette immensité fluide dans laquelle elle craint de se perdre. Un regard de côté lui apprend que Nigusse éprouve les mêmes sentiments contradictoires. C'est incompréhensible. Ils ont tant espéré. Tant rêvé de cet instant.

Elle sourit à ce frère en pensant à Zeferi qui les aurait éclaboussés en riant, Zeferi que sa mère berçait sur la frontière de la vie et de la mort. Elle pense à ce frère perdu en cours de route et touche l'eau de ses orteils. C'est froid, étrange et doux. Elle enfonce un pied. Puis l'autre.

Ses pansements sont maintenant tout mouillés et une brûlure s'intensifie dans ses plaies. Elle ne s'y arrête pas, attentive au chatouillement au niveau de sa cheville.

Nigusse, à bout de bras pour tenir sa jupe, se retrouve près d'elle en deux bons pleins d'éclaboussures qui le laissent tout frissonnant, les bras repliés sur sa poitrine, le dos rond.

Elle pense à sa mère attachée à sa maison d'argile. Sa mère qui lui a légué l'espoir en héritage et fait un autre pas avec Nigusse.

Elle pense à grand-père qui a tant cherché à cerner LA désobéissance. Grand-père qui a déraisonné, divagué, déliré, confondant les livres saints et la réalité. Grand-père qui est resté debout le plus longtemps possible et qui, en signe d'adieu, a dessiné une croix pardessus la marque de la survie. Elle pense à grand-père et fait un pas.

Elle pense à bébé Groum, le petit vieillard plissé par la faim et la soif, et fait un autre pas.

Elle pense à son père et au sac de teff qui a longtemps symbolisé sa mort, puis fait un autre pas.

Elle pense à la chèvre et à sa langue traînant dans la poussière. Pense à l'âne aux genoux écorchés qui les a accompagnés jusqu'à la limite de sa vie, pense au grain de teff mis en terre et s'avance résolument jusqu'à ce que l'eau rejoigne sa taille. Nigusse, lui, en a jusqu'aux épaules.

Elle s'arrête. Regarde tout autour d'elle avec des yeux ébahis, réprimant les frissons qui la parcourent. Puis, formant une écuelle de ses mains, elle s'asperge le visage et s'abreuve, laissant couler l'eau partout sur son menton et son cou. Laissant filer l'eau sous ses haillons. La laissant s'égoutter et chanter au bout de ses doigts.

Elle la contemple, cette eau. Elle la respire, elle la boit. C'est la vie, cette eau. Oui, la vie qui perle sur sa peau déshydratée, la vie qui tombe goutte à goutte comme autant de notes mélodieuses, la vie qui brille au fronton de chaque vaguelette. La vie qui s'imbibe, qui s'infiltre sous les arbres et les champs. La vie qui abreuve plantes et moissons, hommes et bêtes. La vie précieuse. Unique. Fragile. C'est la vie, cette eau, elle le sait pour être sortie des entrailles stériles du désert. C'est la source de vie, cette eau... car sans elle, la mort triomphe. Elle sait cela.

Alors, puisant religieusement cette vie dans ses mains formant une écuelle, elle la laisse couler sur le front de son frère. Le lavant, le purifiant de tout son passé d'enfer, de toute sa déchéance.

Elle répète le geste, émue par l'eau divine qui ruisselle dans les cheveux de Nigusse, captivée par son chant fluide et suave.

Elle n'est qu'une enfant du désert, qu'une enfant de l'enfer, mais elle sait qu'elle tient maintenant la vie dans ses mains.

Elle n'est qu'une enfant du désert, qu'une enfant de l'enfer, mais elle sait que les hommes détériorent cette vie au profit de leurs guerres.

Elle n'est qu'une enfant du désert, qu'une enfant de l'enfer, mais elle a conscience de baptiser son frère à une nouvelle vie. Elle a conscience que dans ce pays piétiné par le cheval roux, le cheval noir et le cheval verdâtre, ils ont réussi à ne pas mourir.

Il leur reste maintenant à apprendre à vivre. Il leur reste maintenant à faire triompher cette vie qu'elle tient dans ses mains. Cette vie de l'eau. Cette vie qui devrait surgir d'un puits au cœur de chaque village. Cette vie qui devrait réapprendre à s'infiltrer sous

851

les champs de bataille. Cette vie qui devrait rejoindre tous les grains de teff mis en terre et toutes les langues tendues. Cette vie sacrée, unique, précieuse et fragile qui trace des chemins dans la poussière de ses bras levés vers le ciel.

* * *

ESPOIR

Il n'est qu'un enfant et pourtant...

Gaby contemple le lac qui doucement lui lèche les orteils du bout de ses vagues paresseuses. Couché à ses pieds, la grande bête fluide lui murmure ses remerciements.

Il n'est qu'un enfant et pourtant, sans trop savoir comment, il a réussi à protéger cet être qui allait mourir sans une goutte de sang et sans un cri.

Sans trop savoir comment, il a réussi à défendre ces milliers de petites vies invisibles. Son père lui a dit qu'il avait gagné, ce qui supposait que cet homme avait perdu... Mais... qu'avait-il perdu à sauvegarder ce lac? Qu'avait-il perdu à protéger sa petite mère la Terre, cette planète unique dans l'univers?

D'une étoile à l'autre, le regard de l'enfant grimpe au ciel, puis se perd dans la multitude. Son frère Dominique lui a dit qu'il y en avait tellement qu'on ne parvenait pas à toutes les compter. Un jour, son frère ira sur la Lune dans un habit d'astronaute. Un jour, il se promènera de planète en planète et visitera les astéroïdes, mais nulle part il ne verra de planète plus jolie que sa petite mère la Terre. Les savants le savent déjà. Ils ont vu dans leurs gros télescopes le visage de pierre des autres planètes. Ils ont vu le froid extrême et la chaleur extrême... mais nulle part, ils n'ont vu de planète drapée dans un voile bleu d'atmosphère... nulle part, ils n'ont vu la goutte d'eau, la feuille, l'insecte. Nulle part, ils n'ont vu la vie. L'univers de l'infiniment grand leur apparaît mort et stérile. Peut-être cet univers était-il vivant, il y a bien... bien longtemps. Peut-être que l'infiniment grand... vivait autant que l'infiniment petit... Qui sait?

Avec aisance, il pénètre cet univers hors de l'entendement. Les atomes pas plus que les étoiles ne l'effraient, ne le rebutent. Il connaît leur existence tout simplement, sans chercher à comprendre. Il n'est qu'un enfant retardé... qu'un enfant attardé près des mystères.

Il n'est qu'un enfant et pourtant, sans trop savoir comment, il a réussi à protéger cette vie invisible. Alors, son cœur se gonfle d'espoir pour demain.

Si lui, qui n'est qu'un enfant retardé, a réussi à sauver ce lac, il ne doute pas que les grands, les savants, les puissants soient en mesure de protéger la planète entière.

Si lui, qui a doublé sa première année, a compris qu'il faut préserver le trésor inestimable que seule la planète Terre possède, il ne doute pas que les grands, les savants, les puissants fassent en sorte que les enfants de demain reçoivent cet héritage qui leur est dû.

Si lui a compris... Si lui a réussi... Il ne doute pas que les grands, les savants, les puissants...